LAROUSSE
DE POCHE

LE PRATIQUE

D1173325

orthographe
—
conjugaison
—
difficultés

LAROUSSE

17 RUE DU MONTPARNASSE 75298 PARIS CEDEX 06

Distributeur exclusif au Canada : les Éditions Françaises Inc.

ISBN 2-03-800027-1

Orthographe

100 règles
21 000 mots

Avant-propos

L'orthographe est la manière de représenter correctement — c'est-à-dire conformément à des règles grammaticales et à des usages — les mots utilisés pour s'exprimer. Elle fait l'objet d'un long apprentissage au cours de la scolarité et c'est finalement sur sa plus ou moins grande maîtrise que toute personne qui écrit est jugée. En effet, une bonne orthographe témoigne à la fois d'une connaissance suffisante de la grammaire (le fonctionnement de la langue) et d'une activité de lecture diversifiée, seul moyen efficace de mémoriser la graphie des mots.

Dans cette section, une large part est consacrée au rappel des règles d'accord dont la méconnaissance est la plus sévèrement sanctionnée dans les exercices scolaires — on parle alors couramment de «faute d'orthographe grammaticale».

Un vocabulaire orthographique riche de 21 000 mots (alors qu'une personne cultivée emploie rarement plus de 5 000 mots) permet de retrouver chaque bonne graphie à sa place alphabétique et d'éviter les erreurs qualifiées de «fautes d'usage».

Cette partie indique les pluriels difficiles, les genres sur lesquels chacun hésite, et qu'il faut cependant connaître pour respecter les règles d'accord, et attire l'attention sur les particularités (lettre redoublées, confusions à éviter entre homonymes, écarts entre les mots d'une même famille, etc.).

L'ÉDITEUR

Sommaire

I. Orthographe des noms et des adjectifs

1. Le genre des noms désignant des êtres vivants

- Le **nom** peut avoir **deux formes,** l'une pour le **masculin,** l'autre pour le **féminin :** *un danseur/une danseuse ; un traducteur/une traductrice ; un chien/une chienne.*

- Le nom peut avoir **une seule forme** pour les **deux genres ;** l'article au singulier marque le genre : *un/une architecte ; un/une pianiste ; un/une propriétaire ; un enfant poli/une enfant polie.*

  Il n'existe parfois que le **nom masculin** avec l'article masculin qui désigne, selon les cas, soit un **homme,** soit une **femme :** *un professeur ; un chef. Colette est un auteur connu. C'est elle le chef de service. Madame Durand est un grand médecin.*

Remarques.

1. Lorsque le **masculin** est la **seule forme,** et si l'on veut préciser qu'il s'agit d'une femme :

— on fait suivre cette forme du mot **femme** ou on emploie **une femme** suivi du nom masculin : *un écrivain femme ; une femme écrivain. Nous avons un professeur femme ;*

— dans la langue familière, on emploie quelquefois l'**article** au **féminin :** *La professeur de dessin est gentille. La chef est dure.*

2. Quand il s'agit d'**animaux,** et si l'on veut distinguer le sexe de l'animal, on fait suivre le nom masculin ou féminin des adjectifs **mâle/femelle :** *un éléphant mâle/un éléphant femelle ; une girafe mâle.*

3. Le genre de quelques mots est en opposition avec celui de la personne qu'ils désignent :

— sont **féminins** les noms suivants appliqués en général aux **hommes :** *estafette, vigie, sentinelle, ordonnance, recrue ;*

— sont **masculins** les noms suivants appliqués en général aux **femmes :** *un laideron, un tendron, un bas-bleu.*

Quelques mots appliqués aux femmes peuvent être masculins ou féminins : *Cette fille est un souillon/une souillon.*

2. Le genre des noms désignant des choses

- Les **noms** désignant des **objets,** des **actions,** des **états,** des **activités,** noms **concrets** et noms **abstraits,** ont un **seul genre,** masculin ou féminin. Ce genre, pour les **noms racines** ou noms de base, **n'est pas prévisible :** *équivoque, abîme,* *astérisque, apostrophe, énigme*, etc., sont-ils masculins ou féminins? Il convient de consulter le dictionnaire.

● Pour les **noms dérivés**, le genre dépend du **suffixe** :

MASCULIN	FÉMININ
-age : *lavage, repassage*	**-tion** : *donation, accélération*
-ment : *morcellement, abattement*	**-ie** : *boulangerie, épicerie*
-oir : *entonnoir, ouvroir*	**-ise** : *bêtise, couardise*
-ier : *vivier, encrier*	**-ade** : *orangeade, marmelade*

Remarques.

1. **Les noms de villes.**

● Les villes désignées par un nom précédé de l'article **le/la** sont du genre indiqué par cet article : *Le Havre* (masc.). *La Rochelle* (fém.). *La Bourboule* (fém.).

● Les noms de villes terminés par -**e** ou -**es** sont du féminin : *Marseille, Nantes sont belles.*

● Les noms de villes terminés par une **autre voyelle** que -e(s) ou par une **consonne** sont masculins : *Nancy. Brest. Bordeaux. Paris.*
Toutefois ce n'est pas une faute de considérer que les noms de villes peuvent être indifféremment des deux genres.

2. **Les noms de bateaux.**

● Les bateaux désignés par des **noms** de **personne masculins** sont masculins : *le Colbert ; le Richelieu.*

● Les bateaux désignés par des **noms** de **localité** ou des noms **abstraits masculins** sont masculins : *le Dunkerque ; le Victorieux.*

● Les bateaux désignés par des **noms féminins** sont masculins ou féminins selon le **type de navire** qu'ils désignent : la *Jeanne d'Arc* (une frégate ; fém.) ; la *Marseillaise* (une frégate ; fém.) ; le *Liberté* (un cargo ; masc.) ; le *France* (un paquebot ; masc.) ; le *Lorraine* (un cuirassé ; masc.).

3. Les noms à double genre

1. Un très petit nombre de noms ont un double genre :

● **aigle** est masculin quand il désigne l'oiseau mâle ou l'insigne de décoration figurant un aigle (avec majuscule) ; *aigle* est féminin quand il désigne l'oiseau femelle, les armoiries (en termes de blason), ou l'étendard, le symbole : *Un aigle vole dans le ciel. Une aigle et ses petits. L'Aigle blanc de Pologne. Les aigles impériales. L'aigle romaine.*

● **amour** est masculin, sauf au pluriel dans la langue littéraire où il peut être féminin au sens de «passion amoureuse» : *les amours adolescentes.*

9

- **chose** est féminin, sauf dans les pronoms indéfinis et locutions **autre chose, peu de chose, quelque chose, grand-chose** qui sont du masculin : *C'est une très belle chose./C'est quelque chose de très beau.*

- **délice** est masculin au singulier et féminin au pluriel ; mais ce féminin est rare et appartient à la langue littéraire ; en langue courante, et en particulier avec la tournure *un des*, on emploie le masculin pluriel : *Ces bonbons sont un délice. Les merveilleuses délices de l'amour. Un de mes plus grands délices était de les entendre parler ainsi.*

- **foudre** est féminin, sauf dans **un foudre de guerre** : *La foudre est tombée sur la maison./Ce n'est pas un foudre de guerre ; il est prêt à toutes les concessions.*

- **gens** est aujourd'hui masculin pluriel. L'accord des adjectifs attributs ou apposés et des participes se fait donc au masculin pluriel : *Les gens sont contents, épanouis. Des jeunes gens sont venus. Patients, les gens attendaient sans rien dire.*
  Gens présente des particularités pour l'accord de l'adjectif épithète :
  — Placé après le nom, l'adjectif épithète est au masculin pluriel : *Des gens heureux sans problèmes.*
  — Placé avant le nom, l'adjectif épithète est au féminin pluriel mais l'adjectif attribut est au masculin pluriel : *Quelles bonnes gens ! Toutes les vieilles gens étaient inquiets.*
  — L'adjectif épithète ou attribut de *gens* qui a une forme unique pour les deux genres (terminé par *-e*), est au masculin pluriel : *Quels braves gens !*
  — Lorsque *gens* forme avec un complément de nom une locution indiquant les membres d'une profession, une catégorie de personnes, l'adjectif épithète est au masculin pluriel : *Ce sont d'heureux gens de lettres, gens du monde, gens de robe,* etc.

- **hymne** est masculin quand il désigne le chant national ou le poème en l'honneur des dieux ; il est féminin quand il désigne la composition poétique religieuse.

- **merci** est masculin dans les formules de politesse, et féminin dans la locution **à la merci de** : *Je vous dois un grand merci pour ce service./Le programme est à la merci du moindre incident.*

- **œuvre** est du féminin ; il n'est du masculin que dans **le gros œuvre** (en construction), **le grand œuvre** (recherche de la pierre philosophale) et quand il désigne (uniquement en langue littéraire) l'ensemble des œuvres d'un musicien, d'un écrivain : *Enregistrer tout l'œuvre de Mozart* (langue littéraire)/*toute l'œuvre de Mozart* (langue courante).

- **orgue** est masculin singulier et **orgues** est féminin pluriel quand il désigne un seul instrument ; **orgues** est masculin pluriel s'il désigne plusieurs instruments : *le très bel orgue de Saint-Sulpice. Il y a deux petits orgues dans cette chapelle./Les très belles orgues de Saint-Sulpice.*

- **pâque** est féminin singulier quand il désigne la fête juive. **Pâques,** avec un *-s*, une majuscule et sans article est masculin singulier quand il désigne le jour de la fête chrétienne : *Pâques a été pluvieux cette année ?* mais il est féminin pluriel dans : *les Pâques fleuries, Joyeuses Pâques,* et *faire ses pâques.*

- **personne,** nom, est féminin ; pronom, il est masculin : *C'est une très gentille personne. Personne n'est venu.*

2. Pour quelques noms l'usage hésite entre le masculin et le féminin. Par exemple : **après-midi, pamplemousse, palabre, perce-neige** sont masculins ou féminins. Certains noms ont changé de genre au cours d'une période relativement récente : **alvéole,** autrefois masculin, est maintenant féminin.

3. Les **homonymes** sont des noms qui ont la même forme graphique mais des sens différents ; leur genre peut lui aussi être différent. Ainsi :

- **tour** est féminin quand il désigne la construction : *la tour Eiffel ;* masculin quand il désigne l'instrument : *un tour de potier.*

- **vase** est masculin quand il désigne l'objet : *Le vase est brisé ;* féminin quand il désigne la boue : *La vase est collante.*

4. Le genre des adjectifs

> Les **adjectifs** n'ont **pas** de **genre** propre ; leur genre est **déterminé** par le **nom** auquel ils se rapportent. Mais ils peuvent avoir deux formes différentes au masculin et au féminin : les règles de formation du féminin sont alors les mêmes que celles des noms.

Remarques.

1. Certains adjectifs ne changent pas de forme au féminin, alors que le nom correspondant a une autre forme : *un homme pauvre/une femme pauvre ; un pauvre/une pauvresse.*

2. Certains adjectifs sont **invariables** en **genre** : *un chic garçon/une chic fille.*

3. L'adjectif masculin peut s'appliquer à un féminin même si une forme féminine existe : *une fille grognon, traître.* (C'est le cas en particulier pour de nombreux adjectifs populaires : *Elle est trognon ; elle est costaud.*)

5. Le féminin des noms et des adjectifs

┌─ **Règle 1.** ─────────────────────────────────

Le **féminin** des noms et des adjectifs qui se terminent par une **voyelle** au masculin se forme en ajoutant un **-e** : *ami/amie ; élu/élue ; bleu/bleue.*
Les noms et les adjectifs terminés par un **-e** au masculin gardent la même forme au **féminin** : *artiste ; architecte ; large.*

11

Exceptions.

1. Les noms et les adjectifs terminés au masculin par **-eau** ont un féminin en **-elle** : *agneau/agnelle* ; *beau/belle* ; *chameau/chamelle* ; *jumeau/jumelle* ; *nouveau/nouvelle* ; *tourangeau/tourangelle*.

2. Les noms et les adjectifs terminés au masculin par **-ou** ont un féminin en **-olle** : *mou/molle* ; *fou/folle* ;
sauf : *hindou* et *flou* qui ont un féminin en **-oue** : *hindoue, floue*, et *andalou* qui a un féminin en **-ouse** : *andalouse*.

3. Les noms et les adjectifs terminés au masculin par **-gu** ont un féminin en **-guë** : *aigu/aiguë* ; *ambigu/ambiguë*.

4. Les participes masculins **crû, dû, mû, recrû**, font au féminin **-ue** (sans accent circonflexe) : *crue, due, mue, recrue*.

5. Les masculins suivants ont un féminin en **-esse** ou **-sse** :

âne/ânesse	*abbé/abbesse*	*bêta/bêtasse*
bonze/bonzesse	*bougre/bougresse*	*chanoine/chanoinesse*
comte/comtesse	*diable/diablesse*	*drôle/drôlesse*
druide/druidesse	*hôte/hôtesse*	*maître/maîtresse*
mulâtre/mulâtresse	*nègre/négresse*	*ogre/ogresse*
pape/papesse	*pauvre/pauvresse* (nom)	*poète/poétesse*
prêtre/prêtresse	*prince/princesse*	*prophète/prophétesse*
sauvage/sauvagesse	*tigre/tigresse*	*traître/traîtresse*
vicomte/vicomtesse		

Cette formation est utilisée pour certains noms (sans féminin) dans la langue populaire : *chef/cheffesse*.

6. Les masculins suivants ont un féminin **irrégulier** : *coi/coite* ; *esquimau/esquimaude* ; *favori/favorite* ; *hébreu/hébraïque* ; *rigolo/rigolote*.

Règle 2.

Si les noms et les adjectifs se terminent au masculin par **-n,** le **féminin** se forme

- soit en ajoutant un **-e.** C'est le cas des finales :

  -ain/-aine : *châtelain/châtelaine* ;
  -an/-ane : *partisan/partisane* ; *faisan/faisane* ;
  -in/-ine : *cousin/cousine* ; *voisin/voisine* ;

- soit en redoublant le **-n** avant le **-e.** C'est le cas des finales :

  -on/-onne : *baron/baronne* ; *lion/lionne* ; *bon/bonne* ;
  -ien/-ienne : *gardien/gardienne* ; *mien/mienne* ;
  -en/-enne : *lycéen/lycéenne* ; *guinéen/guinéenne*.

Exceptions.

1. Ont un féminin en **-anne** (et non -ane) : *Jean/Jeanne* ; *paysan/paysanne*.

2. Ont un féminin en **-one** (et non *-onne*) : *Simon/Simone ; mormon/mormone.* Ont deux féminins, l'un en **-one,** l'autre en **-onne** : *lapon/laponne* ou *lapone ; letton/lettonne* ou *lettone ; nippon/nipponne* ou *nippone.*

3. Ont un féminin **irrégulier** : *bénin/bénigne ; compagnon/compagne ; sacristain/sacristine ; copain/copine ; malin/maligne.*

Règle 3.

Si les noms et les adjectifs se terminent au masculin par **-t** ou **-d,** le **féminin** se forme

- soit en ajoutant un **-e.** C'est le cas des finales :
  -ant/-ante : *fabricant/fabricante ; obéissant/obéissante ;*
  -and/-ande : *marchand/marchande ; grand/grande ;*
  -ard/-arde : *bâtard/bâtarde ; faiblard/faiblarde ;*
  -at/-ate : *candidat/candidate ; délicat/délicate ;*
  -aud/-aude : *noiraud/noiraude ; lourdaud/lourdaude ;*
  -it/-ite : *maudit/maudite ; droit/droite ;*
  -ond/-onde : *rubicond/rubiconde ;*
  -ot/-ote : *idiot/idiote ; manchot/manchote.*

- soit en redoublant le **-t** devant **-e.** C'est le cas de la finale :
  -et/-ette : *muet/muette ; cadet/cadette ; propret/proprette.*

Exceptions.

1. Les masculins suivants en **-at** et **-ot** ont un féminin en **-atte** et **-otte :** *chat/chatte ; boulot/boulotte ; maigriot/maigriotte ; pâlot/pâlotte ; sot/sotte ; vieillot/vieillotte.*

2. Les masculins suivants en **-et** ont un féminin en **-ète :** *un préfet/une préfète ; complet/complète ; concret/concrète ; désuet/désuète ; discret/discrète ; incomplet/incomplète ; indiscret/indiscrète ; inquiet/inquiète ; replet/replète ; secret/secrète.*

Règle 4.

Si les noms et les adjectifs se terminent au masculin par **-l,** le **féminin** se forme

- soit en ajoutant un **-e.** C'est le cas de la finale :
  -al/-ale : *banal/banale ; structural/structurale ; bancal/bancale.*

- soit en redoublant le **-l** devant **-e.** C'est le cas des finales :
  -eil/-eille et **-il/-ille** : *vermeil/vermeille ; pareil/pareille ; gentil/gentille ;*
  -el/-elle et **-ul/-ulle** : *Gabriel/Gabrielle ; cruel/cruelle ; nul/nulle.*

Règle 5.

Si les noms et les adjectifs se terminent par **-s** au masculin, le **féminin** se forme

- **soit en ajoutant un -e.** C'est le cas des finales :
  - **-ais/-aise** : *Français/Française* ;
  - **-is/-ise** : *gris/grise* ; *soumis/soumise* ;
  - **-ois/-oise** : *Niçois/Niçoise* ; *matois/matoise* ;
  - **-rs/-rse** : *retors/retorse* ; *tors/torse.*

- **soit en redoublant le -s devant -e.** C'est le cas des finales :
  - **-as/-asse** : *las/lasse* ; *bas/basse* ; *gras/grasse* ;
  - **-os/-osse** : *gros/grosse.*

Exceptions.

1. Ont un féminin en **-aisse, -isse** (et non *-aise, -ise*) ou **-esse,** les mots suivants : *épais/épaisse* ; *métis/métisse* ; *exprès/expresse.*

2. Ont un féminin en **-ose, -ase** (et non *-osse, -asse*), les mots suivants : *dispos/dispose* ; *ras/rase.*

3. Certains adjectifs ont un féminin **irrégulier** : *frais/fraîche* ; *tiers/tierce.*

Règle 6.

Si les noms et les adjectifs se terminent par **-r** au masculin, le **féminin** se forme ainsi :

- **-er/-ère** : *fermier/fermière* ; *léger/légère* ; *boucher/bouchère* ;
- **-eur/-euse** : *trompeur/trompeuse* ; *vendeur/vendeuse* ;
- **-ateur/-atrice** : *évocateur/évocatrice* ; *spectateur/spectatrice* ;
- **-culteur/-cultrice** : *apiculteur/apicultrice* ;
- **-cteur/-ctrice** : *correcteur/correctrice* ; *traducteur/traductrice.*

Exceptions.

1. Les noms et adjectifs masculins en **-teur** ont un féminin en **-trice,** ou en **-teuse** : *instituteur/institutrice* ; *débiteur/débitrice* ; *enquêteur/enquêtrice* ou *enquêteuse* ; *chanteur/chanteuse* ; *comploteur/comploteuse.*

2. Les adjectifs suivants en **-eur** ont leur féminin en **-eure** : *antérieur/antérieure* ; *extérieur/extérieure* ; *inférieur/inférieure* ; *intérieur/intérieure* ; *majeur/majeure* ; *meilleur/meilleure* ; *mineur/mineure* ; *postérieur/postérieure* ; *supérieur/supérieure* ; *ultérieur/ultérieure* ; ainsi que le nom *prieur/prieure.*

3. Les mots masculins suivants en **-eur** ont un féminin irrégulier en :
  - **-eresse** : *bailleur/bailleresse* ; *chasseur/chasseresse* (poétique) ; *défendeur/défenderesse, demandeur/demanderesse* (juridique) ; *pécheur/pécheresse* (religieux) ; *enchanteur/enchanteresse* ; *vengeur/vengeresse* ;
  - **-oresse** : *docteur/doctoresse* ;
  - **-drice** : *ambassadeur/ambassadrice.*

4. Cantatrice (féminin) correspond a *chanteur* (masculin) quand il s'agit d'une chanteuse d'opéras, de chants classiques, etc., de grand talent.

Règle 7.

Si les noms et les adjectifs se terminent par **-x** ou **-f** au masculin, le **féminin** se forme en remplaçant *-x* par **-se** et *-f* par **-ve** : *jaloux/jalouse; époux/épouse; vif/vive; veuf/veuve; neuf/neuve.*

Exceptions.

Bref, doux, faux et **roux** ont comme féminins **brève, douce, fausse** et **rousse. Vieux** a pour féminin **vieille.**

Règle 8.

Si les noms se terminent par **-c** au masculin, le **féminin** se forme en remplaçant *-c* par **-que** : *turc/turque; caduc/caduque; public/publique; Frédéric/Frédérique; les rois francs/les invasions franques.*

Exceptions.

1. Ont un féminin en **-che** : *sec/sèche; franc* (= loyal)/*franche; blanc/blanche.*

2. Ont un féminin **irrégulier** : *duc/duchesse; grec/grecque.*

Règle 9.

Les noms et adjectifs terminés par **-p** ou **-g** au masculin, ont un **féminin** en **-ve** pour *-p* et **-gue** pour *-g* : *loup/louve; long/longue; oblong/oblongue; barlong/barlongue.*

Règle 10.

Quand il s'agit d'êtres vivants (personnes ou animaux), on peut avoir **deux noms différents** pour désigner l'**homme** ou la **femme**, le **mâle** ou la **femelle.** Ainsi pour

● des noms de **parenté** ou des **appellatifs** :

père/mère	*papa/maman*	*oncle/tante*
neveu/nièce	*fils/fille*	*frère/sœur*
gendre/bru	*mari/femme*	*monsieur/madame*
parrain/marraine.		

● des noms de **fonction**, de **titre**, etc. :

diacre/diaconesse	*dieu/déesse*	*empereur/impératrice*
héros/héroïne	*roi/reine*	*tsar/tsarine.*

- des noms d'**animaux** :

bélier/brebis	*bouc/chèvre*	*canard/cane*
cerf/biche	*chevreuil/chevrette*	*coq/poule*
daim/daine	*étalon/jument*	*jars/oie*
lévrier/levrette	*lièvre/hase*	*poulain/pouliche*
sanglier/laie	*singe/guenon*	*taureau/vache*
verrat/truie.		

6. Le singulier et le pluriel

- Le **singulier** des noms désigne **un seul** être ou objet ou un ensemble d'êtres ou d'objets : *une table ; une girafe ; la foule.*

- Le **pluriel** des noms désigne **plusieurs** êtres ou objets ou plusieurs ensembles d'êtres ou objets : *des tables ; des girafes ; des foules.*
  Les adjectifs, s'accordant en nombre avec le nom auquel ils se rapportent, ont un singulier et un pluriel : *une grande table/de grandes tables.*

Remarques.

1. Certains noms **n'ont pas de singulier** : *ténèbres, obsèques, décombres, mœurs, fiançailles, funérailles, pourparlers, prémices,* etc.

2. Certains noms ont un **sens différent** au **singulier** et au **pluriel** :

appât (pour les poissons)	*appas* (charmes, langue littéraire)
ciseau (de menuisier)	*ciseaux* (langue courante)
assise (d'un bâtiment)	*assises* (d'un congrès)
lunette (d'astronome)	*lunettes* (langue courante)
menotte (petite main)	*menottes* (pour attacher les poignets).

3. Certains noms ont le **même sens** au **singulier** ou au **pluriel** : *porter la moustache/des moustaches ; une culotte/des culottes* (de garçonnet) *; une jumelle/des jumelles marines ; un lorgnon/des lorgnons ; mettre son pantalon/ses pantalons.*

4. Les **noms de jour** prennent la marque du **pluriel** : *tous les lundis, tous les dimanches.*

7. Le pluriel des noms et des adjectifs

Règle 1.

Les **noms** et les **adjectifs** prennent un **-s** au **pluriel** : *un ennui/des ennuis ; une grande maison/de grandes maisons.*

Exceptions.

1. Les noms et les adjectifs terminés au singulier par **-s, -x, -z** gardent la **même forme** au pluriel : *un prix/des prix; un bois précieux/des bois précieux; un grand nez/de grands nez.*

2. Les noms suivants, terminés par **-ou** au singulier, prennent un **-x** au pluriel : *bijou, caillou, chou, genou, hibou, joujou, pou.* Les autres noms et adjectifs en *-ou* prennent normalement un **-s** au pluriel : *un clou/des clous; un fou/des fous; un sou/des sous.*

3. Les noms et adjectifs terminés par **-eau, -au, -eu, -œu** au singulier, prennent un **-x** au pluriel : *un écheveau/des écheveaux; un nouveau préau/de nouveaux préaux; un vœu/des vœux; un cheveu/des cheveux; un lieu/des lieux.* Mais les noms et adjectifs suivants prennent un **-s** au pluriel : *émeu, landau, lieu* (= poisson), *pneu, sarrau, bleu, feu* (= décédé).

4. Les noms suivants, terminés par **-ail** au singulier, ont un pluriel en **-aux :** *bail, corail, émail, fermail, soupirail, travail, vantail, ventail, vitrail/baux, coraux, émaux, fermaux, soupiraux, travaux, vantaux, ventaux, vitraux (travail* désignant l'instrument pour maintenir les animaux domestiques et *émail* au sens de «peinture», «vernis», font respectivement : *travails, émails).* Les autres noms en *-ail* au singulier prennent normalement le **-s** du pluriel : *un détail/des détails; un éventail/des éventails.*

5. Les noms et les adjectifs terminés par **-al** au singulier ont un pluriel en **-aux :** *un journal/des journaux; un terminal/des terminaux; régional/régionaux; littéral/littéraux;* mais

— les noms suivants ont un pluriel en **-als :** *aval, bal, cal, cantal, carnaval, cérémonial, chacal, choral, festival, gavial, gayal, narval, nopal, pal, récital, régal, rorqual, santal, sisal, tincal, trial.*

— les adjectifs suivants ont un pluriel en **-als :** *bancal, fatal, natal, naval, nymphal, tonal.*

— quelques mots ont les deux formes possibles au pluriel : **-als** ou **-aux :** *austral, banal, boréal, causal, étal, final, glacial, idéal, jovial, pascal* et *val* (qui n'admet la forme *vaux* que dans *«par monts et par vaux»).*

— les termes scientifiques, en particulier de chimie, font leur pluriel en **-als :** *phénobarbitals.*

— les mots ou abréviations de la langue populaire font leur pluriel en **-als :** *foutrals, certals, futals,* etc.

6. Certains mots ont **deux pluriels,** avec des sens différents :
    aïeul : *aïeuls* (grands-parents); *aïeux* (ancêtres);
    ciel : *ciels* (acceptions techniques); *cieux* (religieux et littéraire);
    œil : *yeux,* mais *œils* dans les termes techniques *(œils-de-bœuf).*

7. Les noms **accidentels** (tout mot : adverbe, interjection, pronom, appellatif, etc., employé en fontion de nom) restent **invariables :** *les comment et les pourquoi. Pousser des ah! et des oh! Il y a divers moi en moi. Il m'envoyait des «Monsieur» sur un ton offensé.*

8. Les noms de **lettres,** de **chiffres** (sauf *zéro),* de **notes de musique** sont **invariables :** *trois A. J'ai deux huit. Deux fa. Quatre zéros.*

9. Certains **adjectifs** sont **invariables** : *bien, extra, rococo, rosat;* ou certains adjectifs de couleur (cf p. 32); ou certains adjectifs de la langue populaire ou argotique : *bath, capot, mastoc, cool, super,* etc.

┌─ Règle 2. ──────────────────────────────

Les noms et les **adjectifs** empruntés aux **langues étrangères** et intégrés au français prennent un **-s** au **pluriel** : *des andantes, des macaronis, des factums, des interims, des autodafés, des confettis, des boys, des dandys, des quotas, des quidams, des sanatoriums, des solariums, des préventoriums, des forums, des spahis.*

Exceptions.

1. Certains mots, dont une partie appartient à la langue religieuse, restent **invariables** au pluriel :

addenda	amen	ana	ave	confiteor
credo	deleatur	duplicata	exeat	exsequatur
extra	kyrie	magnificat	miserere	Pater
satisfecit	Te Deum	vade-mecum	veto.	

2. Certains mots conservent le **pluriel étranger ;** ce sont souvent des termes désignant des réalités culturelles étrangères ou des termes appartenant à des vocabulaires techniques :

alderman/aldermen	clergyman/clergymen	policeman/policemen
carbonaro/carbonari	condottiere/condottieri	tory/tories
wattman/wattmen	lady/ladies	prima donna/prime donne.

mais aussi des termes intégrés au français :

jazzman/jazzmen	whisky/whiskies	businessman/businessmen
gentleman/gentlemen	lobby/lobbies	pizzicato/pizzicati
erratum/errata.		

3. Certains mots présentent **deux pluriels,** l'un français avec un **-s,** l'autre est le **pluriel étranger :**

lazzi/lazzis ou lazzi	graffiti/graffitis ou graffiti
barman/barmans ou barmen	lied/lieds ou lieder
recordman/recordmans ou recordmen	miss/miss ou misses
sandwich/sandwichs ou sandwiches	leitmotiv/leitmotivs ou leitmotive
libretto/librettos ou libretti	soprano/sopranos ou soprani.

4. Optimum, maximum, minimum ont un pluriel en **-s** : *optimums, maximums, minimums* (recommandés par l'Académie des Sciences) ou un pluriel, assez usuel, en **-a** *(optima, maxima, minima).* Les adjectifs correspondants sont *optimal, maximal, minimal* (recommandés) ou *optimum, maximum, minimum* (qui sont invariables en genre et dont le pluriel est identique à celui du nom).

5. Les **adjectifs ethniques** d'**origine étrangère,** souvent invariables dans les écrits scientifiques prennent la marque du pluriel dans la langue courante : *bantou/bantoue/bantous ; maya/mayas.*

Règle 3.

Les **noms propres** désignant les **habitants** d'une ville, d'une région, d'un pays prennent la **marque du pluriel** : *les Allemands ; les Argentins ; les Esquimaux.*

Règle 4.

Les **noms propres** désignant des **personnes** ou des **familles** restent **invariables** au pluriel : *Les Dupont sont venus hier soir. Je connais deux Suzanne.*

Remarques.

1. Les noms de certaines **familles illustres** (noms français ou francisés) prennent la **marque du pluriel :**

les Bourbons	*les Capets*	*les Condés*	*les Guises*
les Montmorencys	*les Plantagenêts*	*les Antonins*	*les Césars*
les Constantins	*les Flaviens*	*les Gracques*	*les Curiaces*
les Horaces	*les Ptolémées*	*les Scipions*	*les Sévères*
les Tarquins	*les Stuarts*	*les Tudors.*	

Mais les noms qui ne sont pas francisés restent invariables : *les Borgia ; les Hohenzollern ; les Romanov.*

2. Les **noms de personnages** que leur caractère ou leur conduite ont transformés en types humains prennent la **marque du pluriel** (ce sont alors presque toujours des noms communs souvent écrits avec une minuscule) : *Nous avons nos Cicérons. Les harpagons. Les don juans. Les mécènes.*
Lorsque le nom propre comporte un article singulier, il reste invariable : *Des La Fontaine, il n'y en aura plus.*

3. Les **noms propres** employés avec une **valeur emphatique** restent **invariables** au pluriel : *Les Shakespeare et les Molière ont marqué leur époque.*

4. Les **noms propres d'artiste, d'auteur** utilisés pour désigner leurs **œuvres,** de même que les noms de **marque** ou de **fabricant** utilisés pour désigner les **objets** produits, restent **invariables** au pluriel : *De très beaux Titien. Des Rembrandt. Prendre deux Pernod. Les Renault 5. Acheter deux Simenon.*

5. Les **noms propres** de **personnage** ou de **thème** utilisés pour désigner des œuvres (peinture, sculpture, etc.) prennent **la marque du pluriel :** *Les Madones du Titien. Les Descentes de croix.*

6. Les **titres** de revues, de journaux, de livres sont **invariables :** *Les « Monde » de la semaine passée.*

7. Les **noms propres** désignant des **lieux** géographiques, des villes, des fleuves, des pays, etc., sont généralement des **désignations uniques,** mais ces noms prennent la **marque du pluriel** quand ils désignent

effectively **deux lieux** différents portant le même nom : *les Amériques ; les Baléares ; les deux Savoies.* Ils restent **invariables** dans le sens **métaphorique :** *Il y a bien deux France depuis les élections.*
Les **noms de villes composés** restent toujours **invariables :** *Il y a deux Sainte-Suzanne et quatre Saint-Florent en France.*

8. Le pluriel des noms et des adjectifs composés

Règle 1.

Le **nom composé** est formé de **deux noms.**

- Si le deuxième nom est une **apposition** du premier, les **deux noms** prennent la **marque du pluriel :** *un aide-maçon/des aides-maçons ; un bateau-phare/des bateaux-phares ; une location-vente/des locations-ventes.*

- Si le deuxième nom est un **complément** sans préposition du premier, seul le **premier nom** prend la **marque du pluriel :** *un appui-tête/des appuis-tête ; un timbre-poste/des timbres-poste ; une pause-café/des pauses-café.*
  Le premier cas est le plus fréquent ; le second ne s'applique qu'à 10 % des noms formés de deux noms.

Exceptions.

1. Les **points cardinaux** restent **invariables** dans les noms composés : *les Nord-Américains, les Sud-Coréens.*

2. **Auto-,** abrégé de *automobile,* est traité dans les noms composés avec trait d'union comme un préfixe et reste **invariable :** *une auto-école/des auto-écoles ; un auto-stoppeur/des auto-stoppeurs.*

Règle 2.

Le **nom composé** est formé d'un **nom** et d'un **adjectif ;** le **nom** et l'**adjectif** prennent la **marque du pluriel :** *une extrême-onction/des extrêmes-onctions ; une basse-cour/des basses-cours ; un haut-commissaire/des hauts-commissaires ; un amour-propre/des amours-propres.*
Ce cas couvre 95 % des mots ainsi formés.

Exceptions.

1. Si l'**adjectif** a la valeur d'un **adverbe,** le **nom** seul a la **marque du pluriel :** *un haut-parleur/des haut-parleurs ; un long-courrier/des long-courriers ; une nouveau-née/des nouveau-nées.*

2. **Branle-bas** et **pur-sang** sont **invariables. Petit-beurre** a comme pluriel **petits-beurre.**

3. Composés avec **grand-** :

— les **masculins** prennent la marque du pluriel sur les **deux** termes : *un grand-père/des grands-pères* ;

— les **féminins** formés au singulier avec **grand-** (et non avec *grande-*) ont **deux pluriels** (*grand-* prenant ou non la marque du pluriel) : *une grand-mère/des grands-mères* ou *des grand-mères* ;

— les **féminins** formés au singulier avec **grande-** prennent la marque du pluriel sur les **deux** termes : *une grande-duchesse/des grandes-duchesses* ;

— **grand-croix** est invariable pour désigner la dignité : *Décerner des grand-croix* ; variable pour désigner la personne revêtue de cette dignité : *Les grands-croix de la Légion d'honneur* ;

— **grand-garde** a pour pluriel *grand-gardes*.

4. Composés avec **franc-** :

— pour les mots masculins, l'accord est régulier : *un Franc-Comtois/des Francs-Comtois* ;

— pour les mots féminins, seul le nom prend la marque du pluriel et *franc-* reste invariable : *une Franc-Comtoise, des Franc-Comtoises*.

Règle 3.

Le **nom composé** est formé d'un **nom**, d'une **préposition** et d'un autre **nom**.

- Si le deuxième nom est un **complément** du premier, le **premier nom** seul prend la **marque du pluriel** : *une barbe-de-capucin/des barbes-de-capucin* ; *un bouton-d'or/des boutons-d'or* ; *un arc-en-ciel/des arcs-en-ciel* ; *un face-à-main/des faces-à-main* ; *un fier-à-bras/des fiers-à-bras.*
  Ce premier cas couvre 90 % des mots ainsi formés.

- Si le nom composé est issu de **deux compléments** figés d'un verbe, il reste **invariable** : *un coq-à-l'âne/des coq-à-l'âne* (« passer du coq à l'âne ») ; *un pied-à-terre/des pied-à-terre* (« mettre pied à terre ») ; *un face-à-face/des face-à-face* (« être face à face »).

Exceptions.

1. Les **noms composés de couleur** sont **invariables** : *des gorge-de-pigeon* ; *des tête-de-nègre.*

2. **Prince-de-galles**, assimilé à un nom de couleur, est **invariable**.

Règle 4.

Le **nom composé** est formé d'une **préposition** ou d'un **préfixe** suivi d'un **nom** ; seul le **nom** prend la **marque du pluriel** : *un à-côté/des à-côtés* ; *une arrière-boutique/des arrière-boutiques* ; *une demi-droite/des demi-droites* ; *un demi-soupir/des demi-*

soupirs ; une broncho-pneumonie/des broncho-pneumonies ; une gastro-entérite/des gastro-entérites.
Cette règle couvre 95 % des mots ainsi formés.

Exceptions.

1. Le **nom composé** avec une **préposition** ou un **préfixe** est **invariable :**

— si le nom pris isolément est lui-même invariable ou toujours employé au singulier (nom qu'on ne peut pas compter) : *un après-midi/des après-midi* (période après midi) ; *un demi-sel/des demi-sel* (fromage qui a un peu de sel) ;

— s'il s'agit d'une locution adverbiale figée : *un à-pic/des à-pic* (tomber à pic) ; *un après-coup/des après-coup* (c'est après coup qu'il a réfléchi).

2. Les composés avec **hors-** sont **invariables :** *hors-saison, hors-jeu, hors-texte,* etc.

3. Demi-solde, nom féminin, fait au pluriel *des demi-soldes* (la moitié d'une solde) ; *demi-solde,* nom masculin (officier du premier Empire), est invariable : *des demi-solde.*

Règle 5.

Le **nom composé** est formé d'un **verbe** et d'un **nom** complément d'objet. Au pluriel, le **verbe** reste **invariable.** Pour le **nom,** trois cas se rencontrent :

● ou bien le nom reste **invariable,** qu'il soit au singulier ou déjà au pluriel dans le mot composé singulier : *un coupe-gorge/des coupe-gorge ; un pare-chocs/des pare-chocs ; un porte-avions/des porte-avions.*
Ce cas se retrouve dans 70 % des composés de ce type ;

● ou bien le nom prend la **marque du pluriel :** *un arrache-clou/des arrache-clous ; un passe-montagne/des passe-montagnes.*
Ce cas se retrouve dans 20 % des composés qui n'ont pas déjà un *-s* sur le nom singulier ;

● ou bien **les deux** sont **possibles** (le nom reste invariable ou prend la marque du pluriel) : *un porte-savon/des porte-savons* ou *-savon ; un pèse-lettre/des pèse-lettres* ou *lettre.*
Ce cas se retrouve dans 10 % des composés dont le nom n'a pas de marque de pluriel au singulier.

Règle 6.

Le **nom composé** est formé d'une **phrase,** d'une **locution adverbiale,** de **verbes,** d'**infinitifs,** etc. ; il reste **invariable** au pluriel : *un faire-valoir/des faire-valoir ; un porte-à-faux/des porte-à-faux ; un cessez-le-feu/des cessez-le-feu ; un je-ne-sais-quoi/des je-ne-sais-quoi ; un on-dit/des on-dit.*

Règle 7.

Le **nom composé** est formé d'**onomatopées**, de **redoublements**, de **noms propres**, ou de **locutions** ; il reste **invariable** au pluriel : *un Coca-Cola/des Coca-Cola ; un pont-l'évêque/des pont-l'évêque ; un béni-oui-oui/des béni-oui-oui ; un coin-coin/des coin-coin.*

Règle 8.

Le nom **composé** est formé d'un **préfixe** suivi d'un **nom,** ou il est **dérivé d'un nom propre** ; seul le **deuxième terme** porte alors la **marque du pluriel** : *un fac-similé/des fac-similés ; un cap-hornier/des cap-horniers.*

Règle 9.

Le nom **composé** est d'**origine non française** et il ressemble à des formations de type **nom + nom** ou **nom + adjectif**, les **deux termes** prennent la **marque du pluriel** : *une aigue-marine/des aigues-marines ; un pan-bagnat/des pans-bagnats.*

Règle 10.

Le **nom composé,** d'**origine étrangère,** a été récemment introduit en français ; il garde souvent le **pluriel** qu'il avait dans la **langue d'origine.**
C'est en particulier le cas pour les composés anglais formés d'un adjectif invariable suivi d'un nom, ce dernier seul prenant la marque du pluriel (*-s, -es, -ies* selon les cas) ou pour ceux qui sont formés de deux mots invariables (verbe, adverbe, etc.), le mot restant alors invariable : *un self-service/des self-services ; un self-made man/des self-made men ; un come-back/des come-back ; un break-down/des break-down.*

Règle 11.

L'**adjectif composé** est formé d'un **adverbe**, ou d'un **préfixe** suivi d'un **adjectif** ; l'**adjectif** seul prend la **marque du pluriel** : *un enfant bien-aimé/des enfants bien-aimés ; un rayon ultra-violet/des rayons ultra-violets ; un nerf vaso-moteur/des nerfs vaso-moteurs ; une nation latino-américaine/des nations latino-américaines.*

Règle 12.

L'**adjectif composé** est formé de **deux adjectifs** ; les **deux adjectifs** prennent la **marque du pluriel** : *un propos aigre-doux/des remarques aigres-douces.*

Règle 13.

L'**adjectif composé** est formé d'une **préposition** et d'un **nom** ; il reste **invariable** : *des lotions après-rasage ; des services après-vente.*

Remarques.

1. Pour **nouveau-né**, v. p. 29 ; pour **tout-puissant**, v. p. 35.

2. Les **adjectifs composés** de **couleur** restent **invariables**, v. p. 32.

II. Les règles d'accord

1. Le nom

Règle 1.

Le **complément du nom sans article** est au **singulier** quand il s'agit :
— d'une matière, d'une quantité qu'on ne peut compter, diviser : *un kilo de beurre ; un sac de blé ; une botte de foin.*
— d'un nom abstrait : *un accès de colère ; une poussée de fièvre.*
— d'une caractéristique ou d'une destination unique : *un fruit à noyau ; une chaîne de montre.*

Le **complément du nom sans article** est au **pluriel** quand il s'agit d'objets, de fragments, de parties, d'éléments qu'on peut compter : *un kilo de cerises ; un sac de billes ; une botte d'asperges ; du papier à lettres.*

Remarques.

1. Si le **groupe du nom** est employé au **pluriel**, le nom **complément** garde le **nombre** qu'il avait au **singulier** : *des kilos de beurre ; des lits de plume ; des fruits à noyau ; des kilos de cerises ; des sacs de billes ; des accès de colère.*

2. Certains **compléments du nom sans article** peuvent être indifféremment du **singulier** ou du **pluriel** : *un pot de confitures* ou *de confiture ; une gelée de coing* ou *de coings ; un sirop de groseille* ou *de groseilles.*

3. Après **toute espèce de, toute sorte de, des espèces de, des sortes de**, etc., le **nom** qui suit est au **singulier** quand c'est un nom de **matière**, un nom **abstrait** ; il est au **pluriel** s'il s'agit d'**objets**, d'**individus**, de **choses** qui peuvent se compter : *toute espèce de générosité/toute sorte de pelles ; des sortes de beurre/des espèces de poissons.*

4. Après **sans**, le **complément** est au **singulier** si la phrase affirmative correspondante comporte un singulier ; il est au **pluriel** dans le cas contraire : *Un enfant sans peur* (≠ cet enfant a peur). *Un ciel sans nuages* (≠ ce ciel a des nuages). *Il est sans façons* (≠ il fait des façons). *Il est sans goût* (≠ il a du goût).

Règle 2.

Les **noms** en fonction d'**adjectifs s'accordent** en **nombre**, parfois en **genre** (s'ils admettent deux formes distinctes pour le masculin et le féminin), comme l'adjectif : *Elles sont cousines/Ils sont cousins. Des pays amis. Elles sont restées très enfants* (une seule forme pour les deux genres).

Remarque.

Témoin, masculin, épithète ou attribut, **s'accorde** en nombre avec le nom auquel il se rapporte : *Elles ont été témoins de la scène. Des marques témoins furent apposées sur les fentes du mur.*
Témoin reste **invariable** dans **à témoin** et lorsqu'il est en tête de phrase sans article : *On les a pris à témoin. Témoin ces armes trouvées chez eux.*

┌─ Règle 3. ────────────────

Les **noms apposés,** considérés comme des adjectifs, varient en **nombre** (mais non en genre), qu'ils soient reliés ou non par un trait d'union : *des industries-clefs; des usines pilotes; des fermes-écoles; des robes chemisiers.*

Remarques.

1. Les **noms propres** restent **invariables** : *des fauteuils Empire; des canapés Régence.*

2. Le **nom apposé** fait partie d'une **locution figée;** il reste **invariable :** *des manteaux bon chic bon genre; des tissus grand teint; des produits bon marché, meilleur marché.*

3. Matin, midi et **soir** sont **invariables** dans : *les dimanches (lundis,* etc.) *soir/matin/midi* (= des dimanches au soir/au matin/à midi).

2. Les adjectifs qualificatifs

┌─ Règle 1. ────────────────

Les **adjectifs qualificatifs,** épithètes, attributs ou apposés, **s'accordent** en **genre** et en **nombre** avec le nom ou le pronom auquel ils se rapportent : *Une vieille maison* DÉLABRÉE. *Elle est très* FIÈRE *de son fils. Il a une profession* INTÉRESSANTE *et* LUCRATIVE. *Cette étoffe qui est* SOYEUSE *et* BRILLANTE *me convient. Ne laissez pas vos enfants* SEULS *près de l'étang.*

Remarques.

1. Ne pas confondre l'adjectif, **épithète** du **complément,** et l'adjectif, **épithète** du **nom principal :** *Un* TAS *de branches assez* HAUT *pour protéger contre le vent* (c'est le tas qui est haut). / *Un tas de* BRANCHES *trop* GRANDES *pour être mises dans la cheminée* (ce sont les branches qui sont grandes).

2. Avec **une sorte de, une espèce de,** etc., suivis d'un nom complément, l'adjectif **s'accorde** avec ce **complément :** *C'est une espèce de* VÉHICULE ÉTONNANT. *Une sorte de* FOU, PRÊT *à tout.*

3. L'adjectif qui accompagne **un fripon de, un drôle de,** etc., suivis d'un complément, **s'accorde** avec le **complément** : *Une drôle de* RECRUE *tout* ENDIMANCHÉE *s'était présentée à la caserne.*

4. Avec **avoir l'air,** l'adjectif **s'accorde** avec **air** (si on peut ajouter l'article indéfini : *avoir un air*); il **s'accorde** avec le **sujet** (si on peut remplacer *avoir l'air* par *sembler*) : *Elle a l'*AIR HEUREUX, DÉTENDU (= elle a un air heureux, détendu). ELLE *a l'air* CONTENTE *après ce succès* (= elle semble être contente).

5. Lorsque les noms désignant des **titres,** comme *Sa Majesté, Son Altesse, Son Éminence,* etc., sont suivis d'un **nom apposé,** l'adjectif attribut **s'accorde** avec ce **nom apposé** ; lorsqu'ils sont employés seuls, l'adjectif **s'accorde** normalement avec le nom désignant le **titre** : *Sa Majesté* LE ROI *est* SATISFAIT *de vous*/SA MAJESTÉ *est* SATISFAITE.

6. Lorsque l'adjectif est séparé du **nom** dont il est épithète par la préposition **de,** il **s'accorde** avec ce **nom** (exprimé ou non) : *Il n'y a pas deux* POMMES *de* BONNES *dans tout le paquet. Parmi toutes ces* PERSONNES, *il n'y en a pas deux de* CONSCIENTES.

7. Avec **il n'y a de,** l'adjectif qui suit reste au **masculin singulier** : *Il n'y a de vrai que la nouvelle de son départ.*

8. Après **des plus, des moins, des mieux,** l'adjectif se met au **pluriel** et s'accorde en **genre** avec le nom : *Cette* QUESTION *est des plus* DÉLICATES. *Cette* NUIT *a été des plus* AGITÉES *chez le malade depuis son entrée à l'hôpital. Un* EXPOSÉ *des mieux* ÉCRITS *que je connaisse.*
Mais quelquefois, *des plus, des moins, des mieux* sont équivalents à des **adverbes** de quantité (indiquant un très haut degré : extrêmement, très peu), et l'adjectif peut s'accorder en **genre** et en **nombre** avec le nom auquel il se rapporte (il peut donc être singulier) : *Cet homme n'est vraiment pas des plus* LOYAL (= il n'est pas loyal du tout). Lorsque le mot auquel se rapporte l'adjectif est un infinitif, une proposition ou un pronom neutre, il reste au masculin singulier : PLONGER *de cette hauteur est des plus* DANGEREUX. C'EST *des plus* DÉSAGRÉABLE. *Il lui est des plus* PÉNIBLE *de se lever le matin.*

9. Des meilleurs s'accorde en **genre** avec le nom auquel il se rapporte : *Cette* PHRASE *n'est pas des* MEILLEURES.

10. Feu est invariable avant le groupe du nom, variable entre l'article et le nom : *Feu la reine. La feue reine. Les feus rois.*

11. Égal dans **n'avoir d'égal que** s'accorde le plus souvent avec le **sujet**; il n'est pas interdit de l'accorder avec le complément de comparaison : *Elle n'a d'égale que son frère quand il s'agit de faire des bêtises. Pierre n'a d'égaux que ses frères.* L'expression **d'égal à égal** est en général **invariable** : *Elle ne traite pas Pierre d'égal à égal* (l'accord d'*égale à égal* est rare). L'expression **sans égal** s'accorde au féminin singulier ou au féminin pluriel, mais jamais au masculin pluriel : *Une joie sans égale; des talents sans égal.* Dans tous ces cas *égal*, invariable, est possible.

12. Pareil dans **sans pareil,** s'accorde en **genre** et en **nombre** ; il n'est pas interdit d'employer le masculin singulier au lieu du masculin pluriel :

Une joie sans pareille; des films sans pareils ou *sans pareil* (= sans rien de pareil).

13. Seul à seul est invariable : *Nous avons laissé les fiancés seul à seul.*

14. Il ne faut pas confondre l'**adjectif qualificatif** avec l'**adverbe,** la **préposition** ou le **préfixe :**

Fort, droit, court, haut, cher, etc., sont adjectifs et variables dans : *Une voix forte. Une ligne droite. Ses cheveux sont courts. À voix haute. Des vêtements chers.* Ils sont adverbes et invariables dans : *Parler fort. Marcher droit. Couper court ses cheveux. Ils parlent haut. Ces vêtements coûtent cher* (= d'une manière forte, droite, courte, etc.). Ainsi :

Court est invariable dans **demeurer, rester court :** *Elle est demeurée court.*

Fort est invariable dans **se faire fort de** (et l'infinitif) : *Elles se sont fait fort de trouver le problème.*

Fin est adverbe et invariable dans : *Ils sont fin prêts* (= tout à fait prêts), et adjectif variable dans : *Voilà des remarques qui ne sont pas très fines.*

15. Plein, sauf, passé sont des prépositions et sont invariables dans : *Ils en ont plein les poches. Je suis libre sauf la semaine prochaine. Passé dix heures, je tombe de sommeil.* Ce sont des adjectifs variables dans : *Leurs poches sont pleines. La malheureuse une fois sauve a remercié son sauveteur. Dix heures passées, et il n'est pas encore rentré.*

Possible est adverbe et invariable avec *le plus, le moins (de) : Ramassez le plus de fleurs possible. Faites le moins de fautes possible. Des mouvements les plus naturels possible.* Mais il est adjectif et variable quand il se rapporte directement au nom : *Il a fait tous les efforts possibles.*

16. Bien, mal, invariables comme adverbes, restent invariables comme adjectifs : *des gens* BIEN ; *une histoire pas* MAL (= adjectifs invariables); *des histoires* BIEN, MAL *racontées* (= adverbe).

17. Nouveau, frais, grand, large, bon, précédant des adjectifs ou des participes, s'accordent en genre et en nombre : *les* NOUVEAUX *mariés ; la* NOUVELLE *venue ; les* NOUVEAUX *arrivés ; des roses* FRAÎCHES *écloses ; une fleur* FRAÎCHE *cueillie ; les yeux* LARGES *ouverts ; une fenêtre* GRANDE *ouverte. Ils sont arrivés* BONS *premiers.*
Cependant dans *nouveau-né* (avec un trait d'union), *nouveau* reste invariable : *nouveau-né ; des nouveau-nés.*

18. Raide et **ivre** sont des adjectifs et s'accordent dans *raide mort, ivre mort : Ils sont tombés* RAIDES MORTS. *Elles étaient* IVRES MORTES.

19. Nu reste invariable quand il précède le nom auquel il est lié par un trait d'union (sauf dans *nue-propriété*) : *aller* NU-TÊTE, NU-PIEDS. Mais **nu,** après le nom, est normalement variable : *aller* TÊTE NUE, PIEDS NUS.

20. Demi-, placé avant le nom, est un préfixe invariable comme **mi- :** *une demi-heure ; une demi-douzaine ; avoir de l'eau jusqu'à mi-jambes.* Placé après le nom dans **et demi, demi** est variable **en genre** (toujours au singulier) : *trois* HEURES *et* DEMIE ; *deux* JOURS *et* DEMI.

21. Minuit et midi étant masculins, on écrit : *minuit et demi; midi et demi.* (Mais on rencontre parfois dans l'usage *midi et demie.*)

┌─ Règle 2. ─────────────────────────────

L'**adjectif s'accorde** en **genre** avec la personne ou les personnes représentées par les **pronoms** :

JE *suis* HEUREUX (c'est un homme qui parle).
JE *suis* HEUREUSE (c'est une femme qui parle).
Est-ce que TU *es* HEUREUSE? (c'est à une femme qu'on s'adresse).
Est-ce que TU *es* HEUREUX? (c'est à un homme qu'on s'adresse).
NOUS *sommes* PARTIS *en vacances* (moi, ma femme et les enfants).
VOUS *êtes* SORTIES *cet après-midi* (toi, ma femme et toi, ma fille).

Remarques.

1. Lorsque **nous** et **vous** ne représentent qu'une seule personne (*« nous »* de majesté, *« vous »* de politesse), l'adjectif ou le participe s'accordent selon le **genre** de la personne représentée par ce pronom et sont, au **singulier** : VOUS *êtes* SAVANT. NOUS *n'avons pas encore été* CONTACTÉ. VOUS *êtes* SAVANTE. NOUS *n'avons pas été* CONTACTÉE.

2. On est du **masculin singulier :** ON *a été* SURPRIS *par la nouvelle.* ON *était* CONTENT.

Lorsque *on* se substitue à *nous* ou qu'il s'agit de plusieurs personnes, le verbe reste au singulier, mais l'attribut ou le participe passé avec *être* peuvent se mettre au pluriel : ON *s'est* PERDUS *de vue depuis sept ans, mais nous nous sommes rencontrés par hasard la semaine dernière.* ON *est tous les deux* CONTENTS *de vous savoir guéri.*

Lorsqu'on parle d'une femme, *on* (au sens de *elle*, de *tu*) a son attribut au féminin : *Alors* ON *est* HEUREUSE *de voir son père ?*

3. Quelque chose, rien, pas grand-chose, autre chose, personne, tout le monde sont du **masculin singulier;** l'adjectif ou le participe passé qui s'y rapportent sont au masculin singulier : RIEN *n'est* SÛR, *il n'y a* RIEN *de* SÛR *à l'heure actuelle.* QUELQUE CHOSE *est* MYSTÉRIEUX, *il y a* QUELQUE CHOSE *de* MYSTÉRIEUX. PERSONNE *n'est* CONTENT, *il n'y a* PERSONNE *de* CONTENT *parmi vous.* TOUT LE MONDE *est* CONTENT. *Il n'y a pas* GRAND-CHOSE *de* NOUVEAU. (*Grand-chose* peut être nom : *C'est une pas grand-chose cette fille/un pas grand-chose ce garçon.*)

┌─ Règle 3. ─────────────────────────────

Si l'**adjectif,** épithète ou attribut, se rapporte à **deux** ou **plusieurs noms,** coordonnés par *et* ou **juxtaposés,** et de **même genre,** il se met au **pluriel** et est au **même genre** que ces noms : *Elle porte une* JUPE *et une* CHEMISETTE NEUVES.

Si les noms sont de **genres différents,** il se met au **masculin pluriel :** *Elle porte une* JUPE *et un* CORSAGE NEUFS.

Remarques.

1. Si **l'adjectif** se rapporte à **un seul** des noms, coordonnés ou juxtaposés, il **s'accorde** avec **ce dernier** : *À la réunion elle portait ses* BOTTES *et un* MANTEAU NEUF.

2. Si les **noms** coordonnés ou juxtaposés sont **synonymes** (ont à peu près le même sens), **l'adjectif s'accorde** avec **le dernier** : *Il a montré un* ACHARNEMENT, *une* TÉNACITÉ *peu* COMMUNE.

3. Si les **noms** sont coordonnés par **ou**, **l'adjectif épithète s'accorde** avec le nom **le plus proche** : *Il montre un* PARTI PRIS *ou une* HOSTILITÉ SURPRENANTE.
L'adjectif **attribut** ou **apposé** se met au **masculin pluriel** si les **noms** sont de **genres différents** : *Son* PARTI PRIS *ou son* INDIFFÉRENCE *sont* SURPRENANTS. *Son* PARTI PRIS *ou son* INDIFFÉRENCE, SURPRENANTS *en pareilles circonstances, m'ont étonné.*

4. Plusieurs **adjectifs épithètes au singulier** peuvent se rapporter au même **nom pluriel** : *les* MINORITÉS NOIRE *et* MÉTISSE ; *les* DIX-SEPTIÈME *et* DIX-HUITIÈME SIÈCLES ; *les* LANGUES FRANÇAISE *et* ANGLAISE.

Règle 4.

L'**adjectif** épithète ou attribut **s'accorde** en **genre** et en **nombre** avec le **complément d'un nom collectif** (*une masse de, une foule de,* etc.), **d'un adverbe de quantité** ou d'une expression équivalente (*beaucoup de, trop de, peu de, la plupart de,* etc.) : *Une foule de* GENS *sont* ÉGOÏSTES. *La plupart de ses* AMIS *étaient* SINCÈRES. *Trop de* PRÉCIPITATION *est* DANGEREUSE. *Nombre de* SOLDATS *étaient* COURAGEUX. *Quantité de* GENS *seront* CONTENTS.

Remarques.

1. Lorsque **l'adjectif** se rapporte à un **nom de fraction** singulier (*la moitié, une partie, un tiers*) suivi d'un **complément**, il **s'accorde** avec le **nom de fraction** ou avec le complément : *La* MOITIÉ *du* TERRAIN *est* BOUEUX *ou* BOUEUSE.
Avec un **nom de fraction** au **pluriel**, l'adjectif est au **pluriel** : *Les trois* QUARTS *du* TERRAIN *sont* HUMIDES.

2. Avec un adverbe de quantité, lorsque l'accent est mis sur la **quantité** elle-même, l'accord se fait au **masculin singulier** : TROP *de prudence peut être* DANGEREUX.

3. Lorsque le **nom collectif** est **précédé de l'article défini** ou de l'adjectif possessif ou démonstratif, **l'adjectif s'accorde** avec le nom **collectif** : CETTE FOULE *d'enfants était* JOYEUSE.

Règle 5.

- Les **adjectifs de couleur** suivent la règle générale des adjectifs. Ils **s'accordent en genre** et **en nombre** avec le nom

auquel ils se rapportent : *Elle porte une* ROBE BLANCHE. ILS *sont* VERTS *de rage.*
Ainsi, *blanc, bleu, brun, écarlate, gris, jaune, noir, pourpre, rose, rouge, vert, violet,* etc.

- Les **noms** employés comme **adjectifs de couleur** sont **invariables** en nombre et en genre : *des yeux noisette ; des serviettes orange, grenat, chocolat.* Ce sont en particulier les noms de fruits, de fleurs, etc. : *amarante, bistre, cerise, crème, fraise, grenat, groseille, kaki, marron, noisette, orange, paille, pêche, prune,* etc.

- Les **adjectifs de couleur composés,** avec ou sans trait d'union, formés de deux adjectifs de couleur ou d'un adjectif de couleur et d'un autre mot comme *clair, foncé, fer,* etc., sont **invariables** : *des rideaux jaune paille ; une jupe bleu marine, bleu foncé, bleu clair ; des costumes bleu-noir, gris fer.*

Remarques.

1. Il ne faut pas confondre les **adjectifs** de couleur **coordonnés** par *et* ou **juxtaposés** et qui sont **variables,** et les **adjectifs de couleur composés** formés d'éléments coordonnés par *et* ou juxtaposés et qui sont **invariables.** Ainsi : *des drapeaux* BLEU, BLANC, ROUGE (chaque drapeau est bleu, blanc, rouge ; donc invariable) ; *des étoffes* BLEU ET OR (chaque étoffe est bleu et or). Mais : *Un bouquet de fleurs* BLANCHES *et* ROUGES (= il y a des fleurs blanches et des fleurs rouges ; donc variable).

2. L'adjectif suivant le nom **couleur** reste **invariable** : *une chemise couleur* CHAIR ; *des chemises couleur* CAFÉ.

3. L'adjectif **pie** indiquant la couleur d'un cheval peut **varier** ou **non** : *Des juments* PIE *ou* PIES.

4. Le **nom** désignant une **couleur** est du **masculin** et prend la **marque du pluriel** (même s'il est issu d'un adjectif de couleur invariable) : *des rubans turquoise* (= adjectif invariable, issu du nom féminin *une turquoise*). *Des* TURQUOISES *dégradés, du plus foncé au plus clair* (nom de couleur, masculin, variable = des tons turquoise).

3. Les adjectifs numéraux

Règle 1.

Les **adjectifs numéraux cardinaux** (*quatre, cinq, sept, huit, neuf, onze, douze, treize,* etc.) sont **invariables** et ne prennent pas de **-s** : *Les* TRENTE-QUATRE *élèves sont rentrés en classe. Ils sont* DOUZE *par classe. Les* DOUZE *y sont.*

Remarques.

1. **Un** est variable en **genre** : *Les trente et une premières pages du livre.*

2. **Vingt** et **cent** sont **invariables** quand ils sont employés **seuls** ou **suivis** d'un autre **numéral** : VINGT-CINQ *élèves par classe. Je l'ai payé* DEUX CENT QUATRE *francs.* TROIS CENT ONZE *mille francs.*
Ils **prennent** un **-s** quand ils sont **précédés** d'un autre numéral et qu'ils ne sont suivis d'aucun autre numéral : QUATRE-VINGTS *francs,* mais QUATRE-VINGT-DEUX *francs.* TROIS CENTS *francs,* mais TROIS CENT TROIS *francs.*

3. Les **adjectifs numéraux cardinaux** employés avec le sens d'un adjectif numéral **ordinal (après le nom),** restent **invariables,** y compris **vingt** et **cent** : *page* QUATRE-VINGT (sans *s*) ; *page* DEUX CENT ; *page* TRENTE ET UN, etc.

4. **Mille** est **invariable** ; mais les noms de nombre **million, milliard, millier** prennent un **-s** au pluriel : *trois* MILLE *personnes ; deux* MILLIONS *de francs ; trois cents* MILLIONS *; des* MILLIERS *de victimes ; trois* MILLIARDS *de déficit.*
Mille comme mesure de distance est un nom variable : *À trois mille* MILLES *du rivage.*

Règle 2.

Les **adjectifs numéraux ordinaux** (*deuxième, troisième, quatrième, vingtième, centième, millième,* etc.) **s'accordent** avec le nom auquel ils se rapportent : *Les deux premiers élèves de la classe.*

---

4. Les déterminants et les pronoms

Règle 1.

Les **déterminants,** articles, adjectifs possessifs, adjectifs démonstratifs, adjectifs indéfinis, adjectifs interrogatifs **s'accordent** en **genre** et en **nombre** avec le nom auquel ils se rapportent : SES *bagages.* QUELS *sont vos nom et prénom ? Il y a encore* QUELQUES *erreurs dans vos additions.*

Remarques.

1. Dans une phrase où le complément comporte un **possessif** se rapportant au sujet : *L'oiseau fait* SON *nid. Enlève* TA *veste*

— le pluriel peut être : *Les oiseaux font* LEUR *nid* (chacun fait son nid). *Enlevez* VOTRE *veste* (chacun l'enlève) ;

— ou bien : *Les oiseaux font* LEURS *nids* (tous font des nids). *Enlevez* VOS *vestes* (tous les enlèvent).

Lorsque le complément est précédé de **chacun,** on peut avoir : *Les oiseaux font* CHACUN SON NID (accord de *son nid* avec *chacun :* cas le plus fréquent). *Les oiseaux font* CHACUN LEUR NID (accord de *leur nid* avec *les oiseaux*). *Les oiseaux font* CHACUN LEURS NIDS (accord de *leurs nids, nids* étant au pluriel, avec *les oiseaux :* cas le plus rare).

2. Avec **le plus, le moins, le mieux,** accompagnés **d'un complément,** l'article s'accorde en **genre** avec ce **complément :** *Voici* LA *plus* ÉTONNANTE DES HISTOIRES *que je connaisse. De toutes les* MACHINES *c'est* LA *plus* PERFECTIONNÉE.

S'il n'y a **pas de complément** et que le superlatif signifie «le plus, le moins possible en l'état actuel», l'article reste à la forme **le** (*le plus, le moins, le mieux* forment alors des adverbes) : *C'est sur ce sujet que les orateurs ont été* LE PLUS PROLIXES (= très prolixes). *Voilà une histoire qui n'est pas* LE PLUS UTILE *à raconter en ce moment* (= très utile). *Ce sont là les romans* LE MIEUX ÉCRITS *qu'on puisse lire.*

3. Aucun et **nul** ne s'emploient qu'au singulier comme adjectifs indéfinis et pronoms indéfinis, sauf quand ils déterminent un nom qui n'est utilisé qu'au pluriel : AUCUNES *obsèques ;* AUCUNS *ciseaux ;* NULLES *funérailles.*

4. Même, désignant des personnes ou des choses identiques et **placé entre** l'article et le **nom, s'accorde** avec ce nom : *J'ai vu* LES MÊMES ROBES *dans un magasin de Paris.* Le nom peut ne pas être repris : *Cette robe est bien, je veux* LA MÊME.

Même, placé **après** un **pronom,** avec le sens de «en personne», **s'accorde** avec le pronom : ELLES-MÊMES *me l'ont dit et je les ai crues.* CEUX-LÀ MÊMES *qui me l'ont dit sont dignes de foi.*

Même, placé **avant** le **groupe** formé par le **déterminant** et le **nom,** est adverbe et reste **invariable** (= aussi) : MÊME LES ENFANTS *s'ennuyaient à ce film.*

Il est **invariable** dans **et même, tout de même, quand même, être à même de** (= être capable de) : *Ils ne sont pas à* MÊME *de vous renseigner.*

Dans la langue écrite soutenue, *même* adverbe **après** le groupe du **nom** reste invariable : *Les* ENFANTS MÊME *s'ennuyaient.*

5. Quelque, placé avant un nom pluriel avec le sens de «un petit nombre», est un adjectif indéfini qui **s'accorde** avec ce nom : *Il y a* QUELQUES FRUITS *abîmés. Il a travaillé* QUELQUES HEURES *hier soir.*

Placé avant un nom singulier, avec le sens de «un certain», il reste au **singulier :** *C'est arrivé il y a* QUELQUE TEMPS.

Devant une indication de nombre, de durée, etc., avec le sens de «environ», il est **invariable :** *il s'est passé* QUELQUE *dix jours avant que nous la revoyions. Il y a* QUELQUE *cinq cents personnes dans la salle.*

Devant un adjectif et suivi de **que** et du **subjonctif** (avec le sens de «quoique, bien que»), il est **invariable :** QUELQUE *patients qu'ils soient, ils n'ont pu supporter cela.*

Devant un nom et suivi de **que** et du **subjonctif** (avec le sens de «quoique, bien que»), il **s'accorde** avec ce nom : QUELQUES MÉRITES QU'*ils aient, ils ne sont pas à la hauteur de la situation.*

6. Quel que (en deux mots), suivi du **subjonctif** des verbes *être, devoir être, pouvoir être*, etc., **s'accorde** avec le sujet du verbe : QUELLE QUE *soit la* DATE *de vos vacances, passez nous voir.* QUELLES QUE *puissent être vos* INTENTIONS, *la réalité est là.* QUELLE QU'*ait été sa* SURPRISE... QUELS QUE *doivent être vos* PROJETS...

7. Quoi que (en deux mots), pronom correspondant à *quel que* (en deux mots) a le sens de « quelle que soit la chose que » et il est complément d'objet ou sujet du verbe au subjonctif qui suit : QUOI QU'*il ait* VU, *qu'il se taise.* QUOI QU'*il ait été* PRÉVU, *refaisons les calculs.* Ne pas confondre **quoi que** avec **quoique** (en un mot), au sens de « bien que ». *Quoique* est une conjonction qui n'a ni la fonction de sujet ni celle de complément d'objet : QUOIQUE *vous ayez* VU *la* SCÈNE, *taisez-vous.* QUOIQU'*il ait* COMMIS *un* CRIME, *il a des excuses.*

8. Tel s'accorde généralement avec le nom qui suit : *Elle arriva* TEL L'ÉCLAIR. *Des accords,* TELLE CETTE CONVENTION *collective.* **Tel que s'accorde** toujours avec le nom qui précède : *Des* ACCORDS TELS QUE *cette convention collective.*

Comme tel s'accorde avec le terme de comparaison, de référence : *La danse est un* ART, *et comme* TEL (= comme un art), *je l'admire.*

Tel quel s'accorde en genre et en nombre avec le nom auquel il se rapporte : *J'ai trouvé ce livre* TEL QUEL, *cette revue* TELLE QUELLE.

9. Tout, épithète, placé avant le groupe formé de l'article, du possessif ou du démonstratif et du nom, **s'accorde** avec le nom : TOUS LES ENFANTS *sont rentrés en classe.* TOUTE LA VAISSELLE *a été faite.* TOUS LEURS EFFORTS *ont été vains.* TOUTES SES AFFAIRES *ont été volées.*

Tout, attribut, **s'accorde** avec le sujet ou le complément d'objet : *Les enfants sont* TOUS *là, je les vois* TOUS. *Elles sont* TOUTES *arrivées à l'heure.*

Tous, toutes sans nom sont des **pronoms indéfinis** au sens de « tous les gens », « toutes les femmes » : TOUS *sont contents de te savoir en bonne santé.* TOUTES *étaient silencieuses.*

Tout peut être aussi un **nom masculin** précédé d'un déterminant, au sens de « une totalité » ; en ce cas son pluriel est **touts** : *Prenez ces billes et faites-en* UN TOUT. *Prenez ces billes et faites-en* DES TOUTS *distincts selon les couleurs.*

Tout, devant un adjectif, au sens de « tout à fait », est un adverbe **invariable** lorsque l'adjectif qui suit est masculin ou que l'adjectif féminin qui suit commence par une voyelle ou un *h* muet : *Ils sont venus* TOUT SEULS. *Elle est* TOUT ÉTONNÉE. *Elles sont* TOUT HEUREUSES.

Tout, devant un adjectif féminin commençant par une consonne ou un *h* aspiré est un adverbe **variable** : *Elle est* TOUTE CONTENTE. *Elles sont* TOUTES SURPRISES. *Elle est* TOUTE HARDIE, TOUTE HONTEUSE. Ceci s'applique à **tout-puissant** (avec trait d'union) : *Ce sont des* PERSONNALITÉS TOUTES-PUISSANTES *(féminin). Ce sont des* HOMMES TOUT-PUISSANTS *(masculin).*

Ceci s'applique à **tout + adjectif + que :** TOUT ÉTOURDIS QU'ILS *soient, ils n'ont pas oublié l'heure.* TOUT ÉTONNÉE QU'ELLE *fût intérieurement, elle ne le laissa pas paraître.* TOUTES HONTEUSES QU'ELLES *soient...*

Dans **tout autre que** (au sens de « n'importe qui, n'importe quel autre »), *tout* **s'accorde** en genre avec le nom auquel il se rapporte : TOUTE AUTRE QUE GEORGETTE *aurait accepté*. Mais il est adverbe dans : *J'attendais de vous une* TOUT AUTRE RÉPONSE (= tout à fait différente).

Tout, adverbe, est **invariable** devant un **nom :** *Une étoffe* TOUT LAINE (= entièrement en laine). *Les* TOUT DÉBUTS *de ce chanteur*.

Règle 2.

Les **pronoms possessifs, démonstratifs,** et les pronoms **personnels** de la 3e personne s'**accordent** en genre et en nombre avec le ou les **noms** qu'ils représentent, les êtres ou les choses qu'ils désignent, auxquels ils se réfèrent : *Nos amis sont arrivés ;* ILS *s'impatientent de ne pas te voir. Ces cravates sont toutes très belles ; mais je préfère* CELLE-LÀ. *Tes amis sont gentils,* LES MIENS *le sont aussi.*

Remarques.

1. Lorsque le **pronom** remplace toute une **phrase,** il est au **masculin singulier** ou à une forme **neutre** *(ça, cela)* : *Tu crois* QU'IL VIENDRA DEMAIN ? — *Je* LE *pense.* ÇA *ne m'étonnerait qu'à moitié.*

2. Lorsque le **pronom** remplace **plusieurs noms coordonnés** de genres différents, il se met au **masculin pluriel :** *Ta* PATIENCE *et ton* SANG-FROID *ne sont-*ILS *pas en fait des marques d'indifférence ?*

3. Lorsque le **pronom** se réfère à un **titre,** il **s'accorde** avec ce **titre** et non avec la personne qu'il représente : SON ÉMINENCE *recevra-t-*ELLE *les visiteurs ?*
Mais si le titre est suivi d'un **nom apposé,** le pronom **s'accorde** avec ce **nom :** SA SAINTETÉ LE PAPE *n'est-*IL *pas guéri de sa maladie ?*

4. Lorsque le nom représenté est un **adverbe de quantité** suivi d'un **complément,** le pronom **s'accorde** avec ce **complément :** *Trop de* TERGIVERSATIONS *ne vont-*ELLES *pas faire échouer votre projet ? Tant de* PATIENCE *n'emporte-t-*ELLE *pas votre admiration ?* Si l'accent est mis sur la **quantité** elle-même, le pronom peut être au masculin singulier : TROP *de prudence ne va-t-*IL *pas vous nuire ?* (= un excès de prudence).

5. Le participe présent et l'adjectif verbal

Règle.

Le **participe présent,** forme verbale en *-ant,* reste toujours **invariable.** L'**adjectif verbal** en *-ant,* épithète ou attribut, **varie** en genre et en nombre avec le nom auquel il se rapporte : SENTANT *l'adversaire faiblir,* ILS *en ont profité* (= comme ils sentaient : participe présent)./*Voici une* NOUVELLE SURPRENANTE *et très grave* (= propre à surprendre : adjectif verbal).

Comment reconnaît-on un participe présent d'un adjectif verbal ?

1. Est toujours un **participe** et **invariable** la forme en *-ant :*

— précédée de la préposition **en** (cette forme est souvent appelée gérondif) : *Elle est tombée* EN GLISSANT *dans l'escalier;*

— suivie d'un **complément,** direct, indirect ou circonstanciel : VOYANT LA SITUATION *défavorable, ils ont renoncé.* PARLANT À PAUL, *elle ne t'a pas vu.* ARRIVANT HIER SOIR À PARIS, *nous n'avons pas pu te joindre;*

— accompagnée de la **négation** *ne* ou *ne pas,* ou suivie d'un **adverbe :** NE CONNAISSANT RIEN *de la ville, ils se sont égarés.* PARTANT DEMAIN, *nous ne pouvons prendre un rendez-vous.*

— issue d'un verbe **pronominal,** ou avec **aller :** S'AGISSANT *d'une question aussi grave, nous devons réfléchir.* SE SATISFAISANT *de cette réponse, elle a accepté. Les difficultés* ALLAIENT CROISSANT.

— ayant un **sujet différent** du sujet du verbe principal (proposition participiale) : *Les* CIRCONSTANCES DEMEURANT *ce qu'elles étaient,* NOUS *attendrons.*

2. Est toujours **adjectif verbal** et **variable** la forme en *-ant :*

— à laquelle on peut **substituer** un **adjectif** qualificatif : *Elle était* RAVISSANTE *avec sa robe bleue* (= très belle).

— **coordonnée** à un **adjectif** qualificatif : *Il remporta des succès* ÉCLATANTS ET INATTENDUS.

— **précédée** d'un **adverbe** de quantité *(très peu, trop, assez, bien, fort),* ou précédée d'un adverbe de temps : *Ce sont des enfants* TRÈS OBÉISSANTS. *Une femme* TOUJOURS SOURIANTE.

Remarques.

1. Participes présents et adjectifs verbaux ont en général **la même forme;** ils ne sont **différents** que dans peu de cas; l'adjectif verbal est alors en *-ent* ou a une forme particulière (verbes en *-guer* ou en *-quer*) :

PARTICIPE PRÉSENT	ADJECTIF VERBAL	PARTICIPE PRÉSENT	ADJECTIF VERBAL
adhérant	adhérent	excellant	excellent
coïncidant	coïncident	fatiguant	fatigant
communiquant	communicant	influant	influent
confluant	confluent	intriguant	intrigant
convainquant	convaincant	naviguant	navigant
convergeant	convergent	négligeant	négligent
déférant	déférent	précédant	précédent
détergeant	détergent	provoquant	provocant
différant	différent	résidant	résident
divaguant	divagant	somnolant	somnolent
divergeant	divergent	suffoquant	suffocant
émergeant	émergent	vaquant	vacant
équivalant	équivalent	zigzaguant	zigzagant

2. Soi-disant, battant neuf, flambant neuf sont invariables : *De* SOI-DISANT *volontaires; une voiture* FLAMBANT NEUF, BATTANT NEUF. L'accord n'est cependant pas une faute avec *flambant, battant* et *neuf : une villa*

FLAMBANTE NEUVE ou FLAMBANT NEUVE ; *des voitures* FLAMBANTES NEUVES ou FLAMBANT NEUVES.

3. Sonnant, battant, tapant et, en langue populaire, **pétant,** s'accordent ou non après l'expression d'une heure : *à quatre heures* SONNANTES ; *à deux heures* PÉTANTES ; *à trois heures* TAPANT, PÉTANT.

4. Cessant s'accorde dans : *toutes affaires* CESSANTES ; *tous empêchements* CESSANTS.

6. Le participe passé avec « être »

Règle 1.

Le **participe passé** avec *être* **s'accorde** en **genre** et en **nombre** avec le nom ou le pronom **sujet** auquel il se rapporte. Les verbes conjugués avec *être* sont les verbes passifs et certains verbes intransitifs :

Nos LETTRES *ne* SONT *pas* PARVENUES *à leurs destinataires. Nos* ESPOIRS ONT ÉTÉ DÉÇUS. *La* VAISSELLE EST FAITE.

Remarques.

1. Lorsque le participe passé se rapporte à un pronom comme **on, nous, vous,** etc., v. p. 30.

2. Lorsque le participe passé se rapporte à un **nom collectif** ou à un **adverbe de quantité** suivi de son complément, les règles sont les mêmes que pour l'adjectif ou pour le verbe (v. p. 31, 48, 49).

3. Avec **rester, demeurer, paraître, sembler,** le participe passé s'accorde avec le nom auquel il se rapporte : ELLE *paraît très* AFFECTÉE *par la nouvelle. La* FERME *reste* ABANDONNÉE.

4. Le participe passé **été** est toujours **invariable** : *Nous ne pouvons être et avoir* ÉTÉ. *Aline y a* ÉTÉ *l'année dernière.*

5. Le participe passé, **sans auxiliaire, s'accorde** avec le nom auquel il se rapporte : *Une fois la* VAISSELLE FAITE, *nous pourrons regarder la télévision. Vous croyez* COLETTE PARTIE ? (= que Colette est partie). *La* LETTRE ENVOYÉE, *elle a changé d'avis. On va renflouer les* BATEAUX ÉCHOUÉS *sur le rivage.* ÉTONNÉE, JACQUELINE *ne répondit rien.*

6. **Attendu, excepté, ôté, passé, supposé, vu, y compris, non compris, ci-joint, ci-inclus, ci-annexé,** placés **avant** le **nom** auquel ils se rapportent, restent **invariables** (ils sont considérés comme des prépositions ou des adverbes) : EXCEPTÉ JEANNE, *tout le monde était là.* PASSÉ *cette* SEMAINE, *le plus difficile sera fait.* VU *les* PROBLÈMES, *il faut se donner le temps de réfléchir. Vous trouverez* CI-JOINT *la* SOMME *que vous demandez.* CI-INCLUS *les* PIÈCES *nécessaires à l'instruction. Relisez tout,* Y COMPRIS *les* NOTES *en bas de page.*

Placés **après** le **nom** auquel ils se rapportent, ils **s'accordent** avec lui : JEANNE EXCEPTÉE, *tout le monde était là.* *Vous compterez la* SOMME CI-JOINTE. *Relisez tout, les* NOTES *en bas de page* Y COMPRISES. *La* PIÈCE CI-INCLUSE *devra m'être retournée signée.*

7. Le participe passé avec « avoir »

Règle 1.

Le **participe passé** conjugué avec *avoir* **s'accorde** avec le **complément d'object direct** si celui-ci **précède** le participe. Ce complément d'objet direct est le pronom relatif *(que)* ou un pronom personnel *(le, la, les, me, te, nous, vous)* remplaçant un nom :

La LETTRE QUE *Georges a* ENVOYÉE *de Nice est sur le bureau.* (Georges a envoyé quoi ? — Une lettre.)/*J'ai rencontré quelques* AMIS ; *je* LES *ai* INVITÉS *pour demain.* (J'ai invité qui ? — Quelques amis.)

Seuls ont un complément d'objet direct les verbes **transitifs directs**.

Remarques.

1. L'objet direct qui précède est formé d'un **nom collectif** ou de **fraction** suivi d'un **complément** *(une multitude de, une foule de, une partie de, un tiers de, la moitié de,* etc.), le **participe passé s'accorde** soit avec le nom **collectif** ou de **fraction,** soit avec le nom **complément :**

Il y a sur la table LA MOITIÉ DU GÂTEAU ; *on* L'*a* LAISSÉ *pour toi.* (On a laissé quoi ? — Du gâteau [une moitié].)
Il y a sur la table LA MOITIÉ DU GÂTEAU ; *on* L'*a* LAISSÉE *pour toi.* (On a laissé quoi ? — La moitié [du gâteau].)

Il est entré dans la pièce UNE MULTITUDE D'INSECTES QUE *la lumière a* ATTIRÉS. (La lumière a attiré quoi ? — Des insectes.)
Il est entré dans la pièce UNE MULTITUDE D'INSECTES QUE *la lumière a* ATTIRÉE. (La lumière a attiré quoi ? — Une multitude [d'insectes].)

2. L'objet direct qui précède est un **adverbe de quantité** suivi d'un **complément** *(beaucoup de, un peu de, trop de,* etc.), le **participe passé s'accorde** avec le nom **complément :**

BEAUCOUP DE GENS QUE *j'ai* VUS *depuis sont d'accord avec moi.* (J'ai vu quoi ? — Beaucoup de gens, des gens en grand nombre.)

UN PEU DE NEIGE *restait devant la maison ; on* L'*a* ENLEVÉE. (On a enlevé quoi ? — La neige, de la neige en petite quantité.)

Avec *le peu de,* le **participe passé s'accorde** soit avec **le peu** soit avec le **complément** qui suit :

Le PEU *d'énergie qu'il a* MONTRÉ *n'a pas suffi :* (Il a montré quoi ? — Un peu [d'énergie].)

*Le peu d'*ÉNERGIE *qu'il avait* MONTRÉE *naguère a disparu.* (Il avait montré quoi ? — De l'énergie [en petite quantité].)

3. L'objet direct est **un des** ou **une des** et un nom pluriel complément, le **participe passé s'accorde** avec **un, une,** s'il s'agit du numéral *un* (= un seul). Il **s'accorde** toujours avec le nom **complément** de *un, une* s'il s'agit d'un indéfini (= n'importe lequel parmi un ensemble) : *Y a-t-il* UN DES FILMS *de la semaine* QUE *tu n'as pas* AIMÉ ? (= Y a-t-il un seul film que tu n'as pas aimé parmi les films de la semaine ?)/*Rends-moi* UN DES LIVRES *que je t'ai* PRÊTÉS. (= Rends-moi n'importe lequel parmi les livres que je t'ai prêtés.)

4. Le complément d'objet direct placé avant le verbe est le pronom **en,** le **participe passé** reste **invariable** (*en* est considéré comme adverbe) ou, plus souvent, il **varie** (*en* est un pronom personnel reprenant un nom introduit par l'article partitif *du, de la, des*) : *Aimez-vous les* CERISES ? *J'*EN *ai* CUEILLI *ce matin,* ou *J'*EN *ai* CUEILLIES *ce matin.*

Si le pronom **en** représente le complément d'un adverbe de quantité, le **participe passé s'accorde** avec ce **complément** ou, plus souvent, reste **invariable** : DE CES FILMS *stupides j'en ai* TROP VU *ou* VUS. *J'en ai* TROP CONNUS, *ou* CONNU, DE CES HOMMES *hésitants et inquiets de tout.*

5. Le **participe passé** conjugué avec *avoir* reste **invariable** si le complément d'objet direct qui précède est **objet direct** non du participe, mais d'un verbe d'une **phrase** dépendant de ce participe : *La* DÉCORATION *qu'il avait* CRU QU'*on lui attribuerait.* (= Il avait cru qu'on lui attribuerait cette décoration : *décoration* est objet direct de *attribuerait* et non de *cru.*)

Règle 2.

Le **participe passé** conjugué avec *avoir* reste **invariable** si le **complément d'objet direct suit** le participe passé ou s'il n'y a pas de complément d'objet direct :

As-tu ENVOYÉ *le* PAQUET *de Paris ou de Lyon ?* (Tu as envoyé quoi ? — Le paquet : l'objet direct suit le participe passé.)
L'équipe a ABANDONNÉ *avant la fin de l'étape.* (L'équipe a abandonné quoi ? — La course, le championnat : l'objet direct n'est pas exprimé.)

Quels sont les verbes qui n'ont pas de complément d'objet ?

N'ont pas de complément d'objet les verbes **intransitifs** et les verbes **impersonnels** : *Le voleur a* FUI *avant l'arrivée de la police.* (*Fuir*, verbe intransitif sans complément d'objet, en ce sens). *Il a* NEIGÉ *pendant deux jours.* (*Neiger*, verbe impersonnel sans complément d'objet.)

N'ont pas de complément d'objet direct les verbes **transitifs indirects.** Ceux-ci ont seulement un complément d'objet indirect : *Les enfants ont* DÉSOBÉI *à leur mère.* (Ont désobéi à qui ? — À leur mère, complément d'objet indirect.)
Les enfants m'ont DÉSOBÉI *à moi leur mère.* (*m'*, complément placé avant *désobéi*, est un complément d'objet indirect, le participe passé ne s'accorde pas).

Remarques.

1. Un certain nombre de verbes ont un **sens transitif** (avec un complément d'objet direct) et un **sens intransitif** (sans complément d'objet) différents ; seul l'emploi transitif permet l'accord (au cas où le complément d'objet direct précède le participe passé) : *Regarde les* BRANCHES QUE *le vent a* CASSÉES. (Le vent a cassé quoi ? — Les branches : *casser* est ici transitif.)/*Les branches ont* CASSÉ *sous l'effet du vent.* (*Branches* est sujet de *ont cassé : casser* est ici intransitif.)

2. Il ne faut pas confondre les **compléments d'objet direct** sans préposition (qui répondent à la question *quoi ?* ou *qu'est-ce que ?*) et les **compléments de temps, de mesure, de prix,** etc., sans préposition (qui répondent à la question *combien ?*) : *Il a* NEIGÉ TROIS JOURS. (Combien de jours a-t-il neigé ? [*trois jours* est un complément de temps sans préposition].) *Les trois* JOURS QU'*il a* NEIGÉ *je suis resté à l'hôtel.* (*Qu'* est complément de temps ; *neigé* reste invariable.) *Nous avons* MARCHÉ *trois* KILOMÈTRES. (Combien de kilomètres avons-nous marché ? [*trois kilomètres* est un complément de mesure sans préposition].) *Les trois* KILOMÈTRES QUE *nous avons* MARCHÉ *n'étaient pas fatigants.* (*Que* est complément de mesure ; *marché* reste invariable.)

3. Il ne faut pas confondre le **sujet,** qui peut accompagner le verbe impersonnel, avec un **complément d'objet direct** : *Il a* NEIGÉ *hier de gros* FLOCONS. *Les gros* FLOCONS QU'*il a* NEIGÉ *hier.* (*Flocons* n'est pas le complément d'objet direct du verbe impersonnel, c'est un sujet réel de *neigé* qui reste invariable.)/*Il a* FAIT *de grosses* CHALEURS. *Les grosses* CHALEURS QU'*il a* FAIT. (*Chaleurs* n'est pas le complément d'objet direct du verbe impersonnel *il fait* [*il fait chaud, froid, humide,* etc.] ; *fait* reste invariable.)

4. **Coûter, valoir, peser, mesurer, courir, reposer, vivre,** etc., peuvent avoir un premier sens, **intransitif, sans complément d'objet direct,** mais avec un complément de prix, de mesure ou de temps sans préposition, et un autre sens, **transitif, avec un complément d'objet direct** : ces deux sens sont différents. La règle générale s'applique : si le participe est précédé d'un complément d'objet direct, il s'accorde ; dans le cas contraire, le participe passé reste invariable :

Les mille FRANCS QUE *cette robe a* COÛTÉ. (Elle a coûté combien ? — *Mille francs,* complément de prix ; *coûté* intransitif, invariable.)/*Les gros* EFFORTS QUE *ce travail m'a* COÛTÉS. (Il m'a coûté quoi ? — *De gros efforts,* complément d'objet direct ; *coûté* transitif, variable.)

Les deux MÈTRES QUE *ce mur avait* MESURÉ *avant de s'écrouler.* (Il a mesuré combien ? — *Deux mètres,* complément de mesure ; *mesuré* intransitif, invariable.)/*La* TABLE QUE *j'ai* MESURÉE *a deux mètres.* (J'ai mesuré quoi ? — *La table,* complément d'objet direct ; *mesuré* transitif, variable.)

Les quelques HEURES QU'*il a* REPOSÉ *à l'hôpital.*/*Les* CAHIERS QU'*il a* REPOSÉS *sur mon bureau.*

Les cent MÈTRES QU'*il a* COURU./*Les* DANGERS QU'*il a* COURUS.

Les cinquante KILOS QUE *Marie a* PESÉ *jadis.*/*La* LETTRE QUE *j'ai* PESÉE.

Les dix mille FRANCS QUE *cette maison a* VALU./*La* CÉLÉBRITÉ QUE *cet acte lui a* VALUE.

Les quatre-vingts ANS QU'*il a* VÉCU./*Les* RÊVES *absurdes* QU'*il a* VÉCUS. *Les* ANNÉES *difficiles* QU'*il a* VÉCUES.

5. Le **participe passé** reste **invariable** dans : *Elle* L'*a* ÉCHAPPÉ *belle. Elle* L'*a* PRIS *de haut. Elle me* L'*a* BAILLÉ *belle.*

Règle 3.

Si le **complément d'objet direct** qui **précède** le participe passé est le pronom **le (l')**, reprenant toute une phrase, le **participe passé** reste **invariable** :

Il devait rentrer ce soir ; je L'*avais du moins* ESPÉRÉ. (J'avais espéré quoi ? — Qu'il revint ; *l'* complément d'objet direct reprend toute une phrase.) *Elle est intelligente ; je* L'*ai* CRU *du moins.* (J'ai cru quoi ? — Qu'elle était intelligente ; *l'* complément d'objet direct reprend toute une phrase.)

Remarque.

Certains verbes comme **daigner, tâcher,** sont toujours suivis d'une complétive (introduite par *que* et à l'indicatif ou au subjonctif) ou d'un infinitif, mais n'ont jamais un nom pour complément d'objet direct ; leurs **participes passés** sont toujours **invariables** : *Elle a* DAIGNÉ *sourire. Elle a* DAIGNÉ *que je lui envoie des fleurs. Elle a* TÂCHÉ *de bien faire.*
Pouvoir, qui ne peut admettre comme complément d'objet direct placé avant le participe qu'un pronom neutre *(le, l')* a son participe invariable : *J'ai pu faire ceci. Je* L'*ai* PU.

Règle 4.

Si le **participe passé** conjugué avec *avoir* est **suivi** d'un **infinitif** précédé ou non d'une préposition, il **s'accorde** si le nom qui précède est **complément d'objet direct du participe** et **sujet de l'infinitif** :

Va voir les ENFANTS QUE *j'ai* ENTENDUS CRIER *dans la chambre.* (= J'ai entendu les enfants qui criaient : *enfants* objet direct de *entendu ;* j'ai entendu les enfants crier : *enfants* sujet de *crier.*) *Cette* MALADIE, *je* L'*ai* SENTIE VENIR. (= J'ai senti quoi ? — Cette maladie qui venait : la maladie vient.) *Deux* ÉLÈVES QU'*on a* AUTORISÉS *à* SORTIR *ne sont pas rentrés.* (= On a autorisé qui ? — Deux élèves : les deux élèves sont sortis.)

Mais si le nom qui précède est **complément d'objet direct de l'infinitif**, le **participe passé** reste **invariable** : *Je connais les* AIRS QUE *je t'ai* ENTENDU FREDONNER. (= Je t'ai entendu fredonner ces airs ; *airs* complément de *fredonner.*) *Ces* MESURES *que j'ai* PRÉFÉRÉ PRENDRE *tout de suite.* (= J'ai préféré prendre ces mesures tout de suite ; *mesures* complément de *prendre.*)

Remarques.

1. Avec les **verbes d'opinion** (*penser, croire, espérer, estimer,* etc.) ou les **verbes déclaratifs** (*dire, affirmer, assurer, prétendre,* etc.), le nom qui précède le participe est sujet de l'infinitif sans être complément d'objet direct du participe : le **participe passé** reste **invariable** : *Cette* LETTRE QUE *j'avais* CRU VENIR *de toi.* (= J'avais cru quoi ? — Que cette lettre venait de toi : l'infinitif fait partie d'une proposition complément de *croire* dont le sujet est *cette lettre ; j'ai cru cette lettre* a un tout autre sens : « j'avais confiance en cette lettre. ») *Ces* CADEAUX QU'*on m'avait* DIT VENIR *de toi.* (= On m'avait dit quoi ? — Que ces cadeaux venaient de toi ; *cadeaux* est uniquement sujet de l'infinitif.)

2. Le participe passé **fait,** suivi d'un **infinitif,** est toujours **invariable** : *La maison que j'ai* FAIT *construire.*

3. Laissé, suivi d'un **infinitif,** est **invariable** si le nom qui précède est uniquement complément d'objet direct de l'infinitif : *Ces pauvres gens, je ne* LES *aurais jamais* LAISSÉ EXPULSER. (= être l'objet d'une expulsion.) Si le nom qui précède est à la fois complément d'objet direct du participe et sujet de l'infinitif, *laissé* **s'accorde** ou reste **invariable** : *Je ne les aurais jamais* LAISSÉ *ou* LAISSÉS AGIR *de cette façon.*

4. Voulu, dû, permis sont **invariables** si le nom qui les précède est objet direct non du participe, mais du verbe à l'infinitif qui est sous-entendu : *Je lui ai donné tous les* CADEAUX QUE *j'ai* VOULU. (= Que j'ai voulu lui donner.) *Je t'ai donné tous les* CADEAUX *que tu as* VOULUS. (= Tu as voulu ces cadeaux, tu les as désirés.) *Je n'ai pas fini tous les* TRAVAUX QUE *j'aurais* DÛ. (= Que j'aurais dû finir.)

5. Eu, laissé et **donné** suivis de **à** et d'un **infinitif** *(avoir eu à faire, laisser à faire, donner à faire),* restent **invariables** si le nom qui précède est objet direct de l'infinitif, ce qui est le cas le plus fréquent : *Les* VILLES QUE *j'ai* EU à CITER *étaient toutes des villes européennes. Les* DEVOIRS QUE *j'ai* EU *à* FAIRE. Lorsque le nom qui précède peut être aussi bien complément du participe que de l'infinitif, le participe **s'accorde** ou reste **invariable** : *La* LEÇON QUE *je t'ai* DONNÉ *ou* DONNÉE *à apprendre. La* VAISSELLE, *je te* L'*ai* LAISSÉ *ou* LAISSÉE *à faire.*

Règle 5.

Si le **participe passé** conjugué avec *avoir* est **précédé** d'un **complément d'objet direct** et suivi d'un **attribut,** le participe passé **s'accorde** avec ce complément :
Ces VÊTEMENTS, *je* LES *ai* CHOISIS GRANDS *exprès. Cette* FILLE QUE *j'ai* TROUVÉE *très* JOLIE. *Cette* DATE QUE *nous avions* CRUE LIMITE.

Remarque.

Avec des **verbes d'opinion** *(penser, juger, estimer,* etc.) ou des **verbes déclaratifs** *(dire, affirmer,* etc.), et lorsque le pronom est **que,** cette règle est en contradiction avec la précédente, car ces compléments d'objet direct sont aussi sujets d'un infinitif *être* sous-entendu ; aussi est-il fréquent de trouver le participe **invariable** : *On avait cru que ces gens étaient inquiets de la situation. Ces gens qu'on avait* CRUS *inquiets de la situation* [règle 5]./ *Ces gens qu'on avait* CRU *(être) inquiets de la situation* [règle 4, Remarque 1].

8. Le participe passé des verbes pronominaux

Règle 1.

Si le **verbe pronominal** correspond à un **verbe transitif,** accompagné d'un **complément** d'objet direct, le **participe passé** du verbe pronominal **s'accorde** avec le **pronom réfléchi** identique en genre et en nombre au sujet : *Colette* S'EST REGARDÉE *dans la glace* (= a regardé elle-même).

Il en est de même pour le pronom de sens réciproque (*Pierre et Paul* SE BATTENT *dans la cour* = Pierre bat Paul et Paul bat Pierre) : *Pierre et Paul* SE SONT BATTUS *dans la cour.*

Règle 2.

Si le **verbe pronominal** correspond à un **verbe transitif** accompagné de **deux compléments,** l'un objet direct, l'autre objet indirect du type *donner quelque chose* [objet direct] *à quelqu'un* [objet indirect], le **participe passé** du verbe pronominal **s'accorde** avec le **complément d'objet direct** si celui-ci le **précède** : *Les* DÉLAIS QUE *Colette* S'*est toujours* ACCORDÉS (*délais,* complément d'objet direct).

Dans le cas contraire, le **participe passé** reste **invariable** : *Colette* S'*est toujours* ACCORDÉ *des délais.*

Il en est de même pour le verbe pronominal de sens réciproque : *Ils* SE *sont* DONNÉ *des* GIFLES, mais *les* GIFLES QU'*ils* SE *sont* DONNÉES.

Règle 3.

Si le **verbe pronominal** correspond à un **verbe transitif,** accompagné d'un **complément d'objet direct** et d'un **possessif** (*Colette* SE *lave* LES MAINS. *Colette* LAVE SES MAINS [= à elle]), le **participe passé** du verbe pronominal **s'accorde** avec le **complément d'objet direct** si celui-ci le **précède**; dans le cas contraire, il reste invariable : *Colette* S'*est* LAVÉ *les* MAINS./LES MAINS QUE *Colette* S'*est* LAVÉES.

On distingue donc : *Elle* S'*est* BLESSÉE *au pied* (= elle a blessé elle au pied)./*Elle* S'*est* BLESSÉ *le* PIED *droit* (= elle a blessé son pied droit).

Remarques.

1. Si le **verbe pronominal** est suivi d'un **infinitif,** le **participe passé** reste **invariable** quand le réfléchi est **objet direct de l'infinitif**; il **varie** si le réfléchi est objet direct du participe et **sujet de l'infinitif** : *Elle* S'*est* SENTI TIRER *par la manche.* (= Elle a senti qu'on *la* tirait par la manche; *se* objet direct de *tirer*.) *Elle* S'*est* SENTIE DÉFAILLIR. (= Elle a senti qu'*elle* défaillait; *se* sujet de *défaillir* et objet direct de *sentir*.)

2. Si le **verbe pronominal** est suivi d'un **attribut**, le **participe passé s'accorde** : *Elle* s'est SENTIE *malade.*

3. Fait, dans *s'être fait,* suivi d'un infinitif, reste **invariable** : *Ils* SE *sont* FAIT *construire une maison.*

4. Laissé, dans *s'être laissé* suivi d'un infinitif, **s'accorde** quand le sujet de *se laisser* est aussi celui de l'infinitif ; sinon, il reste **invariable** : *Elle* s'*est* LAISSÉE *mourir. Elle* s'*est* LAISSÉ PRENDRE *(par la police).*

5. Persuadé, dans *se persuader que,* **s'accorde** ou **non** avec le réfléchi selon que l'on considère la construction *persuader quelqu'un de quelque chose* (accord ; construction la plus fréquente de nos jours) ou *persuader quelque chose à quelqu'un* (construction de la langue littéraire) : *Ils* SE *sont* PERSUADÉ ou PERSUADÉS *que je me trompais.*

6. Les **participes passés** des locutions *se donner raison, se donner tort, se rendre compte, se faire grâce, se faire jour, se faire l'écho de, se faire fort de, se faire justice,* etc., sont **invariables** : *Ils* SE *sont* RENDU COMPTE *de leur erreur. Ils* SE *sont* FAIT L'ÉCHO *de cette calomnie.*

7. En revanche, sont **variables** les **participes passés** des locutions *se mettre bien, se rendre maître, se tenir coi, se porter garant, se porter caution, se trouver court, se mettre à dos :* ELLES SE *sont* TROUVÉES COURT. ILS SE *sont* TENUS COIS. ELLE S'*est* PORTÉE GARANTE.

Règle 4.

Si le **verbe pronominal** correspond à un **verbe transitif indirect,** accompagné d'un **complément d'objet indirect** (verbe du type *nuire à quelqu'un : Colette se nuit par ce mensonge),* le **participe passé** reste **invariable** : *Colette* S'EST *beaucoup* NUI *par ce mensonge.*

Remarque.

Le nombre de verbes pronominaux dont le participe passé est **toujours invariable** est réduit : *Elle* S'*est* COMPLU ; *elle* S'*est* PLU/DÉPLU ; *elle* S'*est* NUI/SUFFI *à elle-même ; ils* SE *sont* SOURI ; *ils* SE *sont* SUCCÉDÉ ; *ils* SE *sont* RESSEMBLÉ ; *ils* SE *sont* PARLÉ ; *elle* S'*est* SURVÉCU ; *elle* S'*en* *est* VOULU.

Règle 5.

Si le verbe est **essentiellement pronominal,** c'est-à-dire s'il ne correspond à aucun verbe transitif (verbe pronominal du type *s'abstenir,* le verbe *abstenir,* non réfléchi n'existe pas) ou s'il est sans rapport de sens avec le verbe transitif (verbe pronominal du type *s'apercevoir : Paul s'aperçoit de son erreur ≠ Paul aperçoit une erreur dans sa copie),* le **participe passé s'accorde** avec le **sujet** du verbe :

COLETTE S'*est* ABSTENUE *de parler.* COLETTE S'*est* APERÇUE *de son erreur.*

45

Remarque.

S'arroger, verbe essentiellement pronominal, est suivi d'un complément d'objet direct : *Elle s'arroge certains droits.* Le **participe passé s'accorde** avec ce **complément** et uniquement si celui-ci le précède : *Elle* s'*est* ARROGÉ *certains* DROITS. *Les* DROITS QU'*elle* s'*est* ARROGÉS.

Règle 6.

Si le **verbe pronominal** correspond à un **verbe passif** conjugué avec *être* (verbes pronominaux à sens passif : *Les légumes se vendent cher* = *Les légumes sont vendus cher*), le **participe passé** du verbe pronominal **s'accorde** avec le **sujet** du verbe : *Les* LÉGUMES SE *sont* VENDUS *cher.*

---

9. L'accord du verbe et du sujet

Règle 1.

Le **verbe s'accorde** en **nombre** avec le **sujet.** Si le sujet est au singulier, le verbe est au singulier. Si le sujet est au pluriel, le verbe est au pluriel : *Les* TÉLÉSPECTATEURS POURRONT *voir un excellent film ce soir. L'*AUTOROUTE ÉTAIT *encombrée ce matin.*

Remarques.

1. Le sujet peut **suivre** le verbe et non le précéder : *Écoutez ce que* DISENT *vos* PARENTS. *La nouvelle qu'*ONT *donnée les* JOURNAUX *est fausse.*

2. **Vive, qu'importe, peu importe, reste, soit,** suivis d'un sujet pluriel, **s'accordent** s'ils sont considérés comme des verbes ou restent **invariables** s'ils sont considérés comme des exclamations, ou des présentatifs : VIVE(NT) *les* VACANCES ! QU'IMPORTE(NT) *ses* REMARQUES ! *Peu* IMPORTE(NT) *les* CIRCONSTANCES ! RESTE(NT) *quelques* POINTS *délicats.* SOI(EN)T *deux* DROITES. **Vive,** devant un pronom de la 1re ou de la 2e personne, est invariable : VIVE *nous !*

3. Lorsque le sujet est le **pronom relatif,** le **verbe s'accorde** en **nombre** avec l'**antécédent** : *Les* LIVRES QUI SONT *sur la table.*

Règle 2.

Si le **sujet** est formé de deux ou plusieurs noms **coordonnés** par **et** ou **juxtaposés,** le **verbe** se met au **pluriel** : *Le* DÉGOÛT ET *la* TRISTESSE *m'*AVAIENT *envahi. L'*AMERTUME *chez les uns, la* COLÈRE *chez les autres ne* CESSAIENT *de grandir.*

Remarques.

1. Si les sujets **coordonnés** par **ou** ou **ni** peuvent indifféremment faire l'action, le **verbe** se met au **pluriel** : *La* VALISE OU *le* SAC FERONT *l'affaire* (= l'un comme l'autre). NI PAUL NI FRANÇOIS *ne* PEUVENT *nous aider* (= aucun des deux).

Si **un seul** de ces sujets fait, ou peut effectivement faire l'action, à l'exclusion de l'autre, le **verbe** se met au **singulier** : *L'*AMBASSADEUR OU *son* REPRÉSENTANT SERA *présent à notre réunion* (un seul des deux viendra). NI PAUL NI FRANÇOIS *ne* SERA *élu maire de notre commune* (un seul des deux pourrait l'être).

Si **un seul** des deux sujets est **pluriel**, le **verbe** est au **pluriel** : *Tes* FRÈRES *ou ton* COUSIN VIENDRONT *bien à la réunion.*

Si **ou** introduit un synonyme ou une explication, le **verbe s'accorde** avec le premier terme, seul sujet : *Votre* PATRONYME OU NOM DE FAMILLE DOIT *être écrit en toutes lettres.*

2. Avec **l'un et l'autre**, le **verbe** est au **pluriel** : *L'*UN ET L'AUTRE *parti* ÉTAIENT *organisés. L'*UNE ET L'AUTRE ÉTAIENT *intelligentes.*

Avec **l'un ou l'autre**, le **verbe** est au **pluriel** (au sens de « tous les deux ») ou au **singulier** (si l'un exclut l'autre) : *L'*UNE OU L'AUTRE *maison me* CONVIENNENT (= toutes les deux). *L'*UNE OU L'AUTRE *maison* DOIT *être détruite* (= mais pas les deux).

Avec **ni l'un ni l'autre**, le **verbe** est au **pluriel**, si les deux sont exclus en même temps : *Ni l'une ni l'autre maison ne me* CONVIENNENT. Il est au **singulier** si, bien qu'exclus tous les deux, un seul des deux aurait pu faire l'action : NI L'UN NI L'AUTRE *n'*EST *le père de l'enfant.*

3. Si un **sujet singulier** résume des **noms juxtaposés**, le **verbe** reste au **singulier** : DOCUMENTS, MANUSCRITS, FICHIERS, TOUT *avait brûlé.*

4. Si les **sujets juxtaposés** sont de simples **synonymes,** le **verbe s'accorde** avec le **dernier sujet** : *Un moment d'inattention, une négligence, un* OUBLI, PEUT *provoquer la catastrophe.*

5. Si les **sujets juxtaposés** constituent une simple **gradation,** le **verbe s'accorde** avec **le dernier sujet** : *Le ressentiment, la colère, la* HAINE *même* SE LIT *sur son visage.*

6. Lorsque les sujets sont liés par **ainsi que, comme, de même que, aussi bien que,** dans le sens de **et,** le **verbe** est au **pluriel** : *Ton* PÈRE AUSSI BIEN *que ta* MÈRE SERONT *heureux de ton succès* (= et ta mère). *Le* LIÈVRE COMME *la* PERDRIX SONT *rares cette année* (= et la perdrix). Mais si ces conjonctions gardent *le* sens de comparaison, le **verbe** reste au **singulier** : PAUL AINSI QUE *les* ENFANTS *de son âge* EST *turbulent.*

Règle 3. —————————————

- Si le **sujet** est un **pronom personnel**, le **verbe s'accorde** en **personne** et en **nombre** avec le pronom : *Moi,* JE PENSE *que* TU AS *tort.* NOUS SOMMES *allés au cinéma dimanche.*

- Si le **sujet** est formé de **deux** ou **plusieurs pronoms,** le verbe au pluriel est

— à la 1ʳᵉ personne si un des pronoms est à la 1ʳᵉ personne : Toi *et* moi, (nous) serons *en vacances en même temps.* Moi *et* lui, (nous) avons *convenu de nous revoir;*

— à la 2ᵉ personne si les pronoms sont à la 2ᵉ et à la 3ᵉ personne : Toi *et* elle, (vous) resterez *cet après-midi à la maison;*

— à la 3ᵉ personne si les pronoms sont uniquement à la 3ᵉ personne : Lui *et* elle sont *insupportables autant l'un que l'autre.*

Remarque.

Si le ou les pronoms sont repris par **qui,** le **verbe s'accorde,** selon la même règle, avec ce ou ces pronoms : Toi *et* moi qui savons *cela depuis longtemps, nous nous méfions. C'est* toi qui es *de corvée. C'est* toi qui l'as *dit. C'est* moi qui l'ai *dit.*

Règle 4.

Si le **sujet** est un nom **collectif** indéfini suivi d'un **complément** du nom **pluriel,** le **verbe s'accorde** indifféremment avec le **collectif** ou avec le **complément** : *Une* foule de gens viendront *ou* viendra *à ce spectacle. Une* nuée d'oiseaux s'abattit *ou* s'abattirent *sur la plage.*

Ces collectifs (précédés d'un article indéfini) sont les suivants : *une foule de, une troupe de, une rangée de, une nuée de, une poignée de, un régiment de, un paquet de, une masse de, une armée de, un grand nombre de, un petit nombre de, une dizaine de, une centaine de, etc.*

Remarques.

1. Si ces **collectifs** au singulier sont **précédés** d'un **article défini,** d'un **possessif** ou d'un **démonstratif,** le **verbe** est au **singulier :** La foule des spectateurs s'éloigna *du stade.* Cette armée de supporters est *très bruyante.*

2. Avec les noms de **fraction** au singulier (*moitié, quart,* etc.) suivis d'un **complément** au pluriel, le **verbe s'accorde** avec le nom de **fraction** ou avec le **complément :** *La* moitié des enfants sont *absents* ou est *absente.*

Avec un nom de **fraction** au pluriel, le **verbe** est au **pluriel :** *Les* trois quarts des enfants sont *absents.*

3. Après **un des** suivi d'un nom pluriel et du pronom relatif **qui,** le **verbe** de la relative **s'accorde** avec l'**antécédent** qui, selon le sens, est *un* ou le complément : *C'est* un des enfants qui a *gagné le prix.* (= Un seul enfant a gagné.) *Mon fils, c'est* un des enfants qui jouent *dans la cour.* (= Plusieurs enfants jouent.)

Règle 5.

- Si le **sujet** est un **adverbe de quantité,** ou une expression équivalente, suivi d'un **complément** au **pluriel,** le **verbe** est au **pluriel :** Beaucoup de gens pensent *ainsi.* Trop d'obstacles ont *surgi.*

- Si le complément *« de gens »* ou *« de ces choses »* est sous-entendu, le **verbe** est au **pluriel :** Peu savent *reconnaître leur erreur (= peu de gens). Ces pommes sont belles mais* beaucoup sont abîmées *à l'intérieur (= beaucoup de pommes).*

  Ces adverbes ou ces expressions de quantité sont les suivants : *beaucoup de, assez de, peu de, trop de, combien de, tant de, la plupart, le plus grand nombre, quantité de, force de, nombre de.*

Remarques.

1. Si l'accent est mis sur le quantitatif lui-même, sur la notion de quantité (en particulier avec *le peu, le peu de*), le **verbe** reste au **singulier :** Le peu de ressources *qui me* reste *ne* suffira *pas* (on parle de la quantité). Le peu de robes *qui lui* restaient étaient *déchirées* (on parle des robes).

2. Avec **plus d'un,** le **verbe** est au **singulier :** Plus d'un s'est *aperçu de son hésitation.*

3. Avec **moins de deux, pas moins de** (suivi d'un nom pluriel), le **verbe** se met au **pluriel :** Moins de deux minutes *se* sont *passées avant qu'il ne revienne.* Pas moins de trois morts ont *été sortis de la voiture.*

4. Avec **toute sorte de, toute espèce de,** et un nom pluriel, le **verbe** est au **pluriel :** Toute sorte de gens *se* trouvaient *dans la salle.* Toute espèce de rêves troublaient *mes nuits.*

Règle 6.

Dans **c'est, c'était, ce sera,** etc., le **verbe** *être* se met au **pluriel** dans la langue soutenue et écrite quand le **nom** ou le **pronom** qui suit est au **pluriel;** il reste au **singulier** dans la langue courante et parlée : Ce sont des amis *très sympathiques.*/C'est des amis *sympathiques.* Ce sont eux *que j'ai vus hier.*/C'est eux *que tu as vus hier.* C'étaient des frais *inutiles.*/C'était des frais *inutiles.*

Remarques.

1. La règle s'applique à **ce doit être, ce peut être :** Ce doivent être nos amis *qui arrivent maintenant.*/Ce doit être nos amis. (Le pluriel appartient à la langue littéraire.)

2. Si ce n'est (= excepté), **fût-ce, n'eût été,** restent invariables.

3. Lorsque le pronom qui suit **c'est** est **nous** ou **vous,** le **verbe** reste au **singulier :** C'EST VOUS *qui avez écrit cela.*

4. Avec **tout ceci, tout cela,** le **verbe** *être* se met au **pluriel** si le **nom** attribut qui suit est au **pluriel :** TOUT CELA *ne* SONT *pas des preuves. (Tout ceci, tout cela* sont souvent repris par *ce : Tout cela, ce ne sont pas des preuves.)*

5. Si le nom qui suit *c'est* est précédé d'une préposition, le **verbe** reste au **singulier :** C'EST DE *mes* VOISINS *que j'ai appris la nouvelle.*

III. Orthographe d'usage

1. Orthographe et prononciation

Il n'existe pas de correspondance absolue entre la prononciation et l'orthographe d'usage des mots. Les principales transcriptions des sons sont données dans le tableau qui suit.

———————— Voyelles ————————

	GRAPHIES COURANTES		GRAPHIES EXCEPTIONNELLES	
[a]	a, à	*papa, patte, à, çà, là*	enn, emm, ea	*solennel, femme, Jeanne*
[ɑ]	a, â	*pas, pâte*		
[e]	e, é	*pré, poignée, messieurs, pied*	ay, œ, æ, ey, er, ez, ë	*payer, fœtus, œcuménisme, et cætera, ægosome, dreyfusard, manger, nez, canoë*
[ɛ]	e, è, ê, ai, ei, aî	*rester, bec, belle, près, bêle, être, chaire, pleine, chaînes*	ê, eî, ay, ey	*foêne, reître, paye ayant, asseyent, bey*
[i]	i, î, y, ı	*il, gîte, type, cycle, maïs*	hi, ee, ea, ie	*trahir, speech, week-end, leader, lied*
[o]	o, ô, au, eau	*sot, rose, côte, aujourd'hui, oiseaux*	aô, ho, a, ow, aw	*Saône, cahot, football, bungalow, crawl*
[ɔ]	o	*sotte, bosse, or*	oi, um, au	*oignon, magnum, Paul*
[y]	u, û, u	*tu, mur, mûr, Saül*	hu, eu	*cahute, eu, eusse*
[ø]	eu, œu, eû	*feu, émeute, œufs, jeûne*	œ, ö	*fœhn, fôhn*
[œ]	eu, œu, œ	*fleur, œuf, sœur, œil*	ue, u	*cueillir, club*
[ə]	e	*venir, tenon, retenir*	ai, on	*faisan, monsieur*
[u]	ou, où	*fou, échouer, goût*	aou, aoû, où, ew, oo, ow	*saoul, août, où, interview, footing, bowling*
[ɑ̃]	an, am, en, em	*an, lampe, enlever, embellir*	aon, aen, aën, ean	*paon, taon, Caen, Saint-Saëns, Jean*
[ɛ̃]	in, im, ain, aim, en, ein	*fin, impossible, sain, faim, chien, examen, paracentèse, plein*	yn, ym, în, ën, em	*lynx, thym, vînt, Samoëns, sempiternel*
[ɔ̃]	on, om	*son, sombre*	un	*unciforme, avunculaire*
[œ̃]	un, um	*un, brun, parfum*	eun	*à jeun*

———————— Semi-voyelles ————————

	GRAPHIES COURANTES		GRAPHIES EXCEPTIONNELLES	
[j]	il, ille, y, i + voyelle	*rail, paille, yeux, payer, nettoyer, appuyer, lieu, liane, lionne*	ï, hi, hy	*faïence, hier, hyène*
[w] + [a] [ɛ] [i] [ɛ̃]	oi, ou, w, wh, oin	*oiseau, oui, ouest, ouate, watt, whisky, moins*	oï, oe, oê, oy, eoi, ua	*cloître, moelle, poêle, royal, assoir, adéquat, desquamer*
[ɥ] + voyelle	u	*lui, linguiste, aiguille, sua, buée*		

52

	GRAPHIES COURANTES		GRAPHIES EXCEPTIONNELLES	
[p]	p	*pas, pou, pont*	b	*absolu, abscons*
[b]	b	*bas, bout, bon*		
[t]	t	*tas, tout, ton*	th	*théâtre*
[d]	d	*dada, doux, don*		
[k]	c (sauf devant e, i, y), qu, k, q, ch	*car, cou, cœur, cube, clameur, qui, que, quoi, kilo, coq, chœur, orchestre, chianti, chrétien*	cq, kh, cch	*becquée, khan, bacchante*
[g]	g (sauf devant e, i, y), gu (devant e, i, y)	*gare, gosse, grand, gnome, guet, gui, Guy*	gh, c	*ghetto, second*
[f]	f, ph	*faire, fou, fond, phare, pharmacie*	v	*cocktail Molotov*
[v]	v	*avoir, vous, vont*	w	*wagon, wagnérien*
[s]	s, ss, c (devant e, i, y), ç (devant a, o, u) sc, t (+ i devant voyelle)	*sac, sec, assis, cent, cinq, cycle, ça, leçon, reçu, ascenseur, nation, patience*	sth, z, x	*asthme, quartz, dix,*
[z]	s (entre voyelles), z	*rose, zèbre*	x	*deuxième*
[ks]	x, cc (devant e, i)	*extraordinaire, accepter, accident*		
[gz]	x	*examen*	xh	*exhaler*
[ʃ]	ch	*chat, chou, cher*	sh, sch	*shampooing, shah, schéma*
[ʒ]	j, g (devant e, i, y), ge (devant a, o, u)	*jeu, joue, jonc, mange, gibier, gypse, mangea, Georges*		
[l]	l	*la, les, lit, loup*	rh	*rhume*
[r]	r	*rat, ré, rond*		
[m]	m	*mon, ma, maman*		
[n]	n	*non, ni, ne*		
[ɲ]	gn	*rognon, montagne*		

La **cédille** se place sous le **c** devant -*a*, -*o*, -*u* pour transcrire le son [s] ; sans la cédille, le *c* devant ces lettres transcrit le son [k] : *il avan*ÇA ; *nous avan*ÇONS ; ÇA *coûte combien ?* ; *un aper*ÇU.

2. Orthographe des mots de la même famille

1. Les noms dérivés de verbes.

> Les noms en **-age** (masculin), **-ement/-ment** (masculin), **-ation/ -aison** (féminin), **-erie/-rie**, **-ure** (féminin), **-ette** (féminin), **-ateur/ -teur/-eur** (masculin), etc., sont formés sur le radical du participe présent du verbe (compte tenu des règles d'accentuation).

- **1re conjugaison en -er**

SONNER/SONNANT	*sonneur, sonnerie, sonnette;*
CONGELER/CONGELANT	*congélateur, congélation;*
CROCHETER/CROCHETANT	*crochetage, crocheteur;*
FURETER/FURETANT	*furetage, fureteur;*
NETTOYER/NETTOYANT	*nettoyage, nettoyeur;*
MODELER/MODELANT	*modelage, modeleur;*
MODÉRER/MODÉRANT	*modération, modérateur;*
PELER/PELANT	*pelade, pelure;*
SEMER/SEMANT	*semeur, semailles, semoir;*
RÉVÉLER/RÉVÉLANT	*révélation, révélateur;*
LIVRER/LIVRANT	*livraison, livreur.*

- **2e conjugaison en -ir**

FINIR/FINISSANT	*finissage, finisseur, finissure;*
AMOINDRIR/AMOINDRISSANT	*amoindrissement;*
ATTENDRIR/ATTENDRISSANT	*attendrissement, attendrisseur;*
CONVERTIR/CONVERTISSANT	*convertisseur.*

- **3e conjugaison**

FUIR/FUYANT	*fuyard;*
MENTIR/MENTANT	*menteur;*
OUVRIR/OUVRANT	*ouvreuse;*
CUEILLIR/CUEILLANT	*cueillaison, cueillette;*
ACQUÉRIR/ACQUÉRANT	*acquéreur;*
BOUILLIR/BOUILLANT	*bouilloire, bouilleur;*
ABATTRE/ABATTANT	*abattage, abattis, abattement;*
CROIRE/CROYANT	*croyance.*

Remarques.

1. Les dérivés en **-ement** d'un petit nombre de verbes (en **-eler,** en **-eter,** en **-ever,** etc.) de la 1re conjugaison correspondent à la 3e personne du singulier de l'indicatif présent :

HALETER/HALÈTE	*halètement;*
ACHEVER/ACHÈVE	*achèvement;*
ÉCARTELER/ÉCARTÈLE	*écartèlement;*
ENSORCELER/ENSORCELLE	*ensorcellement;*
MARTELER/MARTÈLE	*martèlement.*

2. Les dérivés en **-ement** des verbes en **-oyer, -ayer** sont en **-oiement, -aiement** ou quelquefois **-ayement** :

PAYER/IL PAIE	*paiement/payement ;*
REMBLAYER/IL REMBLAIE	*remblaiement ;*
LOUVOYER/IL LOUVOIE	*louvoiement.*

3. Les noms en **-age, -ation, -aison, -ateur,** etc., et les adjectifs en **-able, -atif,** etc., dérivés des verbes en **-guer** et **-quer,** se forment sur le radical **g** (sans *u*) et **c** (au lieu de *qu*), mais les dérivés avec suffixe commençant par **e (-eur)** conservent le radical **-gu** ou **-qu** :

PLAQUER	*placage,* mais *plaqueur ;*
ÉVOQUER	*évocation, évocable, évocateur ;*
COMMUNIQUER	*communication, communicable ;*
ÉDUQUER	*éducation, éducable, éducateur ;*
DÉLÉGUER	*délégation, délégateur ;*
BLAGUER	*blagueur ;*
DRAGUER	*dragage,* mais *dragueur.*

On remarquera aussi que dans les **verbes en -guer,** comme **fatiguer,** le **-u** est maintenu dans la conjugaison devant **-a** et **-o** : *Je me fatiguais ; nous nous fatiguons.*

4. Il existe un certain nombre d'anomalies.

COMBATTRE	*combattant,* mais *combatif* (avec un *t*) ;
ATTAQUER	*attaquable* (conserve *qu*) ;
PRATIQUER	*pratiquant* (n.), *praticable ;*
TRAFIQUER	*trafiquant* (n.), *traficoter ;*
ENCAUSTIQUER	*encaustiquage* (conserve *qu*) ; .
BAGUER	*baguage* (conserve *gu*).

2. Les noms dérivés d'adjectifs.

- Les noms en **-ité, -ise, -tude,** etc., dérivés d'adjectifs conservent la même orthographe que l'adjectif masculin ou féminin (pour les suffixes féminins), compte tenu des règles d'accentuation : tranquille/*tranquillité ;* rouge/*rougeur ;* profond/*profondeur ;* fertile/*fertilité ;* sot, sotte/*sottise ;* frais, fraîche/*fraîcheur ;* inquiet, inquiète/*inquiétude ;* blanc, blanche/*blancheur ;* social/*socialisme.*

- Les noms dérivés d'adjectifs en **-ent** sont en **-ence ;** les dérivés d'adjectifs en **-ant** sont en **-ance :** décent/*décence ;* conscient/*conscience ;* patient/*patience ;* rutilant/*rutilance ;* élégant/*élégance ;* endurant/*endurance ;* mais il existe quelques exceptions : existant/*existence.*

Exceptions.

1. Certaines modifications peuvent intervenir sur la consonne finale : vert/*verdeur.*

2. Les noms dérivés des adjectifs en **-(a)ble** sont en **-(a)bilité, -(a)bilisme** : fatigable/*fatigabilité* ; audible/*audibilité*.

3. Les noms dérivés des adjectifs en **-ique** sont en **-icité, -icisme** : technique/*technicité* ; sceptique/*scepticisme* ; classique/*classicisme*.

4. Les noms dérivés des adjectifs en **-aire**, sont en **-arisme, -arité** : militaire/*militarisme* ; vulgaire/*vulgarité*.

3. Les adjectifs et noms dérivés de noms.

- Les adjectifs en **-aire, -eux, -ard**, etc., conservent l'orthographe des noms dont ils sont dérivés, compte tenu des règles d'accentuation : Guinée/*guinéen* ; paresse/*paresseux* ; frousse/*froussard* ; hernie/*herniaire* ; cancer/*cancéreux* ; déficit/*déficitaire* ; titan/*titanesque*.

- Les adjectifs en **-el** dérivés de noms en **-ence** transforment la finale **-ce** en **-ti** : carence/*carentiel* ; démence/*démentiel* ; substance/*substantiel* ; essence/*essentiel* ; confidence/*confidentiel* ; présidence/*présidentiel* ; concurrence/*concurrentiel*.
  Il existe quelques exceptions : circonstance/*circonstanciel* ; révérence/*révérenciel*.

- Les adjectifs en **-al** et les noms en **-alisme, -alité**, dérivés de noms en **-on, -ion, -tion** s'écrivent avec un seul **n**, contrairement aux adjectifs dérivés en **-el** qui doublent le **n** du nom de base : région/*régional*/*régionalisme* ; tradition/*traditionalisme* mais *traditionnel* ; émotion/*émotionnel*. Certains dérivés modernes ne respectent pas cette règle : *distributionnalisme* ; *sensationnalisme* (avec deux *n*).

- L'addition du suffixe peut se faire sur un radical différent : moine/*monacal* ; père/*paternel* ; œil/*oculaire*.

4. Les verbes dérivés de noms et d'adjectifs.

- Les verbes en **-er** et en **-ir** dérivés de noms et d'adjectifs conservent l'orthographe des noms ou celle du féminin des adjectifs : calme/*calmer* ; rouge/*rougir* ; parrain/*parrainer* ; grand/*grandir/* ; légitime/*légitimer* ; cabotin/*cabotiner* ; frais, fraîche/*rafraîchir* ; beau, belle/*embellir* ; mou, molle/*amollir* ; chagrin/*chagriner*.

- Les verbes dérivés des adjectifs en **-el,** sont en **-aliser** : formel/*formaliser* ; actuel/*actualiser*.

- Les verbes dérivés de noms en **-on** (suffixe ou radical) redoublent le **n** : abandon/*abandonner* ; commotion/*commo-*

tionner; raison/*raisonner*; canon/*canonner*; talon/*talonner*; béton/*bétonner*; sauf ceux qui sont dérivés de l'adjectif en **-al** formé sur le nom en *-on* : région, régional/*régionaliser* (un seul *n*).

Remarques.

1. Les verbes peuvent être formés sur des radicaux différents : haut/*hausser*; bas/*baisser*; étroit/*rétrécir*.

2. Certaines modifications peuvent intervenir sur la consonne finale de l'adjectif : vert/*verdir*; noir/*noircir*.

3. Un petit nombre de mots en **-on** ont un dérivé en **-oner** : poumon/*s'époumoner*.

5. Les mots préfixés.

Le préfixe se place devant le radical du mot sans le modifier, toutefois il y a quelques particularités orthographiques.

● Les préfixes **entre, contre** devant voyelle peuvent s'élider; cette élision aboutit à un seul mot : *contrordre* (de *contre-ordre*); *entraider* (de *entre-aider*).

Le *-e* final de *entre* peut être remplacé aussi par une apostrophe : *entr'apercevoir*; *s'entr'aimer*; *s'entr'égorger*.

Il peut y avoir maintien de *contre* sans élision avec présence du trait d'union : *contre-attaquer*; en *contre-haut*.

● Le préfixe **re-** s'écrit **ré-** (avec accent) devant une voyelle : *réapprendre*; *réinventer*; *réentendre*. Il peut s'élider : *réanimer/ranimer*; *réapprendre/rapprendre*.

● Le préfixe **dé-** devient **dés-** devant une voyelle : *désinsectiser*; *désintoxiquer*; *désarmer*; *désagréable*.

Devant les mots commençant par un **s** suivi d'une voyelle, les préfixes **re-** et **dé-** deviennent **res-** et **des-** (redoublement du *s*) : *ressaisir*; *resserrer*; *dessaler*; *dessaisir*; *desserrer*.
Mais dans les mots récents le *s* peut ne pas être redoublé; la prononciation restant [s] et non [z] : *resaler*; *resurgir*; *resurchauffer*; *désoder*; *désulfurer*.

6. Formation des adverbes en *-ment.*

Règle 1.

L'adverbe se forme en ajoutant **-ment** au féminin de l'adjectif : grand/*grandement*; vif/*vivement*; doux/*doucement*.

Règle 2.

Si l'adjectif masculin est terminé par une **voyelle autre** que **-e**, **-ment** s'ajoute au masculin de l'adjectif : aisé/*aisément*; joli/*joliment*; absolu/*absolument*.

Exceptions.

1. Sont **irréguliers** : gentil/*gentiment*; traître/*traîtreusement*; gai/*gaiement*; impuni/*impunément*.

2. Le e final de l'adjectif devient **é** dans les adverbes suivants :

commodément	*communément*	*confusément*
diffusément	*énormément*	*expressément*
exquisément	*importunément*	*incommodément*
indivisément	*intensément*	*obscurément*
opportunément	*précisément*	*profondément*
profusément	*uniformément.*	

3. Le **-u** final de l'adjectif devient **-û** dans les adverbes suivants : *assidûment, congrûment, continûment, crûment, dûment, goulûment, incongrûment, indûment, nûment.*

4. Les adverbes dérivés des adjectifs **beau, fou, mou** sont formés sur le féminin : *bellement, follement, mollement.*

5. Certains adverbes correspondent à des adjectifs disparus, ou à un radical différent : *journellement, brièvement, grièvement*, etc.

Règle 3.

Si l'adjectif masculin est terminé par **-ant**, l'adverbe est en **-amment**; si l'adjectif masculin est en **-ent**, l'adverbe est en **-emment** : puissant/*puissamment*; abondant/*abondamment*; prudent/*prudemment*; violent/*violemment*.

Remarques.

1. Les adverbes en **-emment** dérivés d'adjectifs en **-ent** sont les suivants (et leurs contraires lorsqu'ils en ont un) :

apparemment	*ardemment*	*concurremment*	*consciemment*
conséquemment	*décemment*	*différemment*	*diligemment*
éloquemment	*éminemment*	*excellemment*	*fréquemment*
impudemment	*incidemment*	*indifféremment*	*intelligemment*
innocemment	*insolemment*	*négligemment*	*patiemment*
pertinemment	*précédemment*	*prudemment*	*récemment*
subséquemment	*violemment.*		

Sciemment est dérivé d'un adjectif disparu.

2. Lent, présent, véhément ont un adverbe formé sur le féminin : lent/*lentement*; présent/*présentement*; véhément/*véhémentement.*

3. Les signes supplémentaires

1. Les accents.

Les accents, qui se mettent sur les voyelles, sont au nombre de trois : l'**accent aigu**, l'**accent grave** et l'**accent circonflexe**.

L'**accent aigu** sur l'**e (é)** note le son é fermé [e], l'**accent grave** sur l'**e (è)** note le son è ouvert [ɛ] : *élan, fée, appétit, compléter, cédé* représentent des *é* fermés ; *pèle, cède, achète, abrège* représentent des *è* ouverts. Toutefois l'évolution des sons en français et les différences entre les régions font qu'il est difficile de se fier à la seule prononciation : il s'agit seulement d'une indication générale.

Remarques.

1. L'accent ne correspond pas toujours à la prononciation ; ainsi l'accent **aigu** ou **grave** note le même son [ɛ] dans : *événement/avènement* ; *réglementation/règlement.*

2. Devant un **-s final** on met toujours l'accent grave : *congrès, accès, procès.*

3. Il n'y a pas d'accent sur le **e** dans les cas suivants, que la prononciation soit *é* fermé ou *è* ouvert :
— devant une consonne finale (sauf *s*) ou un groupe de consonnes à la finale : *nez, aimer, mer, pied, grec, serf, levez* ;
— à l'intérieur d'un mot, devant un groupe de consonnes ou une consonne double : *belle, festin, mettre, interpelle* ; sauf si la deuxième consonne du groupe est *r* ou *l : trèfle, lèvre.*

4. Il n'y a pas d'accent sur certains noms propres et sur les locutions latines, mais l'accent apparaît dans les dérivés : Guatemala/*guatémaltèque* ; Hegel/*hégélien* ; Élisabeth/*élisabéthain* ; a posteriori/*apostériorisme* ; referendum/*référendaire.*

5. L'accent grave sert à reconnaître des homonymes : *à* préposition et *a* de *il a* ; *çà* adverbe et *ça* démonstratif ; *là* adverbe et *la* article ou pronom ; *où* adverbe et *ou* conjonction (= ou bien).
L'accent grave se met sur le *a* de *déjà.*

L'**accent circonflexe** a des origines diverses : il remplace un *s* étymologique, ou transcrit parfois une ancienne prononciation allongée de certaines voyelles : *hôpital, hôtel.*

1. Il note certaines formes verbales :

• 3ᵉ personne du singulier du subjonctif imparfait, s'opposant à la 3ᵉ personne du singulier du passé simple : *Qu'il fût*

---

innocent, je l'ai pensé un moment/Il fut couronné empereur à Paris.

- 3ᵉ personne du singulier de l'indicatif présent des verbes en -*aître* et en -*oître* : Il *croît*, de *croître* (s'opposant à il *croit*, de *croire*) ; il *apparaît*, de *apparaître*.

- 3ᵉ personne du singulier de l'indicatif présent des verbes *plaire, déplaire, complaire* : il *déplaît*, il *plaît*, il se *complaît*.

- les participes passés masculins singuliers des verbes *croître, mouvoir, devoir* et *recroître* : *crû (crue, crus)*, de *croître*, mais *accru* de *accroître* ; *mû (mue, mus)*, de *mouvoir*, mais *ému* de *émouvoir* ; *dû (due, dus)*, de *devoir*, mais *indu* ; *recrû (recrue, recrus)*, de *recroître*, mais *décru* de *décroître*.

2. Il note certains suffixes : le suffixe -*âtre* (atténué, affadi) s'oppose au suffixe -*atre* (médical) : *verdâtre, rougeâtre, jaunâtre, bellâtre/psychiatre, gériatre, pédiatre.*

3. Il distingue des homonymes : *hâler* (= brunir)/*haler* (= tirer) ; *tâche* (= travail)/*tache* (= saleté) ; *rôder* (= errer)/*roder* (= user) ; *pêcheur* (de pêche)/*pécheur* (de péché) ; *notre, votre* (adjectifs possessifs)/*nôtre, vôtre* (pronoms) : *Vous avez retrouvé votre bagage ; nous n'avons pas vu* LE NÔTRE.

Remarque.

Généralement l'accent circonflexe se retrouve sur tous les mots de la même famille : *gâche, gâcher, gâchette ; mâcher, mâchoire, mâchonner.*

Mais ceci n'est pas toujours vrai :

sûr/*assurer*	arôme/*aromate*	âcre/*acrimonie*
drôle/*drolatique*	fantôme/*fantomatique*	grâce/*gracieux*
infâme/*infamie*	jeûne/*déjeuner*	râteau/*ratisser*
symptôme/*symptomatique*	extrême/*extrémité*	tâter/*tatillon*.

2. Le tréma.

Le **tréma** se place sur la **deuxième voyelle** pour indiquer que la voyelle qui précède est prononcée séparément de la voyelle qui a le tréma : *haïr* [a-ir], *canoë* [kanɔ-e], *égoïste* [egɔ-ist], *Saül, archaïsme, caraïbe.*

En particulier :

— sur le **i après un u,** le tréma indique qu'on doit prononcer ce *u* : *ambiguïté, exiguïté, contiguïté,* sont différents de *aguicher, aiguiser,* etc. ;

— sur le **e muet final,** il indique que la voyelle qui précède doit seule être prononcée : *aigu/aiguë, j'arguë, ciguë,* etc., différents de *aigue* (dans *aigue marine*), *je nargue, figue,* etc. ;

— sur le **i entre voyelles,** le tréma indique qu'il doit être prononcé [j] : *aïeul* [ajœl], *baïonnette* [bajɔnɛt], *glaïeul* [glajœl], *paranoïa* [paranɔja].

Remarques.

1. Il y a des mots où les voyelles qui se suivent doivent se prononcer séparément et qui n'ont pas de tréma : *Noé, paella, coefficient, canoéiste.*

2. *Staël,* nom propre, se prononce [stal].

3. L'apostrophe.

L'apostrophe indique une **élision,** c'est-à-dire la suppression de la voyelle finale **-a** ou **-e** dans un certain nombre de mots grammaticaux, quand ceux-ci précèdent un mot commençant par une voyelle ou un *h* muet.

1. Quels sont les mots qui peuvent être élidés ?

— **Le, la, me, te, se** et **ce** : *le spectateur/l'auditeur, l'écran, l'oubli, l'habit, l'œuf ; je le vois/je l'ai vu ; la fermeture/l'ouverture, l'écoute, l'humanité, l'action ; je me promène/je m'amuse, donne m'en ; il te voit/il t'a vu ; il s'en est aperçu ; ce n'est rien/c'est toi ; c'en est fait de lui.*

— **De** et **jusque** : *venir de Lyon jusque dans le sud de l'Espagne/venir d'Afrique jusqu'à Paris ; d'Espagne, d'Uruguay, d'outre-mer ; jusqu'ici, jusqu'où.*

— **Que** : *Je pense que tout va bien/Je pense qu'après ça, tout ira bien. Je crois qu'il sera des nôtres, qu'on le verra, qu'une dépêche est arrivée. Quelle qu'ait été ton ambition...*

— **Lorsque, parce que, puisque, quoique** s'élident devant *il(s), elle(s), on, un(e)* : *puisqu'il le dit* mais *puisque après tout il le dit ; quoiqu'il fût en danger* mais *quoique en danger.*
    Parce que s'élide aussi devant *à* : *parce qu'à toi je peux le dire.*
    Puisque s'élide aussi devant *en* : *puisqu'en partant, ...*
    Lorsque peut s'élider devant *en* : *lorsqu'en 1789, ...*
    Presque et **quelque** ne s'élident pas, sauf dans *presqu'île, quelqu'un, quelqu'une* : *Il est presque une heure. Le jambon reste presque en entier ; quelque impatient qu'il soit ; c'est de quelque importance.*

— La conjonction **si** s'élide devant *il(s)* : *S'il pense que tout va bien.*

— **Entre** ne s'élide pas : *entre eux ; entre Arles et Marseille ;* sauf comme préfixe dans quelques verbes composés : *entr'apercevoir, entr'aimer, s'entr'égorger.*

2. L'**élision** ne **se fait pas** devant :

— un **h aspiré** : *le Hollandais ; la Hollandaise ; un regard de haine ;*

— **un** (numéral), **oui, huit, uhlan, énième, onze, ululer** : *de un à cinq ; prononcer le oui d'une voix hésitante ; de huit jours en huit jours ; la énième fois ;*

— les mots d'**origine étrangère** commençant par **y** : *le yaourt ; le Yémen* (mais l'élision se fait devant les mots français : *l'yeuse ; l'Yser*) ;

— les **citations** : *Le mot de « amour » le gêne.*

3. L'élision est **facultative** devant **ouate** et **ouistiti**, et le **nom** d'une **lettre** : *une bande de ouate* ou *d'ouate ; le « a » est bien écrit* ou *l'« a » est lisible.*

4. Le trait d'union.

Le **trait d'union** unit les termes qui constituent un **mot composé.** Les termes ainsi réunis par un trait d'union forment un tout, ayant son sens propre : *chou-navet, chou-rave, chou-palmiste, chou-fleur,* désignent des plantes différentes ; *porte-drapeau, porte-bouteilles, porte-documents* désignent des personnes ou des objets dont la fonction est de *porter* ou de pouvoir *porter* tel ou tel objet.

Remarques.

1. Tous les mots composés n'ont pas de trait d'union : *chou de Bruxelles, chou pommé, pomme de terre.* Les deux termes peuvent être juxtaposés : *portefeuille, portemanteau, entrepont.*

Certains mots composés prennent ou non un trait d'union : *compte rendu* ou *compte-rendu ; compte-chèques* ou *compte chèques.*

2. Le trait d'union est annulé par l'apostrophe : *pied-de-biche/pied-d'alouette.*

3. Les termes qui entrent dans les mots composés peuvent être :

— des **préfixes** : il y a un trait d'union avec *demi-, semi-, non, après-, arrière-, avant-, ex-* (= anciennement), *mi-, sous-, quasi-* (devant les noms seulement) ; il n'y a pas de trait d'union avec *anti-, post-, pré-, sur-, supra-, etc.* (sauf pour éviter des difficultés de lecture : *anti-* suivi de *-i*) : *après-ski ; antichar ; anti-inflammatoire ; supranationalité ; ex-ministre ; demi-heure ; quasi-délit ; non-alignement ; semi-clandestin ; avant-garde ;*

— des **éléments** terminés par **-o** : il y a un trait d'union dans les mots composés ethniques : *latino-américain, italo-celtique, afro-asiatique,* mais non dans les autres types de composés : *eurodollar, eurocommunisme, francophilie.*

Il n'y a pas de trait d'union pour les composés scientifiques en **-o** : *thermonucléaire,* sauf en médecine lorsque deux organes sont concernés : *broncho-pneumonie.*

4. Les **locutions adverbiales, adjectives,** etc., quand elles deviennent des **noms,** prennent le trait d'union : *tomber à pic/un à-pic ; avoir un pied bot/ un pied-bot.*

5. Ci et **là** en composition avec des noms précédés d'un démonstratif, avec des adverbes et des participes sont liés par un trait d'union au nom, à l'adverbe ou au participe : *ce crayon-ci ; cette cravate-là ; ci-dessus ; là-dessus ; là-dedans ; là-dessous ; ci-joint ; ci-inclus.*

6. Les composés de **dessus, dessous, dedans, dehors, devant, derrière,** et des prépositions **au** et **par** ont un trait d'union : *au-dessous, par-devant, par-derrière, au-devant ;* mais il n'y a pas de trait d'union avec la préposition **en** : *en dessous.*

Les **numéraux composés** inférieurs à **cent** (et **centième**) ont un trait d'union s'ils ne sont pas réunis par la conjonction *et :*
quatre-vingt ; quatre-vingtième ; dix-neuf ; dix-neuvième ; mais : *vingt et un ; vingt et unième.*
Cent et **mille** ne sont pas liés par un trait d'union : *deux cents ; cent dix ; cent dixième ; mille deux.*

Les **pronoms personnels** placés **après le verbe** dans les inversions, dans les impératifs, sont liés au verbe par un trait d'union : *Dites-le-moi ; dites-moi la vérité ; puissiez-vous le connaître ; je viendrai, dis-je ; rendez-les-nous ; donne-lui-en ; va-t'en ; fiez-vous-y.*

Remarques.

1. Si le pronom est complément d'un infinitif qui suit, il n'y a pas de trait d'union : *Va le chercher ; laisse-la le prendre.*

2. Le **t** dit « euphonique » est séparé du verbe et du pronom par un trait d'union : *A-t-on pu le joindre ? Qu'y a-t-il ? Voilà-t-il pas qu'il arrive !*

3. Même est lié au pronom qui précède par un trait d'union : *nous-mêmes ; lui-même ; eux-mêmes.*

Les **noms propres composés** désignant des lieux (pays, rues, places) ont un trait d'union entre les divers éléments qui les composent, du moins dans la langue administrative : *rue Notre-Dame-des-Champs ; avenue des Filles-du-Calvaire, des Champs-Élysées ; place du Dix-huit-Juin.*
Toutefois dans l'écriture courante on en constate souvent l'absence.

5. La majuscule.

● Les **noms prennent** la **majuscule** quand il s'agit de :

— noms propres désignant des **personnes,** des **localités,** des **pays,** des **peuples,** des **familles :** *Jean, Dupont, Paris, le Sénégal, l'Allemagne, les Bantous; les Bourbons, l'Orient, l'Extrême-Orient; un Français, un Ivoirien, un Canadien;*

— noms désignant des **divinités,** des **personnages** de la **mythologie,** un **Dieu** unique, des **abstractions personnifiées :** *Junon, Vénus, Dieu, l'Éternel, le Messie, la Providence, la Justice, l'Être suprême;*

— noms désignant les **étoiles,** les **constellations,** les **planètes,** dans la langue scientifique : *l'étoile du Berger, la planète Terre, le Soleil, la Lune* (mais *terre, lune, soleil* ne prennent pas la majuscule dans l'usage courant);

— noms des **points cardinaux** de même que **centre** et **midi** quand ils désignent une région, un lieu géographique ou leur population : *le département du Nord, l'Est européen, l'Afrique du Sud, partir en vacances dans le Midi;* mais ils ne prennent pas la majuscule quand ils situent un lieu, indiquent une direction, etc. : *Cette ville est dans l'est de la France, à l'ouest de Paris;*

— noms désignant des **institutions,** des **sociétés savantes** ou **sportives,** etc., des **événements** historiques notables : *l'Assemblée nationale; le ministère de la Défense nationale; l'École centrale; la Restauration; la Révolution de 1789; la Réforme;*

— **titres** d'ouvrages : *les Fleurs du mal,* de Baudelaire;

— **titres** honorifiques ou de dignité et des appellatifs comportant ce titre : *Son Altesse; Monsieur le Préfet.*

● Les **adjectifs ne prennent pas** la **majuscule, sauf** quand :

— ils forment avec le nom de région, d'institution, etc., un **mot composé avec trait d'union :** *la Comédie-Française, les États-Unis, Saint-Cloud;*

— ils précèdent un nom dans une dénomination (sans trait d'union) : *la Divine Comédie;*

— ils entrent dans la dénomination d'un lieu géographique : *l'océan Atlantique, le lac Majeur;*

— ils indiquent le surnom d'un personnage (avec l'article) : *Charles le Téméraire, Jean le Bon, Louis le Gros.*

● Les mots **dérivés de noms de peuples, de villes,** etc., prennent une **majuscule** quand ce sont des noms de personnes, mais une **minuscule** quand ce sont des adjectifs ou des noms de langue : *les Parisiens/les théâtres parisiens; les Arabes/le pétrole arabe; un Anglais/écrire en anglais.*

IV. Vocabulaire orthographique

adj	adjectif		pers	personnel
adv	adverbe		pl	pluriel
art	article		poss	possessif
conj	conjonction		pp	participe passé
dém	démonstratif		pprés	participe présent
f ou fém	féminin		pr	pronom
indéf	indéfini		prép	préposition
interj	interjection		rel	relatif
interr	interrogatif		sing	singulier
inv	invariable		v	verbe
loc	locution		vi	verbe intransitif
m ou masc	masculin		vpr	verbe pronominal
n	nom		vt	verbe transitif
nf	nom féminin		vti	verbe transitif indirect
nm	nom masculin		→ p	renvoie à telle page
num	numéral (cardinal)			des règles grammaticales
ord	(numéral) ordinal		≠	indique l'opposition, la
p	page			différence : différent de

Le vocabulaire orthographique comporte 21 000 mots ; il insiste sur :

- les difficultés orthographiques données entre parenthèses pour le mot ou pour les mots de la même famille, éventuellement avec des renvois aux pages des règles grammaticales ;
- les homonymes donnés avec l'indication de leurs sens ;
- le genre dans le cas où il peut y avoir des hésitations, des problèmes d'usage, des doubles genres ;
- le pluriel dans le cas d'exceptions à la règle du -s, pour les noms composés et les noms d'origine étrangère ;
- le participe passé dans le cas d'invariabilité et pour les verbes irréguliers ;
- le participe présent et l'adjectif verbal dans le cas où ils présentent des différences orthographiques.

Les mots du vocabulaire orthographique sont suivis de l'indication de la catégorie grammaticale principale à laquelle ils appartiennent.

On trouvera après le vocabulaire orthographique la liste des principaux termes ethniques.

a

a nm inv (lettre)
à prép ≠ a (il a)
abaisse-langue nm inv
abaisser vt
abandon nm ; abandonner vt
abaque nm (masculin)
abasourdir vt (avec un s)
abat nm, pl abats
abâtardir vt (circonflexe sur le premier â)
abat-jour nm inv
abat-son nm inv
abattre vt, pp abattu, e ; tous les dérivés ont deux t : abattage, abattement, abattoir, etc.
abat-vent nm inv
abat-voix nm inv
abbaye nf ; abbatial, e, aux adj
abbé nm ; abbesse nf
a b c nm inv ; abécédaire nm
abcès nm inv
abdiquer vt ; abdication nf
abdomen nm ; abdominal, e, aux adj
abeille nf
aberration nf
abêtir vt (circonflexe sur ê)
abhorrer vt
abime nm (masculin) [circonflexe sur î]
abimer vt (circonflexe sur î)
abject, e adj
abjurer vt
ablation nf
ablette nf
ablution nf
abnégation nf
abolir vt ; abolition nf ; abolitionnisme nm
abominable adj
abondance nf ; abondant, e adj ; abondamment adv ; abonder vti, pp abondé inv
abonner vt ; abonnement nm
abord nm ; d'abord adv
aborder vt
aborigène adj, n (masculin ou féminin)
abortif, ive adj
aboucher vt
aboulie nf
about nm
aboutir vti, pp abouti inv
aboyer vi, vt ; abois nmpl ; aboiement nm
abracadabrant, e adj
abrasif, ive adj
abréger vt ; abrégé nm ; abrègement nm (attention aux accents)
abreuver vt
abréviation nf
abri nm ; abriter vt
Abribus nm inv (nom déposé)
abricot nm ; adj inv

abri-sous-roche nm, pl abris-sous-roche
abroger vt ; abrogation nf ; abrogeable adj
abrupt, e adj
abrutir vt
abscisse nf (attention sc)
abscons, e adj
absent, e adj, n ; absence nf
abside nf (féminin)
absinthe nf (féminin)
absolu, e adj ; absolument adv
absorber vt ; absorption nf
absoudre vt, pp ' absous, absoute ; absolution nf
abstenir (s') vpr ; abstention nf ; abstentionnisme nm
abstinent, e adj ; abstinence nf
abstraire vt ; abstrait, e adj ; abstraction nf
abstrus, e adj
absurde adj
abuser vt ; abus nm inv
abysse nm (masculin) ; abyssal, e, aux adj
acabit nm (masculin)
acacia nm, pl acacias
académie nf
acajou nm, pl acajous ; adj inv
acanthe nf
acariâtre adj (circonflexe sur â)
accabler vt
accalmie nf
accaparer vt
accéder vti, pp accédé inv ; accession nf
accelerando adv (sans accent)
accélérer vt, vi
accent nm
accepter vt
accès nm inv
accessit nm, pl accessits
accessoire nm (masculin)
accident nm
acclamer vt
acclimater vt
accointer (s') vpr
accoler vt
accommoder vt (avec deux c et deux m)
accompagner vt
accomplir vt
accord nm
accordéon nm
accorder vt
accorte adj f
accoster vt
accoter vt
accoucher vi, vt
accouder (s') vpr
accoupler vt
accourir vi, pp accouru, e (avec deux c et un seul r)
accoutrer (s') vpr
accoutumer vt ; à l'accoutumée loc adv

accréditer vt
accroche-cœur nm, pl accroche-cœur(s)
accroche-plat nm, pl accroche-plat(s)
accrocher vt ; accroc nm
accroire (faire) vt
accroître vt, pp accru, e (attention à l'accentuation) ; accroissement nm
accueillir vt, pp accueilli, e ; accueil nm ; accueillant, e adj (attention -ue-)
acculer vt
accumuler vt
accuser vt
acerbe adj
acéré, e adj
acétal nm, pl acétals
acétylène nm (masculin)
achalandé, e adj
acharner (s') vpr
acheminer vt
acheter vt ; achat nm
achever vt ; achèvement nm (attention aux accents)
achopper vti, pp achoppé inv (avec deux p)
acide adj ; nm (masculin)
acidulé, e adj
acier nm ; aciérer vt ; aciérie nf (attention aux accents)
acné nf (féminin)
acolyte nm (un seul c)
acompte nm (un seul c)
acoquiner (s') vpr
à-côté nm, pl à-côtés
à-coup nm, pl à-coups
acoustique nf (féminin) ; adj (un seul c)
acquérir vt, pp acquis, e
acquêt nm (circonflexe sur ê)
acquiescer vt, pp acquiescé inv ; acquiescement nm
acquis nm inv (savoir) ≠ acquit (quittance)
acquisition nf
acquit nm (quittance) ≠ acquis (savoir)
acquitter vt (avec deux t)
acre nf (mesure)
âcre adj ; âcreté nf (circonflexe sur â)
acrimonie nf
acrobate n (masculin ou féminin)
acropole nf (féminin)
acrostiche nm (masculin)
acte nm
acteur, trice n
actif, ive adj
action nf ; actionnaire n (masculin ou féminin) ; actionner vt
actuel, elle adj ; actualiser vt
acuité nf
acupuncture ou acuponcture nf

67

adage nm (masculin)
adagio adv; nm, pl *adagios*
adapter vt
addenda nm inv
addition nf; *additionner* vt
adduction nf
adepte n (masculin ou féminin)
adéquat, e adj; *adéquation* nf
adhérer vt; *adhérence* nf;
adhérent, e adj, n ≠ adhérant
pprés du v
adhésif, ive adj; *adhésion* nf
ad hoc loc adv
adieu nm, pl *adieux*
adipeux, euse adj
adjacent, e adj
adjectif nm; *adjectif, ive* ou
adjectival, e aux adj
adjoindre vt; *adjoint, e* adj, n;
adjonction nf
adjudant nm
adjuger vt; *adjudication* nf
adjurer vt
admettre vt, pp *admis, e*
administrer vt
admirer vt
admonester vt
adolescent, e n; *adolescence*
nf
adonis nm inv
adonner (s') vpr
adopter vt
adorer vt
adosser vt
adouber vt
adoucir vt; *adoucissant, e* adj
adragante adj f
adroit, e adj; *adresse* nf
aduler vt
adulte adj, n (masculin ou
féminin)
adultère adj (personne); nm
(acte); *adultérin, e* adj (attention aux accents)
advenir vi, pp *advenu, e*
adventice adj
adverbe nm; *adverbial, e, aux*
adj
adversaire n (masculin ou
féminin)
adverse adj
aède nm
aérer vt; *aéré, e* adj; *aération*
nf
aérien, enne adj
aérium nm, pl *aériums*
aérobie adj; nm (masculin)
aérodrome nm
aérodynamique adj
aérofrein nm
aérogare nf
aéroglisseur nm
aérolithe nm (masculin)
aéronaute n (masculin ou
féminin)
aéronaval, e, als adj
aéronef nm (masculin)
aérophagie nf
aéroplane nm (masculin)
aéroport nm
aéropostal, e, aux adj
aérosol nm
aérospatial, e, aux adj
aérostat nm
affable adj
affabulation nf
affadir vt
affaiblir vt

affaire nf *(avoir affaire à
quelqu'un, mais avoir quelque
chose à faire)*
affairer (s') vpr
affaisser vt
affaler vt
affamer vt
affecter vt
affectif, ive adj
affection nf; *affectionner* vt
affectueux, euse adj
afférent, e adj (accent aigu)
affermer vt
affermir vt
afféterie nf (accent aigu)
affiche nf
affidavit nm, pl *affidavits*
affidé, e adj
affilée (d') adv
affilier (s') vpr
affiner vt
affinité nf
affiquets nmpl
affirmer vt
affixe nm; *affixal, e, aux* adj
affleurer vt, vi
affliger vt; *affliction* nf
affluer vi, pp *afflué inv*; *affluent
nm* ≠ *affluant* pprés du v;
afflux nm inv
affoler vt (deux *f* et un *l*, de
même dans les dérivés *affo-
lement, raffoler*)
affranchir vt
affres nfpl (féminin)
affréter vt; *affrètement* nm
(attention aux accents)
affreux, euse adj
affriander vt
affrioler vt
affront nm
affronter vt
affubler vt
affût nm (circonflexe sur *û*)
affûter vt (circonflexe sur *û*)
afin de prép
afocal, e, aux adj
a fortiori adv
aga ou agha nm, pl *agas, aghas*
agacer vt
agami nm, pl *agamis*
agar-agar nm, pl *agars-agars*
agaric nm
agate nf (pas de *h* après le *t*)
agave ou agavé nm
age nm (de charrue) ≠ *âge*
âge nm (circonflexe sur *â*)
agence nf
agencer vt
agenda nm, pl *agendas*
agenouiller (s') vpr
agent nm
agglomérer vt; *agglomérat* nm
agglutiner vt
aggraver vt
agha ou aga nm, pl *aghas, agas*
agile adj; *agilité* nf
agio nm, pl *agios*
agir vi, pp *agi inv*
agiter vt
agneau nm, pl *agneaux*;
agnelle nf; *agneler* vi, pp
agnelé inv; *agnelet* nm
agnosie nf
agnostique adj, n (masculin ou
féminin)
agnus-castus nm inv
agnus-dei nm inv

agonie nf; *agoniser* vi, pp *ago-
nisé inv*
agora nf, pl *agoras*
agouti nm, pl *agoutis*
agrafe nf (un seul *f*, de même
dans les dérivés *agrafer,
agrafage*)
agraire adj
agrammatical, e, aux adj
agrandir vt
agréable adj
agréer vt
agréger vt; *agrégat* nm
agrément nm
agrès nmpl (avec accent grave)
agresser vt
agreste adj
agricole adj; *agriculteur, trice* n
agriffer (s') vpr
agripper vt (avec deux *p*)
agro-alimentaire adj, pl *agro-
alimentaires*
agronome n (masculin ou
féminin)
agro-pastoral, e, adj, pl *agro-
pastoraux, ales*
agrume nm (masculin)
aguerrir vt (deux *r*)
aguets nmpl
aguicher vt
ah ! interj
ahan nm; *ahaner* vi (avec un *n*)
ahurir vt
aï nm, pl *aïs* (tréma sur *ï*)
aide n (masculin ou féminin)
[personne]; nf (appui)
aide-comptable n (masculin ou
féminin), pl *aides-comptables*
aide-mémoire nm inv
aïe ! interj
aïeul, e n, pl *aïeuls* (grands-
parents); *aïeux* (ancêtres) →
p 17
aigle nm (oiseau); nf (aigle
femelle; étendard; armoiries)
→ p 9
aiglefin ou églefin nm
aigre adj; *aigrelet, ette* adj
aigre-doux, douce adj, pl
aigres-doux, douces
aigrette nf
aigu, aiguë adj (attention au
tréma)
aiguail nm, pl *aiguails*
aigue-marine nf, pl *aigues-
marines*
aiguille nf
aiguiller vt
aiguillon nm; *aiguillonner* vt
aiguiser vt
ail nm, pl ancien *aulx*, moderne
ails
aile nf
ailleurs adv
ailloli nm, pl *aillolis*
aimant nm; *aimanter* vt
aimer vt
aine nf (sans circonflexe)
aîné, e adj, n; *aînesse* nf
(attention aux circonflexes)
ainsi adv; *ainsi que* loc conj →
p 47 (accord du verbe)
air nm; *avoir l'air* → p 28
airain nm
aire nf (surface)
airelle nf
ais nm inv (planche)
aise nf; *aisance* nf

aisselle nf
ajonc nm
ajouré, e adj
ajourner vt
ajouter vt; *ajout* nm
ajuster vt
alaise ou **alèse** nf
alambic nm (masculin)
alambiqué, e adj
alanguir vt
alarmer vt
albâtre nm (masculin) [circonflexe sur *â*]
albatros nm inv
alberge nf
albinos n (masculin ou féminin) inv
album nm, pl *albums*
albumen nm, pl *albumens*
albumine nf; *albuminurie* nf
alcade nm (masculin)
alcali nm, pl *alcalis*
alchimie nf
alcool nm; *alcoolique* adj, n (masculin ou féminin) [attention aux deux o]
alcôve nf (féminin) [circonflexe sur *ô*]
alcyon nm
aldéhyde nm (masculin)
aléa nm, pl *aléas*
alène nf (circonflexe sur *ê*)
alénois adj m
alentour adv; *alentours* nm pl
alerte nf
alèse ou **alaise** nf
aléser vt
alevin nm
alexandrin nm
alezan, e adj
alfa nm, pl *alfas* (herbe) ≠ alpha (lettre)
alfange nf (féminin)
algarade nf
algèbre nf; *algébrique* adj (attention aux accents)
algorithme nm
alguazil nm, pl *alguazils*
algue nf
alibi nm, pl *alibis*
alidade nf
aliéner vt
aligner vt
aliment nm; *alimenter* vt
alinéa nm, pl *alinéas*
alios nm inv
alise nf
aliter vt
alizé nm
allaiter vt
allant nm
allécher vt
allée nf
allégeance nf (attention *ea*)
alléger vt; *allégement* nm (même accent malgré la prononciation)
allégorie nf
allègre adj; *allégresse* nf (attention aux accents)
allegretto adv; *allégretto* nm, pl *allégrettos* (accent aigu pour le nm)
allegro adv; *allégro* nm, pl *allégros* (accent aigu pour le nm)
alléguer vt; *allégation* nf
alléluia nm, pl *alléluias*

aller vi, pp *allé, e*; *aller* nm, pl *allers*
allergie nf
alleu nm, pl *alleux*
alliacé, e adj
alliage nm
allier vt
alligator nm
allitération nf (deux *l*, un *t*)
allocation nf
allocution nf
allonger vt; *allonge* nf
allouer vt; *allocation* nf
allume-cigares nm inv
allume-feu nm inv
allume-gaz nm inv
allumer vt
allumette nf (deux *l*, un *m*)
allure nf
allusion nf
alluvions nfpl; *alluvial, e, aux* adj
almanach nm, pl *almanachs*
almée nf
aloès nm inv
aloi nm
alopécie nf
alors adv
alose nf
alouate nm (masculin)
alouette nf
alourdir vt
aloyau nm, pl *aloyaux*
alpaga nm, pl *alpagas*
alpestre adj
alpha nm (lettre), pl *alphas* ≠ alfa (herbe)
alphabet nm
alpin, e adj; *alpiniste* n (masculin ou féminin)
alpiste nm
altercation nf
alter ego nm inv
altérer vt
altérité nf
alterner vt
altesse nf; NOMS DE TITRE → p 28, 36
altier, ère adj
altise nf
altitude nf
alto nm, pl *altos*
altruisme nm
aluminium nm, pl *aluminiums*
alun nm
alvéole nf (autrefois nm)
amabilité nf
amadou nm, pl *amadous*
amadouer vt
amadouvier nm
amaigrir vt
amalgame nm (masculin)
aman nm
amande nf (fruit) ≠ amende (peine)
amanite nf (féminin)
amant, e n
amarante nf; adj inv
amarre nf
amaryllis nf inv
amas nm inv; *amasser* vt
amateur adj, n (masculin ou féminin)
amazone nf
ambages nfpl (féminin)
ambassade nf; *ambassadeur* nm; *ambassadrice* nf
ambiant, e adj; *ambiance* nf

ambidextre adj, n (masculin ou féminin)
ambigu, ambiguë adj; *ambiguïté* nf; *ambigument* adv (attention à la présence ou à l'absence du tréma)
ambition nf; *ambitionner* vt
ambivalent, e adj; *ambivalence* nf
amble nm
ambre nm (masculin)
ambroisie nf
ambulacre nm (masculin)
ambulance nf
ambulant, e adj
ambulatoire adj
âme nf (circonflexe sur *â*)
améliorer vt
amen nm inv
aménager vt
amende nf (peine) ≠ amande (fruit)
amène adj; *aménité* nf (attention aux accents)
amener vt
amensal, e, aux adj
amenuiser vt
amer nm
amer, ère adj; *amèrement* adv (attention à l'accentuation)
amerrir vi (un *m* et deux *r*)
amertume nf
améthyste nf (féminin)
ameublement nm
ameublir vt
ameuter vt
ami, e adj, n
amiable adj
amiante nm; *amiante-ciment* nm, pl *amiantes-ciments*
amibe nf (féminin)
amical, e, aux adj
amide nm (masculin)
amidon nm; *amidonner* vt
amincir vt
amiral nm, pl *amiraux*; *amirauté* nf
ammonal nm, pl *ammonals*
ammoniac nm (gaz); *ammoniacal, e, aux* adj; *ammoniaque* nf (solution de gaz)
amnésie nf
amnistie nf (féminin)
amodier vt
amoindrir vt
amollir vt
amonceler vt (un *l*); *amoncellement* nm (deux *l*)
amont nm
amoral, e, aux adj
amorcer vt; *amorçage* nm
amorphe adj
amortir vt
amour nm → p 9
amour-propre nm, pl *amours-propres*
amovible adj
amphétamine nf
amphibie adj; nm
amphibole nf
amphibologie nf
amphigouri nm, pl *amphigouris*
amphithéâtre nm (circonflexe sur *â*)
amphitryon nm (attention à l'*y*)
amphore nf
ample adj

amplifier vt; **ampli-tuner** nm, pl *amplis-tuners*

ampoule nf

amputer vt

amuïr (s') vpr; *amuïssement* nm (tréma sur *ï*)

amulette nf

amuser vt; *amuse-gueule* nm, pl *amuse-gueule(s)*

amygdale nf (le *g* n'est pas prononcé)

amylène nm (masculin)

an nm (les dérivés avec deux *n* : *année, annuel,* etc.)

ana nm inv

anabaptiste n (masculin ou féminin)

anachorète nm

anachronique adj

anacoluthe nf (féminin) [attention au *h*]

anaconda nm

anaglyphe nm (masculin)

anagramme nf (féminin)

anal, e, aux adj

analgésie nf

analogue adj

analphabète adj, n (masculin ou féminin); *analphabétisme* nm (attention aux accents)

analyse nf

anamorphose nf

ananas nm inv

anapeste nm (masculin)

anarchie nf

anarcho-syndicaliste n (masculin ou féminin), pl *anarcho-syndicalistes*

anastomose nf

anathème nm (masculin); *anathématiser* vt (attention aux accents)

anatomie nf

ancêtre nm (circonflexe sur *ê*); *ancestral, e, aux* adj

anche nf

anchois nm inv

ancien, enne adj, n; *ancienneté* nf

ancre nf (pour bateau) ≠ *encre* (pour écrire)

andain nm

andalou, se adj, pl *andalous, ses* → p 12

andante adv; nm, pl *andantes*

andantino adv; nm, pl *andantinos*

andouille nf

andouiller nm

androcée nm (masculin)

androgyne nm

âne nm; *ânesse* nf; *ânerie* nf (circonflexe sur *â*)

anéantir vt

anecdote nf

anémie nf

anémone nf (féminin)

anesthésie nf

aneth nm

anévrisme ou anévrysme nm

anfractuosité nf

ange nm; *angelot* nm; *angélique* adj

angélus nm inv

angine nf

angiosperme nf (féminin)

angle nm

angoisse nf

---

angora adj, n (masculin ou féminin), pl *angoras*

anguille nf

anhydride nm (masculin)

anicroche nf (féminin)

aniline nf

animal nm, pl *animaux*; *animal, e, aux* adj

animer vt

animisme nm

animosité nf

anis nm inv

ankylose nf

annales nfpl

anneau nm, pl *anneaux*

année nf

anneler vt

annexe adj; nf

annexer vt; *annexion* nf; *annexionnisme* nm

annihiler vt

anniversaire nm

annonce nf; *annoncer* vt; *annonciation* nf

annoter vt

annuaire nm

annuel, elle adj; *annuité* nf

annulaire nm

annuler vt

anoblir vt (sens propre) ≠ *ennoblir* (sens figuré)

anode nf (féminin)

anodin, e adj

anomal, e, aux adj

anomalie nf

ânonner vt (circonflexe sur *â*)

anonyme adj, n (masculin ou féminin)

anorak nm, pl *anoraks*

anorexie nf

anormal, e, aux adj

anse nf

antagonisme nm

antan (d') adj inv

antarctique adj

antécédent, e adj

antédiluvien, enne adj

antenne nf

antépénultième adj; nf

antérieur, e adj; *antériorité* nf

anthère nf

anthologie nf

anthracite nm (masculin); adj inv

anthrax nm inv

anthropoïde n (masculin ou féminin), adj

anthropologie nf

anthropométrie nf

anthropomorphe adj

anthropophage n (masculin ou féminin)

anthropopithèque nm

anti- préf (les composés forment un mot unique sans trait d'union, sauf rares exceptions : *anti-g, anti-inflammatoire*)

antibiotique nm; adj

antibrouillard adj inv; nm

antibruit adj inv

anticasseurs adj inv

antichambre nf

anticiper vt

anticlérical, e, aux adj

anticlinal, e, aux adj

anticyclone nm; *anticyclonal, e, aux* adj

antidate nf

---

antidote nm (masculin)

antienne nf

antigang adj inv

antigel nm, pl *antigels*

antiglisse adj inv

antigouvernemental, e, aux adj

antihalo nm, pl *antihalos*

antilope nf

antimatière nf, pl *antimatières*

antimissile nm, pl *antimissiles*

antimoine nm (masculin)

antinational, e, aux adj

antinomie nf

antiparti adj inv

antipathie nf

antipersonnel adj inv

antiphrase nf

antipode nm (masculin)

antipoison adj inv

antique adj

antirouille nm, pl *antirouilles*; adj inv

antisémite adj, n (masculin ou féminin)

antisepsie nf

antisocial, e, aux adj

anti-sous-marin, e adj, pl *antisous-marins, es*

antisyndical, e, aux adj

antithèse nf; *antithétique* adj (attention aux accents)

antivol nm

antonyme nm

antre nm (masculin)

anus nm inv

anxieux, euse adj; *anxiété* nf

aorte nf

août nm, pl *aoûts*; *aoûtat* nm; *aoûtien, ienne* n (circonflexe sur *û*)

apache nm

apaiser vt

apanage nm (masculin)

aparté nm, pl *apartés*

apartheid nm, pl *apartheids*

apathie nf

apatite nf

apercevoir vt, pp *aperçu, e*; *aperçu* nm; *aperception* nf (un seul *p*)

apéritif nm

à-peu-près nm inv ≠ *à peu près* adv

apeuré, e adj

apex nm inv

aphasie nf

aphélie nm (masculin)

aphérèse nf

aphone adj

aphorisme nm

aphrodisiaque adj; nm

aphte nm (masculin)

api nm, pl *apis*

à-pic nm inv

apical, e, aux adj

apitoyer vt; *apitoiement* nm

aplanir vt

aplat nm

aplatir vt

aplomb nm

apocalypse nf

apocope nf (féminin)

apocryphe adj

apodose nf

apogée nm (masculin)

apologétique nf

apologie nf

apologue nm (masculin)

---

apophtegme nm (masculin)
apophyse nf
apoplexie nf ; *apoplectique* adj
apostasie nf ; *apostat, e* adj, n
aposter vt
a posteriori adj inv ; adv (sans accent)
apostille nf (féminin)
apostolat nm
apostrophe nf
apothème nm (masculin)
apothéose nf (féminin)
apothicaire nm
apôtre nm (circonflexe sur ô)
apparaître vi, pp *apparu, e*
apparat nm
appareil nm
appareiller vt, vi
apparent, e adj ; *apparemment* adv ; *apparence* nf
apparenter (s') vpr
apparier vt ; *appariement* nm
appariteur nm
apparition nf
appartement nm
appartenir vti, pp *appartenu* inv
appas nmpl (attraits) ≠ *appât* (amorce)
appât nm (circonflexe sur le second *â*) [amorce], pl *appâts* ≠ *appas* (attraits)
appauvrir vt
appeau nm, pl *appeaux*
appel nm (avec deux p) ; *appeler* vt ; *appellatif, ive* adj ; *appellation* nf (attention aux *l*)
appendice nm (masculin)
appentis nm inv
appesantir vt
appétence nf
appétit nm
applaudir vt
appliquer vt ; *applicable* adj ; *application* nf
appoggiature nf, pl *appoggiatures*
appoint nm
appointer vt
appontement nm
apport nm ; *apporter* vt
apposer vt
apprécier vt ; *appréciation* nf
appréhender vt ; *appréhension* nf
apprendre vt, pp *appris, e* ; *appris, e* n (avec deux p)
apprêt nm (circonflexe sur ê)
apprêter vt (circonflexe sur ê)
apprivoiser vt
approcher vt
approfondir vt
approprier vt
approuver vt ; *approbation* nf
approvisionner vt
approximation nf
appui-bras nm, pl *appuis-bras*
appui-livres nm, pl *appuis-livres*
appui-tête nm, pl *appuis-têtes*
appuyer vt ; *appui* nm
âpre adj (circonflexe sur â)
après prép
après-coup nm inv
après-demain adv
après-dîner nm, pl *après-dîners*
après-guerre nm ou nf (des deux genres), pl *après-guerres*
après-midi nm inv ou nf inv (des deux genres)

après-rasage adj inv
après-ski nm, pl *après-skis*
après-vente adj inv
a priori adj inv ; adv ; nm inv (sans accent sur le *a*)
à-propos nm inv
apside nf
apte adj ; *aptitude* nf
apurer vt
aquafortiste n (masculin ou féminin)
aquaplane nm (masculin)
aquarelle nf
aquarium nm, pl *aquariums*
aquatique adj
aqueduc nm
aqueux, euse adj
aquilin adj m
ara nm
arabesque nf
arable adj
arachide nf
arachnéen, enne adj
araignée nf
araire nm
arak nm, pl *araks*
araser vt
aratoire adj
arbalète nf ; *arbalétrier* nm (attention aux accents)
arbitraire adj ; nm
arbitre nm
arborer vt
arborescent, e adj ; *arborescence* nf
arborisation nf
arbouse nf (féminin)
arbre nm
arbrisseau nm, pl *arbrisseaux*
arc nm
arcade nf
arcane nm (masculin)
arc-boutant nm, pl *arcs-boutants*
arc-bouter vt
arc-doubleau nm, pl *arcs-doubleaux*
arceau nm, pl *arceaux*
arc-en-ciel nm, pl *arcs-en-ciel*
archaïsme nm ; *archaïque* adj (tréma sur *i*)
archange nm
arche nf
archéologie nf ; *archéologue* n (masculin ou féminin)
archer nm (tireur à l'arc) ≠ *archet* (baguette)
archet nm (baguette) ≠ *archer* (tireur à l'arc)
archétype nm
archevêque nm
archidiacre nm
archiduc nm ; *archiduchesse* nf
archipel nm
architecte n (masculin ou féminin) ; *architecture* nf ; *architectural, e, aux* adj
architrave nf
archives nfpl
archivolte nf (féminin)
archonte nm
arçon nm
arctique adj
ardent, e adj ; *ardemment* adv ; *ardeur* nf
ardillon nm
ardoise nf
ardu, ardue adj

are nm (mesure) ≠ *art*
arec nm, pl *arecs* ; *aréquier* nm
arène nf
aréole nf
aréopage nm (masculin)
arête nf (circonflexe sur ê)
argent nm
argile nf
argot nm
argousin nm
arguer vt
argument nm
argus nm inv
argutie nf
aria nm (ennui)
aria nf (air)
aride adj
ariette nf
arioso nm, pl *ariosos*
ariser ou **arriser** vi
aristocrate adj, n (masculin ou féminin)
aristoloche nf
arithmétique nf
arlequin nm
armateur nm
armature nf
arme nf ; *armée* nf ; *armer* vt
armistice nm (masculin)
armoire nf
armoiries nfpl
armorial, e, aux adj
armure nf
arnica nf ou nm (des deux genres)
arôme nm (masculin) ; *aromate* nm ; *aromatique* adj ; *aromatiser* vt (attention accent circonflexe seulement sur *arôme*)
aronde nf
arpège nm (masculin) ; *arpéger* vi, vt (attention aux accents)
arpent nm
arpenter vt
arpète n (féminin ou masculin)
arquebuse nf
arquer vt
arrache-clou nm, pl *arrache-clous*
arrache-pied (d') adv
arracher vt
arraisonner vt
arranger vt
arrérages nmpl
arrêter vt ; *arrestation* nf ; *arrêt* nm (attention au circonflexe)
arrhes nfpl (féminin)
arrière adv ; nf
arriéré, e adj, n (accent aigu)
arrière-ban nm, pl *arrière-bans*
arrière-bouche nf, pl *arrière-bouches*
arrière-boutique nf, pl *arrière-boutiques*
arrière-cour nf, pl *arrière-cours*
arrière-garde nf, pl *arrière-gardes*
arrière-gorge nf, pl *arrière-gorges*
arrière-goût nm, pl *arrière-goûts*
arrière-grand-mère nf, pl *arrière-grand-mères*
arrière-grand-oncle nm, pl *arrière-grands-oncles*
arrière-grand-père nm, pl *arrière-grands-pères*
arrière-grands-parents nmpl

arrière-grand-tante nf, pl *arrière-grand-tantes*
arrière-main nm, pl *arrière-mains*
arrière-neveu nm, pl *arrière-neveux*
arrière-pays nm inv
arrière-pensée nf, pl *arrière-pensées*
arrière-petite-fille nf, pl *arrière-petites-filles*
arrière-petit-fils nm, pl *arrière-petits-fils*
arrière-petits-enfants nmpl
arrière-plan nm, pl *arrière-plans*
arrière-saison nf, pl *arrière-saisons*
arrière-train nm, pl *arrière-trains*
arrière-vassal nm, pl *arrière-vassaux*
arrimer ou **ariser** vi
ariser ou **ariser** vi
arriver vi, pp *arrivé, e*
arroche nf
arrogant, e adj; *arrogamment* adv; *arrogance* nf
arroger (s') vpr → p 46
arrondir vt
arroser vt
arrow-root nm, pl *arrow-roots*
arroyo nm, pl *arroyos*
arsenal nm, pl *arsenaux*
arsenic nm
arsouille n (masculin ou féminin)
art nm ≠ *are* (mesure)
artère nf; *artériel, elle* adj (attention aux accents)
arthrite nf
arthrose nf
artichaut nm (*t* à la finale)
article nm
articuler vt
artifice nm (masculin)
artificier nm
artillerie nf
artimon nm
artisan, e n; *artisanal, e, aux* adj
artiste n (masculin ou féminin)
arum nm, pl *arums*
aryen, enne adj
as nm inv
asbeste nf (féminin)
ascendant, e adj; *ascendant* nm; *ascendance* nf
ascenseur nm
ascension nf; *ascensionnel, elle* adj
ascèse nf; *ascète* n (masculin ou féminin); *ascétique* adj; *ascétisme* nm (attention aux accents)
asclépiade nf ou **asclépias** nm
asepsie nf
asexué, e adj
asile nm
asocial, e, aux adj, n
asparagus nm inv
aspect nm
asperge nf
asperger vt; *aspersion* nf
aspérité nf
asphalte nm (masculin)
asphodèle nm (masculin)
asphyxie nf
aspic nm
aspirer vt

aspirine nf
assa-fœtida nf inv
assagir vt
assaillir vt, pp *assailli, e*
assainir vt, pp *assaini, e*
assaisonner vt
assassin nm
assaut nm
assécher vt; *assèchement* nm (attention aux accents)
assembler vt
assener ou **asséner** vt
assentiment nm
asseoir vt, pp *assis, e*
assermenter vt
assertion nf
asservir vt
assesseur nm
assez adv
assidu, e adj; *assidûment* adv (circonflexe sur *û*)
assiéger vt
assiette nf
assigner vt
assimiler vt
assise nf → p 14
assister vt
associer vt; *association* nf
assoiffer vt (deux *s*, deux *f*)
assoler vt
assombrir vt
assommer vt (deux *s*, deux *m*)
assomption nf
assonant, e adj; *assonance* nf (un seul *n*)
assortir vt; *assortiment* nm
assoupir vt
assouplir vt
assourdir vt
assouvir vt
assujettir vt (deux *t*)
assumer vt
assurer vt
aster nm, pl *asters*
astérisque nm (masculin)
asthénie nf
asthme nm (masculin)
asticot nm
asticoter vt
astigmate adj, n (masculin ou féminin)
astiquer vt; *astiquage* nm
astragale nm (masculin)
astrakan nm
astre nm; *astral, e, aux* adj
astreindre vt, pp *astreint, e*; *astreinte* nf
astringent, e adj
astrolabe nm (masculin)
astrologie nf
astronaute n (masculin ou féminin)
astronef nm
astronomie nf
astuce nf (féminin)
asymétrie nf
asymptote nf (féminin)
asyndète nf (féminin)
atavisme nm
atèle nm (masculin) [singe] ≠ *attelle* (éclisse)
atelier nm
atermoyer vi, pp *atermoyé* inv; *atermoiement* nm
athée n (masculin ou féminin), adj; *athéisme* nm
athénée nm (masculin)

athlète n (masculin ou féminin); *athlétisme* nm; *athlétique* adj (attention aux accents)
atlante nm (masculin)
atlas nm inv
atmosphère nf; *atmosphérique* adj (attention aux accents; pas de *h* après *t*)
atoll nm, pl *atolls*
atome nm
atonal, e, aux adj (un seul *n*)
atone adj
atours nmpl
atout nm
être nm (circonflexe sur *â*)
atrium nm, pl *atriums*
atroce adj
atrophie nf
attabler (s') vpr
attaché-case nm, pl *attachés-cases*
attacher vt, vi
attaquer vt
attarder (s') vpr
atteindre vt, pp *atteint, e*
atteler vt; *attelage* nm (deux *t*, un *l*)
attelle nf (deux *t*, deux *l*) ≠ *atèle* (singe)
attenant, e adj
attendre vt, pp *attendu, e*; *attendu* nm; prép → p 38, 39
attendrir vt
attenter vti, pp *attenté* inv
attentif, ive adj
attention nf; *attentionné, e* adj
atténuer vt
atterrer vt (deux *t*, deux *r*)
atterrir vi, pp *atterri* inv (deux *t*, deux *r*)
attester vt
attiédir vt
attifer vt (deux *t*, un *f*)
attique nm (masculin)
attirail nm, pl *attirails*
attirer vt
attiser vt
attitrer vt
attitude nf
attorney nm, pl *attorneys*
attouchement nm
attractif, ive adj
attraction nf
attrait nm
attrape-nigaud nm, pl *attrape-nigauds*
attraper vt (deux *t*, un *p*)
attrayant, e adj
attribuer vt; *attribut* nm; *attribution* nf
attrister vt
attrouper vt (un seul *p*)
au, aux art contracté
aubade nf
aubaine nf
aube nf
aubépine nf
aubère adj; nm
auberge nf
aubergine nf
auburn adj inv
aucun, e adj; pr indéf → p 34
audace nf
au-dedans adv
au-dehors adv
au-delà adv; nm inv
au-dessous adv
au-dessus adv

au-devant adv
audible adj
audience nf
audio-oral, e adj, pl *audio-oraux, -orales*
audio-visuel, elle adj, pl *audio-visuels, elles*
auditeur, trice n
audition nf ; *auditionner* vt
auditoire nm (masculin)
auditorium nm, pl *auditoriums*
auge nf
augmenter vt
augure nm (masculin) ; *augural, e, aux* adj
augurer vt
auguste adj
aujourd'hui adv (attention à l'apostrophe)
aulne ou **aune** nm (arbre) ≠ *aune* (mesure)
aulx, pl ancien de *ail*
aumône nf
aune nf (mesure) ≠ *aulne* ou *aune* (arbre)
auparavant adv
auprès adv ; prép
auquel pr rel, pl *auxquels*
aura nf, pl *auras*
auréole nf
aurifier vt
aurochs nm inv
aurore nf ; *auroral, e, aux* adj
ausculter vt
auspices nmpl (masculin)
aussi adv ; *aussi bien que* loc conj → p 47 (accord du verbe)
aussitôt adv
austère adj ; *austérité* nf (attention aux accents)
austral, e, als ou **aux** adj
autan nm
autant adv
autarcie nf
autel nm
auteur nm
authentique adj
auto- préfixe (les composés forment un mot unique sans trait d'union sauf lorsque le mot suivant commence par *-i* ou *-u*)
auto- de automobile → p 20
auto nf
autobiographie nf
autobus nm inv
autocar nm
autocensure nf
autochtone n (masculin ou féminin)
autoclave nm
autocollant, e adj ; *autocollant* nm
autocrate nm
autocuiseur nm
autodafé nm, pl *autodafés*
autodidacte adj, n (masculin ou féminin)
autodrome nm

auto-école nf, pl *auto-écoles*
autogestion nf ; *autogestionnaire* adj
automate nm (masculin)
automatique adj
automne nm ; *automnal, e, aux* adj (attention au *mn*)
automobile adj ; nf (féminin)
automoteur, trice adj
autonome adj, n (masculin ou féminin)
autopsie nf
autoradio nm (masculin), pl *autoradios*
autorail nm, pl *autorails*
autoriser vt
autoritaire adj
autorité nf
autoroute nf (féminin)
autos-couchettes (train) adj inv
auto-stop nm, pl *auto-stops* ; *auto-stoppeur, euse* n, pl *auto-stoppeurs, euses*
autosuggestion nf
autour adv
autour nm (oiseau)
autre adj, pr indéf
autrefois adv
autruche nf
autrui pr indéf
auvent nm
auxiliaire adj, n (masculin ou féminin)
avachir (s') vpr
aval nm, pl *avals*
avalanche nf
avaler vt
avancer vt
avanie nf
avant prép ; adv ; nm, pl *avants*
avantage nm
avant-bras nm inv
avant-centre nm, pl *avant-centres*
avant-clou nm, pl *avant-clous*
avant-corps nm inv
avant-cour nf, pl *avant-cours*
avant-coureur adj m, pl *avant-coureurs*
avant-dernier, ère adj, n, pl *avant-derniers, -dernières*
avant-garde nf, pl *avant-gardes*
avant-goût nm, pl *avant-goûts*
avant-guerre nm ou nf, pl *avant-guerres* (des deux genres)
avant-hier adv
avant-main nm, pl *avant-mains*
avant-pays nm inv
avant-port nm, pl *avant-ports*
avant-poste nm, pl *avant-postes*
avant-première nf, pl *avant-premières*
avant-projet nm, pl *avant-projets*
avant-propos nm inv
avant-scène nf, pl *avant-scènes*
avant-toit nm, pl *avant-toits*

avant-train nm, pl *avant-trains*
avant-veille nf, pl *avant-veilles*
avare adj, n (masculin ou féminin)
avarie nf
avatar nm
Ave nm inv (majuscule)
avec prép
aven nm, pl *avens*
avenant, e adj ; *avenant* nm
avènement nm (avec accent grave)
avenir nm
aventure nf
avenue nf
avérer (s') vpr
avers nm inv
averse nf
aversion nf
avertir vt
aveu nm, pl *aveux*
aveugle adj, n (masculin ou féminin) ; *aveuglement* nm ; *aveuglément* adv
aveugle-né, e adj, n, pl *aveugles-nés, -nées*
aveulir vt
aviation nf
aviculteur, trice n
avide adj ; *avidité* nf
avilir vt
aviné, e adj
avion nm
avion-cargo nm, pl *avions-cargos*
avion-citerne nm, pl *avions-citernes*
avion-école nf, pl *avions-écoles*
aviron nm
avis nm inv
aviser vt
aviso nm, pl *avisos*
aviver vt
avocat, e n
avocatier nm
avoine nf (féminin)
avoir vt, pp *eu, e* ; *avoir* nm, pl *avoirs*
avoisiner vt
avorter vi, vt
avorton nm
avouer vt
avril nm, pl *avrils*
axe nm ; *axial, e, aux* adj
axiome nm
axis nm inv
axolotl nm, pl *axolotls*
axone nm (masculin)
axonge nf
ayant cause nm, pl *ayants cause*
ayant droit nm, pl *ayants droit*
ayatollah nm, pl *ayatollahs*
aye-aye nm, pl *ayes-ayes*
azalée nf (féminin)
azimut nm ; *azimutal, e, aux* adj
azote nm (masculin)
azur nm
azyme adj ; nm (avec majuscule)

b

b nm inv
B.A.-Ba nm inv
baba adj, pl baba ou babas
baba nm, pl babas
babil nm ; babiller vi, pp babillé inv
babines nfpl
babiole nf
bâbord nm (circonflexe sur â)
babouche nf
babouin nm
baby nm, pl babys ou babies
baby-foot nm inv
baby-sitter n (masculin ou féminin), pl baby-sitters
bac nm
baccalauréat nm
baccara nm (jeu), pl baccaras
baccarat nm (cristal)
bacchanale nf
bacchante nf
bâche nf (circonflexe sur â)
bachelier, ère n ; bachot nm
bachot nm (petite barque)
bacille nm
bâcler vt (circonflexe sur â)
bactérie nf
badaud, e n, adj ; badauder vi, pp badaudé inv
badiane nf
badigeon nm ; badigeonner vt
badin, e adj ; badiner vi, pp badiné inv
badine nf
badminton nm
bafouer vt
bafouiller vt, vi
bâfrer vt, vi (circonflexe sur â)
bagage nm
bagarre nf
bagatelle nf
bagne nm
bagnole nf
bagou ou bagout nm, pl bagous, bagouts
bague nf
baguenauder vi, pp baguenaudé inv
baguette nf
bah ! interj
bahut nm
bai, e adj
baie nf
baigner vt
bail nm, pl baux
bâiller vi, pp bâillé inv ; bâilleur, euse n ; bâillement nm (ouvrir la bouche) [circonflexe sur â]
bailler vt (donner) [sans circonflexe], pp baillé dans baillé belle → p 42 ; bailleur nm ; bailleresse nf
bailli nm
bâillon nm ; bâillonner vt (circonflexe sur â)

bain nm
bain-marie nm, pl bains-marie
baïonnette nf (tréma sur ï)
baiser vt ; nm ; baisemain nm
baisser vt, vi
bajoue nf
bakchich nm, pl bakchichs
bal nm, pl bals
balader vt ; balade nf (promenade) ≠ ballade (poème)
baladin nm
balafre nf ; balafrer vt
balai nm
balancer vt ; balance nf ; balancelle nf ; balançoire nf
balayer vt
balbutier vt ; balbutiement nm
balcon nm
baldaquin nm
bâleine nf ; baleineau nm, pl baleineaux
balise nf
balistique nf (un seul l)
baliveau nm, pl baliveaux
baliverne nf
ballade nf (poème) ≠ balade (promenade)
ballant, e adj
ballast nm
balle nf
ballet nm ; ballerine nf
ballon nm ; ballonner vt
ballot nm
ballotin nm (emballage)
ballottage nm (deux t)
ballotter vt ; ballottement nm (deux t)
ballottine nf (aliment)
ball-trap nm, pl ball-traps
balluchon ou baluchon nm
balnéaire adj
balourd, e adj
balustrade nf
balustre nm (masculin)
balzan, e adj
bambin nm
bambochade nf
bambocher vi
bambou nm, pl bambous
ban nm (proclamation) ≠ banc (siège)
banal, e, als adj (courant)
banal, e, aux adj (féodalité)
banane nf
banc nm (siège) ≠ ban (proclamation)
bancal, e, als adj
banc-titre nm, pl bancs-titres
bande nf
bandeau nm, pl bandeaux
banderille nf
banderillero nm, pl banderilleros
banderole nf
bandit nm

bandoulière nf (un seul l)
banjo nm, pl banjos
banlieue nf
banne nf
bannir vt
banque nf ; bancaire adj
banqueroute nf
banquet nm ; banqueter vi, pp banqueté inv
banquette nf
banquise nf
bantou, e adj, n, pl bantous, oues
baobab nm
baptême nm (circonflexe sur ê) ; baptismal, e, aux adj ; baptistère nm ; baptiser vt
baquet nm
bar nm
baragouin nm ; baragouiner vt
baraque nf
baratin nm ; baratiner vt (un seul t)
baratte nf ; baratter vt
barbacane nf
barbare adj, n (masculin ou féminin)
barbe nf
barbeau nm, pl barbeaux
barbecue nm, pl barbecues
barbe-de-capucin nf, pl barbes-de-capucin
barbelé, e adj
barbet, ette n, adj
barbillon nm
barboter vt, vi
barbouiller vt
barbu, e adj
barbue nf
barcarolle nf
bardane nf
barde nm (poète)
barde nf (lard)
bardeau nm (planchette), pl bardeaux
barder vt
bardot ou bardeau nm (animal), pl bardots ou bardeaux
barème nm (accent grave)
barge nf
barguigner vi, pp barguigné inv
barigoule nf
baril nm
barillet nm
barioler vt
barlong, barlongue adj
barman nm, pl barmans ou barmen ; barmaid nf, pl barmaids
baromètre nm
baron, onne n ; baronet ou baronnet nm ; baronnie nf (deux n)
baroque adj ; nm
baroud nm
barouf nm
barque nf

barre nf
barreau nm, pl barreaux
barrer vt
barricade nf
barrière nf
barrique nf
barrir vi, pp barri inv
baryton nm
bas nm inv ≠ bât (selle)
bas, basse adj; bassement adv; bassesse nf
basal, e, aux adj
basalte nm (masculin)
basane nf
bas-bleu nm, pl bas-bleus → p 8
bas-côté nm, pl bas-côtés
bascule nf
base nf
base-ball nm, pl base-balls
bas-fond nm, pl bas-fonds
basilic nm (plante)
basilique nf (édifice); basilical, e, aux adj
bas-jointé, e adj, pl bas-jointés, es
basket-ball nm, pl basket-balls; basketteur, euse n
basoche nf
bas-relief nm, pl bas-reliefs
basse-cour nf, pl basses-cours
basse-fosse nf, pl basses-fosses
basset nm
basse-taille nf, pl basses-tailles
bassin nm
bassiner vt
basson nm
bastide nf
bastingage nm
bastion nm
bastonnade nf
bastringue nm
bas-ventre nm, pl bas-ventres
bât nm (selle) [circonflexe sur â] ≠ bas
bataille nf
bataillon nm
bâtard, e adj, n (circonflexe sur premier â)
batardeau nm, pl batardeaux (pas de circonflexe)
batavia nf, pl batavias
bateau nm (tous les dérivés ont un circonflexe); NOMS DE BATEAUX → p 9
bateau-feu nm, pl bateaux-feux
bateau-mouche nm, pl bateaux-mouches
bateau-pompe nm, pl bateaux-pompes
bateleur, euse n
batelier, ère n; batellerie nf (avec deux l)
bâter vt (circonflexe sur â)
bat-flanc nm inv
bathyal, e, aux adj
bathyscaphe nm
batifoler vi, pp batifolé inv
bâtir vt (tous les dérivés ont un circonflexe sur le â : bâtiment, bâti, etc.)
batiste nf
bâton nm; bâtonnet nm (circonflexe sur â)
bâtonnier nm (circonflexe sur â)
battant, e adj → p 38; battant neuf → p 37

battre vt, pp battu, e (tous les dérivés ont deux t : battement, battage, battue)
bau nm, pl baux
baudet nm
baudrier nm
baudroie nf
baudruche nf
bauge nf
baume nm (masculin) ≠ bôme (vergue)
bauxite nf
bavard, e adj, n; bavarder vi, pp bavardé inv
bave nf
baver vi
bayadère nf; adj
bayer vi (aux corneilles) ≠ bailler, pp bayé inv
bazar nm, pl bazars
bazarder vt
bazooka nm
béant, e adj
béat, e adj
béatifier vt
beau, bel (devant une voyelle ou un h muet), belle adj; beau nm; belle nf, pl beaux, belles
beaucoup adv
beau-fils nm, pl beaux-fils
beau-frère nm, pl beaux-frères
beau-père nm, pl beaux-pères
beaupré nm
beaux-arts nmpl
beaux-parents nmpl
bébé nm
be-bop nm inv
bec nm
bécane nf
bécasse nf; bécasseau nm, pl bécasseaux
bec-croisé nm, pl becs-croisés
bec-de-cane nm, pl becs-de-cane
bec-de-corbeau nm, pl becs-de-corbeau
bec-de-corbin nm, pl becs de corbin
bec-de-lièvre nm, pl becs-de-lièvre
bec-de-perroquet nm, pl becs-de-perroquet
bec-fin nm, pl becs-fins
béchamel nf
bêche nf (circonflexe à tous les dérivés : bêcher, bêcheur, etc.)
bécot nm; bécoter vt
becquée nf
becquet ou béquet nm
becqueter vt (donner des coups de bec)
becter vt (manger)
bedaine nf
bédane nm (masculin)
bedeau nm, pl bedeaux
bedon nm; bedonner vi
béer vi; bée adj f
beffroi nm
bégayer vt, vi; bégaiement nm
bégonia nm, pl bégonias
bègue adj, n (masculin ou féminin)
bégueter vi; béguètement nm (attention à l'accentuation)
bégueule nf; adj
béguin nm
beige adj; nm
beignet nm

bel adj m sing → beau; bel et bien adv
bel canto nm inv
bêler vi, pp bêlé inv
belette nf
bélier nm
bélître nm (circonflexe sur î)
belladone nf
bellâtre nm (masculin) [circonflexe sur â]
belle-dame nf, pl belles-dames
belle-de-jour nf, pl belles-de-jour
belle-de-nuit nf, pl belles-de-nuit
belle-famille nf, pl belles-familles
belle-fille nf, pl belles-filles
bellement adv
belle-mère nf, pl belles-mères
belles-lettres nfpl
belle-sœur nf, pl belles-sœurs
belligérant, e adj; nm
belliqueux, euse adj
belote nf
bélouga ou béluga nm, pl bélougas, bélugas
belvédère nm, pl belvédères
bémol nm
bénédicité nm, pl bénédicités
bénédictin, e n
bénédiction nf
bénéfice nm
bénéficier vti, pp bénéficié inv
benêt nm (circonflexe sur deuxième ê)
bénévole adj, n (masculin ou féminin); bénévolat nm
bénin, bénigne adj; bénignité nf (attention gn)
béni-oui-oui n inv
bénir vt; bénit, e adj ≠ béni, e pp du v
benjamin, e n
benjoin nm
benne nf
benoit, e adj (circonflexe sur î)
benzène nm
béquille nf
bercail nm (pas de pl)
berceau nm, pl berceaux
bercer vt
béret nm
bergamote nf
berge nf
berger, ère n
bergeronnette nf
béribéri nm; pl béribéris
berline nf
berlingot nm
berlue nf
bernard-l'ermite nm inv
berner vt
bernicle nf
besace nf
besaigüe nf (tréma sur ë)
besicles nfpl
besogne nf
besoin nm
besson, onne n
bestial, e, aux adj
bestiaux nmpl
best-seller nm, pl best-sellers
bêta, bêtasse n, adj, pl bêtas (circonflexe sur ê)
bêta, bêtasse n, adj, pl bêtas, bêtasses (circonflexe sur ê)
bétail nm (pas de pl)

bête nf (circonflexe sur ê)
bétel nm
béton nm ; *bétonner* vt
bette ou blette nf (plante)
betterave nf .
beugler vt, vi
beurre nm
beuverie nf
bévue nf
bey nm, pl *beys*
beylical, e, aux adj
biais, e adj ; *biais* nm ; biaiser vi, vt
biaural, e, aux adj
bibelot nm
biberon nm
bible nf
bibliographie nf
bibliophile n (masculin ou féminin)
bibliothèque nf ; *bibliothécaire* n (masculin ou féminin) [attention aux accents]
bicéphale adj
biceps nm inv
biche nf
bichonner vt
bicolore adj
bicorne nm (masculin)
bicyclette nf (*i* d'abord, *y* ensuite)
bidet nm
bidon nm
bidonville nm
bief nm
bielle nf
bien nm, pl *biens* ; adv ; adj inv → p 29 ; *se mettre bien* → p 45
bien-aimé, e adj, pl *bien-aimés, es*
bien-dire nm inv
bien-être nm inv
bienfaisant, e adj ; *bienfaisance* nf
bien-fondé nm, pl *bien-fondés*
bien-fonds nm, pl *biens-fonds*
bienheureux, euse adj, n
biennal, e, aux adj
bienséant, e adj ; *bienséance* nf
bientôt adv
bienveillant, e adj ; *bienveillamment* adv ; *bienveillance* nf
bienvenu, e adj, n
bière nf
biffer vt ; *biffure* nf (deux *f*)
bifocal, e, aux adj
bifteck nm, pl *biftecks*
bifurquer vi ; *bifurcation* nf
bigame adj, n (masculin ou féminin)
bigarade nf (un seul *r*)
bigarreau nm (masculin), pl *bigarreaux*
bigarrer vt ; *bigarrure* nf (deux *r*)
bigler vi, vt
bigophone nm
bigorne nf
bigorneau nm, pl *bigorneaux*
bigorner vt
bigot, e n ; *bigoterie* nf (un seul *t*)
bigoudi nm
bihoreau nm, pl *bihoreaux*
bijou nm, pl *bijoux*
bilan nm

bilatéral, e, aux adj
bilboquet nm
bile nf ; *bileux, euse* adj (inquiet) ≠ *bilieux, euse* adj (de mauvaise santé, de mauvaise humeur) ; *biliaire* adj
bilingue adj, n (masculin ou féminin)
bill nm ; pl *bills*
billard nm
bille nf
billet nm ; *billetterie* nf (deux *t*)
billette nf
billevesée nf
billion nm
billon nm
billot nm
bimensuel, elle adj ; *bimensuel* nm
binaire adj
binational, e, aux adj
binaural, e, aux adj
biner vt
biniou nm, pl *binious*
binocle nm
binôme nm (circonflexe sur ô)
binomial, e, aux adj (pas de circonflexe)
biographie nf
biologie nf
biomédical, e, aux adj
biopsie nf
biparti, e ou bipartite adj (pour les deux genres)
bipède adj ; nm
biplan nm
bique nf
bis, e adj
bis adv
bisaïeul, e n, pl *bisaïeuls, es*
bisannuel, elle adj
bisbille nf
biscornu, e adj
biscotte nf
biscuit nm
bise nf
biseau nm, pl *biseaux*
biser vi, pp *bisé* inv
biset nm
bismuth nm
bison nm
bisou ou bizou nm, pl *bisous, bizous*
bisque nf
bisquer vi, pp *bisqué* inv
bisser vt
bissextile adj f
bistouri nm
bistre nm ; adj inv
bistro ou bistrot nm
bitte nf
bitter nm, pl *bitters*
bitume nm
biveau nm, pl *biveaux*
bivouac nm
bizarre adj
bizou ou bisou nm, pl *bizous, bisous*
bizut ou bizuth nm
blackbouler vt
black-out nm inv
black-rot nm, pl *black-rots*
blafard, e adj
blague nf
blaireau nm, pl *blaireaux*
blâme nm ; *blâmer* vt ; *blâmable* adj (circonflexe sur â)

blanc, blanche adj, n ; *blanc* nm ; *blanchâtre* adj ; *blanchir* vt ; *blanchiment* nm
blanc-bec nm, pl *blancs-becs*
blanc-étoc ou blanc-estoc nm, pl *blanc-étocs* ou *blanc-estocs*
blanc-seing nm, pl *blancs-seings*
blanquette nf
blaser vt
blason nm
blasphème nm ; *blasphémer* vt (attention aux accents)
blatérer vi, pp *blatéré* inv
blatte nf
blazer nm, pl *blazers*
blé nm
bled nm, pl *bleds*
blême adj ; *blêmir* vi (circonflexe sur ê)
blennorragie nf (pas de *h*)
blépharite nf
blèser vi, pp *blésé* inv ; *blèsement* nm ; *blésité* nf (attention aux accents)
blesser vt
blet, ette adj ; *blettir* vi
blette ou bette nf (plante)
bleu, e adj ; *bleu* nm, pl *bleus* ; *bleuâtre* adj
bleuet nm
blinder vt
blizzard nm
bloc nm
bloc-cuisine nm, pl *blocs-cuisines*
bloc-diagramme nm, pl *blocs-diagrammes*
bloc-eau nm, pl *blocs-eau*
blockhaus nm inv
bloc-moteur nm, pl *blocs-moteurs*
bloc-notes nm, pl *blocs-notes*
bloc-système nm, pl *blocs-systèmes*
blocus nm inv
blond, e adj, n
bloquer vt ; *blocage* nm
blottir (se) vpr
blouse nf
blouser vt
blue-jean nm, pl *blue-jeans*
blues nm inv (jazz)
bluette nf
bluff nm, pl *bluffs* ; *bluffer* vt, vi
bluter vt
boa nm, pl *boas*
bobèche nf
bobine nf
bobo nm, pl *bobos*
bobsleigh nm, pl *bobsleighs*
bocage nm
bocal nm, pl *bocaux*
bock nm
boette ou boitte nf (amorce)
bœuf nm, pl *bœufs*
boghei, boguet ou buggy nm ; *bogheis, boguets, buggies*
bogie ou boggie nm, pl *bog(g)ies*
bogue nf
bohème n (masculin ou féminin) [personne] ; nf (vie) ; *bohémien, enne* adj, n (attention aux accents)
boire vt, pp *bu, e*
bois nm inv
boisseau nm, pl *boisseaux*

boisson nf
boite nf (circonflexe sur *î*)
boiter vi, pp *boité* inv (pas d'accent circonflexe)
boitier nm (circonflexe sur *î*)
boitte ou boette nf (amorce)
bol nm
bolchevisme nm; *bolchevique* ou *bolchevik* adj inv en genre, n (masculin ou féminin)
boléro nm
bolet nm
bolide nm
bombage nm
bombance nf
bombarde nf
bombarder vt
bombasin nm
bombe nf
bomber vt
bombyx nm inv
bôme nf (vergue) ≠ *baume* (onguent)
bon, bonne adj → p 29; *bonnement* adv (deux *n*); *bonasse* adj (un seul *n*); *bonté* nf
bonbon nm; *bonbonnière* nf (*n* devant le *b*)
bonbonne nf (*n* devant le *b*)
bon-chrétien nm, pl *bons-chrétiens*
bond nm; *bondir* vi, pp *bondi* inv
bonde nf
bondé, e adj
bonheur nm
bonheur-du-jour nm, pl *bonheurs-du-jour*
bonhomme nm, pl *bonshommes*; adj, pl *bonhommes bonhomie* nf (avec un seul *m*)
boni nm, pl *bonis*
bonifier vt
boniment ñm
bonjour nm, pl *bonjours*
bonne nf
bonne-maman nf, pl *bonnes-mamans*
bonnet nm
bonneteau nm, pl *bonneteaux*
bon-papa nm, pl *bons-papas*
bonsoir nm, pl *bonsoirs*
bonze nm; *bonzesse* nf
boogie-woogie nm, pl *boogie-woogies*
bookmaker nm, pl *bookmakers*
boomerang nm, pl *boomerangs*
boqueteau nm, pl *boqueteaux*
borax nm inv
borborygme nm
bord nm; *border* vt
bordée nf
bordereau nm, pl *bordereaux*
bore nm (corps chimique)
boréal, e, aux ou als adj
borgne adj, n (masculin ou féminin)
borique adj m
borne nf
borne-fontaine nf, pl *bornes-fontaines*
bort nm (diamant)
bosquet nm
bossa-nova nf, pl *bossas-novas*
bossage nm
bosse nf; *bosseler* vt; *bosselement* nm
bosser vt, vi

bossette nf
bossoir nm
bossu, e adj, n
boston nm, pl *bostons*
bot, e adj
botanique nf
botte nf; *botteler* vt; *bottillon* nm; *bottine* nf
boubou nm, pl *boubous*
bouc nm
boucan nm
boucaner vt
boucau nm, pl *boucaux*
boucharde nf
bouche nf
bouche-à-bouche nm inv
boucher vt
boucher, ère n
bouche-trou nm, pl *bouche-trous*
bouchon nm
bouchonner vt
bouchot nm
boucle nf
bouclier nm
bouddha nm; *bouddhique* adj; *bouddhisme* nm; *bouddhiste* adj, n (masculin ou féminin)
bouder vt, vi
boudin nm
boudiner vt
boue nf (fange) ≠ *bout* (fin); *boueux, euse* adj
bouée nf
boueux nm inv
bouffarde nf
bouffée nf
bouffer vt
bouffir vt, vi
bouffon, onne adj
bougainvillée nf ou bougainvillier nm
bouge nm
bougeoir nm
bougeotte nf
bouger vt, vi
bougie nf
bougon, onne adj; *bougonner* vi
bougre nm; *bougresse* nf
boui-boui nm, pl *bouis-bouis*
bouillabaisse nf
bouilli nm
bouillie nf
bouillir vi, vt, pp *bouilli, e*
bouillon nm; *bouillonner* vi, vt
bouillotte nf
boulanger, ère n
boule nf
bouleau nm, pl *bouleaux* (arbre) ≠ *boulot* (travail)
boule-de-neige nf, pl *boules-de-neige*
bouledogue nm
boulet nm
boulevard nm
bouleverser vt
boulimie nf
bouline nf
boulingrin nm
boulon nm; *boulonner* vt
boulot, otte adj
boulot nm (travail) ≠ *bouleau* (arbre)
boulotter vt
bouquet nm
bouquetin nm
bouquin nm
bourbe nf

bourbillon nm
bourdaine nf
bourde nf
bourdon nm, *bourdonner* vi
bourg nm
bourgade nf
bourgeois, e adj, n
bourgeon nm; *bourgeonner* vi
bourgeron nm
bourgmestre nm
bourlinguer vi, pp *bourlingué* inv
bourrache nf
bourrade nf
bourrasque nf
bourre nf
bourreau nm, pl *bourreaux*
bourrée nf
bourrelé, e adj; *bourrèlement* nm (attention à l'accentuation)
bourrelet nm
bourrelier nm (un *l*); *bourrellerie* nf (deux *l*)
bourrer vt
bourriche nf
bourrin nm
bourrique nf
bourru, e adj
bourse nf; *boursicoter* vi, pp *boursicoté* inv
boursoufler vt (avec un *f*)
bousculer vt
bouse nf
bousiller vt
boussole nf
boustifaille nf
bout nm (fin) ≠ *boue* (fange)
boutade nf
bout-dehors nm, pl *bouts-dehors*
boute-en-train nm inv
boutefeu nm, pl *boutefeux*
bouteille nf
bouter vt
boutique nf
bouton nm; *boutonneux, euse* adj
bouton-d'argent nm, pl *boutons-d'argent*
bouton-d'or nm, pl *boutons-d'or*
bout-rimé nm, pl *bouts-rimés*
bouture nf
bouvier, ère n; *bouvillon* nm
bouvreuil nm
bovarysme nm
bovidé nm; *bovin, e* adj
bowling nm, pl *bowlings*
bow-string nm, pl *bow-strings*
bow-window nm, pl *bow-windows*
box nm, pl *boxes* ou *box*
boxe nf (sport)
box-office nm, pl *box-offices*
boy nm, pl *boys*
boyau nm, pl *boyaux*
boycotter vt; *boycott* ou *boycottage* nm, pl *boycotts, boycottages*
boy-scout nm, pl *boy-scouts*
bracelet nm
brachial, e, aux adj
brachycéphale n (masculin ou féminin)
braconner vi, vt
brader vt
braguette nf
brahmane nm
brai nm (résine), pl *brais*
braies nfpl (chausses)

77

brailler vt, vi
brainstorming nm, pl *brainstormings*
brain-trust nm, pl *brain-trusts*
braire vi; *braiment* nm
braise nf
bramer vi
brancard nm
branche nf
brancher vt
branchies nfpl; *branchial, e, aux* adj
brandade nf
brande nf
brandir vt
brandon nm
brandy nm, pl *brandys*
branle nm
branle-bas nm inv
branler vt
braque nm (chien)
braque adj, n (personne) [masculin ou féminin]
braquer vt; *braquage* nm
bras nm inv
brasero nm, pl *braseros*
brasier nm
brassard nm
brasse nf
brassée nf
brasser vt
brasserie nf
brassière nf
brave adj, n (masculin ou féminin)
bravo! interj; *bravo* nm, pl *bravos*
break nm, pl *breaks*
breakfast nm, pl *breakfasts*
brebis nf inv
brèche nf
bréchet nm
bredouille adj
bredouiller vt, vi
bref, brève adj; *brièveté* nf; *brièvement* adv (attention à l'accentuation)
breitschwanz nm inv
brelan nm
breloque nf
brème nf (accent grave)
bretèche nf
bretelle nf
bretteur nm
bretzel nm ou nm, pl *bretzels* (deux genres)
breuvage nm
brevet nm; *breveter* vt (pas d'accents)
bréviaire nm
bribe nf
bric-à-brac nm inv
brick nm, pl *bricks*
bricole nf
bride nf
bridge nm
brie nm
briefing nm, pl *briefings*
brigade nf
brigand nm; *brigander* vi, pp *brigandé* inv
brigantin nm
brigue nf

briller vi, pp *brillé* inv; *brillant, e* adj; *brillamment* adv; *brillance* nf
brimbaler vt
brimborion nm
brimer vt
brin nm
brindille nf
bringuebaler ou brinquebaler vt, vi
brio nm, pl *brios*
brioche nf
brioché nf
brique nf; *briqueterie* nf (un *t*); *briquette* nf (deux *t*)
briquet nm
bris nm inv
brisant nm
briscard ou brisquard nm
brise nf
brisées nfpl
brise-glace nm inv
brise-jet nm inv
brise-lames nm inv
brise-mottes nm inv
briser vt
brise-tout n inv (masculin ou féminin)
brise-vent nm inv
brisquard ou briscard nm
brisque nf
broc nm
brocante nf
brocard nm (plaisanterie); *brocarder* vt
brocart nm (étoffe)
broche nf
brocher vt
brochet nm (poisson)
brocoli nm, pl *brocolis*
brodequin nm
broder vt
brome nm (pas de circonflexe)
bromure nm
bronche nf
broncher vi, pp *bronché* inv
broncho-pneumonie nf, pl *broncho-pneumonies*
bronze nm
brosse nf
brou nm, pl *brous*; *brou de noix* adj inv
brouet nm
brouette nf
brouhaha nm, pl *brouhahas*
brouillamini nm, pl *brouillaminis*
brouillard nm
brouillasse nf
brouille nf
brouillon, onne adj
broussaille nf
brousse nf
brouter vt
broutille nf
brownien adj m
browning nm, pl *brownings*
broyer vt; *broiement* nm
bru nf
brucelles nfpl
brucellose nf
brugnon nm
bruine nf
bruire vi, pp *brui* inv
bruit nm; *bruiter* vt

brûle-gueule nm inv
brûle-parfum nm inv
brûle-pourpoint (à) adv
brûler vt (circonflexe sur *û* comme tous les dérivés)
brumaire nm, pl *brumaires*
brumasse nf
brume nf
brun, e adj, n
brusque adj
brut, e adj
brutal, e, aux adj
bruyant, e adj; *bruyamment* adv
bruyère nf
buanderie nf
bubon nm
buccal, e, aux adj
bûche nf (circonflexe sur *û*)
bûcher nm (circonflexe sur *û*)
bûcher vt (circonflexe sur *û*)
bûcheron, onne n (circonflexe sur *û*)
bucolique adj
budget nm; *budgétaire* adj (attention à l'accent)
buée nf
buffet nm
buffle nm (deux *f*)
buggy nm, pl *buggies*
bugle nf (plante)
bugle nm (instrument)
building nm, pl *buildings*
buis nm inv
buisson nm; *buissonneux, euse* adj; *buissonnier, ière* adj
buisson-ardent nm, pl *buissons-ardents*
bulbe nm (masculin)
bulldozer nm, pl *bulldozers*
bulle nf
bulletin nm
bull-finch nm, pl *bull-finchs*
bull-terrier nm, pl *bull-terriers*
bungalow nm, pl *bungalows*
buraliste n (masculin ou féminin)
bure nf
bureau nm, pl *bureaux*
burette nf
burgrave nm
burin nm
buriner vt
burlesque adj
burnous nm inv
busard nm
busc nm
buse nf
business nm inv; *businessman* nm, pl *businessmen*
buste nm
but nm (dessein) ≠ butte (tertre)
butée nf
buter vt, vi (heurter)
butin nm
butiner vt
butor nm
butte nf (tertre); *être en butte à* ≠ *but* (dessein)
butter vt (terre)
buvable adj
buvard adj m; nm
buvette nf
buveur, euse n
by-pass nm inv

C

c nm inv
ça pr dém
çà adv; interj (accent grave sur à)
cab nm, pl *cabs*
cabale nf
caban nm
cabane nf
cabanon nm
cabaret nm
cabas nm inv
cabestan nm
cabillaud ou cabillau nm, pl *cabillauds, cabillaux*
cabine nf
cabinet nm
câble nm (circonflexe sur â)
câbleau ou câblot nm, pl *câbleaux, câblots* (circonflexe sur â)
caboche nf
cabochon nm
cabosse nf
cabot nm
caboter vi
cabotin, e n, adj
caboulot nm
cabrer vt
cabri nm, pl *cabris*
cabriole nf; *cabrioler* vi, pp *cabriolé* inv
cabriolet nm
cab-signal nm, pl *cab-signaux*
cabus adj m inv
cacahouète ou cacahuète nf
cacao nm; *cacaoyer* nm
cacatoès ou kakatoès nm inv
cacatois nm inv
cachalot nm
cache-cache nm inv
cache-col nm inv
cache-corset nm inv
cachectique adj, n (masculin ou féminin)
cachemire nm, pl *cachemires*
cache-nez nm inv
cache-pot nm inv
cacher vt
cacher, casher ou kasher adj inv (pas d'accent)
cache-radiateur nm inv
cache-sexe nm inv
cachet nm
cachexie nf
cachot nm
cachou nm, pl *cachous*
cacique nm
cacochyme adj
cacodylate nm (masculin)
cacographie nf
cacophonie nf
cactus nm inv; *cactacée* ou *cactée* nf
cadastre nm; *cadastral, e, aux* adj

cadavre nm; *cadavéreux, euse* ou *cadavérique* adj
caddie nm, pl *caddies*
cade nm
cadeau nm, pl *cadeaux*
cadenas nm inv; *cadenasser* vt
cadence nf
cadenette nf
cadet, ette adj, n
cadi nm, pl *cadis*
cadran nm
cadre nm
caduc, caduque adj
caducée nm (masculin)
cæcum nm, pl *cæcums*; *cæcal, e, aux* adj
cafard, e adj, n (dénonciateur)
cafard nm (insecte; idées noires)
café nm; *caféier* nm; *caféine* nf; *cafetier* nm; *cafetière* nf; *cafétéria* nf
café-concert nm, pl *cafés-concerts*
café-théâtre nm, pl *cafés-théâtres*
cafouiller vi, pp *cafouillé* inv
cage nf
cageot nm
cagibi nm, pl *cagibis*
cagneux, euse adj
cagnotte nf
cagot, e adj, n
cagou nm, pl *cagous*
cagoule nf
cahier nm
cahin-caha adv
cahot nm (secousse) ≠ chaos (désordre); *cahoteux, euse* adj; *cahoter* vi
cahute nf
caïd nm, pl *caïds* (tréma sur ï)
caïeu ou cayeu nm, pl *caïeux, cayeux* (tréma sur ï)
caillasse nf
caille nf
caillebotis nm
caillebotte nf
cailler vt
caillette nf
caillot nm
caillou nm, pl *cailloux*
caïman nm, pl *caïmans* (tréma sur ï)
caïque nm (masculin) [tréma sur ï]
cairn nm
caisse nf
cajoler vt
cajou nm, pl *cajous*
cal nm, pl *cals*; *calleux, euse* adj
calamar ou calmar nm, pl *cala-mars, calmars*
calame nm (masculin)
calamine nf
calamité nf

calandre nf
calandrer vt
calanque nf
calcaire adj; nm
calciner vt
calcium nm, pl *calciums*
calcul nm
cale nf
calebasse nf
calèche nf
caleçon nm
calembour nm
calembredaine nf
calendes nfpl
calendrier nm
cale-pied nm, pl *cale-pieds*
calepin nm
caler vt
calfater vt
calfeutrer vt
calibre nm
calibrer vt
calice nm
calicot nm
calife nm
califourchon (à) adv
câlin, e adj (circonflexe sur â)
call-girl nf, pl *call-girls*
calligraphe n (masculin ou féminin)
callipyge adj
calmar ou calamar nm, pl *cal-mars, calamars*
calme adj; nm
calomnie nf
calorie nf
calot nm
calotin nm
calotte nf
calquer vt
calumet nm
calvados nm inv
calvaire nm
calville nf
calvinisme nm
calvitie nf
camaïeu nm, pl *camaïeux* (tréma sur ï)
camail nm, pl *camails*
camarade n (masculin ou féminin)
camard, e adj
camarilla nf, pl *camarillas*
cambial, e, aux adj
cambiste n (masculin ou féminin)
cambouis nm inv
cambrer vt
cambrioler vt
cambuse nf
came nf
camée nm (masculin)
caméléon nm
camélia nm, pl *camélias*
camelot nm
camelote nf

camembert nm
caméra nf, pl *caméras*
camérier nm
cameriste nf
camerlingue nm
camion nm ; *camionnette* nf
camion-citerne nm, pl *camions-citernes*
camisard nm
camisole nf
camomille nf
camoufler vt
camouflet nm
camp nm
campagne nf
campagnol nm
campanile nm (masculin)
campanule nf (féminin)
campêche nm (masculin) [circonflexe sur ê]
camper vt
camphre nm
camping nm, pl *campings*
campus nm inv
camus, e adj
canaille nf
canal nm, pl *canaux*
canapé nm ; *canapé-lit* nm, pl *canapés-lits*
canard nm ; *canardeau* nm, pl *canardeaux*
canarder vt
canari nm, pl *canaris*
cancan nm
cancaner vi
cancer nm ; *cancéreux, euse* adj
cancre nm
cancrelat nm
candélabre nm
candi adj m
candidat, e n ; *candidature* nf
candide adj
candir vt
canéphore nf
caner vi (mourir) ≠ canner (garnir un siège)
canette nf
canevas nm inv
cangue nf
caniche nm
canicule nf
canif nm
canin, e adj
canitie nf
caniveau nm, pl *caniveaux*
cannelier nm (avec un *l*)
cannelle nf (avec deux *l*)
cannelloni nm, pl *cannellonis*
cannelure nf (avec un *l*)
canner vt ; *cannage* nm
cannibale adj, n (masculin ou féminin)
canoë nm, pl *canoës* (attention au tréma) ; *canoéisme* nm (avec accent)
canon nm ; adj m (droit) [les dérivés ont un *n* : *canonique* adj ; *canoniser* vt ; *canonial, e, aux* adj]
canon nm (arme) ; *canonner* vt ; *canonnade* nf ; *canonnière* nf (les dérivés avec deux *n*)
canot nm (les dérivés ont un *t* : *canotier* nm)
cantabile nm, pl *cantabiles*
cantal nm, pl *cantals*
cantate nf

cantatrice nf → p 15
canter nm, pl *canters*
cantharide nf
cantilène nf
cantine nf
cantique nm
canton nm ; *cantonal, e, aux* adj (avec un *n*)
cantonade nf (avec un *n*)
cantonner vt ; *cantonnement* nm (avec deux *n*)
cantonnier nm (avec deux *n*)
cantonnière nf (avec deux *n*)
canule nf
canut, canuse n
caoutchouc nm ; *caoutchouter* vt
cap nm (promontoire)
capable adj
capacité nf
caparaçon nm ; *caparaçonner* vt
cape nf (manteau)
capelage nm ; *capeler* vt
capeline nf
capharnaüm nm, pl *capharnaüms* (attention au tréma)
cap-hornier nm, pl *cap-horniers*
capillaire nm
capilotade nf (un *l*)
capitaine nm
capital, e, aux adj
capital nm, pl *capitaux*
capitation nf
capiteux, euse adj
capitole nm
capiton nm ; *capitonner* vt
capitoul nm
capitulaire adj
capitule nm (masculin)
capituler vi, pp *capitulé* inv
capon, onne adj
caporal nm, pl *caporaux*
capot nm
capot adj inv
capote nf
capoter vi
câpre nf (féminin) [circonflexe sur â]
caprice nm
capricorne nm
caprin, e adj
capsule nf
captal nm, pl *captals*
capter vt
captieux, euse adj
captif, ive adj, n
captiver vt
capture nf
capuce nm (masculin)
capuche nf ; *capuchon* nm
capucin nm
capucinade nf
capucine nf
capulet nm
caque nf
caquet nm
car conj
car nm
carabe nm (masculin)
carabine nf
carabiné, e adj
caracal nm, pl *caracals*
caraco nm, pl *caracos*
caracoler vi, pp *caracolé* inv
caractère nm ; *caractériser* vt (attention aux accents)

caracul ou karakul nm, pl *caraculs, karakuls*
carafe nf (un seul *f*)
carafon nm
caramboler vi
carambouille nf
caramel nm ; *caraméliser* vt (attention à l'accentuation)
carapace nf
carat nm
caravane nf
caravansérail nm, pl *caravansérails*
caravelle nf
carbonaro nm, pl *carbonari*
carbonate nm
carbone nm ; *carboniser* vt
carbonnade ou carbonade nf
carburant nm
carbure nm
carcailler vi, pp *carcaillé* inv
carcajou nm, pl *carcajous*
carcan nm
carcasse nf
carcéral, e, aux adj
carcinoïde adj
carcinome nm (masculin)
cardamine nf
cardamome nf
cardan nm
carde nf
carder vt
cardère nf
cardia nm (masculin)
cardiaque adj
cardinal, e, aux adj
cardio-vasculaire adj, pl *cardio-vasculaires*
cardon nm
carême nm (circonflexe sur ê)
carême-prenant nm, pl *carêmes-prenants*
carence nf
carène nf ; *caréner* vt (attention aux accents)
caresse nf
caret nm
carex nm inv
car-ferry nm, pl *car-ferries*
cargaison nf
cargo nm
cari, cary ou curry nm
cariatide ou caryatide nf
caribou nm, pl *caribous*
caricature nf ; *caricatural, e, aux* adj
carie nf
carillon nm ; *carillonner* vt
carlin nm
carlingue nf
carmagnole nf
carme nm
carmélite nf
carmin nm
carminatif, ive adj
carminé, e adj
carnage nm
carnassier, ère adj
carnation nf
carnaval nm, pl *carnavals*
carne nf
carné, e adj
carneau nm, pl *carneaux*
carnet nm
carnier nm
carnivore adj, n (masculin ou féminin)
caronade nf

caroncule nf
carotide nf
carotte nf (un r et deux t)
caroube ou carouge nf
carpe n (poisson)
carpe nm (os du poignet)
carpeau nm, pl carpeaux
carpelle nm
carpette nf
carquois nm inv
carrare nm (masculin)
carre nf
carré, e adj ; carré nm ; carrément adv
carreau nm, pl carreaux
carrefour nm
carreler vt
carrelet nm
carrer (se) vpr
carrick nm, pl carricks
carrier nm
carrière nf ; carriérisme nm (attention aux accents)
carriole nf
carrosse nm
carrosser vt
carrousel nm (avec deux r et un s)
carrure nf
cartable nm
carte nf
carte-lettre nf, pl cartes-lettres
carter nm, pl carters
cartésien, enne adj ; cartésianisme nm
cartilage nm
cartographie nf
cartomancie nf
carton nm
carton-pâte nm, pl cartons-pâtes
carton-pierre nm, pl cartons-pierres
cartouche nm (ornement)
cartouche nf (charge de fusil)
cartulaire nm (masculin)
carvi nm, pl carvis
cary, cari ou curry nm
caryatide ou cariatide nf
caryocinèse nf
cas nm inv
casanier, ère adj
casaque nf
casbah nf, pl casbahs
cascade nf
cascader vi, pp cascadé inv
case nf
caséine nf
casemate nf
caserne nf
cash adv
casher, cacher ou kasher adj inv (pas d'accent)
cash-flow nm, pl cash-flows
casino nm, pl casinos
casoar nm, pl casoars
casque nm
casseau nm, pl casseaux
casse-cou nm inv
casse-croûte nm inv
casse-gueule nm inv
casse-noisettes nm inv
casse-noix nm inv
casse-pattes nm inv
casse-pieds nm inv
casse-pierres nm inv
casse-pipe(s) nm, pl casse-pipes

casser vt
casse-tête nm inv
cassette nf
cassier nm ou cassie nf
cassis nm inv
cassolette nf
cassonade nf (avec un n)
cassoulet nm
castagnettes nfpl
caste nf
castor nm ; castoréum nm, pl castoréums
castrat nm
casuiste nf
casus belli loc inv
catachrèse nf
cataclysme nm ; cataclysmal, e, aux adj
catacombes nfpl
catalectique adj
catalepsie nf ; cataleptique adj, n (masculin ou féminin)
catalogue nm
catalpa nm, pl catalpas
catalyse nf
cataplasme nm
catapulte nf
cataracte nf
catarrhe nm (masculin) [le h après les deux r]
catastrophe nf
catéchèse nf
catéchiser vt
catéchisme nm (pas de h après t)
catéchumène n (masculin ou féminin)
catégorie nf
caténaire adj ; nf
catgut nm, pl catguts
catharsis nf inv (féminin)
cathartique adj
cathédrale nf (h après t)
catherinette nf
cathéter nm ; cathétérisme nm (attention à l'accentuation)
cathode nf
catholique adj ; catholicisme nm
catimini (en) adv
catin nf (féminin)
catogan nm
cauchemar nm (pas de d) ; cauchemardesque adj
caudal, e, aux adj
causal, e, als ou aux adj
cause nf ; causer vt
causse nm (masculin)
caustique adj
cautèle nf ; cauteleux, euse adj (attention à l'accentuation)
cautère nm ; cautériser vt (attention aux accents)
caution nf ; se porter caution → p 45; cautionner vt
cavalcade nf
cavale nf
cavalerie nf
cavatine nf
cave nm (en argot)
cave nf
cave adj (veine)
caveau nm, pl caveaux
caveçon nm
caver vt
caverne nf
cavet nm

caviar nm ; caviarder vt
cavicorne nm
cavité nf
ce pr, adj dém
céans adv
ceci pr dém
cécité nf
céder vt
cédille nf
cédrat nm
cèdre nm
cédule nf
ceindre vt, pp ceint, e
ceinture nf
cela pr dém
céladon nm ; adj inv
célèbre adj ; célébrité nf (attention aux accents)
célébrer vt
celer vt
céleri nm
célérité nf
céleste adj
célestin nm
célibat nm ; célibataire adj, n (masculin ou féminin)
celle, celles pr dém
cellier nm
Cellophane nf (nom déposé)
cellule nf
Celluloïd nm (nom déposé)
cellulose nf
celui pr dém ; celui-ci, celui-là pr dém
cément nm
cénacle nm
cendre nf
cendrillon nf (féminin)
cène nf (religion) ≠ scène (de théâtre)
cénobite nm
cénotaphe nm (masculin)
cens nm inv (impôt) ≠ sens (signification)
censé, e adj (supposé) ≠ sensé, e (qui a du bon sens)
censorial, e, aux adj
censure nf
cent adj num → p 33 : centaine nf ; centenaire adj, n (masculin ou féminin) ; centennal, e, aux adj (avec deux n) ; centésimal, e, aux adj ; centième adj ord ; centime nm ; centuple nm
centaure nm (masculin)
centaurée nf
cent-garde nm, pl cent-gardes
centon nm (vers ou prose) ≠ santon (personnage)
centre nm ; central, e, aux adj
centurie nf ; centurion nm
cep (vigne) ; cépage nm
cèpe nm (champignon)
cependant conj
céphalée nf
céphalopode nm (masculin)
cérame adj
céramique nf
cérat nm
cerbère nm (masculin)
cerceau nm, pl cerceaux
cercle nm
cercopithèque nm
cercueil nm
céréale nf (féminin)
cérébelleux, euse adj
cérébral, e, aux adj
cérébro-spinal, e, aux adj

cérémonie nf; *cérémonial* nm, pl *cérémonials*
cerf nm
cerfeuil nm
cerf-volant nm, pl *cerfs-volants*
cerise nf
cérium nm, pl *cériums*
cerne nm (masculin)
cerneau nm, pl *cerneaux*
cerner vt
certain, e adj; *certitude* nf
certes adv
certificat nm
certifier vt
céruléen, enne adj
cérumen nm
céruse nf
cerveau nm, pl *cerveaux*
cervelas nm inv
cervelet nm
cervelle nf
cervical, e, aux adj
cervoise nf
ces adj dém
césarienne nf
cesser vt, vi; *cessant, e* adj →
p 38
cessez-le-feu nm inv
cessible adj; *cession* nf (action
de céder) ≠ *session* (période)
c'est loc v → p 49 et 50
c'est-à-dire adv
ceste nm
césure nf
cet, cette adj dém
cétacé nm
cétoine nf
ceux pr dém
chabichou nm, pl *chabichous*
chablis nm inv
chabot nm
chacal nm, pl *chacals*
chacun, e pr ind → p 34
chafouin, e adj
chagrin, e adj; *chagrin* nm
cháh ou sháh nm, pl *cháhs,
sháhs*
chahut nm
chai nm, pl *chais*
chaîne nf (circonflexe sur *î*)
chair nf (substance) ≠ *chère*
(qualité des mets) ≠ *chaire*
chaire nf (tribune) ≠ *chère* (qualité des mets) ≠ *chair*
chaise nf
chaland nm (bateau)
chaland, e n (client)
chalcographie nf
châle nm (circonflexe sur *â*)
chalet nm
chaleur nf
châlit nm (circonflexe sur *â*)
challenge nm; *challenger* nm
chaloir nf, *peu me chaut*
chaloupe nf
chalumeau nm, pl *chalumeaux*
chalut nm
chamade nf
chamailler (se) vpr
chaman nm
chamarrer vt (avec deux *r*)
chambard nm
chambellan nm
chambranle nm (masculin)
chambre nf
chameau nm, pl *chameaux*;
chamelier nm (un *l*); *chamelle*
nf (deux *l*)

chamois nm inv; *chamoiser* vt
champ nm; *champêtre* adj
champagne nf
champart nm
champignon nm; *champignon-
nière* nf
champion, onne n; *championnat* nm
champlever vt (le *p* ne se prononce pas)
chamsin ou khamsin nm, pl
chamsins, khamsins
chance nf
chanceler vi, pp *chancelé* inv
chancelier nm (un *l*); *chancel-
lerie* nf (deux *l*)
chancre nm
chandail nm, pl *chandails*
chandeleur nf
chandelle nf (deux *l*); *chande-
lier* nm (un *l*)
changer vt, vi
chanoine nm; *chanoinesse* nf
chanson nf (les dérivés ont deux
n : *chansonnette, chanson-
nier, ère*)
chant nm
chanteau nm, pl *chanteaux*
chantepleure nf
chanterelle nf
chantier nm
chantoung ou shantung nm, pl
chantoungs, shantungs
chanvre nm
chaos nm inv (désordre) ≠ *cahot* (secousse); *chaotique* adj
chaparder vt
chape nf
chapeau nm, pl *chapeaux*; *cha-
pelier, ère* n (un *l*); *chapellerie*
nf (deux *l*)
chapelain nm
chapelet nm
chapelle nf
chapelure nf
chaperon nm (masculin); *cha-
peronner* vt
chapiteau nm, pl *chapiteaux*
chapitral, e, aux adj
chapitre nm
chapka nf (féminin), pl *chapkas*
chapon nm; *chaponner* vt
chapska nm (masculin), pl
chapskas
chaptaliser vt
chaque adj indéf (sans pl)
char nm
charabia nm, pl *charabias*
charade nf
charançon nm
charbon nm; *charbonnage* nm
charcuter vt
charcutier, ère n
chardon nm
chardonneret nm
charger vt
chariot nm (un seul *r*)
charité nf
charivari nm, pl *charivaris*
charlatan nm; *charlatanisme*
nm (un seul *n*)
charlotte nf
charmer vt
charmille nf
charnel, elle adj
charnier nm
charnière nf
charnu, e adj

charogne nf
charpente nf
charpie nf
charretier, ère n (deux *r* et
un *t*); *charretée* nf (deux *r* et
un *t*); *charrette* nf (deux *r* et
deux *t*)
charrier vt
charron nm
charroyer vt; *charroi* nm
charrue nf
charte nf
chas nm inv (trou d'une aiguille)
≠ *chat* (animal)
chasse nf (sport)
châsse nf (coffre à reliques)
[circonflexe sur *â*]
chasse-clou nm, pl *chasse-
clous*
chassé-croisé nm, pl *chassés-
croisés*
chasselas nm inv
chasse-mouches nm inv
chasse-neige nm inv
chasse-pierres nm inv
chasser vt; *chasseur* nm;
chasseresse nf
chassie nf (liquide); *chassieux,
euse* adj
châssis nm inv (cadre) [circon-
flexe sur *â*]
chaste adj
chasuble nf
chat nm (animal) ≠ *chas* (d'une
aiguille); *chatte* nf; *chatière* nf
(un seul *t*); *chatterie* nf (deux
t)
châtaigne nf (circonflexe sur *â*)
châtain, e adj; *châtain* nm (circonflexe sur *â*)
château nm, pl *châteaux* (circonflexe sur *â*)
chateaubriand ou château-
briant nm
châtelain, aine n (circonflexe
sur *â*)
chat-huant nm, pl *chats-huants*
châtier vt; *châtiment* nm (circonflexe sur *â*)
chaton nm
chatouiller vt
chatoyer vi, pp *chatoyé* inv;
chatoiement nm (sans circonflexe)
châtrer vt (circonflexe sur *â*)
chattemite nf
chatterton nm
chaud, e adj; *chaudière* nf
chaud-froid nm, pl *chauds-
froids*
chaudron nm; *chaudronnier* nm
chauffe-assiettes nm inv
chauffe-bain nm, pl *chauffe-
bains*
chauffe-biberon nm, pl *chauffe-
biberons*
chauffe-eau nm inv
chauffe-pieds nm inv
chauffe-plats nm inv
chauffer vt
chauler vt
chaume nm
chaumière nf
chausse nf
chaussée nf
chausse-pied nm, pl *chausse-
pieds*
chausser vt

chausse-trape ou **chausse-trappe** nf, pl *chausse-trap(p)es*
chauve nm
chauve-souris nf, pl *chauves-souris*
chauvin, e adj
chaux nf inv
chavirer vt, vi
chéchia nf, pl *chéchias*
check-list nf, pl *check-lists*
check-up nm inv
chef nm ; *cheffesse* nf (populaire)
chef-d'œuvre nm, pl *chefs-d'œuvre*
chef-lieu nm, pl *chefs-lieux*
cheikh nm, pl *cheikhs*
chéiroptère ou **chiroptère** nm
chelem nm, pl *chelems*
chemin nm
chemineau nm, pl *chemineaux* (vagabond) ≠ *cheminot* (employé SNCF)
chemin de fer nm, pl *chemins de fer*
cheminée nf
cheminer vi, pp *cheminé* inv
cheminot nm (employé SNCF) ≠ *chemineau* (vagabond)
chemise nf
chenal nm, pl *chenaux*
chenapan nm
chêne nm (circonflexe sur ê)
chéneau nm, pl *chéneaux*
chenet nm
chènevière nf (accent grave)
chènevis nm inv (accent grave)
chenil nm
chenille nf
chenu, e adj
cheptel nm
chèque nm ; *chéquier* nm (attention aux accents)
cher, ère adj ; *cher* adv → p 29 ; *cherté* nf
chercher vt
chère nf (qualité des mets) ≠ *chair* (substance) ≠ *chaire* (tribune)
chérir vt
chérubin nm
chester nm, pl *chesters*
chétif, ive adj
chevaine ou **chevesne** nm (masculin)
cheval nm, pl *chevaux* (les dérivés avec un *l* : *chevalier, chevaleresque*, etc.)
cheval-arçons ou **cheval d'arçons** nm inv
cheval-vapeur nm, pl *chevaux-vapeur*
chevaucher vt, vi
chevau-léger nm, pl *chevau-légers*
chevêche nf (circonflexe sur ê)
chevesne ou **chevaine** nm (masculin)
chevet nm
chevêtre nm (circonflexe sur le deuxième ê)
cheveu nm, pl *cheveux*
cheville nf
cheviotte nf
chèvre nf ; *chevreau* nm, pl *chevreaux* ; *chevrier, ère* n (attention à l'accentuation)
chèvrefeuille nm (accent grave)

chevreuil nm ; *chevrotin* nm (faon du chevreuil) ≠ *chevrotain* (ruminant)
chevron nm
chevronné, e adj
chevrotain nm (ruminant) ≠ *chevrotin* (faon du chevreuil)
chevroter vi, vt ; *chevrotement* nm
chevrotine nf
chewing-gum nm, pl *chewing-gums*
chez prép ; *chez-moi, chez-soi, chez-toi* nm inv
chianti nm, pl *chiantis*
chiasme nm
chiasse nf
chic nm ; adj inv en genre
chicane nf
chiche adj
chiche-kebab nm, pl *chiches-kebabs*
chichi nm, pl *chichis*
chicon nm
chicorée nf
chicot nm
chicotin nm
chien nm ; *chienne* nf
chiendent nm
chienlit nf (désordre) ; nm (mascarade)
chier vi, vt ; *chiure* nf
chiffe nf
chiffon nm ; *chiffonner* vt
chiffrer vt
CHIFFRES (noms de) → p 17
chignole nf
chignon nm
chimère nf ; *chimérique* adj (attention aux accents)
chimie nf
chimpanzé nm
chinchilla nm, pl *chinchillas*
chiner vt
chiourme nf
chiper vt
chipie nf
chipolata nf, pl *chipolatas*
chipoter vi
chips nfpl
chique nf
chiquenaude nf
chiromancie nf
chiroptère ou **chéiroptère** nm
chirurgie nf ; *chirurgical, e, aux* adj
chistera nm (masculin), pl *chisteras* (pas d'accent)
chlamyde nf
chloral nm, pl *chlorals*
chlore nm
choc nm
chocolat nm
choéphore nf
chœur nm ; *choriste* n (masculin ou féminin)
choir vi, pp *chu, e*
choisir vt ; *choix* nm inv
cholédoque adj m
choléra nm
cholestérol nm (pas de *h* après *t*)
chômer vt, vi ; *chômage* nm (circonflexe sur ô)
chope nf
chopine nf
choquer vt
choral nm (chant), pl *chorals*

choral, e, als ou **aux** adj (relatif aux chœurs)
chorale nf (chanteurs)
chorée nf (masculin)
chorège nm (masculin)
chorégraphie nf
chorizo nm, pl *chorizos*
chorus nm inv
chose nf→ p10 : *quelque chose, autre chose, peu de chose, grand-chose* sont du masculin → p 30
chott nm, pl *chotts*
chou nm, pl *choux*
chouan nm ; *chouannerie* nf
choucas nm inv
chouchou nm, pl *chouchous* ; *chouchoute* nf
choucroute nf
chouette nf
chou-fleur nm, pl *choux-fleurs*
chou-rave nm, pl *choux-raves*
chow-chow nm, pl *chows-chows*
choyer vt
chrème nm ; *chrémeau* nm, pl *chrémeaux* (attention aux accents)
chrestomathie nf
chrétien, enne adj ; *chrétienté* nf ; *christianiser* vt
christ nm
christiania nm, pl *christianias*
chrome nm
chromolithographie nf ; *chromo* nm, pl *chromos*
chronique adj (qui dure) ; *chronicité* nf
chronique nf
chronographe nm
chronologie nf
chronomètre nm
chrysalide nf
chrysanthème nm (masculin) [avec *y* et *th*]
chrysocal nm, pl *chrysocals*
chrysolite nf (pas de *h* après *t*)
chuchoter vt, vi
chuinter vi, vt
chut ! interj
chute nf
chyle nm (masculin)
chyme nm (masculin)
ci adv → p 63
ci-annexé, e adj → p 38, 39
cible nf
ciboire nm (masculin)
ciboulette nf
cicatrice nf ; *cicatriciel, elle* adj
cicérone nm, pl *cicerones* (avec accent)
ci-devant n inv (masculin ou féminin)
cidre nm
ciel nm, pl *cieux* ou *ciels* → p 17
cierge nm
cigale nf
cigare nm
ci-gît loc v
cigogne nf ; *cigogneau* nm, pl *cigogneaux*
ciguë nf (tréma sur ë)
ci-inclus, e adj → p 38, 39
ci-joint, e adj → p 38, 39
cil nm ; *ciliaire* adj (un seul *l*)
cilice nm (masculin)
ciller vt, vi
cimaise nf
cime nf

ciment nm
cimeterre nm (masculin)
cimetière nm
cimier nm
cinabre nm (masculin)
ciné-club nm, pl *ciné-clubs*
cinéma nm ; *cinémathèque* nf
cinématique nf
cinéraire nf
cinétique adj ; nf
cingler vt
cinq adj num inv ; *cinquante*
adj num inv ; *cinquantenaire*
adj ; *cinquantième* adj ord ; *cinquième* adj ord
cintre nm
cintrer vt
cipaye nm (masculin), pl
cipayes
cipolin nm
cippe nm (masculin)
circaète nm
circoncire vt, pp *circoncis, e*
circonférence nf
circonflexe adj
circonlocution nf
circonscrire vt, pp *circonscrit, e*
circonspect, e adj ; *circonspec-
tion* nf
circonstance nf ; *circonstanciel,
elle* adj
circonvenir vt, pp *circonvenu, e*
circonvolution nf
circuit nm
circuler vi, pp *circulé* inv
circumnavigation nf
circumpolaire adj
cire nf ; *cirer* vt
ciron nm
cirrhose nf (deux *r* et *h* après *h*)
cirrus nm inv
cisailler vt ; *cisailles* nfpl
cisalpin, e adj
ciseler vt
ciseau nm, pl *ciseaux* → p 16
ciste nm (masculin) [arbre]
ciste nf (féminin) [coffre, tombe]
cistre nm (masculin) [instrument
de musique]
citadelle nf
citadin, e n, adj
cité nf
cité-dortoir nf, pl *cités-dortoirs*
cité-jardin nf, pl *cités-jardins*
citer vt
citérieur, e adj
citerne nf
cithare nf
citoyen, enne n ; *citoyenneté* nf
citrate nm ; *citrique* adj
citron nm ; adj inv ; *citronnade*
nf
citrouille nf
civet nm
civette nf
civière nf
civil, e adj, n
civiliser vt
civique adj
clabauder vi, pp *clabaudé* inv
claie nf
clair, e adj
clairet, ette adj ; *clairet* nm
clair-obscur nm, pl *clairs-
obscurs*
claire-voie nf, pl *claires-voies*
clairière nf
clairon nm ; *claironner* vt

clairsemé, e adj
clairvoyant, e adj
clamer vt
clampin nm
clan nm
clandestin, e adj
clapet nm
clapier nm
clapoter vi, pp *clapoté* inv
clapper vi, pp *clappé* inv
claque nf
claquemurer vt
claqueter vi, pp *claqueté* inv
clarifier vt
clarine nf
clarinette nf (un seul *n*)
classe nf
classique adj ; *classicisme* adj
clastique adj
claudiquer vi ; *claudication* nf ;
claudicant, e adj ≠ *claudiquant*
pprés du v
clause nf
claustra nm, pl *claustra* ou
claustras
claustral, e, aux adj
claustrer vt
claustrophobie nf
clavaire nf (féminin)
claveau nm, pl *claveaux*
clavecin nm ; *claveciniste* n
(masculin ou féminin)
clavelée nf
clavette nf
clavicule nf
clavier nm
clayère nf
clayon nm ; *clayonnage* nm
clearing nm, pl *clearings*
clef ou clé nf
clématite nf
clément, e adj ; *clémence* nf
clepsydre nf
cleptomane ou kleptomane n
(masculin ou féminin)
cleptomanie ou kleptomanie nf
clerc nm
clergé nm
clérical, e, aux adj
cliché nm
clicher vt
client, e n ; *clientèle* nf
cligner vt
clignoter vi, pp *clignoté* inv
climat nm
climatérique adj
clin nm
clinfoc nm
clinique adj ; nf ; *clinicien, enne*
n
clinquant nm
clinquant, e adj
clip nm
clipper nm
clique nf
cliquet nm
cliqueter vi, pp *cliqueté* inv ; *cli-
quètement* ou *cliquettement*
nm ; *cliquetis* nm inv (attention
à l'accentuation)
cliquette nf
clisse nf
cliver vt
cloaque nm ; *cloacal, e, aux* adj
cloche nf
cloche-pied (à) loc adv
clocher nm ; *clocheton* nm ; *clo-
chette* nf

clocher vi, pp *cloché* inv
cloison nf ; *cloisonner* vt
cloître nm (circonflexe sur *î*)
clopin-clopant adv
clopiner vi, pp *clopiné* inv
cloporte nm (masculin)
cloque nf
clore vt, pp *clos, e* ; *clos* nm inv
closeau nm, pl *closeaux*
close-combat nm, pl *close-
combats*
clôture nf (circonflexe sur *ô*)
clou nm, pl *clous*
clovisse nf (féminin)
clown nm, pl *clowns* ;
clownesque adj
cloyère nf
club nm, pl *clubs*
cluse nf
clystère nm
coaccusé, e n
coach nm, pl *coachs* ou
coaches
coacquéreur nm
coadjuteur nm
coaguler vt, vi
coaliser vt
coaltar nm, pl *coaltars*
coasser vi, pp *coassé* inv
coaxial, e, aux adj
cobalt nm
cobaye nm
cobéa nm, pl *cobéas*
cobra nm, pl *cobras*
coca nf
cocagne nf
cocaïne nf (tréma sur le *ï*)
cocarde nf
cocasse adj
coccinelle nf
coccyx nm inv
coche nm (bateau, diligence)
coche nf (entaille)
cochenille nf
cocher nm ; *cochère* adj f
cocher vt
cochet nm (jeune coq)
cochléaria nm
cochon nm ; *cochon, onne* adj,
n ; *cochonnaille* nf ; *cochonner*
vt
cocker nm
cockpit nm, pl *cockpits*
cocktail nm, pl *cocktails*
coco nm, pl *cocos* ; *cocotier* nm
cocon nm
cocotte nf
Cocotte-Minute nf (nom
déposé), pl *Cocottes-Minute*
coda nf, pl *codas*
code nm
codéine nf
codex nm inv
codicille nm (masculin) [deux *l*]
codifier vt
coefficient nm
cœlentéré nm
coéquipier, ère n
coercitif, ive adj ; *coercition* nf
cœur nm ; *cœur-de-pigeon* nm,
pl *cœurs-de-pigeon*
coexister vi, pp *coexisté* inv
coffin nm
coffre nm
coffre-fort nm, pl *coffres-forts*
cogérer vt ; *cogestion* nf
cogitation nf
cognac nm

cognassier nm
cognée nf
cogner vt
cognition nf
cohabiter vi, pp *cohabité* inv
cohérent, e adj; *cohérence* nf
cohéreur nm
cohéritier, ère n
cohésif, ive adj; *cohésion* nf
cohorte nf
cohue nf
coi, coite adj; *se tenir coi →
p 45*
coiffe nf
coin nm (angle) ≠ *coing* (fruit)
coincer vt
coïncider vi, pp *coïncidé* inv;
coïncident, e adj ≠ *coïncidant*
pprés du v (attention aux tré-
mas); *coïncidence* nf
coinculpé, e n (tréma)
coing nm (fruit) ≠ *coin* (angle)
coke nm, pl *cokes*; *cokéfier* vt
col nm
cola ou kola nm, pl *colas, kolas*
col-bleu nm, pl *cols-bleus*
colchique nm (masculin)
colcotar nm
cold-cream nm, pl *cold-creams*
col-de-cygne nm, pl *cols-de-
cygne*
coléoptère nm
colère nf; *coléreux, euse* adj;
colérique adj (attention aux
accents)
colibacille nm
colibri nm, pl *colibris*
colifichet nm
colimaçon nm
colin nm
colin-maillard nm, pl *colin-mail-
lards*
colin-tampon nm, pl *colin-
tampons*
colique nf
colis nm inv
colite nf
collaborer vi, pp *collaboré* inv;
collaboration nf; *collabora-
tionniste* adj
collapsus nm inv
collatéral, e, aux adj (deux *l*)
collation nf; *collationner* vt
colle nf
collecte nf
COLLECTIF (nom) *accord du participe → p 39; accord de l'adjectif → p 31; accord du verbe
→ p 48*
collection nf; *collectionner* vt
collège nm; *collégial, e, aux*
adj; *collégien, enne* n (attention aux accents)
collègue n (masculin ou
féminin)
collenchyme nm (masculin)
collerette nf
collet nm
colleter (se) vpr
collier nm
colliger vt
collimateur nm (avec deux *l*)
colline nf
collision nf
collocation nf
collodion nm
colloïde nm (masculin); *colloï-
dal, e, aux* adj

colloque nm (masculin)
collusion nf
collutoire nm (masculin)
collyre nm (masculin)
colmater vt
colocataire n (masculin ou féminin) [avec un *l*]
colombe nf
colon nm (tous les dérivés avec
un *n* : *colonial, colonie, colo-
nialisme,* etc)
côlon nm (intestin) [circonflexe
sur *ô*]
colonel nm
colonne nf; *colonnade* nf
colophane nf
coloquinte nf
colorer vt
colosse nm; *colossal, e, aux*
adj
colostrum nm, pl *colostrums*
colporter vt
coltiner vt
columbarium nm, pl *colum-
bariums*
col-vert ou colvert nm, pl *cols-
verts, colverts*
colza nm, pl *colzas*
coma nm; pl *comas*
combat nm; *combatif, ive* adj;
combativité nf (attention un *t*);
combattre vt, pp *combattu, e*;
combattant, e n (attention deux
t)
combe nf
combien adv
combine nf
combiner vt
comble nm (toit; haut degré)
comble adj (plein)
combustible adj; nm
combustion nf
come-back nm inv
comédie nf
comestible adj
comète nf
comice nm (réunion)
comice nf (poire)
comique adj
comité nm
comitial, e, aux adj
comma nm, pl *commas*
commander vt
commandite nf
commando nm, pl *commandos*
comme adv; conj; *accord du
verbe → p 47*
commémorer vt
commencer vt
commensal, e, aux n
comment adv
commenter vt
commerce nm; *commercer* vi,
vti, pp *commercé* inv; *com-
mercial, e, aux* adj
commère nf; *commérage* nm
(attention aux accents)
commettre vt, pp *commis, ise*
commis nm inv
commisération nf
commissaire nm; *commissariat*
nm
commissaire-priseur nm, pl
commissaires-priseurs
commission nf; *commissionner*
vt
commissoire adj

commissure nf
commode adj; *commodément*
adv
commode nf
commodore nm, pl *commodores*
commotion nf; *commotionner* vt
commuer vt
commun, e adj; *communément*
adv
communal, e, aux adj
communard, e n
communauté nf
commune nf
communier vi, pp *communié* inv
communion nf
communiquer vt; *communica-
tion* nf; *communicant, e* adj ≠
communiquant, e pprés du v
communisme nm
commuter vt
compact, e adj; *compacité* nf
compagnie nf
compagnon nm; *compagne* nf
comparable adj
comparaison nf
comparaître vi (circonflexe
sur *î*), pp *comparu* inv; *compa-
rution* nf
comparer vt
comparse n (masculin ou
féminin)
compartiment nm
compas nm inv
compasser vt
compassion nf
compatir vti, pp *compati* inv
compatriote n (masculin ou
féminin)
compendium nm, pl *com-
pendiums*
compenser vt
compère nm; *compérage* nm
(attention aux accents)
compère-loriot nm, pl *com-
pères-loriots*
compétent, e adj; *compétence*
nf
compétition nf
compiler vt
complainte nf
complaire vti, pp *complu* inv
complaisant, e adj; *complai-
sance* nf; *complaisamment*
adv
complément nm
complet, ète adj; *complètement*
adv; *compléter* vt (attention
aux accents)
complexe adj; nm
complexion nf
complice adj, n (masculin ou
féminin)
complies nfpl
compliment nm
compliquer vt; *complication* nf
complot nm; *comploter* vt
componction nf
comportement nm; *comporte-
mental, e, aux* adj
comporter vt
composer vt
composite adj
composter vt
compote nf
compound adj inv
compréhension nf
comprendre vt, pp *compris, ise*;
non compris → p 38, 39

comprimer vt ; *compresse* nf
compris (y) adj → p 38, 39
compromettre vt, pp *compromis, e*
compte(-)chèques nm, pl *comptes(-)chèques*
compte-fils nm inv
compte-gouttes nm inv
compter vt ; *compte* nm ; *se rendre compte* → p 45
compte(-)rendu nm, pl *comptes(-)rendus*
compte-tours nm inv
comptoir nm
compulser vt
comput nm
comte nm ; *comtesse* nf ; *comté* nm
concasser vt
concave adj
concéder vt ; *concession* nf ; *concessionnaire* adj, n (masculin ou féminin)
concentrer vt
concentrique adj
concept nm ; *conception* nf
concerner vt
concert nm
concerto nm, pl *concertos*
concevoir vt, pp *conçu, e*
conchoïdal, e, aux adj
conchyliologie nf
concierge n (masculin ou féminin)
concile nm ; *conciliaire* adj
conciliabule nm
concilier vt
concis, e adj
concitoyen, enne n
conclave nm
conclure vt, pp *conclu, e*
concombre nm (masculin)
concomitant, e adj ; *concomitance* nf (un *r*, un *t*) ; *concomitamment* adv
concordat nm
concorde nf
concorder vi
concourir vti, pp *concouru* inv (un seul *r*)
concours nm inv
concret, ète adj ; *concrètement* adv ; *concrétiser* vt (attention aux accents)
concrétion nf
concubin, e n
concupiscent, e adj ; *concupiscence* nf (attention *sc*)
concurrent, e adj, n ; *concurrence* nf ; *concurremment* adv ; *concurrentiel, elle* adj
concussion nf ; *concussionnaire* adj, n (masculin ou féminin)
condamner vt
condenser vt
condescendre vti, pp *condescendu* inv
condiment nm
condisciple n (masculin ou féminin)
condition nf ; *conditionnel, elle* adj
condoléances nfpl
condominium nm, pl *condominiums*
condor nm
condottiere nm, pl *condottieri*

conduire vt, pp *conduit, e*
cône nm ; *conique* adj (pas de circonflexe sur les dérivés)
confection nf ; *confectionner* vt
confédéral, e, aux adj
confédérer vt
conférence nf
conférer vt
confesser vt ; *confession* nf ; *confessionnal* nm, pl *confessionnaux* ; *confessionnel, elle* adj
confetti nm, pl *confettis*
confiant, e adj ; *confiance* nf
confident, e n ; *confidence* nf
confier vt
configuration nf
confiner vti
confins nmpl
confire vt, pp *confit, ite* ; *confit* nm
confirmer vt ; *confirmation* nf
confisquer vt ; *confiscation* nf
confiteor nm inv
conflagration nf
conflit nm ; *conflictuel, elle* adj
confluer vi ; *confluent* nm ≠ *confluant* pprés du v ; *confluence* nf
confondre vt, pp *confondu, e* ; *confusion* nf
conforme adj
confort nm
confraternité nf
confrère nm ; *confrérie* nf (attention aux accents)
confronter vt
confus, e adj ; *confusément* adv ; *confusion* nf
congé nm ; *congédier* vt ; *congédiement* nm
congeler vt ; *congélation* nf (attention à l'accentuation)
congénère adj, n (masculin ou féminin)
congénital, e, aux adj
congestion nf ; *congestionner* vt
conglomérer vt
conglutiner vt
congratuler vt
congre nm
congrégation nf ; *congréganiste* adj, n (masculin ou féminin)
congrès nm ; *congressiste* n (masculin ou féminin)
congru, e adj ; *congrûment* adv (circonflexe sur *û*)
conifère nm (masculin)
conjectural, e, aux adj
conjecture nf
conjoint, e adj, n
conjonction nf
conjonctivite nf
conjoncture nf
conjugal, e, aux adj
conjuguer vt ; *conjugaison* nf
conjurer vt
connaître vt, pp *connu, e* ; *connaissance* nf (sans circonflexe)
connecter vt ; *connexion* nf
connétable nm
connexe adj
connivence nf
conque nf
conquérir vt, pp *conquis, ise* ; *conquête* nf (circonflexe sur *ê*)
conquistador nm, pl *conquistadores*

consacrer vt ; *consécration* nf
consanguin, e adj
conscient, e adj ; *consciemment* adv ; *conscience* nf
conscrit nm ; *conscription* nf
consécutif, ive adj
conseil nm (tous les dérivés ont deux *l* : *conseiller, conseilleur*)
consentir vti, vt, pp *consenti, e*
conséquent, e adj ; *conséquemment* adv ; *conséquence* nf
conserver vt ; *conserve* nf
considérable adj
considérer vt
consigner vt
consister vti, pp *consisté* inv
consistoire nm (masculin)
consœur nf
console nf
consoler vt
consolider vt
consommer vt (avec deux *m*)
consomptible adj ; *consomption* nf
consonant, e adj ; *consonance* nf (un seul *n*)
consonne nf (deux *n*) ; *consonantique* adj (un seul *n*)
consort adj m
consortium nm, pl *consortiums*
consorts nmpl
conspirer vt
conspuer vt
constant, e adj ; *constamment* adv ; *constance* nf
constater vt ; *constat* nm
consteller vt
consterner vt
constiper vt
constituer vt ; *constitution* nf ; *constitutionnel, elle* adj
constriction nf
construire vt, pp *construit, e* ; *construction* nf
consubstantiel, elle adj
consul nm ; *consulat* nm
consulter vt
consumer vt
contact nm
contagion nf
container nm, pl *containers*
contaminer vt
conte nm
contempler vt
contemporain, e adj, n
contempteur, trice n
contenir vt, pp *contenu, e* ; *contenant* n ; *contenance* nf
content, e adj ; *contenter* vt
contentieux, euse adj ; *contentieux* nm
contester vt
contexte nm
contigu, contiguë adj (tréma sur *e*) ; *contiguïté* nf (tréma sur *i*)
continent, e adj ; *continence* nf
continent nm ; *continental, e, aux* adj
contingent, e adj ; *contingence* nf
continuer vt ; *continu, e* adj ; *continûment* adv (circonflexe sur *û*)
contondant, e adj
contorsion nf ; *contorsionner (se)* vpr
contour nm

contracter vt

contraindre vt, pp *contraint, e* ; *contrainte* nf

contraire adj ; nm

contralto nm, pl *contraltos*

contrarier vt

contraste nm

contrat nm ; *contractuel, elle* adj, n

contravention nf

contre prép

contre-allée nf, pl *contre-allées*

contre-amiral nm, pl *contre-amiraux*

contre-appel nm, pl *contre-appels*

contre-attaque nf, pl *contre-attaques*

contrebalancer vt

contrebande nf

contrebas (en) loc adv

contrebasse nf

contrecarrer vt

contrechamp nm

contre-chant nm, pl *contre-chants*

contrecœur (à) loc adv

contrecoup nm

contre-courant nm, pl *contre-courants*

contredanse nf

contredire vt, pp *contredit, e* ; *contradiction* nf

contrée nf

contre-écrou nm, pl *contre-écrous*

contre-enquête nf, pl *contre-enquêtes*

contre-épreuve nf, pl *contre-épreuves*

contre-espionnage nm, pl *contre-espionnages*

contre-essai nm, pl *contre-essais*

contre-exemple nm, pl *contre-exemples*

contre-expertise nf, pl *contre-expertises*

contrefaire vt, pp *contrefait, e* ; *contrefaçon* nf

contre-fenêtre nf, pl *contre-fenêtres*

contre-feu nm, pl *contre-feux*

contrefiche nf

contre-fil nm, pl *contre-fils*

contre-filet nm, pl *contre-filets*

contrefort nm

contre-haut (en) loc adv

contre-indiquer vt ; *contre-indication* nf, pl *contre-indications*

contre-jour nm, pl *contre-jours*

contre-lettre nf, pl *contre-lettres*

contremaître, esse n

contre-manifestant, e n, pl *contre-manifestants, es* ; *contre-manifestation* nf, pl *contre-manifestations*

contre-offensive nf, pl *contre-offensives*

contrepartie nf

contre-pente nf, pl *contre-pentes*

contre-performance nf, pl *contre-performances*

contrepèterie nf

contre-pied nm, pl *contre-pieds*

contre-plaqué nm, pl *contre-plaqués*

contrepoids nm inv

contre-poil (à) loc adv

contrepoint nm

contrepoison nm

contre-projet nm, pl *contre-projets*

contre-proposition nf, pl *contre-propositions*

contrer vt

contre-rail nm, pl *contre-rails*

contre-révolution nf, pl *contre-révolutions*

contrescarpe nf

contreseing nm

contresens nm inv

contresigner vt

contretemps nm inv

contre-torpilleur nm, pl *contre-torpilleurs*

contretype nm

contre-valeur nf, pl *contre-valeurs*

contre-vapeur nf, pl *contre-vapeurs*

contrevenir vti, pp *contrevenu* inv

contrevent nm

contrevérité nf

contre-visite nf, pl *contre-visites*

contre-voie nf, pl *contre-voies*

contribuer vti, pp *contribué* inv

contrit, e adj ; *contrition* nf

contrôle nm (circonflexe sur ô)

contrordre nm

controuvé, e adj

controverse nf

contumace nf ; *contumax* adj, n inv (masculin ou féminin)

contusion nf ; *contusionner* vt

convaincre vt, pp *convaincu, e* ; *convaincant, e* adj ≠ *convainquant* pprés du v ; *conviction* nf

convalescent, e adj, n ; *convalescence* nf

convection nf

convenir vti, pp *convenu, e*

convent nm

convention nf ; *conventionnel, elle* adj

conventuel, elle adj

converger vi, pp *convergé* inv ; *convergent, e* adj ≠ *convergeant* pprés du v ; *convergence* nf

convers, e adj

converser vi, pp *conversé* inv

convertir vt ; *conversion* nf

convexe adj

convier vt

convive n (masculin ou féminin)

convivial, e, aux adj ; *convivialité* nf

convoiter vt

convoler vti, pp *convolé* inv

convoquer vt ; *convocation* nf

convoyer vt ; *convoi* nm

convulsion nf

coolie nm, pl *coolies*

coopérer vti, pp *coopéré* inv

coordonner vt ; *coordonné* nm ; *coordonnée* nf (deux *n*) ; *coordination* nf ; *coordinateur, trice* (un seul *n*) ou *coordonnateur, trice* adj, n (deux *n*)

copain nm ; *copine* nf

copal nm, pl *copals*

copartager vt

copeau nm, pl *copeaux*

copie nf

copieux, euse adj

coposséder vt

coprah ou copra nm, pl *coprahs, copras*

coproduire vt

coprophage adj

copropriété nf

copulation nf

copule nf (féminin)

copyright nm, pl *copyrights*

coq nm ; *coquelet* nm

coq-à-l'âne nm inv

coquard ou coquart nm

coque nf

coquelicot nm

coqueluche nf

coquemar nm

coquet, ette adj ; *coquettement* adv ; *coquetterie* nf

coquetier nm

coquille nf

coquin, e n ; *coquinerie* nf

cor nm (instrument de musique ; durillon) ≠ *corps*

corail nm, pl *coraux* ; *coral-lien, enne* adj ; *corallin, e* adj ; *coralliaire* nm (masculin) [avec deux *l*]

corbeau nm, pl *corbeaux*

corbeille nf

corbillard nm

corbillon nm

corbin nm

corde nf ; *cordeau* nm, pl *cordeaux* ; *cordelette* nf

cordial, e, aux adj

cordon nm

cordon-bleu nm, pl *cordons-bleus*

cordonnier nm

coreligionnaire n (masculin ou féminin) [un seul *r*]

coriace adj

coriandre nf (féminin)

corindon nm

cormoran nm

cornac nm

cornage nm

cornaline nf

cornard nm

corne nf

corned-beef nm inv

cornée nf

corneille nf

cornélien, enne adj

cornemuse nf

corner vi, vt

cornet nm

cornette nf (coiffure)

cornette nm (militaire)

corniaud ou corniot nm

corniche nf

cornichon nm

corniste n (masculin ou féminin)

cornouiller nm

cornue nf

corollaire nm (masculin) [un *r*, deux *l*]

corolle nf

coron nm

coronaire adj

coroner nm, pl *coroners*

corozo nm, pl *corozos*

corporal nm, pl *corporaux*

corporation nf

CORPS

corps nm ≠ cor (instrument ;
durillon) ; *corporel, elle* adj
corps-mort nm, pl *corps-morts*
corpulent, e adj ; *corpulence* nf
corpuscule nm (masculin)
corral nm, pl *corrals*
correct, e adj
corrélation nf ; *corrélatif, ive* adj
correspondre vti, pp *corres-
pondu* inv ; *correspondant, e*
adj, n ; *correspondance* nf
corrida nf, pl *corridas*
corridor nm
corriger vt ; *correction* nf ;
correctionnel, elle adj ; *correc-
tionnaliser* vt ⋅
corroborer vt
corroder vt
corrompre vt, pp *corrompu, e* ;
corruption nf
corrosif, ive adj ; *corrosif* nm
corroyer vt ; *corroi* nm
corsage nm
corsaire nm
corselet nm
corser vt
corset nm ; *corseter* vt
cortège nm
cortex nm inv
cortical, e, aux adj
cortisone nf
corvée nf
corvette nf
corymbe nm (masculin)
coryphée nm (masculin)
coryza nm, pl *coryzas*
cosaque nm
cosinus nm inv
cosmétique nm (masculin)
cosmographie nf
cosmopolite adj
cosmos nm inv
cosse nf
cosser vi, pp *cossé* inv
cossu, e adj
costaud adj vln en genre ; nm
costume nm
cosy nm, pl *cosys*
cote nf (valeur) ≠ *côte* (rivage)
≠ *cotte* (vêtement)
côte nf (rivage ; os) ≠ *cote*
(valeur) ≠ *cotte* (vêtement) ;
costal, e, aux adj ; *côtier, ère*
adj
côté nm
coteau nm, pl *coteaux* (pas de
circonflexe sur o)
côtelé, e adj (circonflexe sur ô)
côtelette nf (circonflexe sur ô)
coterie nf
cothurne nm (masculin)
cotignac nm
cotillon nm
cotiser vi, vt
coton nm ; *cotonnade* nf ;
cotonneux, euse adj
coton-poudre nm, pl *cotons-
poudres*
côtoyer vt ; *côtoiement* nm (circonflexe sur le premier ô)
cotre nm
cottage nm
cotte nf (vêtement) ≠ *cote*
(valeur) ≠ *côte* (rivage)
cotylédon nm
cou nm (partie du corps), pl
cous ≠ *coup* (choc)
couac nm

couard, e adj, n
couche-culotte nf, pl *couches-
culottes*
coucher vt
couci-couça adv
coucou nm, pl *coucous*
coude nm
cou-de-pied nm, pl *cous-de-
pied*
coudoyer vt ; *coudoiement* nm
coudre vt, pp *cousu, e*
coudrier nm ; *coudraie* nf
couenne nf
couette nf
couffin nm
cougouar nm, pl *cougouars*
coulemelle nf
couler vt, vi
couleur nf ; *noms composés* →
p 21 ; *adjectifs et noms de couleur* → p 31, 32
couleuvre nf ; *couleuvreau* nm,
pl *couleuvreaux*
couleuvrine nf
coulis nm inv
coulisse nf
coulisseau nm, pl *coulisseaux*
couloir nm
coulomb nm
coulpe nf
coup nm (choc) ≠ *cou* (partie du
corps)
coup-de-poing nm, pl *coups-de-
poing*
coupe nf
coupe-chou nm, pl *coupe-
choux*
coupe-cigares nm inv
coupe-circuit nm inv
coupée nf
coupe-faim nm inv
coupe-feu nm inv
coupe-file nm inv
coupe-gorge nm inv
coupe-jarret nm, pl *coupe-
jarrets*
coupe-légumes nm inv
coupellation nf
coupe-ongles nm inv
coupe-papier nm inv
couper vt, vi
coupe-racines nm inv
couperose nf
coupe-vent nm inv
couple nm
couplet nm
coupole nf
coupon nm
cour nf (lieu) ≠ *cours* (leçon) ≠
court (tennis)
courage nm
courant, e adj ; *couramment* adv
courant nm
courbatu, e adj ; *courbature* nf
(un seul *t*) ; *courbaturer* vt
courbe adj ; nf
courge nf
courir vi, vt (un seul *r*), pp
couru, e → p 41
courlis nm inv
couronne nf
courre vt (seulem dans *chasse à
courre*)
courrier nm ; *courriériste* n
(masculin ou féminin) [attention
à l'accentuation]
courroie nf
courroux nm inv ; *courroucer* vt

cours nm inv (leçon) ≠ *cour*
(lieu) ≠ *court* (tennis)
course nf
coursier nm
cursive nf
court, e adj → p 29 ; *se trouver
court* → p 45
court nm (tennis) ≠ *cour* (lieu) ≠
cours (leçon)
courtage nm
courtaud, e adj
court-bouillon nm, pl *courts-
bouillons*
court-circuit nm, pl *courts-
circuits*
court-courrier nm, pl *court-
courriers*
courtepointe nf
courtier, ère n
courtilière nf (un seul *l*)
courtine nf
courtisan, ane n ; *courtisanerie*
nf (un seul *n*)
courtiser vt
court-jointé, e adj, pl *court-
jointés, es*
court-jus nm, pl *courts-jus*
courtois, e adj
court-vêtu, e adj, pl *court-vêtus,
es*
couscous nm inv
cousin, e n
coussin nm ; *coussinet* nm
couteau nm, pl *couteaux* ; *cou-
telas* nm inv ; *coutelier* nm (un
l) ; *coutellerie* nf (deux *l*)
coûter vt, vi → p 41 ; *coût* nm
(circonflexe sur *û*)
coutil nm
coutre nm (masculin)
coutume nf
couture nf
couvent nm
couver vt
couvercle nm
couvre-chef nm, pl *couvre-
chefs*
couvre-feu nm, pl *couvre-feux*
couvre-joint nm, pl *couvre-
joints*
couvre-lit nm, pl *couvre-lits*
couvre-nuque nm, pl *couvre-
nuques*
couvre-pieds nm inv
couvre-plat nm, pl *couvre-plats*
couvrir vt, pp *couvert, e*
covenant nm
cover-girl nf, pl *cover-girls*
cow-boy nm, pl *cow-boys*
cow-pox nm inv
coxalgie nf
coxarthrose nf
coyote nm
crabe nm
cracher vt, vi ; *crachoter* vi, pp
crachoté inv
cracking nm, pl *crackings*
craie nf ; *crayeux, euse* adj
craindre vt, pp *craint, e*
cramoisi, e adj
crampe nf
crampon nm ; *cramponner* vt
cran nm
crâne nm (tête)
crâne adj (fier)
crapaud nm
crapaudine nf
crapouillot nm

crapule nf ; adj
craque nf
craqueler vt
craquelin nm
craquer vt, vi
craqueter vi ; *craquètement* nm
(attention aux accents)
crase nf
crash nm, pl *crashs* ou *crashes*
crassane nf
crasse nf
cratère nm
cravache nf
cravate nf (un seul *t*)
crawl nm, pl *crawls*
crayon nm ; *crayonner* vt
crayon-feutre nm, pl *crayons-feutres*
créance nf
crécelle nf
crécerelle nf
crèche nf
crédence nf
crédible adj
crédit nm ; *créditer* vt
credo nm inv
crédule adj
créer vt
crémaillère nf
crémant nm
crématoire adj
crème nf ; *crémerie* nf ; *crémeux, euse* adj ; *crémier, ère* n
(attention aux accents)
crémone nf
créneau nm, pl *créneaux* ; *créneler* vt
créner vt
créole adj, n (masculin ou féminin)
créosote nf (féminin)
crêpage nm (circonflexe sur ê)
crêpe nm (étoffe) [circonflexe sur ê] ; *crêper* vt
crêpe nf (galette) ; *crêperie* nf
crépine nf
crépinette nf
crépir vt
crépiter vi, pp crépité inv
crépon nm (accent aigu)
crépu, e adj (accent aigu)
crépuscule nm
crescendo adv ; nm, pl *crescendos*
cresson nm ; *cressonnière* nf
crésus nm inv
crétacé, e adj
crête nf (circonflexe sur ê)
crête-de-coq nf, pl *crêtes-de-coq*
crétin, e n ; *crétinisme* nm
cretonne nf
creuser vt
creuset nm
creux, creuse adj ; *creux* nm
crève-cœur nm inv
crève-la-faim n inv (masculin ou féminin)
crever vt
crevette nf
criailler vi, pp criaillé inv
crible nm (masculin)
cric nm
cricket nm, pl *crickets*
cricri nm
crier vt, vi ; *cri* nm
crime nm ; *criminel, elle* adj, n
crin nm

crincrin nm
crinière nf
crinoline nf
crique nf
criquet nm
crise nf
crisper vt
crisser vi, pp crissé inv
cristal nm, pl *cristaux* ; *cristallin, e* adj ; *cristallin* nm ; *cristalliser* vt (deux *l*)
criste-marine nf, pl *cristes-marines*
critère nm (masculin)
critérium nm, pl *critériums*
critiquer vt ; *critiquable* adj ; *critique* vt (deux *l*)
croasser vi, pp croassé inv
croc nm
croc-en-jambe nm, pl *crocs-en-jambe* (prononcé [krɔk ɑ̃-])
croche nf
croche-pied nm, pl *croche-pieds*
crochet nm ; *crocheter* vt
crochu, e adj
crocodile nm
crocus nm inv
croire vt, pp cru, e ≠ *crû* (de croître)
croisade nf
croiser vt
croiseur nm
croisière nf
croître vi, pp *crû, crue, crus, crues* (avec circonflexe au masculin singulier) ≠ *cru* (de croire) ; *croît* nm (avec circonflexe) ; *croissance* nf (sans circonflexe)
croix nf inv
cromlech nm, pl *cromlechs*
croque-mitaine nm, pl *croque-mitaines*
croque-monsieur nm inv
croque-mort nm, pl *croque-morts*
croquer vt
croquet nm
croquette nf
croquignole nf
croquis nm inv
crosne nm
cross nm inv
crosse nf
crotale nm (masculin)
croton nm
crotte nf
crouler vi, pp croulé inv
croup nm
croupe nf
croupier nm
croupière nf
croupion nm
croupir vi, pp croupi, e
croustade nf
croustiller vi, pp croustillé inv
croûte nf (circonflexe sur û)
crown-glass nm inv
croyant, e adj, n ; *croyance* nf
cru nm (terroir)
cru, e adj ≠ *crû* (de croître) ; *crûment* adv (circonflexe sur û) ; *crudité* nf
cruche nf
crucial, e, aux adj

crucifier vt ; *crucifiement* nm ; *crucifixion* nf
crucifix nm inv
crue nf
cruel, elle adj ; *cruauté* nf
cruor nm, pl *cruors*
crural, e, aux adj
crustacé nm
cruzeiro nm, pl *cruzeiros*
cryoscopie nf
crypte nf
cryptogame nm (masculin)
cryptogramme nm (masculin)
cryptographie nf
csardas nf inv
cube nm
cubital, e, aux adj
cubitus nm inv
cueillir vt, pp *cueilli, e* ; (tous les dérivés en *-uei-* : *cueillette*)
cuiller ou cuillère nf ; *cuillerée* nf ; *cuilleron* nm (attention à l'accentuation)
cuir nm
cuirasse nf
cuire vt, vi, pp *cuit, e*
cuisine nf
cuisse nf
cuisseau nm (partie du veau), pl *cuisseaux*
cuissot nm (cuisse de gros gibier)
cuistre nm (masculin)
cuivre nm
cul nm
culasse nf
cul-blanc nm, pl *culs-blancs*
culbute nf
cul-de-basse-fosse nm, pl *culs-de-basse-fosse*
cul-de-jatte n (masculin ou féminin), pl *culs-de-jattes*
cul-de-lampe nm, pl *culs-de-lampe*
cul-de-sac nm, pl *culs-de-sac*
culinaire adj
culminer vi, pp culminé inv
culot nm
culotte n → p 16 ; *culotter* vt
culpabilité nf
culte nm
cul-terreux nm, pl *culs-terreux*
cultiver vt
cumin nm
cumul nm
cumulus nm inv
cumulo-nimbus nm inv
cunéiforme adj
cupide adj
cupule nf
curable adj
curaçao nm, pl *curaçaos*
curare nm
curatelle nf
curateur, trice n
cure nf
curé nm
cure-dent(s) nm, pl *cure-dents*
curée nf
cure-ongles nm inv
cure-oreille nm, pl *cure-oreilles*
cure-pipe(s) nm, pl *cure-pipes*
curer vt
cureter vt (un seul *t*)
curette nf (deux *t*)
curie nf
curieux, euse adj, n
curling nm, pl *curlings*

curriculum vitae nm inv ou
  curriculum nm, pl *curriculums*
curry, cary ou **cari** nm
curseur nm
cursif, ive adj
curviligne adj
cuscute nf (féminin)
custode nf (féminin)
cutané, e adj
cut-back nm, pl *cut-backs*
cutine nf
cuti-réaction nf, pl *cuti-réac-
  tions* ; *cuti* nf, pl *cutis*
cutter nm, pl *cutters*
cuve nf

cuveau nm, pl *cuveaux*
cuvée nf
cyanhydrique adj (*h* après *n*)
cyanogène nm (masculin)
cyanose nf (féminin)
cyanure nm (masculin)
cybernétique nf
cyclable adj
cyclamen nm, pl *cyclamens*
cycle nm ; *cyclique* adj
cyclisme nm
cyclo-cross nm inv
cyclone nm
cyclopéen, enne adj
cyclothymie nf

cyclotron nm
cygne nm
cylindre nm
cymbale nf
cynégétique adj ; nf
cynique adj ; *cynisme* nm
cynocéphale nm
cynodrome nm
cyprès nm inv
cyrillique adj
cystite nf
cytise nm (masculin)
cytologie nf
czar ou **tsar** ou **tzar** nm, pl
  czars, tsars, tzars

d

d nm inv
dactylo n; *dactylographe* n (masculin ou féminin)
dada nm, pl *dadas*
dadais nm inv
dadaïsme nm
dague nf
daguet nm
dahlia nm, pl *dahlias* (*h* avant le *l*)
daigner vt, pp *daigné* inv → p 42
daim nm; *daine* nf
daimyô nm, pl *daimyôs*
dais nm inv
dalle nf
dalmatien, enne n
dalmatique nf
dalot nm
daltonien, enne adj, n
dam nm (sing)
damas nm inv
damasquiner vt
damasser vt
dame! interj
dame nf
dame-d'onze-heures nf, pl *dames-d'onze-heures*
dame-jeanne nf, pl *dames-jeannes*
damer vt
damner vt; *damnation* nf
damoiseau nm, pl *damoiseaux*; *damoiselle* nf
dan nm; pl *dans*
dancing nm, pl *dancings*
dandin nm
dandiner (se) vpr
dandy nm, pl *dandys*
danger nm
dans prép
danse nf
dantesque adj
daphné nm (masculin)
daphnie nf
dard nm
darder vt
dare-dare adv
darne nf
darse nf
dartre nf (féminin)
darwinisme nm
date nf (temps) ≠ *datte* (fruit)
datif nm
dation nf
datte nf (fruit) ≠ *date* (temps)
datura nm (masculin), pl *daturas*
daube nf
dauber vt
dauphin nm; *dauphine* nf
daurade ou dorade nf
davantage adv
davier nm
de prép
dé nm
déambuler vi, pp *déambulé* inv

débâcle nf (circonflexe sur *â*)
déballer vt
débander vt
débarbouiller vt
débarder vt
débarquer vt, vi; *débarcadère* nm; *débarquement* nm
débarrasser vt; *débarras* nm inv (deux *r*)
débat nm
débâtir vt (circonflexe sur *â*)
débattre vt, pp *débattu, e*
débaucher vt
débet nm, pl *débets*
débile adj, n (masculin ou féminin)
débine nf
débiner vt
débit nm
déblatérer vti, pp *déblatéré* inv
déblayer vt; *déblaiement* nm; *déblai* nm
débloquer vt; *déblocage* nm
déboires nmpl
déboiser vt
déboîter vt (circonflexe sur *î*)
débonnaire adj
déborder vt
débotter vt
déboucher vt, vi
débouler vi
déboulonner vt
débourber vt
débourrer vt
débourser vt; *débours* nm inv
debout adv
débouter vt
déboutonner vt
débraillé, e adj
débrayer vt
débrider vt
débris nm inv
débrouiller vt
débroussailler vt
débucher vt
débusquer vt
début nm
deçà (en) loc prép (accent grave sur *à*)
décacheter vt
décade nf
décadent, e adj; *décadence* nf
décadrer vt
décaféiné, e adj
décaisser vt
décalage nm
décalaminer vt
décalcifier vt
décalcomanie vt
décalotter vt
décalque nm; *décalquer* vt; *décalquage* nm; *décalcomanie* nf
décamper vi, pp *décampé* inv
décan nm
décanat nm

décanter vt
décaper vt
décapiter vt
décapode nm
décapoter vt
décapsuler vt
décarreler vt
décasyllabe adj; nm
décathlon nm; *décathlonien* nm
décatir vt, pp *décati, e*
décavé, e adj
décéder vi; *décès* nm inv (attention aux accents)
déceler vt
décélérer vi, pp *décéléré* inv
décembre nm, pl *décembres*
décemvir nm, pl *décemvirs*
décennal, e, aux adj
décent, e adj; *décence* nf; *décemment* adv
décentraliser vt
décentrer vt
décerner vt
décevoir vt, pp *déçu, e*; *déception* nf
déchaîner vt (circonflexe sur *î*)
déchanter vi, pp *déchanté* inv
décharge nf
décharné, e adj
déchausser vt
dèche nf
déchéance nf
déchet nm
déchiffrer vt
déchiqueter vt
déchirer vt
déchoir vi, pp *déchu, e*
déchristianiser vt
décibel nm (masculin)
décider vt; *décision* nf
décimal, e, aux adj
décimer vt
deck-house nm, pl *deck-houses*
déclamer vt
déclarer vt
déclasser vt
déclencher vt
déclic nm
déclin nm
décliner vt, vi
déclive adj
déclouer vt
décocher vt
décoction nf
décoder vt
décoiffer vt
décoincer vt
décolérer vi, pp *décoléré* inv
décollation nf
décollement nm
décoller vt
décolleter vt; *décolleté* nm
décolorer vt
décombres nmpl (masculin)
décommander vt
décompenser vt

décomplexer vt
décomposer vt
décomprimer vt
décompter vt
déconcentrer vt
déconcerter vt
déconfit, e adj
décongeler vt
décongestionner vt
déconseiller vt
déconsidérer vt
décontenancer vt
décontracter vt
déconvenue nf
décorer vt ; **décor** nm
décorner vt
décortiquer vt ; **décorticage** nm
décorum nm, pl *décorums*
décote nf
découcher vi, pp *découché* inv
découdre vt, pp *décousu, e*
découler vi, pp *découlé* inv
découper vt
découpler vt
décourager vt
découronner vt
décours nm inv
décousu, e adj
découvrir vt, pp *découvert, e*
décrasser vt
décrépir vt
décrépit, e adj (vieux) ≠ *décrépi* pp de *décrépir*
decrescendo adv ; nm, pl *decrescendos*
décret nm ; **décréter** vt (attention aux accents)
décrier vt
décrire vt, pp *décrit, e* ; **description** nf
décrocher vt
décrochez-moi-ça nm inv
décroiser vt
décroître vi (circonflexe sur *î*), pp *décru* inv ; **décroissance** nf ; **décrue** nf
décrypter vt
décubitus nm inv
de cujus nm inv
déculotter vt
décuple adj ; nm
décurion nm
décuscuteuse nf
dédaigner vt ; **dédain** nm
dédale nm (masculin)
dedans adv ; nm inv
dédicace nf
dédier vt
dédire (se) vpr, pp *dédit, e* ; *dédit* nm
dédommager vt
dédorer vt
dédouaner vt
dédoubler vt
déduire vt, pp *déduit, e* ; **déduction** nf
déesse nf, f de *dieu*
défaillir vi, pp *défailli* inv
défaire vt, pp *défait, e*
défaite nf
défalquer vt ; **défalcation** nf
défatiguer vt ; **défatigant, e** adj ≠ *défatiguant* pprés du v ; *défatigant* nm
défausser vt
défaut nm
défaveur nf
défectif, ive adj

défection nf
défendre vt, pp *défendu, e*
défenestrer vt
déféquer vt ; **défécation** nf
déférer vt, vti ; **déférent, e** adj ≠ *déférant* pprés du v ; **déférence** nf
déferler vt, vi
déferrer vt
défeuiller vt
défi nm
défibrer vt
déficeler vt
déficient, e adj ; **déficience** nf
déficit nm, pl *déficits*
défier (se) vpr ; **défiant, e** adj ; **défiance** nf
défigurer vt
défiler vt, vi
définir vt
déflagration nf
déflation nf
déflecteur nm
défleurir vt, vi ; **défloraison** nf
déflorer vt
défolier vt
défoncer vt
déformer vt
défouler (se) vpr
défraîchir vt (circonflexe sur *î*)
défrayer vt
défricher vt
défriser vt
défroncer vt
défroque nf
défunt, e adj, n
dégager vt
dégaine nf
dégainer vt (sans circonflexe)
déganter vt
dégarnir vt
dégât nm (circonflexe sur *â*)
dégazonner vt
dégeler vt, vi ; **dégel** nm ; **dégelée** nf
dégénérer vi ; **dégénérescence** nf
dégermer vt
dégingandé, e adj
dégivrer vt
déglutir vt
dégoiser vt
dégommer vt
dégonfler vt
dégorger vt
dégotter ou **dégoter** vt
dégouliner vi, pp *dégouliné* inv
dégoupiller vt
dégourdir vt
dégoûter vt (écœurer) ; *dégoût* nm (accent circonflexe sur *û*)
dégoutter vi (tomber goutte à goutte), pp *dégoutté* inv
dégrader vt
dégrafer vt (un seul *f*)
dégraisser vt
dégras nm inv
degré nm
dégressif, ive adj
dégrever vt ; **dégrèvement** nm (attention aux accents)
dégringoler vt
dégriser vt
dégrossir vt
dégrouper vt
déguenillé, e adj
déguerpir vi, pp *déguerpi* inv
dégueuler vt

déguiser vt
déguster vt
déhancher (se) vpr
dehors adv ; nm inv
déicide n (masculin ou féminin) ; nm
déifier vt
déisme nm
déjà adv
déjanter vt
déjection nf
déjeter vt
déjeuner vi, pp *déjeuné* inv ; *déjeuner* nm
déjouer vt
déjuger vt
de jure adv
delà adv (accent grave sur *à*)
délabrer vt
délacer vt (défaire les lacets) ≠ *délasser* (reposer)
délai nm
délai-congé nm, pl *délais-congés*
délaisser vt
délasser vt (reposer) ≠ *délacer* (défaire les lacets)
délation nf ; **délateur, trice** n
délaver vt
délayer vt
deleatur nm inv
délecter (se) vpr
déléguer vt ; **délégation** nf
délester vt
délétère adj
délibéré, e adj
délibérer vi, pp *délibéré* inv
délicat, e adj
délice nm → p 10
délictueux, euse adj
délier vt
délimiter vt
délinquant, e n ; **délinquance** nf
déliquescent, e adj ; **déliquescence** nf
délire nm ; **délirer** vi, pp *déliré* inv
delirium tremens nm inv
délit nm
délivrer vt
déloger vt
déloyal, e, aux adj
delphinium nm, pl *delphiniums*
delta nm, pl *deltas*
déluge nm
déluré, e adj
délustrer vt
démagogie nf
démailler vt
démailloter vt (un seul *t*)
demain adv
démancher vt
demande nf ; **demandeur, eresse** ou **euse** n
démanger vi, pp *démangé* inv
démanteler vt ; **démantèlement** nm (attention aux accents)
démantibuler vt
démaquiller vt
démarche nf
démarier vt
démarquer vt ; **démarcation** nf
démarrer vt, vi (avec deux *r*)
démasquer vt
démâter vt (circonflexe sur *â*)
démêler vt (circonflexe sur *ê*)
démembrer vt
déménager vt

démener (se) vpr
dément, e adj, n; **démence** nf
démentir vt, pp démenti, e
démériter vi, pp démérité inv
démesuré, e adj
démettre vt, pp démis, e
démeubler vt
demeurant (au) loc adv
demeure nf
demeurer vi → p 38
demi, e adj → p 29; *demi* nm
demi préf (tous les composés avec trait d'union) → p 29
demi-brigade nf, pl *demi-brigades*
demi-cercle nm, pl *demi-cercles*
demi-dieu nm, pl *demi-dieux*
demi-douzaine nf, pl *demi-douzaines*
demi-finale nf, pl *demi-finales*
demi-fond nm inv
demi-frère nm, pl *demi-frères*
demi-gros nm inv
demi-heure nf, pl *demi-heures*
demi-jour nm inv
démilitariser vt
demi-lune nf, pl *demi-lunes*
demi-mal nm, pl *demi-maux*
demi-mesure nf, pl *demi-mesures*
demi-mondaine nf, pl *demi-mondaines*
demi-mort, e adj, pl *demi-morts, es*
demi-mot (à) loc adv
déminer vt
déminéraliser vt
demi-pause nf, pl *demi-pauses*
demi-pension nf, pl *demi-pensions*
demi-pièce nf, pl *demi-pièces*
demi-place nf, pl *demi-places*
demi-reliure nf, pl *demi-reliures*
demi-saison nf, pl *demi-saisons*
demi-sang nm inv
demi-sel nm inv
demi-sœur nf, pl *demi-sœurs*
demi-solde nm inv; nf, pl *demi-soldes* → p 22
démission nf; *démissionner* vi, vt
demi-tarif nm, pl *demi-tarifs*
demi-tasse nf, pl *demi-tasses*
demi-teinte nf, pl *demi-teintes*
demi-tour nm, pl *demi-tours*
démiurge nm
démobiliser vt
démocrate adj, n (masculin ou féminin); *démocratie* nf
démocrate-chrétien, enne n, pl *démocrates-chrétiens, ennes*
démoder (se) vpr
démographie nf
demoiselle nf
démolir vt
démon nm
démonétiser vt
démonte-pneu nm, pl *démonte-pneus*
démonter vt
démontrer vt; *démonstration* nf
démoraliser vt
démordre vti, pp démordu inv
démouler vt
démoustiquer vt; *démoustication* nf
démultiplier vt; *démultiplication* nf

démunir vt
démuseler vt
démystifier vt
dénatalité nf
dénationaliser vt (avec un seul n)
dénaturaliser vt
dénaturer vt
dendrite nf
déniaiser vt
dénicher vt
denier nm
dénier vt; *dénégation* nf; *déni* nm
dénigrer vt
déniveler vt (un seul l); *dénivellation* nf; *dénivellement* nm (dérivés avec deux l)
dénombrer vt
dé.:ominateur nm
dénommer vt (deux m); *dénomination* nf (un seul m)
dénoncer vt
dénoter vt
dénouer vt; *dénouement* nm
dénoyauter vt
dénoyer vt
denrée nf
dense adj
dent nf; *dental, e, aux* adj
dent-de-lion nf, pl *dents-de-lion*
dentelle nf; *dentellier, ère* adj (avec deux l); *denteIure* nf; *denteler* vt (avec un l)
denticule nm (masculin)
dentifrice adj; nm
dénuder vt
dénué, e adj; *dénuement* nm
dénutrition nf
déodorant nm
déontologie nf
dépailler vt
dépanner vt
dépaqueter vt
dépareiller vt
déparer vt
départ nm
départager vt
département nm; *départemental, e, aux* adj
départir vt
dépasser vt
dépaver vt
dépayser vt
dépecer vt; *dépeçage* nm; *dépècement* nm (attention à l'accentuation)
dépêche nf (circonflexe sur ê)
dépêcher vt (circonflexe sur ê)
dépeigner vt
dépeindre vt, pp dépeint, e
dépenaillé, e adj
dépendant, e adj; *dépendance* nf
dépendre vti, pp dépendu inv
dépendre vt, pp dépendu, e
dépens nmpl
dépense nf
déperdition nf
dépérir vi, pp dépéri inv
dépêtrer vt (circonflexe sur ê)
dépeupler vt; *dépopulation* nf
déphaser vt
dépiauter vt
dépiler vt
dépiquer vt; *dépiquage* nm
dépister vt
dépit nm

déplacer vt
déplaire vti, pp déplu inv
déplanter vt
déplâtrer vt (circonflexe sur â)
déplier vt
déplisser vt
déplomber vt
déplorer vt
déployer vt; *déploiement* nm
déplumer vt
dépoétiser vt
dépoir vt
dépolitiser vt
dépolluer vt
déponent, e adj; *déponent* nm
dépopulation nf
déporter vt
déposer vt
déposséder vt
dépôt nm (circonflexe sur ô)
dépoter vt
dépouiller vt
dépoussiérer vt
dépourvu, e adj
dépraver vt
déprécation nf
déprécier vt
déprédation nf
déprendre (se) vpr, pp dépris, e
déprimer vt; *dépression* nf
de profundis nm inv
depuis prép
dépurer vt
député nm
députer vt
déraciner vt
dérader vi, pp dérradé inv
dérager vi, pp déragé inv
dérailler vi, pp déraillé inv
déraisonner vt, pp déraisonné inv; *déraison* nf
déranger vt
déraper vi, pp dérapé inv
déraser vt
dératé, e n
dératiser vt
derby nm, pl derbys ou derbies
derechef adv
dérégler vt; *dérèglement* nm (attention aux accents)
déréliction nf
dérider vt
dérision nf
dérisoire adj
dériver vt
derme nm; *dermatose* nf
dernier, ère adj, n; *dernièrement* adv
dernier-né, dernière-née adj, n, pl derniers-nés, dernières-nées
dérober vt
dérocher vt
déroger vti, pp dérogé inv
dérouiller vt
dérouler vt
déroute nf
derrick nm, pl derricks
derrière prép; nm
derviche nm
des art
dès prép
désabonner vt
désabuser vt
désaccord nm
désaccoutumer vt
désaffecter vt
désaffection nf
désagréable adj

désagréger vt; *désagrégation* nf

désagrément nm

désaimanter vt

désaltérer vt

désamorcer vt

désapparier vt

désappointer vt

désapprendre vt, pp *désappris, e*

désapprouver vt; *désapprobation* nf

désapprovisionner vt

désarçonner vt

désargenter vt

désarmer vt

désarroi nm

désarticuler vt

désassembler vt

désassimiler vt

désastre nm

désavantage nm

désavouer vt; *désaveu* nm, pl *désaveux*

désaxer vt

desceller vt

descendre vi, vt, pp *descendu, e*

description nf

déséchouer vt

désembourgeoiser vt

désemparer vi (seulement dans *sans désemparer*)

désemplir vt

désencadrer vt

désenchaîner vt (circonflexe sur *î*)

désenchanter vt

désenclaver vt

désencombrer vt

désenfler vi, vt

désenfumer vt

désengager vt

désengorger vt

désenivrer vt (un seul *n*)

désennuyer vt

désensabler vt

désensibiliser vt

désentoiler vt

désentortiller vt

désentraver vt

désenvaser vt

désenvenimer vt

déséquilibre nm

désert, e adj; *désert* nm

déserter vt

désescalade nf

désespérer vt; *désespérément* adv

désespoir nm

déshabiller vt

déshabituer vt

désherber vt

déshérence nf

déshériter vt

déshonnête adj

déshonneur nm (deux *n*); *déshonorer* vt (un seul *n*)

déshumaniser vt

déshydrater vt

déshydrogéner vt

desiderata nmpl

design nm, pl *designs*

designer vt

désillusion f; *désillusionner* vt

désincarné, e adj

désincruster vt

désinence nf

désinfecter vt

désintégrer vt

désintéresser vt

désintoxiquer vt; *désintoxication* nf

désinvestir vt

désinvolte adj

désir nm

désister (se) vpr

désobéir vti, pp *désobéi* inv; *désobéissant, e* adj; *désobéissance* nf

désobliger vt; *désobligeant, e* adj; *désobligeamment* adv

désobstruer vt

désodoriser vt

désœuvré, e adj

désoler vt

désolidariser (se) vpr

désopilant, e adj

désordonné, e adj

désordre nm

désorganiser vt

désorienter vt

désormais adv

désosser vt

despote nm

desquamer vt, vi

desquels, elles pr rel

dessabler vt (deux *s*)

dessaisir vt (deux *s*)

dessaler vt (deux *s*)

dessangler vt (deux *s*)

dessécher vt; *dessèchement* nm (attention aux accents)

dessein nm (but) ≠ *dessin*

desseller vt

desserrer vt

dessert nm

desserte nf

dessertir vt

desservir vt

dessiccation nf (deux *s*, deux *c*)

dessiller vt

dessoler vt

dessouder vt

dessouler ou **dessoûler** vi, vt

dessous adv; nm inv

dessous-de-bras nm inv

dessous-de-plat nm inv

dessus adv; nm inv

dessus-de-lit nm inv

déstabiliser vt

destin nm; *destiner* vt

destituer vt

destrier nm

destroyer nm

destruction nf

déstructurer vt; *déstructuration* nf (accent aigu sur *é*)

désuet, ète adj; *désuétude* nf (attention aux accents)

désunir vt, pp *désuni, e*; *désunion* nf

détacher vt

détail nm, pl *détails*

détaler vi, pp *détalé* inv

détartrer vt

détaxe nf

détecter vt

détective nm

déteindre vt, vi, pp *déteint, e*

dételer vt

détendre vt, pp *détendu, e*

détenir vt, pp *détenu, e*

déterger vt; *détergent* nm ≠ *détergeant* pprés du v

détériorer vt

déterminer vt

déterrer vt (avec deux *r*)

détester vt

détirer vt

détoner vi, pp *détoné* inv (exploser); *détonation* nf (avec un *n*)

détonner vi, pp *détonné* inv (sortir du ton) [avec deux *n*]

détordre vt, pp *détordu, e*; *détorsion* nf

détourner vt

détoxiquer vt; *détoxication* nf

détracteur, trice adj, n

détraquer vt

détrempe nf

détresse nf

détriment nm

détritus nm inv

détroit nm

détromper vt

détrôner vt (circonflexe sur *ô*)

détrousser vt

détruire vt, pp *détruit, e*; *destruction* nf

dette nf

deuil nf

deux adj num; *deuxième* adj ord

deux-pièces nm inv

deux-points nm inv

deux-ponts nm pl

deux-roues nm inv

deux-temps nm inv

dévaler vt

dévaliser vt

dévaloriser vt

dévaluer vt

devancer vt

devant prép; nm, pl *devants*

devanture nf

dévaster vt

déveine nf

développer vt (un *l*, deux *p*)

devenir vi, pp *devenu, e*

déverbal, e, aux adj

dévergonder (se) vpr

dévernir vt

déverrouiller vt

devers prép

dévers nm inv (accent aigu)

déverser vt

dévêtir vt, pp *dévêtu, e*

dévider vt

dévier vt; *déviation* nf; *déviationnisme* nm

devin, devineresse n

devis nm inv

dévisager vt

devise nf

deviser vti, pp *devisé* inv

dévisser vt

dévoiler vt

devoir vt, pp *dû, due, dus, dues* (circonflexe au masculin singulier)

devoir nm

dévolu, e adj

dévorer vt

dévot, e adj, n; *dévotion* nf

dévouer (se) vpr; *dévouement* nm

dévoyer vt

dextérité nf

dey nm, pl *deys*

diabète nm; *diabétique* adj, n (masculin ou féminin) [attention aux accents]

diable nm; *diablesse* nf

diabolo nm, pl *diabolos*

diacre nm; *diaconat* nm

diacritique adj

diadème nm (masculin)

diagnostic nm; *diagnostique* adj; *diagnostiquer* vt

diagonal, e, aux adj; *diagonale* nf

diagramme nm (masculin)

dialecte nm; *dialectal, e, aux* adj

dialectique adj; nf

dialogue nm

dialyse nf

diamant nm

diamètre nm; *diamétral, e, aux* adj; *diamétralement* adv (attention aux accents)

diane nf

diantre! interj

diapason nm

diapédèse nf

diaphane adj

diaphragme nm

diapositive nf

diaprer vt

diarrhée nf

diaspora nf, pl *diasporas*

diastase nf

diatribe nf

dichotomie nf (*h* après *c*)

dicotylédone nf (féminin)

dictame nm (masculin)

dictature nf; *dictateur* nm; *dictatorial, e, aux* adj

dicter vt; *dictée* nf

diction nf

dictionnaire nm

dicton nm

didactique adj

dièdre nm (masculin)

diérèse nf

dièse nm (masculin)

diesel nm, pl *diesels*

diète nf; *diététique* adj (attention aux accents)

dieu nm, pl *dieux*

diffamer vt

différer vt, vti; *différence* nf; *différend* nm (débat); *différent, e* adj ≠ *différant* pprés du v; *différemment* adv; *différentiel, elle* adj

difficile adj

difforme adj

diffus, e adj

diffuser vt

digérer vt; *digeste* nm; adj; *digestion* nf

digital, e, aux adj

digne adj

digression nf

digue nf

diktat nm, pl *diktats*

dilacérer vt

dilapider vt

dilater vt

dilatoire adj

dilection nf

dilemme nm (avec deux *m*)

dilettante n (masculin ou féminin), pl *dilettantes*

diligent, e adj; *diligemment* adv; *diligence* nf

diluer vt

diluvien, enne adj

dimanche nm, pl *dimanches →* p 16

dime nf (circonflexe sur *î*)

dimension nf

diminuendo adv

diminuer vt, vi

dinar nm, pl *dinars*

dinde nf

dindon nm; *dindonneau* nm, pl *dindonneaux*

diner vi, pp *diné* inv; *diner* nm

dinghy nm, pl *dinghies* ou *dinghys*

dingo nm, pl *dingos*

dingue adj, n (masculin ou féminin)

dinosaure nm

diocèse nm; *diocésain, e* adj, n (attention aux accents)

dionysiaque adj

diorama nm

diorite nf

diphtérie nf

diphtongue nf; *diphtongaison* nf

diplodocus nm inv

diplomate nm; adj

diplôme nm (circonflexe sur *ô*)

diptyque nm

dire vt, pp *dit, e*; *dire* nm, pl *dires*; *diseur, euse* n

direct, e adj

directeur, trice adj, n; *directorial, e, aux* adj

diriger vt

dirimant, e adj

discal, e, aux adj

discerner vt

disciple n (masculin ou féminin)

discipline nf

disc-jockey n, pl *disc-jockeys*

disco adj; nm, pl *discos*

discobole n (masculin ou féminin)

discontinu, e adj

disconvenir vti, pp *disconvenu* inv

discophile n (masculin ou féminin)

discorde nf

discordant, e adj

discount nm, pl *discounts*

discourir vt, pp *discouru* inv; *discours* nm; *discursif, ive* adj

discourtois, e adj

discrédit nm

discret, ète adj; *discrétion* nf (attention à l'accentuation)

discrétionnaire adj

discriminer vt

disculper vt

discuter vt; *discussion* nf

disert, e adj

disette nf

disgrâce nf (circonflexe sur *â*); *disgracier* vt; *disgracieux, euse* adj (les dérivés sans circonflexe)

disjoindre vt, pp *disjoint, e*; *disjonction* nf

disloquer vt; *dislocation* nf

disparaitre vi, pp *disparu, e*; *disparition* nf

disparate adj; nm ou nf (des deux genres)

dispatching nm, pl *dispatchings*

dispendieux, euse adj

dispensaire nm

dispenser vt

disperser vt

disponible adj

dispos, e adj

disposer vt

disproportion nf

dispute nf

disqualifier vt

disque nm; *disquaire* n (masculin ou féminin)

dissemblable adj

disséminer vt

dissension nf

dissentiment nm

disséquer vt; *dissection* nf

disserter vt, pp *disserté* inv

dissident, e adj, n; *dissidence* nf

dissimilitude nf

dissimuler vt

dissiper vt

dissocier vt

dissolu, e adj ≠ *dissous, oute* pp du v *dissoudre*

dissoner vi, pp *dissoné* inv; *dissonance* nf; *dissonant, e* adj (avec un seul *n*)

dissoudre vt, pp *dissous, oute*; *dissolution* nf

dissuader vt; *dissuasion* nf

dissyllabe ou dissyllabique adj; nm

dissymétrie nf

distance nf; *distancer* vt (devancer); *distancier (se)* vpr (théâtre)

distant, e adj

distendre vt, pp *distendu, e*

distiller vt (deux *l*)

distinct, e adj

distinguer vt; *distinguo* nm, pl *distinguos* (avec un *u*)

distique nm

distorsion nf

distraire vt, pp *distrait, e*; *distraction* nf

distribuer vt; *distribution* nf; *distributionnalisme* nm; *distributionnel, elle* adj

district nm

dithyrambe nm (masculin)

dito adv

diurèse nf; *diurétique* adj (attention aux accents)

diurne adj

diva nf, pl *divas*

divaguer vi, pp *divagué* inv; *divagation* nf

divan nm

diverger vi, pp *divergé* inv; *divergent, e* adj ≠ *divergeant* pprés du v; *divergence* nf

divers, e adj

divertir vt

dividende nm (avec un *e*)

divin, e adj

divination nf

diviniser vt

diviser vt

divorce nm

divulguer vt; *divulgation* nf

dix adj num; *dix-huit* adj num; *dix-huitième* adj ord; *dixième* adj ord; *dix-neuf* adj num; *dix-neuvième* adj ord; *dix-sept* num; *dix-septième* adj ord

dizain nm
dizaine nf
djebel nm, pl *djebels*
djellaba nf, pl *djellabas*
djinn nm, pl *djinns*
do nm inv
doberman nm, pl *dobermans*
docile adj
dock nm; *docker* nm
docte adj
docteur nm; *doctoresse* nf;
doctorat nm; *doctoral, e, aux*
adj
doctrine nf
document nm
dodécaphonisme nm
dodécasyllabe adj; nm
dodeliner vti, pp *dodeliné* inv
dodo nm, pl *dodos*
dodu, e adj
dog-cart nm, pl *dog-carts*
doge nm
dogme nm
dogue nm
doigt nm
dol nm, pl *dols*
dolce adv
doléances nfpl
dolent, e adj
dollar nm
dolman nm, pl *dolmans*
dolmen nm, pl *dolmens*
doloire nf (féminin)
domaine nm; *domanial, e, aux*
adj
dôme nm (circonflexe sur ô)
domestique adj; *domestiquer*
vt; *domestication* nf
domicile nm
dominer vt
dominicain, e n
dominical, e, aux adj
dominion nm
domino nm, pl *dominos*; *domi-
noterie* nf
dommage nm
dompter vt
don nm (titre de noblesse) ≠
don (cadeau); *doña* nf
donc conj
dondon nf
donjon nm
donner vt, *donné à* (et l'infinitif)
→ p 43; *se donner raison, tort*
→ p 45; *don* nm (cadeau) ≠
don (titre de noblesse); dérivés
avec deux *n* : *donne* nf; *donnée* nf; *donneur, euse* n; dérivés avec un seul *n* : *donataire*
n (masculin ou féminin); *dona-
tion* nf; *donateur, trice* n

donquichottisme nm
dont pr rel
donzelle nf
doper vt; *doping* nm, pl *dopings*
dorade ou daurade nf
dorénavant adv
dorer vt
doris nm inv (bateau)
doris nf inv (mollusque)
dorloter vt
dormir vi, pp *dormi* inv
dorsal, e, aux adj
dortoir nm
doryphore nm
dos nm inv, *se mettre à dos* →
p 45
dos-d'âne nm inv
dose nf
dossard nm
dossier nm
dot nf
douaire nm
douairière nf
douane nf
douar nm, pl *douars*
double adj
douche nf
douer vt
douille nf
douillet, ette adj
douleur nf; *douloureux, euse*
adj
douro nm, pl *douros*
douter vti, pp *douté* inv; *doute*
nm
douve nf
doux, douce adj; *douceâtre* adj
douze adj num inv; *douzaine*
nf; *douzième* adj ord
doyen, enne n; *doyenné* nm
drachme nf (féminin)
draconien, enne adj
drag nm, pl *drags*
dragée nf
drageon nm
dragon nm
dragonne nf
draguer vt; *draguer* vt; *dragage*
nm; *dragueur* nm
drain nm
drainer vt
drakkar nm, pl *drakkars*
drame nm
drap nm
drapeau nm, pl *drapeaux*
drastique adj
drawback nm, pl *drawbacks*
dresser vt
dribbler vt
drill nm (singe), pl *drills*
drille nm (compagnon)
drisse nf

drive-in nm inv
driver vt
drogman nm, pl *drogmans*
drogue nf
droit nm
droit, e adj; *droit* adv → p 29
drôle adj, n (masculin ou féminin); *drôlesse* nf (circonflexe
sur ô)
dromadaire nm
drop-goal nm, pl *drop-goals*
droppage nm
drosser vt
dru, e adj
drugstore nm, pl *drugstores*
druide nm; *druidesse* nf
drupe nf (féminin)
dryade nf
du art
dû, due, dus, dues adj; *dû* nm;
dûment adv (circonflexe sur û)
dual, e, aux adj
dualisme nm
dubitatif, ive adj
duc nm; *duchesse* nf
ducat nm
ductile adj
duègne nf
duel nm; *duelliste* nm
duettiste n (masculin ou
féminin)
duffle-coat nm, pl *duffle-coats*
dugong nm, pl *dugongs*
dum-dum adj inv
dumping nm, pl *dumpings*
dundee nm, pl *dundees*
duo nm, pl *duos*
duodécimal, e, aux adj
duodénum nm, pl *duodénums*;
duodénal, e, aux adj
dupe nf; adj
duplex nm inv
duplicata nm, pl *duplicata* ou
duplicatas
duplicité nf
duquel pr rel, pl *desquels*
dur, e adj
dure-mère nf, pl *dures-mères*
durer vi, pp *duré* inv; *durant*
prép
duumvir nm, pl *duumviri* ou
duumvirs
duvet nm
dynamique adj
dynamite nf
dynamo nf, pl *dynamos*
dynastie nf
dysenterie nf
dyslexie nf
dyspnée nf
dyssocial, e, aux adj (deux *s*)

e

eau nf, pl *eaux*
eau-de-vie nf, pl *eaux-de-vie*
eau-forte nf, pl *eaux-fortes*
eaux-vannes nfpl
ébahir vt
ébattre (s') vpr, pp *ébattu, e; ébats* nmpl
ébaubi, e adj
ébauche nf
ébène nf (féminin)
ébéniste n
éberlué, e adj
éblouir vt
ébonite nf (féminin)
éborgner vt
éboueur nm
ébouillanter vt
ébouler vt
ébourgeonner vt
ébouriffer vt (un *r* et deux *f*)
ébourrer vt
ébouter vt
ébrancher vt
ébranler vt
ébraser vt
ébrécher vt; *ébrèchement* nm (attention aux accents)
ébriété nf
ébrouer (s') vpr
ébruiter vt
ébullition nf
éburnéen, enne adj
écaille nf
écarlate adj; nf
écarquiller vt
écarteler vt; *écartèlement* nm (attention aux accents)
écarter vt; *écart* nm
ecce homo nm inv
ecchymose nf
ecclésiastique adj; nm
écervelé, e adj, n
échafaud nm
échalas nm inv
échalote nf (un seul *t*)
échancrer vt
échange nm
échanson nm
échantillon nm; *échantillonner* vt
échappatoire nf (féminin) [deux *p*]
échapper vti (deux *p*); *l'échapper belle* → p 42
écharde nf
écharpe nf
échasse nf
échauder vt
échauffer vt
échauffourée nf (deux *f* et un *r*)
échéant, e adj; *échéance* nf
échec nm; *échecs* nmpl
échelle nf
échelon nm; *échelonner* vt

écheniller vt
écheveau nm, pl *écheveaux*
écheveler vt
échevin nm
échidné nm (masculin)
échine nf
échinoderme nm
échiquier nm
écho nm (bruit) ≠ *écot* (paiement); *se faire l'écho* → p 45; *échographie* nf; *écholalie* nf; *échotier, ère* n
échoir vi, pp *échu, e*
échoppe nf
échouer vt, vi
éclabousser vt
éclair nm
éclaircie nf
éclaircir vt
éclaire nf
éclairer vt
éclampsie nf
éclater vi
éclectique adj
éclipse nf
éclisse nf
éclopé, e adj
éclore vi, pp *éclos, e; éclosion* nf
écluse nf
écobuer vt
écœurer vt
écoinçon nm
école nf
écologie nf
éconduire vt, pp *éconduit, e*
économe adj, n (masculin ou féminin)
écope nf; *écoper* vt
écorce nf
écorcher vt
écorner vt
écosser vt
écot nm (paiement) ≠ *écho* (bruit)
écouler vt
écourter vt
écouter vt
écoutille nf
écouvillon nm
écrabouiller vt
écran nm
écraser vt
écrémer vt
écrêter vt (circonflexe sur ê)
écrevisse nf
écrier (s') vpr
écrin nm
écrire vt, pp *écrit, e*
écriteau nm, pl *écriteaux*
écritoire nf (féminin)
écrou nm, pl *écrous*
écrouelles nfpl
écrouer vt
écrouler (s') vpr

écru,e adj
ectoplasme nm (masculin)
ectropion nm
écu nm
écueil nm
écuelle nf
éculé, e adj
écume nf
écureuil nm
écurie nf
écusson nm; *écussonner* vt
écuyer, ère n
eczéma nm, pl *eczémas; eczémateux, euse* adj
edelweiss nm inv (masculin)
éden nm
édenté, e adj, n
édicter vt
édicule nm (masculin)
édifice nm
édifier vt
édile nm (masculin)
édit nm
éditer vt
édredon nm
édulcorer vt
éduquer vt; *éducation* nf
effacer vt
effarer vt; *effarement* nm (un seul *r*)
effaroucher vt
effectif, ive adj
effectuer vt
efféminer vt
efférent, e adj
effervescent, e adj; *effervescence* nf
effet nm
effeuiller vt
efficace adj
efficient, e adj; *efficience* nf
effigie nf
effiler vt
effilocher vt
efflanqué, e adj
effleurer vt
efflorescent, e adj; *efflorescence* nf
effluve nm (parfois féminin au pl)
effondrer vt
efforcer (s') vpr; *effort* nm
effraction nf
effraie nf (féminin)
effranger vt
effrayer vt
effréné, e adj
effriter vt
effroi nm; *effroyable* adj
effronté, e adj
effusion nf
égailler (s') vpr (se disperser) ≠ *égayer* (amuser)
égal, e, aux adj → p 28
égard nm
égarer vt

égayer vt (amuser) ≠ s'égailler (se disperser)
égérie nf
égide nf (féminin)
églantier nm
églefin ou aiglefin nm
église nf
églogue nf (féminin)
ego nm inv; égoïsme nm (tréma sur ï)
égoine nf (tréma sur ï)
égorger vt
égosiller (s') vpr
égout nm (pas de circonflexe); égoutier nm
égoutter vt (avec deux t)
égrainer ou égrener vt; égreneuse nf
égrapper vt
égratigner vt
égrillard, e adj
égriser vt
égruger vt
eh! interj
éhonté, e adj
eider nm
éjaculer vt
éjecter vt
élaborer vt
élaguer vt; élagage nm
élan nm
élancer vi
élargir vt
élastique adj; nm
eldorado nm, pl eldorados
élection nf
électricité nf
électroaimant nm
électrocardiogramme nm
électrochoc nm
électrocuter vt
électrode nf
électrogène adj
électrolyse nf
électrolyte nm (masculin)
électroménager adjm
électron nm; électronique nf
électrophone nm
électrum nm, pl électrums
élégant, e adj; élégamment adv; élégance nf
élégie nf
élément nm
éléphant nm; éléphanteau nm, pl éléphanteaux
élève n (masculin ou féminin)
élever vt
elfe nm
élider vt; élision nf
éligible adj
élimer vt
éliminer vt
élingue nf (féminin)
élire vt, pp élu,e
élite nf
élixir nm, pl élixirs
elle pr pers
ellébore ou hellébore nm (masculin)
ellipse nf; elliptique adj; ellipsoïdal, e, aux adj
élocution nf
éloge nm
éloigner vt
élongation nf
éloquent, e adj; éloquence nf; éloquemment adv
élucider vt

élucubration nf
éluder vt
élyséen, enne adj
élytre nm (masculin)
elzévir nm, pl elzévirs
émacié, e adj
émail nm, pl émaux; émailler vt
émanciper vt
émaner vi, pp émané inv
émarger vt
émasculer vt
embâcle nm (masculin) [circonflexe sur â]
emballer vt
embarcation nf
embardée nf
embargo nm, pl embargos
embarquer vt; embarcadère nm; embarquement nm
embarras nm inv; embarrasser vt (deux r, deux s)
embastiller vt
embauche nf
embaumer vt
embellir vt, pp embelli, e
emberlificoter vt
embêter vt (circonflexe sur ê)
emblaver vt
emblée (d') loc adv
emblème nm; emblématique adj (attention aux accents)
embobeliner vt
embobiner vt
emboîter vt (circonflexe sur î)
embolie nf
embonpoint nm (pas de m avant p)
embosser vt
embouche nf
emboucher vt; embouchure nf
embourber vt
embourgeoiser vt
embout nm
embouteiller vt
emboutir vt, pp embouti, e
embrancher (s') vpr
embraser vt
embrasse nf
embrasser vt
embrasure nf
embrayer vt
embrigader vt
embringuer vt
embrocation nf
embrocher vt
embrouiller vt; embrouille nf; embrouillamini nm, pl embrouillaminis
embroussaillé, e adj
embrumer vt
embruns nmpl
embryon nm; embryonnaire adj
embu, e adj
embûche nf (circonflexe sur û)
embuer vt
embusquer vt; embuscade nf
éméché, e adj
émeraude nf; adj inv
émerger vi; émergent, e adj ≠ émergeant pprés du v; émergence nf
émeri nm, pl émeris
émerillon nm
émérite adj
émerveiller vt
émétique adj
émettre vt, pp émis, e
émeu nm, pl émeus

émeute nf
émietter vt
émigrer vi
émincer vt
éminence nf; NOMS DE TITRE → p 28, 36
éminent, e adj; éminemment adv
émir nm
émissaire nm
émission nf
emmagasiner vt
emmailloter vt
emmancher vt
emmêler vt (circonflexe sur ê)
emménager vt, vi
emmener vt
emmenthal ou emmental nm, pl emment(h)als
emmieller vt (deux l)
emmitoufler vt (un t et un f)
emmurer vt
émoi nm
émollient, e adj (deux l)
émolument nm
émonctoire nm (masculin)
émonder vt
émotion nf; émotionner vt
émoucher vt
émouchet nm
émoulu, e adj
émousser vt
émoustiller vt
émouvoir vt, pp ému, e
empailler vt
empaler vt
empan nm
empanacher vt
empaqueter vt
emparer (s') vpr
empâter vt (circonflexe sur â)
empathie nf
empattement nm (deux t)
empaumer vt
empaumure nf
empêcher vt (circonflexe sur ê)
empeigne nf
empenné, e adj (deux n)
empereur nm; impératrice nf
empeser vt
empester vt, vi
empêtrer vt (circonflexe sur ê)
emphase nf; emphatique adj
emphysème nm
empiècement nm
empierrer vt
empiéter vti, pp empiété inv; empiétement nm
empiffrer (s') vpr
empiler vt
empire nm
empirer vi
empirique adj
emplacement nm
emplâtre nm (circonflexe sur â)
emplette nf
emplir vt, pp empli, e
employer vt; emploi nm
emplumer vt
empocher vt
empoigner vt
empois nm inv
empoisonner vt
empoissonner vt
emporium nm, pl emporia
emporte-pièce nm inv
emporter vt
empoté, e adj, n

empoter vt
empourprer vt
empreint, e adj (marqué) ≠ emprunt nm (prêt)
empreinte nf
empresser (s') vpr
emprise nf
emprisonner vt
emprunt nm (prêt) ≠ empreint, e adj; emprunter vt
emprunté, e adj (embarrassé)
empuantir vt
empuse nf (féminin)
empyrée nm (masculin)
empyreume nm (masculin)
émule n (masculin ou féminin)
émulsion nf; émulsionner vt
en prép
en pr pers; accord du participe passé avec EN → p 40
énamourer (s') ou énamourer (s') vpr
énarque n (masculin ou féminin)
en-avant nm inv
en-but nm inv
encablure nf (pas de circonflexe sur a)
encadrer vt
encager vt
encaisser vt
encan nm (sing)
encanailler (s') vpr
encapuchonner vt
encaquer vt
encarter vt; encart nm
en-cas nm inv
encastrer vt
encaustique nf (féminin)
enceindre vt, pp enceint, e; enceinte nf (mur)
enceinte adj f
encens nm inv
encéphale nm (masculin)
encercler vt
enchaîner vt (circonflexe sur î)
enchanter vt; enchanteur nm; enchanteresse nf
enchâsser vt (circonflexe sur â)
enchatonner vt (pas de circonflexe sur a)
enchère nf; enchérir vti, vi, pp enchéri inv (attention aux accents)
enchevêtrer vt (circonflexe sur ê)
enchifrené, e adj (un seul f)
enclave nf
enclencher vt
enclin, e adj
enclise nf; enclitique nm
enclore vt, pp enclos, e; enclos nm
enclouer vt
enclume nf (féminin)
encoche nf
encoignure nf
encoller vt
encolure nf
encombrer vt
erconctre de (à l') loc prép
encorbellement nm
encorder (s') vpr
encore adv
encorner vt
encourager vt
encourir vt, pp encouru, e
encrasser vt

encre nf; encrer vt; encrage nm ≠ ancrage (de ancre)
encroûter vt (circonflexe sur û)
encuver vt
encyclique nf
encyclopédie nf
endémique adj
endenter vt
endetter vt
endeuiller vt
endêver vi, pp endêvé inv (circonflexe sur ê)
endiablé, e adj
endiguer vt
endimanché, e adj
endive nf
endocarde nm
endocarpe nm
endocrine adj f
endoctriner vt
endolorir vt, pp endolori, e
endommager vt
endoréisme nm
endormir vt, pp endormi, e
endos nm inv; endosser vt
endothélium nm, pl endothéliums; endothélial, e, aux adj
endroit nm
enduire vt, pp enduit, e; enduit nm
endurcir vt
endurer vt; endurant, e adj; endurance nf
énergie nf; énergétique adj
énergumène n (masculin ou féminin)
énerver vt
enfant n (masculin ou féminin); enfance nf; enfantin, ine adj; enfanter vt
enfariner vt
enfer nm
enfermer vt
enferrer vt (deux r)
enfeu nm, pl enfeus
enfiévrer vt
enfiler vt
enflammer vt
enfler vt
enfoncer vt
enfouir vt, pp enfoui, e
enfourcher vt
enfourner vt
enfreindre vt, pp enfreint, e
enfuir (s') vpr, pp enfui, e
enfumer vt
engager vt
engainer vt
engeance nf
engelure nf
engendrer vt
engin nm
engineering nm, pl engineerings
englober vt
engloutir vt
engluer vt
engoncer vt
engorger vt
engouement nm (attention -ement); engouer (s') vpr
engoulevent nm
engourdir vt
engrais nm inv
engraisser vt
engranger vt

engrener vt; engrènement nm; engreneuse nf (attention à l'accentuation)
engueuler vt
enguirlander vt
enhardir vt
enharnacher vt
énigme nf (féminin)
enivrer vt (un seul n)
enjamber vt
enjeu nm, pl enjeux
enjoindre vt, pp enjoint, e
enjôler vt (circonflexe sur ô)
enjoliver vt
enjoué, e adj
enkyster (s') vpr
enlacer vt
enlaidir vt
enlever vt; enlèvement nm (attention aux accents)
enliser vt
enluminer vt
enneiger vt
ennemi, e n, adj (deux n, un m)
ennoblir vt (sens figuré) ≠ anoblir (sens propre)
ennuyer vt; ennui nm
énoncer vt; énoncé nm
enorgueillir (s') vpr
énorme adj; énormément adv
enquérir (s') vpr, pp enquis, e; enquête nf
enraciner vt
enrager vi
enrayer vt; enraiement ou enrayement nm
enrégimenter vt
enregistrer vt
enrhumer vt
enrichir vt
enrober vt
enrôler vt (circonflexe sur ô)
enrouer vt
enrouler vt
enrubanner vt (avec deux n)
ensabler vt
ensacher vt
ensanglanter vt
enseigne nf (drapeau); nm (homme)
enseigner vt
ensemble adv; nm
ensemencer vt
enserrer vt (deux r)
ensevelir vt, pp enseveli, e
ensoleiller vt
ensommeillé, e adj
ensorceler vt
ensuite adv
ensuivre (s') vpr (aux temps composés, en est le plus souvent séparé du verbe par l'auxiliaire : il s'en est suivi)
entacher vt
entaille nf
entamer vt; entame nf (féminin)
entartrer vt
entasser vt
entendement nm
entendre vt, pp entendu, e
enter vt
entériner vt
entérite nf
enterrer vt
en-tête nm (masculin), pl en-têtes
entêter vt (circonflexe sur ê)
enthousiasme nm (h après t)

enticher (s') vpr
entier, ère adj; *entièrement* adv
    entiéreté nf (attention à l'accentuation)
entité nf
entoiler vt
entomologie nf (pas de *h*)
entonner vt (deux *n*)
entonnoir nm (deux *n*)
entorse nf
entortiller vt
entourer vt
entournure nf
entracte nm
entraide nf; *entraider (s')* vpr
entrailles nfpl
entr'aimer (s') vpr (avec apostrophe)
entrain nm
entraîner vt (circonflexe sur *î*)
entrait nm
entr'apercevoir vt, pp entr'aperçu, e (avec apostrophe)
entrave nf
entre prép → p 61
entrebâiller vt (circonflexe sur â)
entre-bande nf, pl entre-bandes
entrechat nm
entrechoquer (s') vpr
entrecôte nf (féminin) [circonflexe sur ô]
entrecouper vt
entrecroiser vt
entrecuisse nm (masculin)
entre-déchirer (s') vpr (avec apostrophe)
entre-deux nm inv (masculin)
entre-deux-guerres nf inv ou nm inv (des deux genres)
entre-dévorer (s') vpr
entrée nf
entrefaites nfpl
entrefilet nm
entregent nm
entr'égorger (s') vpr (avec apostrophe)
entrejambe nm (masculin)
entrelacer vt; *entrelacs* nm inv
entrelarder vt
entremêler vt (circonflexe sur ê)
entremets nm inv
entremettre (s') vpr, pp entremis, e
entre-nœud nm, pl entre-nœuds
entrepont nm
entreposer vt
entrepôt nm (circonflexe sur ô)
entreprendre vt, pp entrepris, e
entrer vi, vt
entresol nm
entre-temps adv
entretenir vt, pp entretenu, e; *entretien* nm
entretoise nf
entre-tuer (s') vpr
entrevoie nf
entrevoir vt, pp entrevu, e; *entrevue* nf
entropie nf
entrouvrir vt, pp entrouvert, e
entuber vt
énumérer vt
envahir vt
envaser vt
enveloppe nf (un *l*, deux *p*)
envenimer vt
envergure nf

envers prép; nm inv
envi (à l') loc adv (à qui mieux mieux) [pas de *e*]
envie nf (désir)
environ adv; *environs* nmpl; *environner* vt
envisager vt
envol nm
envoûter vt (circonflexe sur û)
envoyer vt; *envoi* nm; *envoyeur, euse* n
enzyme nm ou nf (des deux genres)
épacte nf (féminin)
épagneul, e n
épais, aisse adj; *épaisseur* nf; *épaissir* vt
épancher vt
épandage nm
épanouir vt
épargne nf
éparpiller vt
épars, e adj
éparvin nm
épater vt; *épatant, e* adj; *épatamment* adv
épaulard nm
épaule nf
épaulé-jeté nm, pl épaulés-jetés
épave nf
épeautre nm
épée nf; *épéiste* n (masculin ou féminin)
épeiche nf
épeler vt (un seul *l*); *épellation* nf (attention deux *l*)
épenthèse nf; *épenthétique* adj (attention aux accents)
éperdu, e adj; *éperdument* adv
éperlan nm
éperon nm; *éperonner* vt
épervier nm
éphèbe nm
éphémère adj; *éphéméride* nf (attention aux accents)
épi nm
épice nf (féminin)
épicéa nm (masculin), pl épicéas
épicène adj
épicentre nm
épicerie nf
épicondyle nm
épicurien, enne adj
épicycle nm (masculin)
épidémie nf
épiderme nm (masculin)
épididyme nm (masculin)
épier vt
épieu nm, pl épieux
épigastre nm (masculin)
épiglotte nf (féminin)
épigone nm (masculin)
épigramme nf (féminin)
épigraphe nf (féminin)
épilepsie nf; *épileptique* adj, n (masculin ou féminin)
épiler vt
épilobe nm (masculin)
épilogue nm (masculin); *épiloguer* vti, pp épilogué inv
épinard nm
épine nf
épinette nf
épine-vinette nf, pl épines-vinettes
épingle nf
épinoche nf (féminin)

épiphénomène nm
épiphyse nf
épique adj
épiscopal, e aux adj; *épiscopat* nm
épisode nm
épistaxis nf inv (féminin)
épistémologie nf
épistolaire adj
épitaphe nf (féminin)
épithalame nm (masculin)
épithélium nm, pl épithéliums
épithète nf (féminin)
épitoge nf (féminin)
épitomé nm (masculin), pl épitomés
épître nf (circonflexe sur î)
éploré, e adj
éplucher vt
épointer vt
éponge nf
éponyme adj
épopée nf
époque nf
épouiller vt
époumoner (s') vpr (un seul *n*)
épouser vt; *époux, épouse* n
épousseter vt
épouvanter vt; *épouvantail* nm, pl épouvantails
éprendre (s') vpr, pp épris, e
éprouver vt
epsilon nm, pl epsilons
épucer vt
épuiser vt
épure nf
épurer vt
équarrir vt
équateur nm; *équatorial, e, aux* adj
équation nf
équerre nf
équestre adj
équiangle adj
équidistant, e adj
équilatéral, e, aux adj
équilibre nm
équille nf
équin, e adj
équinoxe nm (masculin); *équinoxial, e, aux* adj
équipe nf
équiper vt
équipollent, e adj
équitation nf
équité nf
équivaloir vti, pp équivalu inv; *équivalent, e* adj ≠ équivalant pprés du v; *équivalence* nf
équivoque adj; nf (féminin)
érable nm
éradiquer vt; *éradication* nf
érafler vt
érailler vt
ère nf (époque) ≠ erre (vitesse)
érection nf
éreinter vt
érésipèle ou érysipèle nm (masculin)
erg nm, pl ergs
ergastule nm (masculin)
ergot nm
ergoter vi, pp ergoté inv
ériger vt
ermite nm
éroder vt; *érosion* nf
érotique adj
erratique adj (deux *r*)

erratum nm, pl *errata* (le pl *errata* peut aussi être sing)

erre nf (vitesse) ≠ *ère* (époque)

errer vi, pp *erré* inv

erreur nf ; *erroné, e* adj (deux *r*, un *n*)

ers nm inv

ersatz nm inv

erse adj ; nm (dialecte)

erse nf (anneau)

éructer vt

érudit, e adj, n

érugineux, euse adj

éruption nf

érysipèle ou érésipèle nm (masculin)

érythème nm (masculin)

ès prép

esbroufe nf (un seul *f*)

escabeau nm, pl *escabeaux*

escadre nf

escalade nf

escale nf

escalier nm

escalope nf (féminin)

escamoter vt

escampette nf

escapade nf

escarbille nf

escarbot nm

escarboucle nf

escarcelle nf

escargot nm

escarmouche nf

escarpe nf (muraille)

escarpe nm (bandit)

escarpé, e adj

escarpin nm

escarpolette nf

escarre nf (féminin)

eschatologie nf (*h* après *c*)

esche nf

escient nm

esclaffer (s') vpr

esclandre nm (masculin)

esclave n (masculin ou féminin)

escogriffe nm (masculin)

escompte nm (masculin)

escopette nf

escorte nf

escouade nf

escourgeon ou écourgeon nm

escrime nf (féminin)

escroc nm ; *escroquer* vt

escudo nm, pl *escudos*

ésotérique adj

espace nm (masculin)

espadon nm

espadrille nf

espagnolette nf

espalier nm

espar nm, pl *espars*

espèce nf ; *toute espèce de* → p 26, 27, 49

espéranto nm

espérer vt ; *espérance* nf ; *espoir* nm

espiègle adj ; *espièglerie* nf

espingole nf

espion, onne n ; *espionner* vt

esplanade nf

esprit nm

esprit-de-sel nm inv

esprit-de-vin nm inv

esquif nm, pl *esquifs*

esquille nf

esquimau, aude adj, pl *esquimaux, audes* (relatif aux Eskimos ou Esquimaux)

esquinter vt

esquisse nf

esquive nf

essaim nm ; *essaimer* vi

essarter vt

essayer vt ; *essai* nm

esse nf

essence nf ; *essentiel, elle* adj

esseulé, e adj

essieu nm, pl *essieux*

essor nm

essorer vt

essoriller vt

essoucher vt

essouffler vt (deux *f*)

essuie-glace nm, pl *essuie-glaces*

essuie-mains nm inv

essuie-meubles nm inv

essuie-pieds nm inv

essuie-verres nm inv

essuyer vt

est nm inv

estacade nf

estafette nf → p 8

estafilade nf

estaminet nm

estampe nf

estampille nf

ester vi, pp *esté* inv

esthétique adj ; *esthète* n (masculin ou féminin) [attention aux accents]

estimal, e, aux adj

estival, e, aux adj

estoc nm, pl *estocs*

estocade nf

estomac nm ; *estomaquer* vt

estomper vt

estourbir vt

estrade nf

estragon nm

estrapade nf

estropier vt

estuaire nm (masculin)

estudiantin, e adj

esturgeon nm

et conj

êta nm, pl *êtas* (circonflexe sur ê)

étable nf

établi nm, pl *établis*

établir vt

étage nm

étai nm, pl *étais*

étain nm

étal nm, pl *étals* ou *étaux*

étale adj ; nm

étaler vt

étalon nm ; *étalonner* vt

étambot nm

étamer vt

étamine nf

étanche adj

étancher vt

étang nm

étape nf

état nm

état-major nm, pl *états-majors*

étau nm, pl *étaux*

étayer vt ; *étaiement* nm

et cetera, etc. loc adv

été pp inv de *être* → p 38

été nm

éteindre vt, pp *éteint, e*

étendard nm (*d* à la fin)

étendre vt, pp *étendu, e* ; *étendue* nf

éternel, elle adj

éternuer vi, pp *éternué* inv ; *éternuement* nm (attention -ement)

étésien adj m

étêter vt (circonflexe sur ê)

éther nm, pl *éthers*

éthique adj

ethnie nf ; *ethnique* adj ; ADJECTIFS ETHNIQUES → p 18

éthologie nf

éthyle nm (masculin)

étiage nm

étincelle nf (deux *l*) ; *étinceler* vi, pp *étincelé* inv (un *l*) ; *étincellement* nm (deux *l*)

étioler vt

étiologie nf

étiquette nf ; *étiqueter* vt ; *étiquetage* nm (dérivés avec un *t*)

étirer vt

étoffe nf

étoile nf

étole nf

étonner vt (deux *n*) ; *étonnant, e* adj ; *étonnamment* adv

étouffe-chrétien nm inv

étouffer vt

étoupe nf

étoupille nf

étourdi, e adj, n ; *étourdiment* adv

étourneau nm, pl *étourneaux*

étrange adj

étranger, ère adj, n

étrangler vt

étrave nf

être vi, pp *été* inv ; *être* nm, pl *êtres*

étreindre vt, pp *étreint, e* ; *étreinte* nf

étrenne nf

êtres nmpl (circonflexe sur ê)

étrier nm

étrille nf

étriper vt

étriqué, e adj

étrivière nf

étroit, e adj

étron nm

étude nf

étui nm

étuve nf

étymologie nf (pas de *h* après *t*)

eu pp de *avoir* ; *eu à* (et l'infinitif) → p 43

eucalyptus nm inv

eucharistie nf

eugénisme nm ou eugénique nf

euh ! interj

eunuque nm (masculin)

euphémique adj ; *euphémisme* nm

euphonie nf

euphorbe nf (féminin)

euphorie nf

eurêka ! interj

euristique ou heuristique adj ; nf

eurodollar nm

eurythmie nf

euthanasie nf (*h* après *t*)

eux pr pers

évacuer vt

évader (s') vpr

101

évaluer vt
évanescent, e adj; *évanescence* nf
évangile nm
évanouir (s') vpr, pp *évanoui, e*
évaporer vt
évaser vt
évêché nm; *évêque* nm (circonflexe sur *ê*)
éveil nm; *éveiller* vt
événement nm; *événementiel, elle* adj (accents aigus)
évent nm
éventail nm, pl *éventails*
éventaire nm
éventer vt
éventrer vt
éventuel, elle adj; *éventualité* nf
évertuer (s') vpr
évident, e adj; *évidemment* adv; *évidence* nf
évider vt
évier nm
évincer vt; *éviction* nf
éviter vt
évoluer vi
évolution nf; *évolutionnisme* nm
évoquer vt; *évocation* nf
evzone nm, pl *evzones*
ex abrupto loc adv
exacerber vt
exact, e adj
exaction nf
ex aequo adj inv; n (masculin ou féminin) inv
exagérer vt; *exagéré, e* adj; *exagérément* adv
exalter vt
examen nm; *examiner* vt
exarque nm; *exarchat* nm
exaspérer vt
exaucer vt
ex cathedra loc adv
excéder vt; *excédent* nm
exceller vi, pp *excellé* inv; *excellent, e* adj; *excellemment* adv; *excellence* nf
excentrer vt
excentrique adj
excepter vt; *excepté* prép → p 38, 39; *exception* nf; *exceptionnel, elle* adj
excès nm inv; *excessif, ive* adj (attention à l'accentuation)
exciper vti, pp *excipé* inv
excipient nm
exciser vt
exciter vt
exclamer (s') vpr
exclure vt, pp *exclu, e; exclusion* nf
excommunier vt
excrément nm
excréter vt
excroissance nf

excursion nf; *excursionner* vi, pp *excursionné* inv
excuse nf
exeat nm inv
exécrer vt
exécuter vt
exégèse nf; *exégétique* adj (attention à l'accentuation)
exemple nm
exempt, e adj; *exemption* nf
exequatur nm inv
exercer vt; *exercice* nm
exérèse nf
exergue nm (masculin)
exhaler vt; *exhalaison* nf; *exhalation* nf (*h* après *x*)
exhausser vt
exhaustif, ive adj
exhiber vt; *exhibition* nf; *exhibitionnisme* nm (*h* après *x*)
exhorter vt
exhumer vt
exiger vt; *exigeant, e* adj; *exigence* nf
exigu, exiguë adj (tréma sur *ë*); *exiguité* nf (tréma sur *ï*)
exil nm
exister vi, pp *existé* inv; *existant, e* adj; *existence* nf; *existentialisme* nm
ex-libris nm inv
exocet nm, pl *exocets*
exode nm (masculin)
exogame adj
exonérer vt
exorbitant, e adj (pas de *h*)
exorciser vt
exorde nm (masculin)
exosmose nf
exotérique adj
exotique adj
expansion nf; *expansionnisme* nm (avec *an*)
expatrier vt
expectative nf
expectorer vt
expédient nm
expédier vt; *expédition* nf; *expéditionnaire* adj
expérience nf
expérimenter vt; *expérimental, e, aux* adj
expert, e adj; *expert* nm
expert-comptable nm, pl *experts-comptables*
expier vt
expirer vt, pp *expiré, e*
expirer vi, pp *expiré* inv
explétif, ive adj
explicite adj
expliquer vt; *explicable* adj; *explication* nf
exploit nm
exploiter vt
explorer vt
exploser vi, pp *explosé* inv
exporter vt

exposer vt
exprès, esse adj (formel); *expressément* adv (attention aux accents)
exprès adj inv; nm inv (lettre, paquet)
exprès adv (voulu)
express adj inv; nm inv (train, café)
exprimer vt; *expression* nf; *expressionnisme* nm
exproprier vt
expulser vt
expurger vt
exquis, e adj; *exquisément* adv (attention à l'accent)
exsangue adj
exsanguino-transfusion nf, pl *exsanguino-transfusions*
exsuder vi
extase nf; *extatique* adj
extension nf (avec *en*)
exténuer vt
extérieur, e adj; *extérioriser* vt
exterminer vt
externe adj
exterritorialité nf
extinction nf
extirper vt
extorquer vt; *extorsion* nf
extra nm inv; adj inv
extrader vt; *extradition* nf
extra-dry adj inv
extra-fin, e adj, pl *extra-fins, es*
extra-fort nm, pl *extra-forts*
extraire vt, pp *extrait, e; extrait* nm
extrajudiciaire adj
extralégal, e, aux adj
extralucide adj
extra-muros loc adv
extraordinaire adj
extrapoler vt
extraterrestre adj, n (masculin ou féminin)
extra-utérin, ine adj, pl *extra-utérins, ines*
extravagant, e adj; *extravagance* nf
extraverti, e adj, n; *extraversion* nf
extrême adj; *extrêmement* adv; *extrémiste* adj, n (masculin ou féminin); *extrémité* nf (attention aux accents)
extrême-onction nf, pl *extrêmes-onctions*
extrême-oriental, e, aux adj
extrinsèque adj
extrusion nf
exubérant, e adj (pas de *h*)
exulter vi, pp *exulté* inv (pas de *h*)
exutoire nm (masculin)
ex-voto nm inv
eye-liner nm, pl *eye-liners*

f

f nm inv
fa nm inv
fable nf; *fabliau* nm, pl *fabliaux*
fabrique nf
fabriquer vt; *fabrication* nf; *fabricant, e* n ≠ *fabriquant* pprés du v
fabuleux, euse adj
façade nf
face nf; *facial, e, aux* adj; *faciès* nm inv
face-à-face nm inv
face-à-main nm, pl *faces-à-main*
facétie nf; *facétieux, euse* adj
facette nf
fâcher vt; *fâcheux, euse* adj (circonflexe sur â)
facile adj
façon nf; *façonner* vt
faconde nf
fac-similé nm, pl *fac-similés*
facteur nm
factice adj
faction nf; *factieux, euse* adj; *factionnaire* nm
factitif, ive adj
factotum nm, pl *factotums*
factrice nf (fém de *facteur*)
factum nm, pl *factums*
facture nf
faculté nf
fade adj
fading nm, pl *fadings*
fagot nm; *fagoter* vt
faible adj; *faiblir* vi, pp *faibli* inv
faïence nf (tréma sur *i*)
faignant, e ou feignant, e adj, n
faille nf
faillible adj
faillir vi, pp *failli* inv; *failli, e* n; *faillite* nf
faim nf
fainéant, e adj, n; *fainéanter* vi, pp *fainéanté* inv
faire vt, pp *fait, e*; se faire grâce, se faire fort, se faire jour, l'écho, se faire justice → p 45; *fait* (suivi de l'infinitif) → p 43, 45
faire-part nm inv
faire-valoir nm inv
fair-play adv
faisan nm; *faisandeau* nm, pl *faisandeaux*; *faisane* nf
faisceau nm, pl *faisceaux*
fait nm (événement) ≠ *faix* (charge)
faîte nm (circonflexe sur *î*)
fait-tout nm inv ou *faitout* nm, pl *faitouts*
faix nm (charge) ≠ *fait* (événement)
fakir nm, pl *fakirs*
falaise nf
falbala nm, pl *falbalas*

fallacieux, euse adj
falloir vi, pp *fallu* inv
falot nm (lanterne)
falot, falote adj (terne)
falourde nf
falsifier vt
famé, e adj
famélique adj
fameux, euse adj
famille nf; NOM DE FAMILLE → p 19; *familial, e, aux* adj; *familiariser* vt; *familier, ère* adj (les dérivés avec un seul *l*)
famine nf
fanal nm, pl *fanaux*
fanatique adj, n (masculin ou féminin)
fandango nm, pl *fandangos*
fane nf
fanfare nf
fanfaron, onne adj, n; *fanfaronnade* nf
fanfreluche nf
fange nf
fanion nm
fanon nm
fantaisie nf
fantasia nf, pl *fantasias*
fantasmagorie nf
fantasme nm
fantasque adj
fantassin nm
fantastique adj
fantoche nm
fantôme nm (circonflexe sur ô); *fantomatique* adj (dérivé sans circonflexe)
faon nm
faquin nm
far nm (gâteau) ≠ *fard* (enduit) ≠ *fart* (pour les skis)
faramineux, euse adj
farandole nf
faraud, e adj
farce nf
fard nm (enduit) ≠ *far* (gâteau) ≠ *fart* (pour les skis)
fardeau nm, pl *fardeaux*
farfadet nm
farfouiller vi, pp *farfouillé* inv
faribole nf
farine nf
farniente nm, pl *farnientes*
farouche adj
fart nm (pour les skis) ≠ *fard* (enduit) ≠ *far* (gâteau); *farter* vt
fascicule nm
fascine nf
fasciner vt
fascisme nm
faste nm
fastidieux, euse adj
fat nm; adj m; *fatuité* nf
fatal, e, als adj; *fatalité* nf

fatiguer vt; *fatigant, e* adj ≠ *fatiguant* pprés du v; *fatigable* adj
fatras nm inv
faubourg nm; *faubourien, enne* adj
faucher vt
faucheux nm inv
faucille nf
faucon nm; *fauconneau* nm, pl *fauconneaux*
faufiler vt
faune nm (mythologie); *faunesse* nf
faune nf (animaux)
faute nf
fauteuil nm
fauteur, trice n
fauve adj; nm
fauvette nf
faux nf inv
faux, fausse adj
faux-bourbon nm, pl *faux-bourdons*
faux-fuyant nm, pl *faux-fuyants*
faux-monnayeur nm, pl *faux-monnayeurs*
faux-pont nm, pl *faux-ponts*
faux-semblant nm, pl *faux-semblants*
faux-sens nm inv
faveur nf; *favori, ite* adj, n
fayot nm; *fayoter* vi, pp *fayoté* inv
féal, e, aux adj
fébrile adj
fèces nfpl; *fécal, e, aux* adj (attention aux accents)
fécond, e adj; *féculent* nm
fécule nf; *féculent* adj
fédérer vt; *fédéral, e, aux* adj
fée nf; *féerie* nf; *féerique* adj (un seul accent sur le premier é)
feed-back nm inv
feeder nm, pl *feeders*
feignant, e ou feignant, e adj, n
feindre vt, pp *feint, e*; *feinte* nf
feld-maréchal nm, pl *feld-maréchaux*
fêler vt (circonflexe sur ê)
félibre adj
félibre nm (masculin)
félicité nf
féliciter vt; *félicitations* nfpl
félin, e adj
fellaga ou fellagha nm, pl *fellag(h)as*
fellah nm, pl *fellahs*
fellation nf
félon, onne adj; *félonie* nf (un seul *n*)
felouque nf
fêlure nf (circonflexe sur ê)
femelle nf
femme nf (deux *m*); *féminin, e* adj (un seul *m*)

103

fémur nm; *fémoral, e, aux* adj
fenaison nf
fendre vt, pp *fendu, e*
fenêtre nf (circonflexe sur le second *é*)
féodal, e, aux adj
fer nm; *ferrer* vt (tous les dérivés de *fer* ont deux *r*)
fer-blanc nm, pl *fers-blancs*; *ferblantier* nm
férié, e adj
férir vt
fermail nm, pl *fermaux*
ferme adj
ferme nf
ferment nm
fermer vt
féroce adj
ferret nm
ferronnier, ère n (deux *r*, deux *n*)
ferroviaire adj
ferry-boat nm, pl *ferry-boats*
fertile adj
féru, e adj
férule nf
fervent, e adj; *ferveur* nf
fesse nf
fesse-mathieu nm, pl *fesse-mathieux*
festin nm
festival nm, pl *festivals*
festivité nf
feston nm; *festonner* vt
festoyer vi; *festoiement* nm
fête nf (circonflexe sur *ê*)
Fête-Dieu nf, pl *Fêtes-Dieu*
fétiche nm
fétide adj
fétu nm, pl *fétus*
feu nm, pl *feux*
feu, e adj, pl *feus, feues → p 28*
feuille nf
feuille-morte adj inv
feuillet nm; *feuilleter* vt
feuilleton nm; *feuilletoniste* n (masculin ou féminin)
feuler vi, pp *feulé* inv
feutre nm (masculin)
fève nf; *féverole* nf (attention aux accents)
février nm, pl *févriers*
fez nm inv
fi ! interj
fiable adj; *fiabilité* nf
fiacre nm
fiancer vt; *fiançailles* nfpl
fiasco nm, pl *fiascos*
fiasque nf
fibranne nf (avec deux *n*)
fibre nf
fibrille nf
fibrome nm (sans circonflexe)
fibule nf
ficelle nf; *ficeler* vt (un seul *l*)
fiche nf
fichtre ! interj
fichu, e adj
fichu nm
fiction nf
fidéicommis nm inv
fidèle adj; *fidélité* nf (attention aux accents)
fiduciaire adj
fief nm
fieffé, e adj
fiel nm; *fielleux, euse* adj
fiente nf

fier (se) vpr
fier, ère adj; *fiérot, ote* adj; *fierté* nf
fier-à-bras nm, pl *fier(s)-à-bras*
fièvre nf; *fiévreux, euse* adj (attention aux accents)
fifre nm
fifrelin nm
fifty-fifty nm, pl *fifty-fifties* (yacht)
fifty-fifty adv
figer vt
fignoler vt
figue nf
figuration nf
figure nf
fil nm
filament nm
filandière nf
filandre nf
filanzane nm (masculin)
file nf
filer vt
filet nm
filière nf
filigrane nm (masculin)
fille nf; *fillette* nf
filleul, e n
film nm
filon nm
filou nm, pl *filous*; *filouter* vt
fils nm inv; *filial, e, aux* adj; *filiation* nf
filtre nm
filtre-presse nm, pl *filtres-presses*
fin nf; *final, e, als* ou *aux* adj; *final* ou *finale* nm (musique), pl *final(e)s*; *finale* nf (dernière épreuve)
fin, fine adj; *fin* adv → p 29; *finesse* nf
finance nf
finasser vi, pp *finassé* inv
finassier, ère n
finaud, e adj
finette nf
fini, e adj; *finitude* nf
finir vt
finish nm (au sing)
fin-keel nm, pl *fin-keels*
fiole nf
fioritures nfpl
firmament nm
firman nm
firme nf
fisc nm; *fiscal, e, aux* adj
fission nf; *fissile* ou *fissible* adj
fissure nf
fiston nm
fistule nf
fixe adj
fjord nm, pl *fjords*
flaccidité nf (deux *c*)
flache nf (féminin)
flacon nm; *flaconnage* nm
fla-fla nm inv
flageller vt
flageoler vi
flageolet nm
flagorner vt
flagrant, e adj
flair nm
flamand nm (langue)
flamant nm (oiseau)
flambage nm
flambant, e adj; *flambant neuf → p 37*

flambard nm
flambeau nm, pl *flambeaux*
flambée nf
flamber vt
flamberge nf
flamboyer vi, pp *flamboyé* inv; *flamboiement* nm
flamingant, e adj, n
flamme nf
flan nm (tarte)
flanc nm (côté)
flanc-garde nf, pl *flancs-gardes*
flancher vi, pp *flanché* inv
flandrin nm
flanelle nf
flâner vi, pp *flâné* inv (circonflexe sur *â*)
flanquer vt
flapi, e adj
flaque nf
flash nm, pl *flashs* ou *flashes*
flash-back nm inv
flasque adj; *flaccidité* nf
flatter vt
flatulent, e adj; *flatulence* ou *flatuosité* nf
flavescent, e adj
fléau nm, pl *fléaux*
flèche nf; *fléchette* nf (attention aux accents)
fléchir vt
flegme nm
flemme nf
flétrir vt
fleur nf; *fleurir* vt, vi; *fleuriste* n (masculin ou féminin)
fleurdelisé, e adj
fleurer vi, pp *fleuré* inv
fleuret nm
fleuve nm
flexible adj
flexion nf
flexueux, euse adj
flibuste nf; *flibustier* nm
flipper nm
flipper vi, pp *flippé* inv
flirt nm, pl *flirts*; *flirter* vi, pp *flirté* inv
floche adj
flocon nm; *floconner* vi
floculer vi
flonflon nm
flood adj inv
flopée nf
flore nf; *floral, e, aux* adj
floréal nm, pl *floréals*
florès (faire) loc v
florilège nm
florin nm
florissant, e adj
flot nm (pas de circonflexe)
flotte nf
flotter vi, vt
flou, e adj, pl *flous, floues → p 12*
flouer vt
fluage nm
fluctuer vi, pp *fluctué* inv
fluent, e adj
fluet, ette adj
fluide adj; nm
fluor nm, pl *fluors*
fluorescent, e adj; *fluorescence* nf (attention au *sc*)
flûte nf (circonflexe sur *û*)
fluvial, e, aux adj
flux nm inv
fluxion nf

foc nm, pl focs
focal, e, aux adj
fœhn ou föhn nm, pl fœhns, föhns
foène ou fouène nf (féminin) [tréma sur ê]
fœtus nm inv ; fœtal, e, aux adj
foi nf (fidélité)
foie nm (viscère)
foin nm
foire nf ; foirail ou foiral nm, pl foirails, foirals
fois nf (quantité)
foison (à) adv ; foisonner vi, pp foisonné inv
fol adj m sing → fou
folâtre adj (circonflexe sur â) ; folâtrer vi, pp folâtré inv
folichon, onne adj (un seul l)
folio nm, pl folios
folioter vt
folklore nm, pl folklores
follet adj m
follicule nm (masculin)
fomenter vt
foncé, e adj
foncer vt
foncier, ère adj
fonction nf ; fonctionner vi, pp fonctionné inv
fond nm (partie basse) ≠ fonds (bien immobilier) ; fondamental, e, aux adj
fonder vt
fondre vt, pp fondu, e
fondrière nf
fonds nm (bien immobilier) ≠ fond (partie basse)
fontaine nf
fontanelle nf
fontange nf (féminin)
fonte nf
fonts (baptismaux) nmpl
football nm, pl footballs
footing nm, pl footings
for nm inv (for intérieur) ≠ fort (puissant) ≠ fors (prép)
forain, e adj ; forain nm
forban nm
forçat nm
force n, e adj, n
forcené, e adj, n
forceps nm inv
forcing nm, pl forcings
forclos, e adj ; forclusion nf
forer vt
forêt nf (circonflexe sur ê) ; forestier, ière adj (pas de circonflexe)
forfaire vt ; forfait nm (crime)
forfait nm ; forfaitaire adj
forfanterie nf
forge nf ; forgeron nm
format nm
forme nf ; formaliser vt
formeret nm
formidable adj
formol nm, pl formols
formule nf
forniquer vi ; fornication nf
fors prép ≠ for (intérieur) ≠ fort (puissant)
fort, e adj (puissant) ≠ fors (prép) ≠ for (for intérieur) ; fort adv → p 25, 49 ; se faire fort → p 25, 49 ; fortifier vt
forte adv
forte-piano adv ; nm inv

forteresse nf
fortin nm
fortiori (a) loc adv
fortissimo adv
fortuit, e adj
fortune nf
forum nm, pl forums
fosse nf ; fossé nm ; fossette nf
fossile nm
fossoyeur nm
fou, fol (devant une voyelle ou un h muet), folle adj ; fou nm ; folle nf, pl fous, folles
fouace ou fougasse nf
fouailler vt
foucade nf
foudre nf (décharge du ciel) → p 10
foudre nm (tonneau)
foudroyer vt ; foudroiement nm
fouène ou foëne nf (féminin) [tréma sur ê]
fouet nm ; fouetter vt
fougasse ou fouace nf
fougère nf ; fougeraie nf
fougue nf
fouiller vt
fouine nf
fouiner vi, pp fouiné inv
fouir vt
foulard nm
foule nf ; une foule de → p 31, 39, 48
foulée nf
fouler vt
foulque nf
four nm
fourbe adj, n (masculin ou féminin)
fourbir vt
fourbu, e adj
fourche nf
fourchette nf
fourgon nm ; fourgonnette nf
fourgonner vi, pp fourgonné inv
fourgon-pompe nm, pl fourgons-pompes
fourmi nf ; fourmilier nm ; fourmilière nf (un seul l) ; fourmiller vi, pp fourmillé inv (deux l)
fourmilion ou fourmi-lion nm, pl fourmilions, fourmis-lions
fournaise nf
fourneau nm, pl fourneaux
fournée nf
fournil nm
fournir vt ; fourniment nm
fourrage nm
fourrager vi, pp fourragé inv
fourragère nf
fourreau nm, pl fourreaux
fourrer vt
fourre-tout nm inv
fourrier nm
fourrière nf
fourrure nf (deux r)
fourvoyer vt ; fourvoiement nm
foutre vt, pp foutu, e ; foutaise nf ; foutoir nm ; foutral, e, als adj
fox-terrier nm, pl fox-terriers
fox-trot nm inv
foyer nm
frac nm, pl fracs
fracasser vt ; fracas nm inv
fractal, e, als adj
fraction nf ; NOMS DE FRACTION → p 31, 39 ; fractionner vt

fracture nf
fragile adj
fragment nm
frai nm, pl frais
frais, fraîche adj ; frais adv → p 29 ; fraîcheur nf ; fraîchir vi, pp fraîchi inv (attention au circonflexe sur les dérivés)
frais nmpl (dépenses)
fraise nf
fraisil nm
framboise nf
framée nf
franc nm
franc- (composés avec) → p 21
franc, franque adj (peuple)
franc, franche adj (loyal)
franc-alleu nm, pl francs-alleux
franc-bord nm, pl francs-bords
franc-bourgeois nm, pl francs-bourgeois
franc-comtois, e adj, pl francs-comtois, franc-comtoises
franchir vt
franchise nf
franc-jeu nm, pl francs-jeux
francisque nf (féminin)
franc-maçon, onne n, pl francs-maçons, franc-maçonnes
franco adv
francolin nm
franc-parler nm, pl francs-parlers
franc-tireur nm, pl francs-tireurs
frange nf
frangipane nf
franquette (à la bonne) loc adv
frapper vt
frasque nf
fraternel, elle adj ; fraterniser vti, pp fraternisé inv
fraude nf
fraxinelle nf
frayer vt
frayeur nf
fredaine nf
fredonner vt
freezer nm, pl freezers
frégate nf
frein nm ; freiner vt
frelater vt
frêle adj (circonflexe sur ê)
frelon nm
freluquet nm
frémir vi, pp frémi inv
frêne nm (circonflexe sur ê)
frénésie nf ; frénétique adj
fréquent, e adj ; fréquemment adv ; fréquence nf
fréquenter vt
frère nm ; frérot nm (attention aux accents)
fresque nf
fressure nf
fret nm ; fréter vt (attention à l'accentuation)
frétiller vi, pp frétillé inv
fretin nm
friable adj
friand, e adj
friandise nf
fricandeau nm, pl fricandeaux
fricasser vt
fric-frac nm inv
friche nf
fricot nm
fricoter vt, vi
friction nf ; frictionner vt

105

frigide adj f
frigorifier vt ; *frigo* nm, pl *frigos*
frileux, euse adj
frimaire nm, pl *frimaires*
frimas nm inv
frime nf
frimousse nf
fringale nf
fringant, e adj
fringue nf ; *fringuer* vt
fripe nf
friper vt
fripon, onne adj ; *friponnerie* nf
frire vt, pp *frit, e* ; *frite* nf
frise nf
friser vt
frisquet, ette adj
frisson nm ; *frissonner* vi, pp
frissonné inv
frivole adj
froc nm, pl *frocs*
froid, e adj
froisser vt
frôler vt (circonflexe sur ô)
fromage nm
froment nm
froncer vt
frondaison nf
fronde nf
front nm ; *frontal, e, aux* adj
fronteau nm, pl *fronteaux*
frontière nf ; *frontalier, ière* adj,
n
frotter vt
frou-frou ou **froufrou** nm, pl
frous-frous ou *froufrous* ; *frou-
frouter* vi, pp *froufrouté* inv
fructidor nm, pl *fructidors*

fructifier vi, pp *fructifié* inv
fructose nm
fructueux, euse adj
frugal, e, aux adj
frugivore adj, n (masculin ou
féminin)
fruit nm
frusque nf
fruste adj
frustrer vt
fuchsia nm (masculin), pl *fuch-
sias* ; adj inv (couleur)
fuchsine nf
fucus nm inv
fuel-oil nm, pl *fuel-oils*
fugace adj
fugue nf
führer nm, pl *führers* (tréma sur
ü devant *h*)
fuir vt, pp *fui, e* ; *fuite* nf
fulgurer vi, pp *fulguré* inv
fuligineux, euse adj
full nm, pl *fulls*
fulmicoton nm
fulminate nm
fulminer vt, vi
fume-cigare nm inv
fume-cigarette nm inv
fumée nf
fumer vt
fumet nm
fumeterre nf (féminin)
fumier nm ; *fumure* nf
fumigateur nm
fumiste adj, n (masculin ou
féminin)
funambule n (masculin ou
féminin)

funèbre adj
funérailles nfpl
funéraire adj
funeste adj
funiculaire nm
fur et à mesure (au) loc adv
furet nm
fureter vi, pp *fureté* inv
fureur nf
furibond, e adj
furie nf
furioso adv
furoncle nm
furtif, ive adj
fusain nm
fuseau nm, pl *fuseaux* ; *fuseler*
vt
fusée nf
fusée-sonde nf, pl *fusées-
sondes*
fuselage nm
fuser vi, pp *fusé* inv
fusible adj ; nm
fusil nm ; *fusiller* vt (deux *l*) ;
fusilier nm (un seul *l*)
fusil-mitrailleur nm, pl *fusils-
mitrailleurs*
fusion nf ; *fusionner* vt
fustanelle nf
fustiger vt
fût nm (circonflexe sur *û*)
futaie nf
futaille nf
futaine nf
fût-ce loc v → p 49
futé, e adj
futile adj
futur, e adj
fuyard nm

g

g nm inv
gabardine nf
gabare nf
gabarit nm
gabegie nf
gabelle nf; *gabelou* nm, pl *gabelous*
gabier nm
gabion nm; *gabionnage* nm
gâche nf; *gâchette* nf (circonflexe sur *â*)
gâcher vt; *gâchis* nm (circonflexe sur *â*)
gadget nm, pl *gadgets*
gadoue nf
gaélique adj
gaffe nf (maladresse)
gaffe nf (perche)
gaffer vi, vt
gag nm; *gagman* nm, pl *gagmen*
gaga n (masculin ou féminin), adj, pl *gagas* ou *gaga*
gage nm; *gageure* nf
gagne-pain nm inv
gagne-petit nm inv
gagner vt; *gain* nm
gai, gaie adj; *gaiement* adv; *gaieté* nf (attention au *e*)
gaïac nm, pl *gaïacs* (tréma sur *ï*)
gaillard nm
gaillard, e adj
gaillette nf; *gailletin* nm
gaine nf
gal nm, pl *gals*
gala nm, pl *galas*
galant, e adj; *galamment* adv
galantine nf
galapiat nm
galaxie nf; *galactique* adj
galbe nm
gale nf (maladie) ≠ *galle* (noix)
galéasse nf
galéjade nf
galère nf; *galérien* nm (attention aux accents)
galerie nf
galet nm
galetas nm inv
galette nf
galgal nm, pl *galgals*
galhauban nm
galimatias nm inv
galion nm
galiote nf
galipette nf
galipot nm
galle nf (noix) ≠ *gale* (maladie)
gallican, e adj
gallicisme nm
gallinacé nm
gallique adj
gallon nm (unité de mesure) ≠ *galon* (ruban)

gallo-romain, e adj, pl *gallo-romains, es*
galoche nf
galon nm (ruban) ≠ *gallon* (unité de mesure); *galonner* vt
galop nm; *galoper* vi (un *p*), pp *galopé* inv
galopin nm
galoubet nm
galvaniser vt
galvano nm, pl *galvanos*
galvauder vt
gambade nf
gambit nm, pl *gambits*
gamelle nf
gamète nm (masculin)
gamin, e n; *gaminerie* nf
gamma nm, pl *gammas*
gammare nm (masculin)
gamme nf
ganache nf
gandin nm
gandoura nf, pl *gandouras*
gang nm; *gangster* nm; *gangstérisme* nm (attention à l'accentuation)
ganglion nm; *ganglionnaire* adj
gangrène nf; *gangrener* vt (attention à l'accentuation)
gangue nf
ganse nf
gant nm
garage nm
garance nf; adj inv (couleur)
garant, e adj; *se porter garant* → p 45
garce nf
garcette nf
garçon nm; *garçonne* nf; *garçonnet* nm
garde nf (surveillance)
garde nm (surveillant)
garde-barrière n (masculin ou féminin), pl *gardes-barrière(s)*
garde-boue nm inv
garde-chasse nm, pl *gardes-chasse(s)*
garde-chiourme nm, pl *gardes-chiourme(s)*
garde-corps nm inv
garde-côte(s) nm (bateau), pl *garde-côtes*
garde-feu nm inv
garde-fou nm, pl *garde-fous*
garde-française nm, pl *gardes-françaises*
garde-magasin nm, pl *gardes-magasin(s)*
garde-malade n (masculin ou féminin), pl *gardes-malade(s)*
garde-manger nm inv
garde-marine nm, pl *gardes-marine*
garde-meuble(s) nm, pl *garde-meubles*

gardénia nm (masculin), pl *gardénias*
garden-party nf, pl *garden-parties*
garde-pêche nm, pl *gardes-pêche* (personnes) et *garde-pêche* (bateaux)
garde-place nm, pl *garde-places*
garde-rivière nm, pl *gardes-rivière(s)*
garde-robe nf, pl *garde-robes*
garde-temps nm inv
garde-voie nm, pl *gardes-voie(s)*
garde-vue nm inv
gardian nm
gardien, enne n; *gardiennage* nm
gardon nm
gare nf
gare! interj
garenne nf
garer vt
gargantua nm, pl *gargantuas*
gargariser (se) vpr
gargote nf (un seul *t*)
gargouille nf
gargoulette nf
gargousse nf
garnement nm
garnir vt
garnison nf
garou nm, pl *garous*
garrigue nf
garrot nm; *garrotter* vt (deux *r* et deux *t*)
gars nm inv
gas-oil, gasoil ou gazole nm, pl *gas-oils, gasoils, gazoles*
gaspiller vt
gastéropode nm
gastrique adj
gastronome n (masculin ou féminin)
gastrula nf, pl *gastrulas*
gâteau nm, pl *gâteaux* (circonflexe sur *â*)
gâte-bois nm inv
gâter vt; *gâteux, euse* adj; *gâtisme* nm (circonflexe sur *â*)
gâte-sauce nm inv
gâtine nf (circonflexe sur *â*)
gattilier nm (deux *t*, un *l*)
gauche adj; nf
gaucho nm, pl *gauchos*
gaude nf
gaudriole nf
gaufre nf
gaule nf
gaullien, enne adj; *gaullisme* nm
gaulois, e adj
gaupe nf
gausser (se) vpr

107

gave nm
gaver vt
gavial nm, pl *gavials*
gavotte nf
gayal nm, pl *gayals*
gaz nm inv; *gazéifier* vt
gaze nf (étoffe)
gazelle nf
gazette nf; *gazetier* nm (avec un *t*)
gazole nm
gazon nm; *gazonner* vt
gazouiller vi
geai nm, pl *geais*
géant, e n
gecko nm, pl *geckos*
géhenne nf
geindre vi, pp *geint* inv; *geignement* nm
geisha nf, pl *geishas*
gel nm; *geler* vt; *gelée* nf; *gélifier* vt (un *l*) [attention à l'accentuation]
gélatine nf
gelinotte ou gélinotte nf
gémellaire adj
géminer vt
gémir vi, pp *gémi* inv
gemmail nm, pl *gemmaux*
gemme nf (féminin)
gémonies nfpl
gencive nf
gendarme nm
gendre nm
gêne nf (embarras); *gêner* vt (circonflexe sur ê)
gène nm; *génétique* adj; nf (attention aux accents)
généalogie nf
génépi ou genépi nm, pl *génépis, genépis*
général, e, aux adj
général nm, pl *généraux*
générer vt
généreux, euse adj; *générosité* nf
genèse nf
genet nm (cheval)
genêt nm (plante) [circonflexe sur le second ê]
génétique adj; nf
genette nf
génie nm; *génial, e, aux* adj
genièvre nm; *genévrier* nm (attention aux accents)
génisse nf
génital, e, aux adj
génitif nm
génocide nm
genou nm, pl *genoux*; *genouillère* nf
genre nm
gens nmpl → p 10
gent nf
gentiane nf
gentil, ille adj; *gentiment* adv; *gentillesse* nf
gentilhomme nm, pl *gentilshommes*
gentleman nm, pl *gentlemen*
gentleman-farmer nm, pl *gentlemen-farmers*
gentleman's agreement nm, pl *gentlemen's agreements*
gentry nf, pl *gentrys*
génuflexion nf
géodésie nf

géographe n (masculin ou féminin)
geôle nf; *geôlier, ère* n (circonflexe sur ô)
géologie nf
géomètre n (masculin ou féminin); *géométrie* nf (attention aux accents)
géorgique adj
géosynclinal nm, pl *géosynclinaux*
géothermie nf
géranium nm, pl *géraniums*
gerbe nf
gerboise nf
gercer vt; *gerçure* nf
gérer vt; *gérant, e* n; *gérance* nf
gerfaut nm
germain, e adj
germe nm
germinal nm, pl *germinals*
gérondif nm
gérontocratie nf; *gérontologie* nf
gerseau nm, pl *gerseaux*
gésier nm
gésir vi; *ci-gît* loc v
gesse nf
gestation nf
geste nm (mouvement)
geste nf (chanson)
gestion nf; *gestionnaire* n (masculin ou féminin)
geyser nm, pl *geysers*
ghetto nm, pl *ghettos*
gibbon nm
gibbosité nf
gibecière nf
gibelotte nf
giberne nf
gibet nm
gibier nm; *giboyeux, euse* adj
giboulée nf
gibus nm inv
gicler vi
gifle nf; *gifler* vt (un seul *f*)
gigantesque adj
gigogne adj
gigolo nm, pl *gigolos*
gigot nm
gigoter vi, pp *gigoté* inv (un seul *t*)
gigue nf
gilet nm
gin nm, pl *gins*
gin-fizz nm inv
gingembre nm
gingival, e, aux adj
ginguet, ette adj
giorno (a) loc adj inv
girafe nf; *girafeau* nm, pl *girafeaux* (un seul *f*)
girandole nf
giration nf
giravion nm
girl nf, pl *girls*
girodyne nm (masculin)
girofle nm (masculin)
giroflée nf
girolle nf
giron nm
girond, e adj
girouette nf
gisant, e adj
gît → gésir
gitan, e n
gîte nm (logis) [circonflexe sur î]

gîte nf (d'un navire) [circonflexe sur î]
givre nm
glabre adj
glace nf; *glacial, e, als* ou *aux* adj; *glacis* nm inv; *glaçon* nm
gladiateur nm
glaïeul nm (tréma sur ï)
glaire nf
glaise nf
glaive nm
gland nm
glande nf
glaner vt
glapir vi, vt
glas nm inv
glaucome nm
glauque adj
glèbe nf
glénoïde ou glénoïdal, e, aux adj
glial, e, aux adj
glisser vt; *glissando* nm, pl *glissandos*
global, e, aux adj
globe nm
globe-trotter n (masculin ou féminin), pl *globe-trotters*
globulaire adj
globule nm (masculin)
gloire nf; *glorieux, euse* adj; *gloriole* nf
glomérule nm (masculin)
gloria nm (masculin), pl *glorias*
glose nf
glossaire nm
glosso-pharyngien, enne adj, pl *glosso-pharyngiens, ennes*
glotte nf; *glottal, e, aux* adj
glouglou nm, pl *glouglous*; *glouglouter* vi, pp *glouglouté* inv
glousser vi, vt
glouton, onne adj; *gloutonnerie* nf
glu nf (pas de e); *gluant, e* adj
gluau nm, pl *gluaux*
glucide nm (masculin)
glucose nm (masculin)
glume nf (féminin)
gluten nm, pl *glutens*
glycémie nf
glycérine nf
glycine nf (y d'abord, i après)
glycocolle nm (masculin)
glycogène nm
glyptique nf
glyptothèque nf
gneiss nm inv
gnocchi nm, pl *gnocchis*
gnome nm
gnomique adj
gnomon nm
gnose nf
gnosticisme nm
gnou nm, pl *gnous*
go (tout de) loc adv
goal nm, pl *goals*
goal-average nm, pl *goal-averages*
gobelet nm
gobe-mouches nm inv
gober vt
goberger (se) vpr
godelureau nm, pl *godelureaux*
godailler vi, pp *godaillé* inv
godet nm
godiche adj

godille nf
godillot nm
godiveau nm, pl godiveaux
godron nm
goéland nm, pl goélands
goélette nf
goémon nm
goguenard, e adj
goguette nf
goinfre n (masculin ou féminin)
goitre nm (pas de circonflexe)
golf nm (jeu)
golfe nm (grande baie)
gomme nf
gomme-gutte nf, pl gommes-guttes
gomme-résine nf, pl gommes-résines
gond nm (mécanisme) ≠ gong (tambour)
gondole nf
gondoler vt, vi
gonfalon ou gonfanon nm
gonfler vt, vi
gong nm (tambour) ≠ gond (mécanisme), pl gongs
goniomètre nm
goret nm
gorfou nm, pl gorfous
gorge nf
gorge-de-pigeon adj inv
gorgonzola nm, pl gorgonzolas
gorille nm
gosier nm
gosse n (masculin ou féminin)
gothique adj; nm (art)
gotique nm (langue)
gouache nf
gouailler vi, pp gouaillé inv
gouape nf
goudron nm; goudronner vt
gouffre nm (deux f)
gouge nf (féminin)
goujat nm
goujon nm
goulag nm, pl goulags
goulée nf
goulet nm
gouleyant, e adj
goulot nm
goulu, e adj (pas de circonflexe); goulûment adv (avec circonflexe sur û)
goupille nf
goupillon nm
gourante nf
gourbi nm, pl gourbis
gourd, e adj
gourde nf
gourdin nm
gourmand, e adj
gourmander vt
gourme nf
gourmé, e adj
gourmet nm
gourmette nf
gourou nm, pl gourous
gousse nf
gousset nm
goût nm; goûter vt (circonflexe sur û)
goutte nf (d'eau); goutter vi, pp goutté inv
goutte nf (maladie)
goutte-à-goutte nm inv
gouttière nf

gouverner vt; gouvernail nm, pl gouvernails; gouvernement nm; gouvernemental, e, aux adj
goyave nf (féminin)
grabat nm
grabuge nm
grâce nf; se faire grâce → p 45; gracier vt; gracieux, euse adj (dérivés sans circonflexe)
gracile adj
grade nm
gradient nm
gradin nm
graduer vt
graffiti nm, pl graffiti ou graffitis
grailler vi, pp graillé inv
graillon nm; graillonner vi, pp graillonné inv
grain nm; graine nf; graineterie nf (un seul t); grainetier, ère n
graisse nf
graminée nf
grammaire nf
grammatical, e, aux adj
gramme nm
grand- (composés avec) → p 21
grand, e adj → p 29
grand-angle ou grand-angulaire nm, pl grands-angles, grands-angulaires
grand-chose (pas) pr indéf inv → p 30; n (masculin ou féminin)
grand-croix nf inv (décoration); nm (personne décorée), pl grands-croix → p 21
grand-duc nm, pl grands-ducs; grand-ducal, e, aux adj
grand-duché nm, pl grands-duchés
grande-duchesse nf, pl grandes-duchesses
grand-garde nf, pl grand-gardes
grand-guignolesque adj, pl grand-guignolesques
grandiloquent, e adj; grandiloquence nf
grand-maman nf, pl grand(s)-mamans
grand-mère nf, pl grand(s)-mères
grand-messe nf, pl grand(s)-messes
grand-oncle nm, pl grands-oncles
grand-papa nm, pl grands-papas
grand-père nm, pl grands-pères
grands-parents nmpl
grand-tante nf, pl grand(s)-tantes
grange nf
granit ou granite nm (l'orthographe granit est la plus usuelle)
granule nm (masculin); granulé nm
grape-fruit nm, pl grape-fruits
graphie nf
grappe nf; grappiller vt
grappin nm
gras, grasse adj; grassouillet, ette adj
gras-double nm, pl gras-doubles

grasseyer vi, vt; grasseyement nm
gratifier vt
gratin nm
gratis adv
gratitude nf
gratte-ciel nm inv
gratte-papier nm inv
gratter vt
gratuit, e adj
grau nm, pl graux
gravats nmpl
grave adj; aggraver vt
graveleux, euse adj
gravelle nf
graver vt
gravier nm
gravir vt
graviter vi, pp gravité inv
grazioso adv
gré nm (volonté) [sing]
grèbe nm (masculin)
grec, grecque adj; gréciser vt
gréco-latin, e adj, pl gréco-latins, es
gréco-romain, e adj, pl gréco-romains, es
gredin, e n; gredinerie nf
gréer vt; gréement nm
greffe nm (d'un tribunal)
greffe nf (bourgeon)
grégaire adj
grège adj; nm
grégeois adj inv
grégorien, enne adj
grègues nfpl
grêle adj (circonflexe sur ê)
grêle nf (circonflexe sur ê); grêler vi, pp grêlé inv
grelin nm
grelot nm
grelotter vi, pp grelotté inv (deux t)
grenache nm
grenade nf
grenadin, e n, adj
grenaille nf
grenat nm; adj inv (couleur)
grené, e adj
grènetis nm inv
grenier nm
grenouille nf
grenouiller vi, pp grenouillé inv
grenu, e adj
grès nm inv (quartz); gréser vt (attention aux accents)
grésil nm; grésiller vi, pp grésillé inv
gressin nm
grève nf; gréviste n (masculin ou féminin) [attention aux accents]
grever vt (sans accent)
gribouille nm
gribouiller vt
grièche adj
grief nm
grièvement adv
griffe nf
griffon nm
griffonner vt
grignoter vt (un seul t)
grigou nm, pl grigous
gri-gri ou grigri nm, pl gris-gris, grigris
gril nm
grillage nm
grille-pain nm inv

109

griller vt
grillon nm
grill-room nm, pl *grill-rooms*
grimace nf
grimaud nm
grime nm
grimoire nm (masculin)
grimper vt, vi
grimpereau nm, pl *grimpereaux*
grincer vi, pp *grincé* inv
grincheux, euse adj, n
gringalet nm
griot nm
griotte nf
grippe nf; *grippal, e, aux* adj
gripper vi
grippe-sou nm, pl *grippe-sou(s)*
gris, e adj
griser vt
grisette nf
grison, onne adj
grisonner vi, pp *grisonné* inv
grisou nm, pl *grisous*; *grisouteux, euse* adj
grive nf
griveler vt; *grivèlerie* nf (attention à l'accentuation)
grivois, e n
grizzli ou grizzly nm, pl *grizzlis, grizzlys*
grœnendael nm, pl *grœnendaels*
grog nm, pl *grogs*
grognard nm
grogner vi, vt; *grogne* nf
grognon, onne adj
groin nm
grole ou grolle nf
grommeler vt; *grommellement* nm (avec deux *m* et attention aux *l*)
gronder vt, vi
grondin nm
groom nm, pl *grooms*
gros, grosse adj; *grosseur* nf; *grossir* vt
groseille nf

gros-porteur nm, pl *gros-porteurs*
grosso modo adv
grotesque adj (un seul *t*)
grotte nf
grouiller vi
groupe nm; *grouper* vt (un seul *p*)
grouse nf
gruau nm, pl *gruaux*
grue nf
gruger vt
grume nf (féminin)
grumeau nm, pl *grumeaux*; *grumeleux, euse* adj
gruppetto nm, pl *gruppetti*
gruyère nm
guanaco nm, pl *guanacos*
guano nm, pl *guanos*
gué nm
guelte nf
guenille nf
guenon nf
guépard nm
guêpe nf (circonflexe sur ê)
guère adv
guéret nm
guéridon nm
guérilla nf, pl *guérillas*; *guérillero* nm, pl *guérilleros* (un seul *r*)
guérir vt, vi
guérite nf
guerre nf; *guerroyer* vi, pp *guerroyé* inv (deux *r*)
guet nm
guet-apens nm, pl *guets-apens*
guêtre nf (circonflexe sur ê)
guetter vt
gueule nf
gueule-de-loup nf, pl *gueules-de-loup*
gueuleton nm; *gueuletonner* vi, pp *gueuletonné* inv
gueuse nf
gueux, euse n
gui nm (pas de *y*)
guiche nf

guichet nm; *guichetier, ère* n
guide n (masculin ou féminin) [personne]; nm (livre)
guide nf (lanière)
guide-âne nm, pl *guide-ânes*
guideau nm, pl *guideaux*
guiderope nm
guidon nm
guigne nf (malchance)
guigne nf (fruit)
guigner vt
guignol nm
guignolet nm
guignon nm
guilledou nm (au sing)
guillemet nm
guillemot nm
guilleret, ette adj
guillocher vt
guillotine nf; *guillotiner* vt
guimauve nf
guimbarde nf
guimpe nf
guinder vt
guinée nf
guingois (de) loc adv
guinguette nf
guiper vt
guipure nf
guirlande nf
guise nf
guitare nf
gummifère adj
gustation nf
gutta-percha nf, pl *guttas-perchas*
guttural, e, aux adj
gymkhana nm, pl *gymkhanas* (h après *k*)
gymnase nm
gymnosperme nf
gymnote nm (masculin)
gynécée nm (masculin)
gynécologie nf
gypaète nm
gypse nm (masculin)
gyroscope nm

h

L'astérisque (*) indique le h aspiré.

h nm inv
*ha! interj
habile adj; *habileté* nf
habiliter vt
habiller vt
habit nm
habitacle nm (masculin)
habitat nm
habiter vt, vi
habituer vt
*hâblerie nf; *hâbleur, euse* adj, n (circonflexe sur â)
*hache nf; *hachereau, nm, pl hachereaux
*hache-légumes nm inv
*hacher vt; *hachis* nm
*hache-viande nm inv
*hachisch ou *haschisch nm, pl hachischs, haschischs
hacienda nf, pl haciendas
hadal, e, aux adj
*haddock nm, pl haddocks
hafnium nm, pl hafniums
*hagard, e adj
hagiographie nf
*haie nf
*haïk nm, pl haïks
*haïkaï ou haïku nm, pl haïkaïs, haïku
*haillon nm; *haillonneux, euse adj
*haïr vt; *haine nf; *haïssable adj (attention au tréma sur le i)
*haire nf
*halbran nm
*hâle nm (circonflexe sur â)
haleine nf
*haler vt (tirer) [pas de circonflexe]
*hâler vt (bronzer) [circonflexe sur â]
*haleter vi, pp haleté inv; *halètement nm (attention à l'accentuation)
*half-track nm, pl half-tracks
halieutique adj; nf
*hall nm, pl halls
hallali nm, pl hallalis
*halle nf (marché)
*hallebarde nf
*hallier nm
halluciner vt
*halo nm, pl halos
*halte nf
haltère nm (masculin); haltérophile nm (attention aux accents)
*hamac nm
*hamada nf, pl hamadas
hamamélis nm inv
*hamburger nm, pl hamburgers
*hameau nm, pl hameaux
hameçon nm
*hammām nm, pl hammāms
*hammerless nm inv
*hampe nf

*hamster nm, pl hamsters
*hanap nm
*hanche nf
*handball nm, pl handballs
*handicap nm; *handicapé, e n
*hangar nm
*hanneton nm; *hannetonnage nm
*hanter vt
*happening nm, pl happenings
*happer vt
*happy end nm, pl happy ends
*haquenée nf
*hara-kiri nm, pl hara-kiris
*harangue nf
*haras nm inv (un seul r)
*harasser vt
*harceler vt; *harcèlement nm (attention aux accents)
*harde nf
*hardi, e adj; *hardiment adv
*hard-top nm, pl hard-tops
*harem nm, pl harems
*hareng nm
*hargne nf
*haricot nm
*haridelle nf
harmattan nm, pl harmattans
harmonica nm
harmonie nf
harmonium nm, pl harmoniums
*harnais nm inv; *harnacher vt
*haro nm, pl haros
*harpe nf
*harpie nf
*harpon nm; *harponner vt
*hart nf, pl harts
haruspice nm (masculin)
*hasard nm
*hasch, *haschisch ou *hachisch nm, pl haschs, haschischs, hachischs
*hase nf (femelle du lièvre)
*hâte nf; *hâter vt (circonflexe sur â)
*hauban nm
*haubert nm
*hausse nf; *hausser vt
*hausse-col nm, pl hausse-cols
*haut, e adj; haut adv → p 29
*hautbois nm; *hautboïste n (masculin ou féminin) [tréma sur le i]
*haut-commissaire nm, pl hauts-commissaires
*haut-de-chausses nm, pl hauts-de-chausses
*haut-de-forme nm, pl hauts-de-forme
*haute-contre nf, pl hautes-contre
*haute-fidélité nf, pl hautes-fidélités
*haut-fond nm, pl hauts-fonds
*haut-le-cœur nm inv
*haut-le-corps nm inv

*haut-parleur nm, pl haut-parleurs
*haut-relief nm, pl hauts-reliefs
*hauturier, ère adj
*havage nm
*havane nm; adj inv (couleur)
*hâve adj (circonflexe sur â)
*haveneau nm, pl haveneaux
*havenet nm
*havre nm (sans circonflexe)
*havresac nm
*hé! interj
*heaume nm
hebdomadaire adj
hébéphrène n (masculin ou féminin); hébéphrénie nf (attention aux accents)
héberger vt
hébéter vt; hébètement nm; hébétude nf (attention aux accents)
hébreu adj m; nm, pl hébreux; hébraïque adj f
hécatombe nf
hédonisme nm
hégémonie nf
*hein! interj
hélas! interj
*héler vt
hélianthe nm (masculin)
hélice nf; hélicoïdal, e, aux adj (tréma sur le i)
hélicon nm
hélicoptère nm; héliport nm
héliogravure nf
héliomarin, e adj
héliothérapie nf
héliotrope nm (masculin)
hélium nm, pl héliums
hélix nm inv
hellébore ou ellébore nm (masculin)
hellène adj; hellénique adj (attention aux accents)
helminthe nm
*hem! interj
hématologie nf
hématome nm (masculin)
hématurie nf
hémicycle nm
hémiplégie nf
hémisphère nm (masculin); hémisphérique adj (attention aux accents)
hémistiche nm (masculin)
hémoglobine nf
hémolyse nf
hémophilie nf (pas de y)
hémoptysie nf
hémorragie nf
hémorroïde nf (féminin) [tréma sur le i]
hémostase nf; hémostatique adj
hendécasyllabe nm (masculin)
*henné nm

111

*hennin nm
*hennir vi, pp henni inv
hépatique adj
hépatite nf
héraldique adj
*héraut nm (d'armes) ≠ héros (courageux)
herbe nf
herboriser vi, pp herborisé inv
herboriste n (masculin ou féminin)
*hercher ou *herscher vi, pp herché, hersché inv
hercule nm ; herculéen, enne adj
hercynien, enne adj
*herd-book nm, pl herd-books
*hère nm (pauvre)
hérédité nf
hérésie nf
*hérisser vt
*hérisson nm
hériter vt, vti
hermaphrodite adj, n (masculin ou féminin)
hermétique adj
hermine nf
*hernie nf
*héron nm ; *héronneau nm, pl héronneaux
*héros nm (courageux) ≠ héraut (d'armes) ; héroï-comique adj, pl héroï-comiques ; héroïne nf ; héroïsme nm (tréma sur le ï des dérivés et pas de h aspiré)
herpès nm inv
*herse nf
*hertzien, enne adj
hésiter vi, pp hésité inv
hétaïre nf (tréma sur ï)
hétéroclite adj
hétérodoxe adj
hétérogène adj ; hétérogénéité nf (attention aux accents)
hetman nm, pl hetmans
*hêtre nm (circonflexe sur ê)
heur nm (chance)
heure nf (partie du jour)
heureux, euse adj
heuristique ou euristique adj ; nf
*heurt nm
hévéa nm, pl hévéas
hexaèdre nm
hexagone nm ; hexagonal, e, aux adj
hexamètre adj ; nm
hiatus nm inv
hiberner vi, pp hiberné inv ; hibernal, e, aux adj
*hibou nm, pl hiboux
*hic nm inv
*hickory nm, pl hickorys
hidalgo nm, pl hidalgos
*hideux, euse adj
hièble ou yèble nf (féminin)
hiémal, e, aux adj
hier adv
*hiérarchie nf
hiératique adj
hiéroglyphe nm (masculin)
*highlander nm, pl highlanders
hilare adj
*hile nm
hiloire nf
hilote ou ilote nm
hindou, e adj. pl hindous, oues
→ p 12

hinterland nm, pl hinterlands
hippique adj
hippocampe nm
hippodrome nm
hippogriffe nm (masculin)
hippologie nf
hippomobile adj
hippophagique adj
hircin, e adj
hirondelle nf ; hirondeau nm, pl hirondeaux
hirsute adj
*hisser vt
histoire nf ; historien, enne n
histologie nf
histrion nm
*hit-parade nm, pl hit-parades
hiver nm ; hiverner vi, pp hiverné inv ; hivernal, e, aux adj
H.L.M. nm ou nf (des deux genres)
*hobby nm, pl hobbies
*hobereau nm, pl hobereaux
*hocco nm, pl hoccos
*hochepot nm
*hochequeue nm
*hocher vt
*hochet nm
*hockey nm, pl hockeys
hoir nm
*holà ! interj
*holding nm ou nf, pl holdings
*hold-up nm inv
*hollywoodien, enne adj
holmium nm, pl holmiums
holocauste nm (masculin)
holothurie nf
*homard nm
*home nm
homélie nf
homéopathe n (masculin ou féminin)
homérique adj
*home-trainer nm, pl home-trainers
homicide n (masculin ou féminin) [personne] ; nm (acte)
hominien nm
hommage nm
homme nm
homme-grenouille nm, pl hommes-grenouilles
homme-orchestre nm, pl hommes-orchestres
homme-sandwich nm, pl hommes-sandwichs
homogène adj ; homogénéité nf (attention aux accents)
homologue adj, n (masculin ou féminin)
homonyme adj ; nm
homophone adj ; nm
homosexuel, elle adj, n
*hongre nm ; adj m
*hongroyer vt
honnête adj (circonflexe sur ê)
honneur nm (deux n) ; honorable adj ; honorer vt ; honoraire adj ; honorifique adj (attention dérivés avec un seul n)
*honnir vt
*honte nf
hôpital nm, pl hôpitaux (circonflexe sur ô) ; hospitalier, ère adj (pas de circonflexe)
hoplite nm

*hoquet nm ; *hoqueter vi
horaire adj ; nm
*horde nf
*horion nm
horizon nm ; horizontal, e, aux adj
horloge nf
*hormis prép
hormone nf ; hormonal, e, aux adj
horodateur nm
horoscope nm
horreur nf ; horrifier vt
horripiler vt (avec deux r)
*hors- (composés avec) → p 22
*hors prép
*hors-bord nm inv
*hors-cote nm inv
*hors-d'œuvre nm inv
*horse-guard nm, pl horse-guards
*hors-jeu nm inv
*hors-la-loi nm inv
*hors-texte nm inv
hortensia nm (masculin), pl hortensias
horticole adj ; horticulture nf
hortillonnage nm
hosanna nm, pl hosannas
hospice nm
hospitalier, ère adj ; hospitaliser vt
hospodar nm
hostellerie nf (restaurant) ≠ hôtellerie (profession hôtelière)
hostie nf
hostile adj
*hot dog nm, pl hot dogs
hôte nm (circonflexe sur ô) ; hôtesse nf (circonflexe sur ô) ; hospitalité nf (sans circonflexe)
hôtel nm ; hôtelier, ère n ; hôtellerie nf ≠ hostellerie (restaurant) [circonflexe sur ô]
hôtel-Dieu nm, pl hôtels-Dieu
*hotte nf
*houblon nm ; *houblonner vt
*houe nf
*houille nf
*houle nf
*houlette nf
*houppe nf
*houppelande nf
*hourdis nm inv
*houri nf, pl houris (pas de e)
*hourra ! ou *hurrah ! interj ; *hourra ou *hurrah nm, pl hourras, hurrahs
*hourvari nm, pl hourvaris
*houseaux nmpl
*houspiller vt
*housse nf
*houx nm inv ; *houssaie nf
hovercraft nm, pl hovercrafts
*hoyau nm, pl hoyaux
*hublot nm
*huche nf
*hucher vt
*huer vt
*huguenot, e adj
huile nf
*huis nm inv
huisserie nf
huissier nm
*huit adj num inv ; huitième adj ord ; huitaine nf
huître nf (circonflexe sur î)
huit-reflets nm inv

*hulotte nf
*hululer ou ululer vi, pp *hululé, ululé* inv
*humage nm
humain, e adj
humble adj
humecter vt
*humer vt
humérus nm inv; *huméral, e, aux* adj
humeur nf; *humoral, e, aux* adj
humide adj
humilier vt
humour nm; *humoriste* n (masculin ou féminin)
humus nm inv
*hune nf
*huppe nf
*hure nf
*hurler vt, vi
hurluberlu, e n
*hurrah! ou *hourra! interj; *hurrah ou *hourra nm, pl hurrahs, hourras
*hussard nm
*hutte nf
hyacinthe nf
hyalin, e adj

hybride adj; nm
hydrater vt
hydraulique nf; adj (attention au)
hydravion nm
hydre nf (féminin)
hydrique adj
hydrocarbure nm (masculin)
hydrocéphale n (masculin ou féminin)
hydrogène nm
hydroglisseur nm
hydrographe n (masculin ou féminin)
hydrologie nf
hydrolyse nf
hydromel nm
hydropisie nf
hydrothérapie nf
hyène nf
hygiène nf; *hygiénique* adj (attention aux accents)
hymen nm; *hyménée* nm (masculin)
hyménoptère nm
hymne nm (chant national) → p 10
hymne nf (chant religieux)→p 10

hypallage nf (féminin)
hyperbole nf (féminin)
hypercorrect, e adj
hyperémotivité nf
hypermétrope adj, n (masculin ou féminin)
hypernerveux, euse adj
hypersensibilité nf
hypertension nf
hypertrophie nf
hyphe nf (féminin)
hypnose nf; *hypnotique* adj
hypocauste nm (masculin)
hypocrisie nf; *hypocrite* adj, n (masculin ou féminin)
hypogée nm (masculin)
hypoïde adj (tréma sur *ï*)
hypophyse nf (féminin)
hypostyle adj
hypoténuse nf (féminin)
hypothèque nf; *hypothéquer* vt (attention aux accents)
hypothèse nf; *hypothétique* adj (attention aux accents)
hypotrophie nf
hystérie nf

i

i nm inv
ïambe nm (masculin) [tréma sur
  i]
ibidem adv
ibis nm inv
iceberg nm, pl icebergs
ice-cream nm, pl ice-creams
ichneumon nm
ichtyologie nf
ichtyosaure nm
ici adv; ici-bas adv
icône nf (circonflexe sur ô); ico-
  nique adj; iconoclaste n (masculin ou féminin) [pas de circonflexe sur les dérivés]
iconographie nf
ictère nm
ictus nm inv
idéal, e, als ou aux adj; idéal
  nm, pl idéals ou idéaux
idée nf
idem adv
identique adj
idéogramme nm (masculin)
idéologie nf
ides nfpl
idiolecte nm
idiome nm (pas de circonflexe); idioma-
  tique adj (pas de circonflexe)
idiot, e adj, n; idiotie nf
idiotisme nm
idoine adj
idolâtre adj, n (masculin ou
  féminin) [circonflexe sur â]
idole nf
idylle nf (féminin)
if nm
igname nf (féminin)
ignare adj, n (masculin ou
  féminin)
igné, e adj
ignoble adj
ignominie nf
ignorer vt
iguane nm (masculin)
iguanodon nm
il pr pers
ilang-ilang ou ylang-ylang nm, pl
  ilangs-ilangs, ylangs-ylangs
île nf; îlien, enne n; îlot nm
  (circonflexe sur î)
iliaque adj (un seul l)
illégal, e, aux adj; illégalité nf
illégitime adj
illettré, e adj, n
illicite adj
illico adv
illimité, e adj (deux l, un m)
illisible adj
illogique adj
illuminer vt
illusion nf; illusionner vt
illusoire adj
illustre adj
illustrer vt

ilote ou hilote nm (pas de circonflexe)
ilotisme nm
il y a loc v → p 28
image nf
imaginer vt
imago nm (insecte), pl imagos
imago nf (psychanalyse), pl
  imagos
iman ou imâm nm, pl imans,
  imâms
imbattable adj (deux t)
imbécile adj, n (masculin ou
  féminin); imbécillité nf (avec
  deux l)
imberbe adj
imbiber vt
imbriquer vt; imbrication nf
imbroglio nm, pl imbroglios
imbu, e adj
imbuvable adj
imiter vt
immaculé, e adj
immanent, e adj; immanence nf
immangeable adj
immanquable adj
immatériel, elle adj
immatriculer vt
immédiat, e adj
immémorial, e, aux, adj
immense adj; immensément
  adv (attention à l'accentuation)
immerger vt; immersion nf
immérité, e adj
immettable adj
immeuble adj; nm
immigrer vi
imminent, e adj; imminence nf
immiscer (s') vpr; immixtion nf
immobile adj
immobilier, ère adj
immodéré, e adj; immodé-
  rément adv
immodeste adj
immoler vt
immonde adj
immondices nfpl
immoral, e, aux adj
immortel, elle adj
immuable adj
immuniser vt
impact nm
impair, e adj; impair nm
impalpable adj
impardonnable adj
imparfait, e adj
impartageable adj
impartial, e, aux adj; impartia-
  lité nf
impartir vt
impasse nf
impassible adj
impatient, e adj; impatience nf;
  impatiemment adv
impatroniser (s') vpr
impavide adj

impayable adj
impeccable adj (deux c)
impénétrable adj
impénitent, e adj
impératif, ive adj
impératrice nf (fém de empereur)
imperceptible adj
imperdable adj
imperfection nf; imperfectible
  adj
impérial, e, aux adj
impérieux, euse adj
impérissable adj (un seul r)
impéritie nf
imperméable adj; nm
impersonnel, elle adj
impertinent, e adj; imperti-
  nence nf; impertinemment adv
imperturbable adj
impétigo nm, pl impétigos
impétrant, e n
impétueux, euse adj; impétuo-
  sité nf
impie adj, n (masculin ou féminin); impiété nf
impitoyable adj
implacable adj (attention au c)
implant nm
implanter vt
implicite adj
impliquer vt; implication nf
implorer vt
imploser vi, pp implosé inv
impoli, e adj; impoliment adv
impolitique adj
impondérable adj; nm
impopulaire adj
importable adj
important, e adj; importance nf
importer vti, pp importé inv;
  qu'importe, il importe peu →
  p 46
importer vt
import-export nm (sing)
importun, e adj; importunément
  adv (attention à l'accentuation)
imposant, e adj
imposer vt
impossible adj
imposte nf (féminin)
imposteur nm
impôt nm (circonflexe sur ô)
impotent, e adj; impotence nf
impraticable adj (attention au c)
imprécation nf
imprécis, e adj
imprégner vt
imprenable adj
imprésario ou impresario nm, pl
  imprésarios ou impresarii
imprescriptible adj
impression nf; impressionner vt
imprévisible adj; imprévu, e adj
imprévoyant, e adj; impré-
  voyance nf

114

imprimer vt; *imprimatur* nm inv
improbable adj
improbité nf
improductif, ive adj
impromptu, e adj; *impromptu* adv; *impromptu* nm, pl *impromptus* (musique)
impro(prononçable adj
impropre adj
improuvable adj
improviser vt
improviste (à l') loc adv
imprudent, e adj; *imprudence* nf; *imprudemment* adv
impubère adj
impudent, e adj; *impudence* nf; *impudemment* adv
impudeur nf
impudique adj
impuissant, e adj; *impuissance* nf
impulser vt
impulsif, ive adj
impuni, e adj; *impunément* adv
impur, e adj; *impureté* nf
imputer vt
imputrescible adj (attention *sc*)
inabordable adj
inacceptable adj
inaccessible adj
inaccomplissement nm
inaccoutumé, e adj
inachevé, e adj
inaction nf
inadmissible adj
inadvertance nf
inaliénable adj
inaltérable adj
inamical, e, aux adj
inamovible adj
inanimé, e adj
inanité nf
inanition nf
inapaisable adj
inaperçu, e adj (un seul *p*)
inapparent, e adj
inappétence nf (deux *p*)
inappliqué, e adj; *inapplicable* adj
inapprécié, e adj
inapprivoisable adj
inapte adj
inarticulé, e adj
inassimilable adj
inassouvi, e adj
inattaquable adj
inattendu, e adj
inattention nf
inaudible adj
inaugurer vt; *inaugural, e, aux* adj; *inauguration* nf
inavoué, e adj
inca adj, pl *incas*
incalculable adj
incandescent, e adj; *incandescence* nf (attention *sc*)
incantation nf
incapable adj
incarcérer vt
incarnat, e adj; *incarnat* nm, pl *incarnats*
incarner vt
incartade nf
incassable adj
incendie nm
incertain, e adj
incertitude nf

incessant, e adj; *incessamment* adv
incessible adj
inceste nm
inchoatif, ive adj
incident, e adj; *incident* nm; *incidemment* adv; *incidence* nf
incinérer vt
incise nf
inciser vt
incisif, ive adj
inciter vt
incivil, e adj
inclassable adj
inclément, e adj
incliner vt
inclure vt, pp *inclus, e*; *inclusion* nf
incoercible adj
incognito adv; *incognito* nm, pl *incognitos*
incolore adj
incomber vti, pp *incombé* inv
incombustible adj
income-tax nm inv
incommensurable adj (deux *m*)
incommode adj
incommoder vt
incommunicable adj (attention au *c*)
incomparable adj
incompatible adj
incompétent, e adj; *incompétence* nf
incomplet, ète adj; *incomplètement* adv; *incomplétude* nf (attention à l'accentuation)
incompréhensible adj
incompressible adj
incompris, e adj
inconcevable adj
inconciliable adj
inconditionné, e adj
inconduite nf
inconfort nm
incongru, e adj; *incongruité* nf; *incongrûment* adv (circonflexe sur *û*)
inconnu, e adj, n; *inconnu* nm
inconscient, e adj; *inconscience* nf; *inconsciemment* adv
inconséquent, e adj; *inconséquence* nf; *inconséquemment* adv
inconsidéré, e adj; *inconsidérément* adv
inconsistant, e adj; *inconsistance* nf
inconsolé, e adj
inconstant, e adj; *inconstance* nf
inconstitutionnel, elle adj
inconstructible adj
incontesté, e adj
incontinent, e adj; *incontinence* nf
incontinent adv
incontrôlable adj (circonflexe sur *ô*)
inconvenant, e adj
inconvénient nm
inconvertible adj
incoordination nf
incorporel, elle adj
incorporer vt

incorrect, e adj
incorrigible adj
incorruptible adj
incrédule adj
increvable adj
incriminer vt
incrochetable adj
incroyable adj
incroyant, e n
incruster vt
incube nm (masculin)
incuber vt
inculper vt
inculquer vt; *inculcation* nf
inculte adj
incultivable adj
incunable nm (masculin)
incurable adj
incurie nf
incursion nf
incurver vt
indécent, e adj; *indécence* nf; *indécemment* adv
indéchiffrable adj
indéchirable adj
indécidable adj
indécis, e adj
indéclinable adj
indécollable adj
indécomposable adj
indécrottable adj
indéfectible adj
indéfendable adj
indéfini, e adj; *indéfiniment* adv
indéformable adj
indéfrisable nf (féminin)
indélébile adj
indélicat, e adj
indemne adj (attention *mn*)
indemniser vt (attention *mn*)
indéniable adj
indénombrable adj
indépendant, e adj; *indépendance* nf; *indépendamment* adv
indéracinable adj
indescriptible adj
indésirable adj
indestructible adj
indéterminé, e adj
index nm inv
indicible adj
indienne nf
indifférent, e adj; *indifférence* nf; *indifféremment* adv
indigence nf; *indigent, e* adj
indigène adj, n (masculin ou féminin)
indigeste adj
indigne adj
indigner vt
indigo nm, pl *indigos*; adj inv (couleur)
indiquer vt; *indication* nf
indirect, e adj
indiscernable adj
indiscipline nf
indiscret, ète adj; *indiscrétion* nf (attention aux accents)
indiscuté, e adj
indispensable adj
indisponible adj
indisposer vt
indissoluble adj
indistinct, e adj
individu nm

individuel, elle adj; *individuali-ser* vt
indivis, e adj
indivisible adj
indocile adj
indolent, e adj; *indolence* nf; *indolemment* adv
indolore adj
indompté, e adj
in-douze nm inv
indu, e adj (pas de circonflexe); *indûment* adv (circonflexe sur *û*)
indubitable adj
induire vt, pp *induit, e; induction* nf
indulgent, e adj; *indulgence* nf
induré, e adj
industrie nf
inébranlable adj
inédit, e adj
ineffable adj
ineffaçable adj
inefficace adj
inégal, e, aux adj; *inélégance* nf; *inélégamment* adv
inéligible adj
inéluctable adj
inemployé, e adj
inénarrable adj (un *n* et deux *r*)
inepte adj; *ineptie* nf (avec un *t*)
inépuisé, e adj
inéquitable adj
inerte adj; *inertie* nf (avec un *t*)
inespéré, e adj
inestimable adj
inévitable adj
inexact, e adj
inexcusable adj
inexécution nf
inexercé, e adj
inexigible adj
inexistant, e adj; *inexistence* nf
inexorable adj
inexpérience nf
inexpérimenté, e adj
inexpié, e adj
inexplicable adj; *inexplicable* adj (attention au *c*)
inexploité, e adj
inexploré, e adj
inexpressif, ive adj
inexprimé, e adj
inexpugnable adj
inextensible adj
in extenso loc adv
inextinguible adj
in extremis loc adv
inextricable adj
infaillible adj
infaisable adj
infâme adj (circonflexe sur *â*); *infamant, e* adj; *infamie* nf (sans circonflexe sur les dérivés)
infant, e n
infanticide nm (meurtre); n (personne) [masculin ou féminin]
infantile adj
infarctus nm inv
infatigable adj (pas de *u* après *g*)
infatuation nf
infécond, e adj
infect, e adj

infection nf; *infectieux, euse* adj
inféoder vt
inférer vt
inférieur, e adj; *infériorité* nf
infernal, e, aux adj
infertile adj
infester vt
infidèle adj; *infidélité* nf (attention aux accents)
infiltrer (s') vpr
infime adj
infini, e adj; *infiniment* adv; *infinitésimal, e, aux* adj
infinitif nm
infirme adj, n (masculin ou féminin)
infirmer vt
infirmier, ère n
inflammable adj
inflation nf; *inflationniste* adj
infléchir vt; *inflexion* nf
inflexible adj
infliger vt
inflorescence nf
influer vti, pp *influé* inv; *influent, e* adj ≠ *influant* pprés du v; *influence* nf; *influencer* vt
influenza nf (féminin), pl *influenzas*
influx nm inv
in-folio nm inv
informatique nf
informe adj
informer vt
infortune nf
infraction nf
infrarouge nm; adj
infrason nm
infrastructure nf
infréquentable adj
infroissable adj
infructueux, euse adj
infumable adj
infus, e adj
infuser vt, vi
infusible adj
infusoire nm
ingagnable adj
ingambe adj (avec un *g*)
ingénier (s') vpr
ingénieur nm; *ingénierie* nf
ingénu, e adj; *ingénuité* nf; *ingénument* adv (pas de circonflexe)
ingérer vt; *ingestion* nf
ingérer (s') vpr; *ingérence* nf
ingouvernable adj
ingrat, e adj; *ingratitude* nf
ingrédient nm
inguérissable adj
inguinal, e, aux, adj
ingurgiter vt
inhabile adj
inhabité, e adj
inhaler vt
inharmonieux, euse adj
inhérent, e adj
inhiber vt
inhumain, e adj
inhumer vt
inimaginable adj
inimité, e adj
inimitié nf
ininflammable adj

inintelligent, e adj; *inintelligence* nf; *inintelligemment* adv
inintelligible adj
inintéressant, e adj
ininterrompu, e adj
inique adj
initial, e, aux adj; *initiale* nf
initiative nf
initier vt
injecter vt
injonction nf
injouable adj
injure nf
injuste adj
iniandsis nm inv
inlassable adj
inlay nm, pl *inlays*
inné, e adj
innerver vt
innocent, e adj; *innocence* nf; *innocemment* adv
innocuité nf (avec deux *n*)
innombrable adj
innomé, e ou innommé, e adj; *innommable* adj (avec deux *n* et deux *m*)
innover vt (deux *n*)
inobservance nf
inobservé, e adj
inoccupé, e adj (deux *c* et un *p*)
in-octavo nm inv
inoculer vt
inodore adj
inoffensif, ive adj
inonder vt (un seul *n*)
inopérable adj
inopérant, e adj
inopiné, e adj; *inopinément* adv
inopportun, e adj; *inopportunément* adv; *inopportunité* nf
inorganisé, e adj
inoubliable adj
inouï, e adj (tréma sur *ï*)
inoxydable adj
in partibus loc adj
in petto loc adv
inqualifiable adj
in-quarto nm inv
inquiet, ète adj; *inquiéter* vt (attention aux accents)
inquisition nf; *inquisiteur, trice* adj, n; *inquisitorial, e, aux* adj
insaisissable adj
insalissable adj
insalubre adj
insane adj
insatiable adj
insatisfait, e adj
inscrire vt, pp *inscrit, e*
insecte nm; *insectarium* nm, pl *insectariums*
insécurité nf
in-seize nm inv
inséminer vt
insensible adj
inséparable adj
insérer vt; *insertion* nf
insidieux, euse adj
insight nm, pl *insights*
insigne adj; nm
insignifiant, e adj
insinuer vt
insipide adj
insister vi, pp *insisté* inv; *insistance* nf
insolation nf

insolent, e adj, n ; insolence nf ;
  insolemment adv
insolite adj
insoluble adj
insolvable adj
insomnie nf ; insomniaque adj
  (attention mn)
insondable adj
insonore adj ; insonoriser vt (un
  seul n après o)
insouciant, e adj ; insouciance
  nf
insoumis, e adj ; insoumission
  nf
insoupçonné, e adj
insoutenable adj
inspecter vt
inspirer vt
instable adj
installer vt
instamment adv
instance nf
instant, e adj
instant nm ; instantané, e adj ;
  instantanément adv
instar de (à l') loc prép
instaurer vt
instigation nf
instiller vt
instinct nm (ct à la finale) ; ins-
  tinctif, ive adj
instituer vt ; institution nf ; insti-
  tutionnaliser vt
instruire vt, pp instruit, e ; instruction nf ; instructif, ive adj
instrument nm ; instrumental, e,
  aux adj
insu de (à l') loc prép
insubmersible adj
insubordonné, e adj
insuccès nm inv
insuffisant, e adj ; insuffisance
  nf ; insuffisamment adv
insuffler vt (deux f)
insulaire adj, n (masculin ou
  féminin) ; insularité nf
insuline nf
insulte nf
insupportable adj
insurger (s') vpr ; insurrection
  nf ; insurrectionnel, elle adj
insurmontable adj
intact, e adj
intangible adj
intarissable adj (un seul r)
intégral, e, aux adj
intègre adj ; intégrité nf (attention aux accents)
intégrer vt
intellect nm
intellectuel, elle adj, n
intelligent, e adj ; intelligence
  nf ; intelligemment adv
intelligentsia nf, pl intelligent-
  sias (attention ts)
intelligible adj
intempérant, e adj
intempérie nf
intempestif, ive adj
intenable adj
intendant, e n
intense adj ; intensément adv ;
  intensifier vt
intenter vt
intention nf ; intentionnel, elle
  adj
interaction nf
interallié, e adj

interarmes adj inv (avec un s)
intercaler vt
intercéder vi, pp intercédé inv ;
  intercession nf
interchangeable adj
interclasse nm (masculin)
interclubs adj inv (avec un s)
interconnecter vt ; intercon-
  nexion nf
intercontinental, e, aux adj
intercostal, e, aux adj
interdépendant, e adj
interdire vt, pp interdit, e ; inter-
  diction nf ; interdit nm
intéresser vt ; intérêt nm (circonflexe sur le dernier é)
interférence nf
intérieur, e adj ; intériorité nf
intérim nm inv
interjection nf
interjeter vt
interligne nm
interlocuteur, trice n
interlope adj
interloquer vt
intermède nm
intermédiaire adj, n (masculin
  ou féminin)
intermezzo nm, pl intermezzos
interminable adj
intermittent, e adj
international, e, aux adj ; inter-
  nationalisme nm
interne adj, n (masculin ou
  féminin)
interpeller vt ; interpellation nf
  (avec deux l)
interpénétrer (s') vpr
interpoler vt ; interpolation nf
  (avec un seul l)
interposer vt
interprète n (masculin ou féminin) ; interpréter vt (attention
  aux accents)
interrègne nm (avec deux r)
interroger vt
interrompre vt, pp interrompu,
  e ; interruption nf
intersection nf
intersession nf
intersidéral, e, aux adj
interstellaire adj
interstice nm (masculin) ; inter-
  stitiel, elle adj (attention tiel)
interurbain, e adj
intervalle nm (masculin)
intervenir vi, pp intervenu, e ;
  intervention nf ; intervention-
  nisme nm
intervertir vt
interview nf ou nm (des deux
  genres) ; pl interviews ; intervie-
  wer nm, pl interviewers ; inter-
  viewer vt
intestat adj inv en genre
intestin nm ; intestinal, e, aux
  adj
intestin, e adj
intime adj
intimer vt
intimider vt
intituler vt
intolérable adj
intolérant, e adj ; intolérance nf
intonation nf (un seul n)
intoxiquer vt ; intoxication nf ;
  intoxicant, e adj ≠ intoxiquant
  pprés du v

intraduisible adj
intraitable adj
intra-muros loc adv
intramusculaire adj
intransigeant, e adj ; intransi-
  geance nf (attention ea)
intransitif, ive adj
intransportable adj
intrépide adj
intrigue nf ; intriguer vi, vt ; intri-
  gant, e adj ≠ intriguant pprés
  du v
intrinsèque adj
introduire vt, pp introduit, e
introit nm inv (tréma sur ï)
intromission nf
introniser vt
introspection nf
introuvable adj
introverti, e adj, n ; introversion
  nf
intrus, e adj ; intrusion nf
intuition nf ; intuitionnisme nm ;
  intuitif, ive adj
inusable adj
inusité, e adj
inutile adj
invalide adj, n (masculin ou
  féminin)
invalider vt
invariable adj
invasion nf
invective nf ; invectiver vt
invendu, e adj
inventaire nm
inventer vt
inventorier vt
inverse adj ; nm
invertébré nm
invertir vt ; inversion nf
investigation nf
investir vt ; investiture nf
invétéré, e adj
invincible adj
inviolable adj
invisible adj
inviter vt
in vitro loc adv
invivable adj
in vivo loc adv
involontaire adj
involucre nm (masculin)
involution nf
invoquer vt ; invocation nf
invraisemblable adj (un seul s)
invulnérable adj
iode nm (masculin)
ion nm ; ioniser vt
iota nm, pl iotas
ipéca nm, pl ipécas
ipso facto loc adv
irascible adj (un seul r)
ire nf
iridium nm, pl iridiums
iris nm inv
ironie nf
irradier vt
irraisonné, e adj
irrationnel, elle adj ; irrationa-
  lisme nm
irréalisable adj
irrecevable adj
irréconciliable adj
irrécusable adj
irréductible adj
irréel, elle adj ; irréalité nf
irréfléchi, e adj ; irréflexion nf
irréfuté, e adj

irrégulier, ère adj
irréligion nf (accent sur é)
irrémédiable adj
irrémissible adj
irremplaçable adj
irréparable adj
irrépréhensible adj
irréprochable adj
irrésistible adj
irrésolu, e adj
irrespect nm
irrespirable adj
irresponsable adj
irrétrécissable adj
irrévérence nf

irréversible adj
irrévocable adj
irriguer vt; *irrigable* adj; *irrigation* nf (avec deux *r*)
irriter vt; *irritable* adj
irruption nf (avec deux *r*)
isabelle adj inv
isard nm
isba nf, pl *isbas*
ischémie nf
islam nm (sing)
isobare adj
isocèle adj
isoclinal, e, aux adj
isoglosse adj; nf

isoler vt; *isolement* nm; *isolément* adv; *isolation* nf
isomère adj
isomorphe adj
isotope adj
issu, e adj; *issue* nf
isthme nm (masculin)
item adv (de même)
item nm (élément), pl *items*
itération nf
itinéraire nm
ivoire nm (masculin)
ivraie nf
ivre adj → p 29
ivrogne n (masculin ou féminin)

j

j nm inv
jabot nm
jacasser vi, pp *jacassé* inv
jachère nf
jacinthe nf (*h* après *t*)
jack nm, pl *jacks*
jacobin, e n
jacquard nm
jacquerie nf
jactance nf
jade nm (masculin)
jadis adv
jaguar nm
jaillir vi
jais nm inv
jalon nm; *jalonner* vt
jaloux, ouse adj, n
jamais adv
jambe nf
jambon nm; *jambonneau* nm, pl *jambonneaux*
jamboree nm, pl *jamborees*
jam-session nf, pl *jam-sessions*
janissaire nm
jante nf
janvier nm, pl *janviers*
japper vi, pp *jappé* inv
jaque nm (masculin)
jaquette nf
jardin nm; *jardiner* vt
jarre vt
jarret nm
jarretelle nf (avec deux *r* et deux *l*)
jars nm inv (mâle de l'oie)
jas nm inv
jaser vi, pp *jasé* inv
jasmin nm
jaspe nm (masculin)
jatte nf
jauge nf; *jauger* vt; *jaugeage* nm
jaune adj; nm
jaunisse nf
java nf
Javel (eau de) nf; *javelliser* vt (deux *l*)
javelle nf
javelot nm
jazz nm inv; *jazz-band* nm, pl *jazz-bands*; *jazzman* nm, pl *jazzmen*
je pron pers
jean ou jeans nm, pl *jeans*
jean-foutre nm inv
jeannette nf
jeep nf, pl *jeeps*
jéjunum nm, pl *jéjunums*
je-m'en-fichisme ou je-m'en-foutisme nm (au sing)

je-ne-sais-quoi nm inv
jérémiade nf
jerrican ou jerricane nm, pl *jerricans, jerricanes*
jersey nm, pl *jerseys*
jésuite nm
jésus nm inv
jet nm, pl *jets*
jetée nf
jeter vt; *jeteur, euse* n
jeton nm
jet-stream nm, pl *jet-streams*
jeu nm, pl *jeux*
jeudi nm, pl *jeudis* → p 16
jeun (à) loc adv
jeune adj; *jeunesse* nf; *jeunot, otte* adj, n; *jeunet, ette* adj, n
jeûne nm; *jeûner* vi, pp *jeûné* inv (circonflexe sur *û*)
jiu-jitsu nm inv
joaillier, ère n; *joaillerie* nf
job nm, pl *jobs*
jobard, e adj, n
jockey n, pl *jockeys*
jocrisse nm
jodhpurs nmpl
joie nf
joindre vt, pp *joint, e*; *joint* nm
jointoyer vt; *jointoiement* nm
joli, e adj; *joliesse* nf
jonc nm
joncher vt
jongler vi, pp *jonglé* inv
jonque nf
jonquille nf; adj inv (couleur)
jota nf, pl *jotas* (le *j* se prononce *r*)
joue nf; *joufflu, e* adj
jouer vt, vi; *joujou* nm, pl *joujoux*
joug nm
jouir vti, pp *joui* inv
jour nm; NOMS DE JOUR → p 16; se faire jour → p 45
journal nm, pl *journaux*
journée nf; *journellement* adv
joute nf; *jouter* vi, pp *jouté* inv
jouvence nf
jouvenceau nm, pl *jouvenceaux*; *jouvencelle* nf
jouxter vt
jovial, e, als ou aux adj
joyau nm, pl *joyaux*
joyeux, euse adj
jubé nm
jubilé nm
jubiler vi, pp *jubilé* inv
jucher vt, vi
judaïque adj; *judaïser* vt; *judaïsme* nm (tréma sur *ï*)

judas nm inv
judiciaire adj
judicieux, euse adj
judo nm, pl *judos*; *judoka* n (masculin ou féminin), pl *judokas*
juge nm
juger vt; *jugeote* nf (un seul *t*)
jugulaire adj; nf
juguler vt
juif, ive n
juillet nm, pl *juillets*
juin nm, pl *juins*
jujube nm (masculin)
juke-box nm, pl *juke-boxes* ou *juke-box*
julep nm, pl *juleps*
jumbo-jet nm, pl *jumbo-jets*
jumeau, elle adj, n, pl *jumeaux, jumelles*; *jumeler* vt
jumelles nfpl → p 16
jument nf
jumping nm, pl *jumpings*
jungle nf
junior adj (inv en genre); n (masculin ou féminin), pl *juniors*
junte nf
jupe nf
jupe-culotte nf, pl *jupes-culottes*
jurande nf
jurer vt
juridique adj; *juridiction* nf
jurisconsulte nm
jurisprudence nf
juron nm
jury nm, pl *jurys*
jus nm inv; *juter* vi; *juteux, euse* adj
jusant nm
jusqu'au-boutisme nm, pl *jusqu'au-boutismes*; *jusqu'au-boutiste* adj, n (masculin ou féminin), pl *jusqu'au-boutistes*
jusque adv → p 61
jusquiame nf
justaucorps nm inv
juste adj
juste-milieu nm, pl *justes-milieux*
justice nf; se faire justice → p 45
justifier vt
jute nm (masculin)
juteux, euse adj
juvénile adj
juxtalinéaire adj
juxtaposer vt

k

k nm inv
kabbale nf
kakatoès ou **cacatoès** nm inv
kakemono nm, pl *kakemonos*
kaki adj inv; nm, pl *kakis*
kaléidoscope nm
kamikaze nm, pl *kamikazes*
kandjar nm, pl *kandjars*
kangourou nm, pl *kangourous*
kaolin nm
kapok nm, pl *kapoks*
kappa nm, pl *kappas*
karakul ou **caracul** nm, pl *karakuls, caraculs*
karaté nm; *karatéka* n (masculin ou féminin), pl *karatékas*
karstique adj
karting nm, pl *kartings*
kasher, cacher ou **casher** adj inv (pas d'accent)
kayak nm, pl *kayaks*
keepsake nm, pl *keepsakes*
képi nm
kermès nm inv
kermesse nf
kérosène nm
ketch nm, pl *ketchs*
ketchup nm inv (masculin)

khamsin ou **chamsin** nm, pl *khamsins, chamsins*
khān nm, pl *khāns*
khédive nm; *khédival* ou *khédivial, e, aux* adj
kibboutz nm, pl *kibboutz* ou *kibboutzim*
kick nm, pl *kicks*
kid nm, pl *kids*
kidnapper vt; *kidnapping* nm (deux *p*)
kif nm, pl *kifs*
kif-kif adj inv
kilo nm, pl *kilos*
kilogramme nm
kilomètre nm
kilowatt nm, pl *kilowatts*
kilt nm, pl *kilts*
kimono nm, pl *kimonos*
kinésithérapeute n (masculin ou féminin); *kinésithérapie* nf
kinesthésie nm inv
king-charles nm inv
kinkajou nm, pl *kinkajous*
kiosque nm
kirsch nm, pl *kirschs*
kitsch adj inv
kiwi nm, pl *kiwis*

Klaxon nm (nom déposé), pl *Klaxons*; *klaxonner* vt, vi
kleptomane ou **cleptomane** n (masculin ou féminin); *kleptomanie* ou *cleptomanie* nf
knock-down nm inv
knock-out nm inv
knout nm
koala nm, pl *koalas*
kobold nm, pl *kobolds*
kohol ou **khôl** nm, pl *kohols, khôls*
kola ou **cola** nm, pl *kolas, colas*
kolkhoze nm, pl *kolkhozes*
konzern nm, pl *konzerns*
kopeck nm, pl *kopecks*
korrigan, e n
kouglof nm, pl *kouglofs*
kraal nm, pl *kraals*
krach nm, pl *krachs*
kraft nm, pl *krafts*
krypton nm
ksar nm, pl *ksour*
kummel nm, pl *kummels*
kumquat nm, pl *kumquats*
kwas ou **kvas** nm inv
kymrique nm (masculin)
Kyrie ou **Kyrie eleison** nm inv
kyrielle nf
kyste nm

l nm inv
la art; pr pers f
la nm inv
là adv → p 63
là-bas adv
label nm (marque)
labelle nm (pétale)
labeur nm
labial, e, aux adj
labile adj
laboratoire nm
laborieux, euse adj
labour nm
labrador nm, pl *labradors*
labyrinthe nm (*y* d'abord, *i* ensuite)
lac nm (étendue d'eau) ≠ *lacs* (nœud)
lacer vt
lacérer vt
lacet nm
lâche adj (circonflexe sur *â*)
lâcher vt (circonflexe sur *â*)
lacis nm inv
laconique adj (un seul *n*)
lacrima-christi nm inv
lacrymal, e, aux adj
lacs nm (nœud) ≠ *lac* (étendue d'eau)
lactaire nm (masculin)
lacté, e adj
lacune nf
lacustre adj
lad nm, pl *lads*
ladre adj
lady nf, pl *ladies*
lagon nm
lagune nf
là-haut adv
lai nm (petit poème)
lai adj m (frère lai)
laïc, ïque ou laique adj, n; *laïcité* nf (tréma sur *ï*)
laid, e adj; *laideron* nm → p 8
laie nf (femelle du sanglier)
laine nf
laïque → laïc
lais nmpl (alluvion)
laisse nf
laissé-pour-compte nm, pl *laissés-pour-compte*
laisser vt; accord du pp *laissé* → p 43, 45
laisser-aller nm inv
laissez-passer nm inv
lait nm (un seul *t* dans les dérivés *laitage, laitier, laiterie*)
laiteron nm
laiton nm; *laitonner* vt
laitue nf
laïus nm inv; *laïusser* vi, pp *laïussé* inv (tréma sur *ï*)
lallation nf
lama nm, pl *lamas*; *lamaïsme* nm (tréma sur *ï*)

lamaneur nm
lamantin nm
lambda nm, pl *lambdas*
lambeau nm, pl *lambeaux*
lambin, e adj, n; *lambiner* vi, pp *lambiné* inv
lambourde nf
lambrequin nm
lambris nm inv; *lambrisser* vt
lambruche ou lambrusque nf
lame nf; *lamelle* nf
lamenter (se) vpr
lamento nm, pl *lamentos*
laminaire nf (féminin)
laminer vt
lampadaire nm
lampant, e adj
lamparo nm, pl *lamparos*
lampas nm inv
lampe nf
lampée nf
lampion nm
lamproie nf
lampyre nm (masculin)
lance nf
lance-bombes nm inv
lance-flammes nm inv
lance-fusées nm inv
lance-grenades nm inv
lance-missiles nm inv
lance-pierres nm inv
lancer vt
lance-roquettes nm inv
lance-torpilles nm inv
lanciner vt
landau nm, pl *landaus*
lande nf
landier nm
langage nm
lange nm (masculin)
langouste nf
langue nf
langue-de-bœuf nf, pl *langues-de-bœuf*
langue-de-chat nf, pl *langues-de-chat*
langue-de-serpent nf, pl *langues-de-serpent*
langueur nf
langueyer vt
languir vi; *languissant, e* adj; *languissamment* adv
lanière nf
lanifère ou lanigère adj
lanoline nf
lansquenet nm
lanterne nf
lanterneau nm, pl *lanterneaux*
lanterner vi
lapalissade nf
laper vt (un seul *p*)
lapidaire nm; adj
lapider vt
lapin, e n; *lapereau* nm, pl *lapereaux*
lapis ou lapis-lazuli nm inv

lapon, lapone ou lapone adj → p 11
laps nm inv
lapsus nm inv
laquais nm inv
laque nf (résine); nm (vernis)
larbin nm
larcin nm
lard nm; *larder* vt
lare nm; adj
large adj → p 29
larghetto adv; *larghetto* nm, pl *larghettos*
largo adv; *largo* nm, pl *largos*
larguer vt
larigot nm
larme nf; *larmoyer* vi, pp *larmoyé* inv; *larmoiement* nm
larme-de-Job nf, pl *larmes-de-Job*
larron nm
larve nf
larynx nm inv; *laryngé, e* adj
las, lasse adj
lasagne ou lasagnes nfpl
lascar nm
lascif, ive adj; *lascivité* nf (attention *sc*)
lasso nm, pl *lassos*
Lastex nm inv (nom déposé)
latanier nm
latent, e adj; *latence* nf (un seul *t*)
latéral, e, aux adj
latérite nf
latex nm inv
laticlave nm
latifundium nm, pl *latifundia*
latin, e adj; *latiniser* vt
latitude nf (un seul *t*)
latomies nfpl
latrines nfpl
latte nf
laudanum nm, pl *laudanums*
laudatif, ive adj
lauré, e adj
lauréat, e adj, n
laurier nm
laurier-rose nm, pl *lauriers-roses*
lavallière nf (avec deux *l*)
lavande nf
lavandière nf
lavaret nm
lavatory nm, pl *lavatories*
lave nf
lave-dos nm inv
lave-glace nm, pl *lave-glaces*
lave-linge nm inv
lave-mains nm inv
lave-pont nm, pl *lave-ponts*
laver vt
lave-tête nm inv
lave-vaisselle nm inv
lavette nf
lavis nm inv

lawn-tennis nm inv
laxatif, ive adj
laxité nf
layette nf
layon nm
lazaret nm
lazzarone nm, pl *lazzaroni*
lazzi nm, pl *lazzi* ou *lazzis*
le, la, les art ; pr pers
lé nm (largeur)
leader nm, pl *leaders*
leasing nm, pl *leasings*
lèchefrite nf
lécher vt ; *lèche* nf (attention aux accents)
lèche-vitrines nm inv
leçon nf
lecteur, trice n
légal, e, aux adj
légat nm
légataire n
légation nf
légende nf
léger, ère adj ; *légèreté* nf ; *légèrement* adv (attention aux accents)
leggings nfpl
leghorn nf, pl *leghorns*
légiférer vi, pp *légiféré* inv
légion nf ; *légionnaire* nm
législation nf
légiste n (masculin ou féminin)
légitime adj
léguer vt ; *légataire* n (masculin ou féminin) ; *legs* nm inv
légume nm (plante) [masculin]
légume nf (personne) [féminin]
leishmania nf *leishmanias*
leitmotiv nm, pl *leitmotive* ou *leitmotivs*
lemme nm
lemming nm, pl *lemmings*
lémures nmpl
lendemain nm, pl *lendemains*
lénifier vt
lent, e adj ; *lenteur* nf
lente nf
lentille nf
lentisque nm (masculin)
léonin, e adj
léopard nm
lépidodendron nm
lépiote nf
lèpre nf ; *lépreux, euse* n (attention aux accents)
lequel, laquelle, pl *lesquels, lesquelles* pr rel, pr interr
lèse-majesté nf, pl *lèse-majestés*
léser vt
lésine ou *lésinerie* nf
lésiner vti, pp *lésiné* inv
lésion nf ; *lésionnel, elle* adj
lessive nf
lest nm
leste adj
létal, e, aux adj
léthargie nf (*h* après *t*)
letton, lettonne ou *lettone* adj, n → p 13
lettre nf ; NOMS DE LETTRES → p 17
leu nm (monnaie), pl *lei*
leu nm inv (à la queue leu leu)
leucémie nf
leucocyte nm
leur adj poss ; pr pers
leurre nm (masculin) ; *leurrer* vt

lev nm, pl *leva*
levain nm
levant nm ; *levantin, e* adj, n
lever vt
léviger vt
lévitation nf
lévite nm (prêtre)
lévite nf (redingote)
lèvre nf
lévrier nm ; *levrette* nf (attention à l'accentuation)
levure nf
lexique nm ; *lexical, e, aux* adj
lez ou *lès* prép
lézard nm
lézarde nf
liane nf
liard nm
lias nm inv
liasse nf
libation nf
libelle nm (masculin) [écrit diffamatoire]
libellé nm (avec accent aigu) [rédaction]
libeller vt
libellule nf
liber nm, pl *libers* ; *libérien, enne* adj (attention à l'accentuation)
libéral, e, aux adj
libérer vt
liberté nf
libertin, e adj ; *libertinage* nm
libidinal, e, aux adj
libidineux, euse adj
libido nf
libraire n (masculin ou féminin)
libration nf
libre adj
libre-échange nm, pl *libre-échanges* ; *libre-échangiste* n (masculin ou féminin), pl *libre-échangistes*
libre-service nm, pl *libres-services*
libretto nm, pl *libretti* ou *librettos* ; *librettiste* n (masculin ou féminin)
lice nf (chienne)
lice ou *lisse* nf (métier à tisser)
licence nf
licencier vt ; *licenciement* nm
licencieux, euse adj
lichen nm, pl *lichens*
licite adj
liciter vt
licorne nf
licou nm, pl *licous*
licteur nm
lie nf
lied nm, pl *lieds* ou *lieder*
lie-de-vin adj inv
liège nm
lien nm
lier vt ; *liaison* nf
lierre nm
liesse nf
lieu nm (poisson), pl *lieus*
lieu nm, pl *lieux* ; NOMS PROPRES DE LIEUX → p 19, 20
lieu-dit nm, pl *lieux-dits*
lieue nf (mesure)
lieutenant nm
lieutenant-colonel nm, pl *lieutenants-colonels*
lièvre nm ; *levraut* nm
lift nm, pl *lifts* ; *lifter* vt

liftier nm
lifting nm, pl *liftings*
ligament nm
ligature nf
lige adj
ligne nf
lignée nf
ligneux, euse adj
lignifier (se) vpr
lignite nm (masculin)
ligoter vt (un seul *t*)
ligue nf ; *liguer* vt
lilas nm inv ; *lilial, e, aux* adj
lilliputien, enne adj
limace nf
limaçon nm
limaille nf
limande nf
limbe nm (masculin)
lime nf
limier nm
liminaire ou *liminal, e, aux* adj
limite nf
limitrophe adj
limoger vt
limon nm
limonade nf
limousine nf
limpide adj
lin nm
linceul nm (avec un *c*)
linéaire adj
linéament nm
linge nm
lingot nm
lingual, e, aux adj
linguiste n (masculin ou féminin)
liniment nm
links nmpl
linoléum nm, pl *linoléums*
linon nm
linotte nf
linteau nm, pl *linteaux*
lion, onne n ; *lionceau* nm, pl *lionceaux*
lipome nm (pas de circonflexe)
lippe nf ; *lippu, e* adj (avec deux *p*)
liquéfier vt
liquette nf
liqueur nf ; *liquoreux, euse* adj
liquide adj ; nm ; *liquidité* nf
liquider vt
lire nf, pl *lires* (monnaie) ≠ *lyre* (instrument de musique)
lire vt ; *lisible* adj
lis ou *lys* nm inv
liséré ou *lisérer* vt
liseron nm
lisière nf
lisse adj
lisse ou *lice* nf
liste nf
listeau nm, pl *listeaux*
lit nm ; *literie* nf
litanie nf
lit-cage nm, pl *lits-cages*
litchi ou *lychee* nm, pl *litchis, lychees*
liteau nm, pl *liteaux*
lithium nm, pl *lithiums*
lithographie nf (pas de *y*)
lithosphère nf
litière nf
litige nm (masculin)
litote nf
litre nm

littéral, e, aux adj
littérature nf
littoral, e, aux adj
liturgie nf
livarot nm
livide adj
living-room nm, pl *living-rooms*
livre nm (volume)
livre nf (monnaie ou mesure), pl *livres*
livrée nf
livrer vt
lloyd nm, pl *lloyds*
lob nm, pl *lobs*
lobby nm, pl *lobbies*
lobe nm ; *lobule* nm (masculin)
local, e, aux adj ; *local* nm, pl *locaux*
localité nf
location nf ; *locataire* n
loch nm, pl *lochs*
loche nf
lochies nfpl
lock-out nm inv. ; *lock-outer* vt
locomotion nf
locuste nf
locution nf
loden nm, pl *lodens*
lods nmpl
lœss nm inv
lof nm, pl *lofs*
lofing-match nm, pl *lofing-matches*
logarithme nm
loge nf
loger vt
loggia nf, pl *loggias*
logiciel nm
logique adj ; *logicien, enne* n
logistique nf
logomachie nf
logopédie nf
logorrhée nf
loi nf
loi-cadre nf, pl *lois-cadres*
loi-programme nf, pl *lois-programmes*
loin adv ; *lointain, e* adj
loir nm
loisible adj
loisir nm
lokoum ou loukoum, nm, pl *lokoums, loukoums*
lombago ou lumbago nm, pl *lombagos, lumbagos*
lombes nfpl (féminin)
lombric nm, pl *lombrics*
londrès nm inv
long, longue adj ; *longueur* nf
long-courrier nm, pl *long-courriers*
longe nf
longer vt
longeron nm
longévité nf
longiligne adj

longitude nf ; *longitudinal, e, aux* adj
long-jointé, e adj, pl *long-jointés, es*
longrine nf
longtemps adv
longue-vue nf, pl *longues-vues*
looping nm, pl *loopings*
lopin nm
loquace adj ; *loquacité* nf
loque nf (féminin)
loquet nm ; *loqueteau* nm, pl *loqueteaux*
lord nm
lord-maire nm, pl *lords-maires*
lorette nf
lorgner vt
lorgnon nm → p 16
loriot nm
lorry nm, pl *lorries*
lors adv
lorsque conj → p 61
losange nm (masculin)
lot nm
lote ou lotte nf
loterie nf
loti, e adj
lotion nf ; *lotionner* vt
lotir vt
loto nm, pl *lotos*
lotte ou lote nf
lotus nm inv
loubard nm
louche nf
louche adj
loucher vi
louer vt ; *location* nf
louer vt (féliciter)
loufoque adj
louis nm inv
louise-bonne nf, pl *louises-bonnes*
loukoum ou lokoum nm, pl *loukoums, lokoums*
loulou nm, pl *loulous*
loup nm ; *louve* nf ; *louveteau* nm, pl *louveteaux* ; *louveter* vi
loup-cervier nm, pl *loups-cerviers*
loupe nf
louper vt
loup-garou nm, pl *loups-garous*
loupiot, e n (gamin)
loupiote nf (petite lampe)
lourd, e adj ; *lourdaud, e* adj, n
lourde nf
lourer vt
loustic nm
loutre nf
louvoyer vi, pp *louvoyé* inv ; *louvoiement* nm
lover vt
loyal, e, aux adj ; *loyauté* nf ; *loyaliste* adj, n (masculin ou féminin)

loyer nm
lubie nf
lubrifier vt ; *lubrification* nf
lubrique adj
lucane nm (masculin)
lucarne nf
lucide adj
luciole nf
lucratif, ive adj
lucre nm
ludique adj
luette nf
lueur nf
luge nf
lugubre adj
lui pr pers
luire vi, pp *lui* inv
lumbago ou lombago nm, pl *lumbagos, lombagos*
lumen nm
lumière nf
lumignon nm
luminaire nm
lumineux, euse adj
lunch nm, pl *lunchs* ou *lunches*
lundi nm, pl *lundis* → p 16
lune nf
luné, e adj
lunette nf → p 16 ; *lunetier* nm (avec un t) ; *lunetterie* nf (avec deux t)
luni-solaire adj, pl *luni-solaires*
lunule nf
lupanar nm, pl *lupanars*
lupercales nfpl
lupin nm
lupus nm inv
lurette nf
luron, onne n
lustral, e, aux adj
lustre nm
lustrine nf
lut nm (ciment)
luth nm (instrument de musique)
lutin, e adj
lutrin nm
lutte nf ; *lutter* vi, pp *lutté* inv (avec deux t)
luxe nm ; *luxueux, euse* adj
luxure nf
luxuriant, e adj
luzerne nf
lycée nm ; *lycéen, enne* n
lychee ou litchi nm, pl *lychees, litchis*
lycopode nm
lymphe nf
lymphocyte nm
lyncher vt
lynx nm inv
lyophiliser vt
lyre nf (instrument de musique) ≠ *lire* (monnaie)
lyrique adj
lys ou lis nm inv

m

m nm inv
ma adj poss
macabre adj
macadam nm, pl *macadams*
macaque nm
macareux nm inv
macaron nm
macaroni nm, pl *macaronis* ou *macaroni*
macédoine nf
macérer vt
machaon nm
mâche nf (circonflexe sur *â*)
mâche-bouchon(s) nm, *mâche-bouchons*
mâchefer nm (circonflexe sur *â*)
mâcher vt (circonflexe sur *â*)
machiavélique adj
mâchicoulis nm inv (circonflexe sur *â*)
machinal, e, aux adj
machine nf
machine-outil nf, pl *machines-outils*
machiner vt
macho nm, pl *machos*; *machisme* nm
mâchoire nf (circonflexe sur *â*)
mâchonner vt (circonflexe sur *â*)
mâchure nf (circonflexe sur *â*)
macle nf (féminin)
maçon nm; *maçonner* vt
maçonnique adj
macreuse nf
macrocosme nm
macropode nm
maculer vt
madame nf, pl *mesdames*
madapolam nm, pl *madapolams*
madeleine nf
mademoiselle nf, pl *mesdemoiselles*
madère nm; *madériser* vt (attention aux accents)
madone nf
madras nm inv
madré, e adj
madrépore nm
madrier nm
madrigal nm, pl *madrigaux*
maelström ou malstrom nm, pl *maelströms, malstroms*
maestria nf, pl *maestrias*
maestro nm, pl *maestros*
maffia ou mafia nf; pl *maffias, mafias*; *maffioso* ou *mafioso* nm, pl *maffiosi* ou *mafiosi*
magasin nm; *magasinage* nm (avec un *s*)
magazine nm (avec un *z*)
mage nm
magenta adj inv; nm
maghrébin, e adj
magicien, enne n
magie nf; *magique* adj

magister nm, pl *magisters*
magistère nm
magistral, e, aux adj
magistrat nm
magma nm, pl *magmas*; *magmatique* adj
magnan nm; *magnanerie* nf
magnanime adj; *magnanimité* nf
magnat nm
magner (se) vpr
magnésium nm, pl *magnésiums*
magnétique adj
magnéto nf, pl *magnétos*
magnétophone nm
magnétoscope nm
magnificat nm inv
magnificence nf
magnifier vt
magnifique adj
magnitude nf
magnolia nm (masculin), pl *magnolias*
magnum nm, pl *magnums*
magot nm
magouille nf
mahārāja ou mahārādjah nm, pl *mahārājas, mahārādjahs*; *maharani* nf, pl *maharanis*
mahatma nm, pl *mahatmas*
mahdi nm, pl *mahdis*
mah-jong nm, pl *mah-jongs*
mahométan, e adj, n
mai nm; pl *mais*
maïeutique nf (tréma sur *ï*)
maigre adj; *maigriot, otte* adj
mail nm, pl *mails*
mail-coach nm, pl *mail-coaches*
maille nf; *mailler* vt
maillechort nm
maillet nm
mailloche nf
maillon nm
maillot nm
main nf
main-d'œuvre nf, pl *mains-d'œuvre*
main-forte nf (au sing)
mainlevée nf
mainmise nf
mainmorte nf
maint, e adj, pl *maints, maintes*
maintenance nf
maintenant adv
maintenir vt, pp *maintenu, e*; *maintien* nm
maire nm
mais conj
maïs nm inv (tréma sur *ï*)
maison nf; *maisonnée* nf
maistrance nf
maître nm; *se rendre maître* → p 45; *maîtresse* nf (circonflexe sur *î*)
maître-à-danser, pl *maîtres-à-danser*

maître-assistant, e n, pl *maîtres-assistants, es*
maître-autel nm, pl *maîtres-autels*
maîtrise nf; *maîtriser* vt (circonflexe sur *î*)
majesté nf; NOMS DE TITRE → p 28, 36
majeur, e adj
major nm
majorat nm
majordome nm
majorer vt
majorette nf
majorité nf
majuscule nf
mal nm, pl *maux*; *mal* adv → p 29
malabar adj inv en genre; nm, pl *malabars*
malachite nf (féminin)
malade adj, n (masculin ou féminin)
maladrerie nf
maladroit, e adj, n; *maladresse* nf
malaga nm, pl *malagas*
malaire adj
malaise nf
malaisé, e adj
malandrin nm
malappris, e adj, n
malaria nf, pl *malarias*
malavisé, e adj
malaxer vt
malbâti, e adj (circonflexe sur *â*)
malchance nf
malcommode adj
maldonne nf
mâle adj; nm (circonflexe sur *â*)
malédiction nf
maléfice nm
maléfique adj
malencontreux, euse adj
mal-en-point adj inv
malentendu nm
malfaçon nf
malfaire vi (seulement infinitif); *malfaisant, e* adj
malfaiteur nm
malfamé, e adj
malformation nf
malfrat nm
malgré prép
malhabile adj
malheur nm
malhonnête adj (circonflexe sur *ê*)
malice nf
malin, maligne adj; *malignité* nf (attention *gn*)
malingre adj
malintentionné, e adj
malique adj
malle nf
malléable adj

malléole nf
malle-poste nf, pl *malles-poste*
mallette nf
mal-logé, e n, pl *mal-logés, es*
malmener vt
malotru, e adj
malpropre adj
malsain, e adj
malséant, e adj
malsonnant, e adj (avec deux *n*)
malstrom ou maelström nm, pl *malstroms, maelströms*
malt nm
malthusien, enne adj
maltose nm
maltraiter vt
malvacée nf
malveillant, e adj ; *malveillance* nf
malvenu, e adj
malversation nf
malvoisie nf
maman nf
mamelle nf
mamelon nm ; *mamelonné, e* adj (un seul *l*)
mamelouk nm, pl *mamelouks*
mammaire adj
mammifère nm (deux *m* et un *f*)
mammouth nm, pl *mammouths* (avec deux *m*)
manager nm, pl *managers*
manant nm
manche nm (d'un outil)
manche nf (d'un vêtement)
manchot, ote adj (un seul *t*)
mandarin nm
mandarine nf
mandat nm
mandat-lettre nm, pl *mandats-lettres*
mander vt
mandibule nf (féminin)
mandoline nf
mandragore nf
mandrill nm, pl *mandrills*
mandrin nm
manducation nf
manécanterie nf
manège nm
mânes nmpl (masculin) [circonflexe sur â]
manette nf
manganèse nm
manger vt ; *mangeotter* vt (deux *t*) ; *mangeoire* nf
mange-tout ou mangetout nm inv
mangonneau nm, pl *mangonneaux*
mangouste nf
mangue nf (féminin)
maniable adj
manichéen, enne adj
manicle ou manique nf
manie nf
manier vt ; *maniement* nm
manière nf ; *maniéré, e* adj (attention aux accents)
manifeste adj ; nm
manifester vt
manigance nf
manille nf
manioc nm, pl *maniocs*
manipule nm (masculin)
manipuler vt
manique ou manicle nf
manitou nm, pl *manitous*

manivelle nf
manne nf
mannequin nm
manœuvre nf ; *manœuvrer* vt
manœuvre nm (ouvrier)
manoir nm
manquer vt
mansarde nf
manse nm ou nf (des deux genres)
mansuétude nf
mante nf (vêtement)
mante nf (insecte)
manteau nm, pl *manteaux*
manucure n (masculin ou féminin)
manuel, elle adj
manufacture nf
manu militari loc adv
manumission nf
manuscrit, e adj
manutention nf ; *manutentionnaire* n
maoïsme nm (tréma sur *ï*)
mappemonde nf (féminin)
maquereau nm, pl *maquereaux*
maquette nf
maquignon nm ; *maquignonnage* nm
maquiller vt
maquis nm inv
marabout nm
maraîcher, ère n (circonflexe sur *î*)
marais nm inv
marasme nm
marâtre nf (circonflexe sur â)
maraud, e n
maraude nf
marauder vi, pp *maraudé* inv
maravédis nm inv
marbre nm
marc nm
marcassin nm
marchand, e n
marche nf ; *marcher* vi, pp *marché* inv
marché nm
marchepied nm
marcotte nf
mardi nm, pl *mardis* → p 16
mare nf
marécage nm
maréchal nm, pl *maréchaux*
maréchal-ferrant nm, pl *maréchaux-ferrants* ; *maréchalerie* nf
maréchaussée nf
marée nf
marelle nf
marengo adj inv
mareyeur, euse n
margarine nf
marge nf
margelle nf
marginal, e, aux adj, n
margotin nm
margoulin nm
marguerite nf (un seul *t*)
marguillier nm
mari nm
marial, e, als adj
marier vt
marie-salope nf, pl *maries-salopes*
marigot nm
marin, e adj ; *marin* nm ; *marine* nf

maringouin nm
mariole ou mariolle adj, n (masculin ou féminin)
marionnette nf (un *r* et deux *n*)
marital, e, aux adj
maritime adj
maritorne nf
marivauder vi, pp *marivaudé* inv
marjolaine nf
mark nm, pl *marks*
marketing nm, pl *marketings*
marmaille nf
marmelade nf
marmenteau nm, pl *marmenteaux*
marmite nf
marmiton nm
marmonner vt (avec deux *n*)
marmoréen, enne adj
marmot nm
marmotte nf
marmotter vt
marmouset nm
marne nf
maroilles ou marolles nm inv
maronite adj, n (masculin ou féminin) [avec un *r* et un *n*]
maronner vi (un seul *r* et deux *n*)
maroquin nm ; *maroquinier* nm
marotte nf
maroufle nf (féminin)
marque nf ; NOMS DE MARQUES → p 19
marqueter vt
marquis nm ; *marquise* nf
marraine nf (deux *r* et un *n*)
marrer (se) vpr ; *marrant, e* adj (deux *r*)
marri, e adj (deux *r*) [fâché]
marron nm ; adj inv (couleur) ; *marronnier* nm (deux *r*, deux *n*)
marron, onne adj, n (esclave fugitif)
mars nm inv
marsouin nm
marsupial nm, pl *marsupiaux*
marte ou martre nf
marteau nm, pl *marteaux*
marteau-pilon nm, pl *marteaux-pilons*
martel nm
marteler vt ; *martelage* nm ; *martèlement* nm (attention à l'accentuation)
martial, e, aux adj
martien, enne adj
martin-chasseur nm, pl *martins-chasseurs*
martinet nm
martingale nf
martin-pêcheur nm, pl *martins-pêcheurs*
martre ou marte nf
martyr, e adj, n (personne) ; *martyre* nm (supplice)
marxisme nm
maryland nm, pl *marylands*
mas nm inv (maison) ≠ *mât* (d'un navire)
mascarade nf
mascaret nm
mascotte nf
masculin, e adj ; *masculiniser* vt
masochisme nm
masque nm

massacre nm
masse nf; *une masse de* → p 31
massepain nm
masser vt
masséter nm, pl *masséters*
massicot nm; *massicoter* vt
massier nm
massif, ive adj
massif nm
massue nf
mastaba nm, pl *mastabas*
mastic nm
mastite nf
mastiquer vt; *masticage* nm;
mastication nf
mastoc adj inv
mastodonte nm (masculin)
mastoïde adj (tréma sur le *ï*)
mastroquet nm
masturber vt
m'as-tu-vu nm inv
masure nf
mat nm (aux échecs), pl *mats*
(sans circonflexe); adj inv
mat, e adj (terne); *matité* nf
(sans circonflexe)
mât nm (d'un navire) [circon-
flexe sur â] ≠ *mas* (maison)
matador nm, pl *matadors*
matamore nm
match nm, pl *matches* ou
matchs
maté nm
matelas nm inv; *matelasser* vt
matelot nm
matelote nf
mater vt (soumettre)
mâter vt (bateau) [circonflexe
sur â]
mâtereau nm, pl *mâtereaux*
(circonflexe sur â)
matériau nm, pl *matériaux*
matériel, elle adj
maternel, elle adj
mathématique adj; nf;
matheux, euse n
matière nf
matin nm (temps) → p 27; *mati-
nal, e, aux* adj
mâtin nm (chien) [circonflexe
sur â]
mâtin, e n (circonflexe sur â)
matines nfpl (sans circonflexe)
matir vt (sans circonflexe)
matois, e adj
maton, onne n
matorral nm, pl *matorrals*
matou nm, pl *matous*
matraque nf; *matraquer* vt;
matraquage nm
matras nm inv
matriarcat nm; *matriarcal, e,
aux* adj
matrice nf
matricule nm (masculin)
matrilocal, e, aux adj
matrimonial, e, aux adj
matrone nf
matronyme nm
maturité nf
maudire vt, pp *maudit, e*
maugréer vi
maure ou *more* adj
mauresque ou *moresque* adj
mausolée nm
maussade adj
mauvais, e adj
mauve nf; adj; nm

mauviette nf
mauvis nm inv
maxillaire nm
maxime nf
maximum nm, pl *maxima* ou
maximums → p 18; *maximal,
e, aux* adj
maya adj, pl *mayas*
mayonnaise nf
mazagran nm
mazarinade nf
mazette nf
mazout nm
mazurka nf, pl *mazurkas*
me pr pers
mea culpa nm inv
méandre nm
méat nm
mec nm
mécanique adj; nf
mécanographie nf
mécanothérapie nf
mécène nm; *mécénat* nm
(attention aux accents)
méchant, e adj; *méchamment*
adv; *méchanceté* nf
mèche nf; *mécher* vt (attention
aux accents)
mécompte nm
méconnaître vt (circonflexe sur
î), pp *méconnu, e*; *méconnaissance* nf (sans circonflexe)
mécontent, e adj
mécréant nm
médaille nf
médecin nm; *médecine* nf
médecine-ball ou medicine-ball
nm, pl *médecine-balls, medicine-balls*
medersa nf, pl *medersas*
média ou media nm, pl *médias,
media*
médian, e adj; *médiane* nf
médianoche nm, pl *média-
noches*
médiat, e adj
médiation nf
médical, e, aux adj
médicament nm
médication nf
médicinal, e, aux adj
medicine-ball ou médecine-ball
nm, pl *medicine-balls, médecine-balls*
médico-légal, e, aux adj
médico-social, e, aux adj
médiéval, e, aux adj
médina nf, pl *médinas*
médiocre adj
médire vti, pp *médit* inv; *médi-
sant, e* adj; *médisance* nf
méditer vt
méditerranéen, enne adj (un *t,*
deux *r,* un *n* avant *é*)
médium nm, pl *médiums*
médius nm inv
médoc nm, pl *médocs*
médullaire adj
méduse nf
méduser vt
meeting nm, pl *meetings*
méfait nm
méfier (se) vpr
méforme nf
mégalithe nm (masculin) [atten-
tion *th*]
mégalomane adj, n (masculin
ou féminin)

mégaphone nm
mégarde (par) loc adv
mégathérium nm, pl
mégathériums
mégère nf
mégir vt
mégis nm inv
mégisser vt
mégot nm
mégoter vi, pp *mégoté* inv
méhari nm, pl *méharis* ou
méhara
meilleur, e adj; *des meilleurs*
→ p 26
mélampyre nm (masculin)
mélancolie nf
mélange nm
mélanome nm
mélasse nf
mêlé-cassis ou mêlé-cass nm
inv
mêler vt; *mêlée* nf (circonflexe
sur le premier *é*)
mélèze nm
méli-mélo nm, pl *mélis-mélos*
mélinite nf
mélioratif, ive adj
mélisse nf
mélodie nf
mélomane n (masculin ou
féminin)
melon nm; *melonnière* nf
mélopée nf
melting-pot nm, pl *melting-pots*
membrane nf
membre nm
même adj, adv → p 34; *de
même que* → p 47
mémento nm, pl *mémentos*
mémoire nf (faculté mentale)
mémoire nm (écrit)
mémorable adj
mémorandum nm, pl *mémo-
randums*
mémorial nm, pl *mémoriaux*
menace nf
ménage nm; *ménager, ère* adj
ménager vt
ménagerie nf
mendier vt; *mendiant, e* n;
mendicité nf
mendigot, e n (un seul *t*)
meneau nm, pl *meneaux*
mener vt; *menées* nfpl
ménestrel nm
ménétrier nm
menhir nm, pl *menhirs*
menin nm
méninge nf
ménisque nm; *méniscal, e, aux*
adj
ménopause nf
menotte nf → p 16
mensonge nm
menstrues nfpl
mensuel, elle adj
mensuration nf
mental, e, aux adj
menthe nf
menthol nm
mention nf; *mentionner* vt
mentir vi, pp *menti* inv
menton nm; *mentonnière* nf
mentor nm, pl *mentors*
menu, e adj; *menu* adv
menu nm
menuet nm
menuiserie nf

menu-vair nm, pl *menus-vairs*
méphistophélique adj
méphitique adj
méplat, e adj ; *méplat* nm
méprendre (se) v pr, pp *mépris, e* ; *méprise* nf
mépris nm inv
mer nf
mercanti nm, pl *mercantis* ; *mercantile* adj
mercenaire nm
mercerie nf
merci nm → p 10
mercredi nm, pl *mercredis* → p 16
mercure nm
mercuriale nf
merde nf
mère nf
mère-grand nf, pl *mères-grand(s)*
merguez nf inv
méridien, enne adj
méridional, e, aux adj
meringue nf
mérinos nm inv
merise nf
merisier nm
mérite nm
merlan nm
merle nm
merlin nm
merluche nf ; *merlu* nm
mérou nm, pl *mérous*
merrain nm
mérule nm ou nf (des deux genres)
merveille nf
mes adj poss
mésallier (se) vpr ; *mésalliance* nf (avec deux *l*)
mésange nf
mésaventure nf
mescaline nf
mesdames nfpl
mesdemoiselles nfpl
mésentente nf
mésestimer vt
mésintelligence nf
mesquin, e adj ; *mesquinerie* nf
mess nm inv
message nm
messagerie nf
messe nf
messianique adj
messidor nm, pl *messidors*
messie nm
messieurs nmpl
messire nm
mesure nf ; *mesurer* vt → p 41
métabolique adj
métacarpe nm (masculin)
métairie nf
métal nm, pl *métaux* (les dérivés avec deux *l* : *métallique* adj, *métalliser* vt, *métallurgie* nf, etc)
métamorphose nf
métaphore nf
métaphysique nf
métapsychique adj
métastase nf
métatarse nm (masculin)
métathèse nf
métayer, ère n
métempsycose nf (pas de *h*)
météo nf, pl *météos*

météore nm (masculin) ; *météorite* nf (féminin)
météorologie nf
métèque nm
méthane nm
méthode nf
méticuleux, euse adj
métier nm
métis, isse adj, n ; *métisser* vt
métonymie nf
mètre nm ; *métrer* vt (attention aux accents)
métro nm, pl *métros*
métronome nm
métropole nf
mets nm inv
mettre vt, pp *mis, e* ; se mettre bien, se mettre à dos → p 45
meuble adj ; nm
meugler vi
meule nf
meunier, ère n
meurette nf
meurtre nm
meurtrir vt
meute nf
mévente nf
mezzanine nf (féminin), pl *mezzanines*
mezza voce adv
mezzo-soprano nm (masculin), pl *mezzo-sopranos*
mi nm inv
miaou nm, pl *miaous*
miasme nm
miauler vi, pp *miaulé* inv
mica nm, pl *micas*
mi-carême nf, pl *mi-carêmes*
micelle nf
miche nf
mi-chemin (à) loc adv
micmac nm, pl *micmacs*
micocoulier nm
mi-corps (à) loc adv
mi-côte (à) loc adv
micro nm, pl *micros*
microbe nm
microclimat nm
microcosme nm
microfilm nm
micron nm
micro-organisme nm, pl *micro-organismes*
microphone nm
microprocessus nm
microscope nm
microsillon nm
miction nf
midi nm (masculin), pl *midis* → p 27 et 30
midinette nf
midship nm, pl *midships*
mie nf
miel nm ; *mielleux, euse* adj
mien, enne adj poss
miette nf
mieux adv ; le mieux → p 34 ; des mieux → p 28
mieux-être nm inv
mièvre adj ; *mièvrerie* nf
migmatite nf
mignard, e adj
mignon, onne adj, n ; *mignonnette* adj f ; nf
migraine nf
migrant, e n
migrateur, trice adj
mi-jambe (à) loc adv

mijaurée nf (attention *au*)
mijoter vt
mikado nm, pl *mikados*
mil nm
mil adj num inv
milan nm
mildiou nm, pl *mildious*
milice nf ; *milicien, enne* n
milieu nm, pl *milieux*
militaire adj ; nm
militer vi, pp *milité* inv
milk-bar nm, pl *milk-bars*
mille nm → p 33
mille adj num inv → p 33 ; *millième* adj ord ; *millier* nm → p 33
mille-feuille nf (plante) ; nm (gâteau), pl *mille-feuilles*
millénaire nm ; *millénarisme* nm
mille-pattes nm
mille-pertuis ou millepertuis nm inv
millésime nm
millet nm
milliard nm → p 33
millier nm → p 33
million nm → p 33 ; *millionième* adj ord (avec un seul *n*) ; *millionnaire* n (masculin ou féminin) [avec deux *n*]
milord nm, pl *milords*
mi-lourd nm ; adj, pl *mi-lourds*
mime nm (masculin)
mimosa nm (masculin), pl *mimosas*
mi-moyen nm ; adj, pl *mi-moyens*
minable adj
minaret nm
minauder vi
mince adj
mine nf
minerai nm
minéral, e, aux adj
minerve nf
minestrone nm, pl *minestrones*
minet, ette n
mineur, e adj, n
miniature nf
minibus nm inv
minima (a) loc adv
minimal, e, aux adj
minime adj
minimum nm, pl *minima* ou *minimums* → p 18
ministère nm ; *ministériel, elle* adj (attention aux accents)
ministre nm
minium nm, pl *miniums*
minnesang nm sing
minois nm inv
minorer vt
minorité nf
minotier nm
minuit nm (masculin), pl *minuits* → p 30
minus nm inv
minuscule adj ; nf
minute nf
minutie nf ; *minutieux, euse* adj
mioche n (masculin ou féminin)
mi-parti, e adj, pl *mi-partis, es*
mirabelle nf
miracle nm ; *miraculeux, euse* adj ; *miraculé, e* n
mirador nm, pl *miradors*
mirage nm
mire nf

mire-œufs nm inv
mirepoix nf
mirer vt
mirettes nfpl
mirifique adj
mirliton nm
mirobolant, e adj
miroir nm; *miroitier* nm; *miroiterie* nf
miroiter vi, pp *miroité* inv
miroton ou mironton nm
misaine nf
misanthrope adj, n (masculin ou féminin) [attention *th*]
miscellanées nfpl
miscible adj (attention *sc*)
mise nf
misère nf; *misérable* adj; *miséreux, euse* adj, n (attention aux accents)
miséréré nm, pl *misérérés*
miséricorde nf
misogyne adj, n (masculin ou féminin); *misogynie* nf (*y* après *g*)
miss nf, pl *miss* ou *misses*
missel nm
missile nm
mission nf; *missionnaire* n (masculin ou féminin)
missive nf
mistral nm, pl *mistrals*
mitaine nf
mitan nm
mitard nm
mite nf; *miter (se)* vpr
mi-temps nf inv
miteux, euse adj
mithridatiser vt
mitigé, e adj
mitigeur nm
mitonner vt
mitose nf
mitoyen, enne adj; *mitoyenneté* nf
mitraille nf
mitrailler vt
mitral, e, aux adj
mitre nf
mitron nm
mi-voix (à) loc adv
mixte adj; *mixité* nf
mixtion nf
mixture nf
mnémotechnique adj; nf
mobile adj; nm
mobilier, ère adj; *mobilier* nm
mobiliser vt
mocassin nm
moche adj
modal, e, aux adj
modalité nf
mode nf (vogue); *modiste* n (masculin ou féminin)
mode nm (manière d'être); *modal, e, aux* adj
modèle nm; *modéliste* n (masculin ou féminin) [attention aux accents]
modeler vt
moderato adv
modérer vt
moderne adj
modern style nm (sing); adj inv
modeste adj
modifier vt
modillon nm
modique adj

module nm (masculin)
moduler vt
modus vivendi nm inv
moelle nf
moelleux, euse adj
moellon nm
mœurs nfpl
mofette, mouffette ou moufette nf
mohair nm, pl *mohairs*
moi pr pers; nm inv
moie ou moye nf
moignon nm
moindre adj
moine nm
moineau nm, pl *moineaux*
moins adv; *le moins* → p 34, *des moins* → p 28; *pas moins de* → p 49
moins-perçu nm, pl *moins-perçus*
moins-value nf, pl *moins-values*
moire nf
mois nm inv
moise nm, pl *moïses* (tréma sur *i*)
moisir vt, vi
moisson nf; *moissonner* vt
moissonneuse-batteuse nf, pl *moissonneuses-batteuses*
moite adj
moitié nf → p 31, 39, 48
moka nm, pl *mokas*
molaire nf
môle nm (digue) [masculin] (circonflexe sur *ô*)
môle nf (poisson) [féminin] (circonflexe sur *ô*)
molécule nf
moleskine nf
molester vt
molette nf; *moleter* vt (avec un seul *t*)
molinisme nm
mollah nm, pl *mollahs*
mollet nm (avec deux *l*)
molleton nm; *molletonner* vt
mollir vi, vt; *mollesse* nf (avec deux *l*)
mollusque nm
moloch nm, pl *molochs*
molosse nm
molybdène nm
môme n (masculin ou féminin) [circonflexe sur *ô*]
moment nm; *momentané, e* adj; *momentanément* adv
momerie nf (pas de circonflexe)
momie nf
mon adj poss
monacal, e, aux adj; *monachisme* nm
monade nf
monarchie nf
monastère nm; *monastique* adj
monaural, e, aux adj
monceau nm, pl *monceaux*
mondain, e adj; *mondanité* nf
monde nm; *mondial, e, aux* adj
monder vt
monétaire adj
mongolien, enne n
moniale nf
monisme nm
moniteur, trice n; *monitorat* nm
monition nf
monitoire nm
monitoring nm

monnaie nf; *monnayer* vt
monnaie-du-pape nf, pl *monnaies-du-pape*
monobloc adj
monochrome adj
monocle nm
monoclinal, e, aux adj
monocoque adj
monocorde adj
monoculture nf
monogramme nm
monographie nf
monolingue adj
monolithe nm (masculin) [attention *th*]
monologue nm
monomanie nf
monôme nm (circonflexe sur le second *ô*)
monoplan nm
monopole nm
monorail nm, pl *monorails*
monoski nm, pl *monoskis*
monosyllabe nm (masculin)
monothéisme nm
monotone adj; *monotonie* nf
monovalent, e adj
monozygote adj
monseigneur nm, pl *messeigneurs, nosseigneurs*
monsieur nm, pl *messieurs*
monstre nm
mont nm
montagne nf
mont-blanc nm, pl *monts-blancs*
mont-de-piété nm, pl *monts-de-piété*
mont-d'or nm, pl *monts-d'or*
monte nf
monte-charge nm inv
monte-en-l'air nm inv
monte-plats nm inv
monter vt
monte-sac(s) nm, pl *monte-sacs*
montgolfière nf
mont-joie nm, pl *monts-joie*
montre nf
montrer vt
monture nf
monument nm; *monumental, e, aux* adj
moquer (se) vpr
moquette nf; *moquetter* vt (deux *t*)
moraine nf (un seul *r* et un seul *n*)
moral, e, aux adj; *moral* nm (au sing); *morale* nf
morasse nf
moratoire adj; nm
morbide adj
morbleu! interj
morceau nm, pl *morceaux*; *morceler* vt (avec un seul *l*); *morcellement* nm (avec deux *l*)
mordacité nf
mordancer vt; *mordançage* nm
mordicus adv
mordoré, e adj
mordre vt, pp *mordu, e*; *mordiller* vt
more ou maure adj
morelle nf
moresque ou mauresque adj
morfil nm
morfondre (se) vpr, pp *morfondu, e*
morganatique adj

morgue nf
moribond, e adj
moricaud, e adj, n
morigéner vt
morille nf
morillon nm
mormon, one n → p 13
morne adj
mornifle nf
morose adj
morphine nf
morphologie nf
mors nm inv
morse nm
mort nf; *mortel, elle* adj, n; *mortalité* nf
mortadelle nf
mortaise nf
mort-aux-rats nf inv
mort-bois nm, pl *morts-bois*
morte-eau nf, pl *mortes-eaux*
morte-saison nf, pl *mortes-saisons*
mortier nm
mortifier vt
mortinatalité nf
mort-né, e adj, n, pl *mort-nés, es*
mortuaire adj
morue nf; *morutier, ère* adj
morula nf, pl *morulas*
morve nf
mosaïque nf (tréma sur le *i*)
mosquée nf
mot nm
motard nm
motel nm
motet nm
moteur, trice adj; *moteur* nm
motif nm
motion nf
motoculture nf
motocyclette nf
motopompe nf
motricité nf
motte nf
motu proprio loc adv
motus ! interj
mou, mol (devant une voyelle ou un *h* muet), molle adj, pl *mous, molles*
mou nm (poumon), pl *mous* ≠ *moût* (jus de raisin)
moucharabieh nm, pl *moucharabiehs*
mouchard, e n
mouche nf
moucher vt
moucheron nm
moucheter vt
mouchette nf
moudre vt, pp *moulu, e*; *mouture* nf
moue nf
mouette nf
mouffette, moufette, ou mofette nf
moufle nf (féminin) [un seul *f*]

mouflet, ette n
mouflon nm
moufter vi
mouiller vt
mouise nf
moujik nm, pl *moujiks*
moule nm; *mouler* vt
moule nf (coquillage)
moulin nm
mouliner vt
mouron nm
mousmé nf, pl *mousmés*
mousquet nm
mousse nm; *moussaillon* nm
mousse nf (écume)
mousse adj
mousseline nf
mousson nf
moustache nf → p 16
moustique nm; *moustiquaire* nf (féminin)
moût nm (circonflexe sur *u*) [jus de raisin] ≠ *mou* (poumon)
moutard nm
moutarde nf
moutier nm
mouton nm; *moutonner* vi, pp *moutonné* inv
mouvement nm
mouvoir vt, pp *mû, mue, mus, mues* (circonflexe sur *û* au masculin sing)
moye ou moie nf
moyen, enne adj; *moyen* nm; *moyenne* nf
moyenâgeux, euse adj
moyen-courrier nm, pl *moyen-courriers*
moyennant prép
moyette nf
moyeu nm, pl *moyeux*
mozarabe adj
mucilage nm (masculin)
mucosité nf; *muqueux, euse* adj
mucus nm inv
muer vi; *mue* nf
muet, ette adj; *mutisme* nm; *mutité* nf
muezzin nm, pl *muezzins*
muffin nm, pl *muffins*
mufle nm
muflier nm
mufti ou muphti nm, pl *muftis, muphtis*
mugir vi, pp *mugi* inv
muguet nm
muid nm, pl *muids*
mulâtre nm; *mulâtresse* nf (circonflexe sur *â*)
mule nf
mule-jenny nf, pl *mule-jennys*
mulet nm; *muletier, ère* adj, n
muleta nf, pl *muletas*
mulot nm
multicolore adj

multicouche adj
multiforme adj
multipare adj; nf
multiple adj; *multiplier* vt
multirisque adj
multisalles adj
multitude nf
municipal, e, aux adj
municipe nm
munificent, e adj
munir vt
munitions nfpl
muqueuse nf
mur nm; *mural, e, aux* adj
mûr, e adj (circonflexe sur *û*)
muraille nf
mûre nf (circonflexe sur *û*) [fruit]
murène nf
murex nm inv
murmure nm
musaraigne nf
musarder vi, pp *musardé* inv
musc nm; *musqué, e* adj
muscade nf
muscadet nm
muscadin nm
muscat nm
muscle nm
muse nf
museau nm, pl *museaux*
musée nm
museler vt
muser vi, pp *musé* inv
musette nf
muséum nm, pl *muséums*
music-hall nm, pl *music-halls*
musique nf; *musical, e, aux* adj; *musicien, enne* adj, n
musulman, e adj, n
muter vt
mutiler vt
mutin, e adj; *mutiner (se)* vpr
mutualisme nm
mutuel, elle adj
mycélium nm, pl *mycéliums*
mycologie nf
mycose nf
myéline nf
mygale nf
myocarde nm
myope adj, n (masculin ou féminin)
myosotis nm inv (masculin)
myriade nf
myrrhe nf (féminin) [*h* après les deux *r*]
myrte nm (masculin)
myrtille nf
mystère nm; *mystérieux, euse* adj (attention aux accents)
mysticisme nm
mystifier vt
mystique adj
mythe nm
mythologie nf
myxomatose nf

n

n nm inv
nabab nm, pl *nababs*
nabi nm, pl *nabis*
nabot, e n
nacelle nf
nacre nf (féminin)
nadir nm
nævus nm inv
nager vt, vi
naguère adv
naïade nf (tréma sur *i*)
naïf, ïve adj (tréma sur *i*)
nain, naine n; *nanisme* nm
naissain nm
naître vi (circonflexe sur *i* devant *t*), pp né, e; *naissance* nf (sans circonflexe)
naja nm, pl *najas*
nanan nm (au sing)
nandou nm, pl *nandous*
nankin nm, pl *nankins*
nantir vt
napalm nm, pl *napalms*
naphtaline nf
naphte nm (masculin)
napoléon nm; *napoléonien, enne* adj (un seul *n* après *o*)
nappe nf
napper vt
narcisse nm (masculin)
narco-analyse nf, pl *narco-analyses*
narcose nf
narguer vt
narguilé ou narghilé nm
narine nf
narquois, e adj
narrer vt; *narrateur, trice* n; *narration* nf
narthex nm inv
narval nm, pl *narvals*
nasal, e, aux ou als adj
naseau nm, pl *naseaux*
nasiller vi, pp nasillé inv
nasse nf
natal, e, als adj
natation nf
natif, ive adj
nation nf; *national, e, aux,* adj; *nationaliser* vt; *nationalisme* nm (avec un seul *n*)
nativité nf
natron ou natrum nm, pl *natrons, natrums*
natte nf
naturaliser vt
nature nf; *naturel, elle* adj
naufrage nm
nauséabond, e adj
nausée nf; *nauséeux, euse* adj
nautique adj
nautonier nm
navaja nm, pl *navajas*
naval, e, als adj
navarin nm
navet nm

navette nf
navicert nm inv
naviguer vi, pp naviguer inv; *navigable* adj; *navigant, e* n ≠ naviguant pprés du v; *navigation* nf
navire nm;
navire-citerne nm, pl *navires-citernes*
navire-hôpital nm, pl *navires-hôpitaux*
navrer vt
nazi, e adj, pl *nazis, es*
ne adv
néanmoins conj
néant nm
nébuleuse nf
nébuliser vt
nécessaire adj; nm
nec plus ultra nm inv
nécrologie nf
nécromancie nf
nécropole nf (féminin)
nécrose nf
nectaire nm (masculin)
nectar nm, pl *nectars*
nectarine nf
nef nf, pl *nefs*
néfaste adj
nèfle nf; *néflier* nm (attention aux accents)
négation nf; *négatif, ive* adj
négliger vt; *négligent, e* adj ≠ négligeant pprés du v; *négligence* nf; *négligemment* adv
négoce nm (masculin)
négocier vt
nègre nm; *négresse* nf; *négrier* nm (attention aux accents)
négro-africain, e adj, pl *négro-africains, es*
negro-spiritual nm, pl *negro(-)spirituals*
négus nm inv
neige nf; *neiger* vi, pp neigé inv
némathelminthe nm (masculin) [*h* après *t*]
nénuphar nm
néoclassicisme nm
néocolonialisme nm
néoformation nf
néogrec, grecque adj
néo-impressionnisme nm
néolithique adj; nm
néologie nf
néon nm
néonatal, e, als adj
néophyte n (masculin ou féminin)
néoréalisme nm
népenthès nm inv
néphrétique adj; *néphrite* nf
népotisme nm
nerf nm
néritique adj
nerprun nm, pl *nerpruns*

nerveux, euse adj
nervi nm, pl *nervis*
nervure nf
net, nette adj; *netteté* nf
nettoyer vt; *nettoiement* nm; *nettoyage* nf
neuf adj num inv; *neuvaine* nf; *neuvième* adj ord
neuf, neuve adj
neural, e, aux adj
neurasthénie nf
neurologie nf
neurone nm
n'eût été loc v → p 49
neutre adj, n (masculin ou féminin)
neutron nm
névé nm, pl *névés*
neveu nm; *nièce* nf
névralgie nf
névrite nf
névropathe adj
névrose nf; *névrotique* adj
new-look nm inv
nez nm inv
ni conj → p 47
niais, e adj, n
niche nf
nickel nm, pl *nickels*
nicotine nf
nid nm
nid-de-poule nm, pl *nids-de-poule*
nielle nm (incrustation)
nielle nf (plante)
nier vt
nigaud, e n
night-club nm, pl *night-clubs*
nihilisme nm
nimbe nm (masculin)
nimbus nm inv
nippe nf; *nipper* vt
nippon, nippone ou nipponne adj → p 13
nique nf
nirvâna nm, pl *nirvânas*
nitre nm (masculin)
nival, e, aux adj
niveau nm, pl *niveaux*; *niveler* vt (un *l*); *nivellement* nm (deux *l*)
nivéole nf
nivôse nm, pl *nivôses* (circonflexe sur ô)
nô ou nō nm, pl *nôs, nos*
noble adj, n (masculin ou féminin)
nobliau nm, pl *nobliaux*
noce nf
nocher nm
nocif, ive adj
noctambule adj, n (masculin ou féminin)
nocturne adj; nm ou nf (ouverture en soirée)
nodal, e, aux adj

nodosité nf
nodule nm (masculin)
nœud nm
noir, e adj, n; *noir* nm; *noirâtre* adj (circonflexe sur *â*); *noircir* vt, vi
noise nf
noisette nf; *noisetier* nm (un seul *t*); *noix* nf inv
noli-me-tangere nm inv
noliser vt
nom nm; NOMS ACCIDENTELS → p 17; NOMS PROPRES → p 19, 27; *nommer* vt (deux *m*); *nomination* nf (un *n*)
nomade adj, n (masculin ou féminin)
no man's land nm, pl no man's lands
nombre nm
nombril nm
nome nm (masculin)
nomenclature nf
nominal, e, aux adj
non adv nég
non- préf (tous les dérivés prennent un trait d'union quand ils sont des noms. Au pluriel, le deuxième terme prend la marque du pluriel)
non-activité nf, pl *non-activités*
non-agression nf, pl *non-agressions*
nonagénaire adj, n (masculin ou féminin)
non-aligné, e n, pl *non-alignés, es*; *non-alignement* nm, pl *non-alignements*
nonante adj num inv
non-assistance nf, pl *non-assistances*
nonce nm
nonchalant, e adj; *nonchalamment* adv; *nonchalance* nf
non-combattant nm, pl *non-combattants*
non-conformisme nm, pl *non-conformismes*; *non-conformiste* n (masculin ou féminin), pl *non-conformistes*
non-croyant, e n, pl *non-croyants, es*
non-directif, ive adj, pl *non-directifs, ives*
non-engagé, e n, pl *non-engagés, es*
non-ingérence nf, pl *non-ingérences*
non-lieu nm, pl *non-lieux*

nonne nf
nonobstant prép
non-paiement nm, pl *non-paiements*
non-recevoir nm (au sing)
non-retour nm (au sing)
non-réussite nf, pl *non-réussites*
non-sens nm inv
non-spécialiste n (masculin ou féminin), pl *non-spécialistes*
non-stop nf, pl *non-stops;* adj inv
non-valeur nf, pl *non-valeurs*
non-violence nf, pl *non-violences;* *non-violent, e* adj, n, pl *non-violents, es*
nopal nm, pl *nopals*
nord nm inv; *nord-est* nm inv; *nordique* adj; *nord-ouest* nm inv
nord-africain, e n, pl *nord-africains, es*
nord-américain, e n, pl *nord-américains, es*
noria nf, pl *norias*
normal, e, aux adj; *normaliser* vt
norme nf
nos adj poss
nosologie nf
nostalgie nf
nota ou nota bene nm inv
notable adj; nm
notaire nm; *notairesse* nf; *notarial, e, aux* adj
notamment adv
note nf; NOMS DE NOTES → p 17
noter vt
notice nf
notifier vt
notion nf; *notionnel, elle* adj
notoire adj
notre adj poss
nôtre pr poss; *nôtres (les)* nmpl (circonflexe sur *ô*)
notule nf
nouba nf, pl *noubas*
noue nf (terre)
noue nf (charpente)
nouer vt
noueux, euse adj
nougat nm; *nougatine* nf
nouille nf
nouméne nm
nounou nf, pl *nounous*
nourrain nm
nourrir vt (tous les dérivés ont deux *r* : *nourriture, nourrice,* etc)

nourrisson nm
nous pr pers → p 30
nouure nf
nouveau, nouvel (devant une voyelle ou un *h* muet), nouvelle adj; *nouveau* nm, *nouvelle* nf, pl *nouveaux, nouvelles* → p 29
nouveau-né, e n, adj, pl *nouveau-nés, es* → p 29
nouveauté nf
nouvelle nf; *nouvelliste* n (masculin ou féminin)
novation nf
novembre nm, pl *novembres*
novice n (masculin ou féminin)
noyau nm, pl *noyaux*
noyer vt
noyer nm
nu, e adj → p 29; *nu* nm; *nûment* adv (circonflexe sur *û*), *nudité* nf
nuage nm
nuance nf
nubile adj
nucléaire adj; nm
nucléole nm (masculin)
nuée nf
nue-propriété nf, pl *nues-propriétés;* *nu(nue)-propriétaire* n, pl *nus(nues)-propriétaires*
nues nfpl
nuire vti, pp *nui* inv
nuit nf; *nuitamment* adv
nul, nulle adj indéf → p 34; *nullard, e* adj; *nullement* adv
numéraire nm
numéral, e, aux adj
numération nf
numérique adj
numéro nm, pl *numéros*
numismate n (masculin ou féminin)
nunchaku nm, pl *nunchakus*
nu-pieds nm inv
nuptial, e, aux adj
nuque nf; *nucal, e, aux* adj
nurse nf; *nursery* nf, pl *nurseries;* *nursing* nm, pl *nursings*
nutation nf
nutritif, ive adj
nyctalope adj
nycthémère nm (masculin)
Nylon nm (nom déposé)
nymphe nf; *nymphal, e, als* adj
nymphéa nm (masculin), pl *nymphéas*
nymphée nm (masculin)
nymphette nf
nymphomane nf

O

o nm inv
ô interj
oasis nf inv (féminin)
obédience nf
obéir vti
obélisque nm (masculin)
obérer vt
obèse adj ; obésité nf (attention aux accents)
obi nf, pl obis
objectal, e, aux adj
objecter vt
objectif, ive adj
objet nm
objurgations nfpl
oblat, e n
oblation nf
obliger vt ; obligeant, e adj ; obligeamment adv ; obligeance nf
oblique adj
oblitérer vt
oblong, gue adj
obnubiler vt
obole nf
obscène adj ; obscénité nf (attention aux accents)
obscur, e adj ; obscurément adv
obscurcir vt
obséder vt ; obsession nf ; obsessionnel, elle adj (attention à l'accentuation)
obsèques nfpl (féminin)
obséquieux, euse adj
observer vt
obsidienne nf
obsidional, e, aux adj
obsolescent, e adj
obsolète adj
obstacle nm
obstétrique nf ; obstétrical, e, aux adj ; obstétricien, enne n
obstiner (s') vpr
obstruer vt ; obstruction nf ; obstructionnisme nm
obtempérer vti, pp obtempéré inv
obtenir vt, pp obtenu, e ; obtention nf
obturer vt
obtus, e adj
obus nm inv
obvier vti, pp obvié inv
ocarina nm (masculin), pl ocarinas
occase nf (populaire)
occasion nf ; occasionnel, elle adj
occident nm ; occidental, e, aux adj
occiput nm ; occipital, e, aux adj
occire vt, pp occis, e
occitan nm
occlusif, ive adj ; occlusion nf
occulte adj
occuper vt

occurrent, e adj ; occurrence nf (deux c, deux r)
océan nm
ocelle nm (masculin)
ocelot nm
ocre nf (argile) ; adj inv ; nm (couleur)
octal, e, aux adj
octane nm (masculin)
octante adj num inv
octave nf (féminin)
octobre nm, pl octobres
octogénaire adj, n (masculin ou féminin)
octogonal, e, aux adj ; octogone nm
octosyllabe adj ; nm
octroi nm ; octroyer vt
oculaire adj ; nm
oculiste nm (masculin ou féminin)
odalisque nf
ode nf
odeur nf
odieux, euse adj
odontologie nf
odorant, e adj
odorat nm
odoriférant, e adj
odyssée nf
œcuménique adj
œdème nm (masculin) ; œdémateux, euse adj (attention aux accents)
œdipe nm
œil nm, pl yeux, → p 17 ; œillade nf
œil-de-bœuf nm, pl œils-de-bœuf
œil-de-chat nm, pl œils-de-chat
œil-de-perdrix nm, pl œils-de-perdrix
œil-de-pie nm, pl œils-de-pie
œilleton nm ; œilletonner vt
œillette nf
œnologie nf ; œnologue n (masculin ou féminin)
œsophage nm
œstral, e, aux adj ; œstrogène nm
œuf nm, pl œufs
œuvre nf (féminin ; masculin rare dans le grand œuvre) → p 10
offense nf
offertoire nm (masculin)
office nm (fonction) ; nf ou nm (des deux genres) [pièce de service]
official nm, pl officiaux
officiel, elle adj
officier vi, pp officié inv
officier nm
officieux, euse adj
officinal, e, aux adj
officine nf
offre nf ; offrir vt, pp offert, e

offset nm inv
offshore adj inv ; nm inv
offusquer vt
ogive nf ; ogival, e, aux adj
ogre nm ; ogresse nf
oh !, ohé ! interj
oie nf
oignon nm ; oignonade nf (un seul n)
oindre vt, pp oint, e ; oing nm
oiseau nm, pl oiseaux ; oiselet nm ; oiseleur ; oisillon nm
oiseau-lyre nm, pl oiseaux-lyres
oiseau-mouche nm, pl oiseaux-mouches
oiseux, euse adj
oisif, ive adj
o. k. ! interj
okapi nm, pl okapis
okoumé nm, pl okoumés
oléagineux, euse adj
oléiculture nf
oléoduc nm
olfactif, ive adj
olibrius nm inv
olifant nm
oligarchie nf
oligocène adj ; nm
oligoélément nm
oligophrénie nf
olive nf
olographe adj (pas de h au début du mot)
ombelle nf
ombellifère nf ; ombilical, e, aux adj
ombilic nm ; ombilical, e, aux adj
omble nm (masculin)
ombrageux, euse adj
ombre nf (zone sombre)
ombre nm (poisson)
ombrelle nf
oméga nm, pl omégas
omelette nf
omettre vt, pp omis, e ; omission nf
omnibus nm inv
omnidirectionnel, elle adj
omnipotent, e adj
omniscient, e adj
omnisports adj inv
omnium nm, pl omniums
omnivore adj, n (masculin ou féminin)
omoplate nf (féminin)
on pr indéf → p 30
onagre nm (animal)
onagre nf (plante)
once nf
oncial, e, aux adj ; onciale nf
oncle nm
onction nf
onctueux, euse adj
onde nf
ondée nf
ondin, e n

on-dit nm inv
ondoyer vt; *ondoiement* nm
onduler vt
one-man-show nm, pl *one-man-shows*
onéreux, euse adj
ongle nm
onguent nm
onirique adj
oniromancie nf
onomastique nf
onomatopée nf
ontogenèse nf
ontologie nf
onusien, enne adj
onychophagie nf
onyx nm inv
onze adj num nm inv; *onzain* nm; *onzième* adj ord
oolithe ou oolite nf
opacifier vt
opale nf (féminin)
opalin, e adj; *opaline* nf
opaque adj
opéra nm, pl *opéras*
opéra-comique nm, pl *opéras-comiques*
opercule nm (masculin)
opérer vt; *opération* nf; *opérationnel, elle* adj
ophicléide nm (masculin)
ophtalmie nf; *ophtalmologie* nf
opiacé, e adj
opiner vi, pp *opiné* inv
opiniâtre adj (circonflexe sur â)
opinion nf
opium nm, pl *opiums*; *opiomane* n (masculin ou féminin)
opopanax nm inv
opossum nm, pl *opossums*
oppidum nm, pl *oppida*
opportun, e adj; *opportunément* adv; *opportunité* nf
opposer vt
oppresser vt
opprimer vt
opprobre nm (masculin)
opter vi, pp *opté* inv; *option* nf
opticien, enne n
optimisme nm
optimum nm, pl *optimums* ou *optima* → p 18; *optimal, e, aux* adj
optique nf
opulent, e adj; *opulence* nf
opuntia nm, pl *opuntias*
opus nm inv
opuscule nm (masculin)
or nm
or conj
oracle nm
orage nm
oraison nf
oral, e, aux, adj
orange nf (fruit); adj inv; nm (couleur); *orangeade* nf
orang-outan(g) nm, pl *orangs-outan(g)s*
orant, e n
orateur nm
oratorio nm, pl *oratorios*
orbe nm (masculin)
orbiculaire adj
orbitaire adj
orbite nf (féminin); *orbital, e, aux* adj
orcanette nf

orchestre nm; *orchestral, e, aux* adj
orchidée nf
orchis nm inv
orchite nf
ordalie nf
ordinaire adj; nm
ordinal, e, aux adj
ordinand nm (clerc)
ordinant nm (évêque)
ordinateur nm
ordination nf
ordo nm inv
ordonnance nf (décret, prescription); nm ou nf (des deux genres) [soldat]
ordonnancer vt
ordonner vt; *ordre* nm
ordure nf
orée nf
oreille nf; *oreillons* nmpl
oreille-de-mer nf, pl *oreilles-de-mer*
oreille-de-souris nf, pl *oreilles-de-souris*
orémus nm inv
orfèvre n (masculin ou féminin)
orfraie nf
organdi nm, pl *organdis*
organe nm
organeau nm, pl *organeaux*
organiser vt
organiste n (masculin ou féminin)
orgasme nm
orge nf (plante); nm (grain)
orgeat nm
orgelet nm
orgie nf
orgue nm → p 10
orgueil nm; *orgueilleux, euse* adj
orient nm; *oriental, e, aux* adj
orienter vt
orifice nm
oriflamme nf (féminin)
origan nm
original, e, aux adj, n
original nm pl *originaux*
origine nf
oripeau nm, pl *oripeaux*
orme nm (masculin); *ormeau* nm, pl *ormeaux*
orne nm (masculin)
ornement nm; *ornemental, e, aux* adj
orner vt
ornière nf
ornithologue n (masculin ou féminin)
ornithorynque nm (masculin)
orogenèse nf
oronge nf (féminin)
orpailleur nm
orphelin, e n; *orphelinat* nm
orphéon nm
orphie nf
orphique adj
orque nf (féminin)
orthodoxe adj
orthogonal, e, aux adj
orthographe nf
orthopédie nf
orthophonie nf
ortie nf
ortolan nm
orvet nm
orviétan nm

os nm inv; *osselet* nm (avec deux s); *osseux, euse* (avec deux s)
osciller vi, pp *oscillé* inv
oseille nf
oser vt
osier nm
osmose nf
ostéite nf
ostensible adj
ostensoir nm
ostentation nf
ostéomyélite nf
ostracisme nm
ostréiculture nf
otage nm (masculin)
otarie nf
ôter vt (circonflexe sur ô), pp *ôté, e* → p 38, 39
otite nf
oto-rhino-laryngologie nf (sing)
ottoman, e adj
ou conj ≠ *où* adv (de lieu) → p 30, 47
ouest nm inv
ouailles nfpl
ouais ! interj
ouate nf (féminin)
oubli nm
oued nm, pl *oueds*
ouest nm inv
oui adv; nm inv
ouï-dire nm inv (tréma sur ï)
ouïe nf
ouïr vt (tréma sur ï), pp *ouï, e*
ouistiti nm, pl *ouistitis*
oukase ou ukase nm, pl *oukases, ukases*
ouléma ou uléma nm, pl *oulémas, ulémas*
ouragan nm
ourdir vt
ourler vt; *ourlet* nm
ours nm inv; *ourse* nf; *ourson* nm
oursin nm
outarde nf; *outardeau* nm, pl *outardeaux*
outil nm; *outillage* nm (avec deux l)
outlaw nm, pl *outlaws*
outrage nm
qutrance nf
outre nf
outre prép
outrecuidant, e adj
outremer nm, pl *outremers*; adj inv (couleur)
outre-mer adv
outrepasser vt
outrer vt
outre-Rhin adv
outre-tombe adv
outsider nm, pl *outsiders*
ouverture nf
ouvrage nm (masculin; féminin rare dans *la belle ouvrage*)
ouvre-boîtes nm inv
ouvre-bouteilles nm inv
ouvre-huîtres nm inv
ouvrer vt
ouvrier, ère n; *ouvriérisme* nm (attention aux accents)
ouvrir vt, pp *ouvert, e*
ouvroir nm
ouzo nm, pl *ouzos*
ovaire nm (masculin)

OVALE

ovale adj ; nm (masculin)
ovation nf ; *ovationner* vt
ove nm (masculin)
overdose nf
ovin, e adj

ovipare adj, n (masculin ou féminin)
ovni nm, pl *ovnis*
ovule nm (masculin)
oxhydrique adj
oxyde nm (masculin)

oxygène nm ; *oxygéner* vt (attention aux accents)
oxyton nm
oxyure nm (masculin)
ozone nm (masculin)

p

p nm inv
pacage nm
pacemaker nm, pl *pacemakers*
pacha nm, pl *pachas*
pachyderme nm (masculin)
pacifier vt
pack nm, pl *packs*
pacotille nf
pacte nm; *pactiser* vi, pp *pactisé* inv
pactole nm (masculin)
paddock nm, pl *paddocks*
paddy nm, pl *paddys*
paella nf, pl *paellas*
paf adj inv
pagaie nf (rame); *pagayer* vi, pp *pagayé* inv
pagaïe ou pagaille nf (désordre)
paganisme nm
page nf (feuille); *paginer* vt
page nm (jeune noble)
pagne nm
pagode nf
païen, enne n (tréma sur *ï*)
paillard, e n, adj
paillasse nf
paille nf
paille-en-queue nm, pl *pailles-en-queue*
paillet nm
paillette nf (avec deux *t*); *pailleter* vt (avec un *t*)
pain nm; *paner* vt
pair nm (noble); *pairesse* nf; *pairie* nf
pair, e adj; *paire* nf (couple)
paisseau nm, pl *paisseaux*
paître vt, vi (circonflexe sur *î* avant le *t*); *paissance* nf (sans circonflexe)
paix nf inv; *paisible* adj
pal nm, pl *pals*
palabre nf ou nm (des deux genres)
palace nm
paladin nm
palais nm inv
palan nm
palanque nf
palanquin nm
palatal, e, aux adj
palatial, e, aux adj
palatin, e adj
pale adj (d'hélice) [sans circonflexe]
pâle adj; *pâlot, otte* adj (circonflexe sur *â*)
pale-ale nm, pl *pale-ales*
palefrenier nm
palefroi nm
paléographie nf
paléolithique adj
paléontologie nf
paleron nm
palestre nf (féminin)

palet nm
paletot nm
palette nf
palétuvier nm
pâli nm (sing)
palier nm
palimpseste nm (masculin)
palindrome nm (masculin)
palingénésie nf
palinodie nf
palissade nf
palissandre nm (masculin)
palisser vt
palisson nm
palladium nm, pl *palladiums*
palléal, e, aux adj
palliatif nm
pallier vt
pallium nm, pl *palliums*
palmaire adj
palmarès nm inv
palme nf
palmé, e adj
palmer nm, pl *palmers*
palmier nm
palombe nf
palonnier nm
palourde nf
palpe nm (masculin)
palpébral, e, aux adj
palper vt
palpiter vi, pp *palpité* inv
paltoquet nm
paludéen, enne adj; *paludisme* nm
palustre adj
pâmer (se) vpr; *pâmoison* nf (circonflexe sur *â*)
pampa nf, pl *pampas*
pamphlet nm
pamplemousse nm ou nf (des deux genres)
pampre nm (masculin)
pan nm
panacée nf
panache nm (masculin)
panacher vt
panade nf
panais nm inv
panama nm, pl *panamas*
panaméricain, e adj
panarabisme nm
panard, e adj
panaris nm inv
panathénées nfpl
pan-bagnat nm, pl *pans-bagnats*
pancarte nf
panchen-lama nm, pl *panchen-lamas*
panchromatique adj
pancrace nm
pancréas nm inv
panda nm, pl *pandas*
pandectes nfpl

pandémonium nm, pl *pandémoniums*
pandore nm
panégyrique nm (*y* après le *g*)
panel nm
paner vt (un seul *n*)
paneton nm (panier) ≠ *panneton* (clef)
pangermanisme nm
pangolin nm
panhellénisme nm
panicaut nm
panier nm
panique nf
panislamique adj
panne nf
panneau nm, pl *panneaux*
panneau-façade nm, pl *panneaux-façades*
panneton nm (clef) ≠ *paneton* (panier)
panonceau nm, pl *panonceaux*
panoplie nf
panorama nm, pl *panoramas*
panse nf
panser vt (soigner) ≠ *penser* (réfléchir)
panslave adj
pantagruélique adj
pantalon nm → p 16
pantalonnade nf
pantelant, e adj
panthéisme nm
panthéon nm
panthère nf
pantière nf
pantin nm
pantois, e adj
pantomime nf (féminin)
pantoufle nf
pantoum nm, pl *pantoums*
paon nm; *paonne* nf
papa nm, pl *papas*
papal, e, aux adj
papaye nf
pape nm; *papesse* nf
papelard, e adj
paperasse nf
papier nm; *papetier, ère* n
papier-calque nm, pl *papiers-calque*
papier-émeri nm, pl *papiers-émeri*
papier-filtre nm, pl *papiers-filtres*
papier-monnaie nm, pl *papiers-monnaies*
papille nf
papillome nm (masculin)
papillon nm
papillote nf
papilloter vi, pp *papilloté* inv
papoter vi, pp *papoté* inv
papou, e adj, pl *papous, oues*
paprika nm, pl *paprikas*

papule nf (féminin)
papyrus nm inv
pâque nf (circonflexe sur *â*);
   Pâques nf ou nm → p 10; *pascal, e, als* ou *aux*
paquebot nm
pâquerette nf (circonflexe sur *â*)
paquet nm
par prép
para nm, pl *paras*
parabellum nm, pl *parabellums*
parabole nf
parachever vt; *parachèvement* nm (attention à l'accentuation)
parachute nm
parade nf
paradigme nm
paradis nm inv
paradisier nm
parados nm inv
paradoxe nm; *paradoxal, e, aux* adj
parafe ou paraphe nm (masculin)
parafiscal, e, aux adj
paraffine nf (avec deux *f*)
parages nmpl
paragraphe nm (masculin)
paragrêle nm
paraître vi (circonflexe sur *î* devant *t*), pp *paru, e* → p 38; *parution* nf
parallaxe nf (féminin) [avec deux *l*]
parallèle adj; nf (ligne); nm (comparaison); *parallélisme* nm (attention aux accents) [deux *l* d'abord, un *l* ensuite]
parallélépipède nm (deux *l* d'abord, un *l* ensuite)
parallélogramme nm (deux *l* d'abord, un *l* ensuite)
paralogisme nm
paralysie nf
paramédical, e, aux adj
paramètre nm
paramilitaire adj
parangon nm; *parangonner* vt
paranoïaque adj, n (masculin ou féminin) [tréma sur *i*]
paranormal, e, aux adj
parapet nm
paraphe ou parafe nm (masculin)
paraphernal, e, aux adj
paraphrase nf
paraplégie nf
parapluie nm
parapsychologie nf
parasite nm
parasol nm
parasympathique adj; nm
parathyroïde nf
paratonnerre nm
paratyphoïde nf
paravalanche nm (masculin)
paravent nm
parbleu ! interj
parc nm
parcelle nf; *parcellaire* adj (avec deux *l*)
parce que loc conj → p 61
parchemin nm
parcimonie nf
par-ci, par-là loc adv
parcourir vt, pp *parcouru, e*; *parcours* nm inv

par-derrière loc adv
par-dessous loc adv
par-dessus loc adv
pardessus nm
par-devant loc adv
pardi ! ou pardieu ! interj
pardon nm; *pardonner* vt
pare-balles adj inv
pare-brise nm inv
parèdre nm
pare-chocs nm inv
pare-éclats nm inv
pare-étincelles nm inv
pare-feu nm inv
parégorique adj
pareil, elle adj, n → p 28
parélie ou parhélie nm (masculin)
parenchyme nm (masculin)
parent, e n; *parental, e, aux* adj
parentéral, e, aux adj
parenthèse nf
paréo nm, pl *paréos*
parer vt
pare-soleil nm inv
parésie nf
paresse nf
parfaire vt, pp *parfait, e*
parfait, e adj
parfois adv
parfum nm
parhélie ou parélie nm (masculin)
pari nm
paria nm, pl *parias*
pariétal, e, aux adj
parigot, e n (populaire)
parisien, enne adj; *parisianisme* nm
parisis adj inv
parisyllabique adj; nm
parité nf
parjure nm
parking nm, pl *parkings*
parlement nm
parlementer vi, pp *parlementé* inv
parler vi, vti
parmesan nm, pl *parmesans*
parmi prép
parodie nf
parodonte nm; *parodontal, e, aux* adj
paroi nf (féminin)
paroisse nf; *paroissial, e, aux* adj
parole nf
paroli nm (au sing)
paronomase nf
paronyme nm
parotide nf
parousie nf
paroxysme nm; *paroxysmique, paroxystique* ou *paroxysmal, e, aux* adj
parpaillot, e n
parpaing nm, pl *parpaings*
parquer vt; *parcage* nm
parquet nm; *parqueter* vt
parrain nm; *parrainer* vt
parricide n (masculin ou féminin) [personne]; nm (acte)
parsemer vt
parsi, e adj, n
part nf
partage nm; *partager* vt
partenaire n (masculin ou féminin)

parterre nm ≠ par terre
parthénogenèse nf (*h* après *t*)
parti nm; *partial, e, aux* adj (avec un *t*)
participe nm; *participial, e, aux* adj
participer vti, pp *participé* inv
particule nf
particulier, ère adj
partie nf (portion)
partir vi, pp *parti, e*
partisan, partisane adj, n
partitif, ive adj
partition nf
partout adv
parturiente nf (avec un *e*)
parure nf
parvenir vi, pp *parvenu, e*
parvis nm inv
pas nm inv
pas adv
pascal, e, als ou aux adj
pas-d'âne nm inv
pas-de-porte nm inv
pas-grand-chose n inv (masculin ou féminin)
paso doble nm inv
passacaille nf
passavant nm
passé nm; prép → p 29, 38, 39
passe-bande adj inv
passe-boules nm inv
passe-crassane nf inv
passe-droit nm, pl *passe-droits*
passe-lacet nm, pl *passe-lacets*
passement nm; *passementerie* nf
passe-montagne nm, pl *passe-montagnes*
passe-partout nm inv
passe-passe nm inv
passe-pied nm, pl *passe-pieds*
passe-plat nm, pl *passe-plats*
passepoil nm
passeport nm
passer vt, vi
passereau nm, pl *passereaux*
passerelle nf
passe-temps nm inv
passe-thé nm inv
passe-tout-grain nm inv
passe-volant nm, pl *passe-volants*
passible adj
passif, ive adj; *passif* nm
passim adv
passing-shot nm, pl *passing-shots*
passion nf; *passionner* vt; *passionnel, elle* adj (les dérivés ont deux *n*)
passoire nf
pastel nm; *pastelliste* n (masculin ou féminin) [avec deux *l*]
pastèque nf
pasteur nm
pastiche nm (masculin)
pastille nf
pastis nm inv
pastoral, e, aux adj
pastoureau, elle n, pl *pastoureaux, elles*
pat adj m inv
patache nf
patachon nm
pataquès nm inv
patate nf
patatras ! interj

pataud, e adj, n
patauger vi, pp pataugé inv
patchouli nm, pl patchoulis
patchwork nm, pl patchworks
pâte nf (farine) ≠ patte (partie
du corps); pâtée nf; pâteux,
euse adj (circonflexe sur â)
pâté nm (circonflexe sur â)
patelin, e adj
patelle nf
patène nf
patenôtre nf (féminin) [circon-
flexe sur ô]
patent, e adj
patente nf
Pater nm inv
patère nf
paternalisme nm
paterne adj
paternel, elle adj
pathétique adj
pathologie nf
pathos nm inv
patibulaire adj
patient, e adj; patience nf;
patiemment adv; patienter vi,
pp patienté inv
patient, e n (client d'un
médecin)
patin nm; patiner vi, vt
patine nf; patiner vt
patio nm, pl patios
pâtir vi, pp pâti inv (circonflexe
sur â)
pâtis nm inv (circonflexe sur â)
pâtissier, ère n; pâtisserie nf
(circonflexe sur â)
patoche nf
patois nm inv
patouiller vi, pp patouillé inv
patraque adj
pâtre nm (circonflexe sur â)
patriarche nm; patriarcat nm;
patriarcal, e, aux adj
patricien, enne n
patrie nf; patriote n (masculin
ou féminin)
patrilocal, e, aux adj
patrimoine nm; patrimonial, e,
aux adj
patrologie nf
patron, onne n; patronal, e, aux
adj (avec un seul n); patron-
nesse adj f (avec deux n)
patronage nm (avec un seul n)
patronner vt (avec deux n)
patronyme nm
patrouille nf
patte nf (partie du corps) ≠ pâte
(farine)
patte-de-loup nf, pl pattes-de-
loup
patte-d'oie nf, pl pattes-d'oie
pattemouille nf
pâture nf (circonflexe sur â)
paturon nm
paume nf
paumer vt
paupière nf
paupiette nf
pause nf (arrêt) ≠ pose (mon-
tage)
pause-café nf, pl pauses-café
pauvre adj, n (masculin ou féminin); pauvresse nf
paupérisme nm
pavane nf
pavaner (se) vpr

pavé nm
paver vt
pavillon nm
pavois nm inv
pavoiser vt
pavot nm
payer vt; paye ou paie nf;
paiement ou payement nm;
paierie nf; payeur, euse n
pays nm inv
paysage nm
paysan, anne n; paysannerie
nf; paysannat nm
péage nm
péan nm
peau nf, pl peaux; peaucier nm
peaufiner vt
Peau-Rouge n (masculin ou
féminin), pl Peaux-Rouges
peausserie nf
pécaire! interj
pécari nm, pl pécaris
peccadille nf (avec deux c)
pechblende nf (féminin)
pêche nf (fruit); pêcher nm (circonflexe sur ê)
pécher vi, pp péché inv; péché
nm; pécheur, eresse n (accent
aigu sur é)
pêcher vt (du poisson); pêche
nf; pêcheur, euse n (circonflexe sur ê)
pécore nf
pectoral, e, aux adj
péculat nm
pécule nm (masculin)
pécuniaire adj
pédagogie nf
pédale nf
pédant, e adj
pédéraste nm
pédestre adj
pédiatre n (masculin ou féminin) [sans circonflexe]
pédicule nm (masculin)
pédicure n (masculin ou
féminin)
pedigree nm, pl pedigrees
pédologie nf
pédoncule nm (masculin)
peeling nm, pl peelings
pegmatite nf
pègre nf
peigne nm
peindre vt, pp peint, e; peinture
nf
peine nf; peiner vi, vt; pénible
adj
péjoratif, ive adj
pékin ou péquin nm
pelage nm
pélagique adj (de la mer)
pélasgien, enne ou pélasgique
adj (des Pélasges)
pêle-mêle adv (circonflexe sur
les deux ê)
peler vt; pelade nf; pelure nf
(avec un l)
pèlerin nm; pèlerinage nm
(attention à l'accent grave)
pèlerine nf (accent grave sur le
premier è)
pélican nm
pelisse nf
pellagre nf
pelle nf; pelletée nf; pelleter vt
(avec deux l et un t)
pelle-bêche nf, pl pelles-bêches

pelle-pioche nf, pl pelles-
pioches
pelleterie nf
pellicule nf (deux l et un l)
pelotari nm, pl pelotaris
pelote nf
peloter vt
peloton nm; pelotonner vt
pelouse nf
peltaste nm
peluche nf
pelvis nm inv
pemmican nm
pénal, e, aux adj
penalty nm, pl penaltys ou
penalties
pénates nmpl (masculin)
penaud, e adj
pencher vt, vi
pendant prép
pendard, e n
pendeloque nf (féminin)
pendentif nm
pendre vt, pp pendu, e
pendule nm (poids oscillant)
pendule nf (horloge)
pêne nm (de serrure) [circon-
flexe sur ê] ≠ penne (plume)
pénéplaine nf
pénétrer vt
péniche nf
pénicilline nf
péninsule nf
pénis nm inv
pénitence nf
pénitencier nm (avec un c);
pénitentiaire adj (avec un t)
pénitent, e n
penne nf (féminin) [plume] ≠
pêne (de serrure)
penny nm, pl pence ou pennies
pénombre nf
pense-bête nm, pl pense-bêtes
penser vt (réfléchir) ≠ panser
(soigner)
pension nf; pensionnaire n
(masculin ou féminin)
pensum nm, pl pensums
pentagone nm
pentathlon nm
pente nf
penture nf
pénultième adj; nf
pénurie nf
pépie nf
pépier vi, pp pépié inv;
pépiement nm
pépin nm
pépinière nf; pépiniériste n
(masculin ou féminin) [atten-
tion aux accents]
pépite nf
péplum nm, pl péplums
peppermint nm, pl peppermints
pepsine nf
peptone nf (féminin)
péquenot nm
péquin ou pékin nm
percale nf
perce-muraille nf, pl perce-
murailles
perce-neige nf ou nm (des deux
genres) inv
perce-oreille nm, pl perce-
oreilles
perce-pierre nf, pl perce-pierres
percepteur nm
percer vt; perçant, e adj

137

percevoir vt, pp *perçu, e; **perception** nf
perche nf
perclus, e adj
percolateur nm
percutané, e adj
percuter vt; **percussion** nf; **percussionniste** n (masculin ou féminin)
perdre vt, pp *perdu, e*
perdrix nf inv; **perdreau** nm, pl *perdreaux*
perdurer vi, pp *perduré* inv
père nm
pérégrination nf
péremption nf
péremptoire adj
pérenniser vt (deux *n*)
péréquation nf
perfectible adj
perfection nf; **perfectionner** vt; **perfectionnisme** nm
perfide adj
perforer vt
performance nf
perfusion nf
pergola nf, pl *pergolas*
périanthe nm (masculin)
péricarde nm (masculin)
péricarpe nm (masculin)
péricliter vi, pp *périclité* inv
péridural, e, aux adj; **péridurale** nf
périgée nm (masculin)
périhélie nm (masculin)
péril nm; **périlleux, euse** adj (avec deux *l*)
périmer (se) vpr
périmètre nm
périnatal, e, aux adj
périnée nm; **périnéal, e, aux** adj
période nf
périoste nm (masculin)
péripatéticien, enne n
péripétie nf (avec un *t*)
périphérie nf
périphrase nf
périple nm
périr vi
périscope nm
périssoire nf
péristaltique adj
péristyle nm
péritoine nm; **péritonite** nf
perle nf
perlimpinpin nm
perlot nm
permanent, e adj; **permanence** nf
permanganate nm
perméable adj
permettre vt, pp *permis, e* → p 43; **permission** nf; **permissionnaire** n (masculin ou féminin)
permuter vt
pernicieux, euse adj
péroné nm
péronnelle nf
pérorer vi, pp *péroré* inv
perpendiculaire adj; nf
perpétrer vt
perpétuer vt; **perpette (à)** loc adv (populaire)
perplexe adj
perquisition nf; **perquisitionner** vt
perron nm

perroquet nm
perruche nf
perruque nf
pers, e adj
persécuter vt; **persécution** nf
persévérer vi, pp *persévéré* inv; **persévérance** nf
persicaire nf (féminin)
persienne nf
persifler vt (un seul *f*)
persil nm; **persillade** nf (deux *l*)
persique adj
persister vi, pp *persisté* inv
persona grata adj inv
personnage nm; NOMS DE PERSONNAGES → p 19
personne nf (tous les dérivés ont deux *n* : *personnel, personnalité*, etc); pr indéf → p 30
perspectif, ive adj; **perspective** nf
perspicace adj
persuader vt
perte nf
pertinent, e adj; **pertinemment** adv; **pertinence** nf
pertuis nm inv
pertuisane nf
perturber vt
pervenche nf
pervers, e adj, n
pervertir vt; **perversion** nf
pesade nf
peser vt → p 41; **pesant, e** adj; **pesamment** adv
pèse-alcool nm inv
pèse-bébé nm, pl *pèse-bébé(s)*
pèse-lait nm inv
pèse-lettre nm, pl *pèse-lettre(s)*
pèse-liqueur nm, pl *pèse-liqueur(s)*
pèse-personne nm, pl *pèse-personne(s)*
pèse-sirop nm, pl *pèse-sirop(s)*
peseta nf, pl *pesetas*
pessimisme nm
peste nf
pester vi, pp *pesté* inv
pesticide nm
pestilence nf; **pestilentiel, elle** adj (avec un *t*)
pet nm; **péter** vt, vi (attention à l'accentuation); **pétant, e** adj → p 38
pétale nm (masculin)
pétanque nf
pétard nm
pétaudière nf
pet-de-nonne nm, pl *pets-de-nonne*
pète-sec n (masculin ou féminin) inv
pétiller vi, pp *pétillé* inv
pétiole nm (masculin)
petit, e adj; **petiot, ote** adj; **petitesse** nf
petit-beurre nm, pl *petits-beurre*
petit-bourgeois, petite-bourgeoise adj, n, pl *petits-bourgeois, petites-bourgeoises*
petit-fils, petite-fille n, pl *petits-fils, petites-filles*
pétition nf; **pétitionner** vi
petit-lait nm, pl *petits-laits*
petit-maître, petite-maitresse n, pl *petits-maîtres, petites-maîtresses*
petit-nègre nm (au sing)

petit-neveu, petite-nièce n, pl *petits-neveux, petites-nièces*
petits-enfants nmpl
petit-suisse nm, pl *petits-suisses*
pétoche nf (populaire)
pétoire nf (féminin)
peton nm
pétoncle nm (masculin)
pétrel nm
pétrifier vt
pétrin nm
pétrir vt
pétrochimie nf
pétrographie nf
pétrole nm
pétulant, e adj; **pétulance** nf
pétun nm, pl *pétuns*
pétunia nm (masculin), pl *pétunias*
peu adv → p 39, 40, 49
peuple nm; **peuplade** nf
peupler vt
peuplier nm
peur nf
peut-être adv
pfennig nm, pl *pfennigs* ou *pfennige*
phacochère nm (masculin)
phaéton nm
phagocyte nm
phalange nf
phalanstère nm (masculin)
phalène nf (féminin)
phanérogame nf (féminin)
pharamineux, euse ou faramineux, euse adj
pharaon nm
phare nm
pharisien nm
pharmacie nf
pharynx nm inv; **pharyngien, enne** adj
phase nf
phénix nm inv
phénol nm
phénomène nm; **phénoménal, e, aux** adj (attention aux accents)
philanthrope n (masculin ou féminin)
philatélie nf
philharmonie nf
philippique nf
philodendron nm
philologie nf
philosophale adj f
philosophe n (masculin ou féminin); **philosopher** vi, pp *philosophé* inv
philtre nm (masculin) [d'amour] ≠ **filtre** (appareil)
phlébite nf
phlegmon nm
phlogistique nm (masculin)
phobie nf
phonation nf
phonétique adj; nf; **phonème** nm (attention aux accents)
phoniatre n (masculin ou féminin) [sans circonflexe]
phonographe nm
phonothèque nf
phoque nm
phosphate nm
phosphore nm
phosphorescent, e adj
photo nf

photocomposition nf
photocopie nf
photoélectrique adj
photo-finish nf (féminin), pl *photos-finish*
photogénique adj
photographe n (masculin ou féminin)
photon nm
photopile nf
photo-robot nf (féminin), pl *photos-robots*
photo-roman nm (masculin), pl *photos-romans*
photostoppeur, euse n
photothèque nf
phrase nf
phratrie nf (clan) ≠ *fratrie* (ensemble des frères et sœurs)
phréatique adj
phrénologie nf
phrygien, enne adj
phtaléine nf
phtisie nf
phylactère nm (masculin)
phylloxéra ou phylloxera nm, pl *phylloxéras, phylloxeras* (avec deux *l*)
phylogenèse nf
physiocrate n (masculin ou féminin)
physiognomonie nf
physiologie nf
physionomie nf
physique adj; nf; nm
phytopathologie nf
pi nm, pl *pis*
piaffer vi, pp *piaffé* inv
piailler vi, pp *piaillé* inv
pianissimo adv
pianiste n (masculin ou féminin)
piano nm; *pianoter* vi, vi
piastre nf (féminin)
piaule nf
piauler vi, pp *piaulé* inv
piazza nf (avec deux *z*)
pic nm
picador nm, pl *picadors*
picaillons nmpl
picaresque adj
piccolo nm, pl *piccolos*
pichenette nf
pichet nm
pickles nmpl
pickpocket nm, pl *pickpockets*
pick-up nm inv
picorer vt
picot nm
picoter vt
picotin nm
picpoul nm, pl *picpouls*
picrique adj m
pictogramme nm
pictural, e, aux adj
picvert ou pivert nm
pie nf (oiseau)
pie adj (couleur) → p 32
pièce nf; *piécette* nf (attention aux accents)
pied nm
pied-à-terre nm inv
pied-bot nm, pl *pieds-bots*; *pied bot* adj (sans trait d'union), pl *pieds bots*
pied-d'alouette nm, pl *pieds-d'alouette*
pied-de-biche nm, pl *pieds-de-biche*

pied-de-cheval nm, pl *pieds-de-cheval*
pied-de-loup nm, pl *pieds-de-loup*
pied-de-mouton nm, pl *pieds-de-mouton*
pied-de-poule nm, pl *pieds-de-poule*; adj inv
piédestal nm, pl *piédestaux*
pied-droit ou piédroit nm, pl *pieds-droits, piédroits*
pied-fort ou piéfort nm, pl *pieds-forts, piéforts*
pied-noir nm, pl *pieds-noirs*
piédouche nm (masculin)
pied-plat nm, pl *pieds-plats*
piédroit ou pied-droit nm, pl *piédroits, pieds-droits*
piéfort ou pied-fort nm, pl *piéforts, pieds-forts*
piège nm; *piéger* vt (attention aux accents)
pie-grièche nf, pl *pies-grièches*
pie-mère nf, pl *pies-mères*
pierre nf; *pierreries* nfpl
pierrot nm
piétaille nf
piété nf
piétement nm
piéter vi, pp *piété* inv
piétin nm
piétiner vt, vi
piéton nm; *piéton, onne* adj; *piétonnier, ère* adj
piètre adj
pieu nm, pl *pieux*
pieuvre nf
pieux, euse adj
pif nm, pl *pifs*; *pifomètre* nm
pige nf
pigeon nm; *pigeonne* nf; *pigeonneau* nm, pl *pigeonneaux*
piger vt
pigment nm
pignocher vi, pp *pignoché* inv
pignon nm
pilaf nm, pl *pilafs*
pilastre nm
pile nf; adv
piler vt
pileux, euse adj
pilier nm
piller vt
pillow-lava nf, pl *pillow-lavas*
pilon nm; *pilonner* vt
pilori nm, pl *piloris*
piloselle nf
pilote nm; *piloter* vt
pilotis nm inv
pilou nm, pl *pilous*
pilule nf
pimbêche nf (circonflexe sur ê)
piment nm
pimpant, e adj
pin nm; *pinède* nf
pinacle nm
pinacothèque nf
pinailler vi, pp *pinaillé* inv
pinard nm
pinasse nf
pince nf
pinceau nm, pl *pinceaux*
pince-monseigneur nf, pl *pinces-monseigneur*
pince-nez nm inv
pincer vt; *pinçon* nm

pince-sans-rire n (masculin ou féminin) inv
pinéal, e, aux adj
pineau nm (vin de liqueur charentais), pl *pineaux* ≠ *pinot* (vin de Bourgogne)
pinède nf
pingouin nm
ping-pong nm, pl *ping-pongs*
pingre adj
pinot nm (vin de Bourgogne) ≠ *pineau* (vin de liqueur charentais)
pinson nm
pintade nf; *pintadeau* nm, pl *pintadeaux*
pinte nf
pin-up nf inv
pinyin nm (*i* après *y*) [au sing]
pioche nf
piolet nm
pion nm
pion, pionne n
pioncer vi, pp *pioncé* inv
pionnier nm
pipe nf
pipeau nm, pl *pipeaux*
pipelet, ette n
pipe-line ou pipeline nm, pl *pipe-lines, pipelines*
piper vt
piper-cub nm, pl *piper-cubs*
pipette nf
pipi nm, pl *pipis*
pipistrelle nf
pique nf (arme)
pique nm (carte)
pique-assiette n (masculin ou féminin), pl *pique-assiette(s)*
pique-bœuf nm, pl *pique-bœufs*
pique-feu nm inv
pique-nique nm, pl *pique-niques*; *pique-niquer* vi, pp *pique-niqué* inv
pique-notes nm inv
piquer vt; *piqûre* nf (circonflexe sur *û*)
piquet nm
piqueter vt
piquette nf
piranha ou piraya nm, pl *piranhas, pirayas*
pirate nm
pire adj
piriforme adj
pirogue nf
pirojki nmpl
pirouette nf; *pirouetter* vi, pp *pirouetté* inv
pis nm inv
pis adv
pis-aller nm inv
pisciculture nf (attention *sc*)
piscine nf (attention *sc*)
pisé nm
pisse-froid nm inv
pissenlit nm
pisser vt, vi
pistache nf
piste nf
pistil nm
pistole nf
pistolet nm
pistolet-mitrailleur nm, pl *pistolets-mitrailleurs*
piston nm; *pistonner* vt
pistou nm, pl *pistous*
pitance nf

pitchpin nm
pithécanthrope nm (*h* après chaque *t*)
pitié nf; **pitoyable** adj; **piteux, euse** adj
piton nm; **pitonner** vt
pitre nm
pittoresque adj (avec deux *t*)
pivert ou **picvert** nm
pivoine nf
pivot nm; **pivoter** vi, pp *pivoté* inv
pizza nf, pl *pizzas*; **pizzeria** nf, pl *pizzerias*
pizzicato nm, pl *pizzicati*
placard nm; **placarder** vt
place nf
placebo nm, pl *placebos* (sans accent)
placenta nm, pl *placentas*
placer vt
placer nm, pl *placers*
placet nm
placide adj
plafond nm; **plafonner** vt, vi
plage nf
plagier vt
plaid nm, pl *plaids*
plaider vt; **plaidoirie** nf; **plaidoyer** nm
plaie nf
plain, e adj (héraldique) ≠ **plein** (entier)
plain-chant nm, pl *plains-chants*
plaindre vt, pp *plaint, e*; **plainte** nf
plaine nf
plain-pied (de) loc adv
plaire vi, pp *plu* inv; **plaisant, e** adj; **plaisance** nf; **plaisamment** adv; **plaisancier, ère** n
plaisir nm
plan, e adj
plan nm
planche nf; **planchéier** vt (attention à l'accentuation); **plancher** nm
plancton nm
plane nf
planer vi
planétarium nm, pl *planétariums*
planète nf; **planétaire** adj (attention aux accents)
planèze nf (féminin)
planifier vt
planisphère nm (masculin)
plan-masse nm, pl *plans-masses*
planning nm, pl *plannings*
planquer vt
plant nm (jeune tige)
plantain nm
plante nf
planter vt
plantigrade nm
planton nm
plantureux, euse adj
plaque nf
plaquer vt; **placage** ou **plaquage** nm
plasma nm
plastic nm (explosif)
plastique adj; nm (matière)
plastron nm
plastronner vi, pp *plastronné* inv
plat, e adj; **platitude** nf

plat nm; **platée** nf
platane nm
plat-bord nm, pl *plats-bords*
plate nf
plateau nm, pl *plateaux*
plateau-repas nm, pl *plateaux-repas*
plate-bande nf, pl *plates-bandes*
plate-forme nf, pl *plates-formes*
platine nm (métal); nf (pour électrophone)
plâtre nm (circonflexe sur â et dans les dérivés : *plâtrer, plâtrier*, etc)
plausible adj
play-back nm inv
play-boy nm, pl *play-boys*
plèbe nf; **plébéien, enne** adj (attention aux accents)
plébiscite nm (attention *sc*)
plectre nm (masculin)
pléiade nf
plein, e adj (entier) ≠ **plain** (héraldique) → p 29; **plénier, ère** adj; **plénitude** nf (attention à l'accentuation)
plein-emploi nm, pl *pleins-emplois*
plein-temps nm, pl *pleins-temps*
plein-vent nm, pl *pleins-vents*
plénipotentiaire adj; nm
pléonasme nm
plésiosaure nm
pléthore nf, pl *pléthores* (*h* après *t*)
pleural, e, aux adj
pleurer vt, vi; **pleur** nm
pleurésie nf
pleurite nf
pleurnicher vi, pp *pleurniché* inv
pleurote nm (masculin)
pleutre nm
pleuvoir vi, pp *plu* inv
plèvre nf
plexus nm inv
pli nm (marque); **plier** vt
plie nf (poisson)
plinthe nf
plisser vt
plomb nm; **plomber** vt
plombières nf inv
plonger vt, vi; **plongeoir** nm
plot nm
ploutocratie nf
ployer vt, vi
pluie nf; **pluvial, e, aux** adj; **pluvieux, euse** adj
plumard nm
plumassier, ère n
plume nf
plumeau nm, pl *plumeaux*
plumet nm
plum-pudding nm, pl *plum-puddings*
plupart (la) nf (au sing) → p 31, 49
plural, e, aux adj
pluricausal, e, als ou **aux** adj
pluridimensionnel, elle adj
pluriel, elle adj; **pluriel** nm
plurilatéral, e, aux adj
plus adv, *des plus* → p 28; *le plus* → p 34; *plus d'un* → p 49
plusieurs adj indéf
plus-que-parfait nm, pl *plus-que-parfaits*
plus-value nf, pl *plus-values*
plutonium nm, pl *plutoniums*

plutôt adv (circonflexe sur ô)
pluvier nm
pluviôse nm, pl *pluviôses* (circonflexe sur ô)
pneu nm, pl *pneus*
pneumatique nm
pneumocoque nm (masculin)
pneumonie nf
pochade nf
pochard, e n
poche nf; nm (livre)
pocher vt
pochetée nf
pochette nf
pochoir nm
podagre nf
podestat nm
podium nm, pl *podiums*
podomètre nm
podzol nm, pl *podzols*
pœcile nm (masculin)
poêle nm (fourneau; drap mortuaire); nf (ustensile de cuisine) [circonflexe sur ê aussi dans les dérivés : *poêlée, poêler, poêlon*]
poème nm; **poésie** nf; **poétique** adj; **poète** nm; **poétesse** nf (attention aux accents)
pognon nm
pogrom ou **pogrome** nm, pl *pogroms, pogromes*
poids nm inv
poignant, e adj
poignard nm
poigne nf
poignée nf
poignet nm
poil nm
poinçon nm; **poinçonner** vt
poindre vi, pp *point* inv
poing nm
point nm; POINTS CARDINAUX → p 20, 64
point adv
point de vue nm, pl *points de vue*
pointe nf
pointeau nm, pl *pointeaux*
pointer vt
pointiller vt
pointure nf
poire nf
poireau nm, pl *poireaux*
pois nm inv
poison nm
poissard, e adj
poisse nf
poisser vt; **poisseux, euse** adj
poisson nm; **poissonnerie** nf
poisson-chat nm, pl *poissons-chats*
poisson-lune nm, pl *poissons-lunes*
poisson-scie nm, pl *poissons-scies*
poitrail nm, pl *poitrails*
poitrine nf
poivre nm
poix nf inv; **poisser** vt
poker nm, pl *pokers*
polar nm, pl *polars*
polder nm, pl *polders*
pôle nm (circonflexe sur ô); **polaire** adj (pas de circonflexe sur les dérivés)
polémique adj; nf
polenta nf, pl *polentas*

poli, e adj; *politesse* nf; *poliment* adv
police nf; *policeman* nm, pl *policemen*
polichinelle nm
policlinique nf ≠ *polyclinique*
poliomyélite nf (le *y* après le *m*)
polir vt
polisson, onne n; *polissonnerie* nf
politique adj; nf
poljé nm (masculin), pl *poljés*
polka nf, pl *polkas*
pollen nm, pl *pollens*
polluer vt
polo nm, pl *polos*
polochon nm
poltron, onne adj; *poltronnerie* nf
polychrome adj
polyclinique nf ≠ *policlinique*
polycopie nf
polyèdre nm
polyester nm
polygamie nf
polyglotte adj, n (masculin ou féminin)
polygone nm; *polygonal, e, aux* adj
polygraphe n (masculin ou féminin)
polymorphe adj
polynôme nm, *polynomial, e, aux* adj (attention à l'accentuation)
polype nm
polyphonie nf
polypier nm
polyptyque nm
polysyllabe adj; nm (masculin)
polytechnique adj
polythéisme nm
polyvalence nf; *polyvalent, e* adj
pommade nf
pomme nf
pomme de terre nf, pl *pommes de terre*
pommeau nm, pl *pommeaux*
pommeler (se) vpr
pommelle nf
pommer vi
pommette nf
pompe nf (cérémonie)
pompe nf (appareil)
pompon nm
pomponner vt
ponant nm (au sing)
ponce nf
ponceau nm, pl *ponceaux*
poncho nm, pl *ponchos*
poncif nm, pl *poncifs*
ponction nf; *ponctionner* vt
ponctuel, elle adj; *ponctualité* nf
ponctuer vt
pondéral, e, aux adj
pondérer vt
pondre vt, pp *pondu, e*
poney nm, pl *poneys*
pongiste n (masculin ou féminin)
pont nm
ponte nm (personne importante)
ponte nf (action de pondre)
pontet nm
pontife nm; *pontifical, e, aux* adj

pontifier vi, pp *pontifié* inv
pont-l'évêque nm inv
pont-levis nm, pl *ponts-levis*
ponton nm; *pontonnier* nm
ponton-grue nm, pl *pontons-grues*
pont-promenade nm, pl *ponts-promenade*
pont-rail nm, pl *ponts-rail*
pont-route nm, pl *ponts-route*
pool nm, pl *pools*
pop-corn nm inv
pope nm
popeline nf
popote nf
populace nf
populaire adj
population nf
porc nm (animal) ≠ *pore* (orifice) ≠ *port* (abri); *porcelet* nm
porcelaine nf
porc-épic nm, pl *porcs-épics*
pore nm (masculin) [orifice] ≠ *porc* (animal) ≠ *port* (abri)
porion nm
pornographie nf
porphyre nm (masculin)
port nm (abri) ≠ *porc* (animal) ≠ *pore* (orifice)
portail nm, pl *portails*
porte nf
porte-aéronefs nm inv
porte-à-faux nm inv
porte-affiche nm, pl. *porte-affiche(s)*
porte-aiguille nm, pl *porte-aiguille(s)*
porte-à-porte nm inv
porte-avions nm inv
porte-bagages nm inv
porte-bébé nm, pl *porte-bébé(s)*
porte-billet(s) nm, pl *porte-billets*
porte-bonheur nm inv
porte-bouteille(s) nm, pl *porte-bouteilles*
porte-carte(s) nm, pl *porte-cartes*
porte-cigarette(s) nm, pl *porte-cigarettes*
porte-clef(s) ou -clé(s) nm, pl *porte-clés, -clefs*
porte-conteneurs nm inv
porte-couteau nm, pl *porte-couteau(x)*
porte-crayon nm, pl *porte-crayon(s)*
porte-document(s) nm, pl *porte-documents*
porte-drapeau nm, pl *porte-drapeau(x)*
portée nf
portefaix nm inv
porte-fenêtre nf, pl *portes-fenêtres*
portefeuille nm, pl *portefeuilles*
porte-hélicoptères nm inv
porte-malheur nm inv
portemanteau nm, pl *portemanteaux*
portemine nm
porte-monnaie nm inv
porte-outil nm, pl *porte-outil(s)*
porte-parapluie(s) nm, pl *porte-parapluies*
porte-parole nm inv
porte-plume nm, pl *porte-plume(s)*

porter vt; *se porter caution, garant* → p 45
porter nm, pl *porters*
porte-savon nm, pl *porte-savon(s)*
porte-serviette nm, pl *porte-serviette(s)*
porte-voix nm inv
portillon nm
portion nf
porto nm, pl *portos*
portrait nm; *portraitiste* n (masculin ou féminin)
portrait-robot nm, pl *portraits-robots*
Port-Salut nm inv (nom déposé)
posé, e adj; *posément* adv
poser vt
positif, ive adj
position nf
posologie nf
posséder vt; *possession* nf
possessif, ive adj, n; *possessif* nm; CHOIX DU POSSESSIF → p 33, 34
possible adj; adv → p 29; nm
postdater vt
poste nf (bureau pour les opérations postales); *postal, e, aux* adj
poste nm (emploi)
postérieur, e adj
posteriori (a) adj inv; adv (sans accent)
postérité nf
postface nf
posthume adj
postiche adj; nm (masculin)
postillon nm; *postillonner* vi, pp *postillonné* inv
postnatal, e, als ou aux adj
postopératoire adj
postposer vt
postprandial, e, aux adj
postscolaire adj
post-scriptum nm inv
postsynchroniser vt
postulat nm
postuler vt
postural, e, aux adj
posture nf
pot nm; *potée* nf
potable adj
potache nm (masculin)
potage nm
potard nm
potasse nf
potasser vt
potassium nm, pl *potassiums*
pot-au-feu nm inv; adj inv
pot-de-vin nm, pl *pots-de-vin*
poteau nm, pl *poteaux*
potelé, e adj
potence nf
potentat nm
potentiel, elle adj
potentiomètre nm
poterne nf
potiche nf
potin nm; *potiner* vi, pp *potiné* inv
potion nf
potiron nm
pot-pourri nm, pl *pots-pourris*
potron-jaquet nm inv
potron-minet nm inv
pou nm, pl *poux*
poubelle nf

pouce nm; *poucettes* nfpl
pouce-pied nm, pl *pouces-pieds*
pou-de-soie, pout-de-soie ou
poult-de-soie nm, pl *poux-,*
pouts-, poults-de-soie
pouding ou **pudding** nm, pl *poudings, puddings*
poudre nf
poudroyer vi; *poudroiement* nm
pouf nm, pl *poufs*
pouffer vi, pp *pouffé* inv
pouilles nfpl
pouilleux, euse n; *pouillerie* nf
pouilly nm, pl *pouillys*
poulailler nm
poulain nm; *pouliche* nf
poulaine nf
poule nf
poulie nf
pouliner vi, pp *pouliné* inv
poulpe nm (masculin)
pouls nm inv
poumon nm
poupard, e n
poupe nf
poupée nf
poupin, e adj
poupon nm; *pouponner* vt
pour prép
pourboire nm
pourceau nm, pl *pourceaux*
pour-cent nm inv; *pourcentage* nm
pourchasser vt
pourfendre vt, pp *pourfendu, e*
pourlécher (se) vpr
pourparlers nmpl
pourpier nm
pourpoint nm
pourpre nm (masculin) [couleur]; adj (couleur); nf (étoffe), pl *pourpres*
pourquoi adv
pourrir vi, vt, pp *pourri, e*
poursuivre vt, pp *poursuivi, e*
pourtant conj
pourtour nm
pourvoi nm
pourvoir vt, pp *pourvu, e*; *pourvoyeur, euse* n
pourvu que loc conj
poussah nm, pl *poussahs*
pousse nf
pousse-café nm inv
pousse-pied nm inv
pousse-pousse nm inv
pousser vt
poussette nf
poussier nm
poussière nf; *poussiéreux, euse* adj (attention aux accents)
poussif, ive adj
poussin nm; *poussinière* nf
poutre nf
pouvoir vt, pp *pu* inv → p 42; *pouvoir* nm, pl *pouvoirs*
pouzzolane nf; pl *pouzzolanes*
praesidium nm, pl *praesidiums*
pragmatique adj
praire nf
prairial nm, pl *prairials*
prairie nf
praline nf
prandial, e, aux adj
praticien, enne n
pratique adj; nf

pratiquer vt; *praticable* adj; *pratiquant, e* adj
pré nm
préalable adj; nm
préambule nm (masculin)
préau nm, pl *préaux*
préavis nm inv
prébende nf
précaire adj
précaution nf; *précautionner (se)* vpr
précéder vt; *précédent, e* adj ≠ *précédant* pprés du v; *précédemment* adv
précepte nm
précepteur, trice n
prêche nm (masculin) [circonflexe sur é]
prêchi-prêcha nm inv (circonflexe sur é)
précipice nm
précipiter vt; *précipitamment* adv; *précipité* nm
précis, e adj; *précisément* adv
précité, e adj
précoce adj
précompte nm
préconçu, e adj
préconiser vt
précurseur nm
prédécesseur nm
prédestiner vt
prédéterminer vt
prédicat nm
prédicateur, trice n
prédilection nf
prédire vt, pp *prédit, e*; *prédiction* nf
prédisposer vt
prédominer vi, pp *prédominé* inv; *prédominance* nf
préélectoral, e, aux adj
prééminent, e adj; *prééminence* nf
préemption nf
préencollé, e adj
préétablir vt
préexcellence nf
préexister vi, pp *préexisté* inv; *préexistant, e* adj; *préexistence* nf
préface nf
préférer vt; *préférence* nf; *préférentiel, elle* adj
préfet nm; *préfète* nf; *préfectoral, e, aux* adj
préfixe nm
prégnant, e adj; *prégnance* nf
préhension nf
préhistoire nf
préjudice nm (masculin)
préjuger vt, vti
prélasser (se) vpr
prélat nm
prêle ou **prèle** nf
prélever vt; *prélèvement* nm (attention à l'accentuation)
préliminaire adj; nm (masculin)
prélude nm (masculin); *préluder* vti, pp *préludé* inv
prématuré, e adj
préméditer vt
prémices nfpl (début) [féminin] ≠ *prémisse* nf (première proposition en logique)

prémisse nf (logique) ≠ *prémices* (début)
prémolaire nf
prémonition nf
prémunir vt
prénatal, e, als ou **aux** adj
prendre vt, pp *pris, e*; *le prendre de haut* → p 42; *prenant, e* adj; *preneur, euse* n
prénom nm; *prénommer* vt; *prénommé, e* adj
prénuptial, e, aux adj
préoccuper vt (avec deux c)
préopératoire adj
préparer vt
prépondérant, e adj; *prépondérance* nf
préposer vt
préposition nf
prépuce nm
prérogative nf
près adv
présage nm
pré-salé nm, pl *prés-salés*
presbyte n (masculin ou féminin); *presbytie* nf (avec un *t*)
presbytère nm; *presbytéral, e, aux* adj (attention aux accents)
prescience nf
préscolaire adj
prescrire vt, pp *prescrit, e*; *prescription* nf
préséance nf
présent, e adj, n
présenter vt
préserver vt
président, e n; *présidentiel, elle* adj
présider vt
présidial nm, pl *présidiaux*
présomptif, ive adj
présomption nf
présomptueux, euse adj
presque adv → p 61
presqu'île nf, pl *presqu'îles*
presse-citron nm inv
pressentir vt, pp *pressenti, e*
presse-papiers nm inv
presse-purée nm inv
presser vt
presse-viande nm inv
pressing nm, pl *pressings*
pressurer vt
pressuriser vt
prestance nf
prestation nf
preste adj
prestidigitateur, trice n
prestige nm (masculin)
presto adv; *prestissimo* adv
présumer vt
présupposer vt
présure nf
prétantaine ou **prétentaine** nf
prêt-à-porter nm, pl *prêts-à-porter*
prétendre vt, pp *prétendu, e*; *prétendument* adv
prête-nom nm, pl *prête-noms*
prétention nf
prêter vt; *prêt* nm; *prêteur, euse* n (circonflexe sur é)

prétérit nm, pl *prétérits*
prétérition nf
préteur nm (magistrat romain) ≠ *prêteur* (qui prête)
prétexte nm (masculin)
prétoire nm (masculin)
prêtre nm ; *prêtresse* nf (circonflexe sur *ê*)
preuve nf
preux nm inv
prévaloir vi, vpr, pp *prévalu, e*
prévariquer vi, pp *prévariqué* inv ; *prévarication* nf
prévenant, e adj ; *prévenance* nf
prévenir vt, pp *prévenu, e*
préventorium nm, pl *préventoriums*
prévoir vt, pp *prévu, e* ; *prévision* nf ; *prévoyant, e* adj
prévôt nm (circonflexe sur *ô*)
prie-Dieu nm inv
prier vt ; *prière* nf (attention à l'accentuation)
prieur, e n ; *prieuré* nm
prima donna nf, pl *prime donne*
primaire adj
primat nm
primate nm
primauté nf
prime nf
prime adj
primerose nf
primesautier, ère adj
primeur nf
primevère nf
primipare adj ; nf
primitif, ive adj
primo adv
primogéniture nf, pl *primo-infections*
primordial, e, aux adj
prince nm ; *princesse* nf ; *princier, ière* adj
prince-de-Galles nm inv ; adj inv
princeps adj inv
principal, e, aux adj
principauté nf
principe nm
printemps nm inv ; *printanier, ère* adj
priori (a) adj inv ; adv ; nm inv (sans accent sur le *a*)
priorité nf
prise nf
priser vt
prisme nm
prison nf ; *prisonnier, ère* n
privatdocent ou **privatdozent** nm, pl *privatdocents, privatdozents*
privautés nfpl
priver vt
privilège nm ; *privilégier* vt (attention aux accents)
prix nm inv
probable adj
probant, e adj
probe adj ; *probité* nf
problème nm ; *problématique* adj (attention aux accents)
proboscidien nm
procéder vti, pp *procédé* inv ; *procédé* nm
procédure nf
procès nm inv

procession nf ; *processionnaire* adj
processus nm inv
procès-verbal adj, pl *procès-verbaux*
prochain, e adj ; *proche* adj
proclamer vt
proconsul nm
procréer vt ; *procréation* nf
procurateur nm
procurer vt
procureur nm
prodige nm (masculin)
prodigue adj ; *prodigalité* nf
prodiguer vt
pro domo loc adv
prodrome nm
produire vt, pp *produit, e* ; *producteur, trice* adj, n ; *production* nf
proéminent, e adj
prof n (masculin ou féminin), pl *profs*
profane adj, n (masculin ou féminin)
profaner vt
proférer vt
profès, esse adj, n
professer vt
professeur nm ; *professoral, e, aux* adj
profession nf ; *professionnel, elle* adj ; *professionnalisme* nm
profil nm ; *profilé* nm ; *profiler* vt
profit nm ; *profiter* vti, pp *profité* inv
profond, e adj ; *profondément* adv
profusion nf
progéniture nf
prognathe adj, n (masculin ou féminin) ; *prognathisme* nm (*h* après *t*)
programme nm
progrès nm ; *progresser* vi, pp *progressé* inv (attention à l'accentuation)
prohiber vt ; *prohibition* nf ; *prohibitionnisme* nm
proie nf
projecteur nm
projectile nm
projection nf ; *projectionniste* n (masculin ou féminin)
projet nm ; *projeter* vt
prolapsus nm inv
prolégomènes nmpl (masculin)
prolepse nf
prolétaire n (masculin ou féminin) ; *prolétariat* nm
prolifère adj ; *proliférer* vi, pp *proliféré* inv (attention aux accents)
prolifique adj
prolixe adj
prologue nm (masculin)
prolonger vt
promener vt
promettre vt, pp *promis, e* ; *promesse* nf
promiscuité nf
promontoire nm
promouvoir vt, pp *promu, e* ; *promotion* nf ; *promotionnel, elle* adj
prompt, e adj ; *promptitude* nf
promulguer vt ; *promulgation* nf

pronation nf
prône nm (circonflexe sur *ô*)
pronom nm ; *pronominal, e, aux* adj
prononcer vt ; *prononciation* nf
pronostic nm ; *pronostiquer* vt
pronunciamiento nm, pl *pronunciamientos*
propagande nf
propager vt
propension nf
propergol nm, pl *propergols*
prophète nm ; *prophétesse* nf ; *prophétie* nf (attention aux accents)
prophylaxie nf
propice adj
propitiation nf
proportion nf ; *proportionnel, elle* adj
propos nm inv
proposer vt
propre adj ; *propret, ette* adj
propre-à-rien n (masculin ou féminin), pl *propres-à-rien*
propriété nf
propulser vt
propylée nm (masculin)
prorata nm inv
proroger vt
prosaïque adj ; *prosaïsme* nm (attention au tréma sur *ï*)
proscenium nm, pl *prosceniums*
proscrire vt, pp *proscrit, e* ; *proscription* nf
prose nf ; *prosateur* nm
prosélyte n (masculin ou féminin) ; *prosélytisme* nm (attention *ly*)
prosodie nf
prosopopée nf
prospecter vt
prospectus nm inv
prospère adj ; *prospérer* vi, pp *prospéré* inv ; *prospérité* nf (attention aux accents)
prostate nf
prosterner (se) vpr
prostituer vt
prostré, e adj ; *prostration* nf
protagoniste n (masculin ou féminin)
protase nf
prote nm (masculin)
protée nm (masculin)
protège-cahier nm, pl *protège-cahiers*
protéger vt ; *protection* nf ; *protectionnisme* nm
protège-dents nm inv
protège-tibia nm, pl *protège-tibias*
protestant, e n
protester vt
protêt nm (circonflexe sur *ê*)
prothèse nf (*h* après *t*) ; *prothésiste* n ; *prothétique* adj (attention aux accents)
protide nm
protocole nm
proton nm
prototype nm
protozoaire nm
protubérant, e adj ; *protubérance* nf
prou adv
proue nf
prouesse nf

prouver vt
provende nf
provenir vi, pp *provenu, e*
proverbe nm ; *proverbial, e, aux* adj
providence nf ; *providentiel, elle* adj
province nf ; *provincial, e, aux* adj, n
proviseur nm
provision nf ; *provisionnel, elle* adj
provisoire adj ; nm
provoquer vt ; *provocant, e* adj ≠ *provoquant* pprés du v ; *provocation* nf
proxénète nm ; *proxénétisme* nm (attention aux accents)
proximité nf
prude adj ; nf
prudent, e adj ; *prudemment* adv ; *prudence* nf
prud'homme nm (avec deux *m*) ; *prud'homal, e, aux* adj ; *prud'homie* nf (avec un seul *m*)
prune nf ; *pruneau* nm, pl *pruneaux*
prurit nm ; *prurigineux, euse* adj ; *prurigo* nm
prussique adj m
prytanée nm (masculin)
psalmodie nf
psaume nm (masculin) ; *psautier* nm
pschent nm, pl *pschents*
pseudonyme nm
pseudopode nm
psittacisme nm
psoriasis nm inv
psychanalyse nf
psychasthénie nf
psyché nf (féminin), pl *psychés*
psychédélique adj
psychiatre n (masculin ou féminin) [pas de circonflexe]
psychique adj
psychodrame nm
psychologie nf
psychopathie nf
psychopathologie nf
psychophysiologie nf

psychose nf ; *psychotique* adj, n (masculin ou féminin)
psychosocial, e, aux adj
psychosomatique adj
psychothérapie nf
psyllium nm, pl *psylliums*
ptérodactyle nm
ptôse nf (circonflexe sur ô)
pubère adj ; *puberté* nf
pubescent, e adj
pubis nm inv
public, ique adj ; *public* nm
publicain nm
publiciste n (masculin ou féminin)
publicité nf
public-relations nfpl
publier vt ; *publication* nf
puce nf ; *puceron* nm
puceau nm, pl *puceaux* ; *pucelle* nf ; *pucelage* nm (un seul *l*)
pudding ou pouding nm, pl *puddings, poudings*
puddler vt
pudique adj ; *pudeur* nf
puer vi, pp *pué* inv
puériculture nf
puéril, e adj ; *puérilité* nf
puerpéral, e, aux adj
pugilat nm
pugnace adj
puîné, e adj (circonflexe sur î)
puis adv
puiser vt
puisque conj → p 61
puissant, e adj ; *puissamment* adv ; *puissance* nf
puits nm inv (trou) ≠ *puy* (montagne) ; *puisatier* nm
pullman nm, pl *pullmans*
pull-over nm, pl *pull-overs* ; *pull* nm, pl *pulls*
pulluler vi, pp *pullulé* inv ; *pullulement* nm ou *pullulation* nf
pulmonaire adj (poumon)
pulmonaire nf (plante)
pulpe nf (féminin)
pulsar nm, pl *pulsars*
pulsation nf
pulser vt

pulvériser vt
pulvérulent, e adj
puma nm, pl *pumas*
punaise nf
punch nm, pl *punchs*
punching-ball nm, pl *punching-balls*
punir vt
pupazzo nm, pl *pupazzi*
pupille nf (de l'œil)
pupille n (masculin ou féminin) [de la nation]
pupitre nm
pur, e adj ; *pureté* nf
purée nf
purger vt
purifier vt
purin nm
puritain, e adj ; *puritanisme* nm
purotin nm
purpurin, e adj
pur-sang nm inv
purulent, e adj
pus nm inv
push-pull nm inv
pusillanime adj (deux *l* et un *n*)
pustule nf
putain ou pute nf
putatif, ive adj
putois nm inv
putréfier vt
putrescible adj
putride adj
putsch nm, pl *putschs*
putto nm, pl *putti*
puy nm (montagne) ≠ *puits* (trou)
puzzle nm, pl *puzzles*
pygmée n (masculin ou féminin)
pyjama nm
pylône nm (circonflexe sur ô)
pylore nm
pyorrhée nf (deux *r* et *h*)
pyramide nf ; *pyramidal, e, aux* adj
pyrite nf
pyrolyse nf
pyrotechnie nf
pyroxène nm (masculin)
pythie nf
python nm
pythonisse nf

q

q nm inv
quadragénaire n (masculin ou féminin)
quadragésime nf; *quadragésimal, e, aux* adj
quadrangulaire adj
quadrant nm
quadrature nf
quadriennal, e, aux adj
quadrige nm
quadrilatère nm; *quadrilatéral, e, aux* adj (attention aux accents)
quadrille nm (masculin)
quadriller vt
quadrimoteur nm
quadripartite adj
quadriréacteur nm
quadrisyllabe nm (masculin)
quadrupède nm
quadruple adj
quai nm pl *quais*
quaker nm; *quakeresse* nf
qualifier vt; *qualification* nf
qualité nf
quand adv
quant à prép
quant-à-soi nm inv
quantième nm
quantité nf; ADVERBES DE QUANTITÉ → p 31, 36, 39, 49
quantum nm, pl *quanta*
quarante adj num inv; *quarantième* adj ord
quart nm
quartain nm
quart-de-pouce nm, pl *quarts-de-pouce*
quart-de-rond nm, pl *quarts-de-rond*
quarte nf
quarter vt
quarteron, onne n
quartette nm (masculin)
quartier nm
quartier-maître nm, pl *quartiers-maîtres*
quarto adv
quartz nm inv
quasi adv (les noms composés avec *quasi* ont un trait d'union; les adjectifs composés n'ont pas de trait d'union)
quasi-contrat nm, pl *quasi-contrats*

quasi-délit nm, pl *quasi-délits*
quasiment adv
quater adv
quaternaire adj
quatorze adj num inv; *quatorzième* adj ord
quatre adj num inv; *quatrième* adj ord
quatre-de-chiffre nm inv
quatre-épices nm inv
quatre-feuilles nm inv
quatre-mâts nm inv
quatre-quarts nm inv
quatre-saisons nf inv
quatre-temps nmpl
quatre-vingt(s) adj num → p 33
quatrillion nm
quattrocento nm (au sing)
quatuor nm, pl *quatuors*
que pron rel; accord du participe avec *croire, penser, estimer* → p 43
que conj; adv
quel, quelle adj interr; *quel que* → p 35
quelconque adj indéf
quelque adj indéf; adv → p 34, 61
quelque chose pr indéf (masculin) → p 30
quelquefois adv
quelqu'un, e pr indéf, pl *quelques-uns, -unes*
quémander vt
qu'en-dira-t-on nm inv
quenelle nf
quenotte nf
quenouille nf
querelle nf; *quereller* vt
quérir vt
questeur nm
question nf; *questionner* vt
quête nf (circonflexe sur ê)
quetsche nf (s avant c)
quetzal nm, pl *quetzals*
queue nf; *queuter* vi, pp *queuté* inv
queue-d'aronde nf, pl *queues-d'aronde*
queue-de-cheval nf, pl *queues-de-cheval*
queue-de-morue nf, pl *queues-de-morue*
queue-de-pie nf, pl *queues-de-pie*

queue-de-rat nf, pl *queues-de-rat*
queue-de-renard nf, pl *queues-de-renard*
queux nm inv (maître queux)
qui pr rel; accord du verbe avec *qui* → p 48
quia (à) loc adv
quiche nf
quiconque pr indéf
quidam nm, pl *quidams*
quiet, ète adj; *quiétude* nf (attention aux accents)
quiétisme nm
quignon nm
quille nf
quinaud, e adj
quincaillier, ère n; *quincaillerie* nf
quinconce nm (masculin)
quine nm (masculin)
quinine nf
quinquagénaire n (masculin ou féminin)
quinquennal, e, aux adj
quinquet nm
quinquina nm, pl *quinquinas*
quintal nm, pl *quintaux*
quinte nf
quintessence nf (avec deux s)
quintette nm (masculin)
quinteux, euse adj
quintuple adj
quinze adj num inv; *quinzième* adj ord; *quinzaine* nf
quiproquo nm, pl *quiproquos*
quittance nf
quitte adj, pl *quittes*
quitter vt
quitus nm inv (avec un seul t)
qui-vive nm inv
quoi pr rel interr; *quoi que* → p 35
quoique conj → p 35, 61
quolibet nm
quorum nm, pl *quorums*
quota nm, pl *quotas*
quote-part nf, pl *quotes-parts*
quotidien, enne adj; *quotidien* nm
quotient nm
quotité nf

r

r nm inv
rabâcher vt (circonflexe sur le second *â*)
rabaisser vt ; *rabais* nm
rabat nm
rabat-joie nm inv
rabattre vt, pp *rabattu, e* (tous les dérivés avec deux *t* : *rabattage, rabatteur*, etc.)
rabbin nm ; *rabbinique* adj
rabelaisien, enne adj
rabibocher vt
rabiot nm
rabique adj
râble nm (circonflexe sur *â*)
rabot nm
raboteux, euse adj
rabougrir vt
rabouilleur, euse n
rabouter vt
rabrouer vt
racaille nf
raccommoder vt (avec deux *c* et deux *m*)
raccord nm
raccourcir vt
raccrocher vt ; *raccroc* nm
race nf ; *racial, e, aux* adj
racémique adj
racer nm, pl *racers*
racheter vt ; *rachat* nm
rachis nm inv ; *rachidien, enne* adj
rachitique adj, n
racinal nm, pl *racinaux*
racine nf
racket nm, pl *rackets* ; *racketteur, euse* n
racler vt
racoler vt ; *racolage* nm
raconter vt ; *racontar* nm
racornir vt
radar nm, pl *radars*
rade nf
radeau nm, pl *radeaux*
rader vt
radial, e, aux adj
radian nm (unité de mesure) ≠ *radiant*
radiant, e adj
radiant nm (astronomie) ≠ *radian*
radiateur nm
radiation nf (rayon)
radical, e, aux adj
radical-socialiste nm, pl *radicaux-socialistes*
radicant, e adj
radicelle nf
radier vt ; *radiation* nf
radiesthésie nf
radieux, euse adj
radin, e adj
radio nf, pl *radios*
radioactif, ive adj
radiodiffusion nf

radiographie nf
radiologie nf
radiophonie nf
radioscopie nf
radio-taxi nm, pl *radio-taxis*
radiothérapie nf
radis nm inv
radium nm, pl *radiums*
radius nm inv
radoter vi, pp *radoté* inv
radoub nm, pl *radoubs*
radoucir vt
rafale nf (un seul *f*)
raffermir vt
raffiner vt (tous les dérivés avec deux *f* et un *n* : *raffinage, raffinement*, etc.)
raffoler vti, pp *raffolé* inv (avec deux *f* et un *l*)
raffut nm (sans circonflexe)
raffûter vt (circonflexe sur *û*)
rafiot nm (un seul *f*)
rafistoler vt
rafle nf
rafraîchir vt (circonflexe sur *î*)
ragaillardir vt
rage nf
raglan nm
ragondin nm
ragot, e adj
ragoût nm (circonflexe sur *û*)
ragoûtant, e adj (circonflexe sur *û*)
ragréer vt
ragtime nm, pl *ragtimes*
rahat-loukoum ou rahat-lokoum nm, pl *rahat-loukoums, rahat-lokoums*
rai nm (rayon), pl *rais* ≠ *raie* (ligne ; poisson)
raid nm, pl *raids*
raide adj → p 29
rai-de-cœur nm, pl *rais-de-cœurs*
raie nf (ligne) ≠ *rai* (rayon)
raie nf (poisson) ≠ *rai* (rayon)
raifort nm
rail nm, pl *rails*
railler vt ; *raillerie* nf
rainer vt
rainette nf (grenouille) ≠ *reinette* (pomme) ≠ *rénette* (outil)
rainure nf
raiponce nf (féminin)
raisin nm
raison nf ; se donner raison → p 45 ; *raisonner* vt
rajah nm, pl *rajahs*
rajeunir vt, vi
rajouter vt ; *rajout* nm
rajuster vt
raki nm, pl *rakis*
râle nm (bruit de la gorge) ; *râler* vi, pp *râlé* inv (circonflexe sur *â*)

râle nm (oiseau) [circonflexe sur *â*]
ralentir vt, vi
ralingue nf (féminin)
rallier vt ; *ralliement* nm
rallonger vt
rallumer vt
rallye nm, pl *rallyes*
ramadan nm, pl *ramadans*
ramage nm
ramasse-miettes nm inv
ramasser vt
rambarde nf
ramdam nm, pl *ramdams*
rame nf (de papier)
rame nf (aviron) ; *ramer* vi, pp *ramé* inv
rameau nm, pl *rameaux*
ramée nf
ramener vt
ramequin nm
rameux, euse adj
rami nm, pl *ramis*
ramier nm
ramifier vt
ramilles nfpl
ramollir vt
ramoner vt (un seul *n*)
rampe nf
ramper vi, pp *rampé* inv
ramponneau nm, pl *ramponneaux*
ramure nf
rancard nm (rendez-vous)
rancart nm (débarras)
rance adj
ranch nm, pl *ranches* ou *ranchs*
rancœur nf
rançon nf ; *rançonner* vt
rancune nf ; *rancunier, ère* adj
randonnée nf
rang nm ; *ranger* vt
ranger nm, pl *rangers*
ranimer vt
ranz nm inv
raout nm, pl *raouts*
rapace adj
rapatrier vt ; *rapatriement* nm
râpe nf (circonflexe sur *â*)
rapetasser vt
rapetisser vt, vi
raphia nm, pl *raphias*
rapide adj ; nm
rapiécer vt ; *rapiéçage* nm ; *rapiécement* nm (attention aux accents)
rapière nf
rapin nm
rapine nf
rappareiller vt
rapparier vt
rappeler vt ; *rappel* nm (avec deux *p*)
rappliquer vi, pp *rappliqué* inv
rapporter vt ; *rapport* nm (avec deux *p*)

rapprendre vt, pp *rappris, e*
rapprocher vt
rapprovisionner vt
rapt nm, pl *rapts*
raquette nf
rare adj
ras, e adj
rasade nf
rascasse nf
rase-mottes nm inv
raser vt
rasibus adv
ras-le-bol nm inv
rassasier vt ; *rassasiement* nm
rassembler vt
rasseoir vt, pp *rassis, e*
rasséréner vt
rassis, e adj ; *rassir* vi, vt, pp *rassi, e*
rassortir vt ; *rassortiment* nm
rassurer vt
rastaquouère nm, pl *rasta-quouères*
rat nm
rata nm, pl *ratas*
ratafia nm (masculin), pl *ratafias*
ratatiner vt
ratatouille nf
rat-de-cave nm, pl *rats-de-cave*
rate nf
râteau nm, pl *râteaux* ; *râteler* vt (circonflexe sur â)
rater vt
ratiboiser vt
ratifier vt
ratine nf
ratio nm, pl *ratios*
ratiociner vi, pp *ratiociné* inv
ration nf
rationnel, elle adj (avec deux *n*) ; *rationaliser* vt ; *rationalité* nf ; *rationalisme* nm (avec un seul *n*)
rationner vt
ratisser vt (pas de circonflexe)
ratite nm (masculin)
rattacher vt
rattraper vt (avec deux *t*, un *p*)
rature nf
rauque adj ; *raucité* nf
ravage nm
raval nm, pl *ravals*
ravaler vt ; *ravalement* nm
ravauder vt
rave nf
ravier nm
ravigote nf
ravigoter vt
ravin nm ; *ravine* nf ; *raviner* vt
ravioli nm, pl *raviolis* ou *raviolis*
ravir vt
raviser (se) vpr
ravitailler vt
raviver vt
ravoir vt (seulement infinitif)
rayer vt
ray-grass nm inv
rayon nm ; *rayonner* vi, pp *rayonné* inv ; *rayonné, e* adj
rayonne nf
raz nm inv
razzia nf, pl *razzias* ; *razzier* vt
ré nm inv
réabonner vt
réabsorber vt
réacteur nm
réactif, ive adj

réaction nf ; *réactionnaire* adj, n (masculin ou féminin)
réadmettre vt, pp *réadmis, e*
réaffirmer vt
réagir vi, pp *réagi* inv
réal nm, pl *réaux*
réaléser vt
réaliser vt
réalisme nm
réalité nf
réapparaître vi, pp *réapparu, e* ; *réapparition* nf
réapprendre vt, pp *réappris, e*
réapprovisionner vt
réarmer vt
réassigner vt
réassortir vt
réassurer vt
rébarbatif, ive adj
rebâtir vt (circonflexe sur â)
rebattu, e adj
rebec nm, pl *rebecs*
rebelle n (masculin ou féminin) ; *rebeller (se)* v pr ; *rébellion* nf (attention à l'accentuation)
rebiffer (se) vpr
reblochon nm
reboiser vt
rebondir vi, pp *rebondi* inv ; *rebond, e* adj ; *rebond* nm
rebord nm
reboucher vt
rebours (à) loc adv
rebouteux, euse n
reboutonner vt
rebrousse-poil (à) loc adv
rebrousser vt
rebuffade nf
rébus nm inv
rebut nm
rebuter vt
recacheter vt
récalcitrant, e adj
récapituler vt
recarreler vt (avec deux *r*, un *l*)
recaser vt
recauser vi, pp *recausé* inv
recéder vt
receler vt ; *recel* nm
recenser vt ; *recension* nf ; *recensement* nm
récent, e adj ; *récemment* adv
receper ou recéper vt
récépissé nm
réception nf ; *réceptionner* vt
recercler vt
récessif, ive adj ; *récession* nf
recette nf
recevoir vt, pp *reçu, e*
rechange nm
rechaper vt (pneu)
réchapper vti (échapper), pp *réchappé* inv
recharger vt ; *recharge* nf
réchaud nm
réchauffer vt
rechausser vt
rêche adj (circonflexe sur ê)
recherche nf ; *rechercher* vt
rechigner vi, pp *rechigné* inv
rechute nf
récidive nf
récif nm
récipiendaire n (masculin ou féminin)
récipient nm
réciproque adj inf ; *réciprocité* nf

récit nm ; *réciter* vt
récital nm, pl *récitals*
réclame nf
réclamer vt
reclasser vt
reclouer vt
reclus, e adj
réclusion nf (accent aigu sur é)
recoiffer vt
recoin nm
recoller vt
récolte nf
recommander vt
recommencer vt
récompense nf
recomposer vt
recompter vt
réconcilier vt
reconduire vt, pp *reconduit, e* ; *reconduction* nf
réconfort nm
reconnaître vt (circonflexe sur *î* devant *t*), pp *reconnu, e* ; *reconnaissance* nf ; *reconnaissant, e* adj (sans circonflexe)
reconquérir vt, pp *reconquis, e* ; *reconquête* nf (attention aux accents)
reconstituer vt
reconstruire vt, pp *reconstruit, e* ; *reconstruction* nf
reconvention nf ; *reconventionnel, elle* adj
reconvertir vt ; *reconversion* nf
recopier vt
record nm ; *recordman* nm, pl *recordmen* ou *recordmans*
recorder vt
recorriger vt
recors nm inv
recoucher vt
recouper vt
recourber vt
recourir vi, vti, vt, pp *recouru, e* ; *recours* nm
recouvrer vt
recouvrir vt, pp *recouvert, e*
recracher vt
recréer vt (créer une nouvelle fois)
récréer vt (amuser) ; *récréation* nf
recrépir vt
recreuser vt
récrier (se) vpr
récriminer vi, pp *récriminé* inv
récrire ou réécrire vt, pp *récrit, e, réécrit, e*
recroqueviller (se) vpr
recru, e adj
recrudescent, e adj ; *recrudescence* nf (attention *sc*)
recrue nf (féminin)
recruter vt
recta adv
rectangle nm
recteur nm ; *rectoral, e, aux* adj
recteur, trice adj
rectifier vt
rectiligne adj
rection nf
rectitude nf
recto nm, pl *rectos*
rectum nm, pl *rectums* ; *rectal, e, aux* adj
recueil nm ; *recueillir* vt, pp *recueilli, e*

recuire vt, vi, pp *recuit, e ; recuit* nm

recul nm ; *reculer* vt ; *reculons (à)* loc adv

récupérer vt

récurer vt

récurrent, e adj ; *récurrence* nf (avec deux *r*)

récuser vt

recycler vt

redan ou redent nm

reddition nf (avec deux *d*)

redemander vt

redémarrer vi, vt

rédempteur, trice adj

redent ou redan nm

redescendre vt, vi, pp *redescendu, e*

redevable adj

redevance nf

redevenir vi, pp *redevenu, e*

rédhibition nf (*h* après *d*)

rédhibitoire adj (*h* après *d*)

rediffuser vt

rédiger vt ; *rédaction* nf

redingote nf

redire vt, pp *redit, e ; redite* nf

redondant, e adj ; *redondance* nf

redonner vt

redorer vt

redoubler vt

redoute nf

redouter vt

redoux nm inv

redresser vt

réductionnisme nm

réduire vt, pp *réduit, e ; réduction* nf

réduit nm

réduplication nf (attention à l'accent)

réécouter vt

réédifier vt

rééditer vt

rééduquer vt ; *rééducation* nf

réel, elle adj ; *réalité* nf

réélire vt, pp *réélu, e ; réélection* nf

réemployer ou remployer vt ; *réemploi* ou *remploi* nm

réengager ou rengager vt

rééquilibrer vt

réescompte nm

réessayer ou ressayer vt

réexpédier vt

réexporter vt

réfaction nf

refaire vt, pp *refait, e ; réfection* nf (avec accent aigu sur ré)

réfectoire nm

refend nm, pl *refends* (pas d'accent)

refendre vt, pp *refendu, e*

référence nf ; *référentiel, elle* adj ; *référent* nm

référendum nm, pl *référendums ; référendaire* adj

référer vt

refermer vt

réfléchir vt, vti, pp *réfléchi, e ; réflexion* nf

réflecteur nm

reflet nm ; *refléter* vt (attention à l'accentuation)

refleurir vi, vt

reflex adj inv (photo) [pas d'accent]

réflexe nm (avec accent aigu)

refluer vi, pp *reflué* inv ; *reflux* nm inv

refondre vt, pp *refondu, e*

réforme nf

reformer vt (refaire) ≠ *réformer* (corriger)

réformer vt (corriger) ≠ *reformer* (refaire)

refouiller vt

refouler vt

réfractaire nm

réfracter vt

refrain nm

réfrangible adj

refréner ou réfréner vt ; *refrènement* ou *réfrènement* nm (attention à l'accentuation)

réfrigérer vt

réfringent, e adj

refroidir vt, vi

refuge nm

réfugier (se) vpr

refus nm inv ; *refuser* vt

réfuter vt

regagner vt

regain nm

régal nm, pl *régals* (délice)

régale nf (droit)

régale adj f (eau)

régaler vt (niveler ou donner du plaisir)

regard nm

regarnir vt

régate nf

regel nm ; *regeler* vt

régénérer vt

régent, e n ; *régence* nf

régenter vt

régicide nm (acte) ; adj, n (masculin ou féminin) [personne]

régie nf

regimber vi, pp *regimbé* inv

régime nm

régiment nm

région nf ; *régional, e, aux* adj ; *régionalisme* nm (un seul *n*)

régir vt

régisseur nm

registre nm

règle nf ; *réglette* nf (attention aux accents)

règlement nm ; *réglementaire* adj ; *réglementer* vt (attention aux accents)

régler vt

réglisse nf (féminin)

règne nm ; *régner* vi, pp *régné* inv (attention aux accents)

regonfler vt

regorger vti, pp *regorgé* inv

regratter vt

régressif, ive adj

regret nm ; *regretter* vt ; *regrettable* adj

régulier, ère adj ; *régulariser* vt

régurgiter vt

réhabiliter vt

réhabituer vt

rehausser vt

réifier vt

réimporter vt

réimposer vt

réimprimer vt

rein nm

réincarcérer vt

réincarner (se) vpr

réincorporer vt

reine nf (de roi) ≠ *rêne* (guide) ≠ *renne* (animal)

reine-claude nf, pl *reines-claudes*

reine-des prés nf, pl *reines-des-prés*

reine-marguerite nf, pl *reines-marguerites*

reinette nf (pomme) ≠ *rénette* (outil) ≠ *rainette* (grenouille)

réinscrire vt, pp *réinscrit, e*

réinstaller vt

réintégrer vt

réintroduire vt, pp *réintroduit, e*

réinventer vt

réitérer vt

reitre nf (circonflexe sur *î*)

rejaillir vi

rejet nm ; *rejeter* vt

rejeton nm

rejoindre vt, pp *rejoint, e*

rejouer vt

réjouir vt

relâche nf (circonflexe sur *â*)

relâcher vt (circonflexe sur *â*)

relais nm inv

relancer vt

relaps, e adj

relater vt

relatif, ive adj ; *relation* nf ; *relationnel, elle* adj

relaxer vt ; *relax* ou *relaxe* adj ; *relaxation* nf

relayer vt

reléguer vt ; *relégation* nf

relent nm

relever vt ; *relève* nf ; *relèvement* (attention à l'accentuation)

relief nm

relier vt

religion nf

reliquat nm

relique nf

relire vt, pp *relu, e ; relecture* nf

relouer vt

reluire vi, pp *relui* inv

reluquer vt

remâcher vt (circonflexe sur *â*)

remailler ou remmailler vt ; *remaillage* ou *remmaillage* nm

remake nm

rémanent, e adj

remanier vt ; *remaniement* nm

remarier (se) vpr

remarque nf

remballer vt

rembarquer vt

rembarrer vt

remblayer vt ; *remblai* nm

remboîter vt (circonflexe sur *î*)

rembourrer vt

rembourser vt

rembrunir (se) vpr

rembucher vt

remède nm ; *remédier* vti, pp *remédié* inv ; *remédiable* adj (attention aux accents)

remembrer vt

remémorer vt

remercier vt ; *remerciement* nm

remettre vt, pp *remis, e*

remeubler vt

remilitariser vt

réminiscence nf (attention *sc*)

remise nf

remiser vt

rémission nf

rémittent, e adj
remmailler ou **remailler** vt; *remmaillage* ou *remaillage* nm
remmener vt
remmoulage ou **remoulage** nm
remodeler vt
remonte-pente nm, pl *remonte-pentes*
remonter vt
remontrer vt
rémora nm, pl *rémoras*
remords nm inv
remorque nf
rémoulade nf
remoulage ou **remmoulage** nm
rémouleur nm
remous nm inv
rempailler vt
rempaqueter vt
rempart nm
rempiler vt
remplacer vt
remplir vt
remployer ou **réemployer** vt; *remploi* ou *réemploi* nm
remplumer (se) vpr
remporter vt
rempoter vt
remue-ménage nm inv
remuer vt
remugle nm (masculin)
rémunérer vt
renâcler vi, pp *renâclé* inv (circonflexe sur *â*)
renaître vi (circonflexe sur *î* devant *t*); *renaissant, e* adj; *renaissance* nf (sans circonflexe)
rénal, e, aux adj
renard nm; *renarde* nf; *renardeau* nm, pl *renardeaux*
renchérir vi, pp *renchéri* inv
rencogner vt
rencontre nf
rendez-vous nm inv
rendormir (se) vpr, pp *rendormi, e*
rendre vt, pp *rendu, e; se rendre compte, maître →* p 45
rêne nf (guide) ≠ *reine* (de roi) ≠ *renne* (animal)
renégat, e n
renégocier vt
rénette nf (outil) ≠ *rainette* (grenouille) ≠ *reinette* (pomme)
renfermer vt
renfiler vt
renfler vt
renflouer vt; *renflouement* nm
renfoncer vt
renforcer vt
renfort nm
renfrogner (se) vpr
rengager ou **réengager** vt
rengaine nf
rengainer vt
rengorger (se) vpr
rengréner ou **rengrener** vt; *rengrènement* nm (attention aux accents)
renier vt
renifler vt
renne nm (animal) ≠ *rêne* (guide) ≠ *reine* (de roi)
renom nm; *renommé, e* adj; *renommée* nf (avec deux *m*)
renommer vt
renoncer vt, vti
renoncule nf

renouer vt
renouveau nm, pl *renouveaux*; *renouveler* vt (avec un seul *l*); *renouvellement* nm (avec deux *l*)
rénover vt
renseigner vt
rente nf
rentoiler vt
rentrayer vt
rentrer vt, vi
renverser vt
renvoyer vt; *renvoi* nm
réoccuper vt (deux *c*, un *p*)
réorganiser vt
réorienter vt
réouverture nf
repaire nm (antre) ≠ *repère* (marque)
repaître vt (circonflexe sur *î* devant *t*), pp *repu, e*
répandre vt, pp *répandu, e*
reparaître vt (circonflexe sur *î* devant *t*), pp *reparu, e*
réparer vt
reparler vi, pp *reparlé* inv
repartie nf (pas d'accent sur e)
repartir vt (répliquer) [pas d'accent sur e]
répartir vt (partager) [accent aigu sur é]
repas nm inv
repasser vt
repayer vt
repêcher vt (circonflexe sur *ê*)
repeindre vt, pp *repeint, e*
repenser vt
repentir (se) vpr, pp *repenti, e*
repentir nm
répercuter vt; *répercussion* nf
reperdre vt, pp *reperdu, e*
repère nm (marque) ≠ *repaire* (antre); *repérer* vt; *repérage* nm (attention aux accents)
répertoire nm; *répertorier* vt
répéter vt
repeupler vt
repiquer vt
répit nm
replacer vt
replanter vt
replat nm
replâtrer vt (circonflexe sur *â*)
replet, ète adj
réplétif, ive adj (attention aux accents)
replier vt; *repliement* nm; *repli* nm
réplique nf
replonger vt
reployer vt; *reploiement* nm
repolir vt
répondre vt, pp *répondu, e; répons* nm inv; *réponse* nf
repopulation nf
reporter vt; *report* nm
reporter nm, pl *reporters*
reporter-cameraman nm, pl *reporters-cameraman*
repos nm inv; *reposer* vt → p 41
repose-pied nm inv
repose-tête nm inv
repousser vt
répréhensible adj
reprendre vt, pp *repris, e; reprise* nf
représailles nfpl

représenter vt
réprimande nf
réprimer vt; *répression* nf; *répressif, ive* adj
reprint nm, pl *reprints*
repriser vt
réprobation nf
reproche nm
reproduire vt, pp *reproduit, e; reproduction* nf
reprographie nf
réprouver vt
reps nm inv
reptation nf
reptile nm
repu, e adj
républicain nf; *républicain, e* adj; *républicanisme* nm
répudier vt
répugner vti, pp *répugné* inv
répulsion nf
réputé, e adj
requérir vt, pp *requis, e; requête* nf (circonflexe sur le second *ê*); *réquisitoire* nm
requiem nm inv
requin nm
réquisition nf; *réquisitionner* vt
resaler vt (avec un seul *s*)
rescapé, e adj, n
rescinder vt
rescision nf
rescousse nf
rescrit nm
réseau nm, pl *réseaux*
réséda nm (masculin), pl *résédas*
réséquer vt; *résection* nf
réserver vt
résider vi, pp *résidé* inv; *résidant, e* adj, n (qui réside en un lieu); *résident* nm (qui réside dans un autre endroit que son pays d'origine); *résidence* nf (demeure); *résidentiel, elle* adj
résidu nm; *résiduel, elle* adj
résigner vt
résilier vt
résille nf
résine nf
résipiscence nf
résister vti, pp *résisté* inv
résolu, e adj; *résolument* adv; *résolution* nf
résonner vi, pp *résonné* inv; *résonnant, e* adj (avec deux *n*); *résonance* nf (avec un seul *n*); *résonateur* nm (avec un seul *n*)
résorber vt; *résorption* nf
résoudre vt, pp *résolu, e*
respect nm; *respecter* vt
respectif, ive adj
respirer vt, vi
resplendir vi, pp *resplendi* inv
responsable adj, n (masculin ou féminin)
resquille nf
ressac nm
ressaisir vt (avec deux *s*)
ressasser vt
ressaut nm
ressayer ou **réessayer** vt
ressembler vti, pp *ressemblé* inv; *ressemblance* nf
ressemeler vt
ressemer vt

ressentir vt, pp *ressenti, e* ; **ressentiment** nm
resserre nf
resserrer vt
resservir vt, pp *resservi, e*
ressort nm
ressortir vi (sortir de nouveau), pp *ressorti, e*
ressortir vti (être du ressort de), pp *ressorti* inv
ressouder vt
ressource nf
ressouvenir (se) vpr, pp *ressouvenu, e*
ressuer vi, pp *ressué* inv
ressusciter vt
restaurer vt
reste nm → p 46
rester vi → p 38
restituer vt
restreindre vt, pp *restreint, e* ; **restriction** nf ; **restrictif, ive** adj
restructurer vt
résulter vi
résumer vt
résurgence nf
resurgir vi (avec un seul *s*)
résurrection nf (avec deux *r*)
retable nm
rétablir vt
retailler vt
rétamer vt
retaper vt
retard nm ; **retarder** vt
retâter vt, vti (circonflexe sur â)
reteindre vt, pp *reteint, e*
retendre vt, pp *retendu, e*
retenir vt, pp *retenu, e*
retentir vi, pp *retenti* inv
rétiaire nm
réticent, e adj ; **réticence** nf
réticule nm (masculin)
réticulé, e adj
rétif, ive adj
rétine nf
retirer vt
retomber vi
retordre vt, pp *retordu, e*
rétorquer vt
retors, e adj
rétorsion nf
retoucher vt
retour nm
retourner vt
retracer vt
rétracter vt
retrait nm
retraite nf
retraiter vt
retrancher vt
retranscrire vt, pp *retranscrit, e* ; **retranscription** nf
retransmettre vt, pp *retransmis, e* ; **retransmission** nf
retravailler vt, vi
rétrécir vt, vi
retremper vt
rétribuer vt
rétro adj inv
rétroactif, ive adj
rétrocéder vt ; **rétrocession** nf
rétroflexe adj
rétrofusée nf
rétrograde adj
rétrograder vt
rétroprojecteur nm
rétrospectif, ive adj ; **rétrospective** nf

retrousser vt
retrouver vt
rétroviseur nm
rets nm inv
réunifier vt
réunir vt
réussir vt, vi ; **réussite** nf
revacciner vt
revaloir vt
revaloriser vt
revanche nf
rêve nm (les dérivés avec le circonflexe : **rêvasser, rêverie,** etc)
revêche adj (circonflexe sur le second ê)
réveil nm ; **réveiller** vt
réveillon nm ; **réveillonner** vt, pp *réveillonné* inv
réveil-matin nm inv
révéler vt ; **révélation** nf
revendiquer vt ; **revendication** nf
revendre vt, pp *revendu, e* ; **revente** nf
revenez-y nm inv
revenir vi, pp *revenu, e*
revenu nm
réverbère nm
réverbérer vt ; **réverbération** nf
reverchon nf (féminin)
reverdir vt, vi
révérence nf ; **révérenciel, elle** adj ; **révérencieux, euse** adj
révérend, e n, adj
révérer vt
revers nm inv
réversal, e, aux adj
reverser vt
reversi ou reversis nm, pl *reversis*
réversible adj
réversion nf
revêtir vt (circonflexe sur le second ê), pp *revêtu, e*
revient nm (au sing)
revigorer vt
revirement nm
réviser vt ; **révision** nf ; **révisionnisme** nm
revitaliser vt
revivifier vt
reviviscence nf
revivre vi, vt, pp *revécu, e*
revoici, revoilà prép
revoir vt, pp *revu, e*
revoler vi
révolte nf
révolu, e adj
révolution nf ; **révolutionner** vt
revolver nm (pas d'accent sur e)
révoquer vt ; **révocation** nf ; **révocable** adj
revue nf ; **revuiste** n (masculin ou féminin)
révulsé, e adj ; **révulsion** nf
rewriter vt ; **rewriter** nm, pl *rewriters* ; **rewriting** nm, pl *rewritings*
rez-de-chaussée nm inv
rhabiller vt
rhapsode nm (masculin)
rhapsodie nf
rhéostat nm
rhésus nm inv
rhéteur nm ; **rhétorique** nf
rhingrave nm, pl *rhingraves*
rhinite nf

rhinocéros nm inv
rhino-pharyngite nf, pl *rhino-pharyngites*
rhododendron nm
rhombique ou rhomboïdal, e, aux adj
rhubarbe nf
rhum nm, pl *rhums*
rhumatisme nm ; **rhumatismal, e, aux** adj
rhumb nm, pl *rhumbs*
rhume nm
ribambelle nf
ribaud, e adj, n
ribote nf
ribouldingue nf
ricaner vi, pp *ricané* inv
riche adj
ricin nm
ricocher vi ; **ricochet** nm
ric-rac adv
rictus nm inv
ride nf
rideau nm, pl *rideaux*
ridelle nf
ridicule adj
rien pr indéf → p 30
rififi nm, pl *rififis*
riflard nm
rifle nm (masculin)
rigaudon ou rigodon nm
rigide adj
rigole nf
rigoler vi, pp *rigolé* inv ; **rigolo, ote** adj
rigueur nf
rikiki ou riquiqui adj inv
rillettes nfpl
rillons nmpl
rimailler vt, vi
rimaye nf
rime nf
rinceau nm, pl *rinceaux*
rince-bouche nm inv
rince-bouteilles nm inv
rince-doigts nm inv
rincer vt
rinforzando adv
ring nm, pl *rings*
ringard nm (outil)
ringard, e adj, n (personne)
ripaille nf
ripe nf
riper vt
riposte nf
ripper nm, pl *rippers*
riquiqui ou rikiki adj inv
rire vti, pp *ri* inv ; **rire** nm ; **ris** nm inv ; **risée** nf
ris nm inv (veau) ≠ *riz* (grain)
risotto nm, pl *risottos*
risque nm ; **risquer** vt
risque-tout n (masculin ou féminin)
rissole nf
rissoler vt
ristourne nf
rital nm, pl *ritals*
rite nm ; **rituel, elle** adj
ritournelle nf
rivage nm
rival, e, aux adj ; **rivaliser** vti, pp *rivalisé* inv
rive nf ; **riverain, e** adj, n
rivelaine nf
river vt ; **rivet** nm ; **riveter** vt (avec un *t*)
rivière nf

rixe nf
riz nm inv (grain) ≠ ris (veau);
rizière nf
rob nm (suc), pl robs
rob ou robre nm (bridge), pl
robs, robres
robe nf (vêtement)
robin nm
robinet nm; robinetterie nf (un
n, deux t)
robinier nm
robot nm; robotique nf
robre ou rob nm (bridge), pl
robres, robs
robuste adj
roc nm
rocade nf (un seul c)
rocaille nf
rocambole nf
rocambolesque adj
roche nf
rocher nm (pierre)
rochet nm (surplis, bobine)
rocheux, euse adj
rocking-chair nm, pl rocking-
chairs
rococo adj inv
rocou nm; pl rocous
rodéo nm, pl rodéos
roder vt (un moteur); rodage
nm (sans circonflexe)
rôder vi (errer), pp rôdé inv;
rôdeur, euse n (circonflexe sur
ô)
rodomontade nf
rogations nfpl
rogatoire adj
rogaton nm
rogne nf
rogner vt
rognon nm; rognonnade nf
(avec deux n)
rogomme nm (masculin)
rogue adj (arrogant)
rogue nf (appât pour la pêche)
roi nm; roitelet nm
rôle nm (circonflexe sur ô)
rollmops nm inv
rollot nm
romain, e adj; romaniser vt
roman, e adj; romaniste n
(masculin ou féminin)
roman nm; romancer vt
romance nf
romancero nm, pl romanceros
romanche nm (langue)
romand, e adj (Suisse)
roman-feuilleton nm, pl
romans-feuilletons
roman-fleuve nm, pl romans-
fleuves
romanichel, elle n
roman-photo nm, pl romans-
photos
romantique adj, n (masculin ou
féminin)
romarin nm
rompre vt, pp rompu, e
romsteck ou rumsteck nm, pl
romstecks, rumstecks
ronce nf
ronchon adj inv en genre; ron-
chonner vi, pp ronchonné inv
rond, e adj

rondache nf
rond-de-cuir nm, pl ronds-de-
cuir
rondeau nm, pl rondeaux
ronde-bosse nf, pl rondes-
bosses
rondelle nf
rondin nm
rond-point nm, pl ronds-points
ronfler vi, pp ronflé inv
ronger vt
ronronner vi; ronronnement
nm; ronron nm
roof ou rouf nm, pl roofs, roufs
rookerie ou rookery nf, pl roo-
keries
roque nm (masculin)
roquefort nm
roquet nm
roquette nf
rorqual nm, pl rorquals
rosace nf
rosacée nf
rosaire nm
rosbif nm, pl rosbifs
rose nf (fleur)
rose nm (couleur); adj
roseau nm, pl roseaux
rose-croix nm inv
rosée nf
roséole nf
rosette nf
rosière nf
rosse nf
rosser vt
rosserie nf
rossignol nm
rossinante nf
rostre nm
rot nm; roter vi, pp roté inv
(sans circonflexe)
rôt nm; rôti nm; rôtir vt (circonflexe sur ô)
rotang nm, pl rotangs
rotary nm, pl rotarys
rotatif, ive adj
rotin nm
rotonde nf
rotor nm, pl rotors
rotule nf
roture nf
rouage nm
roublard, e adj, n
rouble nm (masculin)
roucouler vt
roudoudou nm, pl roudoudous
roue nf
roué, e adj
rouelle nf
rouer vt
rouet nm
rouf ou roof nm, pl roufs, roofs
rouge adj; nm; rougeaud, e
adj; rougeoyer vi; rou-
geoiement nm
rouge-gorge nm, pl rouges-
gorges
rougeole nf
rouge-queue nm, pl rouges-
queues
rouget nm
rouille nf
rouir vt
roulade nf

rouleau nm, pl rouleaux
roulé-boulé nm, pl roulés-
boulés
rouler vt, vi
roulette nf
roulotte nf
roulure nf
roumi nm, pl roumis
round nm, pl rounds
roupie nf
roupiller vi, pp roupillé inv
rouquin, e adj, n
rouspéter vi, pp rouspété inv
rousseau nm, pl rousseaux
rousserolle nf (deux s, un r,
deux l)
roussette nf
roussin nm
roussir vt, vi; roussi nm; rousseur nf
route nf
router vt
routine nf
rouverin ou rouverain adj m
rouvieux nm inv
rouvre nm
rouvrir vt, pp rouvert, e
roux, rousse adj; rousseur nf
rowing nm, pl rowings
royal, e, aux adj
royalties nfpl
ru nm (ruisseau), pl rus
ruban nm; rubanerie nf
rubéole nf
rubicond, e adj
rubis nm inv
rubrique nf (féminin)
ruche nf
rude adj; rudesse nf
rudéral, e, aux adj
rudiments nmpl
rudoyer vt; rudoiement nm
rue nf; ruelle nf
ruer vi
ruffian nm, pl ruffians
rugby nm, pl rugbys; rugbyman
nm, pl rugbymen
rugine nf
rugir vi, vt
rugueux, euse adj; rugosité nf
ruine nf
ruisseau nm, pl ruisseaux
ruisseler vi, pp ruisselé inv;
ruissellement nm (avec deux l)
rumba nf, pl rumbas
rumeur nf
ruminer vt
rumsteck ou romsteck nm, pl
rumstecks, romstecks
runabout nm, pl runabouts
rune nf (féminin)
rupestre adj
rupture nf
rural, e, aux adj
ruse nf
rush nm (afflux), pl rushs
rushes nmpl (prises de vues)
rustaud, e adj, n
rustique adj
rustre adj, n (masculin ou
féminin)
rutabaga nm, pl rutabagas
ruthénium nm, pl ruthéniums
rutiler vi, pp rutilé inv
rythme nm

151

s

s nm inv
sa adj poss
sabayon nm
sabbat nm; **sabbatique** adj (avec deux *b*)
sabir nm, pl *sabirs*
sable nm; **sablonneux, euse** adj
sabord nm
saborder vt
sabot nm; **sabotier** nm
sabot-de-Vénus nm, pl *sabots-de-Vénus*
saboter vt
sabre nm
sabre-baïonnette nm, pl *sabres-baïonnettes*
sabretache nf
sac nm; **sachet** nm
saccade nf
saccage nm
saccharine nf
saccule nm (masculin)
sacerdoce nm; **sacerdotal, e, aux** adj
sachem nm, pl *sachems*
sacoche nf
sacrement nm; **sacramentel, elle** adj, **sacramental** nm, pl *sacramentaux*
sacré, e adj; **sacral, e, aux** adj
sacrément adv
sacrifice nm
sacrifier vt
sacrilège nm
sacripant nm
sacristie nf; **sacristain** nm; **sacristine** nf
sacro-saint, e adj, pl. *sacro-saints, es*
sacrum nm, pl *sacrums*
sadique adj; **sadisme** nm
sadomasochisme nm
safari nm, pl *safaris*
safari-photo nm, pl *safaris-photos*
safran nm
saga nf, pl *sagas*
sagace adj
sagaie nf
sage adj
sage-femme nf, pl *sages-femmes*
sagittaire nm (archer)
sagittaire nf (plante)
sagittal, e, aux adj
sagou nm, pl *sagous*
sagouin nm
saie nf; **saietter** vt
saïga nm, pl *saïgas* (tréma sur *i*)
saigner vt, vi
saillir vi, vt; **saillie** nf
sain, e adj (en bonne santé) ≠ **saint, e** (religion)
saindoux nm inv
sainfoin nm

saint, e adj, n (religion) ≠ **sain, e** (en bonne santé); **saintement** adv
saint-bernard nm inv
saint-crépin nm inv
saint-cyrien nm, pl *saint-cyriens*
sainte-barbe nf, pl *saintes-barbes*
saint-émilion nm inv
saint-florentin nm inv
saint-frusquin nm inv
saint-glinglin (à la) loc adv
saint-honoré nm inv
saint-marcellin nm inv
saint-nectaire nm inv
saint-paulin nm inv
saint-père nm, pl *saints-pères*
saint-pierre nm inv
saint-simonien, enne adj, pl *saint-simoniens, ennes*
saisie-arrêt nf, pl *saisies-arrêts*
saisie-exécution nf, pl *saisies-exécutions*
saisir vt; **saisie** nf
saison nf; **saisonnier, ère** adj
sajou nm, pl *sajous*
saké nm, pl *sakés*
salade nf
salaire nm; **salarial, e, aux** adj; **salarié, e** n
salaison nf
salamalec nm (masculin), pl *salamalecs*
salamandre nf
salami nm, pl *salamis*
salaud nm
sale adj
saler vt
salin, e adj; **salinité** nf
salicylate nm (masculin)
saligaud, e n (féminin rare)
salive nf
salle nf
salmigondis nm inv
salmis nm inv
salmonellose nf
salon nm; **salonnard, e** n
saloon nm, pl *saloons*
salopard nm; **salope** nf
salopette nf
salpêtre nm (circonflexe sur ê)
salpingite nf
salsepareille nf (féminin)
salsifis nm inv
saltation nf
saltimbanque nm
salubre adj; **salubrité** nf
saluer vt; **salut** nm
salutaire adj
salvateur, trice adj
salve nf
samare nf (féminin)
samaritain, e adj, n
samba nf, pl *sambas*
samedi nm, pl *samedis* → p 16
samizdat nm, pl *samizdats*

samouraï nm, pl *samouraïs* (tréma sur *i*)
samovar nm, pl *samovars*
sampan nm
sanatorium nm, pl *sanatoriums*
san-benito nm, pl *san-benitos*
sanctifier vt
sanction nf; **sanctionner** vt
sanctuaire nm
sanctus nm inv
sandale nf
sandaraque nf
sanderling nm, pl *sanderlings*
sandwich nm, pl *sandwiches* ou *sandwichs*
sang nm; **sanguin, e** adj; **sanguinaire** adj; **sanguinolent, e** adj
sang-de-dragon ou sang-dragon nm inv
sang-froid nm inv
sangle nf
sanglier nm
sanglot nm; **sangloter** vi (un seul *t*)
sang-mêlé n (masculin ou féminin) inv
sangria nf, pl *sangrias*
sangsue nf
sanie nf
sanitaire adj
sans prép → p 26
sans-abri n (masculin ou féminin) inv
sans-cœur n (masculin ou féminin) inv
sanscrit, e ou sanskrit, e adj
sans-culotte nm, pl *sans-culottes*
sans-emploi n (masculin ou féminin) inv
sans-façon nm inv
sans-gêne nm inv; n (masculin ou féminin) inv
sans-le-sou n (masculin ou féminin) inv
sans-logis n (masculin ou féminin) inv
sansonnet nm
sans-parti n (masculin ou féminin) inv
sans-souci n (masculin ou féminin) inv
santal nm, pl *santals*
santé nf
santon nm (personnage) ≠ **centon** (vers ou prose)
sape nf
sapèque nf (féminin)
sapeur nm
sapeur-pompier nm, pl *sapeurs-pompiers*

152

saphique adj ; *saphisme* nm
saphir nm ; adj inv (couleur)
sapide adj
sapience nf
sapientiaux nmpl
sapin nm ; *sapinière* nf
saponaire nf (féminin)
saponifier vt
sapote ou sapotille nf
sapristi ! interj
saprophyte nm (masculin)
[attention au *phy*]
saquer vt
sarabande nf
sarbacane nf
sarcasme nm ; *sarcastique* adj
sarcelle nf
sarcler vt
sarcome nm (sans circonflexe)
sarcophage nm
sardine nf
sardoine nf
sardonique adj
sargasse nf
sari nm, pl *saris*
sarigue nf
sarment nm
saros nm inv
saroual nm, pl *sarouals*
sarrasin nm
sarrau nm, pl *sarraus*
sarriette nf (avec deux *r*, deux *t*)
sas nm inv
sasser vt
satané, e adj
satanique adj
satellite nm (masculin)
satiété nf
satin nm (les dérivés avec un *n* :
satiner, satinette)
satire nf (critique) ≠ *satyre*
(génie mythologique)
satisfaire vt, pp *satisfait, e ;
satisfaction* nf
satisfecit nm inv
satrape nm
saturer vt
saturnales nfpl
satyre nm (génie mythologique)
≠ *satire* (critique)
sauce nf ; *saucisson* nm
saucisse nf ; *saucisson* nm
sauf, sauve adj → p 29
sauf-conduit nm, pl *sauf-
conduits*
sauge nf
saugrenu, e adj
saule nm ; *saulaie* ou *saussaie*
nf
saumâtre adj (circonflexe sur â)
saumon nm ; *saumoneau* nm, pl
saumoneaux
saumure nf
sauna nm, pl *saunas*
sauner vi
saupiquet nm
saupoudrer vt
saur adj m (hareng) ; *saurer* vt
saurien nm
saussaie nf
saut nm ≠ *sceau* (cachet) ≠
seau (récipient) ; *sauter* vt, vi ;
sautiller vi
saut-de-lit nm, pl *sauts-de-lit*
saut-de-loup nm, pl *sauts-de-
loup*
saut-de-mouton nm, pl *sauts-
de-mouton*

saute-mouton nm inv
sauterelle nf
sauterie nf
saute-ruisseau nm inv
sautoir nm
sauvage adj ; *sauvageon, onne*
n ; *sauvagerie* nf
sauvegarde nf
sauve-qui-peut nm inv
sauver vt
sauvette (à la) loc adv
savane nf
savant, e adj, n ; *savamment*
adv
savarin nm
savate nf ; *savetier* nm
saveur nf
savoir vt, pp *su, sue*
savoir nm
savoir-faire nm inv
savoir-vivre nm inv
savon nm (les dérivés avec deux
n : *savonner* vt ; *savonnette*
nf, etc)
savourer vt
saxhorn nm, pl *saxhorns*
saxifrage nf (féminin)
saxophone nm (masculin) ;
saxophoniste n (masculin ou
féminin) ; *saxo* nm
saynète nf (attention *ay*)
sayon nm
sbire nm
scabreux, euse adj
scaferlati nm, pl *scaferlatis*
scalaire nm (masculin) [poisson]
scalaire adj (mathématiques)
scalène adj
scalp nm
scalpel nm
scandale nm
scander vt ; *scansion* nf
scanner nm (avec deux *n*) ; *sca-
nographie* nf (un seul *n*)
scaphandre nm
scapulaire adj ; nm (masculin)
scarabée nm
scarifier vt
scarlatine nf
scarole nf
scatologie nf
sceau nm (cachet), pl *sceaux* ≠
seau (récipient) ≠ *saut* (de sauter) ; *sceller* vt
sceau-de-salomon nm, pl
sceaux-de-salomon
scélérat, e adj, n
scénario nm, pl *scénarios* ; *scé-
nariste* n (masculin ou féminin)
scène nf (de théâtre) ≠ *cène*
(religion) ; *scénique* adj (attention aux accents)
sceptique adj, n (masculin ou
féminin) [qui doute] ≠ *septique*
(fosse) ; *scepticisme* nm
sceptre nm
schéma nm ; *schématique* adj
(attention *sch*)
schème nm (masculin)
scherzo nm, pl *scherzos*
schilling nm, pl *schillings* (monnaie d'Autriche) ≠ *shilling*
(monnaie anglaise ou de certains pays d'Afrique)
schisme nm
schiste nm

schizophrène n (masculin ou
féminin) ; *schizophrénie* nf
(attention aux accents) [pas de
y]
schlague nf
schlitte nf (féminin)
schooner nm, pl *schooners*
schuss nm inv
sciatique adj ; nf
scie nf ; *scier* vt ; *scierie* nf
sciemment adv
science nf
science-fiction nf, pl *sciences-
fictions*
scinder vt ; *scission* nf
scintiller vi, pp *scintillé* inv
scion nm
scission nf ; *scissionniste* n
scissipare adj
scissure nf
scléral, e, aux adj
sclérenchyme nm (masculin)
sclérose nf
scolaire adj
scolastique adj
scolie nf
scoliose nf
scolopendre nf (féminin)
sconse nm (masculin)
scoop nm, pl *scoops*
scooter nm ; *scootériste* n
(masculin ou féminin) [atten-
tion à l'accentuation]
scorbut nm, pl *scorbuts*
scorie nf
scorpion nm
scorsonère nf (féminin)
scotch nm, pl *scotchs*
scotome nm ; *scotomiser* vt
scottish-terrier nm, pl *scottish-
terriers*
scout, e n
scraper nm, pl *scrapers*
scratch adj ; nm, pl *scratches* ;
scratcher vt
scribe nm
script nm (scénario de film)
scripte n (masculin ou féminin)
scripteur nm
script-girl nf, pl *script-girls*
scrofule nf (féminin)
scrotum nm, pl *scrotums* ; *scro-
tal, e, aux* adj
scrubber nm, pl *scrubbers*
scrupule nm
scruter vt
scull nm, pl *sculls*
sculpter vt ; *sculpteur* nm ;
sculpture nf ; *sculptural, e, aux*
adj
se pr pers
sea-line nf, pl *sea-lines*
séance nf
séant nm
seau nm, pl *seaux* ≠ *sceau*
(cachet) ≠ *saut* (de sauter)
sébacé, e adj
sébile nf
sebkha nf, pl *sebkhas*
séborrhée nf
sébum nm, pl *sébums*
sec, sèche adj ; *sécher* vt ;
sèchement adv ; *sécheresse*
nf (attention à l'accentuation)
sécable adj
sécant, e adj ; *sécante* nf
sécateur nm

sécession nf ; *sécessionniste* adj, n (masculin ou féminin)
sèche-cheveux nm inv
sèche-linge nm inv
sèche-mains nm inv
second, e adj
seconde nf
secouer vt ; *secouement* nm ; *secousse* nf
secourir vt, pp *secouru, e* ; *secours* nm
secret, ète adj ; *secret* nm
secrétaire n (masculin ou féminin) ; nm (meuble)
sécréter vt
sectaire adj, n (masculin ou féminin)
secte nf
secteur nm ; *sectoriel, elle* adj
section nf ; *sectionner* vt
séculaire adj
séculier, ère adj
séculier nm (prêtre)
secundo adv
sécurité nf ; *sécuriser* vt
sédatif, ive adj ; *sédatif* nm
sédentaire adj
sédiment nm
sédition nf ; *séditieux, euse* adj
séducteur, trice n
séduire vt, pp *séduit, e*
ségala nm, pl *ségalas*
segment nm ; *segmenter* vt
ségrégation nf
séguedille nf (féminin)
seiche nf
séide nm (masculin)
seigle nm
seigneur nm ; *seigneurial, e, aux* adj
sein nm (partie du corps) ≠ *seing*
seing nm (signature) ≠ *sein*
séisme nm ; *séismal, e, aux* ou *sismal, e, aux* adj ; *séismique* ou *sismique* adj
seize adj num inv ; *seizième* adj ord
séjour nm ; *séjourner* vi, pp *séjourné* inv
sel nm
sélaginelle nf
sélect, e adj
sélection nf ; *sélectionner* vt
sélénium nm, pl *séléniums*
self-control nm, pl *self-controls*
self-inductance ou *self* nf, pl *self-inductances, selfs*
self-induction nf, pl *self-inductions*
self-government nm, pl *self-governments*
self-made man nm, pl *self-made men*
self-service ou *self* nm, pl *self-services, selfs*
selle nf
sellette nf
selon prép
semaine nf
sémantique adj ; nf
sémaphore nm
semblable adj
sembler vi, pp *semblé* inv → p 38
séméiologie ou *sémiologie* nf
semelle nf
semence nf

semen-contra nm inv
semer vt ; *semailles* nfpl
semestre nm
semi- préf (dans les mots composés avec *semi-*, seul le second terme varie : *semi-automatique* / *semi-automatiques* ; *semi-consonne* / *semi-consonnes* ; *semi-ouvert* / *semi-ouverte, semi-ouverts, semi-ouvertes*)
sémillant, e adj
séminaire nm
séminal, e, aux adj
sémiologie ou *séméiologie* nf
sémiotique nf
semis nm inv
semonce nf
semoule nf
sempiternel, elle adj
sénat nm ; *sénateur* nm ; *sénatorial, e, aux* adj
sénatus-consulte nm, pl *sénatus-consultes*
séné nm, pl *sénés*
sénéchal nm, pl *sénéchaux* ; *sénéchaussée* nf
sénescent, e adj ; *sénescence* nf
sénestre ou **senestre** adj
sénevé nm (masculin)
sénile adj
senior adj, n (masculin ou féminin), pl *seniors*
sens nm inv (direction, signification) ≠ *cens* (impôt)
sensation nf ; *sensationnel, elle* adj
sensé, e adj (qui a du bon sens) ≠ *censé* (supposé) ; *sensément* adv
sensible adj
sensitif, ive adj
sensoriel, elle adj
sensuel, elle adj ; *sensualité* nf
sente nf
sentence nf ; *sentencieux, euse* adj
sentier nm
sentiment nm ; *sentimental, e, aux* adj
sentine nf
sentinelle nf → p 8
sentir vt, vi, pp *senti, e* ; *senteur* nf
seoir vi (sans pp au sens de *aller bien, convenir* ; pprés *seyant*)
sep nm (pièce de charrue), pl *seps* ≠ *cèpe* (champignon) ≠ *cep* (vigne)
sépale nm (masculin)
séparément adv
séparer vt
sépia nf, pl *sépias*
sépiole nf
sept adj num inv ; *septante* adj num ; *septième* adj ord
septembre nm, pl *septembres*
septennat nm ; *septennal, e, aux* adj
septentrion nm
septentrional, e, aux adj
septicémie nf
septique adj (fosse) ≠ *sceptique* (qui doute)
septuagénaire adj, n (masculin ou féminin)
septuagésime nf (féminin)

septuor nm, pl *septuors*
septuple adj ; nm
sépulcre nm ; *sépulcral, e, aux* adj
sépulture nf
séquelle nf
séquence nf ; *séquentiel, elle* adj
séquestre nm (masculin)
séquestrer vt
sequin nm
séquoia nm, pl *séquoias*
sérac nm, pl *séracs*
sérail nm, pl *sérails*
serein, e adj ; *sérénité* nf
sérénade nf
séreux, euse adj ; *sérosité* nf
serf, serve n ; *servage* nm
serfouir vt ; *serfouette* nf
serge nf (féminin)
sergent nm
sergent-major nm, pl *sergents-majors*
serial nm, pl *serials*
séricicole adj
sérigraphie nf
série nf
sériel, elle adj
sérieux, euse adj
serin, e n
seriner vt
serinette nf
seringa nm (masculin), pl *seringas*
seringue nf
serment nm
sermon nm ; *sermonner* vt
serpe nf
serpent nm ; *serpentaire* nm ; *serpenteau* nm, pl *serpenteaux*
serpenter vi, pp *serpenté* inv
serpentin nm
serpillière nf
serpolet nm
serratule nf
serre nf
serre-file nm, pl *serre-files*
serre-fil(s) nm, pl *serre-fils*
serre-frein(s) nm, pl *serre-freins*
serre-joint(s) nm, pl *serre-joints*
serre-livres nm inv
serrer vt
serre-tête nm inv
serrure nf
sertir vt
sérum nm, pl *sérums* ; *sérique* adj
serval nm, pl *servals*
serviable adj
service nm
serviette nf
serviette-éponge nf, pl *serviettes-éponges*
servile adj
servir vt, pp *servi, e*
servofrein nm
ses adj poss
sésame nm (masculin)
session nf (période) ≠ *cession* (action de céder)
set nm, pl *sets*
setier nm (pas d'accent)
séton nm
setter nm, pl *setters*
seuil nm
seul, e adj ; *seul à seul* → p 29
sève nf

sévère adj; *sévérité* nf (attention aux accents)
sévices nmpl (masculin)
sévir vi, pp *sévi* inv
sevrer vt
sexagénaire adj, n (masculin ou féminin)
sexagésime nf (féminin)
sex-appeal nm, pl *sex-appeals*
sexe nm; *sexualité* nf; *sexologie* nf
sex-shop nm, pl *sex-shops*
sextant nm
sexto adv
sextuor nm, pl *sextuors*
sextuple adj; nm
sexy adj inv
seyant, e adj
sforzando adv
shâh ou châh nm, pl *shâhs*, *châhs*
shake-hand nm inv
shaker nm, pl *shakers*
shakespearien, enne adj
shako nm, pl *shakos*
shampooing nm; *shampouiner* vt; *shampouineur, euse* n
shantung ou chantoung nm, pl *shantungs*, *chantoungs*
shérif nm, pl *shérifs*
shilling nm, pl *shillings* (monnaie anglaise ou de certains pays d'Afrique) ≠ *schilling* (monnaie d'Autriche)
shimmy nm, pl *shimmys*
shintoïsme nm (au sing)
shirting nm, pl *shirtings*
shogoun ou shogun nm, pl *shogouns*, *shoguns*
shoot nm, pl *shoots*; *shooter* vt, vi
shoping ou shopping nm, pl *shop(p)ings*
short nm, pl *shorts*
show nm, pl *shows*
show-business nm inv
shrapnel(l) nm, pl *shrapnel(l)s*
shunt nm, pl *shunts*
si conj; adv; *si ce n'est* → p 49
si nm inv
sial nm (pas de pl)
sibilant, e adj
sibylle nf (féminin); *sibyllin, e* adj (*y* après le *b*)
sicaire nm (masculin)
siccité nf
side-car nm, pl *side-cars*
sidéral, e, aux adj
sidérer vt
sidérose nf
sidérurgie nf
siècle nm
siège nm
siéger vi, pp *siégé* inv
sien, sienne adj
sierra nf, pl *sierras*
sieste nf
sieur nm
siffler vi, vt; *siffloter* vi, vt
sigillographie nf
sigisbée nm (masculin)
sigle nm (masculin); *siglaison* nf
sigma nm, pl *sigmas*
sigmoïde adj
signal nm, pl *signaux*; *signalement* nm; *signaliser* vt
signe nm

signer vt
signet nm
signifier vt
sil nm (argile), pl *sils*
silence nm
silène nm
silex nm inv
silhouette nf
silice nf (féminin)
silicium nm, pl *siliciums*
sillage nm
sillon nm; *sillonner* vt
silo nm, pl *silos*; *silotage* nm
simagrées nfpl
simarre nf (féminin)
simbleau nm, pl *simbleaux*
simiesque adj
similaire adj
simili nm, pl *similis*
similicuir nm
similitude nf
simonie nf
simoun nm, pl *simouns*
simple adj
simulacre nm (masculin)
simuler vt
simultané, e adj
sinapisme nm
sincère adj; *sincérité* nf (attention aux accents)
sinécure nf
sine die loc
sine qua non loc adv
singe nm
singer vt
singleton nm, pl *singletons*
singulier, ère adj
siniser vt
sinistre adj
sinistre nm
sinn-feiner n (masculin ou féminin), pl *sinn-feiners*
sinologue n (masculin ou féminin)
sinon conj
sinople nm (masculin)
sinueux, euse adj; *sinuosité* nf
sinus nm inv
sinusite nf
sinusoïdal, e, aux adj
sionisme nm
siphon nm; *siphonner* vt
sire nm
sirène nf
sirocco nm, pl *siroccos*
sirop nm; *sirupeux, euse* adj
siroter vt
sis, e adj
sisal nm, pl *sisals*
sismal, e, aux ou séismal, e, aux adj
sismique ou séismique adj
sister-ship nm, pl *sister-ships*
sistre nm (masculin)
site nm
sit-in nm inv
sitôt adv (circonflexe sur ô)
situer vt; *situation* nf
six adj num inv; *sixième* adj ord; *six-quatre-deux (à la)* loc adv; *sizain* ou *sixain* nm
sixte nf
Skaï nm (nom déposé)
skateboard nm ou skate nm
skating nm, pl *skatings*
sketch nm, pl *sketches* ou *sketchs*
ski nm; *skier* vi

skiff nm, pl *skiffs*
skip nm, pl *skips*
skipper nm, pl *skippers*
skye-terrier nm, pl *skye-terriers*
slalom nm, pl *slaloms*
slikke nf (féminin), pl *slikkes*
slip nm, pl *slips*
slogan nm
sloop nm, pl *sloops*
sloughi nm, pl *sloughis*
slow nm, pl *slows*
smala(h) nm, pl *smala(h)s*
smaragdite nf (féminin)
smart adj inv
smash nm, pl *smashs* ou *smashes*
smocks nmpl
smog nm, pl *smogs*
smoking nm, pl *smokings*
snack-bar ou snack nm, pl *snack-bars*, *snacks*
snob n (masculin ou féminin)
snow-boot nm, pl *snow-boots*
sobre adj; *sobriété* nf
sobriquet nm
soc nm (de charrue) ≠ *socque* (chaussure)
sociable adj
social, e, aux adj
social-chrétien nm, pl *sociaux-chrétiens*
social-démocratie nf, pl *social-démocraties*; *social-démocrate* n, pl *sociaux-démocrates*
société nf
socio-économique adj, pl *socio-économiques*
socio-éducatif, ive adj, pl *socio-éducatifs, ives*
sociolinguistique nf
sociologie nf
socioprofessionnel, elle adj
socle nm (masculin)
socque nm (masculin) [chaussure] ≠ *soc* (de charrue)
soda nm, pl *sodas*
sodium nm, pl *sodiums*
sodomie nf
sœur nf
sofa nm, pl *sofas*
soi pr pers
soi-disant adj inv → p 37
soie nf; *soierie* nf
soif nf; *soiffard, e* n
soin nm; *soigner* vt
soir nm → p 27
soit conj → p 46
soixante adj num inv; *soixantaine* nf; *soixantième* adj ord
soja ou soya nm, pl *sojas*, *soyas*
sol nm (terre)
sol nm inv (note)
solaire adj
solarium nm, pl *solariums*
soldanelle nf
soldat nm
solde nf (paye)
solde nm (reliquat)
solde nm (masculin) [rabais]
sole nf
solécisme nm
soleil nm
solennel, elle adj; *solenniser* vt; *solennité* nf (avec un *l* et deux *n*)
solfatare nf (féminin)
solfège nm
solfier vt

155

solicitor nm, pl *solicitors* (un seul *l*)
solidaire adj; *solidarité* nf
solide adj; nm
solifluxion ou solifluction nf
soliloque nm (masculin)
solin nm
solipède adj; nm
solipsisme nm
soliste n (masculin ou féminin)
solitaire adj, n; nm
solitude nf
solive nf; *soliveau* nm, pl *soliveaux*
solliciter vt
sollicitude nf
solo nm, pl *solos* ou *soli*
solstice nm (masculin); *solsticial, e aux* adj
soluble adj
solution nf
solvable adj
solvant nm
somatique adj
sombre adj
sombrer vi, pp *sombré* inv
sombrero nm, pl *sombreros*
sommaire adj; nm
somme nf (total)
somme nm; *sommeil* nm; *sommeiller* vi, pp *sommeillé* inv
sommelier nm (un *l*); *sommellerie* nf (deux *l*)
sommer vt
sommet nm
sommier nm
sommité nf (féminin) [avec deux *m*]
somnambule adj, n (masculin ou féminin)
somnifère adj; nm
somnoler vi, pp *somnolé* inv; *somnolence* nf; *somnolent, e* adj ≠ *somnolant* pprés du v
somptuaire adj
somptueux, euse adj
son, sa, ses adj poss
son nm; *sonore* adj
sonar nm, pl *sonars*
sonate nf
sonde nf
songe nm
songe-creux nm inv
sonnaille nf
sonner vt; *sonnant, e* adj → p 38
sonnet nm
sophisme nm
sophistiquer vt
soporifique adj
soprano nm, pl *soprani* ou *sopranos*
sorbet nm
sorbier nm
sorcier, ère n; *sorcellerie* nf (avec deux *l*)
sordide adj
sorgho nm, pl *sorghos*
sornette nf
sort nm
sorte nf; *toute sorte de* → p 26, 49; *une sorte de* → p 27
sortie-de-bain nf, pl *sorties-de-bain*
sortie-de-bal nf, pl *sorties-de-bal*
sortilège nm (masculin)
sortir vi, vt, pp *sorti, e*

sosie nm (masculin)
sot, sotte adj; *sottement* adv; *sottise* nf (les dérivés avec deux *t*)
sotie ou sottie nf
sou nm, pl *sous*
soubassement nm
soubresaut nm
soubrette nf
souche nf
souci nm; *soucier* vt
soucoupe nf
soudain, e adj; *soudain* adv
soudard nm
soude nf
souder vt
soudoyer vt
soue nf
souffle nm (avec deux *f*)
souffler vt (avec deux *f*)
soufflet nm, *souffleter* vt
souffre-douleur nm inv
souffreteux, euse adj (avec deux *f*)
souffrir vt, pp *souffert, e* (avec deux *f*)
soufre nm (avec un seul *f*)
souhait nm; *souhaiter* vt
souiller vt
souillon n (masculin ou féminin) → p 8
souk nm, pl *souks*
soûl, e ou saoul, e adj; *soûler* ou *saouler* vt
soulager vt
soulever vt; *soulèvement* nm (attention à l'accentuation)
souligner vt
soulte nf
soumettre vt, pp *soumis, e*; *soumission* nf; *soumissionner* vt
soupape nf
soupçon nm; *soupçonner* vt
soupe nf
soupente nf
souper nm; *souper* vi, pp *soupé* inv
soupeser vt
soupir nm
soupirail nm, pl *soupiraux*
souple adj
souquenille nf
souquer vt
sourate ou surate nf
source nf
sourcil nm; *sourciller* vi, pp *sourcillé* inv
sourd, e adj, n
sourdine nf
sourd-muet, sourde-muette n, pl *sourds-muets, sourdes-muettes*
sourdre vi
sourire vi, pp *souri* inv; *sourire* nm
souris nf inv; *souricière* nf; *souriceau* nm, pl *souriceaux*
sournois, e adj, n
sous prép
sous-alimenter vt; *sous-alimentation* nf, pl *sous-alimentations*
sous-amendement nm, pl *sous-amendements*
sous-bois nm inv
sous-chef nm, pl *sous-chefs*
sous-classe nf, pl *sous-classes*

sous-commission nf, pl *sous-commissions*
sous-consommation nf, pl *sous-consommations*
souscrire vt, pp *souscrit, e*; *souscription* nf
sous-cutané, e adj, pl *sous-cutanés, ées*
sous-développé, e adj, pl *sous-développés, ées*
sous-directeur, trice n, pl *sous-directeurs, trices*
sous-employer vt; *sous-emploi* nm, pl *sous-emplois*
sous-entendre vt, pp *sous-entendu, e*; *sous-entendu* nm, pl *sous-entendus*
sous-équipé, e adj; *sous-équipement* nm, pl *sous-équipements*
sous-estimer vt
sous-évaluer vt
sous-exploiter vt
sous-exposer vt
sous-fifre nm, pl *sous-fifres*
sous-homme nm, pl *sous-hommes*
sous-jacent, e adj, pl *sous-jacents, es*
sous-lieutenant nm, pl *sous-lieutenants*
sous-louer vt; *sous-locataire* n (masculin ou féminin), pl *sous-locataires*
sous-main nm inv
sous-marin, e adj, pl *sous-marins, es*
sous-multiple adj; nm, pl *sous-multiples*
sous-œuvre nm, pl *sous-œuvres*
sous-officier nm, pl *sous-officiers*
sous-ordre nm, pl *sous-ordres*
sous-payer vt
sous-peuplé, e adj, pl *sous-peuplés, ées*
sous-préfet nm, pl *sous-préfets*; *sous-préfecture* nf, pl *sous-préfectures*
sous-prolétaire n (masculin ou féminin), pl *sous-prolétaires*
sous-secrétariat nm, pl *sous-secrétariats*
soussigné, e adj, pl *soussignés, es*
sous-sol nm, pl *sous-sols*
sous-station nf, pl *sous-stations*
sous-tendre vt, pp *sous-tendu, e*
sous-titre nm, pl *sous-titres*; *sous-titrer* vt
soustraire vt, pp *soustrait, e*; *soustraction* nf
sous-traitant, e n, pl *sous-traitants, es*
sous-ventrière nf, pl *sous-ventrières*
sous-verre nm inv
sous-vêtement nm, pl *sous-vêtements*
sous-virer vi, pp *sous-viré* inv
soutache nf
soutane nf
soute nf
soutenir vt, pp *soutenu, e*; *soutènement* nm; *soutien* nm
souterrain, e adj
soutien-gorge nm, pl *soutiens-gorge*

soutirer vt
souvenir (se) vpr, pp *souvenu*, e; *souvenir* nm
souvent adv
souverain, e adj
soviet nm; *soviétique* adj, n (masculin ou féminin) [attention à l'accentuation]
sovkhoze nm, pl *sovkhozes*
soya ou soja nm, pl *soyas, sojas*
soyeux, euse adj
spacieux, euse adj (attention au c)
spadassin nm
spaghetti nm, pl *spaghettis* ou *spaghetti*
spahi nm, pl *spahis*
sparadrap nm
sparterie nf
spasme nm; *spasmodique* adj
spath nm, pl *spaths*
spatial, e, aux adj
spatio-temporel, elle adj, pl *spatio-temporels, elles*
spatule nf
speaker nm; *speakerine* nf
spécial, e, aux adj
spécieux, euse adj
spécifier vt
spécifique adj
spécimen nm, pl *spécimens*
spectacle nm; *spectaculaire* adj
spectre nm; *spectral, e, aux* adj
spéculaire adj
spéculer vti, vi, pp *spéculé* inv
spéculum nm, pl *spéculums*
speech nm, pl *speeches* ou *speechs*
spéléologie nf
spermaceti nm, pl *spermacetis*
sperme nm; *spermatozoïde* nm (tréma sur *i*)
sphénoïde adj; nm; *sphénoïdal, e, aux* adj (tréma sur *i*)
sphère nf; *sphérique* adj; *sphéroïdal, e, aux* adj (attention aux accents)
sphex nm inv
sphincter nm, pl *sphincters*
sphinx nm inv (pas de *y*)
sphyrène nf
spic nm
spicilège nm (masculin)
spider nm, pl *spiders*
spina-bifida nm inv; n (masculin ou féminin) inv
spinal, e, aux adj
spinnaker nm, pl *spinnakers*
spiral, e, aux adj; *spirale* nf
spire nf
spirille nm (masculin)
spirite n (masculin ou féminin)
spiritual nm, pl *spirituals*
spirituel, elle adj; *spiritualiser* vt
spiritueux, euse adj
spirochète nm; *spirochétose* nf (attention aux accents)
spleen nm, pl *spleens*
splendide adj; *splendeur* nf
spolier vt
spondée nm (masculin)
spondyle nm (masculin)
spongieux, euse adj
sponsor nm, pl *sponsors*
spontané, e adj; *spontanéité* nf
sporadique adj

sporange nm (masculin)
spore nf (féminin)
sport nm; *sportif, ive* adj, n
sportule nf
spot nm, pl *spots*
sprat nm
spray nm, pl *sprays*
springbok nm, pl *springboks*
sprint nm, pl *sprints*; *sprinter* vi, pp *sprinté* inv; *sprinter* nm
squale nm
squame nf (féminin)
squatter nm, pl *squatters*; *squattériser* vt (attention à l'accentuation)
squaw nf, pl *squaws*
squelette nm
squirre ou squirrhe nm
stable adj; *stabiliser* vt
stabulation nf
staccato adv; nm, pl *staccatos*
stade nm
staff nm, pl *staffs*
stage nm
stagner vi, pp *stagné* inv
stakhanovisme nm (attention au h)
stalactite nf (féminin)
stalagmite nf (féminin)
stalle nf
stance nf
stand nm, pl *stands*
standard nm, pl *standards*; *standardiser* vt
standing nm, pl *standings*
staphylocoque nm; *staphylococcie* nf (attention aux deux c)
star nf, pl *stars*
star-system nm, pl *star-systems*
starter nm, pl *starters*
starting-block nm, pl *starting-blocks*
starting-gate nf, pl *starting-gates*
stase nf
statif, ive adj
station nf; *stationner* vi
station-service nf, pl *stations-service*
statique adj
statistique nf
statue nf
statuer vi, pp *statué* inv
statu quo nm inv
stature nf
staturo-pondéral, e, aux adj
statut nm
stayer nm, pl *stayers*
steak nm, pl *steaks*
stéarate nm (masculin); *stéarine* nf
stéatome nm (masculin)
steeple ou steeple-chase nm, pl *steeples, steeple-chases*
stégosaure nm
stèle nf
stellaire adj
stencil nm
sténo n (masculin ou féminin); *sténographie* nf; *sténodactylo* n (masculin ou féminin)
sténose nf
sténotypie nf
stentor nm
steppe nf
stère nm (masculin)
stéréobate nm (masculin)

stéréophonie nf
stéréotype nm (masculin); *stéréotyper* vt
stérile adj
sterling adj inv
sternum nm, pl *sternums*
stéthoscope nm
steward nm, pl *stewards*
stick nm, pl *sticks*
stigmate nm (masculin); *stigmatiser* vt
stimulus nm, pl *stimuli* ou *stimulus*
stipe nm (masculin)
stipendier vt
stipuler vt
stochastique adj
stock nm, pl *stocks*
stock-car nm, pl *stock-cars*
stockfisch nm, pl *stockfischs*
stoïque adj; *stoïcisme* nm
stomacal, e, aux adj; *stomachique* adj
stomate nm (masculin)
stomatologie nf
stop nm, pl *stops*; *stopper* vt, vi
stop-and-go nm inv
store nm
stout nm, pl *stouts*
strabisme nm
stradivarius nm inv
strangulation nf
strapontin nm
stras ou strass nm inv
stratagème nm
strate nf
stratège nm; *stratégie* nf (attention aux accents)
stratigraphie nf
strato-cumulus nm inv
stratosphère nf
stratus nm inv
streptocoque nm
streptomycine nf
stress nm inv
strict, e adj
stricto sensu loc adv
strident, e adj
striduler vi, pp *stridulé* inv
strie nf; *strier* vt
strige nf
strigile nm (masculin)
stripping nm, pl *strippings*
strip-tease nm inv; *strip-teaseuse* nf, pl *strip-teaseuses*
strobile nm (masculin)
strongyle ou strongle nm (masculin)
strontium nm, pl *strontiums*
strophe nf
structure nf; *structural, e, aux* adj; *structuralisme* nm; *structurel, elle* adj
strychnine nf
stuc nm; *stuquer* vt; *stucage* nm
stud-book nm, pl *stud-books*
studieux, euse adj
studio nm, pl *studios*; *studette* nf
stupeur nf; *stupéfier* vt; *stupéfait, e* adj; *stupéfaction* nf
stupide adj
stupre nm (masculin)
style nm
stylet nm

stylite nm (masculin)
stylo nm
stylobate nm
styrène nm (masculin)
suaire nm
suave adj
subaigu, subaiguë adj (tréma sur ë)
subalpin, e adj
subalterne adj
subconscient, e adj
subdiviser vt
suber nm; subéreux, euse adj; subérine nf (attention à l'accentuation)
subir vt, pp subi, e
subit, e adj (soudain); subitement adv
subjectif, ive adj; subjectivité nf
subjonctif nm
subjuguer vt
sublime adj
sublingual, e, aux adj
submerger vt; submersion nf
subodorer vt
subodonner vt (avec deux n); subordination nf (avec un n)
suborner vt
subreptice adj
subroger vt
subséquent, e adj; subséquemment adv
subside nm (masculin)
subsidiaire adj
subsister vi, pp subsisté inv; subsistance nf
subsonique adj
substance nf; substantiel, elle adj
substantif nm
substituer vt; substitut nm
substratum nm, pl substratums
subterfuge nm (masculin)
subtil, e adj
subtiliser vt
subtropical, e, aux adj
suburbain, e adj
subvenir vti, pp subvenu inv; subvention nf; subventionner vt
subversif, ive adj
suc nm
succédané nm
succéder vti, pp succédé inv; succession nf; successeur nm; successoral, e, aux adj (attention à l'accentuation)
succès nm inv
succinct, e adj
succion nf
succomber vti, pp succombé inv
succube nm (masculin)
succulent, e adj
succursale nf
sucer vt
sucre nm
sud nm inv; sud-est nm inv; sud-ouest nm inv
suer vi; sueur nf; sudoral, e, aux adj
suffire vti, pp suffi inv; suffisant, e adj; suffisamment adv; suffisance nf
suffixe nm; suffixal, e, aux adj
suffoquer vt, vi; suffocation nf; suffocant, e adj ≠ suffoquant pprés du v
suffrage nm

suggérer vt; suggestion nf; suggestionner vt (attention à l'accentuation)
suicide nm; suicider (se) vpr; suicidaire adj, n (masculin ou féminin)
suie nf
suif nm; suiffeux, euse adj
sui generis loc adj inv
suint nm, pl suints
suinter vi, pp suinté inv
suivre vt, pp suivi, e; suite nf
sujet, ette adj; sujétion nf (attention à l'accentuation)
sulfate nm (masculin)
sulfite nm (masculin)
sulfure nm (masculin)
sulky nm, pl sulkys
sultan nm; sultane nf
sumac nm
summum nm, pl summums
superbe adj; nf
supercarburant nm
supercherie nf
superfétatoire adj
superficie nf; superficiel, elle adj
superfin, e adj
superflu, e adj
supérieur, e adj, n; supériorité nf
superman nm, pl supermen
supernova nf, pl supernovae
superposer vt
superproduction nf
superprofit nm
supersonique adj
superstition nf
superstructure nf
superviser vt
supin nm
supination nf
supplanter vt (avec deux p)
suppléer vt; suppléance nf
supplément nm; supplétif, ive adj
supplice nm
supplier vt; supplication nf
supplique nf
supporter vt; support nm; supporter nm, pl supporters
supposer vt; supposé, e adj → p 38
suppositoire nm (masculin)
suppôt nm (circonflexe sur ô)
supprimer vt; suppression nf
suppurer vi, pp suppuré inv
supputer vt
supranational, e, aux adj
suprématie nf (attention tie)
suprême adj; suprêmement adv (circonflexe sur ê)
sur prép
sur, e adj (aigre); surir vi (sans circonflexe)
sûr, e adj (assuré); sûrement adv (circonflexe sur û)
surabonder vi, pp surabondé inv
suraigu, suraiguë adj (tréma sur ë)
surajouter vt
sural, e, aux adj
suralimenter vt
suranné, e adj (avec deux n)
surate ou sourate nf
surbaisser vt
surbau nm, pl surbaux

surboum nf, pl surbooms
surcharge nf
surchauffe nf
surcontre nm, pl surcontres
surcot nm
surcoupe nf
surcroît nm (circonflexe sur î)
surdéterminer vt
surdi-mutité nf, pl surdi-mutités
surdité nf
surdoué, e adj, n
sureau nm, pl sureaux
surélever vt; surélévation nf (attention aux accents)
sûrement adv (circonflexe sur û)
suréminent, e adj
surenchère nf; surenchérir vi (attention aux accents)
surentraîner vt (circonflexe sur î)
suréquiper vt
surestimer vt
sûreté nf (circonflexe sur û)
surexciter vt
surf nm, pl surfs; surfeur, euse n
surface nf
surfaire vt, pp surfait, e
surfaix nm inv
surfil nm; surfiler vt
surfin, e adj
surgeler vt; surgélation nf (attention à l'accentuation)
surgénérateur nm
surgeon nm
surgir vi
surhausser vt
surhomme nm; surhumain, e adj
surimposer vt
surintendant nm
surjet nm; surjeter vt
sur-le-champ loc adv
surlendemain nm, pl surlendemains
surmener vt
surmoi nm inv
surmonter vt
surmultiplié, e adj
surnager vi, pp surnagé inv
surnaturel, elle adj
surnom nm; surnommer vt (avec deux m)
surnombre nm
surnuméraire adj, n (masculin ou féminin)
suroît nm (circonflexe sur î)
surpasser vt
surpayer vt; surpaye nf
surpeuplé, e adj
surplace nm
surplis nm inv
surplomb nm
surplus nm inv
surprendre vt, pp surpris, e; surprise nf
surprise-partie nf, pl surprises-parties
surproduction nf
surréalisme nm
surrénale adj f (avec deux r)
sursaturer vt
sursaut nm
surseoir vt, vti, pp sursis, e; sursis nm; sursitaire nm
surtaxe nf
surtension nf

surtout nm, pl *surtouts*
surtout adv
surveillant, e n
surveiller vt
survenir vi, pp *survenu, e*
survêtement nm (circonflexe sur é)
survie nf
survirer vi, pp *surviré* inv
survivre vti, pp *survécu* inv
survoler vt; *survol* nm
survolter vt
sus prép
susceptible adj
susciter vt
suscription nf
susdit, e adj
susmentionné, e adj
susnommé, e adj (avec deux *m*)
suspect, e adj, n
suspendre vt, pp *suspendu, e; suspension* nf
suspens adj m; *suspense* nf (religion)
suspense nm (attente)
suspicion nf
sustentation nf
sustenter vt
susurrer vt
susvisé, e adj
suture nf; *sutural, e, aux* adj; *suturer* vt
suzerain, e n

svastika nm (masculin), pl *svastikas*
svelte adj
sweater nm, pl *sweaters*
sweating-system nm, pl *sweating-systems*
sweat-shirt nm, pl *sweat-shirts*
sweepstake nm, pl *sweepstakes*
swing nm, pl *swings; swinguer* vi, vt
sybarite adj, n (masculin ou féminin)
sycomore nm
sycophante nm
sycosis nm inv
syllabe nf
syllabus nm inv
syllepse nf (féminin)
syllogisme nm
sylphe nm (masculin)
sylphide nf
sylvain nm
sylvestre adj
sylviculture nf
symbiose nf
symbole nm
symétrie nf
sympathie nf; *sympa* adj inv; *sympathiser* vti, pp *sympathisé* inv
symphonie nf
symphyse nf
symposium nm, pl *symposiums*

symptôme nm; *symptomatique* adj (attention à l'accentuation)
synagogue nf
synalèphe nf
synapse nf
synarchie nf
synchrone adj; *synchroniser* vt
synchrotron nm
syncinésie nf
synclinal nm, pl *synclinaux*
syncope nf
syncrétisme nm
syndic nm
syndicat nm; *syndical, e, aux* adj; *syndiquer* vt
syndrome nm (masculin) [pas de circonflexe]
synecdoque nf
synérèse nf
synergie nf
synode nm; *synodal, e, aux* adj
synonyme adj; nm
synopsis nm inv (masculin)
synovie nf; *synovial, e, aux* adj
syntagme nm (masculin)
syntaxe nf; *syntacticien, enne* n
synthèse nf; *synthétique* adj (attention à l'accentuation)
syphilis nf inv
syrinx nf inv
système nm; *systématique* adj (attention aux accents)
systole nf

t

t nm inv
ta adj poss
tabac nm ; *tabagie* nf ; *tabatière* nf
tabellion nm
tabernacle nm
tabès nm inv ; *tabétique* adj, n (masculin ou féminin) [attention aux accents]
tablature nf
table nf ; *tablée* nf ; *tablette* nf ; *tabletterie* nf
tableau nm, pl *tableaux*
tabler vti, pp *tablé* inv
tablier nm
tabloïd adj m ; nm (tréma sur *ï*)
tabou nm, pl *tabous* ; adj inv en genre
tabouret nm
tabulateur nm
tac nm (au sing)
tache nf (souillure) ; *tacher* ; *tacheter* vt (sans circonflexe)
tâche nf (ouvrage) ; *tâcher* vt, pp *tâché* inv → p 42 ; *tâcheron* nm (circonflexe sur *â*)
tachycardie nf
tacite adj
taciturne adj
tact nm ; *tactile* adj
tactique nf ; *tacticien, enne* n
tael nm, pl *taels*
tænia ou ténia nm, pl *tænias, ténias*
taffetas nm inv
tafia nm ou *tafias*
tagliatelle ou tagliatelles nfpl
taïaut ou tayaut ! interj
taie nf
taïga nf (tréma sur *ï*)
taillant nm
taille nf ; *tailler* vt
taille-crayon nm, pl *taille-crayon(s)*
taille-douce nf, pl *tailles-douces*
tailleur nm
taillis nm inv
tain nm (glace) ≠ *teint* (coloris)
taire vt, pp *tu, e*
take-off nm inv
talc nm ; *talquer* vt
talé, e adj
talent nm ; *talentueux, euse* adj
talion nm
talisman nm
talkie-walkie nm, pl *talkie(s)-walkies*
talle nf
taller vi
talmudique adj
taloche nf
talon nm ; *talonner* vt
talus nm inv
talweg ou thalweg nm, pl *t(h)alwegs*
tamanoir nm

tamarin nm
tamarinier nm
tamaris nm inv
tambouille nf
tambour nm ; *tambourin* nm ; *tambouriner* vi, vt
tambour-major nm, pl *tambours-majors*
tamier nm
tamis nm inv ; *tamiser* vt
tampico nm, pl *tampicos*
tampon nm
tamponner vt
tam-tam nm, pl *tam-tams*
tan nm ; *tanner* vt
tancer vt
tanche nf
tandem nm
tandis que loc conj
tangent, e adj ; *tangentiel, elle* adj
tangible adj
tango nm, pl *tangos* (danse)
tango adj inv (couleur)
tanguer vi, pp *tangué* inv ; *tangage* nm
tanière nf
tanin ou tannin nm
tank nm
tanker nm
tanner vt
tannin ou tanin nm
tan-sad nm, pl *tan-sads*
tant adv ; *tantinet* nm (au sing)
tante nf (parenté) ≠ *tente* (abri)
tantième nm
tantôt adv (circonflexe sur *ô*)
taoïsme nm (tréma sur *ï*)
taon nm
tapage nm
tape nf
tape-à-l'œil nm inv ; adj inv
tapecul nm
tapée nf
taper vt ; *tapant, e* adj → p 38
tapette nf
tapin nm
tapinois (en) loc adv
tapioca nm, pl *tapiocas*
tapir nm, pl *tapirs*
tapir (se) vpr
tapis nm inv
tapis-brosse nm, pl *tapis-brosses*
tapisser vt
tapon nm
tapoter vt (un seul *t*)
taquer vt
taquet nm
taquin, e adj ; *taquiner* vt
tarabiscoté, e adj
tarabuster vt
tarasque nf
taraud nm (outil) ≠ *tarot* (jeu) ; *tarauder* vt

tarbouch ou tarbouche nm (masculin)
tard adv ; *tarder* vti, pp *tardé* inv ; *tardif, ive* adj
tare nf
tarentelle nf
tarentule nf
targe nf
targette nf
targuer (se) vpr
tarière nf
tarif nm ; *tarifer* vt ; *tarification* nf (avec un seul *f*)
tarin nm
tarir vt, pp *tari, e* (avec un seul *r*)
tarlatane nf
taro nm (plante)
tarot nm ou tarots nmpl (jeu) ≠ *taro* (plante) ≠ *taraud* (outil)
tarse nm
tartan nm
tartane nf
tarte nf
tartre nm (masculin)
tartufe (un seul *f* ; plus rarement tartuffe)
tas nm inv
tasse nf
tasseau nm, pl *tasseaux*
tasser vt
tassette nf
tâter vt (circonflexe sur *â*)
tâte-vin ou taste-vin nm inv
tatillon, onne adj (pas de circonflexe)
tâtonner vi, pp *tâtonné* inv ; *tâtons (à)* adv (circonflexe sur *â*)
tatou nm, pl *tatous*
tatouer vt
taudis nm inv
taule nf ou tôle (prison, chambre) ≠ *tôle* (feuille de métal) ; *taulier, ère* ou *tôlier, ère* n
taupe nf
taupe-grillon nm, pl *taupes-grillons*
taupin nm
taureau nm, pl *taureaux*
tauromachie nf
tautologie nf
taux nm inv
taveler vt
taverne nf
taxe nf
taxi nm
taxiarque nm
taximètre nm
taxinomie nf
Taxiphone nm (nom déposé)
tayaut ou taïaut ! interj
tchador nm, pl *tchadors*
tchernoziom nm, pl *tchernozioms*
te pr pers

té nm

technique adj ; nf ; *technicien, enne* n ; *technico-commercial, e, aux* adj

technocratie nf

technologie nf

teck ou tek nm, pl *tecks, teks*

teckel nm

tectonique adj

Te Deum nm inv

teen-ager n (masculin ou féminin), pl *teen-agers*

tee-shirt nm, pl *tee-shirts*

tégument nm

teigne nf

teille ou tille nf

teindre vt, pp *teint, e* ; *teint* nm (coloris) ≠ *tain* (glace) ; *teinte* nf ; *teinter* vt ≠ *tinter* (résonner)

tek ou teck nm, pl *teks, tecks*

tel, telle adj → p 35 ; *tellement* adv

télé nf, pl *télés*

télécabine nf

télécinéma nm

télécommande nf

télécommunication nf

télédiffuser vt

télé-enseignement nm, pl *télé-enseignements*

téléfilm nm

télégramme nm

télégraphie nf

téléguider vt

télémètre nm

téléobjectif nm

télépathie nf

téléphérique nm

téléphone nm

télescope nm (masculin)

télescoper (se) vpr

télescripteur nm

télésiège nm

téléski nm

téléspectateur, trice n

télévision nf

télex nm inv

tellurique ou tellurien, enne adj

téméraire adj ; *témérité* nf

témoin nm → p 27 ; *témoigner* vt

tempe nf ; *temporal, e, aux* adj

tempérament nm

tempérant, e adj ; *tempérance* nf

température nf

tempérer vt

tempête nf ; *tempêter* vi, pp *tempêté* inv (circonflexe sur ê)

temple nm

templier nm

tempo nm, pl *tempos*

temporaire adj

temporiser vi, pp *temporisé* inv

temps nm inv

tenace adj ; *ténacité* nf (attention à l'accentuation)

tenaille nf (même sens au sing et au pl)

tenancier, ère n

tendance nf

tendon nm ; *tendinite* nf

tendre adj ; *tendresse* nf

tendre vt, pp *tendu, e*

tendron nm

ténèbres nfpl ; *ténébreux, euse* adj (attention aux accents)

ténia ou tænia nm, pl *ténias, tænias*

tenir vt, pp *tenu, e* ; se tenir coi → p 45

tennis nm inv

tennis-elbow nm, pl *tennis-elbows*

tennisman nm, pl *tennismen*

ténor nm, pl *ténors* ; *ténorino* nm, pl *ténorinos*

tension nf

tentacule nm (masculin)

tente nf (abri) ≠ *tante* (parenté)

tente-abri nf, pl *tentes-abris*

tenter vt

tenture nf

ténu, e adj

tenue nf

téorbe ou théorbe nm (masculin)

tequila nf, pl *tequilas*

ter adv

tératologie nf

tercet nm

térébenthine nf

térébrant, e adj

tergiverser vi, pp *tergiversé* inv

terme nm (mot) ; *terminologie* nf

terme nm (fin) ; *terminer* vt

terminal nm, pl *terminaux*

terminus nm inv

termite nm (masculin)

ternaire adj

terne nm

terne adj ; *ternir* vt

terrain nm

terrarium nm, pl *terrariums*

terrasse nf

terrasser vt

terre nf ; *terreau* nm, pl *terreaux* ; *terrien, enne* n

terre-neuvas nm inv

terre-neuve nm inv

terre-plein nm, pl *terre-pleins*

terrer vt

terreur nf ; *terrible* adj ; *terrifier* vt ; *terroriser* vt

terrier nm

terril ou terri nm, pl *terrils, terris*

terrine nf

territoire nm ; *territorial, e, aux* adj

terroir nm

tertiaire adj

tertio adv

tertre nm (masculin)

tes adj poss

tessiture nf

tesson nm

test nm (coquille)

test nm (épreuve) ; *tester* vt

testament nm ; *tester* vi, pp *testé* inv

testicule nm

testimonial, e, aux adj

teston nm

tétanos nm inv ; *tétanique* adj

têtard nm (circonflexe sur ê)

tête nf (circonflexe sur ê)

tête-à-queue nm inv

tête-à-tête nm inv

têteau nm, pl *têteaux* (circonflexe sur ê)

tête-bêche loc adv

tête-de-clou nm, pl *têtes-de-clou*

tête-de-loup nf, pl *têtes-de-loup*

tête-de-Maure nf, pl *têtes-de-Maure* ; adj inv (couleur)

tête-de-nègre adj inv (couleur)

téter vt ; *tétée* nf ; *tétine* nf (pas de circonflexe)

tétracorde nm (masculin)

tétraèdre nm (masculin) ; *tétraédrique* adj (attention aux accents)

tétralogie nf

tétrarchie nf

tétras nm inv

têtu, e adj (circonflexe sur ê)

texte nm ; *textuel, elle* adj

textile adj ; nm

texture nf

thalamus nm inv

thalassothérapie nf

thaler nm, pl *thalers*

thalle nm (masculin)

thallium nm, pl *thalliums*

thallophyte nf (féminin)

thalweg nm, pl *thalwegs*

thaumaturge n (masculin ou féminin)

thé nm ; *théière* nf

théâtre nm ; *théâtral, e, aux* adj (circonflexe sur â)

thébaïde nf (tréma sur ï)

théisme nm

thème nm ; *thématique* adj (attention aux accents)

thénar nm

théocratie nf

théodicée nf

théodolite nm (masculin)

théogonie nf

théologie nf ; *théologal, e, aux* adj

théorbe ou téorbe nm (masculin)

théorème nm

théorie nf

théosophie nf

thérapeute n (masculin ou féminin) ; *thérapie* ou *thérapeutique* nf

thermal, e, aux adj

thermes nmpl (masculin)

thermidor nm, pl *thermidors*

thermie nf

thermocautère nm

thermodynamique nf

thermogène adj

thermomètre nm

thermonucléaire adj

thermostat nm

thésauriser vi, vt

thèse nf ; *thésard, e* n (attention aux accents)

thibaude nf

thon nm ; *thonier* nm

thorax nm inv ; *thoracique* adj

thrène nm (masculin)

thriller nm, pl *thrillers*

thrombine nf

thrombose nf

thuriféraire nm

thuya nm (masculin), pl *thuyas*

thym nm (plante), pl *thyms* ≠ *tin* (pièce de bois) ; *thymol* nm

thymus nm inv ; *thymique* adj

thyroïde adj ; nf (tréma sur ï)

thyrse nm (masculin)

tiare nf

tibia nm, pl *tibias* ; *tibial, e, aux* adj

tic nm (manie) ≠ *tique* (animal)

ticket nm, pl *tickets*
tic-tac nm inv
tie-break nm, pl *tie-breaks*
tiède adj; *tiédir* vt (attention aux accents)
tien, tienne adj poss
tierce nf
tiercé nm
tiercelet nm
tiers, tierce adj; *tiercer* vt
tiers-point nm, pl *tiers-points*
tif nm (populaire)
tige nf
tignasse nf
tigre nm; *tigresse* nf
tilbury nm, pl *tilburys*
tilde nm (masculin)
tillac nm
tille ou **teille** nf
tilleul nm
tilt nm, pl *tilts*
timbale nf
timbre nm
timbre-poste nm, pl *timbres-poste*
timbre-quittance nm, pl *timbres-quittances*
timide adj, n (masculin ou féminin)
timon nm; *timonerie* nf; *timonier* nm
timoré, e adj
tin nm (pièce de bois), pl *tins* ≠ *thym* (plante)
tinamou nm, pl *tinamous*
tincal nm, pl *tincals*
tinctorial, e, aux adj
tinette nf
tintamarre nm (masculin)
tinter vt, vi (résonner) ≠ *teinter* (de teinte)
tintinnabuler vi, pp *tintinnabulé* inv (avec deux *n*)
tintouin nm
tique nf (animal) ≠ *tic* (manie)
tiquer vi, pp *tiqué* inv
tiqueté, e adj
tir nm; *tirer* vt
tirade nf
tirailler vt
tirasse nf
tire-au-cul nm inv
tire-au-flanc nm inv
tire-botte nm, pl *tire-bottes*
tire-bouchon nm, pl *tire-bouchons*
tire-clou nm, pl *tire-clous*
tire-d'aile (à) loc adv
tire-fesses nm inv
tire-fond nm inv
tire-laine nm inv
tire-lait nm inv
tire-larigot (à) adv
tire-ligne nm, pl *tire-lignes*
tirelire nf
tiret nm
tiretaine nf
tiroir nm
tiroir-caisse nm, pl *tiroirs-caisses*
tisane nf
tison nm
tisonner vt
tisser vt
tisserand, e n
tissu, e adj
tissu nm

tissu-éponge nm, pl *tissus-éponge*
titan nm; *titanesque* adj
titane nm (masculin)
titi nm
titiller vt
titre nm; NOMS DE TITRES → p 28, 36; TITRES DE REVUES, DE JOURNAUX, etc → p 19
tituber vi, pp *titubé* inv
titulaire n (masculin ou féminin)
tjäle nm, pl *tjäles* (tréma sur *ä*)
tmèse nf
toast nm, pl *toasts*
toboggan nm (avec deux *g*)
toc nm
tocante ou **toquante** nf
tocard, e ou **toquard, e** adj, n
toccata nf, pl *toccate* ou *toccatas* (avec deux *c*)
tocsin nm
toge nf
tohu-bohu nm inv
toi pr pers
toile nf
toilette nf
toise nf
toiser vt
toison nf
toit nm; *toiture* nf (pas de circonflexe)
tôle nf (circonflexe sur *ô*) [feuille de métal] ≠ *tôle* ou *taule* (prison); *tôlier, ère* n
tolérer vt; *tolérance* nf
tolet nm (tourillon) ≠ *tollé* (cri)
tolite nf
tollé nm (cri), pl *tollés* ≠ *tolet* (tourillon)
tolu nm, pl *tolus*
toluène nm; *toluol* nm
tomahawk nm, pl *tomahawks*
tomate nf
tombe nf; *tombeau* nm, pl *tombeaux*
tomber vt, vi
tombereau nm, pl *tombereaux*
tombola nf
tome nm (d'un livre); *tomaison* nf
tomme ou **tome** nf (fromage)
tommette ou **tomette** nf
tommy nm, pl *tommies*
ton adj poss
ton nm; *tonal, e, als* adj; *tonalité* nf
tondre vt, pp *tondu, e*; *tonte* nf
tonique adj; nm; *tonicité* nf
tonitruer vi, pp *tonitrué* inv
tonne nf
tonneau nm, pl *tonneaux*; *tonnelet* nm, pl *tonnelets*; *tonnelier* (un seul *l*) nm; *tonnellerie* nf (deux *l*)
tonnelle nf
tonner vi, pp *tonné* inv; *tonnerre* nm
tonsure nf
tontine nf
tonus nm inv
topaze nf (féminin)
toper vi, pp *topé* inv
topinambour nm
topique adj; nm
topo nm, pl *topos*
topographie nf
topologie nf
toponymie nf
toquante ou **tocante** nf

toquard, e ou **tocard, e** adj, n
toque nf
toquer (se) vpr; *toquade* nf
torche nf
torcher vt
torchis nm inv
torchon nm; *torchonner* vt
tord-boyaux nm inv
tordre vt, pp *tordu, e*
tore nm (moulure) ≠ *tors* (tordu) ≠ *tort* (préjudice)
toréador nm, pl *toréadors*; *toréer* vi; *torero* nm, pl *toreros* (sans accent)
toril nm
tornade nf
toron nm
torpédo nf, pl *torpédos*
torpeur nf; *torpide* adj
torpille nf
torréfier vt
torrent nm; *torrentiel, elle* adj
torride adj
tors, e adj (tordu) ≠ *tort* (préjudice) ≠ *tore* (moulure)
torsade nf
torse nm
torsion nf
tort nm (préjudice) ≠ *tors* (tordu) ≠ *tore* (moulure); *se donner tort* → p 45
torticolis nm inv
tortil nm
tortillard nm
tortiller vt
tortionnaire n (masculin ou féminin)
tortue nf
tortueux, euse adj
torture nf
torve adj
tory nm, pl *tories*
tôt adv (circonflexe sur *ô*)
total, e, aux adj
totalitaire adj
totalité nf
totem nm; *totémisme* nm (attention à l'accentuation)
toton nm
touareg n (masculin ou féminin), pl *touareg* (le sing étant alors *targui, e*) ou *touaregs*
toubib nm, pl *toubibs*
toucan nm
touche nf
touche-à-tout nm inv
toucher vt; *toucher* nm
touer vt; *touée* nf
touffe nf; *touffu, e* adj
touffeur nf
touiller vt
toujours adv
toundra nf, pl *toundras*
toupet nm
toupie nf
touque nf
tour nf (bâtiment élevé)
tour nm (mouvement circulaire)
touraille nf
tourbe nf
tourbillon nm; *tourbillonner* vi, pp *tourbillonné* inv
tourdille adj
tourelle nf
touret nm
tourie nf
tourillon nm
tourin nm

tourisme nm ; touriste n (masculin ou féminin)
tourmaline nf
tourment nm
tourmente nf
tourne-à-gauche nm inv
tournebroche nm
tourne-disque nm, pl tourne-disques
tournedos nm inv
tournée nf
tournemain ou tour de main (en un) loc adv
tourne-pierre nm, pl tourne-pierres
tourner vt
tournesol nm
tourne-vent nm inv
tournevis nm inv
tourniquet nm
tournoi nm
tournois adj inv
tournoyer`vi, pp tournoyé inv ; tournoiement nm
tournure nf
touron nm
tour-opérateur nm, pl tours-opérateurs
tourte nf
tourteau nm, pl tourteaux
tourtereau nm, pl tourtereaux
tout, toute, tous adj → p 35, 36 ; tout le monde → p 30
tout-à-l'égout nm inv
toutefois adv
toute-puissance nf (au sing)
toutou nm, pl toutous
tout-petit nm, pl tout-petits
tout-puissant, toute-puissante adj, pl tout-puissants, toutes-puissantes → p 35
tout-venant nm inv
toux nf ; tousser vi, pp toussé inv
toxicologie nf
toxicomanie nf
toxine nf
toxique adj ; nm ; toxicité nf
trac nm, pl tracs
tracas nm inv ; tracasser vt
tracassin nm
trace nf
tracer vt
trachée nf ; trachéal, e, aux adj
trachée-artère nf, pl trachées-artères
trachome nm (masculin) [sans circonflexe]
tract nm
tractations nfpl
tracter vt
trade-union nm (autrefois féminin), pl trade-unions
tradition nf ; traditionalisme nm (un seul n) ; traditionnel, elle adj (deux n)
traduire vt, pp traduit, e ; traduction nf
trafic nm ; trafiquer vt
tragédie nf
tragi-comédie nf, pl tragi-comédies
tragi-comique adj, pl tragi-comiques
trahir vt ; trahison nf
train nm
traîne nf (circonflexe sur î)

traîneau nm, pl traîneaux (circonflexe sur î)
traînée nf (circonflexe sur î)
traîner vt (circonflexe sur î)
traîne-savates nm inv
train-ferry nm, pl train-ferries
trainglot ou tringlot nm
training nm
train-train ou traintrain nm inv
traire vt, pp trait, e
trait nm
traite nf
traité nm
traiter vt
traître, esse adj, n (circonflexe sur î) ; traîtreusement adv ; traîtrise nf
trajectoire nf
trajet nm
tralala nm, pl tralalas
tramail ou trémail nm, pl tramails, trémails
trame nf
tramer vt
tramontane nf
trampoline nm (avec un a)
tramway ou tram nm, pl tramways, trams ; traminot nm
tranche nf
tranchée nf
trancher vt
tranquille adj ; tranquillité nf (avec deux l)
transaction nf ; transactionnel, elle adj
transalpin, e adj
transatlantique adj
transborder vt
transcendant, e adj ; transcendantal, e, aux adj ; transcendance nf
transcoder vt
transcrire vt, pp transcrit, e ; transcription nf
transe nf
transept nm
transférer vt ; transfèrement nm (attention aux accents)
transfert nm
transfigurer vt
transformer vt ; transformation nf ; transformationnel, elle adj
transfuge n (masculin ou féminin)
transfuser vt
transgresser vt
transhumer vi, vt ; transhumance nf (h après s)
transiger vi, pp transigé inv
transir vt, pp transi, e
transistor nm
transit nm
transition nf
translation nf
translucide adj
transmettre vt, pp transmis, e ; transmission nf
transmigrer vi, pp transmigré inv
transmuer vt
transparaître vi (circonflexe sur î devant t), pp transparu, e
transpercer vt
transpirer vi, vt
transplanter vt
transport nm
transposer vt

transsaharien, enne adj (avec deux s)
transsonique adj (avec deux s)
transsubstantiation nf (avec deux s)
transsuder vi (avec deux s), pp transsudé inv
transvaser vt
transversal, e, aux adj
trapèze nm ; trapézoïdal, e, aux adj (attention aux accents)
trappe nf
trappeur nm (avec deux p)
trapu, e adj (avec un seul p)
traquer vt
traquet nm
traumatisme nm ; trauma nm, pl traumas ; traumatiser vt
travail nm (activité), pl travaux ; travailler vt
travail nm (appareil), pl travails
travailllisme nm
travée nf
traveller's cheque nm, pl traveller's cheques
travelling nm, pl travellings
travelo nm, pl travelos
travers nm
traverse nf
traverser vt
traversin nm
travertin nm
travestir vt
trayon nm
trébucher vi, pp trébuché inv
trébuchet nm
tréfiler vt
trèfle nm
tréfonds nm inv
treillage nm
treille nf
treillis nm inv ; treillisser vt
treize adj num inv ; treizième adj ord
tréma nm
trémail ou tramail nm, pl trémails, tramails
trémater vt
tremble nm (masculin)
trembler vi
trémie nf
trémolo nm, pl trémolos
trémousser (se) vpr
trempe nf
tremper vt
tremplin nm
trémulation nf
trench-coat nm, pl trench-coats
trente adj num inv ; trentième adj ord
trente-et-quarante nm inv
trépan nm ; trépaner vt
trépas nm inv ; trépasser vi
trépider vi, pp trépidé inv
trépied nm
trépigner vi, pp trépigné inv
tréponème nm
très adv
trésor nm
tressaillir vi, pp tressailli inv
tressauter vi, pp tressauté inv
tresse nf
tréteau nm, pl tréteaux
treuil nm
trêve nf
tri nm ; trier vt
triade nf
trial nm, pl trials

triangle nm
trias nm inv
tribord nm
tribu nf; *tribal, e, aux* adj
tribulations nfpl
tribun nm
tribunal nm, pl *tribunaux*
tribune nf
tribut nm; *tributaire* adj
tricennal, e, aux adj
tricentenaire nm
triceps nm inv
tricher vti, pp *triché* inv
trichine nf
trichome nm (masculin)
trick nm
triclinium nm, pl *tricliniums*
tricolore adj
tricorne nm
tricot nm
trictrac nm
tricycle nm
trident nm
trièdre adj; nm
triennal, e, aux adj
trier vt
trière ou **trirème** nf
triforium nm, pl *triforiums*
trifouiller vi, pp *trifouillé* inv
trigle nm (masculin)
triglycéride nm
trigone nm (masculin)
trigonométrie nf
trigramme nm (masculin)
trijumeau nm, pl *trijumeaux*
trilatéral, e, aux adj
trilingue adj
trille nm (masculin)
trillion nm
trilogie nf
trimaran nm
trimard nm
trimbaler ou **trimballer** vt (plus fréquent avec un seul *l*)
trimer vi, pp *trimé* inv
trimestre nm; *trimestriel, elle* adj
tringle nf
tringlot ou **trainglot** nm
trinité nf
trinitrine nf
trinitrotoluène nm
trinôme nm (circonflexe sur ô)
trinquebale ou **triquebale** nm (masculin)
trinquer vi, pp *trinqué* inv
trinquet nm
trio nm, pl *trios*
triolet nm
triomphe nm; *triompher* vti, pp *triomphé* inv; *triomphal, e, aux* adj
tripaille nf
triparti, e ou **tripartite** adj; *tripartition* nf
tripatouiller vt
tripe nf
triphasé, e adj
triphtongue nf
triple adj; nm
triplet nm
triporteur nm
tripot nm
tripotée nf
tripoter vt
triptyque nm
trique nf

triqueballe ou **trinqueballe** nm (masculin)
trirème ou **trière** nf
trisaïeul, e n, pl *trisaïeuls, es*
trisannuel, elle adj
trismus ou **trisme** nm
trisoc nm
trisser vi, pp *trissé* inv
triste adj
trisyllabe adj
tritium nm, pl *tritiums*
triton nm
triturer vt
triumvir nm, pl *triumvirs*; *triumviral, e, aux* adj
trivalent, e adj
trivial, e, aux adj
troc nm
trocart nm ou **trois-quarts** nm inv
trochaïque adj (tréma sur *ï*)
trochanter nm, pl *trochanters*
troche ou **troque** nf
trochée nm (métrique)
trochée nf (botanique)
troène nm (accent grave)
troglodyte nm
trogne nf
trognon nm
troïka nf, pl *troïkas* (tréma sur *ï*)
trois adj num inv; *troisième* adj ord
trois-étoiles nm inv
trois-huit nm inv
trois-mâts nm inv
trois-quarts nm inv ou **trocart** nm
trolley nm, pl *trolleys*; *trolleybus* nm inv
trombe nf
trombidion nm
tromblon nm
trombone nm
trompe nf
trompe-la-mort n (masculin ou féminin)
trompe-l'œil nm inv
tromper vt
trompeter vi, vt (un seul *t*)
trompette nf (instrument); nm (musicien); *trompettiste* n (masculin ou féminin)
trompette-de-la-mort ou **trompette-des-morts** nf, pl *trompettes-de-la-mort, trompettes-des-morts*
tronc nm
tronche nf
tronçon nm; *tronçonner* vt
trône nm; *trôner* vti, pp *trôné* inv (circonflexe sur ô)
tronquer vt; *troncation* nf
trop adv; *trop de* → p 31, 49
trope nm (masculin)
trophée nm (masculin)
tropique nm; *tropical, e, aux* adj
tropisme nm
troposphère nf
trop-perçu nm, pl *trop-perçus*
trop-plein nm, pl *trop-pleins*
troque ou **troche** nf
troquer vt
troquet nm
trot nm; *trotter* vi (avec deux *t*)
trotskiste adj, n (masculin ou féminin)
trotte-menu adj inv
trotter vi; *trotte* nf

trottiner vi, pp *trottiné* inv
trottoir nm
trou nm, pl *trous*
troubadour nm
trouble adj; nm
trouble-fête n (masculin ou féminin) inv
trouille nf
troupe nf
troupeau nm, pl *troupeaux*
troupier nm
trousse nf
trousseau nm, pl *trousseaux*
trousse-queue nm inv
troussequin nm (partie d'une selle)
troussequin ou **trusquin** nm (instrument)
trousser vt
trou-trou nm, pl *trou-trous*
trouver vt; *se trouver court* → p 45
trouvère nm
truand, e n (le féminin est rare)
trublion nm
truc nm
truchement nm
trucider vt
truculent, e adj; *truculence* nf
truelle nf
truffe nf
truie nf
truisme nm
truite nf
trumeau nm, pl *trumeaux*
truquer vt; *trucage* ou *truquage* nm; *truqueur, euse* n
trusquin ou **troussequin** nm
trust nm, pl *trusts*; *truster* vt
trypanosome nm
trypsine nf
tsar ou **tzar** ou **czar** nm, pl *tsars, tzars, czars*; *tsarévitch* ou *tzarévitch* nm; *tsarine* ou *tzarine* nf
tsé-tsé nf inv
tsigane ou **tzigane** adj
tu, toi, te pr pers
tub nm, pl *tubs*
tuba nm, pl *tubas*
tube nm
tuber vt
tubercule nm (masculin)
tuberculeux, euse adj, n
tubéreux, euse adj
tubérosité nf
tubesque adj
tudieu ! interj
tue-mouches adj inv
tuer vt
tue-tête (à) loc adv
tuf nm, pl *tufs*
tuffeau ou **tufeau** nm, pl *tuf(f)eaux*
tuile nf; *tuileau* nm, pl *tuileaux*
tulipe nf
tulle nm
tuméfier vt
tumescent, e adj
tumeur nf; *tumoral, e, aux* adj
tumulaire adj
tumulte nm
tumulus nm inv
tuner nm, pl *tuners*
tungstène nm
tunique nf
tunnel nm
tupi nm (au sing)

turban nm
turbidité nf
turbin nm
turbine nf
turbocompresseur nm
turbomoteur nm
turboréactèur nm
turbot nm
turbulent, e adj ; *turbulence* nf
turc, turque adj ; *turquerie* nf
turco nm, pl *turcos*
turf nm, pl *turfs*
turgescent, e adj (attention *sc*)
turlupiner vt
turlutte nf

turpitude nf
turquoise nf ; adj inv (couleur)
tutelle nf
tuteur, trice n
tutoyer vt ; *tutoiement* nm
tutti nm inv
tutti frutti loc adj inv
tutti quanti adv
tutu nm, pl *tutus*
tuyau nm, pl *tuyaux* ; *tuyauter* vt
tuyère nf
tweed nm, pl *tweeds*
twin-set nm, pl *twin-sets*
tympan nm
tympanon nm
type nm ; *typesse* nf

typhoïde nf (tréma sur *i*)
typhon nm
typhus nm inv
typographie nf
typologie nf
typon nm
typtologie nf
tyran nm ; *tyranneau* nm, pl *tyranneaux* ; *tyrannie* nf
tyrannosaure nm
tyrosine nf
tzar ou **tsar** ou **czar** nm, pl *tzars, tsars, czars* ; *tzarévitch* ou *tsarévitch* nm ; *tzarine* ou *tsarine* nf
tzigane ou **tsigane** adj

u

u nm inv
ubac nm, pl *ubacs*
ubiquité nf
ubuesque adj
uhlan nm
ukase ou oukase nm, pl *ukases, oukases*
ulcère nm ; *ulcérer* vt (attention aux accents)
uléma ou ouléma nm, pl *ulémas, oulémas*
ulmaire nf
ultérieur, e adj
ultimatum nm, pl *ultimatums*
ultime adj
ultra nm, pl *ultras*
ultracentrifugeuse nf
ultracourt, e adj
ultramontain, e adj
ultra-petita nm inv
ultraroyaliste n (masculin ou féminin)
ultrason nm
ultraviolet, ette adj
ultravirus nm inv
ululer ou hululer vi, pp *ululé, hululé* inv
un, une art indéf ; *un des* → p 40, 48, *l'un et l'autre, l'un ou l'autre, ni l'un ni l'autre* → p 47 ; *unième* adj ord (après *et* et à la suite des dizaines, des centaines, etc)
unanime adj
unau nm, pl *unaus*
underground nm inv

unguéal, e, aux adj
uni, e adj ; *uniment* adv
uniate n (masculin ou féminin)
unicellulaire adj
unicolore adj
unidirectionnel, elle adj
unifier vt
uniforme adj ; nm
unijambiste n (masculin ou féminin)
unilatéral, e, aux adj
unilingue adj
uniloculaire adj
uniment adv
union nf ; *unionisme* nm
unique adj ; *unicité* nf
unir vt
unisexe adj
unisexuel, elle ou unisexué, e adj
unisson nm
unité nf
univalve adj
univers nm inv ; *universel, elle* adj ; *universalité* nf ; *universaux* nmpl
université nf
univoque adj ; *univocité* nf
untel, unetelle n
upériser vt
uppercut nm, pl *uppercuts* (avec deux *p*)
upsilon nm, pl *upsilons*
uraète nm
uranium nm, pl *uraniums*
urate nm
urbain, e adj ; *urbanisme* nm

urée nf ; *urémie* nf
uretère nm (masculin) ; *urétéral, e, aux* adj (attention aux accents)
urètre nm ; *urétral, e, aux* adj (attention aux accents)
urgent, e adj ; *urger* vi, pp *urgé* inv
uricémie nf
urine nf ; *urinal* nm, pl *urinaux* ; *urinaire* adj ; *urinoir* nm
urique adj
urne nf
urobiline nf
urodèle nm (masculin)
urologie nf
urticaire nf (féminin)
urticant, e adj
us nmpl
usage nm
user vt
usine nf
usité, e adj
ustensile nm (masculin)
usuel, elle adj
usufruit nm
usure nf ; *usuraire* adj ; *usurier, ère* n
usurper vt
ut nm inv
utérus nm inv ; *utérin, e* adj
utile adj ; *utilité* nf
utopie nf
uval, e, aux adj
uvule nf
uxorilocal, e, aux adj.

V

v nm inv
va ! interj
vacance nf (vide, manque); vacances nfpl (congé); vacant, e adj ≠ vaquant pprés du v vaquer
vacarme nm
vacation nf
vaccin nm; vacciner vt
vache nf
vacherin nm
vaciller vi, pp vacillé inv
vacuité nf
vade-mecum nm inv
vadrouille nf
va-et-vient nm inv
vagabond, e adj, n
vagin nm; vaginal, e, aux adj
vagir vi, pp vagi inv
vague adj; vaguement adv
vague nf; vaguelette nf
vaguemestre nm
vaguer vi, pp vagué inv
vahiné nf (pas de e après é)
vaillant, e adj; vaillamment adv
vain, e adj; vanité nf
vaincre vt, pp vaincu, e; vainqueur adj inv en genre; nm
vair nm (fourrure) ≠ ver (animal)
vairon nm; adj m
vaisseau nm, pl vaisseaux
vaisselle nf (avec deux l); vaisselier nm (avec un l)
val nm, pl vals sauf dans par monts et par vaux
valence nf
valenciennes nf
valériane nf
valet nm; valetaille nf
valétudinaire adj
valeur nf
valgus adj m inv; valga adj f
valide adj
vallée nf
vallon nm; vallonné, e adj
valoir vt, pp valu, e → p 41
valoriser vt
valse nf
valve nf
valvule nf
vamp nf; vamper vt
vampire nm
van nm
vanadium nm, pl vanadiums
vandale n (masculin ou féminin)
vanesse nf
vanille nf
vanité nf
vanne nf
vanneau nm, pl vanneaux
vanner vt
vannier nm; vannerie nf
vantail nm, pl vantaux
vanter vt
va-nu-pieds n (masculin ou féminin) inv

vapes nfpl
vapeur nf (gaz); vaporeux, euse adj
vapeur nm (bateau)
vaquer vi, pp vaqué inv; vacant, e adj ≠ vaquant pprés du v
varan nm
varangue nf
varappe nf (avec deux p)
varech nm, pl varechs
vareuse nf
varice nf; variqueux, euse adj
varicelle nf
varicocèle nf
varié, e adj
varier vt; variation nf
variole nf
varlope nf (féminin)
varus adj m inv; vara adj f
vasculaire adj
vase nf (boue)
vase nm (récipient)
vaseline nf
vasistas nm inv
vasoconstricteur, trice adj
vasodilatateur, trice adj
vasomoteur, trice adj
vasque nf
vassal, e, aux n
vaste adj
vaticiner vi, pp vaticiné inv
va-tout nm inv
vaudeville nm
vaudou adj inv; nm, pl vaudous
vau-l'eau (à la) loc adv
vaurien, enne adj
Vaurien nm (nom déposé) [bateau]
vautour nm
vautrer (se) vpr
va-vite (à la) loc adv
veau nm, pl veaux
vecteur adj m; vectoriel, elle adj
vedette nf; vedettariat nm
védique adj
végétal, e, aux adj
végétarien, enne n
végéter vi, pp végété inv
véhément, e adj; véhémence nf
véhicule nm
veille nf; veillée nf; veilleur, euse n
veine nf (vaisseau sanguin); veiner vt
veine nf (chance); veinard, e n, adj, n
vélaire adj; nf
vélani nm, pl vélanis
vêler vi (circonflexe sur ê)
vélique adj
vélite nm (masculin)
velléité nf
vélo nm, pl vélos
véloce adj

vélodrome nm
vélomoteur nm
velours nm inv; velouter vt
velu, e adj
vélum nm, pl vélums
venaison nf
vénal, e, aux adj
venant (à tout) loc adv
vendange nf
vendémiaire nm, pl vendémiaires
vendetta nf, pl vendettas
vendre vt, pp vendu, e
vendredi nm, pl vendredis → p 16
venelle nf
vénéneux, euse adj
vénérer vt
vénérien, enne adj
veneur nm; vénerie nf (attention à l'accentuation)
venger vt; vengeur nm; vengeresse nf
véniel, elle adj
venin nm; venimeux, euse adj
venir vi, pp venu, e; venue nf
vent nm; venter vt; venteux, euse adj
ventail nm ou ventaille nf, pl ventaux, ventailles
vente nf
ventôse nm, pl ventôses (circonflexe sur ô)
ventouse nf
ventre nm; ventral, e, aux adj
ventre-de-biche adj inv
ventricule nm
ventriloque n (masculin ou féminin)
ventripotent, e adj
vénus nf inv
vêpres nfpl (circonflexe sur ê)
ver nm (animal) ≠ vair (fourrure) ≠ verre (matière) ≠ vert (couleur)
véracité nf
véraison nf
véranda nf, pl vérandas
verbe nm; verbal, e, aux adj
verbeux, euse adj; verbosité nf
verdet nm
verdict nm
verdoyer vi, pp verdoyé inv; verdoiement nm
verdure nf
véreux, euse adj
verge nf
vergé, e adj
verger nm
vergeté, e adj; vergetures nfpl
verglas nm inv; verglacer vi (avec un c)
vergogne nf
vergue nf
véridique adj
vérifier vt

vérin nm
vérité nf
verjus nm inv ; **verjuté, e** adj
vermeil, eille adj
vermicelle nm (masculin)
vermicide adj
vermiculaire adj
vermifuge adj
vermiller vi
vermillon nm ; adj inv (couleur)
vermillonner vi
vermine nf
vermis nm inv
vermisseau nm, pl *vermisseaux*
vermoulu, e adj
vermouth nm, pl *vermouths*
vernaculaire adj
vernal, e, aux adj
vernir vt ; **vernis** nm inv ; **vernisser** vt
vérole nf
véronique nf
verrat nm
verre nm (matière) ≠ *ver* (animal) ≠ *vert* (couleur), **verrière** nf ; **verroterie** nf
verrou nm, pl *verrous* ; **verrouiller** vt
verrue nf ; **verruqueux, euse** adj
vers nm inv
vers prép
versant nm
versatile adj
verse (à) loc adv
versé, e adj
verseau nm, pl *verseaux*
verser vt
verset nm
versifier vt
version nf
vers-libriste n (masculin ou féminin), pl *vers-libristes*
verso nm inv ; *versos*
verste nf
vert, e adj ; **vert** nm ; **verdâtre** adj ; **verdir** vt
vert-de-gris nm inv
vertèbre nf ; **vertébral, e, aux** adj ; **vertébré** nm (attention aux accents)
vertex nm inv
vertical, e, aux adj ; **verticale** nf (ligne) ; **vertical** nm (astronomie)
vertige nm ; **vertigineux, euse** adj
vertigo nm, pl *vertigos*
vertu nf
vertugadin nm
verve nf
verveine nf
vésanie nf
vésical, e, aux adj
vésicant, e adj
vésicule nf (féminin)
vesou nm, pl *vesous*
vespasienne nf
vespéral, e, aux adj
vesse-de-loup nf, pl *vesses-de-loup*
vessie nf
vestale nf
veste nf
vestiaire nm
vestibule nm
vestige nm
veston nm

vêtement nm ; *vestimentaire* adj (attention à l'accentuation)
vétéran nm
vétérinaire n (masculin ou féminin)
vétille nf
vêtir vt (circonflexe sur ê), pp *vêtu, e*
vétiver nm, pl *vétivers*
veto nm inv
vétusté nf
veuf nm ; **veuve** nf
veule adj
vexer vt
vexille nm
via prép
viable adj
viaduc nm
viager, ère adj ; **viager** nm
viande nf
viatique nm (masculin)
vibrer vi, vt
vibrion nm
vicaire nm ; **vicariat** nm
vicariance nf
vice nm (défaut) ≠ *vis* (clou) ; **vicier** vt
vice-amiral nm, pl *vice-amiraux*
vice-consul nm, pl *vice-consuls*
vicennal, e, aux adj
vice-président, e n (masculin ou féminin), pl *vice-présidents, es*
vice-recteur nm, pl *vice-recteurs*
vice-roi nm, pl *vice-rois*
vice-royauté nf, pl *vice-royautés*
vicésimal, e, aux adj
vice versa loc adv
vichy nm, pl *vichys*
vicinal, e, aux adj
vicissitude nf
vicomte nm ; **vicomtesse** nf ; **vicomté** nf (féminin)
victime nf (féminin)
victoire nf ; **victorieux, euse** adj
victoria nm (masculin) [plante], pl *victorias*
victoria nf (féminin) [voiture], pl *victorias*
victuailles nfpl
vidame nm
vidange nf
vide adj ; nm
vide-bouteille nm, pl *vide-bouteilles*
vide-cave nm inv
vidéo nf, pl *vidéos* ; adj inv
vidéocassette nf
vidéodisque nm
vide-ordures nm inv
vide-poches nm inv
vide-pomme nm inv
vider vt
viduité nf
vie nf
vielle nf
vierge nf
vieux, vieil (au sing seulement et devant un voyelle ou un *h* muet), **vieille** adj ; **vieux** nm ; **vieille** nf ; **vieillard** nm ; **vieillesse** nf ; **vieillir** vt ; **vieillot, otte** adj
vif, vive adj
vif-argent nm, pl *vifs-argents*
vigie nf (féminin) → p 8
vigilant, e adj ; **vigilance** nf
vigile nf (fête) [féminin]

vigile nm (garde) [masculin]
vigne nf ; **vigneron, onne** n ; **vignoble** nm
vigneau ou **vignot** nm, pl *vigneaux, vignots*
vignette nf
vigogne nf
vigueur nf ; **vigoureux, euse** adj
viguier nm
vil, e adj
vilain, e adj
vilebrequin nm
vilipender vt (un seul *l*)
villa nf, pl *villas*
village nm
villanelle nf
ville nf ; NOMS DE VILLES → p 9 et 19, 20
ville-champignon nf, pl *villes-champignons*
ville-dortoir nf, pl *villes-dortoirs*
villégiature nf
villeux, euse adj ; **villosité** nf
vin nm ; **viner** vt
vinaigre nm ; **vinaigrette** nf
vindicatif, ive adj
vindicte nf
vingt adj num inv → p 33 ; **vingtième** adj ord ; **vingtaine** nf
vinyle nm (masculin)
viol nm ; **violer** vt
viole nf (instrument)
violent, e adj ≠ *violant* pprés du v *violer* ; **violemment** adv ; **violence** nf
violet, ette adj
violette nf
violine nf
violon nm ; **violoniste** n (masculin ou féminin)
violoncelle nm ; **violoncelliste** n (masculin ou féminin)
viorne nf
vipère nf ; **vipereau** ou **vipéreau** nm, pl *vipereaux, vipéreaux* ; **vipérin, e** adj (attention aux accents)
virage nm
virago nf, pl *viragos*
viral, e, aux adj
virelai nm, pl *virelais*
virer vt
virevolte nf
virginal nm (clavecin), pl *virginals*
virginal, e, aux adj (vierge)
virginie nf
virginité nf
virgule nf
viril, e adj
virilocal, e, aux adj
virole nf
virtuel, elle adj ; **virtualité** nf
virtuose n (masculin ou féminin)
virulent, e adj
virure nf
virus nm inv
vis nf inv (clou) ≠ *vice* (défaut) ; **visser** vt
visa nm, pl *visas*
visage nm
vis-à-vis loc adv ; nm inv
viscache nf
viscère nm (masculin) ; **viscéral, e, aux** adj (attention aux accents)
viscose nf
visée nf

viser vt
visible adj
visière nf
vision nf; *visionnaire* adj
visite nf
vison nm
visqueux, euse adj; *viscosité* nf
visuel, elle adj; *visualiser* vt
vital, e, aux adj
vitamine nf
vite adv
vitellus nm inv; *vitellin, e* adj
(avec deux *l*)
viticole adj
vitrail nm, pl *vitraux*
vitre nf
vitreux, euse adj
vitrifier vt
vitrine nf
vitriol nm
vitupérer vt, vti
vivace adj
vivandier, ère n
vivarium nm, pl *vivariums*
vivat nm, pl *vivats*
vive nf (poisson)
vive ! interj → p 44
vive-eau nf, pl *vives-eaux*
viveur, euse n
vivier nm
vivifier vt
vivipare adj
vivisection nf
vivre vi, pp *vécu, e* → p 41;
vivres nmpl (masculin); *vivo-
ter* vi, pp *vivoté* inv
vizir nm, pl *vizirs*
vlan ! interj
vocable nm
vocal, e, aux adj
vocalise nf (féminin)
vocalisme nm
vocatif nm
vocation nf
voceratrice nf (sans accent)
vocero nm, pl *voceri* (sans
accent)
vociférer vi, vt
vodka nf, pl *vodkas*
vœu nm, pl *vœux*

vogue nf
voguer vi, pp *vogué* inv
voici, voilà prép
voie nf (chemin) ≠ *voix* (son)
voile nm (étoffe)
voile nf (de bateau)
voiler vt
voilette nf
voir vt, pp *vu*, e → p 38; *voyant,
e* adj
voire adv
voirie nf (pas de *e* avant le *r*)
voisin, e adj, n
voiture nf
voiture-restaurant nf, pl *voi-
tures-restaurants*
voix nf (son) ≠ *voie* (chemin)
vol nm (oiseau); *voler* vi; *vole-
ter* vi, pp *voleté* inv
vol nm (délit); *voler* vt
volaille nf
volant nm
volatil, e adj
volatile nm (oiseau) [masculin]
vol-au-vent nm inv
volcan nm
volcanologie ou vulcanologie nf
vole nf (levées aux cartes)
volée nf
volet nm
volière nf
volige nf (féminin)
volitif, ive adj
volley-ball nm, pl *volley-balls*;
volleyeur, euse n
volonté nf
volontiers adv
volt nm, pl *volts* (électricité) ≠
volte (équitation)
voltage nm
volte nf (équitation) ≠ *volt* (électricité)
volte-face nf inv (féminin)
voltige nf
voltiger vi, pp *voltigé* inv
volubile adj
volubilis nm inv
volume nm; *volumineux, euse*
adj
volupté nf; *voluptueux, euse*
adj

volute nf (féminin)
volve nf
volvulus nm inv (masculin)
vomer nm, pl *vomers*
vomique adj
vomir vt
vomitoire nm
vorace adj
vortex nm inv
vos adj poss
vote nm
votif, ive adj
votre adj poss
vôtre pr poss (circonflexe sur ô)
vouer vt
vouloir vt, pp *voulu, e* → p 43
vous pr pers → p 30
voussoir nm
voussure nf
voûte nf (circonflexe sur *û*; de
même dans les dérivés : *voû-
tain* nm; *voûter* vt)
vouvoyer vt; *vouvoiement* nm
vouvray nm
voyage nm; *voyager* vi, pp
voyagé inv
voyant, e adj, n; *voyeur, euse*
n; *voyeurisme* nm
voyelle nf
voyer adj m
voyou nm, pl *voyous*
vrac nm (au sing)
vrai, e adj; *vraiment* adv
vraisemblable adj; *vraisemblance* nf (un seul *s*)
vrille nf
vrombir vi, pp *vrombi* inv
vue nf
vulcain nm
vulcaniser vt
vulcanologie ou volcanologie nf
vulgaire adj
vulgum pecus nm inv
vulnérable adj
vulnéraire adj; nm (médi-
cament)
vulnéraire nf (plante)
vulpin nm
vultueux, euse adj
vulve nf

w x y z

w nm inv
wagon nm ; *wagonnet* nm
wagon-citerne nm, pl *wagons-citernes*
wagon-lit nm, pl *wagons-lits*
wagon-poste nm, pl *wagons-poste*
wagon-restaurant nm, pl *wagons-restaurants*
Walkman nm (nom déposé), pl *Walkmans*
walk-over nm inv
wallaby nm, pl *wallabies*
wallingant, e n
wapiti nm, pl *wapitis*
warrant nm, pl *warrants*
wassingue nf, pl *wassingues*
water-ballast nm, pl *water-ballasts*
water-closet nm ou **waters** nmpl, pl *water-closets*
wateringue nf, pl *wateringues*
water-polo nm, pl *water-polos*
watt nm, pl *watts*
wattman nm, pl *wattmen*
week-end nm, pl *week-ends*
welter nm, pl *welters*
western nm, pl *westerns*
wharf nm, pl *wharfs*
whig nm, pl *whigs*
whisky nm, pl *whiskies* ou *whiskys*
whist nm, pl *whists*
white-spirit nm, pl *white-spirit(s)*
wigwam nm, pl *wigwams*
wilaya ou willaya nf, pl *wilayas, willayas*
wishbone nm, pl *wishbones*
wolfram nm, pl *wolframs*

x nm inv
xanthome nm (masculin)
xanthophylle nf (féminin)
xénophobe adj, n (masculin ou féminin)
xérès nm inv
xérus nm inv
ximenia nm (masculin), pl *ximenias* (sans accent)

xiphoïde adj (tréma sur *i*)
xiphophore nm (masculin)
xylène nm (masculin)
xylophone nm
xyste nm (masculin)

y nm inv
y adv ; pr pers
yacht nm, pl *yachts*
yacht-club nm, pl *yacht-clubs*
yachting nm, pl *yachtings*
yachtman ou yachtsman nm, pl *yachtmen, yachtsmen*
yack ou yak nm, pl *yacks, yaks*
yankee n (masculin ou féminin), pl *yankees*
yaourt ou yogourt nm, pl *yaourts, yogourts*
yard nm, pl *yards*
yatagan nm
yawl nm
yearling nm, pl *yearlings*
yèble ou hièble nf (féminin)
yen nm, pl *yens*
yeoman nm, pl *yeomen*
yeuse nf
yeux nmpl
yiddish nm inv
ylang-ylang ou ilang-ilang nm, pl *ylangs-ylangs, ilangs-ilangs*
yod nm, pl *yods*
yoga nm, pl *yogas* ; *yogi* nm, pl *yogis*
yogourt ou yaourt nm, pl *yogourts, yaourts*
yole nf
yourte nf
youyou nm, pl *youyous*
ypérite nf
ypréau nm, pl *ypréaux*
ysopet nm
yttrium nm, pl *yttriums*
yucca nm (masculin), pl *yuccas*

z nm inv
zabre nm (masculin)
zakouski nfpl (féminin)
zarzuela nf (féminin), pl *zarzuelas*

zazou adj (inv en genre), n (masculin ou féminin), pl *zazous*
zèbre nm ; *zébrer* vt (attention aux accents)
zébu nm, pl *zébus*
zèle nm ; *zélé, e* adj (attention aux accents)
zélote nm inv
zen nm, pl *zens*
zénith nm ; *zénithal, e, aux* adj
zéphyr nm
zeppelin nm
zéro nm, pl *zéros*
zeste nm
zeugma nm, pl *zeugmas*
zézayer vi, pp zézayé inv ; *zézaiement* nm
zibeline nf
zieuter vt
ziggourat nf (féminin), pl *ziggourats*
zigzag nm ; *zigzaguer* vi, pp *zigzagué* inv, *zigzagant* ≠ *zigzaguant* pprés du v
zinc nm, pl *zincs* ; *zinguer* vt
zinnia nm (masculin), pl *zinnias*
zinzin adj inv
zirconium nm, pl *zirconiums*
zizanie nf
zizi nm, pl *zizis*
zizyphe nm (masculin)
zloty nm, pl *zlotys*
zodiaque nm (masculin) ; *zodiacal, e, aux* adj
zoé nm, pl *zoés*
zombie nm (masculin)
zona nf, pl *zonas*
zone nf
zoo nm, pl *zoos*
zoologie nf
zorille nm
zouave nm
zozoter vi, pp zozoté inv
zut ! interj
zygote nm (masculin)
zymase nf
zythum nm, pl *zythums*

Mots ethniques
Pays, régions, provinces

Les adjectifs dérivés commencent par une minuscule et les noms dérivés commencent par une majuscule (→ p 64).

Abyssinie	*abyssin, e*
Acadie	*acadien, enne*
Afghânistân	*afghan, e*
Afrique	*africain, e*
Afrique du Nord	*nord-africain, e*
Afrique du Sud	*sud-africain, e*
Afrique et Asie	*afro-asiatique*
Albanie	*albanais, e*
Algérie	*algérien, enne*
Allemagne	*allemand, e*
Alpes	*alpin, e*
Alsace	*alsacien, enne*
Amérique	*américain, e*
Amérique du Nord	*nord-américain, e*
Amérique du Sud	*sud-américain, e*
Andalousie	*andalou, se*
Andes	*andin, e*
Andorre	*andorran, e*
Angleterre	*anglais, e*
Angola	*angolais, e*
Anjou	*angevin, e*
Annam	*annamite*
Antilles	*antillais, e*
Appalaches	*appalachien, enne*
Aquitaine	*aquitain, e*
Arabie	*arabe*
Arabie Saoudite	*saoudien, enne*
Aragon	*aragonais, e*
Ardenne	*ardennais, e*
Argentine	*argentin, e*
Ariège	*ariégeois, e*
Arménie	*arménien, enne*
Armorique	*armoricain, e*
Artois	*artésien, enne*
Asie	*asiate, asiatique*
Assyrie	*assyrien, enne*
Asturies	*asturien, enne*
Australie	*australien, enne*
Autriche	*autrichien, enne*
Auvergne	*auvergnat, e*
Azerbaïdjan	*azerbaïdjanais, e*
Bade	*badois, e*
Bali	*balinais, e*
Baltique (mer)	*balte ou baltique*
Basque (pays)	*basque, basquaise*
Bavière	*bavarois, e*
Béarn	*béarnais, e*
Beauce	*beauceron, onne*
Belfort (t. de)	*belfortain, e*
Belgique	*belge*
Bengale	*bengali ou benga-lais, e*
Bermudes	*bermudien, enne*
Berry	*berrichon, onne*
Birmanie	*birman, e*

Biscaye	*biscaïen, enne*
Bithynie	*bithynien, enne*
Bolivie	*bolivien, enne*
Bosnie	*bosnien, enne ou bosniaque*
Bourgogne	*bourguignon, onne*
Brabant	*brabançon, onne*
Brandebourg	*brandebourgeois, e*
Brésil	*brésilien, enne*
Bresse	*bressan, e*
Bretagne	*breton, onne*
Brie	*briard, e*
Bulgarie	*bulgare*
Calabre	*calabrais, e*
Californie	*californien, enne*
Camargue	*camarguais, e*
Cambodge	*cambodgien, enne*
Cameroun	*camerounais, e*
Canada	*canadien, enne*
Canaries	*canarien, enne*
Castille	*castillan, e*
Catalogne	*catalan, e*
Caucase	*caucasien, enne*
Centrafricaine (rép.)	*centrafricain, e*
Cerdagne	*cerdan, e*
Cévennes	*cévenol, e*
Ceylan	*cingalais, e*
Champagne	*champenois, e*
Charente	*charentais, e*
Charolais	*charolais, e*
Chili	*chilien, enne*
Chine	*chinois, e*
Chypre	*chypriote ou cypriote*
Colombie	*colombien, enne*
Congo	*congolais, e*
Corée	*coréen, enne*
Corfou	*corfiote*
Corse	*corse*
Costa Rica	*costaricien, enne*
Côte-d'Ivoire	*ivoirien, enne*
Crète	*crétois, e*
Creuse	*creusois, e*
Croatie	*croate*
Cuba	*cubain, e*
Dahomey	*dahoméen, enne*
Dalmatie	*dalmate*
Danemark	*danois, e*
Danube	*danubien, enne*
Dauphiné	*dauphinois, e*
Délos	*délien, enne ou déliaque*
Dominicaine (rép.)	*dominicain, e*
Écosse	*écossais, e*
Égée (mer)	*égéen, enne*

Égypte	égyptien, enne
Équateur	équatorien, enne
Espagne	espagnol, e
Estonie	estonien, enne
États-Unis d'Amérique →	Amérique
Éthiopie	éthiopien, enne
Étrurie	étrusque
Europe	européen
Fidji (îles)	fidjien
Finlande	finlandais, e
Flandre	flamand, e
Formose	formosan, e
France	français, e
Franche-Comté	franc-comtois, e
Frise	frison, onne
Gabon	gabonais, e
Galice (Espagne)	galicien, enne
Galicie (Pologne)	galicien, enne
Galilée	galiléen, enne
Galles (pays de)	gallois, e
Gambie	gambien, enne
Gascogne	gascon, onne
Géorgie	géorgien, enne
Ghana	ghanéen, enne
Gironde	girondin, e
Grande-Bretagne	britannique
Grèce	grec, grecque
Grisons	grison, onne
Groenland	groenlandais, e
Guadeloupe	guadeloupéen, enne
Guatemala	guatémaltèque
Guinée	guinéen, enne
Guyane	guyanais, e
Hainaut	hainuyer ou hennuyer, ère
Haïti	haïtien, enne
Haute-Volta	voltaïque
Hawaii	hawaiien, enne
Hesse	hessois, e
Himalaya	himalayen, enne
Hollande	hollandais, e
Honduras	hondurien, enne
Hongrie	hongrois, e ou magyar, e
Illyrie	illyrien, enne
Inde	indien, enne
Indochine	indochinois, e
Indonésie	indonésien, enne
Irak ou Iraq	irakien, enne iraqien, enne
Iran	iranien, enne
Irlande	irlandais, e
Islande	islandais, e
Isère	isérois, e ou iseran, e
Israël	israélien, enne
Italie	italien, enne
Jamaïque	jamaïquain, e
Japon	japonais, e ou nippone ou -onne
Java	javanais, e
Jersey	jersiais, e
Jordanie	jordanien, enne
Jura	jurassien, enne
Kabylie	kabyle
Kazakhstan	kazakh
Kenya	kenyen, enne
Kirghizistan	kirghiz, e
Koweït	koweïtien, enne
Kurdistan	kurde
Labrador	labradorien, enne
Landes	landais, e
Languedoc	languedocien, enne
Laos	laotien, enne
Laponie	lapon, laponne ou lapone
Léon (Bretagne)	léonard, e
Léon (Espagne)	léonais, e
Lettonie	letton, lettonne ou lettone
Levant	levantin, e
Liban	libanais, e
Libéria	libérien, enne
Libye	libyen, enne
Ligurie	ligurien, enne
Limousin	limousin, e
Lituanie	lituanien, enne
Lombardie	lombard, e
Lorraine	lorrain, e
Louisiane	louisianais, e
Luxembourg	luxembourgeois, e
Macédoine	macédonien, enne
Madagascar	malgache
Madère	madérien, enne ou madérois, e
Maghreb	maghrébin, e
Majorque	majorquin, e
Malaisie	malais, e
Mali	malien, enne
Malte	maltais, e
Mandchourie	mandchou, e
Maroc	marocain, e
Marquises (îles)	marquisien, enne ou marquésan, anne
Martinique	martiniquais, e
Maurice (île)	mauricien, enne
Mauritanie	mauritanien, enne
Méditerranée	méditerranéen, enne
Mélanésie	mélanésien, enne
Mexique	mexicain, e
Minorque	minorquin, e
Moldavie	moldave
Monaco (princ.)	monégasque
Mongolie	mongol, e
Monténégro	monténégrin, e
Moravie	morave
Morvan	morvandeau, elle
Moselle	mosellan, e
Navarre	navarrais, e
Népal	népalais, e
Nicaragua	nicaraguayen, enne
Niger	nigérien, enne
Nigéria	nigérian, e
Normandie	normand, e
Norvège	norvégien, enne
Nouvelle-Calédonie	néo-calédonien, enne
Nouvelle-Guinée	néo-guinéen, enne
Nouvelles-Hébrides	néo-hébridais, e
Nouvelle-Zélande	néo-zélandais, e
Nubie	nubien, enne
Occitanie	occitanien, enne
Océanie	océanien, enne
Ombrie	ombrien, enne
Ouganda	ougandais, e
Oural	ouralien, enne

Ouzbékistan	*ouzbek, e*	Scandinavie	*scandinave*
Pakistan	*pakistanais, e*	Sénégal	*sénégalais, e*
Palestine	*palestinien, enne*	Serbie	*serbe*
Panamá	*panaméen, enne*	Sibérie	*sibérien, enne*
Papouasie	*papou, e*	Sicile	*sicilien, enne*
Paraguay	*paraguayen, enne*	Silésie	*silésien, enne*
Patagonie	*patagon, onne*	Slovaquie	*slovaque*
Pays-Bas	*néerlandais, e*	Slovénie	*slovène*
Péloponnèse	*péloponnésien, enne*	Sologne	*solognot, e*
Pennsylvanie	*pennsylvanien, enne*	Somalie	*somali, e* ou
Perche	*percheron, onne*		*somalien, enne*
Périgord	*périgourdin, e*	Soudan	*soudanais, e*
Pérou	*péruvien, enne*	Sri Lanka →	*Ceylan*
Perse	*persan, e* ou *perse*	Suède	*suédois, e*
Phénicie	*phénicien, enne*	Suisse	*suisse, suissesse* ou
Philippines	*philippin, e*		*helvétique*
Picardie	*picard, e*	Syrie	*syrien, enne*
Piémont	*piémontais, e*	Tahiti	*tahitien, enne*
Poitou	*poitevin, e*	Tanzanie	*tanzanien, enne*
Pologne	*polonais, e*	Tasmanie	*tasmanien, enne*
Polynésie	*polynésien, enne*	Tchad	*tchadien, enne*
Porto Rico	*portoricain, e*	Tchécoslovaquie	*tchécoslovaque* ou
Portugal	*portugais, e*		*tchèque*
Provence	*provençal, e, aux*	Texas	*texan, e*
Prusse	*prussien, enne*	Thaïlande	*thaïlandais, e*
Pyrénées	*pyrénéen, enne*	Thessalie	*thessalien, enne*
Québec	*québécois, e*	Tibet	*tibétain, e*
Ré (île de)	*rétais, e*	Togo	*togolais, e*
Réunion (île de la)	*réunionnais, e*	Toscane	*toscan, e*
Rhénanie, Rhin	*rhénan, e*	Touraine	*tourangeau, elle*
Rhodes (île de)	*rhodien, enne*	Tunisie	*tunisien, enne*
Rhodésie	*rhodésien, enne*	Turquie	*turc, turque*
Rhône	*rhodanien, enne*	Tyrol	*tyrolien, enne*
Roumanie	*roumain, e*	Ukraine	*ukrainien, enne*
Roussillon	*roussillonnais, e*	U.R.S.S.	*soviétique*
Ruanda	*ruandais, e*	Uruguay	*uruguayen, enne*
Russie	*russe*	Valais	*valaisan, anne*
Sahara	*saharien, enne*	Vaud	*vaudois, e*
Sahara occ.	*sahraoui, e*	Vendée	*vendéen, enne*
Salvador	*salvadorien, enne*	Venezuela	*vénézuélien, enne*
Samarie	*samaritain, e*	Viêt-nam	*vietnamien, enne*
Samoa	*samoan, e*	Vosges	*vosgien, enne*
Sardaigne	*sarde*	Wallonie	*wallon, onne*
Sarre	*sarrois, e*	Yémen	*yéménite*
Sarthe	*sarthois, e*	Yougoslavie	*yougoslave*
Savoie	*savoyard, e*	Zaïre	*zaïrois, e*
Saxe	*saxon, onne*		

Conjugaison

10 000 verbes
115 conjugaisons

Avant-propos

Parmi les problèmes les plus épineux de l'orthographe, c'est sans aucun doute la conjugaison des verbes qui offre les difficultés le plus grandes en raison de la diversité des formes, des irrégularités et de la différence entre la prononciation et l'écriture : *appeler* ne se conjugue pas comme *peler*, ni *défaillir* comme *faillir*, ni *maudire* comme *dire*, ni *prévoir* comme *voir*.

Résoudre, à la troisième personne du singulier de l'indicatif présent *(il ... un problème)*, a-t-il un *t* ou un *d* ?

Devoir, émouvoir, mouvoir, au participe passé, prennent-ils un accent circonflexe au masculin comme au féminin, au singulier comme au pluriel ?

Connaissez-vous le futur de *bouillir*, le subjonctif de *conclure* ?

Cette section, par ses tableaux de conjugaisons, par son index de plusieurs milliers de verbes, par le rappel de l'accord des participes passés, vous permettra de lever des hésitations, de corriger des erreurs et aussi de faire bien des découvertes inattendues.

Danielle BOUIX-LEEMAN
Hélène COLONNA-CESARI
Jean DUBOIS
Claude SOBOTKA-KANNAS

SOMMAIRE

Qu'est-ce que la conjugaison?

La conjugaison est l'ensemble des formes que prend le verbe selon :

— les personnes (première, deuxième, troisième personne du singulier ou du pluriel) ;

— les temps (présent, passé, futur) ;

— les modes (indicatif, subjonctif, conditionnel, impératif, infinitif et participe).

Les verbes sont classés selon leur orthographe et leur prononciation (indiquée dans l'alphabet phonétique international).

Types de conjugaisons

Auxiliaires

1 avoir
2 être

Premier groupe (verbes en *-er*, participe présent *-ant*)

		FORMES ÉCRITES	PRONONCIATIONS
3	chanter	*chant-*	[ʃɑ̃t]
	(modèle de la conjugaison)		
4	baisser	*baiss-*	[bɛs]/[bes]
5	pleurer	*pleur-*	[plœr]/[plør]
6	jouer	*jou-*	[ʒu]/[ʒw]
7	saluer	*salu-*	[saly]/[salɥ]
8	arguer	*argu-, arguë*	[argy]/[arg]
9	copier	*copi-*	[kɔpi]/[kɔpj]
10	prier	*pri-*	[pri]/[prij]
11	payer	*pai-, pay-*	[pɛ]/[pe]/[pɛj]/[pej]
12	grasseyer	*grassey-*	[grasɛj]/[grasej]
13	ployer	*ploi-, ploy-*	[plwa]/[plwaj]
14	essuyer	*essui-, essuy-*	[esɥi]/[esɥij]
15	créer	*cré-, crée*	[kre]/[krɛ]
16	avancer	*avanc-, avanç-*	[avɑ̃s]
17	manger	*mang-, mange-*	[mɑ̃ʒ]
18	céder	*céd-, cèd-*	[sed]/[sɛd]
19	semer	*sem-, sèm-*	[səm]/[sɛm]
20	rapiécer	*rapiéc-, rapiéç-, rapièc-*	[rapjes]/[rapjɛs]
21	acquiescer	*acquiesc-, acquiesç-*	[akjes]/[akjɛs]

22	siéger	*siég-, siége-, sièg-*	[sjeʒ]/[sjɛʒ]
23	déneiger	*déneig-, déneige-*	[denɛʒ]/[deneʒ]
24	appeler	*appell-, appel-*	[apɛl]/[ap(ə)l]
25	peler	*pèl-, pel-*	[pɛl]/[pəl]
26	interpeller	*interpell-*	[ɛ̃tɛrpɛl]/[ɛ̃tɛrpəl]
27	jeter	*jett-, jet-*	[ʒɛt]/[ʒət]
28	acheter	*achèt-, achet-*	[aʃɛt]/[aʃ(ə)t]
29	dépecer	*dépec-, dépeç-, dépèc-*	[depɛs]/[depəs]
30	envoyer	*envoi-, envoy-, enver-*	[ãvwa]/[ãvwaj]/[ãver]
31	aller	*all-, ir-, v-, aill-*	[al]/[ir]/[v]/[aj]

Deuxième groupe (verbes en *-ir*, participe présent *-issant*)

		FORMES ÉCRITES	PRONONCIATIONS
32	finir	*fin-*	[fin-]
	(modèle de la conjugaison)		
33	haïr	*hai-, haï-*	[ɛ]/[ai]

Troisième groupe

a) verbes en *-ir*

34	ouvrir
35	fuir
36	dormir
37	mentir
38	servir
39	acquérir
40	venir
41	cueillir
42	mourir
43	partir
44	revêtir
45	courir
46	faillir
47	défaillir
48	bouillir
49	gésir
50	saillir
51	ouïr

b) verbes en *-oir*

52	recevoir
53	devoir
54	mouvoir
55	émouvoir
56	promouvoir
57	vouloir
58	pouvoir

59	savoir
60	valoir
61	prévaloir
62	voir
63	prévoir
64	pourvoir
65	asseoir
66	surseoir
67	seoir
68	pleuvoir
69	falloir
70	échoir
71	déchoir
72	choir

c) verbes en *-re*

73	vendre
74	répandre
75	répondre
76	mordre
77	perdre
78	rompre
79	prendre
80	craindre
81	peindre
82	joindre
83	battre
84	mettre
85	moudre

86	coudre
87	absoudre
88	résoudre
89	suivre
90	vivre
91	paraître
92	naître
93	croître
94	accroître
95	rire
96	conclure
97	nuire
98	conduire
99	écrire
100	suffire
101	confire
102	dire
103	contredire
104	maudire
105	bruire
106	lire
107	croire
108	boire
109	faire
110	plaire
111	taire
112	extraire
113	clore
114	vaincre
115	frire

Conjugaison active

INFINITIF

	Présent		Passé
	aimer		avoir aimé

PARTICIPE

	Présent		Passé
	aimant		aim-é, ée
			-és, ées
	Présent composé		
	ayant aimé		

INDICATIF

	Présent		Passé composé
j'	aime	ai	aimé
tu	aimes	as	aimé
elle	aime	a	aimé
ns	aimons	avons	aimé
vs	aimez	avez	aimé
elles	aiment	ont	aimé

	Imparfait		Plus-que-parfait
j'	aimais	avais	aimé
tu	aimais	avais	aimé
elle	aimait	avait	aimé
ns	aimions	avions	aimé
vs	aimiez	aviez	aimé
elles	aimaient	avaient	aimé

	Futur simple		Futur antérieur
j'	aimerai	aurai	aimé
tu	aimeras	auras	aimé
elle	aimera	aura	aimé
ns	aimerons	aurons	aimé
vs	aimerez	aurez	aimé
elles	aimeront	auront	aimé

	Passé simple		Passé antérieur
j'	aimai	eus	aimé
tu	aimas	eus	aimé
elle	aima	eut	aimé
ns	aimâmes	eûmes	aimé
vs	aimâtes	eûtes	aimé
elles	aimèrent	eurent	aimé

SUBJONCTIF

	Présent		Passé
q. j'	aime	aie	aimé
tu	aimes	aies	aimé
elle	aime	ait	aimé
ns	aimions	ayons	aimé
vs	aimiez	ayez	aimé
elles	aiment	aient	aimé

	Imparfait		Plus-que-parfait
q. j'	aimasse	eusse	aimé
tu	aimasses	eusses	aimé
elle	aimât	eût	aimé
ns	aimassions	eussions	aimé
vs	aimassiez	eussiez	aimé
elles	aimassent	eussent	aimé

CONDITIONNEL

	Présent		Passé
j'	aimerais	aurais	aimé
tu	aimerais	aurais	aimé
elle	aimerait	aurait	aimé
ns	aimerions	aurions	aimé
vs	aimeriez	auriez	aimé
elles	aimeraient	auraient	aimé

IMPÉRATIF

	Présent		Passé
	aime	aie	aimé
	aimons	ayons	aimé
	aimez	ayez	aimé

Temps surcomposés

Les temps surcomposés se forment avec le verbe *avoir* conjugué, suivi du verbe *avoir* au participe passé, et du verbe au participe passé :

> *J'ai eu flirté, dans ma jeunesse.*
> *J'ai eu été renversé par un camion, il y a bien longtemps.*

Dans les temps surcomposés, le verbe *avoir* ne peut être conjugué ni au passé simple, ni à l'impératif, ni à l'imparfait du subjonctif.

Conditionnel passé 2ᵉ forme

Cette forme ne figure pas dans nos tableaux de conjugaison : elle est identique, pour tout verbe, à celle du subjonctif plus-que-parfait.

Impératif

La deuxième personne de l'impératif présent ne prend pas d'*-s* :

— pour tous les verbes en *-er* :

> *Chante ! Tu chantes.*

— pour les verbes *assaillir, couvrir* (et ses composés), *cueillir* (et ses composés), *défaillir, offrir, ouvrir* (et ses composés), *souffrir, tressaillir.*

Le *-s* se maintient lorsque le verbe a un pronom complément *en* ou *y* ; il en est alors séparé par un trait d'union :

> *Chantes-y, à cette réunion !*
> *Offres-en, des bonbons !*

(Ces impératifs gardent la forme sans *-s* lorsque *en* et *y* sont compléments d'un infinitif qui suit : *Daigne en prendre, des bonbons.*)

Participe présent et adjectif verbal

On prendra garde à ne pas confondre l'orthographe du participe présent avec celle de l'adjectif verbal :

PARTICIPE PRÉSENT	ADJECTIF VERBAL	PARTICIPE PRÉSENT	ADJECTIF VERBAL
adhérant	adhérent	extravaguant	extravagant
affluant	affluent	fatiguant	fatigant
coïncidant	coïncident	fringuant	fringant
communiquant	communicant	influant	influent
convainquant	convaincant	intriguant	intrigant
convergeant	convergent	naviguant	navigant
détergeant	détergent	négligeant	négligent
différant	différent	précédant	précédent
divergeant	divergent	provoquant	provocant
émergeant	émergent	résidant	résident
équivalant	équivalent	somnolant	somnolent
excellant	excellent	suffoquant	suffocant
expédiant	expédient	vaquant	vacant

Conjugaison passive

INFINITIF

Présent	Passé

être aim-é, ée
    -és, ées
	avoir été aim-é, ée
	    -és, ées

PARTICIPE

Présent	Passé

étant aim-é, ée,
    -és, ées
	ayant été aim-é, ée,
	    -és, ées

INDICATIF

Présent

je	suis	aimé
tu	es	aimé
il	est	aimé
ns	sommes	aimés
vs	êtes	aimés
ils	sont	aimés

Passé composé

ai	été	aimé
as	été	aimé
a	été	aimé
avons	été	aimés
avez	été	aimés
ont	été	aimés

Imparfait

j'	étais	aimé
tu	étais	aimé
il	était	aimé
ns	étions	aimés
vs	étiez	aimés
ils	étaient	aimés

Plus-que-parfait

avais	été	aimé
avais	été	aimé
avait	été	aimé
avions	été	aimés
aviez	été	aimés
avaient	été	aimés

Futur simple

je	serai	aimé
tu	seras	aimé
il	sera	aimé
ns	serons	aimés
vs	serez	aimés
ils	seront	aimés

Futur antérieur

aurai	été	aimé
auras	été	aimé
aura	été	aimé
aurons	été	aimés
aurez	été	aimés
auront	été	aimés

Passé simple

je	fus	aimé
tu	fus	aimé
il	fut	aimé
ns	fûmes	aimés
vs	fûtes	aimés
ils	furent	aimés

Passé antérieur

eus	été	aimé
eus	été	aimé
eut	été	aimé
eûmes	été	aimés
eûtes	été	aimés
eurent	été	aimés

SUBJONCTIF

Présent

q. je	sois	aimé
tu	sois	aimé
il	soit	aimé
ns	soyons	aimés
vs	soyez	aimés
ils	soient	aimés

Passé

aie	été	aimé
aies	été	aimé
ait	été	aimé
ayons	été	aimés
ayez	été	aimés
aient	été	aimés

Imparfait

q. je	fusse	aimé
tu	fusses	aimé
il	fût	aimé
ns	fussions	aimés
vs	fussiez	aimés
ils	fussent	aimés

Plus-que-parfait

eusse	été aimé
eusses	été aimé
eût	été aimé
eussions	été aimés
eussiez	été aimés
eussent	été aimés

CONDITIONNEL

Présent

je	serais	aimé
tu	serais	aimé
il	serait	aimé
ns	serions	aimés
vs	seriez	aimés
ils	seraient	aimés

Passé

aurais	été aimé
aurais	été aimé
aurait	été aimé
aurions	été aimés
auriez	été aimés
auraient	été aimés

IMPÉRATIF

Présent

sois	aimé
soyons	aimés
soyez	aimés

Passé

aie	été	aimé
ayons	été	aimés
ayez	été	aimés

Conjugaison pronominale

---- INFINITIF ----

Présent	Passé
se tromper	s'être tromp-é, ée, -és, ées

---- PARTICIPE ----

Présent	Passé
se trompant	tromp-é, ée, -és, ées
Présent composé	
s'étant tromp-é, ée, -és, ées	

---- INDICATIF ----

Présent / Passé composé

	Présent			Passé composé	
je	me	trompe	me	suis	trompée
tu	te	trompes	t'	es	trompée
elle	se	trompe	s'	est	trompée
ns	ns	trompons	ns	sommes	trompées
vs	vs	trompez	vs	êtes	trompées
elles	se	trompent	se	sont	trompées

Imparfait / Plus-que-parfait

	Imparfait			Plus-que-parfait	
je	me	trompais	m'	étais	trompée
tu	te	trompais	t'	étais	trompée
elle	se	trompait	s'	était	trompée
ns	ns	trompions	ns	étions	trompées
vs	vs	trompiez	vs	étiez	trompées
elles	se	trompaient	s'	étaient	trompées

Futur simple / Futur antérieur

	Futur simple			Futur antérieur	
je	me	tromperai	me	serai	trompée
tu	te	tromperas	te	seras	trompée
elle	se	trompera	se	sera	trompée
ns	ns	tromperons	ns	serons	trompées
vs	vs	tromperez	vs	serez	trompées
elles	se	tromperont	se	seront	trompées

Passé simple / Passé antérieur

	Passé simple			Passé antérieur	
je	me	trompai	me	fus	trompée
tu	te	trompas	te	fus	trompée
elle	se	trompa	se	fut	trompée
ns	ns	trompâmes	ns	fûmes	trompées
vs	vs	trompâtes	vs	fûtes	trompées
elles	se	trompèrent	se	furent	trompées

---- SUBJONCTIF ----

Présent / Passé

	Présent			Passé	
q. je	me	trompe	me	sois	trompée
tu	te	trompes	te	sois	trompée
elle	se	trompe	se	soit	trompée
ns	ns	trompions	ns	soyons	trompées
vs	vs	trompiez	vs	soyez	trompées
elles	se	trompent	se	soient	trompées

Imparfait / Plus-que-parfait

	Imparfait			Plus-que-parfait	
q. je	me	trompasse	me	fusse	trompée
tu	te	trompasses	te	fusses	trompée
elle	se	trompât	se	fût	trompée
ns	ns	trompassions	ns	fussions	trompées
vs	vs	trompassiez	vs	fussiez	trompées
elles	se	trompassent	se	fussent	trompées

---- CONDITIONNEL ----

Présent / Passé

	Présent			Passé	
je	me	tromperais	me	serais	trompée
tu	te	tromperais	te	serais	trompée
elle	se	tromperait	se	serait	trompée
ns	ns	tromperions	ns	serions	trompées
vs	vs	tromperiez	vs	seriez	trompées
elles	se	tromperaient	se	seraient	trompées

---- IMPÉRATIF ----

Présent	Passé
trompe-toi	(inusité)
trompons-nous	—
trompez-vous	—

Temps surcomposés : Avec les verbes pronominaux, les temps surcomposés se forment avec *être* conjugué, suivi du verbe *avoir* au participe passé, et du verbe au participe passé : *Quand je me suis réfugié dans la cabane, la pluie s'arrêta.*

Conjugaison interrogative

INFINITIF

Présent	Passé
rester	être rest-é, ée, -és, ées

INDICATIF

Présent	Passé composé	
resté-je ? *(rare)*	suis-je	resté ?
restes-tu ?	es-tu	resté ?
reste-t-il ?	est-il	resté ?
restons-nous ?	sommes-nous	restés ?
restez-vous ?	êtes-vous	restés ?
restent-ils ?	sont-ils	restés ?

Imparfait	Plus-que-parfait	
restais-je ?	étais-je	resté ?
restais-tu ?	étais-tu	resté ?
restait-il ?	était-il	resté ?
restions-nous ?	étions-nous	restés ?
restiez-vous ?	étiez-vous	restés ?
restaient-ils ?	étaient-ils	restés ?

Futur simple	Futur antérieur	
resterai-je ?	serai-je	resté ?
resteras-tu ?	seras-tu	resté ?
restera-t-il ?	sera-t-il	resté ?
resterons-nous ?	serons-nous	restés ?
resterez-vous ?	serez-vous	restés ?
resteront-ils ?	seront-ils	restés ?

Passé simple	Passé antérieur	
restai-je ?	fus-je	resté ? *(rare)*
restas-tu ?	fus-tu	resté ?
resta-t-il ?	fut-il	resté ?
restâmes-nous ?	fûmes-nous	restés ?
restâtes-vous ?	fûtes-vous	restés ?
restèrent-ils ?	furent-ils	restés ?

PARTICIPE

Présent	Passé
restant	rest-é, ée, -és, ées

Présent composé

étant rest-é, ée, -és, ées

SUBJONCTIF

Présent	Passé
(n'existe pas)	*(n'existe pas)*
—	—
—	—
—	—
—	—
—	—

Imparfait	Plus-que-parfait
(n'existe pas)	*(n'existe pas)*
—	—
—	—
—	—
—	—
—	—

CONDITIONNEL

Présent	Passé	
resterais-je ?	serais-je	resté ?
resterais-tu ?	serais-tu	resté ?
resterait-il ?	serait-il	resté ?
resterions-nous ?	serions-nous	restés ?
resteriez-vous ?	seriez-vous	restés ?
resteraient-ils ?	seraient-ils	restés ?

IMPÉRATIF

Présent	Passé
(n'existe pas)	*(n'existe pas)*
—	—
—	—

L'interrogation

Dans l'interrogation de langue soutenue, deux cas se présentent :

— ou bien le sujet est un pronom, et on a une inversion de l'ordre sujet-verbe :

> *Viens-tu ce soir ?*

— ou bien le sujet n'est pas un pronom ; il reste devant le verbe mais il est repris par un pronom après le verbe :

> *Paul vient-il ce soir ?*

Dans les deux cas, on a un trait d'union entre le verbe et le pronom.

Lorsque le pronom est une troisième personne, et que le verbe se termine par une voyelle, un *t* précédé et suivi d'un trait d'union apparaît entre le verbe et le pronom :

> *Va-t-il me laisser tranquille ?*
> *Chante-t-elle aussi bien qu'on le dit ?*
> *A-t-on pensé à l'avertir ?*

À l'oral, le *d* qui termine certains verbes du troisième groupe se prononce *t* :

> *Prend-il son médicament ?* [-til-]
> *Rend-elle régulièrement ses devoirs ?* [-tɛl-]

L'inversion de *je* après un verbe terminé par -e suppose une modification de la désinence, qui devient -*é* :

> *Chanté-je ce soir ?*

I. Tableaux de conjugaisons

1 avoir

INFINITIF

Présent	Passé
avoir	avoir eu
[avwar]	[avwary]

PARTICIPE

Présent	Passé
ayant [ejɑ̃]	eu, eue
	eus, eues
	[y]
Présent composé	
ayant eu	

INDICATIF

	Présent		Passé composé	
j'	ai	[ɛ]	ai	eu
tu	as	[a]	as	eu
elle	a	[a]	a	eu
ns	avons	[avɔ̃]	avons	eu
vs	avez	[ave]	avez	eu
elles	ont	[ɔ̃]	ont	eu

	Imparfait		Plus-que-parfait	
j'	avais	[avɛ]	avais	eu
tu	avais	[avɛ]	avais	eu
elle	avait	[avɛ]	avait	eu
ns	avions	[avjɔ̃]	avions	eu
vs	aviez	[avje]	aviez	eu
elles	avaient	[avɛ]	avaient	eu

	Futur simple		Futur antérieur	
j'	aurai	[ɔre]	aurai	eu
tu	auras	[ɔra]	auras	eu
elle	aura	[ɔra]	aura	eu
ns	aurons	[ɔrɔ̃]	aurons	eu
vs	aurez	[ɔre]	aurez	eu
elles	auront	[ɔrɔ̃]	auront	eu

	Passé simple		Passé antérieur	
j'	eus	[y]	eus	eu
tu	eus	[y]	eus	eu
elle	eut	[y]	eut	eu
ns	eûmes	[ym]	eûmes	eu
vs	eûtes	[yt]	eûtes	eu
elles	eurent	[yr]	eurent	eu

SUBJONCTIF

	Présent		Passé	
q. j'	aie	[ɛ]	aie	eu
tu	aies	[ɛ]	aies	eu
elle	ait	[ɛ]	ait	eu
ns	ayons	[ejɔ̃]	ayons	eu
vs	ayez	[eje]	ayez	eu
elles	aient	[ɛ]	aient	eu

	Imparfait		Plus-que-parfait	
q. j'	eusse	[ys]	eusse	eu
tu	eusses	[ys]	eusses	eu
elle	eût	[y]	eût	eu
ns	eussions	[ysjɔ̃]	eussions	eu
vs	eussiez	[ysje]	eussiez	eu
elles	eussent	[ys]	eussent	eu

CONDITIONNEL

	Présent		Passé	
j'	aurais	[ɔrɛ]	aurais	eu
tu	aurais	[ɔrɛ]	aurais	eu
elle	aurait	[ɔrɛ]	aurait	eu
ns	aurions	[ɔrjɔ̃]	aurions	eu
vs	auriez	[ɔrje]	auriez	eu
elles	auraient	[ɔrɛ]	auraient	eu

IMPÉRATIF

Présent		Passé	
aie	[ɛ]	aie	eu
ayons	[ejɔ̃]	ayons	eu
ayez	[eje]	ayez	eu

2 être

INFINITIF

	Présent	Passé
	être	avoir été
	[ɛtr]	[avwarete]

PARTICIPE

	Présent	Passé
	étant [etɑ̃]	été
	Présent composé	[ete]
	ayant été	

INDICATIF

	Présent		Passé composé	
je	suis	[sɥi]	ai	été
tu	es	[ɛ]	as	été
il	est	[ɛ]	a	été
ns	sommes	[sɔm]	avons	été
vs	êtes	[ɛt]	avez	été
ils	sont	[sɔ̃]	ont	été

	Imparfait		Plus-que-parfait	
j'	étais	[etɛ]	avais	été
tu	étais	[etɛ]	avais	été
il	était	[etɛ]	avait	été
ns	étions	[etjɔ̃]	avions	été
vs	étiez	[etje]	aviez	été
ils	étaient	[etɛ]	avaient	été

	Futur simple		Futur antérieur	
je	serai	[s(ə)re]	aurai	été
tu	seras	[s(ə)ra]	auras	été
il	sera	[s(ə)ra]	aura	été
ns	serons	[s(ə)rɔ̃]	aurons	été
vs	serez	[s(ə)re]	aurez	été
ils	seront	[s(ə)rɔ̃]	auront	été

	Passé simple		Passé antérieur	
je	fus	[fy]	eus	été
tu	fus	[fy]	eus	été
il	fut	[fy]	eut	été
ns	fûmes	[fym]	eûmes	été
vs	fûtes	[fyt]	eûtes	été
ils	furent	[fyr]	eurent	été

SUBJONCTIF

	Présent		Passé	
q. je	sois	[swa]	aie	été
tu	sois	[swa]	aies	été
il	soit	[swa]	ait	été
ns	soyons	[swajɔ̃]	ayons	été
vs	soyez	[swaje]	ayez	été
ils	soient	[swa]	aient	été

	Imparfait		Plus-que-parfait	
q. je	fusse	[fys]	eusse	été
tu	fusses	[fys]	eusses	été
il	fût	[fy]	eût	été
ns	fussions	[fysjɔ̃]	eussions	été
vs	fussiez	[fysje]	eussiez	été
ils	fussent	[fys]	eussent	été

CONDITIONNEL

	Présent		Passé	
je	serais	[s(ə)rɛ]	aurais	été
tu	serais	[s(ə)rɛ]	aurais	été
il	serait	[s(ə)rɛ]	aurait	été
ns	serions	[sərjɔ̃]	aurions	été
vs	seriez	[sərje]	auriez	été
ils	seraient	[s(ə)rɛ]	auraient	été

IMPÉRATIF

	Présent		Passé	
	sois	[swa]	aie	été
	soyons	[swajɔ̃]	ayons	été
	soyez	[swaje]	ayez	été

3 chanter

INFINITIF

	Présent	Passé
	chanter	avoir chanté
	[ʃɑ̃te]	[avwarʃɑ̃te]

PARTICIPE

	Présent	Passé
	chantant [ʃɑ̃tɑ̃]	chant-é, ée, -és, ées
	Présent composé	[ʃɑ̃te]
	ayant chanté	

INDICATIF

	Présent		Passé composé	
je	chante	[-ɑ̃t]	ai	chanté
tu	chantes	[-ɑ̃t]	as	chanté
elle	chante	[-ɑ̃t]	a	chanté
ns	chantons	[-ɑ̃tɔ̃]	avons	chanté
vs	chantez	[-ɑ̃te]	avez	chanté
elles	chantent	[-ɑ̃t]	ont	chanté

	Imparfait		Plus-que-parfait	
je	chantais	[-ɑ̃tɛ]	avais	chanté
tu	chantais	[-ɑ̃tɛ]	avais	chanté
elle	chantait	[-ɑ̃tɛ]	avait	chanté
ns	chantions	[-ɑ̃tjɔ̃]	avions	chanté
vs	chantiez	[-ɑ̃tje]	aviez	chanté
elles	chantaient	[-ɑ̃tɛ]	avaient	chanté

	Futur simple		Futur antérieur	
je	chanterai	[-ɑ̃tre]	aurai	chanté
tu	chanteras	[-ɑ̃tra]	auras	chanté
elle	chantera	[-ɑ̃tra]	aura	chanté
ns	chanterons	[-ɑ̃trɔ̃]	aurons	chanté
vs	chanterez	[-ɑ̃tre]	aurez	chanté
elles	chanteront	[-ɑ̃trɔ̃]	auront	chanté

	Passé simple		Passé antérieur	
je	chantai	[-ɑ̃te]	eus	chanté
tu	chantas	[-ɑ̃ta]	eus	chanté
elle	chanta	[-ɑ̃ta]	eut	chanté
ns	chantâmes	[-ɑ̃tam]	eûmes	chanté
vs	chantâtes	[-ɑ̃tat]	eûtes	chanté
elles	chantèrent	[-ɑ̃tɛr]	eurent	chanté

SUBJONCTIF

		Présent		Passé	
q.	je	chante	[-ɑ̃t]	aie	chanté
	tu	chantes	[-ɑ̃t]	aies	chanté
	elle	chante	[-ɑ̃t]	ait	chanté
	ns	chantions	[-ɑ̃tjɔ̃]	ayons	chanté
	vs	chantiez	[-ɑ̃tje]	ayez	chanté
	elles	chantent.	[-ɑ̃t]	aient	chanté

		Imparfait		Plus-que-parfait	
q.	je	chantasse	[-ɑ̃tas]	eusse	chanté
	tu	chantasses	[-ɑ̃tas]	eusses	chanté
	elle	chantât	[-ɑ̃ta]	eût	chanté
	ns	chantassions	[-ɑ̃tasjɔ̃]	eussions	chanté
	vs	chantassiez	[-ɑ̃tasje]	eussiez	chanté
	elles	chantassent	[-ɑ̃tas]	eussent	chanté

CONDITIONNEL

	Présent		Passé	
je	chanterais	[-ɑ̃trɛ]	aurais	chanté
tu	chanterais	[-ɑ̃trɛ]	aurais	chanté
elle	chanterait	[-ɑ̃trɛ]	aurait	chanté
ns	chanterions	[-ɑ̃tərjɔ̃]	aurions	chanté
vs	chanteriez	[-ɑ̃tərje]	auriez	chanté
elles	chanteraient	[-ɑ̃trɛ]	auraient	chanté

IMPÉRATIF

	Présent		Passé	
	chante	[-ɑ̃t]	aie	chanté
	chantons	[-ɑ̃tɔ̃]	ayons	chanté
	chantez	[-ɑ̃te]	ayez	chanté

4 baisser :: lower

INFINITIF

Présent	Passé
baisser	avoir baissé
[bese]	[avwarbese]

PARTICIPE

Présent	Passé
baissant [besɑ̃]	baiss-é, ée, -és, ées
Présent composé	[bese]
ayant baissé	

INDICATIF

	Présent		Passé composé	
je	baisse	[bɛs]	ai	baissé
tu	baisses	[bɛs]	as	baissé
il	baisse	[bɛs]	a	baissé
ns	baissons	[besɔ̃]	avons	baissé
vs	baissez	[bese]	avez	baissé
ils	baissent	[bɛs]	ont	baissé

	Imparfait		Plus-que-parfait	
je	baissais	[besɛ]	avais	baissé
tu	baissais	[besɛ]	avais	baissé
il	baissait	[besɛ]	avait	baissé
ns	baissions	[besjɔ̃]	avions	baissé
vs	baissiez	[besje]	aviez	baissé
ils	baissaient	[besɛ]	avaient	baissé

	Futur simple		Futur antérieur	
je	baisserai	[besre]	aurai	baissé
tu	baisseras	[besra]	auras	baissé
il	baissera	[besra]	aura	baissé
ns	baisserons	[besrɔ̃]	aurons	baissé
vs	baisserez	[besre]	aurez	baissé
ils	baisseront	[besrɔ̃]	auront	baissé

	Passé simple		Passé antérieur	
je	baissai	[bese]	eus	baissé
tu	baissas	[besa]	eus	baissé
il	baissa	[besa]	eut	baissé
ns	baissâmes	[besam]	eûmes	baissé
vs	baissâtes	[besat]	eûtes	baissé
ils	baissèrent	[besɛr]	eurent	baissé

SUBJONCTIF

	Présent		Passé	
q. je	baisse	[bɛs]	aie	baissé
tu	baisses	[bɛs]	aies	baissé
il	baisse	[bɛs]	ait	baissé
ns	baissions	[besjɔ̃]	ayons	baissé
vs	baissiez	[besje]	ayez	baissé
ils	baissent	[bɛs]	aient	baissé

	Imparfait		Plus-que-parfait	
q. je	baissasse	[besas]	eusse	baissé
tu	baissasses	[besas]	eusses	baissé
il	baissât	[besa]	eût	baissé
ns	baissassions	[besasjɔ̃]	eussions	baissé
vs	baissassiez	[besasje]	eussiez	baissé
ils	baissassent	[besas]	eussent	baissé

CONDITIONNEL

	Présent		Passé	
je	baisserais	[besrɛ]	aurais	baissé
tu	baisserais	[besrɛ]	aurais	baissé
il	baisserait	[besrɛ]	aurait	baissé
ns	baisserions	[besərjɔ̃]	aurions	baissé
vs	baisseriez	[besərje]	auriez	baissé
ils	baisseraient	[besrɛ]	auraient	baissé

IMPÉRATIF

Présent		Passé	
baisse	[bɛs]	aie	baissé
baissons	[besɔ̃]	ayons	baissé
baissez	[bese]	ayez	baissé

5 pleurer

INFINITIF

Présent	Passé
pleurer	avoir pleuré
[pløre]	[avwarpløre]

PARTICIPE

Présent	Passé
pleurant [plørã]	pleur-é, ée, -és, ées
Présent composé	[pløre]
ayant pleuré	

INDICATIF

	Présent		Passé composé	
je	pleure	[plœr]	ai	pleuré
tu	pleures	[plœr]	as	pleuré
elle	pleure	[plœr]	a	pleuré
ns	pleurons	[plørõ]	avons	pleuré
vs	pleurez	[pløre]	avez	pleuré
elles	pleurent	[plœr]	ont	pleuré

	Imparfait		Plus-que-parfait	
je	pleurais	[plørɛ]	avais	pleuré
tu	pleurais	[plørɛ]	avais	pleuré
elle	pleurait	[plørɛ]	avait	pleuré
ns	pleurions	[plørjõ]	avions	pleuré
vs	pleuriez	[plørje]	aviez	pleuré
elles	pleuraient	[plørɛ]	avaient	pleuré

	Futur simple		Futur antérieur	
je	pleurerai	[plør(ə)re]	aurai	pleuré
tu	pleureras	[plør(ə)ra]	auras	pleuré
elle	pleurera	[plør(ə)ra]	aura	pleuré
ns	pleurerons	[plør(ə)rõ]	aurons	pleuré
vs	pleurerez	[plør(ə)re]	aurez	pleuré
elles	pleureront	[plør(ə)rõ]	auront	pleuré

	Passé simple		Passé antérieur	
je	pleurai	[pløre]	eus	pleuré
tu	pleuras	[pløra]	eus	pleuré
elle	pleura	[pløra]	eut	pleuré
ns	pleurâmes	[pløram]	eûmes	pleuré
vs	pleurâtes	[plørat]	eûtes	pleuré
elles	pleurèrent	[plørɛr]	eurent	pleuré

SUBJONCTIF

	Présent		Passé	
q. je	pleure	[plœr]	aie	pleuré
tu	pleures	[plœr]	aies	pleuré
elle	pleure	[plœr]	ait	pleuré
ns	pleurions	[plørjõ]	ayons	pleuré
vs	pleuriez	[plørje]	ayez	pleuré
elles	pleurent	[plœr]	aient	pleuré

	Imparfait		Plus-que-parfait	
q. je	pleurasse	[pløras]	eusse	pleuré
tu	pleurasse	[pløras]	eusses	pleuré
elle	pleurât	[pløra]	eût	pleuré
ns	pleurassions	[plørasjõ]	eussions	pleuré
vs	pleurassiez	[plørasje]	eussiez	pleuré
elles	pleurassent	[pløras]	eussent	pleuré

CONDITIONNEL

	Présent		Passé	
je	pleurerais	[plør(ə)rɛ]	aurais	pleuré
tu	pleurerais	[plør(ə)rɛ]	aurais	pleuré
elle	pleurerait	[plør(ə)rɛ]	aurait	pleuré
ns	pleurerions	[plørərjõ]	aurions	pleuré
vs	pleureriez	[plørərje]	auriez	pleuré
elles	pleureraient	[plør(ə)rɛ]	auraient	pleuré

IMPÉRATIF

Présent		Passé	
pleure	[plœr]	aie	pleuré
pleurons	[plørõ]	ayons	pleuré
pleurez	[pløre]	ayez	pleuré

6 jouer

INFINITIF

Présent		**Passé**
jouer		avoir joué
[ʒwe]		[avwarʒwe]

PARTICIPE

Présent	**Passé**
jouant [ʒwɑ̃]	jou-é, ée, -és, ées
Présent composé	[ʒwe]
ayant joué	

INDICATIF

Présent

			Passé composé	
je	joue	[ʒu]	ai	joué
tu	joues	[ʒu]	as	joué
il	joue	[ʒu]	a	joué
ns	jouons	[ʒwõ]	avons	joué
vs	jouez	[ʒwe]	avez	joué
ils	jouent	[ʒu]	ont	joué

Imparfait

			Plus-que-parfait	
je	jouais	[ʒwɛ]	avais	joué
tu	jouais	[ʒwɛ]	avais	joué
il	jouait	[ʒwɛ]	avait	joué
ns	jouions	[ʒujõ]	avions	joué
vs	jouiez	[ʒuje]	aviez	joué
ils	jouaient	[ʒwɛ]	avaient	joué

Futur simple

			Futur antérieur	
je	jouerai	[ʒure]	aurai	joué
tu	joueras	[ʒura]	auras	joué
il	jouera	[ʒura]	aura	joué
ns	jouerons	[ʒurõ]	aurons	joué
vs	jouerez	[ʒure]	aurez	joué
ils	joueront	[ʒurõ]	auront	joué

Passé simple

			Passé antérieur	
je	jouai	[ʒwe]	eus	joué
tu	jouas	[ʒwa]	eus	joué
il	joua	[ʒwa]	eut	joué
ns	jouâmes	[ʒwam]	eûmes	joué
vs	jouâtes	[ʒwat]	eûtes	joué
ils	jouèrent	[ʒwɛr]	eurent	joué

SUBJONCTIF

Présent

			Passé	
q. je	joue	[ʒu]	aie	joué
tu	joues	[ʒu]	aies	joué
il	joue	[ʒu]	ait	joué
ns	jouions	[ʒujõ]	ayons	joué
vs	jouiez	[ʒuje]	ayez	joué
ils	jouent	[ʒu]	aient	joué

Imparfait

			Plus-que-parfait	
q. je	jouasse	[ʒwas]	eusse	joué
tu	jouasses	[ʒwas]	eusses	joué
il	jouât	[ʒwa]	eût	joué
ns	jouassions	[ʒwasjõ]	eussions	joué
vs	jouassiez	[ʒwasje]	eussiez	joué
ils	jouassent	[ʒwas]	eussent	joué

CONDITIONNEL

Présent

			Passé	
je	jouerais	[ʒurɛ]	aurais	joué
tu	jouerais	[ʒurɛ]	aurais	joué
il	jouerait	[ʒurɛ]	aurait	joué
ns	jouerions	[ʒurjõ]	aurions	joué
vs	joueriez	[ʒurje]	auriez	joué
ils	joueraient	[ʒurɛ]	auraient	joué

IMPÉRATIF

Présent

		Passé	
joue	[ʒu]	aie	joué
jouons	[ʒwõ]	ayons	joué
jouez	[ʒwe]	ayez	joué

7 saluer

___ INFINITIF ___

Présent

saluer
[salɥe]

Passé

avoir salué
[avwarsalɥe]

___ PARTICIPE ___

Présent

saluant [salɥɑ̃]

Présent composé

ayant salué

Passé

salu-é, ée,
 -és, ées
[salɥe]

___ INDICATIF ___

	Présent			**Passé composé**	
je	salue	[-ly]		ai	salué
tu	salues	[-ly]		as	salué
elle	salue	[-ly]		a	salué
ns	saluons	[-lɥɔ̃]		avons	salué
vs	saluez	[-lɥe]		avez	salué
elles	saluent	[-ly]		ont	salué

	Imparfait			**Plus-que-parfait**	
je	saluais	[-lɥɛ]		avais	salué
tu	saluais	[-lɥɛ]		avais	salué
elle	saluait	[-lɥɛ]		avait	salué
ns	saluions	[-lɥjɔ̃]		avions	salué
vs	saluiez	[-lɥje]		aviez	salué
elles	saluaient	[-lɥɛ]		avaient	salué

	Futur simple			**Futur antérieur**	
je	saluerai	[-lyre]		aurai	salué
tu	salueras	[-lyra]		auras	salué
elle	saluera	[-lyra]		aura	salué
ns	saluerons	[-lyrɔ̃]		aurons	salué
vs	saluerez	[-lyre]		aurez	salué
elles	salueront	[-lyrɔ̃]		auront	salué

	Passé simple			**Passé antérieur**	
je	saluai	[-lɥe]		eus	salué
tu	saluas	[-lɥa]		eus	salué
elle	salua	[-lɥa]		eut	salué
ns	saluâmes	[-lɥam]		eûmes	salué
vs	saluâtes	[-lɥat]		eûtes	salué
elles	saluèrent	[-lɥɛr]		eurent	salué

___ SUBJONCTIF ___

		Présent			**Passé**	
q.	je	salue	[-ly]		aie	salué
	tu	salues	[-ly]		aies	salué
	elle	salue	[-ly]		ait	salué
	ns	saluions	[-lɥjɔ̃]		ayons	salué
	vs	saluiez	[-lɥje]		ayez	salué
	elles	saluent	[-ly]		aient	salué

		Imparfait			**Plus-que-parfait**	
q.	je	saluasse	[-lɥas]		eusse	salué
	tu	saluasses	[-lɥas]		eusses	salué
	elle	saluât	[-lɥa]		eût	salué
	ns	saluassions	[-lɥasjɔ̃]		eussions	salué
	vs	saluassiez	[-lɥasje]		eussiez	salué
	elles	saluassent	[-lɥas]		eussent	salué

___ CONDITIONNEL ___

	Présent			**Passé**	
je	saluerais	[-lyrɛ]		aurais	salué
tu	saluerais	[-lyrɛ]		aurais	salué
elle	saluerait	[-lyrɛ]		aurait	salué
ns	saluerions	[-lyrjɔ̃]		aurions	salué
vs	salueriez	[-lyrje]		auriez	salué
elles	salueraient	[-lyrɛ]		auraient	salué

___ IMPÉRATIF ___

Présent			**Passé**	
salue	[-ly]		aie	salué
saluons	[-lɥɔ̃]		ayons	salué
saluez	[-lɥe]		ayez	salué

8 arguer

INFINITIF

Présent	Passé
arguer [arg(ɥ)e]	avoir argué [avwararg(ɥ)e]

INDICATIF

Présent

j'	argue	[-g]	
	arguë	[-gy]	
tu	argues	[-g]	
	arguës	[-gy]	
il	argue	[-g]	
	arguë	[-gy]	
ns	arguons	[-g(ɥ)ɔ̃]	
vs	arguez	[-g(ɥ)e]	
ils	arguent	[-g]	
	arguënt	[-gy]	

Passé composé

ai	argué
as	argué
a	argué
avons	argué
avez	argué
ont	argué

Imparfait

j'	arguais	[-g(ɥ)ɛ]
tu	arguais	[-g(ɥ)ɛ]
il	arguait	[-g(ɥ)ɛ]
ns	arguions	[-g(y)jɔ̃]
vs	arguiez	[-g(y)je]
ils	arguaient	[-g(ɥ)ɛ]

Plus-que-parfait

avais	argué
avais	argué
avait	argué
avions	argué
aviez	argué
avaient	argué

Futur simple

j'	arguerai	[-gəre]
	arguërai	[-gyre]
tu	argueras	[-gəra]
	arguëras	[-gyra]
il	arguera	[-gəra]
	arguëra	[-gyra]
ns	arguerons	[-gərɔ̃]
	arguërons	[-gyrɔ̃]
vs	arguerez	[-gəre]
	arguërez	[-gyre]
ils	argueront	[-gərɔ̃]
	arguëront	[-gyrɔ̃]

Futur antérieur

aurai	argué
auras	argué
aura	argué
aurons	argué
aurez	argué
auront	argué

Passé simple

j'	arguai	[-g(ɥ)e]
tu	arguas	[-g(ɥ)a]
il	argua	[-g(ɥ)a]
ns	arguâmes	[-g(ɥ)am]
vs	arguâtes	[-g(ɥ)at]
ils	arguèrent	[-g(ɥ)ɛr]

Passé antérieur

eus	argué
eus	argué
eut	argué
eûmes	argué
eûtes	argué
eurent	argué

PARTICIPE

Présent	Passé
arguant [arg(ɥ)ɑ̃]	argu-é, ée, -és, ées
Présent composé	[arg(ɥ)e]
ayant argué	

SUBJONCTIF

Présent

q. j'	argue	[-g]	
	arguë	[-gy]	
tu	argues	[-g]	
	arguës	[-gy]	
il	argue	[-g]	
	arguë	[-gy]	
ns	arguions	[-g(y)jɔ̃]	
vs	arguiez	[-g(y)je]	
ils	arguent	[-g]	
	arguënt	[-gy]	

Passé

aie	argué
aies	argué
ait	argué
ayons	argué
ayez	argué
aient	argué

Imparfait

q. j'	arguasse	[-g(ɥ)as]
tu	arguasses	[-g(ɥ)as]
il	arguât	[-g(ɥ)a]
ns	arguassions	[-g(ɥ)asjɔ̃]
vs	arguassiez	[-g(ɥ)asje]
ils	arguassent	[-g(ɥ)as]

Plus-que-parfait

eusse	argué
eusses	argué
eût	argué
eussions	argué
eussiez	argué
eussent	argué

CONDITIONNEL

Présent

j'	arguerais	[-gərɛ]
	arguërais	[-gyrɛ]
tu	arguerais	[-gərɛ]
	arguërais	[-gyrɛ]
il	arguerait	[-gərɛ]
	arguërait	[-gyrɛ]
ns	arguerions	[-gərjɔ̃]
	arguërions	[-gyrjɔ̃]
vs	argueriez	[-gərje]
	arguëriez	[-gyrje]
ils	argueraient	[-gərɛ]
	arguëraient	[-gyrɛ]

Passé

aurais	argué
aurais	argué
aurait	argué
aurions	argué
auriez	argué
auraient	argué

IMPÉRATIF

Présent

argue	[-g]
arguë	[-gy]
arguons	[-g(ɥ)ɔ̃]
arguez	[-g(ɥ)e]

Passé

aie	argué
ayons	argué
ayez	argué

9 copier

INFINITIF

Présent

copier
[kɔpje]

Passé

avoir copié
[avwarkɔpje]

PARTICIPE

Présent

copiant [kɔpjɑ̃]

Présent composé

ayant copié

Passé

copi-é, ée
-és, ées
[kɔpje]

INDICATIF

Présent

je	copie	[-pi]
tu	copies	[-pi]
elle	copie	[-pi]
ns	copions	[-pjɔ̃]
vs	copiez	[-pje]
elles	copient	[-pi]

Passé composé

ai	copié
as	copié
a	copié
avons	copié
avez	copié
ont	copié

Imparfait

je	copiais	[-pjɛ]
tu	copiais	[-pjɛ]
elle	copiait	[-pjɛ]
ns	copiions	[-pijɔ̃]
vs	copiiez	[-pije]
elles	copiaient	[-pjɛ]

Plus-que-parfait

avais	copié
avais	copié
avait	copié
avions	copié
aviez	copié
avaient	copié

Futur simple

je	copierai	[-pire]
tu	copieras	[-pira]
elle	copiera	[-pira]
ns	copierons	[-pirɔ̃]
vs	copierez	[-pire]
elles	copieront	[-pirɔ̃]

Futur antérieur

aurai	copié
auras	copié
aura	copié
aurons	copié
aurez	copié
auront	copié

Passé simple

je	copiai	[-pje]
tu	copias	[-pja]
elle	copia	[-pja]
ns	copiâmes	[-pjam]
vs	copiâtes	[-pjat]
elles	copièrent	[-pjɛr]

Passé antérieur

eus	copié
eus	copié
eut	copié
eûmes	copié
eûtes	copié
eurent	copié

SUBJONCTIF

Présent

q. je	copie	[-pi]
tu	copies	[-pi]
elle	copie	[-pi]
ns	copiions	[-pijɔ̃]
vs	copiiez	[-pije]
elles	copient	[-pi]

Passé

aie	copié
aies	copié
ait	copié
ayons	copié
ayez	copié
aient	copié

Imparfait

q. je	copiasse	[-pjas]
tu	copiasses	[-pjas]
elle	copiât	[-pja]
ns	copiassions	[-pjasjɔ̃]
vs	copiassiez	[-pjasje]
elles	copiassent	[-pjas]

Plus-que-parfait

eusse	copié
eusses	copié
eût	copié
eussions	copié
eussiez	copié
eussent	copié

CONDITIONNEL

Présent

je	copierais	[-pirɛ]
tu	copierais	[-pirɛ]
elle	copierait	[-pirɛ]
ns	copierions	[-pirjɔ̃]
vs	copieriez	[-pirje]
elles	copieraient	[-pirɛ]

Passé

aurais	copié
aurais	copié
aurait	copié
aurions	copié
auriez	copié
auraient	copié

IMPÉRATIF

Présent

copie	[-pi]
copions	[-pjɔ̃]
copiez	[-pje]

Passé

aie	copié
ayons	copié
ayez	copié

10 prier :: beg / PRAY

INFINITIF

Présent	Passé
prier	avoir prié
[prije]	[avwarprije]

PARTICIPE

Présent	Passé
priant [prijã]	pri-é, ée, -és, ées [prije]

Présent composé
ayant prié

INDICATIF

Présent

			Passé composé		
je	prie	[pri]	ai	prié	
tu	pries	[pri]	as	prié	
il	prie	[pri]	a	prié	
ns	prions	[prijõ]	avons	prié	
vs	priez	[prije]	avez	prié	
ils	prient	[pri]	ont	prié	

Imparfait

			Plus-que-parfait		
je	priais	[prijɛ]	avais	prié	
tu	priais	[prijɛ]	avais	prié	
il	priait	[prijɛ]	avait	prié	
ns	priions	[prijjõ]	avions	prié	
vs	priiez	[prijje]	aviez	prié	
ils	priaient	[prijɛ]	avait	prié	

Futur simple

			Futur antérieur		
je	prierai	[prire]	aurai	prié	
tu	prieras	[prira]	auras	prié	
il	priera	[prira]	aura	prié	
ns	prierons	[prirõ]	aurons	prié	
vs	prierez	[prire]	aurez	prié	
ils	prieront	[prirõ]	auront	prié	

Passé simple

			Passé antérieur		
je	priai	[prije]	eus	prié	
tu	prias	[prija]	eus	prié	
il	pria	[prija]	eut	prié	
ns	priâmes	[prijam]	eûmes	prié	
vs	priâtes	[prijat]	eûtes	prié	
ils	prièrent	[prijɛr]	eurent	prié	

SUBJONCTIF

Présent

				Passé		
q. je	prie	[pri]		aie	prié	
tu	pries	[pri]		aies	prié	
il	prie	[pri]		ait	prié	
ns	priions	[prijjõ]		ayons	prié	
vs	priiez	[prijje]		ayez	prié	
ils	prient	[pri]		aient	prié	

Imparfait

				Plus-que-parfait		
q. je	priasse	[prijas]		eusse	prié	
tu	priasses	[prijas]		eusses	prié	
il	priât	[prija]		eût	prié	
ns	priassions	[prijasjõ]		eussions	prié	
vs	priassiez	[prijasje]		eussiez	prié	
ils	priassent	[prijas]		eussent	prié	

CONDITIONNEL

			Passé		
je	prierais	[prirɛ]	aurais	prié	
tu	prierais	[prirɛ]	aurais	prié	
il	prierait	[prirɛ]	aurait	prié	
ns	prierions	[prirjõ]	aurions	prié	
vs	prieriez	[prirje]	auriez	prié	
ils	prieraient	[prirɛ]	auraient	prié	

IMPÉRATIF

Présent		Passé		
prie	[pri]	aie	prié	
prions	[prijõ]	ayons	prié	
priez	[prije]	ayez	prié	

11 payer (1)

INFINITIF

Présent	Passé
payer	avoir payé
[peje]	[avwarpeje]

PARTICIPE

Présent	Passé
payant [pejɑ̃]	pay-é, ée, -és, ées
Présent composé	[peje]
ayant payé	

INDICATIF

Présent

			Passé composé	
je	paie	[pɛ]	ai	payé
tu	paies	[pɛ]	as	payé
elle	paie	[pɛ]	a	payé
ns	payons	[pejɔ̃]	avons	payé
vs	payez	[peje]	avez	payé
elles	paient	[pɛ]	ont	payé

Imparfait

			Plus-que-parfait	
je	payais	[pejɛ]	avais	payé
tu	payais	[pejɛ]	avais	payé
elle	payait	[pejɛ]	avait	payé
ns	payions	[pejjɔ̃]	avions	payé
vs	payiez	[pejje]	aviez	payé
elles	payaient	[pejɛ]	avaient	payé

Futur simple

			Futur antérieur	
je	paierai	[pere]	aurai	payé
tu	paieras	[pera]	auras	payé
elle	paiera	[pera]	aura	payé
ns	paierons	[perɔ̃]	aurons	payé
vs	paierez	[pere]	aurez	payé
elles	paieront	[perɔ̃]	auront	payé

Passé simple

			Passé antérieur	
je	payai	[peje]	eus	payé
tu	payas	[peja]	eus	payé
elle	paya	[peja]	eut	payé
ns	payâmes	[pejam]	eûmes	payé
vs	payâtes	[pejat]	eûtes	payé
elles	payèrent	[pejɛr]	eurent	payé

SUBJONCTIF

Présent

				Passé	
q. je	paie	[pɛ]		aie	payé
tu	paies	[pɛ]		aies	payé
elle	paie	[pɛ]		ait	payé
ns	payions	[pejjɔ̃]		ayons	payé
vs	payiez	[pejje]		ayez	payé
elles	paient	[pɛ]		aient	payé

Imparfait

				Plus-que-parfait	
q. je	payasse	[pejas]		eusse	payé
tu	payasses	[pejas]		eusses	payé
elle	payât	[peja]		eût	payé
ns	payassions	[pejasjɔ̃]		eussions	payé
vs	payassiez	[pejasje]		eussiez	payé
elles	payassent	[pejas]		eussent	payé

CONDITIONNEL

Présent

			Passé	
je	paierais	[perɛ]	aurais	payé
tu	paierais	[perɛ]	aurais	payé
elle	paierait	[perɛ]	aurait	payé
ns	paierions	[perjɔ̃]	aurions	payé
vs	paieriez	[perje]	auriez	payé
elles	paieraient	[perɛ]	auraient	payé

IMPÉRATIF

Présent			Passé	
paie	[pɛ]		aie	payé
payons	[pejɔ̃]		ayons	payé
payez	[peje]		ayez	payé

Remarque : Pour certains grammairiens, le verbe *rayer* (et ses composés) garde le *y* dans toute sa conjugaison — cf. *payer* (2).

11 payer (2)

INFINITIF

Présent	Passé
payer [peje]	avoir payé [avwarpeje]

PARTICIPE

Présent	Passé
payant [pejɑ̃]	pay-é, ée, -és, ées [peje]
Présent composé	
ayant payé	

INDICATIF

Présent / Passé composé

	Présent		Passé composé	
je	paye	[pɛj]	ai	payé
tu	payes	[pɛj]	as	payé
il	paye	[pɛj]	a	payé
ns	payons	[pejɔ̃]	avons	payé
vs	payez	[peje]	avez	payé
ils	payent	[pɛj]	ont	payé

Imparfait / Plus-que-parfait

	Imparfait		Plus-que-parfait	
je	payais	[pejɛ]	avais	payé
tu	payais	[pejɛ]	avais	payé
il	payait	[pejɛ]	avait	payé
ns	payions	[pejjɔ̃]	avions	payé
vs	payiez	[pejje]	aviez	payé
ils	payaient	[pejɛ]	avaient	payé

Futur simple / Futur antérieur

	Futur simple		Futur antérieur	
je	payerai	[pɛjre]	aurai	payé
tu	payeras	[pɛjra]	auras	payé
il	payera	[pɛjra]	aura	payé
ns	payerons	[pɛjrɔ̃]	aurons	payé
vs	payerez	[pɛjre]	aurez	payé
ils	payeront	[pɛjrɔ̃]	auront	payé

Passé simple / Passé antérieur

	Passé simple		Passé antérieur	
je	payai	[peje]	eus	payé
tu	payas	[peja]	eus	payé
il	paya	[peja]	eut	payé
ns	payâmes	[pejam]	eûmes	payé
vs	payâtes	[pejat]	eûtes	payé
ils	payèrent	[pejɛr]	eurent	payé

SUBJONCTIF

Présent / Passé

	Présent		Passé	
q. je	paye	[pɛj]	aie	payé
tu	payes	[pɛj]	aies	payé
il	paye	[pɛj]	ait	payé
ns	payions	[pejjɔ̃]	ayons	payé
vs	payiez	[pejje]	ayez	payé
ils	payent	[pɛj]	aient	payé

Imparfait / Plus-que-parfait

	Imparfait		Plus-que-parfait	
q. je	payasse	[pejas]	eusse	payé
tu	payasses	[pejas]	eusses	payé
il	payât	[peja]	eût	payé
ns	payassions	[pejasjɔ̃]	eussions	payé
vs	payassiez	[pejasje]	eussiez	payé
ils	payassent	[pejas]	eussent	payé

CONDITIONNEL

	Présent		Passé	
je	payerais	[pɛjrɛ]	aurais	payé
tu	payerais	[pɛjrɛ]	aurais	payé
il	payerait	[pɛjrɛ]	aurait	payé
ns	payerions	[pɛjərjɔ̃]	aurions	payé
vs	payeriez	[pɛjərje]	auriez	payé
ils	payeraient	[pɛjrɛ]	auraient	payé

IMPÉRATIF

Présent		Passé	
paye	[pɛj]	aie	payé
payons	[pejɔ̃]	ayons	payé
payez	[peje]	ayez	payé

12 grasseyer

INFINITIF

	Présent	Passé
	grasseyer	avoir grasseyé
	[graseje]	[avwargraseje]

PARTICIPE

	Présent	Passé
	grasseyant [graseje]	grassey-é, ée
		-és, ées
	Présent composé	[graseje]
	ayant grasseyé	

INDICATIF

	Présent		Passé composé
je	grasseye	[-sɛj]	ai grasseyé
tu	grasseyes	[-sɛj]	as grasseyé
elle	grasseye	[-sɛj]	a grasseyé
ns	grasseyons	[-sejõ]	avons grasseyé
vs	grasseyez	[-seje]	avez grasseyé
elles	grasseyent	[-sɛj]	ont grasseyé

	Imparfait		Plus-que-parfait
je	grasseyais	[-sejɛ]	avais grasseyé
tu	grasseyais	[-sejɛ]	avais grasseyé
elle	grasseyait	[-sejɛ]	avait grasseyé
ns	grasseyions	[-sejjõ]	avions grasseyé
vs	grasseyiez	[-sejje]	aviez grasseyé
elles	grasseyaient	[-sejɛ]	avaient grasseyé

	Futur simple		Futur antérieur
je	grasseyerai	[-sɛjre]	aurai grasseyé
tu	grasseyeras	[-sɛjra]	auras grasseyé
elle	grasseyera	[-sɛjra]	aura grasseyé
ns	grasseyerons	[-sɛjrõ]	aurons grasseyé
vs	grasseyerez	[-sɛjre]	aurez grasseyé
elles	grasseyeront	[-sɛjrõ]	auront grasseyé

	Passé simple		Passé antérieur
je	grasseyai	[-seje]	eus grasseyé
tu	grasseyas	[-seja]	eus grasseyé
elle	grasseya	[-seja]	eut grasseyé
ns	grasseyâmes	[-sejam]	eûmes grasseyé
vs	grasseyâtes	[-sejat]	eûtes grasseyé
elles	grasseyèrent	[-sejɛr]	eurent grasseyé

SUBJONCTIF

	Présent		Passé
q. je	grasseye	[-sɛj]	aie grasseyé
tu	grasseyes	[-sɛj]	aies grasseyé
elle	grasseye	[-sɛj]	ait grasseyé
ns	grasseyions	[-sejjõ]	ayons grasseyé
vs	grasseyiez	[-sejje]	ayez grasseyé
elles	grasseyent	[-sɛj]	aient grasseyé

	Imparfait		Plus-que-parfait
q. je	grasseyasse	[-sejas]	eusse grasseyé
tu	grasseyasses	[-sejas]	eusses grasseyé
elle	grasseyât	[-seja]	eût grasseyé
ns	grasseyassions	[-sejasjõ]	eussions grasseyé
vs	grasseyassiez	[-sejasje]	eussiez grasseyé
elles	grasseyassent	[-sejas]	eussent grasseyé

CONDITIONNEL

	Présent		Passé
je	grasseyerais	[-sɛjrɛ]	aurais grasseyé
tu	grasseyerais	[-sɛjrɛ]	aurais grasseyé
elle	grasseyerait	[-sɛjrɛ]	aurait grasseyé
ns	grasseyerions	[-sejərjõ]	aurions grasseyé
vs	grasseyeriez	[-sejərje]	auriez grasseyé
elles	grasseyeraient	[-sɛjrɛ]	auraient grasseyé

IMPÉRATIF

	Présent		Passé	
	grasseye	[-sɛj]	aie	grasseyé
	grasseyons	[-sejõ]	ayons	grasseyé
	grasseyez	[-seje]	ayez	grasseyé

13 ployer :: bend

— INFINITIF

Présent	Passé
ployer	avoir ployé
[plwaje]	[avwarplwaje]

— PARTICIPE

Présent	Passé
ployant [plwajã]	ploy-é, ée, -és, ées
Présent composé	[plwaje]
ayant ployé	

— INDICATIF

Présent

je	ploie	[-wa]		
tu	ploies	[-wa]		
il	ploie	[-wa]		
ns	ployons	[-wajõ]		
vs	ployez	[-waje]		
ils	ploient	[-wa]		

Passé composé

ai	ployé
as	ployé
a	ployé
avons	ployé
avez	ployé
ont	ployé

Imparfait

je	ployais	[-wajɛ]
tu	ployais	[-wajɛ]
il	ployait	[-wajɛ]
ns	ployions	[-wajjõ]
vs	ployiez	[-wajje]
ils	ployaient	[-wajɛ]

Plus-que-parfait

avais	ployé
avais	ployé
avait	ployé
avions	ployé
aviez	ployé
avaient	ployé

Futur simple

je	ploierai	[-ware]
tu	ploieras	[-wara]
il	ploiera	[-wara]
ns	ploierons	[-warõ]
vs	ploierez	[-ware]
ils	ploieront	[-warõ]

Futur antérieur

aurai	ployé
auras	ployé
aura	ployé
aurons	ployé
aurez	ployé
auront	ployé

Passé simple

je	ployai	[-waje]
tu	ployas	[-waja]
il	ploya	[-waja]
ns	ployâmes	[-wajam]
vs	ployâtes	[-wajat]
ils	ployèrent	[-wajɛr]

Passé antérieur

eus	ployé
eus	ployé
eut	ployé
eûmes	ployé
eûtes	ployé
eurent	ployé

— SUBJONCTIF

Présent

q. je	ploie	[-wa]		
tu	ploies	[-wa]		
il	ploie	[-wa]		
ns	ployions	[-wajjõ]		
vs	ployiez	[-wajje]		
ils	ploient	[-wa]		

Passé

aie	ployé
aies	ployé
ait	ployé
ayons	ployé
ayez	ployé
aient	ployé

Imparfait

q. je	ployasse	[-wajas]
tu	ployasses	[-wajas]
il	ployât	[-waja]
ns	ployassions	[-wajasjõ]
vs	ployassiez	[-wajasje]
ils	ployassent	[-wajas]

Plus-que-parfait

eusse	ployé
eusses	ployé
eût	ployé
eussions	ployé
eussiez	ployé
eussent	ployé

— CONDITIONNEL

Présent

je	ploierais	[-warɛ]
tu	ploierais	[-warɛ]
il	ploierait	[-warɛ]
ns	ploierions	[-warjõ]
vs	ploieriez	[-warje]
ils	ploieraient	[-warɛ]

Passé

aurais	ployé
aurais	ployé
aurait	ployé
aurions	ployé
auriez	ployé
auraient	ployé

— IMPÉRATIF

Présent

ploie	[-wa]
ployons	[-wajõ]
ployez	[-waje]

Passé

aie	ployé
ayons	ployé
ayez	ployé

14 essuyer :: wipe

INFINITIF

	Présent		Passé
	essuyer		avoir essuyé
	[esɥije]		[avwaresɥije]

PARTICIPE

Présent	Passé
essuyant [esɥijã]	essuy-é, ée
	-és, ées
Présent composé	[esɥije]
ayant essuyé	

INDICATIF

	Présent		Passé composé	
j'	essuie	[-ɥi]	ai	essuyé
tu	essuies	[-ɥi]	as	essuyé
elle	essuie	[-ɥi]	a	essuyé
ns	essuyons	[-ɥijɔ̃]	avons	essuyé
vs	essuyez	[-ɥije]	avez	essuyé
elles	essuient	[-ɥi]	ont	essuyé

	Imparfait		Plus-que-parfait	
j'	essuyais	[-ɥijɛ]	avais	essuyé
tu	essuyais	[-ɥijɛ]	avais	essuyé
elle	essuyait	[-ɥijɛ]	avait	essuyé
ns	essuyions	[-ɥijjɔ̃]	avions	essuyé
vs	essuyiez	[-ɥijje]	aviez	essuyé
elles	essuyaient	[-ɥijɛ]	avaient	essuyé

	Futur simple		Futur antérieur	
j'	essuierai	[-ɥire]	aurai	essuyé
tu	essuieras	[-ɥira]	auras	essuyé
elle	essuiera	[-ɥira]	aura	essuyé
ns	essuierons	[-ɥirɔ̃]	aurons	essuyé
vs	essuierez	[-ɥire]	aurez	essuyé
elles	essuieront	[-ɥirɔ̃]	auront	essuyé

	Passé simple		Passé antérieur	
j'	essuyai	[-ɥije]	eus	essuyé
tu	essuyas	[-ɥija]	eus	essuyé
elle	essuya	[-ɥija]	eut	essuyé
ns	essuyâmes	[-ɥijam]	eûmes	essuyé
vs	essuyâtes	[-ɥijat]	eûtes	essuyé
elles	essuyèrent	[-ɥijɛr]	eurent	essuyé

SUBJONCTIF

	Présent		Passé	
q. j'	essuie	[-ɥi]	aie	essuyé
tu	essuies	[-ɥi]	aies	essuyé
elle	essuie	[-ɥi]	ait	essuyé
ns	essuyions	[-ɥijjɔ̃]	ayons	essuyé
vs	essuyiez	[-ɥijje]	ayez	essuyé
elles	essuient	[-ɥi]	aient	essuyé

	Imparfait		Plus-que-parfait	
q. j'	essuyasse	[-ɥijas]	eusse	essuyé
tu	essuyasses	[-ɥijas]	eusses	essuyé
elle	essuyât	[-ɥija]	eût	essuyé
ns	essuyassions	[-ɥijasjɔ̃]	eussions	essuyé
vs	essuyassiez	[-ɥijasje]	eussiez	essuyé
elles	essuyassent	[-ɥijas]	eussent	essuyé

CONDITIONNEL

	Présent		Passé	
j'	essuierais	[-ɥirɛ]	aurais	essuyé
tu	essuierais	[-ɥirɛ]	aurais	essuyé
elle	essuierait	[-ɥirɛ]	aurait	essuyé
ns	essuierions	[-ɥirjɔ̃]	aurions	essuyé
vs	essuieriez	[-ɥirje]	auriez	essuyé
elles	essuieraient	[-ɥirɛ]	auraient	essuyé

IMPÉRATIF

Présent		Passé	
essuie	[-ɥi]	aie	essuyé
essuyons	[-ɥijɔ̃]	ayons	essuyé
essuyez	[-ɥije]	ayez	essuyé

15 créer

INFINITIF

Présent	Passé
créer [kree]	avoir créé [avwarkree]

PARTICIPE

Présent	Passé
créant [kreă]	cré-é, ée, -és, ées [kree]
Présent composé	
ayant créé	

INDICATIF

Présent / Passé composé

	Présent			Passé composé	
je	crée	[-ɛ]	ai	créé	
tu	crées	[-ɛ]	as	créé	
il	crée	[-ɛ]	a	créé	
ns	créons	[-eɔ̃]	avons	créé	
vs	créez	[-ee]	avez	créé	
ils	créent	[-ɛ]	ont	créé	

Imparfait / Plus-que-parfait

	Imparfait			Plus-que-parfait	
je	créais	[-eɛ]	avais	créé	
tu	créais	[-eɛ]	avais	créé	
il	créait	[-eɛ]	avait	créé	
ns	créions	[-ejɔ̃]	avions	créé	
vs	créiez	[-eje]	aviez	créé	
ils	créaient	[-eɛ]	avaient	créé	

Futur simple / Futur antérieur

	Futur simple			Futur antérieur	
je	créerai	[-ere]	aurai	créé	
tu	créeras	[-era]	auras	créé	
il	créera	[-era]	aura	créé	
ns	créerons	[-erɔ̃]	aurons	créé	
vs	créerez	[-ere]	aurez	créé	
ils	créeront	[-erɔ̃]	auront	créé	

Passé simple / Passé antérieur

	Passé simple			Passé antérieur	
je	créai	[-ee]	eus	créé	
tu	créas	[-ea]	eus	créé	
il	créa	[-ea]	eut	créé	
ns	créâmes	[-eam]	eûmes	créé	
vs	créâtes	[-eat]	eûtes	créé	
ils	créèrent	[-eɛr]	eurent	créé	

SUBJONCTIF

Présent / Passé

		Présent		Passé	
q. je	crée	[-ɛ]	aie	créé	
tu	crées	[-ɛ]	aies	créé	
il	crée	[-ɛ]	ait	créé	
ns	créions	[-ejɔ̃]	ayons	créé	
vs	créiez	[-eje]	ayez	créé	
ils	créent	[-ɛ]	aient	créé	

Imparfait / Plus-que-parfait

		Imparfait		Plus-que-parfait	
q. je	créasse	[-eas]	eusse	créé	
tu	créasses	[-eas]	eusses	créé	
il	créât	[-ea]	eût	créé	
ns	créassions	[-easjɔ̃]	eussions	créé	
vs	créassiez	[-easje]	eussiez	créé	
ils	créassent	[-eas]	eussent	créé	

CONDITIONNEL

	Présent			Passé	
je	créerais	[-erɛ]	aurais	créé	
tu	créerais	[-erɛ]	aurais	créé	
il	créerait	[-erɛ]	aurait	créé	
ns	créerions	[-erjɔ̃]	aurions	créé	
vs	créeriez	[-erje]	auriez	créé	
ils	créeraient	[-erɛ]	auraient	créé	

IMPÉRATIF

Présent		Passé	
crée	[-ɛ]	aie	créé
créons	[-eɔ̃]	ayons	créé
créez	[-ee]	ayez	créé

16 avancer

—— INFINITIF ——

Présent

avancer
[avɑ̃se]

Passé

avoir avancé
[avwaravɑ̃se]

—— PARTICIPE ——

Présent

avançant [avɑ̃sɑ̃]

Présent composé

ayant avancé

Passé

avanc-é, ée,
-és, ées
[avɑ̃se]

—— INDICATIF ——

Présent

j'	avance	[-ɑ̃s]
tu	avances	[-ɑ̃s]
elle	avance	[-ɑ̃s]
ns	avançons	[-ɑ̃sɔ̃]
vs	avancez	[-ɑ̃se]
elles	avancent	[-ɑ̃s]

Passé composé

ai	avancé
as	avancé
a	avancé
avons	avancé
avez	avancé
ont	avancé

Imparfait

j'	avançais	[-ɑ̃sɛ]
tu	avançais	[-ɑ̃sɛ]
elle	avançait	[-ɑ̃sɛ]
ns	avancions	[-ɑ̃sjɔ̃]
vs	avanciez	[-ɑ̃sje]
elles	avançaient	[-ɑ̃sɛ]

Plus-que-parfait

avais	avancé
avais	avancé
avait	avancé
avions	avancé
aviez	avancé
avaient	avancé

Futur simple

j'	avancerai	[-ɑ̃sre]
tu	avanceras	[-ɑ̃sra]
elle	avancera	[-ɑ̃sra]
ns	avancerons	[-ɑ̃srɔ̃]
vs	avancerez	[-ɑ̃sre]
elles	avanceront	[-ɑ̃srɔ̃]

Futur antérieur

aurai	avancé
auras	avancé
aura	avancé
aurons	avancé
aurez	avancé
auront	avancé

Passé simple

j'	avançai	[-ɑ̃se]
tu	avanças	[-ɑ̃sa]
elle	avança	[-ɑ̃sa]
ns	avançâmes	[-ɑ̃sam]
vs	avançâtes	[-ɑ̃sat]
elles	avancèrent	[-ɑ̃sɛr]

Passé antérieur

eus	avancé
eus	avancé
eut	avancé
eûmes	avancé
eûtes	avancé
eurent	avancé

—— SUBJONCTIF ——

Présent

q. j'	avance	[-ɑ̃s]
tu	avances	[-ɑ̃s]
elle	avance	[-ɑ̃s]
ns	avancions	[-ɑ̃sjɔ̃]
vs	avanciez	[-ɑ̃sje]
elles	avancent	[-ɑ̃s]

Passé

aie	avancé
aies	avancé
ait	avancé
ayons	avancé
ayez	avancé
aient	avancé

Imparfait

q. j'	avançasse	[-ɑ̃sas]
tu	avançasses	[-ɑ̃sas]
elle	avançât	[-ɑ̃sa]
ns	avançassions	[-ɑ̃sasjɔ̃]
vs	avançassiez	[-ɑ̃sasje]
elles	avançassent	[-ɑ̃sas]

Plus-que-parfait

eusse	avancé
eusses	avancé
eût	avancé
eussions	avancé
eussiez	avancé
eussent	avancé

—— CONDITIONNEL ——

Présent

j'	avancerais	[-ɑ̃srɛ]
tu	avancerais	[-ɑ̃srɛ]
elle	avancerait	[-ɑ̃srɛ]
ns	avancerions	[-ɑ̃sərjɔ̃]
vs	avanceriez	[-ɑ̃sərje]
elles	avanceraient	[-ɑ̃srɛ]

Passé

aurais	avancé
aurais	avancé
aurait	avancé
aurions	avancé
auriez	avancé
auraient	avancé

—— IMPÉRATIF ——

Présent

avance	[-ɑ̃s]
avançons	[-ɑ̃sɔ̃]
avancez	[-ɑ̃se]

Passé

aie avancé
ayons avancé
ayez avancé

17 manger

INFINITIF

Présent	Passé
manger [mɑ̃ʒe]	avoir mangé [avwarmɑ̃ʒe]

PARTICIPE

Présent	Passé
mangeant [mɑ̃ʒɑ̃]	mang-é, ée, -és, ées [mɑ̃ʒe]
Présent composé	
ayant mangé	

INDICATIF

Présent		Passé composé	
je	mange [mɑ̃ʒ]	ai	mangé
tu	manges [mɑ̃ʒ]	as	mangé
il	mange [mɑ̃ʒ]	a	mangé
ns	mangeons [mɑ̃ʒɔ̃]	avons	mangé
vs	mangez [mɑ̃ʒe]	avez	mangé
ils	mangent [mɑ̃ʒ]	ont	mangé

Imparfait		Plus-que-parfait	
je	mangeais [mɑ̃ʒɛ]	avais	mangé
tu	mangeais [mɑ̃ʒɛ]	avais	mangé
il	mangeait [mɑ̃ʒɛ]	avait	mangé
ns	mangions [mɑ̃ʒjɔ̃]	avions	mangé
vs	mangiez [mɑ̃ʒje]	aviez	mangé
ils	mangeaient [mɑ̃ʒɛ]	avaient	mangé

Futur simple		Futur antérieur	
je	mangerai [mɑ̃ʒre]	aurai	mangé
tu	mangeras [mɑ̃ʒra]	auras	mangé
il	mangera [mɑ̃ʒra]	aura	mangé
ns	mangerons [mɑ̃ʒrɔ̃]	aurons	mangé
vs	mangerez [mɑ̃ʒre]	aurez	mangé
ils	mangeront [mɑ̃ʒrɔ̃]	auront	mangé

Passé simple		Passé antérieur	
je	mangeai [mɑ̃ʒe]	eus	mangé
tu	mangeas [mɑ̃ʒa]	eus	mangé
il	mangea [mɑ̃ʒa]	eut	mangé
ns	mangeâmes [mɑ̃ʒam]	eûmes	mangé
vs	mangeâtes [mɑ̃ʒat]	eûtes	mangé
ils	mangèrent [mɑ̃ʒɛr]	eurent	mangé

SUBJONCTIF

Présent		Passé	
q. je	mange [mɑ̃ʒ]	aie	mangé
tu	manges [mɑ̃ʒ]	aies	mangé
il	mange [mɑ̃ʒ]	ait	mangé
ns	mangions [mɑ̃ʒjɔ̃]	ayons	mangé
vs	mangiez [mɑ̃ʒje]	ayez	mangé
ils	mangent [mɑ̃ʒ]	aient	mangé

Imparfait		Plus-que-parfait	
q. je	mangeasse [mɑ̃ʒas]	eusse	mangé
tu	mangeasses [mɑ̃ʒas]	eusses	mangé
il	mangeât [mɑ̃ʒa]	eût	mangé
ns	mangeassions [mɑ̃ʒasjɔ̃]	eussions	mangé
vs	mangeassiez [mɑ̃ʒasje]	eussiez	mangé
ils	mangeassent [mɑ̃ʒas]	eussent	mangé

CONDITIONNEL

Présent		Passé	
je	mangerais [mɑ̃ʒrɛ]	aurais	mangé
tu	mangerais [mɑ̃ʒrɛ]	aurais	mangé
il	mangerait [mɑ̃ʒrɛ]	aurait	mangé
ns	mangerions [mɑ̃ʒərjɔ̃]	aurions	mangé
vs	mangeriez [mɑ̃ʒərje]	auriez	mangé
ils	mangeraient [mɑ̃ʒrɛ]	auraient	mangé

IMPÉRATIF

Présent		Passé	
mange [mɑ̃ʒ]		aie	mangé
mangeons [mɑ̃ʒɔ̃]		ayons	mangé
mangez [mɑ̃ʒe]		ayez	mangé

18 céder

INFINITIF

Présent	Passé
céder	avoir cédé
[sede]	[avwarsede]

PARTICIPE

Présent	Passé
cédant [sedɑ̃]	céd-é, ée, -és, ées
Présent composé	[sede]
ayant cédé	

INDICATIF

Présent		Passé composé	
je cède	[sɛd]	ai cédé	
tu cèdes	[sɛd]	as cédé	
elle cède	[sɛd]	a cédé	
ns cédons	[sedɔ̃]	avons cédé	
vs cédez	[sede]	avez cédé	
elles cèdent	[sɛd]	ont cédé	

Imparfait		Plus-que-parfait	
je cédais	[sedɛ]	avais cédé	
tu cédais	[sedɛ]	avais cédé	
elle cédait	[sedɛ]	avait cédé	
ns cédions	[sedjɔ̃]	avions cédé	
vs cédiez	[sedje]	aviez cédé	
elles cédaient	[sedɛ]	avaient cédé	

Futur simple		Futur antérieur	
je céderai	[sɛdre]	aurai cédé	
tu céderas	[sɛdra]	auras cédé	
elle cédera	[sɛdra]	aura cédé	
ns céderons	[sɛdrɔ̃]	aurons cédé	
vs céderez	[sɛdre]	aurez cédé	
elles céderont	[sɛdrɔ̃]	auront cédé	

Passé simple		Passé antérieur	
je cédai	[sede]	eus cédé	
tu cédas	[seda]	eus cédé	
elle céda	[seda]	eut cédé	
ns cédâmes	[sedam]	eûmes cédé	
vs cédâtes	[sedat]	eûtes cédé	
elles cédèrent	[sedɛr]	eurent cédé	

SUBJONCTIF

Présent		Passé	
q. je cède	[sɛd]	aie cédé	
tu cèdes	[sɛd]	aies cédé	
elle cède	[sɛd]	ait cédé	
ns cédions	[sedjɔ̃]	ayons cédé	
vs cédiez	[sedje]	ayez cédé	
elles cèdent	[sɛd]	aient cédé	

Imparfait		Plus-que-parfait	
q. je cédasse	[sedas]	eusse cédé	
tu cédasses	[sedas]	eusses cédé	
elle cédât	[seda]	eût cédé	
ns cédassions	[sedasjɔ̃]	eussions cédé	
vs cédassiez	[sedasje]	eussiez cédé	
elles cédassent	[sedas]	eussent cédé	

CONDITIONNEL

Présent		Passé	
je céderais	[sɛdrɛ]	aurais cédé	
tu céderais	[sɛdrɛ]	aurais cédé	
elle céderait	[sɛdrɛ]	aurait cédé	
ns céderions	[sedərjɔ̃]	aurions cédé	
vs céderiez	[sedərje]	auriez cédé	
elles céderaient	[sɛdrɛ]	auraient cédé	

IMPÉRATIF

Présent		Passé	
cède	[sɛd]	aie cédé	
cédons	[sedɔ̃]	ayons cédé	
cédez	[sede]	ayez cédé	

19 semer :: sow

INFINITIF

Présent

semer
[s(ə)me]

Passé

avoir semé
[avwars(ə)me]

PARTICIPE

Présent

semant [s(ə)mã]

Présent composé

ayant semé

Passé

sem-é, ée,
-és, ées
[s(ə)me]

INDICATIF

Présent

je	sème	[sɛm]
tu	sèmes	[sɛm]
il	sème	[sɛm]
ns	semons	[s(ə)mɔ̃]
vs	semez	[s(ə)me]
ils	sèment	[sɛm]

Passé composé

ai	semé
as	semé
a	semé
avons	semé
avez	semé
ont	semé

Imparfait

je	semais	[s(ə)mɛ]
tu	semais	[s(ə)mɛ]
il	semait	[s(ə)mɛ]
ns	semions	[səmjɔ̃]
vs	semiez	[səmje]
ils	semaient	[s(ə)mɛ]

Plus-que-parfait

avais	semé
avais	semé
avait	semé
avions	semé
aviez	semé
avaient	semé

Futur simple

je	sèmerai	[sɛmre]
tu	sèmeras	[sɛmra]
il	sèmera	[sɛmra]
ns	sèmerons	[sɛmrɔ̃]
vs	sèmerez	[sɛmre]
ils	sèmeront	[sɛmrɔ̃]

Futur antérieur

aurai	semé
auras	semé
aura	semé
aurons	semé
aurez	semé
auront	semé

Passé simple

je	semai	[səme]
tu	semas	[səma]
il	sema	[səma]
ns	semâmes	[səmam]
vs	semâtes	[səmat]
ils	semèrent	[səmɛr]

Passé antérieur

eus	semé
eus	semé
eut	semé
eûmes	semé
eûtes	semé
eurent	semé

SUBJONCTIF

Présent

q. je	sème	[sɛm]
tu	sèmes	[sɛm]
il	sème	[sɛm]
ns	semions	[səmjɔ̃]
vs	semiez	[səmje]
ils	sèment	[sɛm]

Passé

aie	semé
aies	semé
ait	semé
ayons	semé
ayez	semé
aient	semé

Imparfait

q. je	semasse	[səmas]
tu	semasses	[səmas]
il	semât	[səma]
ns	semassions	[səmasjɔ̃]
vs	semassiez	[səmasje]
ils	semassent	[səmas]

Plus-que-parfait

eusse	semé
eusses	semé
eût	semé
eussions	semé
eussiez	semé
eussent	semé

CONDITIONNEL

Présent

je	sèmerais	[sɛmrɛ]
tu	sèmerais	[sɛmrɛ]
il	sèmerait	[sɛmrɛ]
ns	sèmerions	[sɛmərjɔ̃]
vs	sèmeriez	[sɛmərje]
ils	sèmeraient	[sɛmrɛ]

Passé

aurais	semé
aurais	semé
aurait	semé
aurions	semé
auriez	semé
auraient	semé

IMPÉRATIF

Présent

sème	[sɛm]
semons	[s(ə)mɔ̃]
semez	[s(ə)me]

Passé

aie	semé
ayons	semé
ayez	semé

20 rapiécer :: patch

INFINITIF

Présent	Passé
rapiécer [rapjese]	avoir rapiécé [avwarrapjese]

PARTICIPE

Présent	Passé
rapiéçant [rapjesɑ̃]	rapiéc-é, ée, -és, ées
Présent composé	[rapjese]
ayant rapiécé	

INDICATIF

Présent / Passé composé

	Présent		Passé composé	
je	rapièce	[-jɛs]	ai	rapiécé
tu	rapièces	[-jɛs]	as	rapiécé
elle	rapièce	[-jɛs]	a	rapiécé
ns	rapiéçons	[-jesɔ̃]	avons	rapiécé
vs	rapiécez	[-jese]	avez	rapiécé
elles	rapiècent	[-jɛs]	ont	rapiécé

Imparfait / Plus-que-parfait

	Imparfait		Plus-que-parfait	
je	rapiéçais	[-jesɛ]	avais	rapiécé
tu	rapiéçais	[-jesɛ]	avais	rapiécé
elle	rapiéçait	[-jesɛ]	avait	rapiécé
ns	rapiécions	[-jesjɔ̃]	avions	rapiécé
vs	rapiéciez	[-jesje]	aviez	rapiécé
elles	rapiéçaient	[-jesɛ]	avaient	rapiécé

Futur simple / Futur antérieur

	Futur simple		Futur antérieur	
je	rapiécerai	[-jɛsre]	aurai	rapiécé
tu	rapiéceras	[-jɛsra]	auras	rapiécé
elle	rapiécera	[-jɛsra]	aura	rapiécé
ns	rapiécerons	[-jɛsrɔ̃]	aurons	rapiécé
vs	rapiécerez	[-jɛsre]	aurez	rapiécé
elles	rapiéceront	[-jɛsrɔ̃]	auront	rapiécé

Passé simple / Passé antérieur

	Passé simple		Passé antérieur	
je	rapiéçai	[-jese]	eus	rapiécé
tu	rapiéças	[-jesa]	eus	rapiécé
elle	rapiéça	[-jesa]	eut	rapiécé
ns	rapiéçâmes	[-jesam]	eûmes	rapiécé
vs	rapiéçâtes	[-jesat]	eûtes	rapiécé
elles	rapiécèrent	[-jesɛr]	eurent	rapiécé

SUBJONCTIF

Présent / Passé

	Présent		Passé	
q. je	rapièce	[-jɛs]	aie	rapiécé
tu	rapièces	[-jɛs]	aies	rapiécé
elle	rapièce	[-jɛs]	ait	rapiécé
ns	rapiécions	[-jesjɔ̃]	ayons	rapiécé
vs	rapiéciez	[-jesje]	ayez	rapiécé
elles	rapiècent	[-jɛs]	aient	rapiécé

Imparfait / Plus-que-parfait

	Imparfait		Plus-que-parfait	
q. je	rapiéçasse	[-jesas]	eusse	rapiécé
tu	rapiéçasses	[-jesas]	eusses	rapiécé
elle	rapiéçât	[-jesa]	eût	rapiécé
ns	rapiéçassions	[-jesasjɔ̃]	eussions	rapiécé
vs	rapiéçassiez	[-jesasje]	eussiez	rapiécé
elles	rapiéçassent	[-jesas]	eussent	rapiécé

CONDITIONNEL

Présent / Passé

	Présent		Passé	
je	rapiécerais	[-jɛsrɛ]	aurais	rapiécé
tu	rapiécerais	[-jɛsrɛ]	aurais	rapiécé
elles	rapiécerait	[-jɛsrɛ]	aurait	rapiécé
ns	rapiécerions	[-jesərjɔ̃]	aurions	rapiécé
vs	rapiéceriez	[-jesərje]	auriez	rapiécé
elles	rapiéceraient	[-jɛsrɛ]	auraient	rapiécé

IMPÉRATIF

Présent / Passé

Présent		Passé	
rapièce	[-jɛs]	aie	rapiécé
rapiéçons	[-jesɔ̃]	ayons	rapiécé
rapiécez	[-jese]	ayez	rapiécé

21 acquiescer : : *agree*

── INFINITIF

Présent	Passé
acquiescer [akjese]	avoir acquiescé [avwarakjese]

── PARTICIPE

Présent	Passé
acquiesçant [akjesã]	acquiescé [akjese]

Présent composé

ayant acquiescé

── INDICATIF

Présent / Passé composé

	Présent			Passé composé
j'	acquiesce	[-jɛs]	ai	acquiescé
tu	acquiesces	[-jɛs]	as	acquiescé
il	acquiesce	[-jɛs]	a	acquiescé
ns	acquiesçons	[-jesõ]	avons	acquiescé
vs	acquiescez	[-jese]	avez	acquiescé
ils	acquiescent	[-jɛs]	ont	acquiescé

Imparfait / Plus-que-parfait

	Imparfait			Plus-que-parfait
j'	acquiesçais	[-jesɛ]	avais	acquiescé
tu	acquiesçais	[-jesɛ]	avais	acquiescé
il	acquiesçait	[-jesɛ]	avait	acquiescé
ns	acquiescions	[-jesjõ]	avions	acquiescé
vs	acquiesciez	[-jesje]	aviez	acquiescé
ils	acquiesçaient	[-jesɛ]	avaient	acquiescé

Futur simple / Futur antérieur

	Futur simple			Futur antérieur
j'	acquiescerai	[-jɛsre]	aurai	acquiescé
tu	acquiesceras	[-jɛsra]	auras	acquiescé
il	acquiescera	[-jɛsra]	aura	acquiescé
ns	acquiescerons	[-jɛsrõ]	aurons	acquiescé
vs	acquiescerez	[-jɛsre]	aurez	acquiescé
ils	acquiesceront	[-jɛsrõ]	auront	acquiescé

Passé simple / Passé antérieur

	Passé simple			Passé antérieur
j'	acquiesçai	[-jese]	eus	acquiescé
tu	acquiesças	[-jesa]	eus	acquiescé
il	acquiesça	[-jesa]	eut	acquiescé
ns	acquiesçâmes	[-jesam]	eûmes	acquiescé
vs	acquiesçâtes	[-jesat]	eûtes	acquiescé
ils	acquiescèrent	[-jesɛr]	eurent	acquiescé

── SUBJONCTIF

Présent / Passé

	Présent			Passé
q. j'	acquiesce	[-jɛs]	aie	acquiescé
tu	acquiesces	[-jɛs]	aies	acquiescé
il	acquiesce	[-jɛs]	ait	acquiescé
ns	acquiescions	[-jesjõ]	ayons	acquiescé
vs	acquiesciez	[-jesje]	ayez	acquiescé
ils	acquiescent	[-jɛs]	aient	acquiescé

Imparfait / Plus-que-parfait

	Imparfait			Plus-que-parfait
q. j'	acquiesçasse	[-jesas]	eusse	acquiescé
tu	acquiesçasses	[-jesas]	eusses	acquiescé
il	acquiesçât	[-jesa]	eût	acquiescé
ns	acquiesçassions	[-jesasjõ]	eussions	acquiescé
vs	acquiesçassiez	[-jesasje]	eussiez	acquiescé
ils	acquiesçassent	[-jesas]	eussent	acquiescé

── CONDITIONNEL

Présent / Passé

	Présent			Passé
j'	acquiescerais	[-jɛsrɛ]	aurais	acquiescé
tu	acquiescerais	[-jɛsrɛ]	aurais	acquiescé
il	acquiescerait	[-jɛsrɛ]	aurait	acquiescé
ns	acquiescerions	[-jesərjõ]	aurions	acquiescé
vs	acquiesceriez	[-jesərje]	auriez	acquiescé
ils	acquiesceraient	[-jɛsrɛ]	auraient	acquiescé

── IMPÉRATIF

Présent / Passé

Présent		Passé	
acquiesce	[-jɛs]	aie	acquiescé
acquiesçons	[-jesõ]	ayons	acquiescé
acquiescez	[-jese]	ayez	acquiescé

22 siéger :: sit

INFINITIF

Présent	Passé
siéger [sjeʒe]	avoir siégé [avwarsjeʒe]

PARTICIPE

Présent	Passé
siégeant [sjeʒɑ̃]	siégé [sjeʒe]
Présent composé	
ayant siégé	

INDICATIF

Présent / Passé composé

	Présent		Passé composé	
je	siège	[-jɛʒ]	ai	siégé
tu	sièges	[-jɛʒ]	as	siégé
elle	siège	[-jɛʒ]	a	siégé
ns	siégeons	[-jeʒɔ̃]	avons	siégé
vs	siégez	[-jeʒe]	avez	siégé
elles	siègent	[-jɛʒ]	ont	siégé

Imparfait / Plus-que-parfait

	Imparfait		Plus-que-parfait	
je	siégeais	[-jeʒɛ]	avais	siégé
tu	siégeais	[-jeʒɛ]	avais	siégé
elle	siégeait	[-jeʒɛ]	avait	siégé
ns	siégions	[-jeʒjɔ̃]	avions	siégé
vs	siégiez	[-jeʒje]	aviez	siégé
elles	siégeaient	[-jeʒɛ]	avaient	siégé

Futur simple / Futur antérieur

	Futur simple		Futur antérieur	
je	siégerai	[-jɛʒre]	aurai	siégé
tu	siégeras	[-jɛʒra]	auras	siégé
elle	siégera	[-jɛʒra]	aura	siégé
ns	siégerons	[-jɛʒrɔ̃]	aurons	siégé
vs	siégerez	[-jɛʒre]	aurez	siégé
elles	siégeront	[-jɛʒrɔ̃]	auront	siégé

Passé simple / Passé antérieur

	Passé simple		Passé antérieur	
je	siégeai	[-jeʒe]	eus	siégé
tu	siégeas	[-jeʒa]	eus	siégé
elle	siégea	[-jeʒa]	eut	siégé
ns	siégeâmes	[-jeʒam]	eûmes	siégé
vs	siégeâtes	[-jeʒat]	eûtes	siégé
elles	siégèrent	[-jeʒɛr]	eurent	siégé

SUBJONCTIF

Présent / Passé

	Présent		Passé	
q. je	siège	[-jɛʒ]	aie	siégé
tu	sièges	[-jɛʒ]	aies	siégé
elle	siège	[-jɛʒ]	ait	siégé
ns	siégions	[-jeʒjɔ̃]	ayons	siégé
vs	siégiez	[-jeʒje]	ayez	siégé
elles	siègent	[-jɛʒ]	aient	siégé

Imparfait / Plus-que-parfait

	Imparfait		Plus-que-parfait	
q. je	siégeasse	[-jeʒas]	eusse	siégé
tu	siégeasses	[-jeʒas]	eusses	siégé
elle	siégeât	[-jeʒa]	eût	siégé
ns	siégeassions	[-jeʒasjɔ̃]	eussions	siégé
vs	siégeassiez	[-jeʒasje]	eussiez	siégé
elles	siégeassent	[-jeʒas]	eussent	siégé

CONDITIONNEL

Présent / Passé

	Présent		Passé	
je	siégerais	[-jɛʒrɛ]	aurais	siégé
tu	siégerais	[-jɛʒrɛ]	aurais	siégé
elle	siégerait	[-jɛʒrɛ]	aurait	siégé
ns	siégerions	[-jeʒərjɔ̃]	aurions	siégé
vs	siégeriez	[-jeʒərje]	auriez	siégé
elles	siégeraient	[-jɛʒrɛ]	auraient	siégé

IMPÉRATIF

Présent		Passé	
siège	[-jɛʒ]	aie	siégé
siégeons	[-jeʒɔ̃]	ayons	siégé
siégez	[-jeʒe]	ayez	siégé

Remarque : *Assiéger* se conjugue comme *siéger* mais son participe passé est variable.

23 déneiger

INFINITIF

Présent	Passé
déneiger [deneʒe]	avoir déneigé [avwardeneʒe]

PARTICIPE

Présent	Passé
déneigeant [deneʒɑ̃]	déneig-é, ée, -és, ées [deneʒe]
Présent composé	
ayant déneigé	

INDICATIF

Présent		Passé composé	
je déneige	[-ɛʒ]	ai déneigé	
tu déneiges	[-ɛʒ]	as déneigé	
il déneige	[-ɛʒ]	a déneigé	
ns déneigeons	[-eʒɔ̃]	avons déneigé	
vs déneigez	[-eʒe]	avez déneigé	
ils déneigent	[-ɛʒ]	ont déneigé	

Imparfait		Plus-que-parfait	
je déneigeais	[-eʒɛ]	avais déneigé	
tu déneigeais	[-eʒɛ]	avais déneigé	
il déneigeait	[-eʒɛ]	avait déneigé	
ns déneigions	[-eʒjɔ̃]	avions déneigé	
vs déneigiez	[-eʒje]	aviez déneigé	
ils déneigeaient	[-eʒɛ]	avaient déneigé	

Futur simple		Futur antérieur	
je déneigerai	[-ɛʒre]	aurai déneigé	
tu déneigeras	[-ɛʒra]	auras déneigé	
il déneigera	[-ɛʒra]	aura déneigé	
ns déneigerons	[-ɛʒrɔ̃]	aurons déneigé	
vs déneigerez	[-ɛʒre]	aurez déneigé	
ils déneigeront	[-ɛʒrɔ̃]	auront déneigé	

Passé simple		Passé antérieur	
je déneigeai	[-eʒe]	eus déneigé	
tu déneigeas	[-eʒa]	eus déneigé	
il déneigea	[-eʒa]	eut déneigé	
ns déneigeâmes	[-eʒam]	eûmes déneigé	
vs déneigeâtes	[-eʒat]	eûtes déneigé	
ils déneigèrent	[-eʒɛr]	eurent déneigé	

SUBJONCTIF

Présent		Passé	
q. je déneige	[-ɛʒ]	aie déneigé	
tu déneiges	[-ɛʒ]	aies déneigé	
il déneige	[-ɛʒ]	ait déneigé	
ns déneigions	[-eʒjɔ̃]	ayons déneigé	
vs déneigiez	[-eʒje]	ayez déneigé	
ils déneigent	[-ɛʒ]	aient déneigé	

Imparfait		Plus-que-parfait	
q. je déneigeasse	[-eʒas]	eusse déneigé	
tu déneigeasses	[-eʒas]	eusses déneigé	
il déneigeât	[-eʒa]	eût déneigé	
ns déneigeassions	[-eʒasjɔ̃]	eussions déneigé	
vs déneigeassiez	[-eʒasje]	eussiez déneigé	
ils déneigeassent	[-eʒas]	eussent déneigé	

CONDITIONNEL

Présent		Passé	
je déneigerais	[-ɛʒrɛ]	aurais déneigé	
tu déneigerais	[-ɛʒrɛ]	aurais déneigé	
il déneigerait	[-ɛʒrɛ]	aurait déneigé	
ns déneigerions	[-eʒərjɔ̃]	aurions déneigé	
vs déneigeriez	[-eʒərje]	auriez déneigé	
ils déneigeraient	[-ɛʒrɛ]	auraient déneigé	

IMPÉRATIF

Présent		Passé	
déneige	[-ɛʒ]	aie déneigé	
déneigeons	[-eʒɔ̃]	ayons déneigé	
déneigez	[-eʒe]	ayez déneigé	

24 appeler

INFINITIF

	Présent	Passé
	appeler	avoir appelé
	[aple]	[avwaraple]

PARTICIPE

	Présent	Passé
	appelant [aplã]	appel-é, ée, -és, ées
	Présent composé	[aple]
	ayant appelé	

INDICATIF

	Présent			Passé composé	
j'	appelle	[apɛl]	ai	appelé
tu	appelles	[apɛl]	as	appelé
elle	appelle	[apɛl]	a	appelé
ns	appelons	[aplɔ̃]	avons	appelé
vs	appelez	[aple]	avez	appelé
elles	appellent	[apɛl]	ont	appelé

	Imparfait			Plus-que-parfait	
j'	appelais	[aplɛ]	avais	appelé
tu	appelais	[aplɛ]	avais	appelé
elle	appelait	[aplɛ]	avait	appelé
ns	appelions	[apəljɔ̃]	avions	appelé
vs	appeliez	[apəlje]	aviez	appelé
elles	appelaient	[aplɛ]	avaient	appelé

	Futur simple			Futur antérieur	
j'	appellerai	[apɛlre]	aurai	appelé
tu	appelleras	[apɛlra]	auras	appelé
elle	appellera	[apɛlra]	aura	appelé
ns	appellerons	[apɛlrɔ̃]	aurons	appelé
vs	appellerez	[apɛlre]	aurez	appelé
elles	appelleront	[apɛlrɔ̃]	auront	appelé

	Passé simple			Passé antérieur	
j'	appelai	[aple]	eus	appelé
tu	appelas	[apla]	eus	appelé
elle	appela	[apla]	eut	appelé
ns	appelâmes	[aplam]	eûmes	appelé
vs	appelâtes	[aplat]	eûtes	appelé
elles	appelèrent	[aplɛr]	eurent	appelé

SUBJONCTIF

	Présent			Passé	
q. j'	appelle	[apɛl]	aie	appelé
tu	appelles	[apɛl]	aies	appelé
elle	appelle	[apɛl]	ait	appelé
ns	appelions	[apəljɔ̃]	ayons	appelé
vs	appeliez	[apəlje]	ayez	appelé
elles	appellent	[apɛl]	aient	appelé

	Imparfait			Plus-que-parfait	
q. j'	appelasse	[aplas]	eusse	appelé
tu	appelasses	[aplas]	eusses	appelé
elle	appelât	[apla]	eût	appelé
ns	appelassions	[aplasjɔ̃]	eussions	appelé
vs	appelassiez	[aplasje]	eussiez	appelé
elles	appelassent	[aplas]	eussent	appelé

CONDITIONNEL

	Présent			Passé	
j'	appellerais	[apɛlrɛ]	aurais	appelé
tu	appellerais	[apɛlrɛ]	aurais	appelé
elle	appellerait	[apɛlrɛ]	aurait	appelé
ns	appellerions	[apelərjɔ̃]	aurions	appelé
vs	appelleriez	[apelərje]	auriez	appelé
elles	appelleraient	[apɛlrɛ]	auraient	appelé

IMPÉRATIF

	Présent			Passé	
	appelle	[apɛl]	aie	appelé
	appelons	[aplɔ̃]	ayons	appelé
	appelez	[aple]	ayez	appelé

25 peler :: peel

INFINITIF

Présent	Passé
peler [pəle]	avoir pelé [avwarpəle]

PARTICIPE

Présent	Passé
pelant [pəlɑ̃]	pel-é, ée, -és, ées [pəle]
Présent composé	
ayant pelé	

INDICATIF

	Présent		Passé composé	
je	pèle	[-ɛl]	ai	pelé
tu	pèles	[-ɛl]	as	pelé
il	pèle	[-ɛl]	a	pelé
ns	pelons	[-əlɔ̃]	avons	pelé
vs	pelez	[-əle]	avez	pelé
ils	pèlent	[-ɛl]	ont	pelé

	Imparfait		Plus-que-parfait	
je	pelais	[-əlɛ]	avais	pelé
tu	pelais	[-əlɛ]	avais	pelé
il	pelait	[-əlɛ]	avait	pelé
ns	pelions	[-əljɔ̃]	avions	pelé
vs	peliez	[-əlje]	aviez	pelé
ils	pelaient	[-əlɛ]	avaient	pelé

	Futur simple		Futur antérieur	
je	pèlerai	[-ɛlre]	aurai	pelé
tu	pèleras	[-ɛlra]	auras	pelé
il	pèlera	[-ɛlra]	aura	pelé
ns	pèlerons	[-ɛlrɔ̃]	aurons	pelé
vs	pèlerez	[-ɛlre]	aurez	pelé
ils	pèleront	[-ɛlrɔ̃]	auront	pelé

	Passé simple		Passé antérieur	
je	pelai	[-əle]	eus	pelé
tu	pelas	[-əla]	eus	pelé
il	pela	[-əla]	eut	pelé
ns	pelâmes	[-əlam]	eûmes	pelé
vs	pelâtes	[-əlat]	eûtes	pelé
ils	pelèrent	[-əlɛr]	eurent	pelé

SUBJONCTIF

	Présent		Passé	
q. je	pèle	[-ɛl]	aie	pelé
tu	pèles	[-ɛl]	aies	pelé
il	pèle	[-ɛl]	ait	pelé
ns	pelions	[-əljɔ̃]	ayons	pelé
vs	peliez	[-əlje]	ayez	pelé
ils	pèlent	[-ɛl]	aient	pelé

	Imparfait		Plus-que-parfait	
q. je	pelasse	[-əlas]	eusse	pelé
tu	pelasses	[-əlas]	eusses	pelé
il	pelât	[-əla]	eût	pelé
ns	pelassions	[-əlasjɔ̃]	eussions	pelé
vs	pelassiez	[-əlasje]	eussiez	pelé
ils	pelassent	[-əlas]	eussent	pelé

CONDITIONNEL

	Présent		Passé	
je	pèlerais	[-ɛlrɛ]	aurais	pelé
tu	pèlerais	[-ɛlrɛ]	aurais	pelé
il	pèlerait	[-ɛlrɛ]	aurait	pelé
ns	pèlerions	[-elərjɔ̃]	aurions	pelé
vs	pèleriez	[-elərje]	auriez	pelé
ils	pèleraient	[-ɛlrɛ]	auraient	pelé

IMPÉRATIF

Présent		Passé	
pèle	[-ɛl]	aie	pelé
pelons	[-əlɔ̃]	ayons	pelé
pelez	[-əle]	ayez	pelé

26 interpeller :: shout to/at

__ INFINITIF __

	Présent	Passé
	interpeller	avoir interpellé
	[ɛ̃tɛrpəle]	[avwarɛ̃tɛrpele]

__ PARTICIPE __

	Présent	Passé
	interpellant [ɛ̃tɛrpəlɑ̃]	interpell-é, ée, -és, ées
	Présent composé	[ɛ̃tɛrpəle]
	ayant interpellé	

__ INDICATIF __

	Présent		Passé composé	
j'	interpelle	[-ɛl]	ai	interpellé
tu	interpelles	[-ɛl]	as	interpellé
elle	interpelle	[-ɛl]	a	interpellé
ns	interpellons	[-əlɔ̃]	avons	interpellé
vs	interpellez	[-əle]	avez	interpellé
elles	interpellent	[-ɛl]	ont	interpellé

	Imparfait		Plus-que-parfait	
j'	interpellais	[-əlɛ]	avais	interpellé
tu	interpellais	[-əlɛ]	avais	interpellé
elle	interpellait	[-əlɛ]	avait	interpellé
ns	interpellions	[-əljɔ̃]	avions	interpellé
vs	interpelliez	[-əlje]	aviez	interpellé
elles	interpellaient	[-əlɛ]	avaient	interpellé

	Futur simple		Futur antérieur	
j'	interpellerai	[-ɛlre]	aurai	interpellé
tu	interpelleras	[-ɛlra]	auras	interpellé
elle	interpellera	[-ɛlra]	aura	interpellé
ns	interpellerons	[-ɛlrɔ̃]	aurons	interpellé
vs	interpellerez	[-ɛlre]	aurez	interpellé
elles	interpelleront	[-ɛlrɔ̃]	auront	interpellé

	Passé simple		Passé antérieur	
j'	interpellai	[-əle]	eus	interpellé
tu	interpellas	[-əla]	eus	interpellé
elle	interpella	[-əla]	eut	interpellé
ns	interpellâmes	[-əlam]	eûmes	interpellé
vs	interpellâtes	[-əlat]	eûtes	interpellé
elles	interpellèrent	[-əlɛr]	eurent	interpellé

__ SUBJONCTIF __

	Présent		Passé	
q. j'	interpelle	[-ɛl]	aie	interpellé
tu	interpelles	[-ɛl]	aies	interpellé
elle	interpelle	[-ɛl]	ait	interpellé
ns	interpellions	[-əljɔ̃]	ayons	interpellé
vs	interpelliez	[-əlje]	ayez	interpellé
elles	interpellent	[-ɛl]	aient	interpellé

	Imparfait		Plus-que-parfait	
q. j'	interpellasse	[-əlas]	eusse	interpellé
tu	interpellasses	[-əlas]	eusses	interpellé
elle	interpellât	[-əla]	eût	interpellé
ns	interpellassions	[-əlasjɔ̃]	eussions	interpellé
vs	interpellassiez	[-əlasje]	eussiez	interpellé
elles	interpellassent	[-əlas]	eussent	interpellé

__ CONDITIONNEL __

	Présent		Passé	
j'	interpellerais	[-ɛlrɛ]	aurais	interpellé
tu	interpellerais	[-ɛlrɛ]	aurais	interpellé
elle	interpellerait	[-ɛlrɛ]	aurait	interpellé
ns	interpellerions	[-ɛlərjɔ̃]	aurions	interpellé
vs	interpelleriez	[-ɛlərje]	auriez	interpellé
elles	interpelleraient	[-ɛlrɛ]	auraient	interpellé

__ IMPÉRATIF __

	Présent		Passé	
	interpelle	[-ɛl]	aie	interpellé
	interpellons	[-əlɔ̃]	ayons	interpellé
	interpellez	[-əle]	ayez	interpellé

27 jeter

INFINITIF

Présent	Passé
jeter [ʒəte]	avoir jeté [avwarʒəte]

PARTICIPE

Présent	Passé
jetant [ʒətɑ̃]	jet-é, ée, -és, ées [ʒəte]
Présent composé	
ayant jeté	

INDICATIF

Présent

			Passé composé	
je	jette	[-ɛt]	ai	jeté
tu	jettes	[-ɛt]	as	jeté
il	jette	[-ɛt]	a	jeté
ns	jetons	[-ətɔ̃]	avons	jeté
vs	jetez	[-əte]	avez	jeté
ils	jettent	[-ɛt]	ont	jeté

Imparfait

			Plus-que-parfait	
je	jetais	[-ətɛ]	avais	jeté
tu	jetais	[-ətɛ]	avais	jeté
il	jetait	[-ətɛ]	avait	jeté
ns	jetions	[-ətjɔ̃]	avions	jeté
vs	jetiez	[-ətje]	aviez	jeté
ils	jetaient	[-ətɛ]	avaient	jeté

Futur simple

			Futur antérieur	
je	jetterai	[-ɛtre]	aurai	jeté
tu	jetteras	[-ɛtra]	auras	jeté
il	jettera	[-ɛtra]	aura	jeté
ns	jetterons	[-ɛtrɔ̃]	aurons	jeté
vs	jetterez	[-ɛtre]	aurez	jeté
ils	jetteront	[-ɛtrɔ̃]	auront	jeté

Passé simple

			Passé antérieur	
je	jetai	[-əte]	eus	jeté
tu	jetas	[-əta]	eus	jeté
il	jeta	[-əta]	eut	jeté
ns	jetâmes	[-ətam]	eûmes	jeté
vs	jetâtes	[-ətat]	eûtes	jeté
ils	jetèrent	[-ətɛr]	eurent	jeté

SUBJONCTIF

Présent

			Passé	
q. je	jette	[-ɛt]	aie	jeté
tu	jettes	[-ɛt]	aies	jeté
il	jette	[-ɛt]	ait	jeté
ns	jetions	[-ətjɔ̃]	ayons	jeté
vs	jetiez	[-ətje]	ayez	jeté
ils	jettent	[-ɛt]	aient	jeté

Imparfait

			Plus-que-parfait	
q. je	jetasse	[-ətas]	eusse	jeté
tu	jetasses	[-ətas]	eusses	jeté
il	jetât	[-əta]	eût	jeté
ns	jetassions	[-ətasjɔ̃]	eussions	jeté
vs	jetassiez	[-ətasje]	eussiez	jeté
ils	jetassent	[-ətas]	eussent	jeté

CONDITIONNEL

Présent

			Passé	
je	jetterais	[-ɛtrɛ]	aurais	jeté
tu	jetterais	[-ɛtrɛ]	aurais	jeté
il	jetterait	[-ɛtrɛ]	aurait	jeté
ns	jetterions	[-etərjɔ̃]	aurions	jeté
vs	jetteriez	[-etərje]	auriez	jeté
ils	jetteraient	[-ɛtrɛ]	auraient	jeté

IMPÉRATIF

Présent		Passé	
jette	[-ɛt]	aie	jeté
jetons	[-ətɔ̃]	ayons	jeté
jetez	[-əte]	ayez	jeté

28 acheter

INFINITIF

Présent	Passé
acheter	avoir acheté
[aʃte]	[avwaraʃte]

PARTICIPE

Présent	Passé
achetant [aʃtâ]	achet-é, ée, -és, ées
Présent composé	[aʃte]
ayant acheté	

INDICATIF

	Présent		Passé composé	
j'	achète	[-ʃɛt]	ai	acheté
tu	achètes	[-ʃɛt]	as	acheté
elle	achète	[-ʃɛt]	a	acheté
ns	achetons	[-ʃtõ]	avons	acheté
vs	achetez	[-ʃte]	avez	acheté
elles	achètent	[-ʃɛt]	ont	acheté

	Imparfait		Plus-que-parfait	
j'	achetais	[-ʃtɛ]	avais	acheté
tu	achetais	[-ʃtɛ]	avais	acheté
elle	achetait	[-ʃtɛ]	avait	acheté
ns	achetions	[-ʃ(ə)tjõ]	avions	acheté
vs	achetiez	[-ʃ(ə)tje]	aviez	acheté
elles	achetaient	[-ʃtɛ]	avaient	acheté

	Futur simple		Futur antérieur	
j'	achèterai	[-ʃɛtre]	aurai	acheté
tu	achèteras	[-ʃɛtra]	auras	acheté
elle	achètera	[-ʃɛtra]	aura	acheté
ns	achèterons	[-ʃɛtrõ]	aurons	acheté
vs	achèterez	[-ʃɛtre]	aurez	acheté
elles	achèteront	[-ʃɛtrõ]	auront	acheté

	Passé simple		Passé antérieur	
j'	achetai	[-ʃte]	eus	acheté
tu	achetas	[-ʃta]	eus	acheté
elle	acheta	[-ʃta]	eut	acheté
ns	achetâmes	[-ʃtam]	eûmes	acheté
vs	achetâtes	[-ʃtat]	eûtes	acheté
elles	achetèrent	[-ʃtɛr]	eurent	acheté

SUBJONCTIF

	Présent		Passé	
q. j'	achète	[-ʃɛt]	aie	acheté
tu	achètes	[-ʃɛt]	aies	acheté
elle	achète	[-ʃɛt]	ait	acheté
ns	achetions	[-ʃ(ə)tjõ]	ayons	acheté
vs	achetiez	[-ʃ(ə)tje]	ayez	acheté
elles	achètent	[-ʃɛt]	aient	acheté

	Imparfait		Plus-que-parfait	
q. j'	achetasse	[-ʃtas]	eusse	acheté
tu	achetasses	[-ʃtas]	eusses	acheté
elle	achetât	[-ʃta]	eût	acheté
ns	achetassions	[-ʃtasjõ]	eussions	acheté
vs	achetassiez	[-ʃtasje]	eussiez	acheté
elles	achetassent	[-ʃtas]	eussent	acheté

CONDITIONNEL

	Présent		Passé	
j'	achèterais	[-ʃɛtrɛ]	aurais	acheté
tu	achèterais	[-ʃɛtrɛ]	aurais	acheté
elle	achèterait	[-ʃɛtrɛ]	aurait	acheté
ns	achèterions	[-ʃɛtərjõ]	aurions	acheté
vs	achèteriez	[-ʃɛtərje]	auriez	acheté
elles	achèteraient	[-ʃɛtrɛ]	auraient	acheté

IMPÉRATIF

Présent		Passé	
achète	[-ʃɛt]	aie	acheté
achetons	[-ʃtõ]	ayons	acheté
achetez	[-ʃte]	ayez	acheté

29 dépecer

INFINITIF

Présent	Passé
dépecer [depəse]	avoir dépecé [avwardepəse]

PARTICIPE

Présent	Passé
dépeçant [depəsɑ̃]	dépec-é, ée, -és, ées [depəse]
Présent composé	
ayant dépecé	

INDICATIF

Présent

je	dépèce	[depɛs]
tu	dépèces	[depɛs]
il	dépèce	[depɛs]
ns	dépeçons	[depəsɔ̃]
vs	dépecez	[depəse]
ils	dépècent	[depɛs]

Passé composé

ai	dépecé
as	dépecé
a	dépecé
avons	dépecé
avez	dépecé
ont	dépecé

Imparfait

je	dépeçais	[depəsɛ]
tu	dépeçais	[depəsɛ]
il	dépeçait	[depəsɛ]
ns	dépecions	[depəsjɔ̃]
vs	dépeciez	[depəsje]
ils	dépeçaient	[depəsɛ]

Plus-que-parfait

avais	dépecé
avais	dépecé
avait	dépecé
avions	dépecé
aviez	dépecé
avaient	dépecé

Futur simple

je	dépècerai	[depɛsre]
tu	dépèceras	[depɛsra]
il	dépècera	[depɛsra]
ns	dépècerons	[depɛsrɔ̃]
vs	dépècerez	[depɛsre]
ils	dépèceront	[depɛsrɔ̃]

Futur antérieur

aurai	dépecé
auras	dépecé
aura	dépecé
aurons	dépecé
aurez	dépecé
auront	dépecé

Passé simple

je	dépeçai	[depəse]
tu	dépeças	[depəsa]
il	dépeça	[depəsa]
ns	dépeçâmes	[depəsam]
vs	dépeçâtes	[depəsat]
ils	dépecèrent	[depəsɛr]

Passé antérieur

eus	dépecé
eus	dépecé
eut	dépecé
eûmes	dépecé
eûtes	dépecé
eurent	dépecé

SUBJONCTIF

Présent

q. je	dépèce	[depɛs]
tu	dépèces	[depɛs]
il	dépèce	[depɛs]
ns	dépecions	[depəsjɔ̃]
vs	dépeciez	[depəsje]
ils	dépècent	[depɛs]

Passé

aie	dépecé
aies	dépecé
ait	dépecé
ayons	dépecé
ayez	dépecé
aient	dépecé

Imparfait

q. je	dépeçasse	[depəsas]
tu	dépeçasses	[depəsas]
il	dépeçât	[depəsa]
ns	dépeçassions	[depəsasjɔ̃]
vs	dépeçassiez	[depəsasje]
ils	dépeçassent	[depəsas]

Plus-que-parfait

eusse	dépecé
eusses	dépecé
eût	dépecé
eussions	dépecé
eussiez	dépecé
eussent	dépecé

CONDITIONNEL

Présent

je	dépècerais	[depɛsrɛ]
tu	dépècerais	[depɛsrɛ]
il	dépècerait	[depɛsrɛ]
ns	dépècerions	[depəsərjɔ̃]
vs	dépèceriez	[depəsərje]
ils	dépèceraient	[depɛsrɛ]

Passé

aurais	dépecé
aurais	dépecé
aurait	dépecé
aurions	dépecé
auriez	dépecé
auraient	dépecé

IMPÉRATIF

Présent

dépèce	[depɛs]
dépeçons	[depəsɔ̃]
dépecez	[depəse]

Passé

aie dépecé
ayons dépecé
ayez dépecé

216

30 envoyer

INFINITIF

Présent	Passé
envoyer [ãvwaje]	avoir envoyé [avwarãvwaje]

PARTICIPE

Présent	Passé
envoyant [ãvwajã]	envoy-é, ée, -és. ées [ãvwaje]
Présent composé	
ayant envoyé	

INDICATIF

Présent / Passé composé

	Présent		Passé composé	
j'	envoie	[-vwa]	ai	envoyé
tu	envoies	[-vwa]	as	envoyé
elle	envoie	[-vwa]	a	envoyé
ns	envoyons	[-vwajɔ̃]	avons	envoyé
vs	envoyez	[-vwaje]	avez	envoyé
elles	envoient	[-vwa]	ont	envoyé

Imparfait / Plus-que-parfait

	Imparfait		Plus-que-parfait	
j'	envoyais	[-vwajɛ]	avais	envoyé
tu	envoyais	[-vwajɛ]	avais	envoyé
elle	envoyait	[-vwajɛ]	avait	envoyé
ns	envoyions	[-vwajjɔ̃]	avions	envoyé
vs	envoyiez	[-vwaje]	aviez	envoyé
elles	envoyaient	[-vwajɛ]	avaient	envoyé

Futur simple / Futur antérieur

	Futur simple		Futur antérieur	
j'	enverrai	[-vere]	aurai	envoyé
tu	enverras	[-vera]	auras	envoyé
elle	enverra	[-vera]	aura	envoyé
ns	enverrons	[-verɔ̃]	aurons	envoyé
vs	enverrez	[-vere]	aurez	envoyé
elles	enverront	[-verɔ̃]	auront	envoyé

Passé simple / Passé antérieur

	Passé simple		Passé antérieur	
j'	envoyai	[-vwaje]	eus	envoyé
tu	envoyas	[-vwaja]	eus	envoyé
elle	envoya	[-vwaja]	eut	envoyé
ns	envoyâmes	[-vwajam]	eûmes	envoyé
vs	envoyâtes	[-vwajat]	eûtes	envoyé
elles	envoyèrent	[-vwajɛr]	eurent	envoyé

SUBJONCTIF

Présent / Passé

		Présent		Passé	
q.	j'	envoie	[-vwa]	aie	envoyé
	tu	envoies	[-vwa]	aies	envoyé
	elle	envoie	[-vwa]	ait	envoyé
	ns	envoyions	[-vwajjɔ̃]	ayons	envoyé
	vs	envoyiez	[-vwaje]	ayez	envoyé
	elles	envoient	[-vwa]	aient	envoyé

Imparfait / Plus-que-parfait

		Imparfait		Plus-que-parfait	
q.	j'	envoyasse	[-vwajas]	eusse	envoyé
	tu	envoyasses	[-vwajas]	eusses	envoyé
	elle	envoyât	[-vwaja]	eût	envoyé
	ns	envoyassions	[-vwajasjɔ̃]	eussions	envoyé
	vs	envoyassiez	[-vwajasje]	eussiez	envoyé
	elles	envoyassent	[-vwajas]	eussent	envoyé

CONDITIONNEL

Présent / Passé

	Présent		Passé	
j'	enverrais	[-verɛ]	aurais	envoyé
tu	enverrais	[-verɛ]	aurais	envoyé
elle	enverrait	[-verɛ]	aurait	envoyé
ns	enverrions	[-verjɔ̃]	aurions	envoyé
vs	enverriez	[-verje]	auriez	envoyé
elles	enverraient	[-verɛ]	auraient	envoyé

IMPÉRATIF

Présent		Passé	
envoie	[-vwa]	aie	envoyé
envoyons	[-vwajɔ̃]	ayons	envoyé
envoyez	[-vwaje]	ayez	envoyé

31 aller

INFINITIF

Présent	Passé
aller [ale]	être allé [ɛtrale]

PARTICIPE

Présent	Passé
allant [alɑ̃]	all-é, ée -és, ées [ale]
Présent composé	
étant allé	

INDICATIF

Présent

			Passé composé	
je	vais	[vɛ]	suis	allé
tu	vas	[va]	es	allé
il	va	[va]	est	allé
ns	allons	[alɔ̃]	sommes	allés
vs	allez	[ale]	êtes	allés
ils	vont	[vɔ̃]	sont	allés

Imparfait

			Plus-que-parfait	
j'	allais	[alɛ]	étais	allé
tu	allais	[alɛ]	étais	allé
il	allait	[alɛ]	était	allé
ns	allions	[aljɔ̃]	étions	allés
vs	alliez	[alje]	étiez	allés
ils	allaient	[alɛ]	étaient	allés

Futur simple

			Futur antérieur	
j'	irai	[ire]	serai	allé
tu	iras	[ira]	seras	allé
il	ira	[ira]	sera	allé
ns	irons	[irɔ̃]	serons	allés
vs	irez	[ire]	serez	allés
ils	iront	[irɔ̃]	seront	allés

Passé simple

			Passé antérieur	
j'	allai	[ale]	fus	allé
tu	allas	[ala]	fus	allé
il	alla	[ala]	fut	allé
ns	allâmes	[alam]	fûmes	allés
vs	allâtes	[alat]	fûtes	allés
ils	allèrent	[alɛr]	furent	allés

SUBJONCTIF

Présent

			Passé	
q. j'	aille	[aj]	sois	allé
tu	ailles	[aj]	sois	allé
il	aille	[aj]	soit	allé
ns	allions	[aljɔ̃]	soyons	allés
vs	alliez	[alje]	soyez	allés
ils	aillent	[aj]	soient	allés

Imparfait

			Plus-que-parfait	
q. j'	allasse	[alas]	fusse	allé
tu	allasses	[alas]	fusses	allé
il	allât	[ala]	fût	allé
ns	allassions	[alasjɔ̃]	fussions	allés
vs	allassiez	[alasje]	fussiez	allés
ils	allassent	[alas]	fussent	allés

CONDITIONNEL

Présent

			Passé	
j'	irais	[irɛ]	serais	allé
tu	irais	[irɛ]	serais	allé
il	irait	[irɛ]	serait	allé
ns	irions	[irjɔ̃]	serions	allés
vs	iriez	[irje]	seriez	allés
ils	iraient	[irɛ]	seraient	allés

IMPÉRATIF

Présent

		Passé	
va	[va]	sois	allé
allons	[alɔ̃]	soyons	allés
allez	[ale]	soyez	allés

Remarque : *Aller* fait à l'impér. *vas* dans *vas-y. S'en aller* fait à l'impér. : *Va-t'en, Allons-nous-en, Allez-vous-en.* Aux temps composés, le verbe *être* peut se substituer au verbe *aller* : *Avoir été, J'ai été*, etc. Aux temps composés du pronominal *s'en aller, en* se place normalement avant l'auxiliaire : *Je m'en suis allé,* mais la langue courante dit de plus en plus *je me suis en allé.*

32 finir

___ INFINITIF ___

	Présent	Passé
	finir	avoir fini
	[finir]	[avwarfini]

___ PARTICIPE ___

	Présent	Passé
	finissant [finisã]	fin-i, ie,
	Présent composé	-is, ies
		[fini]
	ayant fini	

___ INDICATIF ___

	Présent		Passé composé	
je	finis	[-ni]	ai	fini
tu	finis	[-ni]	as	fini
elle	finit	[-ni]	a	fini
ns	finissons	[-nisõ]	avons	fini
vs	finissez	[-nise]	avez	fini
elles	finissent	[-nis]	ont	fini

	Imparfait		Plus-que-parfait	
je	finissais	[-nisɛ]	avais	fini
tu	finissais	[-nisɛ]	avais	fini
elle	finissait	[-nisɛ]	avait	fini
ns	finissions	[-nisjõ]	avions	fini
vs	finissiez	[-nisje]	aviez	fini
elles	finissaient	[-nisɛ]	avaient	fini

	Futur simple		Futur antérieur	
je	finirai	[-nire]	aurai	fini
tu	finiras	[-nira]	auras	fini
elle	finira	[-nira]	aura	fini
ns	finirons	[-nirõ]	aurons	fini
vs	finirez	[-nire]	aurez	fini
elles	finiront	[-nirõ]	auront	fini

	Passé simple		Passé antérieur	
je	finis	[-ni]	eus	fini
tu	finis	[-ni]	eus	fini
elle	finit	[-ni]	eut	fini
ns	finîmes	[-nim]	eûmes	fini
vs	finîtes	[-nit]	eûtes	fini
elles	finirent	[-nir]	eurent	fini

___ SUBJONCTIF ___

	Présent		Passé	
q. je	finisse	[-nis]	aie	fini
tu	finisses	[-nis]	aies	fini
elle	finisse	[-nis]	ait	fini
ns	finissions	[-nisjõ]	ayons	fini
vs	finissiez	[-nisje]	ayez	fini
elles	finissent	[-nis]	aient	fini

	Imparfait		Plus-que-parfait	
q. je	finisse	[-nis]	eusse	fini
tu	finisses	[-nis]	eusses	fini
elle	finît	[-ni]	eût	fini
ns	finissions	[-nisjõ]	eussions	fini
vs	finissiez	[-nisje]	eussiez	fini
elles	finissent	[-nis]	eussent	fini

___ CONDITIONNEL ___

	Présent		Passé	
je	finirais	[-nirɛ]	aurais	fini
tu	finirais	[-nirɛ]	aurais	fini
elle	finirait	[-nirɛ]	aurait	fini
ns	finirions	[-nirjõ]	aurions	fini
vs	finiriez	[-nirje]	auriez	fini
elles	finiraient	[-nirɛ]	auraient	fini

___ IMPÉRATIF ___

	Présent		Passé	
	finis	[-ni]	aie	fini
	finissons	[-nisõ]	ayons	fini
	finissez	[-nise]	ayez	fini

Remarque : *Bénir* a deux participes passés : *béni, bénie* et *bénit, bénite*. *Maudire* (tableau 104) et *bruire* (tableau 105) se conjuguent sur *finir*, mais le participe passé de *maudire* est *maudit, maudite*, et *bruire* est défectif.

33 haïr :: hate

INFINITIF

Présent

haïr
[air]

Passé

avoir haï
[avwarai]

PARTICIPE

Présent

haïssant [aisɑ̃]

Présent composé

ayant haï

Passé

ha-ï, ie,
-ïs, ïes
[aï]

INDICATIF

Présent

je	hais	[ɛ]
tu	hais	[ɛ]
il	hait	[ɛ]
ns	haïssons	[aisõ]
vs	haïssez	[aise]
ils	haïssent	[ais]

Passé composé

ai	haï
as	haï
a	haï
avons	haï
avez	haï
ont	haï

Imparfait

je	haïssais	[aisɛ]
tu	haïssais	[aisɛ]
il	haïssait	[aisɛ]
ns	haïssions	[aisjõ]
vs	haïssiez	[aisje]
ils	haïssaient	[aisɛ]

Plus-que-parfait

avais	haï
avais	haï
avait	haï
avions	haï
aviez	haï
avaient	haï

Futur simple

je	haïrai	[aire]
tu	haïras	[aira]
il	haïra	[aira]
ns	haïrons	[airõ]
vs	haïrez	[aire]
ils	haïront	[airõ]

Futur antérieur

aurai	haï
auras	haï
aura	haï
aurons	haï
aurez	haï
auront	haï

Passé simple

je	haïs	[ai]
tu	haïs	[ai]
il	haït	[ai]
ns	haïmes	[aim]
vs	haïtes	[ait]
ils	haïrent	[air]

Passé antérieur

eus	haï
eus	haï
eut	haï
eûmes	haï
eûtes	haï
eurent	haï

SUBJONCTIF

Présent

q. je	haïsse	[ais]
tu	haïsses	[ais]
il	haïsse	[ais]
ns	haïssions	[aisjõ]
vs	haïssiez	[aisje]
ils	haïssent	[ais]

Passé

aie	haï
aies	haï
ait	haï
ayons	haï
ayez	haï
aient	haï

Imparfait

q. je	haïsse	[ais]
tu	haïsses	[ais]
il	haït	[ai]
ns	haïssions	[aisjõ]
vs	haïssiez	[aisje]
ils	haïssent	[ais]

Plus-que-parfait

eusse	haï
eusses	haï
eût	haï
eussions	haï
eussiez	haï
eussent	haï

CONDITIONNEL

Présent

je	haïrais	[airɛ]
tu	haïrais	[airɛ]
il	haïrait	[airɛ]
ns	haïrions	[airjõ]
vs	haïriez	[airje]
ils	haïraient	[airɛ]

Passé

aurais	haï
aurais	haï
aurait	haï
aurions	haï
auriez	haï
auraient	haï

IMPÉRATIF

Présent

| hais | [ɛ] |

| haïssons | [aisõ] |
| haïssez | [aise] |

Passé

| aie | haï |

| ayons | haï |
| ayez | haï |

34 ouvrir

INFINITIF

	Présent		Passé
	ouvrir		avoir ouvert
	[uvrir]		[avwaruvɛr]

PARTICIPE

	Présent		Passé
	ouvrant [uvrɑ̃]		ouver-t, te
			-ts, tes
	Présent composé		[uvɛr, -ɛrt]
	ayant ouvert		

INDICATIF

	Présent		Passé composé	
j'	ouvre	[uvr]	ai	ouvert
tu	ouvres	[uvr]	as	ouvert
elle	ouvre	[uvr]	a	ouvert
ns	ouvrons	[uvrɔ̃]	avons	ouvert
vs	ouvrez	[uvre]	avez	ouvert
elles	ouvrent	[uvr]	ont	ouvert

	Imparfait		Plus-que-parfait	
j'	ouvrais	[uvrɛ]	avais	ouvert
tu	ouvrais	[uvrɛ]	avais	ouvert
elle	ouvrait	[uvrɛ]	avait	ouvert
ns	ouvrions	[uvrijɔ̃]	avions	ouvert
vs	ouvriez	[uvrije]	aviez	ouvert
elles	ouvraient	[uvrɛ]	avaient	ouvert

	Futur simple		Futur antérieur	
j'	ouvrirai	[uvrire]	aurai	ouvert
tu	ouvriras	[uvrira]	auras	ouvert
elle	ouvrira	[uvrira]	aura	ouvert
ns	ouvrirons	[uvrirɔ̃]	aurons	ouvert
vs	ouvrirez	[uvrire]	aurez	ouvert
elles	ouvriront	[uvrirɔ̃]	auront	ouvert

	Passé simple		Passé antérieur	
j'	ouvris	[uvri]	eus	ouvert
tu	ouvris	[uvri]	eus	ouvert
elle	ouvrit	[uvri]	eut	ouvert
ns	ouvrîmes	[uvrim]	eûmes	ouvert
vs	ouvrîtes	[uvrit]	eûtes	ouvert
elles	ouvrirent	[uvrir]	eurent	ouvert

SUBJONCTIF

	Présent		Passé	
q. j'	ouvre	[uvr]	aie	ouvert
tu	ouvres	[uvr]	aies	ouvert
elle	ouvre	[uvr]	ait	ouvert
ns	ouvrions	[uvrijɔ̃]	ayons	ouvert
vs	ouvriez	[uvrije]	ayez	ouvert
elles	ouvrent	[uvr]	aient	ouvert

	Imparfait		Plus-que-parfait	
q. j'	ouvrisse	[uvris]	eusse	ouvert
tu	ouvrisses	[uvris]	eusses	ouvert
elle	ouvrît	[uvri]	eût	ouvert
ns	ouvrissions	[uvrisjɔ̃]	eussions	ouvert
vs	ouvrissiez	[uvrisje]	eussiez	ouvert
elles	ouvrissent	[uvris]	eussent	ouvert

CONDITIONNEL

	Présent		Passé	
j'	ouvrirais	[uvrirɛ]	aurais	ouvert
tu	ouvrirais	[uvrirɛ]	aurais	ouvert
elle	ouvrirait	[uvrirɛ]	aurait	ouvert
ns	ouvririons	[uvrirjɔ̃]	aurions	ouvert
vs	ouvririez	[uvrirje]	auriez	ouvert
elles	ouvriraient	[uvrirɛ]	auraient	ouvert

IMPÉRATIF

	Présent		Passé	
	ouvre	[uvr]	aie	ouvert
	ouvrons	[uvrɔ̃]	ayons	ouvert
	ouvrez	[uvre]	ayez	ouvert

35 fuir : : flee, run away, shun

INFINITIF

Présent

fuir
[fɥir]

Passé

avoir fui
[avwarfɥi]

PARTICIPE

Présent

fuyant [fɥijɑ̃]

Présent composé

ayant fui

Passé

fu-i, ie,
  -is, ies
[fɥi]

INDICATIF

Présent

je	fuis	[fɥi]
tu	fuis	[fɥi]
il	fuit	[fɥi]
ns	fuyons	[fɥijɔ̃]
vs	fuyez	[fɥije]
ils	fuient	[fɥi]

Passé composé

ai	fui
as	fui
a	fui
avons	fui
avez	fui
ont	fui

Imparfait

je	fuyais	[fɥijɛ]
tu	fuyais	[fɥijɛ]
il	fuyait	[fɥijɛ]
ns	fuyions	[fɥijjɔ̃]
vs	fuyiez	[fɥije]
ils	fuyaient	[fɥijɛ]

Plus-que-parfait

avais	fui
avais	fui
avait	fui
avions	fui
aviez	fui
avaient	fui

Futur simple

je	fuirai	[fɥire]
tu	fuiras	[fɥira]
il	fuira	[fɥira]
ns	fuirons	[fɥirɔ̃]
vs	fuirez	[fɥire]
ils	fuiront	[fɥirɔ̃]

Futur antérieur

aurai	fui
auras	fui
aura	fui
aurons	fui
aurez	fui
auront	fui

Passé simple

je	fuis	[fɥi]
tu	fuis	[fɥi]
il	fuit	[fɥi]
ns	fuîmes	[fɥim]
vs	fuîtes	[fɥit]
ils	fuirent	[fɥir]

Passé antérieur

eus	fui
eus	fui
eut	fui
eûmes	fui
eûtes	fui
eurent	fui

SUBJONCTIF

Présent

q. je	fuie	[fɥi]
tu	fuies	[fɥi]
il	fuie	[fɥi]
ns	fuyions	[fɥijjɔ̃]
vs	fuyiez	[fɥije]
ils	fuient	[fɥi]

Passé

aie	fui
aies	fui
ait	fui
ayons	fui
ayez	fui
aient	fui

Imparfait

q. je	fuisse	[fɥis]
tu	fuisses	[fɥis]
il	fuît	[fɥi]
ns	fuissions	[fɥisjɔ̃]
vs	fuissiez	[fɥisje]
ils	fuissent	[fɥis]

Plus-que-parfait

eusse	fui
eusses	fui
eût	fui
eussions	fui
eussiez	fui
eussent	fui

CONDITIONNEL

Présent

je	fuirais	[fɥirɛ]
tu	fuirais	[fɥirɛ]
il	fuirait	[fɥirɛ]
ns	fuirions	[fɥirjɔ̃]
vs	fuiriez	[fɥirje]
ils	fuiraient	[fɥirɛ]

Passé

aurais	fui
aurais	fui
aurait	fui
aurions	fui
auriez	fui
auraient	fui

IMPÉRATIF

Présent

| fuis | [fɥi] |

| fuyons | [fɥijɔ̃] |
| fuyez | [fɥije] |

Passé

| aie | fui |

| ayons | fui |
| ayez | fui |

36 dormir

INFINITIF

Présent

dormir
[dɔrmir]

Passé

avoir dormi
[avwardɔrmi]

PARTICIPE

Présent

dormant [dɔrmɑ̃]

Présent composé

ayant dormi

Passé

dormi
[dɔrmi]

INDICATIF

	Présent		**Passé composé**	
je	dors	[dɔr]	ai	dormi
tu	dors	[dɔr]	as	dormi
elle	dort	[dɔr]	a	dormi
ns	dormons	[dɔrmɔ̃]	avons	dormi
vs	dormez	[dɔrme]	avez	dormi
elles	dorment	[dɔrm]	ont	dormi

	Imparfait		**Plus-que-parfait**	
je	dormais	[dɔrmɛ]	avais	dormi
tu	dormais	[dɔrmɛ]	avais	dormi
elle	dormait	[dɔrmɛ]	avait	dormi
ns	dormions	[dɔrmjɔ̃]	avions	dormi
vs	dormiez	[dɔrmje]	aviez	dormi
elles	dormaient	[dɔrmɛ]	avaient	dormi

	Futur simple		**Futur antérieur**	
je	dormirai	[dɔrmire]	aurai	dormi
tu	dormiras	[dɔrmira]	auras	dormi
elle	dormira	[dɔrmira]	aura	dormi
ns	dormirons	[dɔrmirɔ̃]	aurons	dormi
vs	dormirez	[dɔrmire]	aurez	dormi
elles	dormiront	[dɔrmirɔ̃]	auront	dormi

	Passé simple		**Passé antérieur**	
je	dormis	[dɔrmi]	eus	dormi
tu	dormis	[dɔrmi]	eus	dormi
elle	dormit	[dɔrmi]	eut	dormi
ns	dormîmes	[dɔrmim]	eûmes	dormi
vs	dormîtes	[dɔrmit]	eûtes	dormi
elles	dormirent	[dɔrmir]	eurent	dormi

SUBJONCTIF

	Présent		**Passé**	
q. je	dorme	[dɔrm]	aie	dormi
tu	dormes	[dɔrm]	aies	dormi
elle	dorme	[dɔrm]	ait	dormi
ns	dormions	[dɔrmjɔ̃]	ayons	dormi
vs	dormiez	[dɔrmje]	ayez	dormi
elles	dorment	[dɔrm]	aient	dormi

	Imparfait		**Plus-que-parfait**	
q. je	dormisse	[dɔrmis]	eusse	dormi
tu	dormisses	[dɔrmis]	eusses	dormi
elle	dormît	[dɔrmi]	eût	dormi
ns	dormissions	[dɔrmisjɔ̃]	eussions	dormi
vs	dormissiez	[dɔrmisje]	eussiez	dormi
elles	dormissent	[dɔrmis]	eussent	dormi

CONDITIONNEL

	Présent		**Passé**	
je	dormirais	[dɔrmirɛ]	aurais	dormi
tu	dormirais	[dɔrmirɛ]	aurais	dormi
elle	dormirait	[dɔrmirɛ]	aurait	dormi
ns	dormirions	[dɔrmirjɔ̃]	aurions	dormi
vs	dormiriez	[dɔrmirje]	auriez	dormi
elles	dormiraient	[dɔrmirɛ]	auraient	dormi

IMPÉRATIF

Présent		**Passé**	
dors	[dɔr]	aie	dormi
dormons	[dɔrmɔ̃]	ayons	dormi
dormez	[dɔrme]	ayez	dormi

Remarque : *Endormir* se conjugue comme *dormir* mais son participe passé est variable.

37 mentir

INFINITIF

Présent	Passé
mentir [mɑ̃tir]	avoir menti [avwarmɑ̃ti]

PARTICIPE

Présent	Passé
mentant [mɑ̃tɑ̃]	menti [mɑ̃ti]
Présent composé	
ayant menti	

INDICATIF

Présent		Passé composé	
je mens	[mɑ̃]	ai	menti
tu mens	[mɑ̃]	as	menti
il ment	[mɑ̃]	a	menti
ns mentons	[mɑ̃tɔ̃]	avons	menti
vs mentez	[mɑ̃te]	avez	menti
ils mentent	[mɑ̃t]	ont	menti

Imparfait		Plus-que-parfait	
je mentais	[mɑ̃tɛ]	avais	menti
tu mentais	[mɑ̃tɛ]	avais	menti
il mentait	[mɑ̃tɛ]	avait	menti
ns mentions	[mɑ̃tjɔ̃]	avions	menti
vs mentiez	[mɑ̃tje]	aviez	menti
ils mentaient	[mɑ̃tɛ]	avaient	menti

Futur simple		Futur antérieur	
je mentirai	[mɑ̃tire]	aurai	menti
tu mentiras	[mɑ̃tira]	auras	menti
il mentira	[mɑ̃tira]	aura	menti
ns mentirons	[mɑ̃tirɔ̃]	aurons	menti
vs mentirez	[mɑ̃tire]	aurez	menti
ils mentiront	[mɑ̃tirɔ̃]	auront	menti

Passé simple		Passé antérieur	
je mentis	[mɑ̃ti]	eus	menti
tu mentis	[mɑ̃ti]	eus	menti
il mentit	[mɑ̃ti]	eut	menti
ns mentîmes	[mɑ̃tim]	eûmes	menti
vs mentîtes	[mɑ̃tit]	eûtes	menti
ils mentirent	[mɑ̃tir]	eurent	menti

SUBJONCTIF

Présent		Passé	
q. je mente	[mɑ̃t]	aie	menti
tu mentes	[mɑ̃t]	aies	menti
il mente	[mɑ̃t]	ait	menti
ns mentions	[mɑ̃tjɔ̃]	ayons	menti
vs mentiez	[mɑ̃tje]	ayez	menti
ils mentent	[mɑ̃t]	aient	menti

Imparfait		Plus-que-parfait	
q. je mentisse	[mɑ̃tis]	eusse	menti
tu mentisses	[mɑ̃tis]	eusses	menti
il mentît	[mɑ̃ti]	eût	menti
ns mentissions	[mɑ̃tisjɔ̃]	eussions	menti
vs mentissiez	[mɑ̃tisje]	eussiez	menti
ils mentissent	[mɑ̃tis]	eussent	menti

CONDITIONNEL

Présent		Passé	
je mentirais	[mɑ̃tirɛ]	aurais	menti
tu mentirais	[mɑ̃tirɛ]	aurais	menti
il mentirait	[mɑ̃tirɛ]	aurait	menti
ns mentirions	[mɑ̃tirjɔ̃]	aurions	menti
vs mentiriez	[mɑ̃tirje]	auriez	menti
ils mentiraient	[mɑ̃tirɛ]	auraient	menti

IMPÉRATIF

Présent		Passé	
mens	[mɑ̃]	aie	menti
mentons	[mɑ̃tɔ̃]	ayons	menti
mentez	[mɑ̃te]	ayez	menti

Remarque : *Démentir* se conjugue comme *mentir* mais son participe passé est variable.

38 servir

INFINITIF

Présent	Passé
servir	avoir servi
[sɛrvir]	[avwarsɛrvi]

PARTICIPE

Présent	Passé
servant [sɛrvã]	serv-i, ie, -is, ies
Présent composé	[sɛrvi]
ayant servi	

INDICATIF

Présent / Passé composé

	Présent		Passé composé	
je	sers	[sɛr]	ai	servi
tu	sers	[sɛr]	as	servi
elle	sert	[sɛr]	a	servi
ns	servons	[sɛrvõ]	avons	servi
vs	servez	[sɛrve]	avez	servi
elles	servent	[sɛrv]	ont	servi

Imparfait / Plus-que-parfait

	Imparfait		Plus-que-parfait	
je	servais	[sɛrvɛ]	avais	servi
tu	servais	[sɛrvɛ]	avais	servi
elle	servait	[sɛrvɛ]	avait	servi
ns	servions	[sɛrvjõ]	avions	servi
vs	serviez	[sɛrvje]	aviez	servi
elles	servaient	[sɛrvɛ]	avaient	servi

Futur simple / Futur antérieur

	Futur simple		Futur antérieur	
je	servirai	[sɛrvire]	aurai	servi
tu	serviras	[sɛrvira]	auras	servi
elle	servira	[sɛrvira]	aura	servi
ns	servirons	[sɛrvirõ]	aurons	servi
vs	servirez	[sɛrvire]	aurez	servi
elles	serviront	[sɛrvirõ]	auront	servi

Passé simple / Passé antérieur

	Passé simple		Passé antérieur	
je	servis	[sɛrvi]	eus	servi
tu	servis	[sɛrvi]	eus	servi
elle	servit	[sɛrvi]	eut	servi
ns	servîmes	[sɛrvim]	eûmes	servi
vs	servîtes	[sɛrvit]	eûtes	servi
elles	servirent	[sɛrvir]	eurent	servi

SUBJONCTIF

Présent / Passé

	Présent		Passé	
q. je	serve	[sɛrv]	aie	servi
tu	serves	[sɛrv]	aies	servi
elle	serve	[sɛrv]	ait	servi
ns	servions	[sɛrvjõ]	ayons	servi
vs	serviez	[sɛrvje]	ayez	servi
elles	servent	[sɛrv]	aient	servi

Imparfait / Plus-que-parfait

	Imparfait		Plus-que-parfait	
q. je	servisse	[sɛrvis]	eusse	servi
tu	servisses	[sɛrvis]	eusses	servi
elle	servît	[sɛrvi]	eût	servi
ns	servissions	[sɛrvisjõ]	eussions	servi
vs	servissiez	[sɛrvisje]	eussiez	servi
elles	servissent	[sɛrvis]	eussent	servi

CONDITIONNEL

Présent / Passé

	Présent		Passé	
je	servirais	[sɛrvirɛ]	aurais	servi
tu	servirais	[sɛrvirɛ]	aurais	servi
elle	servirait	[sɛrvirɛ]	aurait	servi
ns	servirions	[sɛrvirjõ]	aurions	servi
vs	serviriez	[sɛrvirje]	auriez	servi
elles	serviraient	[sɛrvirɛ]	auraient	servi

IMPÉRATIF

Présent		Passé	
sers	[sɛr]	aie	servi
servons	[sɛrvõ]	ayons	servi
servez	[sɛrve]	ayez	servi

39 acquérir

INFINITIF

Présent	Passé
acquérir [akerir]	avoir acquis [avwaraki]

PARTICIPE

Présent	Passé
acquérant [akerã]	acqu-is, ise, ises [aki, -iz]

Présent composé

ayant acquis

INDICATIF

Présent

			Passé composé	
j'	acquiers	[-kjɛr]	ai	acquis
tu	acquiers	[-kjɛr]	as	acquis
il	acquiert	[-kjɛr]	a	acquis
ns	acquérons	[-kerɔ̃]	avons	acquis
vs	acquérez	[-kere]	avez	acquis
ils	acquièrent	[-kjɛr]	ont	acquis

Imparfait

			Plus-que-parfait	
j'	acquérais	[-kerɛ]	avais	acquis
tu	acquérais	[-kerɛ]	avais	acquis
il	acquérait	[-kerɛ]	avait	acquis
ns	acquérions	[-kerjɔ̃]	avions	acquis
vs	acquériez	[-kerje]	aviez	acquis
ils	acquéraient	[-kerɛ]	avaient	acquis

Futur simple

			Futur antérieur	
j'	acquerrai	[-ker(r)e]	aurai	acquis
tu	acquerras	[-ker(r)a]	auras	acquis
il	acquerra	[-ker(r)a]	aura	acquis
ns	acquerrons	[-ker(r)ɔ̃]	aurons	acquis
vs	acquerrez	[-ker(r)e]	aurez	acquis
ils	acquerront	[-ker(r)ɔ̃]	auront	acquis

Passé simple

			Passé antérieur	
j'	acquis	[aki]	eus	acquis
tu	acquis	[aki]	eus	acquis
il	acquit	[aki]	eut	acquis
ns	acquîmes	[akim]	eûmes	acquis
vs	acquîtes	[akit]	eûtes	acquis
ils	acquirent	[akir]	eurent	acquis

SUBJONCTIF

Présent

			Passé	
q. j'	acquière	[-kjɛr]	aie	acquis
tu	acquières	[-kjɛr]	aies	acquis
il	acquière	[-kjɛr]	ait	acquis
ns	acquérions	[-kerjɔ̃]	ayons	acquis
vs	acquériez	[-kerje]	ayez	acquis
ils	acquièrent	[-kjɛr]	aient	acquis

Imparfait

			Plus-que-parfait	
q. j'	acquisse	[-kis]	eusse	acquis
tu	acquisses	[-kis]	eusses	acquis
il	acquît	[-ki]	eût	acquis
ns	acquissions	[-kisjɔ̃]	eussions	acquis
vs	acquissiez	[-kisje]	eussiez	acquis
ils	acquissent	[-kis]	eussent	acquis

CONDITIONNEL

Présent

			Passé	
j'	acquerrais	[-ker(r)ɛ]	aurais	acquis
tu	acquerrais	[-ker(r)ɛ]	aurais	acquis
il	acquerrait	[-ker(r)ɛ]	aurait	acquis
ns	acquerrions	[-ker(r)jɔ̃]	aurions	acquis
vs	acquerriez	[-ker(r)je]	auriez	acquis
ils	acquerraient	[-ker(r)ɛ]	auraient	acquis

IMPÉRATIF

Présent

		Passé	
acquiers	[-kjɛr]	aie	acquis
acquérons	[-kerɔ̃]	ayons	acquis
acquérez	[-kere]	ayez	acquis

40 venir

INFINITIF

	Présent	Passé
	venir [v(ə)nir]	être ven-u, ue, -us, ues [ɛtrəv(ə)ny]

PARTICIPE

	Présent	Passé
	venant [v(ə)nɑ̃]	ven-u, ue, -us, ues [v(ə)ny]
	Présent composé	
	étant ven-u, ue, -us, ues	

INDICATIF

	Présent		Passé composé	
je	viens	[vjɛ̃]	suis	venue
tu	viens	[vjɛ̃]	es	venue
elle	vient	[vjɛ̃]	est	venue
ns	venons	[v(ə)nɔ̃]	sommes	venues
vs	venez	[v(ə)ne]	êtes	venues
elles	viennent	[vjɛn]	sont	venues

	Imparfait		Plus-que-parfait	
je	venais	[v(ə)nɛ]	étais	venue
tu	venais	[v(ə)nɛ]	étais	venue
elle	venait	[v(ə)nɛ]	était	venue
ns	venions	[v(ə)njɔ̃]	étions	venues
vs	veniez	[v(ə)nje]	étiez	venues
elles	venaient	[v(ə)nɛ]	étaient	venues

	Futur simple		Futur antérieur	
je	viendrai	[vjɛ̃dre]	serai	venue
tu	viendras	[vjɛ̃dra]	seras	venue
elle	viendra	[vjɛ̃dra]	sera	venue
ns	viendrons	[vjɛ̃drɔ̃]	serons	venues
vs	viendrez	[vjɛ̃dre]	serez	venues
elles	viendront	[vjɛ̃drɔ̃]	seront	venues

	Passé simple		Passé antérieur	
je	vins	[vɛ̃]	fus	venue
tu	vins	[vɛ̃]	fus	venue
elle	vint	[vɛ̃]	fut	venue
ns	vînmes	[vɛ̃m]	fûmes	venues
vs	vîntes	[vɛ̃t]	fûtes	venues
elles	vinrent	[vɛ̃r]	furent	venues

SUBJONCTIF

		Présent		Passé	
q.	je	vienne	[vjɛn]	sois	venue
	tu	viennes	[vjɛn]	sois	venue
	elle	vienne	[vjɛn]	soit	venue
	ns	venions	[v(ə)njɔ̃]	soyons	venues
	vs	veniez	[v(ə)nje]	soyez	venues
	elles	viennent	[vjɛn]	soient	venues

		Imparfait		Plus-que-parfait	
q.	je	vinsse	[vɛ̃s]	fusse	venue
	tu	vinsses	[vɛ̃s]	fusses	venue
	elle	vînt	[vɛ̃]	fût	venue
	ns	vinssions	[vɛ̃sjɔ̃]	fussions	venues
	vs	vinssiez	[vɛ̃sje]	fussiez	venues
	elles	vinssent	[vɛ̃s]	fussent	venues

CONDITIONNEL

	Présent		Passé	
je	viendrais	[vjɛ̃dre]	serais	venue
tu	viendrais	[vjɛ̃dre]	serais	venue
elle	viendrait	[vjɛ̃dre]	serait	venue
ns	viendrions	[vjɛ̃drijɔ̃]	serions	venues
vs	viendriez	[vjɛ̃drije]	seriez	venues
elles	viendraient	[vjɛ̃dre]	seraient	venues

IMPÉRATIF

	Présent		Passé	
	viens	[vjɛ̃]	sois	venue
	venons	[vənɔ̃]	soyons	venues
	venez	[vəne]	soyez	venues

41 cueillir :: pick, gather

Présent	Passé
cueillir [kœjir]	avoir cueilli [avwarkœji]

Présent	Passé
cueillant [kœjã]	cueill-i, ie, -is, ies [kœji]
Présent composé	
ayant cueilli	

	Présent		Passé composé	
je	cueille	[kœj]	ai	cueilli
tu	cueilles	[kœj]	as	cueilli
il	cueille	[kœj]	a	cueilli
ns	cueillons	[kœjõ]	avons	cueilli
vs	cueillez	[kœje]	avez	cueilli
ils	cueillent	[kœj]	ont	cueilli

	Imparfait		Plus-que-parfait	
je	cueillais	[kœjɛ]	avais	cueilli
tu	cueillais	[kœjɛ]	avais	cueilli
il	cueillait	[kœjɛ]	avait	cueilli
ns	cueillions	[kœjjõ]	avions	cueilli
vs	cueilliez	[kœjje]	aviez	cueilli
ils	cueillaient	[kœjɛ]	avaient	cueilli

	Futur simple		Futur antérieur	
je	cueillerai	[kœjre]	aurai	cueilli
tu	cueilleras	[kœjra]	auras	cueilli
il	cueillera	[kœjra]	aura	cueilli
ns	cueillerons	[kœjrõ]	aurons	cueilli
vs	cueillerez	[kœjre]	aurez	cueilli
ils	cueilleront	[kœjrõ]	auront	cueilli

	Passé simple		Passé antérieur	
je	cueillis	[kœji]	eus	cueilli
tu	cueillis	[kœji]	eus	cueilli
il	cueillit	[kœji]	eut	cueilli
ns	cueillîmes	[kœjim]	eûmes	cueilli
vs	cueillîtes	[kœjit]	eûtes	cueilli
ils	cueillirent	[kœjir]	eurent	cueilli

	Présent		Passé	
q. je	cueille	[kœj]	aie	cueilli
tu	cueilles	[kœj]	aies	cueilli
il	cueille	[kœj]	ait	cueilli
ns	cueillions	[kœjjõ]	ayons	cueilli
vs	cueilliez	[kœjje]	ayez	cueilli
ils	cueillent	[kœj]	aient	cueilli

	Imparfait		Plus-que-parfait	
q. je	cueillisse	[kœjis]	eusse	cueilli
tu	cueillisses	[kœjis]	eusses	cueilli
il	cueillît	[kœji]	eût	cueilli
ns	cueillissions	[kœjisjõ]	eussions	cueilli
vs	cueillissiez	[kœjisje]	eussiez	cueilli
ils	cueillissent	[kœjis]	eussent	cueilli

	Présent		Passé	
je	cueillerais	[kœjrɛ]	aurais	cueilli
tu	cueillerais	[kœjrɛ]	aurais	cueilli
il	cueillerait	[kœjrɛ]	aurait	cueilli
ns	cueillerions	[kœjərjõ]	aurions	cueilli
vs	cueilleriez	[kœjərje]	auriez	cueilli
ils	cueilleraient	[kœjrɛ]	auraient	cueilli

Présent		Passé	
cueille	[kœj]	aie	cueilli
cueillons	[kœjõ]	ayons	cueilli
cueillez	[kœje]	ayez	cueilli

42 mourir

INFINITIF

Présent	Passé
mourir	être mort
[murir]	[ɛtrəmɔr]

PARTICIPE

Présent	Passé
mourant [murɑ̃]	mor-t, te, -ts, tes [mɔr, mɔrt]

Présent composé

étant mort

INDICATIF

Présent

			Passé composé	
je	meurs	[mœr]	suis	morte
tu	meurs	[mœr]	es	morte
elle	meurt	[mœr]	est	morte
ns	mourons	[murɔ̃]	sommes	mortes
vs	mourez	[mure]	êtes	mortes
elles	meurent	[mœr]	sont	mortes

Imparfait

			Plus-que-parfait	
je	mourais	[murɛ]	étais	morte
tu	mourais	[murɛ]	étais	morte
elle	mourait	[murɛ]	était	morte
ns	mourions	[murjɔ̃]	étions	mortes
vs	mouriez	[murje]	étiez	mortes
elles	mouraient	[murɛ]	étaient	mortes

Futur simple

			Futur antérieur	
je	mourrai	[mur(r)e]	serai	morte
tu	mourras	[mur(r)a]	seras	morte
elle	mourra	[mur(r)a]	sera	morte
ns	mourrons	[mur(r)ɔ̃]	serons	mortes
vs	mourrez	[mur(r)e]	serez	mortes
elles	mourront	[mur(r)ɔ̃]	seront	mortes

Passé simple

			Passé antérieur	
je	mourus	[mury]	fus	morte
tu	mourus	[mury]	fus	morte
elle	mourut	[mury]	fut	morte
ns	mourûmes	[murym]	fûmes	mortes
vs	mourûtes	[muryt]	fûtes	mortes
elles	moururent	[muryr]	furent	mortes

SUBJONCTIF

Présent

				Passé	
q. je	meure	[mœr]		sois	morte
tu	meures	[mœr]		sois	morte
elle	meure	[mœr]		soit	morte
ns	mourions	[murjɔ̃]		soyons	mortes
vs	mouriez	[murje]		soyez	mortes
elles	meurent	[mœr]		soient	mortes

Imparfait

			Plus-que-parfait	
q. je	mourusse	[murys]	fusse	morte
tu	mourusses	[murys]	fusses	morte
elle	mourût	[mury]	fût	morte
ns	mourussions	[murysjɔ̃]	fussions	mortes
vs	mourussiez	[murysje]	fussiez	mortes
elles	mourussent	[murys]	fussent	mortes

CONDITIONNEL

Présent

			Passé	
je	mourrais	[mur(r)ɛ]	serais	morte
tu	mourrais	[mur(r)ɛ]	serais	morte
elle	mourrait	[mur(r)ɛ]	serait	morte
ns	mourrions	[mur(r)jɔ̃]	serions	mortes
vs	mourriez	[mur(r)je]	seriez	mortes
elles	mourraient	[mur(r)ɛ]	seraient	mortes

IMPÉRATIF

Présent

		Passé	
meurs	[mœr]	sois	morte
mourons	[murɔ̃]	soyons	mortes
mourez	[mure]	soyez	mortes

43 partir

INFINITIF

Présent	Passé
partir [partir]	être parti [ɛtrəparti]

PARTICIPE

Présent	Passé
partant [partɑ̃]	part-i, ie,
Présent composé	-is, ies
étant parti	[parti]

INDICATIF

Présent		Passé composé	
je pars	[par]	suis	parti
tu pars	[par]	es	parti
il part	[par]	est	parti
ns partons	[partɔ̃]	sommes	partis
vs partez	[parte]	êtes	partis
ils partent	[part]	sont	partis

Imparfait		Plus-que-parfait	
je partais	[partɛ]	étais	parti
tu partais	[partɛ]	étais	parti
il partait	[partɛ]	était	parti
ns partions	[partjɔ̃]	étions	partis
vs partiez	[partje]	étiez	partis
ils partaient	[partɛ]	étaient	partis

Futur simple		Futur antérieur	
je partirai	[partire]	serai	parti
tu partiras	[partira]	seras	parti
il partira	[partira]	sera	parti
ns partirons	[partirɔ̃]	serons	partis
vs partirez	[partire]	serez	partis
ils partiront	[partirɔ̃]	seront	partis

Passé simple		Passé antérieur	
je partis	[parti]	fus	parti
tu partis	[parti]	fus	parti
il partit	[parti]	fut	parti
ns partîmes	[partim]	fûmes	partis
vs partîtes	[partit]	fûtes	partis
ils partirent	[partir]	furent	partis

SUBJONCTIF

Présent			Passé	
q. je	parte	[part]	sois	parti
tu	partes	[part]	sois	parti
il	parte	[part]	soit	parti
ns	partions	[partjɔ̃]	soyons	partis
vs	partiez	[partje]	soyez	partis
ils	partent	[part]	soient	partis

Imparfait			Plus-que-parfait	
q. je	partisse	[partis]	fusse	parti
tu	partisses	[partis]	fusses	parti
il	partît	[parti]	fût	parti
ns	partissions	[partisjɔ̃]	fussions	partis
vs	partissiez	[partisje]	fussiez	partis
ils	partissent	[partis]	fussent	partis

CONDITIONNEL

Présent		Passé	
je partirais	[partirɛ]	serais	parti
tu partirais	[partirɛ]	serais	parti
il partirait	[partirɛ]	serait	parti
ns partirions	[partirjɔ̃]	serions	partis
vs partiriez	[partirje]	seriez	partis
ils partiraient	[partirɛ]	seraient	partis

IMPÉRATIF

Présent		Passé	
pars	[par]	sois	parti
partons	[partɔ̃]	soyons	partis
partez	[parte]	soyez	partis

44 revêtir :: cover

INFINITIF

Présent	Passé
revêtir	avoir revêtu
[rəvetir]	[avwarrəvety]

PARTICIPE

Présent	Passé
revêtant [rəvetɑ̃]	revêt-u, ue, -us, ues
Présent composé	[rəvety]
ayant revêtu	

INDICATIF

	Présent			Passé composé	
je	revêts	[-vɛ]	ai	revêtu	
tu	revêts	[-vɛ]	as	revêtu	
elle	revêt	[-vɛ]	a	revêtu	
ns	revêtons	[-vetɔ̃]	avons	revêtu	
vs	revêtez	[-vete]	avez	revêtu	
elles	revêtent	[-vɛt]	ont	revêtu	

	Imparfait			Plus-que-parfait	
je	revêtais	[-vetɛ]	avais	revêtu	
tu	revêtais	[-vetɛ]	avais	revêtu	
elle	revêtait	[-vetɛ]	avait	revêtu	
ns	revêtions	[-vetjɔ̃]	avions	revêtu	
vs	revêtiez	[-vetje]	aviez	revêtu	
elles	revêtaient	[-vetɛ]	avaient	revêtu	

	Futur simple			Futur antérieur	
je	revêtirai	[-vetire]	aurai	revêtu	
tu	revêtiras	[-vetira]	auras	revêtu	
elle	revêtira	[-vetira]	aura	revêtu	
ns	revêtirons	[-vetirɔ̃]	aurons	revêtu	
vs	revêtirez	[-vetire]	aurez	revêtu	
elles	revêtiront	[-vetirɔ̃]	auront	revêtu	

	Passé simple			Passé antérieur	
je	revêtis	[-veti]	eus	revêtu	
tu	revêtis	[-veti]	eus	revêtu	
elle	revêtit	[-veti]	eut	revêtu	
ns	revêtîmes	[-vetim]	eûmes	revêtu	
vs	revêtîtes	[-vetit]	eûtes	revêtu	
elles	revêtirent	[-vetir]	eurent	revêtu	

SUBJONCTIF

		Présent		Passé	
q. je	revête	[-vɛt]	aie	revêtu	
tu	revêtes	[-vɛt]	aies	revêtu	
elle	revête	[-vɛt]	ait	revêtu	
ns	revêtions	[-vetjɔ̃]	ayons	revêtu	
vs	revêtiez	[-vetje]	ayez	revêtu	
elles	revêtent	[-vɛt]	aient	revêtu	

		Imparfait		Plus-que-parfait	
q. je	revêtisse	[-vetis]	eusse	revêtu	
tu	revêtisses	[-vetis]	eusses	revêtu	
elle	revêtît	[-veti]	eût	revêtu	
ns	revêtissions	[-vetisjɔ̃]	eussions	revêtu	
vs	revêtissiez	[-vetisje]	eussiez	revêtu	
elles	revêtissent	[-vetis]	eussent	revêtu	

CONDITIONNEL

	Présent			Passé	
je	revêtirais	[-vetirɛ]	aurais	revêtu	
tu	revêtirais	[-vetirɛ]	aurais	revêtu	
elle	revêtirait	[-vetirɛ]	aurait	revêtu	
ns	revêtirions	[-vetirjɔ̃]	aurions	revêtu	
vs	revêtiriez	[-vetirje]	auriez	revêtu	
elles	revêtiraient	[-vetirɛ]	auraient	revêtu	

IMPÉRATIF

Présent		Passé	
revêts	[-vɛ]	aie	revêtu
revêtons	[-vetɔ̃]	ayons	revêtu
revêtez	[-vete]	ayez	revêtu

45 courir

— INFINITIF —

Présent	Passé
courir [kurir]	avoir couru [avwarkury]

— PARTICIPE —

Présent	Passé
courant [kurã]	cour-u, ue, -us, ues [kury]
Présent composé	
ayant couru	

— INDICATIF —

Présent

			Passé composé	
je	cours	[kur]	ai	couru
tu	cours	[kur]	as	couru
il	court	[kur]	a	couru
ns	courons	[kurɔ̃]	avons	couru
vs	courez	[kure]	avez	couru
ils	courent	[kur]	ont	couru

Imparfait

			Plus-que-parfait	
je	courais	[kurɛ]	avais	couru
tu	courais	[kurɛ]	avais	couru
il	courait	[kurɛ]	avait	couru
ns	courions	[kurjɔ̃]	avions	couru
vs	couriez	[kurje]	aviez	couru
ils	couraient	[kurɛ]	avaient	couru

Futur simple

			Futur antérieur	
je	courrai	[kur(r)e]	aurai	couru
tu	courras	[kur(r)a]	auras	couru
il	courra	[kur(r)a]	aura	couru
ns	courrons	[kur(r)ɔ̃]	aurons	couru
vs	courrez	[kur(r)e]	aurez	couru
ils	courront	[kur(r)ɔ̃]	auront	couru

Passé simple

			Passé antérieur	
je	courus	[kury]	eus	couru
tu	courus	[kury]	eus	couru
il	courut	[kury]	eut	couru
ns	courûmes	[kurym]	eûmes	couru
vs	courûtes	[kuryt]	eûtes	couru
ils	coururent	[kuryr]	eurent	couru

— SUBJONCTIF —

Présent

				Passé	
q. je	coure	[kur]		aie	couru
tu	coures	[kur]		aies	couru
il	coure	[kur]		ait	couru
ns	courions	[kurjɔ̃]		ayons	couru
vs	couriez	[kurje]		ayez	couru
ils	courent	[kur]		aient	couru

Imparfait

				Plus-que-parfait	
q. je	courusse	[kurys]		eusse	couru
tu	courusses	[kurys]		eusses	couru
il	courût	[kury]		eût	couru
ns	courussions	[kurysjɔ̃]		eussions	couru
vs	courussiez	[kurysje]		eussiez	couru
ils	courussent	[kurys]		eussent	couru

— CONDITIONNEL —

Présent			Passé	
je	courrais	[kur(r)ɛ]	aurais	couru
tu	courrais	[kur(r)ɛ]	aurais	couru
il	courrait	[kur(r)ɛ]	aurait	couru
ns	courrions	[kur(r)jɔ̃]	aurions	couru
vs	courriez	[kur(r)je]	auriez	couru
ils	courraient	[kur(r)ɛ]	auraient	couru

— IMPÉRATIF —

Présent			Passé	
cours	[kur]		aie	couru
courons	[kurɔ̃]		ayons	couru
courez	[kure]		ayez	couru

46 faillir

INFINITIF

Présent	Passé
faillir [fajir]	avoir failli [avwarfaji]

PARTICIPE

Présent	Passé
faillissant [fajisɑ̃] faillant [fajɑ̃]	failli [faji]

Présent composé

ayant failli

INDICATIF

Présent
je	faillis	faux
tu	faillis	faux
elle	faillit	faut
ns	faillissons	faillons
vs	faillissez	faillez
elles	faillissent	faillent

Passé composé
ai	failli
as	failli
a	failli
avons	failli
avez	failli
ont	failli

Imparfait
je	faillissais	faillais
tu	faillissais	faillais
elle	faillissait	faillait
ns	faillissions	faillions
vs	faillissiez	failliez
elles	faillissaient	faillaient

Plus-que-parfait
avais	failli
avais	failli
avait	failli
avions	failli
aviez	failli
avaient	failli

Futur simple
je	faillirai	faudrai
tu	failliras	faudras
elle	faillira	faudra
ns	faillirons	faudrons
vs	faillirez	faudrez
elles	failliront	faudront

Futur antérieur
aurai	failli
auras	failli
aura	failli
aurons	failli
aurez	failli
auront	failli

Passé simple
je	faillis
tu	faillis
elle	faillit
ns	faillîmes
vs	faillîtes
elles	faillirent

Passé antérieur
eus	failli
eus	failli
eut	failli
eûmes	failli
eûtes	failli
eurent	failli

SUBJONCTIF

Présent
q. je	faillisse	faille
tu	faillisses	failles
elle	faillisse	faille
ns	faillissions	faillions
vs	faillissiez	failliez
elles	faillissent	faillent

Passé
aie	failli
aies	failli
ait	failli
ayons	failli
ayez	failli
aient	failli

Imparfait
q. je	faillisse
tu	faillisses
elle	faillît
ns	faillissions
vs	faillissiez
elles	faillissent

Plus-que-parfait
eusse	failli
eusses	failli
eût	failli
eussions	failli
eussiez	failli
eussent	failli

CONDITIONNEL

Présent
je	faillirais	faudrais
tu	faillirais	faudrais
elle	faillirait	faudrait
ns	faillirions	faudrions
vs	failliriez	faudriez
elles	failliraient	faudraient

Passé
aurais	failli
aurais	failli
aurait	failli
aurions	failli
auriez	failli
auraient	failli

IMPÉRATIF

Présent
faillis	faux
faillissons	faillons
faillissez	faillez

Passé
aie	failli
ayons	failli
ayez	failli

Remarque : La conjugaison de *faillir* la plus employée est celle qui a été refaite sur *finir*. Les formes conjuguées de ce verbe sont rares et la prononciation n'en a pas été indiquée.

47 défaillir :: faint, fail

___ INFINITIF _____

Présent	Passé
défaillir	avoir défailli
[defajir]	[avwardefaji]

___ PARTICIPE _____

Présent	Passé
défaillant [defajɑ̃]	défailli
	[defaji]
Présent composé	
ayant défailli	

___ INDICATIF _____

	Présent		Passé composé	
je	défaille	[-faj]	ai	défailli
tu	défailles	[-faj]	as	défailli
il	défaille	[-faj]	a	défailli
ns	défaillons	[-fajɔ̃]	avons	défailli
vs	défaillez	[-faje]	avez	défailli
ils	défaillent	[-faj]	ont	défailli

	Imparfait		Plus-que-parfait	
je	défaillais	[-fajɛ]	avais	défailli
tu	défaillais	[-fajɛ]	avais	défailli
il	défaillait	[-fajɛ]	avait	défailli
ns	défaillions	[-fajjɔ̃]	avions	défailli
vs	défailliez	[-fajje]	aviez	défailli
ils	défaillaient	[-fajɛ]	avaient	défailli

	Futur simple		Futur antérieur	
je	défaillirai	[-fajire]	aurai	défailli
tu	défailliras	[-fajira]	auras	défailli
il	défaillira	[-fajira]	aura	défailli
ns	défaillirons	[-fajirɔ̃]	aurons	défailli
vs	défaillirez	[-fajire]	aurez	défailli
ils	défailliront	[-fajirɔ̃]	auront	défailli

	Passé simple		Passé antérieur	
je	défaillis	[-faji]	eus	défailli
tu	défaillis	[-faji]	eus	défailli
il	défaillit	[-faji]	eut	défailli
ns	défaillîmes	[-fajim]	eûmes	défailli
vs	défaillîtes	[-fajit]	eûtes	défailli
ils	défaillirent	[-fajir]	eurent	défailli

___ SUBJONCTIF _____

	Présent		Passé	
q. je	défaille	[-faj]	aie	défailli
tu	défailles	[-faj]	aies	défailli
il	défaille	[-faj]	ait	défailli
ns	défaillions	[-fajjɔ̃]	ayòns	défailli
vs	défailliez	[-fajje]	ayez	défailli
ils	défaillent	[-faj]	aient	défailli

	Imparfait		Plus-que-parfait	
q. je	défaillisse	[-fajis]	eusse	défailli
tu	défaillisses	[-fajis]	eusses	défailli
il	défaillît	[-faji]	eût	défailli
ns	défaillissions	[-fajisjɔ̃]	eussions	défailli
vs	défaillissiez	[-fajisje]	eussiez	défailli
ils	défaillissent	[-fajis]	eussent	défailli

___ CONDITIONNEL _____

	Présent		Passé	
je	défaillirais	[-fajirɛ]	aurais	défailli
tu	défaillirais	[-fajirɛ]	aurais	défailli
il	défaillirait	[-fajirɛ]	aurait	défailli
ns	défaillirions	[-fajirjɔ̃]	aurions	défailli
vs	défailliriez	[-fajirje]	auriez	défailli
ils	défailliraient	[-fajirɛ]	auraient	défailli

___ IMPÉRATIF _____

	Présent		Passé	
	défaille	[-faj]	aie	défailli
	défaillons	[-fajɔ̃]	ayons	défailli
	défaillez	[-faje]	ayez	défailli

Remarque : On trouve aussi *je défaillerai* [defajre], *tu défailleras* [defajra], etc., pour le futur, et *je défaillerais* [defajrɛ], *tu défaillerais* [defajrɛ], etc., pour le conditionnel, de même pour *tressaillir* et *assaillir*.

48 bouillir :: boil

INFINITIF

Présent	Passé
bouillir	avoir bouilli
[bujir]	[avwarbuji]

PARTICIPE

Présent	Passé
bouillant [bujã]	bouill-i, ie
Présent composé	-is, ies
	[buji]
ayant bouilli	

INDICATIF

	Présent			Passé composé	
je	bous	[bu]	ai	bouilli	
tu	bous	[bu]	as	bouilli	
elle	bout	[bu]	a	bouilli	
ns	bouillons	[bujõ]	avons	bouilli	
vs	bouillez	[buje]	avez	bouilli	
elles	bouillent	[buj]	ont	bouilli	

	Imparfait			Plus-que-parfait	
je	bouillais	[bujɛ]	avais	bouilli	
tu	bouillais	[bujɛ]	avais	bouilli	
elle	bouillait	[bujɛ]	avait	bouilli	
ns	bouillions	[bujjõ]	avions	bouilli	
vs	bouilliez	[bujje]	aviez	bouilli	
elles	bouillaient	[bujɛ]	avaient	bouilli	

	Futur simple			Futur antérieur	
je	bouillirai	[bujire]	aurai	bouilli	
tu	bouilliras	[bujira]	auras	bouilli	
elle	bouillira	[bujira]	aura	bouilli	
ns	bouillirons	[bujirõ]	aurons	bouilli	
vs	bouillirez	[bujire]	aurez	bouilli	
elles	bouilliront	[bujirõ]	auront	bouilli	

	Passé simple			Passé antérieur	
je	bouillis	[buji]	eus	bouilli	
tu	bouillis	[buji]	eus	bouilli	
il	bouillit	[buji]	eut	bouilli	
ns	bouillîmes	[bujim]	eûmes	bouilli	
vs	bouillîtes	[bujit]	eûtes	bouilli	
ils	bouillirent	[bujir]	eurent	bouilli	

SUBJONCTIF

	Présent			Passé	
q. je	bouille	[buj]	aie	bouilli	
tu	bouilles	[buj]	aies	bouilli	
elle	bouille	[buj]	ait	bouilli	
ns	bouillions	[bujjõ]	ayons	bouilli	
vs	bouilliez	[bujje]	ayez	bouilli	
elles	bouillent	[buj]	aient	bouilli	

	Imparfait			Plus-que-parfait	
q. je	bouillisse	[bujis]	eusse	bouilli	
tu	bouillisses	[bujis]	eusses	bouilli	
elle	bouillît	[buji]	eût	bouilli	
ns	bouillissions	[bujisjõ]	eussions	bouilli	
vs	bouillissiez	[bujisje]	eussiez	bouilli	
elles	bouillissent	[bujis]	eussent	bouilli	

CONDITIONNEL

	Présent			Passé	
je	bouillirais	[bujirɛ]	aurais	bouilli	
tu	bouillirais	[bujirɛ]	aurais	bouilli	
elle	bouillirait	[bujirɛ]	aurait	bouilli	
ns	bouillirions	[bujirjõ]	aurions	bouilli	
vs	bouilliriez	[bujirje]	auriez	bouilli	
elles	bouilliraient	[bujirɛ]	auraient	bouilli	

IMPÉRATIF

	Présent			Passé	
	bous	[bu]	aie	bouilli	
	bouillons	[bujõ]	ayons	bouilli	
	bouillez	[buje]	ayez	bouilli	

49 gésir

	INFINITIF	PARTICIPE		INDICATIF	

INFINITIF — **PARTICIPE**

Présent	Présent
gésir [ʒezir]	gisant [ʒizɑ̃]

Remarque : *Gésir* est défectif aux autres temps et modes

INDICATIF

	Présent		Imparfait	
je	gis [ʒi]		gisais [ʒizɛ]
tu	gis [ʒi]		gisais [ʒizɛ]
il	gît [ʒi]		gisait [ʒizɛ]
ns	gisons [ʒizɔ̃]		gisions [ʒizjɔ̃]
vs	gisez [ʒize]		gisiez [ʒizje]
ils	gisent [ʒiz]		gisaient [ʒizɛ]

50 saillir

INFINITIF

Présent	Passé
saillir [sajir]	avoir sailli [avwarsaji]

PARTICIPE

Présent	Passé
saillant [sajɑ̃]	saill-i, ie, -is, ies [saji]
Présent composé	
ayant sailli	

INDICATIF

	Présent			Passé composé
il	saille [saj]		a	sailli
ils	saillent [saj]		ont	sailli

	Imparfait			Plus-que-parfait
il	saillait [sajɛ]		avait	sailli
ils	saillaient [sajɛ]		avaient	sailli

	Futur simple			Futur antérieur
il	saillera [sajra]		aura	sailli
ils	sailleront [sajrɔ̃]		auront	sailli

	Passé simple			Passé antérieur
il	saillit [saji]		eut	sailli
ils	saillirent [sajir]		eussent	sailli

SUBJONCTIF

	Présent			Passé
q. il	saille [saj]		ait	sailli
ils	saillent [saj]		aient	sailli

	Imparfait			Plus-que-parfait
q. il	saillît [saji]		eût	sailli
ils	saillissent [sajis]		eussent	sailli

CONDITIONNEL

	Présent			Passé
il	saillerait [sajrɛ]		aurait	sailli
ils	sailleraient [sajrɛ]		auraient	sailli

IMPÉRATIF

Présent	Passé
(inusité)	*(inusité)*

Remarque : Le verbe *saillir* a ici le sens de « faire saillie » ; dans le sens de « jaillir » ou de « s'accoupler avec », *saillir* se conjugue sur le modèle de *finir* et n'est guère usité qu'à l'infinitif et à la troisième personne du sing. ou du plur.

51 ouïr :: hear   par ouï-dire :: by hearsay

INFINITIF

Présent	Passé
ouïr	avoir ouï
[wir]	[avwarwi]

PARTICIPE

Présent	Passé
oyant [oj ̃ɑ]	ou-ï, ïe,
	-ïs, ïes
Présent composé	[wi]
ayant ouï	

INDICATIF

Présent

			Passé composé	
j'	ouïs	ois	ai	ouï
tu	ouïs	ois	as	ouï
elle	ouït	oit	a	ouï
ns	ouïssons	oyons	avons	ouï
vs	ouïssez	oyez	avez	ouï
elles	ouïssent	oient	ont	ouï

Imparfait

			Plus-que-parfait	
j'	ouïssais	oyais	avais	ouï
tu	ouïssais	oyais	avais	ouï
elle	ouïssait	oyait	avait	ouï
ns	ouïssions	oyions	avions	ouï
vs	ouïssiez	oyiez	aviez	ouï
elles	ouïssaient	oyaient	avaient	ouï

Futur simple

			Futur antérieur	
j'	ouïrai	orrai	aurai	ouï
tu	ouïras	orras	auras	ouï
elle	ouïra	orra	aura	ouï
ns	ouïrons	orrons	aurons	ouï
vs	ouïrez	orrez	aurez	ouï
elles	ouïront	orront	auront	ouï

Passé simple

		Passé antérieur	
j'	ouïs	eus	ouï
tu	ouïs	eus	ouï
elle	ouït	eut	ouï
ns	ouïmes	eûmes	ouï
vs	ouïtes	eûtes	ouï
elles	ouïrent	eurent	ouï

SUBJONCTIF

Présent

				Passé	
q. j'	ouïsse	oie		aie	ouï
tu	ouïsses	oies		aies	ouï
elle	ouïsse	oie		ait	ouï
ns	ouïssions	oyions		ayons	ouï
vs	ouïssiez	oyiez		ayez	ouï
elles	ouïssent	oient		aient	ouï

Imparfait

		Plus-que-parfait	
q. j'	ouïsse	eusse	ouï
tu	ouïsses	eusses	ouï
elle	ouït	eût	ouï
ns	ouïssions	eussions	ouï
vs	ouïssiez	eussiez	ouï
elles	ouïssent	eussent	ouï

CONDITIONNEL

Présent

			Passé	
j'	ouïrais	orrais	aurais	ouï
tu	ouïrais	orrais	aurais	ouï
elle	ouïrait	orrait	aurait	ouï
ns	ouïrions	orrions	aurions	ouï
vs	ouïriez	orriez	auriez	ouï
elles	ouïraient	orraient	auraient	ouï

IMPÉRATIF

Présent		Passé	
ouïs	ois	aie	ouï
ouïssons	oyons	ayons	ouï
ouïssez	oyez	ayez	ouï

Remarque : Le verbe *ouïr* n'est plus guère usité qu'à l'infinitif et dans l'expression *ouï-dire* ; on l'emploie encore dans le langage juridique. Ses formes conjuguées sont rares et la prononciation n'en a pas été indiquée.

52 recevoir

___ INFINITIF _____

Présent

recevoir
[rəsəvwar]

Passé

avoir reçu
[avwarrəsy]

___ PARTICIPE _____

Présent

recevant [rəsəvã]

Présent composé

ayant reçu

Passé

reç-u, ue
-us, ues
[rəsy]

___ INDICATIF _____

Présent

je	reçois	[rəswa]
tu	reçois	[rəswa]
il	reçoit	[rəswa]
ns	recevons	[rəsəvõ]
vs	recevez	[rəsəve]
ils	reçoivent	[rəswav]

Passé composé

ai	reçu
as	reçu
a	reçu
avons	reçu
avez	reçu
ont	reçu

Imparfait

je	recevais	[rəsəvɛ]
tu	recevais	[rəsəvɛ]
il	recevait	[rəsəvɛ]
ns	recevions	[rəsəvjõ]
vs	receviez	[rəsəvje]
ils	recevaient	[rəsəvɛ]

Plus-que-parfait

avais	reçu
avais	reçu
avait	reçu
avions	reçu
aviez	reçu
avaient	reçu

Futur simple

je	recevrai	[rəsəvre]
tu	recevras	[rəsəvra]
il	recevra	[rəsəvra]
ns	recevrons	[rəsəvrõ]
vs	recevrez	[rəsəvre]
ils	recevront	[rəsəvrõ]

Futur antérieur

aurai	reçu
auras	reçu
aura	reçu
aurons	reçu
aurez	reçu
auront	reçu

Passé simple

je	reçus	[rəsy]
tu	reçus	[rəsy]
il	reçut	[rəsy]
ns	reçûmes	[rəsym]
vs	reçûtes	[rəsyt]
ils	reçurent	[rəsyr]

Passé antérieur

eus	reçu
eus	reçu
eut	reçu
eûmes	reçu
eûtes	reçu
eurent	reçu

___ SUBJONCTIF _____

Présent

q.	je	reçoive	[rəswav]
	tu	reçoives	[rəswav]
	il	reçoive	[rəswav]
	ns	recevions	[rəsəvjõ]
	vs	receviez	[rəsəvje]
	ils	reçoivent	[rəswav]

Passé

aie	reçu
aies	reçu
ait	reçu
ayons	reçu
ayez	reçu
aient	reçu

Imparfait

q.	je	reçusse	[rəsys]
	tu	reçusses	[rəsys]
	il	reçût	[rəsy]
·	ns	reçussions	[rəsysjõ]
	vs	reçussiez	[rəsysje]
	ils	reçussent	[rəsys]

Plus-que-parfait

eusse	reçu
eusses	reçu
eût	reçu
eussions	reçu
eussiez	reçu
eussent	reçu

___ CONDITIONNEL _____

Présent

je	recevrais	[rəsəvrɛ]
tu	recevrais	[rəsəvrɛ]
il	recevrait	[rəsəvrɛ]
ns	recevrions	[rəsəvrijõ]
vs	recevriez	[rəsəvrije]
ils	recevraient	[rəsəvrɛ]

Passé

aurais	reçu
aurais	reçu
aurait	reçu
aurions	reçu
auriez	reçu
auraient	reçu

___ IMPÉRATIF _____

Présent

reçois	[rəswa]
recevons	[rəsəvõ]
recevez	[rəsəve]

Passé

aie	reçu
ayons	reçu
ayez	reçu

53 devoir

INFINITIF

	Présent	Passé
	devoir	avoir dû
	[dəvwar]	[avwardy]

PARTICIPE

	Présent	Passé
	devant [dəvã]	dû, due, dus, dues
		[dy]
	Présent composé	
	ayant dû	

INDICATIF

	Présent		Passé composé	
je	dois	[dwa]	ai	dû
tu	dois	[dwa]	as	dû
elle	doit	[dwa]	a	dû
ns	devons	[d(ə)võ]	avons	dû
vs	devez	[d(ə)ve]	avez	dû
elles	doivent	[dwav]	ont	dû

	Imparfait		Plus-que-parfait	
je	devais	[d(ə)vɛ]	avais	dû
tu	devais	[d(ə)vɛ]	avais	dû
elle	devait	[dəvɛ]	avait	dû
ns	devions	[dəvjõ]	avions	dû
vs	deviez	[dəvje]	aviez	dû
elles	devaient	[dəvɛ]	avaient	dû

	Futur simple		Futur antérieur	
je	devrai	[dəvre]	aurai	dû
tu	devras	[dəvra]	auras	dû
elle	devra	[dəvra]	aura	dû
ns	devrons	[dəvrõ]	aurons	dû
vs	devrez	[dəvre]	aurez	dû
elles	devront	[dəvrõ]	auront	dû

	Passé simple		Passé antérieur	
je	dus	[dy]	eus	dû
tu	dus	[dy]	eus	dû
elle	dut	[dy]	eut	dû
ns	dûmes	[dym]	eûmes	dû
vs	dûtes	[dyt]	eûtes	dû
elles	durent	[dyr]	eurent	dû

SUBJONCTIF

	Présent		Passé	
q. je	doive	[dwav]	aie	dû
tu	doives	[dwav]	aies	dû
elle	doive	[dwav]	ait	dû
ns	devions	[dəvjõ]	ayons	dû
vs	deviez	[dəvje]	ayez	dû
elles	doivent	[dwav]	aient	dû

	Imparfait		Plus-que-parfait	
q. je	dusse	[dys]	eusse	dû
tu	dusses	[dys]	eusses	dû
elle	dût	[dy]	eût	dû
ns	dussions	[dysjõ]	eussions	dû
vs	dussiez	[dysje]	eussiez	dû
elles	dussent	[dys]	eussent	dû

CONDITIONNEL

	Présent		Passé	
je	devrais	[dəvrɛ]	aurais	dû
tu	devrais	[dəvrɛ]	aurais	dû
elle	devrait	[dəvrɛ]	aurait	dû
ns	devrions	[dəvrijõ]	aurions	dû
vs	devriez	[dəvrije]	auriez	dû
elles	devraient	[dəvrɛ]	auraient	dû

IMPÉRATIF

	Présent		Passé	
	dois	[dwa]	aie	dû
	devons	[dəvõ]	ayons	dû
	devez	[dəve]	ayez	dû

54 mouvoir = to move

INFINITIF

Présent	Passé
mouvoir [muvwar]	avoir mû [avwarmy]

PARTICIPE

Présent	Passé
mouvant [muvɑ̃]	mû, mue, mus, mues [my]
Présent composé	
ayant mû	

INDICATIF

Présent		Passé composé	
je meus	[mø]	ai	mû
tu meus	[mø]	as	mû
il meut	[mø]	a	mû
ns mouvons	[muvɔ̃]	avons	mû
vs mouvez	[muve]	avez	mû
ils meuvent	[mœv]	ont	mû

Imparfait		Plus-que-parfait	
je mouvais	[muvɛ]	avais	mû
tu mouvais	[muvɛ]	avais	mû
il mouvait	[muvɛ]	avait	mû
ns mouvions	[muvjɔ̃]	avions	mû
vs mouviez	[muvje]	aviez	mû
ils mouvaient	[muvɛ]	avaient	mû

Futur simple		Futur antérieur	
je mouvrai	[muvre]	aurai	mû
tu mouvras	[muvra]	auras	mû
il mouvra	[muvra]	aura	mû
ns mouvrons	[muvrɔ̃]	aurons	mû
vs mouvrez	[muvre]	aurez	mû
ils mouvront	[muvrɔ̃]	auront	mû

Passé simple		Passé antérieur	
je mus	[my]	eus	mû
tu mus	[my]	eus	mû
il mut	[my]	eut	mû
ns mûmes	[mym]	eûmes	mû
vs mûtes	[myt]	eûtes	mû
ils murent	[myr]	eurent	mû

SUBJONCTIF

Présent		Passé	
q. je meuve	[mœv]	aie	mû
tu meuves	[mœv]	aies	mû
il meuve	[mœv]	ait	mû
ns mouvions	[muvjɔ̃]	ayons	mû
vs mouviez	[muvje]	ayez	mû
ils meuvent	[mœv]	aient	mû

Imparfait		Plus-que-parfait	
q. je musse	[mys]	eusse	mû
tu musses	[mys]	eusses	mû
il mût	[my]	eût	mû
ns mussions	[mysjɔ̃]	eussions	mû
vs mussiez	[mysje]	eussiez	mû
ils mussent	[mys]	eussent	mû

CONDITIONNEL

Présent		Passé	
je mouvrais	[muvrɛ]	aurais	mû
tu mouvrais	[muvrɛ]	aurais	mû
il mouvrait	[muvrɛ]	aurait	mû
ns mouvrions	[muvrijɔ̃]	aurions	mû
vs mouvriez	[muvrije]	auriez	mû
ils mouvraient	[muvrɛ]	auraient	mû

IMPÉRATIF

Présent		Passé	
meus	[mø]	aie	mû
mouvons	[muvɔ̃]	ayons	mû
mouvez	[muve]	ayez	mû

55 émouvoir

INFINITIF

Présent	Passé
émouvoir [emuvwar]	avoir ému [avwaremy]

PARTICIPE

Présent	Passé
émouvant [emuvɑ̃]	ém-u, ue -us, ues [emy]
Présent composé	
ayant ému	

INDICATIF

Présent

			Passé composé	
j'	émeus	[-mø]	ai	ému
tu	émeus	[-mø]	as	ému
elle	émeut	[-mø]	a	ému
ns	émouvons	[-muvɔ̃]	avons	ému
vs	émouvez	[-muve]	avez	ému
elles	émeuvent	[-mœv]	ont	ému

Imparfait

			Plus-que-parfait	
j'	émouvais	[-muvɛ]	avais	ému
tu	émouvais	[-muvɛ]	avais	ému
elle	émouvait	[-muvɛ]	avait	ému
ns	émouvions	[-muvjɔ̃]	avions	ému
vs	émouviez	[-muvje]	aviez	ému
elles	émouvaient	[-muvɛ]	avaient	ému

Futur simple

			Futur antérieur	
j'	émouvrai	[-muvre]	aurai	ému
tu	émouvras	[-muvra]	auras	ému
elle	émouvra	[-muvra]	aura	ému
ns	émouvrons	[-muvrɔ̃]	aurons	ému
vs	émouvrez	[-muvre]	aurez	ému
elles	émouvront	[-muvrɔ̃]	auront	ému

Passé simple

			Passé antérieur	
j'	émus	[-my]	eus	ému
tu	émus	[-my]	eus	ému
elle	émut	[-my]	eut	ému
ns	émûmes	[-mym]	eûmes	ému
vs	émûtes	[-myt]	eûtes	ému
elles	émurent	[-myr]	eurent	ému

SUBJONCTIF

Présent

			Passé	
q. j'	émeuve	[-mœv]	aie	ému
tu	émeuves	[-mœv]	aies	ému
elle	émeuve	[-mœv]	ait	ému
ns	émouvions	[-muvjɔ̃]	ayons	ému
vs	émouviez	[-muvje]	ayez	ému
elles	émeuvent	[-mœv]	aient	ému

Imparfait

			Plus-que-parfait	
q. j'	émusse	[-mys]	eusse	ému
tu	émusses	[-mys]	eusses	ému
elle	émût	[-my]	eût	ému
ns	émussions	[-mysjɔ̃]	eussions	ému
vs	émussiez	[-mysje]	eussiez	ému
elles	émussent	[-mys]	eussent	ému

CONDITIONNEL

Présent

			Passé	
j'	émouvrais	[-muvrɛ]	aurais	ému
tu	émouvrais	[-muvrɛ]	aurais	ému
elle	émouvrait	[-muvrɛ]	aurait	ému
ns	émouvrions	[-muvrijɔ̃]	aurions	ému
vs	émouvriez	[-muvrije]	auriez	ému
elles	émouvraient	[-muvrɛ]	auraient	ému

IMPÉRATIF

Présent		Passé		
émeus	[-mø]	aie	ému	
émouvons	[-muvɔ̃]	ayons	ému	
émouvez	[-muve]	ayez	ému	

56 promouvoir

INFINITIF

Présent	Passé
promouvoir [promuvwar]	avoir promu [avwarpromy]

PARTICIPE

Présent	Passé
promouvant [promuvã]	prom-u, ue -us, ues [promy]
Présent composé	
ayant promu	

INDICATIF

Présent / Passé composé

	Présent		Passé composé
je	promeus	ai	promu
tu	promeus	as	promu
il	promeut	a	promu
ns	promouvons	avons	promu
vs	promouvez	avez	promu
ils	promeuvent	ont	promu

Imparfait / Plus-que-parfait

	Imparfait		Plus-que-parfait
je	promouvais	avais	promu
tu	promouvais	avais	promu
il	promouvait	avait	promu
ns	promouvions	avions	promu
vs	promouviez	aviez	promu
ils	promouvaient	avaient	promu

Futur simple / Futur antérieur

	Futur simple		Futur antérieur
je	promouvrai	aurai	promu
tu	promouvras	auras	promu
il	promouvra	aura	promu
ns	promouvrons	aurons	promu
vs	promouvrez	aurez	promu
ils	promouvront	auront	promu

Passé simple / Passé antérieur

	Passé simple		Passé antérieur
je	promus	eus	promu
tu	promus	eus	promu
il	promut	eut	promu
ns	promûmes	eûmes	promu
vs	promûtes	eûtes	promu
ils	promurent	eurent	promu

SUBJONCTIF

Présent / Passé

	Présent		Passé
q. je	promeuve	aie	promu
tu	promeuves	aies	promu
il	promeuve	ait	promu
ns	promouvions	ayons	promu
vs	promouviez	ayez	promu
ils	promeuvent	aient	promu

Imparfait / Plus-que-parfait

	Imparfait		Plus-que-parfait
q. je	promusse	eusse	promu
tu	promusses	eusses	promu
il	promût	eût	promu
ns	promussions	eussions	promu
vs	promussiez	eussiez	promu
ils	promussent	eussent	promu

CONDITIONNEL

Présent / Passé

	Présent		Passé
je	promouvrais	aurais	promu
tu	promouvrais	aurais	promu
il	promouvrait	aurait	promu
ns	promouvrions	aurions	promu
vs	promouvriez	auriez	promu
ils	promouvraient	auraient	promu

IMPÉRATIF

Présent / Passé

Présent		Passé	
promeus		aie	promu
promouvons		ayons	promu
promouvez		ayez	promu

Remarque : Les formes conjuguées de ce verbe sont rares et la prononciation n'en a pas été indiquée.

57 vouloir

INFINITIF

Présent	Passé
vouloir	avoir voulu
[vulwar]	[avwarvuly]

PARTICIPE

Présent	Passé
voulant [vulã]	voul-u, ue
	-us, ues
Présent composé	[vuly]
ayant voulu	

INDICATIF

	Présent		Passé composé	
je	veux	[vø]	ai	voulu
tu	veux	[vø]	as	voulu
elle	veut	[vø]	a	voulu
ns	voulons	[vulɔ̃]	avons	voulu
vs	voulez	[vule]	avez	voulu
elles	veulent	[vœl]	ont	voulu

	Imparfait		Plus-que-parfait	
je	voulais	[vulɛ]	avais	voulu
tu	voulais	[vulɛ]	avais	voulu
elle	voulait	[vulɛ]	avait	voulu
ns	voulions	[vuljɔ̃]	avions	voulu
vs	vouliez	[vulje]	aviez	voulu
elles	voulaient	[vulɛ]	avaient	voulu

	Futur simple		Futur antérieur	
je	voudrai	[vudre]	aurai	voulu
tu	voudras	[vudra]	auras	voulu
elle	voudra	[vudra]	aura	voulu
ns	voudrons	[vudrɔ̃]	aurons	voulu
vs	voudrez *	[vudre]	aurez	voulu
elles	voudront	[vudrɔ̃]	auront	voulu

	Passé simple		Passé antérieur	
je	voulus	[vuly]	eus	voulu
tu	voulus	[vuly]	eus	voulu
elle	voulut	[vuly]	eut	voulu
ns	voulûmes	[vulym]	eûmes	voulu
vs	voulûtes	[vulyt]	eûtes	voulu
elles	voulurent	[vulyr]	eurent	voulu

SUBJONCTIF

	Présent		Passé	
q. je	veuille	[vœj]	aie	voulu
tu	veuilles	[vœj]	aies	voulu
elle	veuille	[vœj]	ait	voulu
ns	voulions	[vuljɔ̃]	ayons	voulu
vs	vouliez	[vulje]	ayez	voulu
elles	veuillent	[vœj]	aient	voulu

	Imparfait		Plus-que-parfait	
q. je	voulusse	[vulys]	eusse	voulu
tu	voulusses	[vulys]	eusses	voulu
elle	voulût	[vuly]	eût	voulu
ns	voulussions	[vulysjɔ̃]	eussions	voulu
vs	voulussiez	[vulysje]	eussiez	voulu
elles	voulussent	[vulys]	eussent	voulu

CONDITIONNEL

	Présent		Passé	
je	voudrais	[vudrɛ]	aurais	voulu
tu	voudrais	[vudrɛ]	aurais	voulu
elle	voudrait	[vudrɛ]	aurait	voulu
ns	voudrions	[vudrijɔ̃]	aurions	voulu
vs	voudriez	[vudrije]	auriez	voulu
elles	voudraient	[vudrɛ]	auraient	voulu

IMPÉRATIF

Présent		Passé	
veux/veuille	[vø]/[vœj]	aie	voulu
voulons/veuillons	[vulɔ̃]/[vøjɔ̃]	ayons	voulu
voulez/veuillez	[vule]/[vøje]	ayez	voulu

58 pouvoir

__INFINITIF__

Présent	Passé
pouvoir [puvwar]	avoir pu [avwarpy]

__PARTICIPE__

Présent	Passé
pouvant [puvã]	pu [py]
Présent composé	
ayant pu	

__INDICATIF__

Présent

			Passé composé	
je	peux	[pø]	ai	pu
ou	puis	[pui]		
tu	peux	[pø]	as	pu
il	peut	[pø]	a	pu
ns	pouvons	[puvõ]	avons	pu
vs	pouvez	[puve]	avez	pu
ils	peuvent	[pœv]	ont	pu

Imparfait

			Plus-que-parfait	
je	pouvais	[puvɛ]	avais	pu
tu	pouvais	[puvɛ]	avais	pu
il	pouvait	[puvɛ]	avait	pu
ns	pouvions	[puvjõ]	avions	pu
vs	pouviez	[puvje]	aviez	pu
ils	pouvaient	[puvɛ]	avaient	pu

Futur simple

			Futur antérieur	
je	pourrai	[pure]	aurai	pu
tu	pourras	[pura]	auras	pu
il	pourra	[pura]	aura	pu
ns	pourrons	[purõ]	aurons	pu
vs	pourrez	[pure]	aurez	pu
ils	pourront	[purõ]	auront	pu

Passé simple

			Passé antérieur	
je	pus	[py]	eus	pu
tu	pus	[py]	eus	pu
il	put	[py]	eut	pu
ns	pûmes	[pym]	eûmes	pu
vs	pûtes	[pyt]	eûtes	pu
ils	purent	[pyr]	eurent	pu

__SUBJONCTIF__

Présent

			Passé	
q. je	puisse	[puis]	aie	pu
tu	puisses	[puis]	aies	pu
il	puisse	[puis]	ait	pu
ns	puissions	[puisjõ]	ayons	pu
vs	puissiez	[puisje]	ayez	pu
ils	puissent	[puis]	aient	pu

Imparfait

			Plus-que-parfait	
q. je	pusse	[pys]	eusse	pu
tu	pusses	[pys]	eusses	pu
il	pût	[py]	eût	pu
ns	pussions	[pysjõ]	eussions	pu
vs	pussiez	[pysje]	eussiez	pu
ils	pussent	[pys]	eussent	pu

__CONDITIONNEL__

Présent

			Passé	
je	pourrais	[purɛ]	aurais	pu
tu	pourrais	[purɛ]	aurais	pu
il	pourrait	[purɛ]	aurait	pu
ns	pourrions	[purjõ]	aurions	pu
vs	pourriez	[purje]	auriez	pu
ils	pourraient	[purɛ]	auraient	pu

__IMPÉRATIF__

Présent	Passé
(inusité)	(inusité)
—	—
—	—

Remarque : À la forme interrogative, avec inversion du sujet, on a seulement *Puis-je ?*

59 savoir

INFINITIF

Présent	Passé
savoir	avoir su
[savwar]	[avwarsy]

PARTICIPE

Présent	Passé
sachant [saʃɑ̃]	s-u, ue
	-us, ues
Présent composé	[sy]
ayant su	

INDICATIF

	Présent		Passé composé	
je	sais	[sɛ]	ai	su
tu	sais	[sɛ]	as	su
elle	sait	[sɛ]	a	su
ns	savons	[savɔ̃]	avons	su
vs	savez	[save]	avez	su
elles	savent	[sav]	ont	su

	Imparfait		Plus-que-parfait	
je	savais	[savɛ]	avais	su
tu	savais	[savɛ]	avais	su
elle	savait	[savɛ]	avait	su
ns	savions	[savjɔ̃]	avions	su
vs	saviez	[savje]	aviez	su
elles	savaient	[savɛ]	avaient	su

	Futur simple		Futur antérieur	
je	saurai	[sɔre]	aurai	su
tu	sauras	[sɔra]	auras	su
elle	saura	[sɔra]	aura	su
ns	saurons	[sɔrɔ̃]	aurons	su
vs	saurez	[sɔre]	aurez	su
elles	sauront	[sɔrɔ̃]	auront	su

	Passé simple		Passé antérieur	
je	sus	[sy]	eus	su
tu	sus	[sy]	eus	su
elle	sut	[sy]	eut	su
ns	sûmes	[sym]	eûmes	su
vs	sûtes	[syt]	eûtes	su
elles	surent	[syr]	eurent	su

SUBJONCTIF

	Présent		Passé	
q. je	sache	[saʃ]	aie	su
tu	saches	[saʃ]	aies	su
elle	sache	[saʃ]	ait	su
ns	sachions	[saʃjɔ̃]	ayons	su
vs	sachiez	[saʃje]	ayez	su
elles	sachent	[saʃ]	aient	su

	Imparfait		Plus-que-parfait	
q. je	susse	[sys]	eusse	su
tu	susses	[sys]	eusses	su
elle	sût	[sy]	eût	su
ns	sussions	[sysjɔ̃]	eussions	su
vs	sussiez	[sysje]	eussiez	su
elles	sussent	[sys]	eussent	su

CONDITIONNEL

	Présent		Passé	
je	saurais	[sɔrɛ]	aurais	su
tu	saurais	[sɔrɛ]	aurais	su
elle	saurait	[sɔrɛ]	aurait	su
ns	saurions	[sɔrjɔ̃]	aurions	su
vs	sauriez	[sɔrje]	auriez	su
elles	sauraient	[sɔrɛ]	auraient	su

IMPÉRATIF

Présent		Passé	
sache	[saʃ]	aie	su
sachons	[saʃɔ̃]	ayons	su
sachez	[saʃe]	ayez	su

60 valoir

INFINITIF

Présent	Passé
valoir [valwar]	avoir valu [avwarvaly]

PARTICIPE

Présent	Passé
valant [valɑ̃]	val-u, ue -us, ues [valy]
Présent composé	
ayant valu	

INDICATIF

	Présent		Passé composé	
je	vaux	[vo]	ai	valu
tu	vaux	[vo]	as	valu
il	vaut	[vo]	a	valu
ns	valons	[valɔ̃]	avons	valu
vs	valez	[vale]	avez	valu
ils	valent	[val]	ont	valu

	Imparfait		Plus-que-parfait	
je	valais	[valɛ]	avais	valu
tu	valais	[valɛ]	avais	valu
il	valait	[valɛ]	avait	valu
ns	valions	[valjɔ̃]	avions	valu
vs	valiez	[valje]	aviez	valu
ils	valaient	[valɛ]	avaient	valu

	Futur simple		Futur antérieur	
je	vaudrai	[vodre]	aurai	valu
tu	vaudras	[vodra]	auras	valu
il	vaudra	[vodra]	aura	valu
ns	vaudrons	[vodrɔ̃]	aurons	valu
vs	vaudrez	[vodre]	aurez	valu
ils	vaudront	[vodrɔ̃]	auront	valu

	Passé simple		Passé antérieur	
je	valus	[valy]	eus	valu
tu	valus	[valy]	eus	valu
il	valut	[valy]	eut	valu
ns	valûmes	[valym]	eûmes	valu
vs	valûtes	[valyt]	eûtes	valu
ils	valurent	[valyr]	eurent	valu

SUBJONCTIF

	Présent		Passé	
q. je	vaille	[vaj]	aie	valu
tu	vailles	[vaj]	aies	valu
il	vaille	[vaj]	ait	valu
ns	valions	[valjɔ̃]	ayons	valu
vs	valiez	[valje]	ayez	valu
ils	vaillent	[vaj]	aient	valu

	Imparfait		Plus-que-parfait	
q. je	valusse	[valys]	eusse	valu
tu	valusses	[valys]	eusses	valu
il	valût	[valy]	eût	valu
ns	valussions	[valysjɔ̃]	eussions	valu
vs	valussiez	[valysje]	eussiez	valu
ils	valussent	[valys]	eussent	valu

CONDITIONNEL

	Présent		Passé	
je	vaudrais	[vodrɛ]	aurais	valu
tu	vaudrais	[vodrɛ]	aurais	valu
il	vaudrait	[vodrɛ]	aurait	valu
ns	vaudrions	[vodrijɔ̃]	aurions	valu
vs	vaudriez	[vodrije]	auriez	valu
ils	vaudraient	[vodrɛ]	auraient	valu

IMPÉRATIF

Présent		Passé	
vaux	[vo]	aie	valu
valons	[valɔ̃]	ayons	valu
valez	[vale]	ayez	valu

61 prévaloir

INFINITIF

Présent	Passé
prévaloir	avoir prévalu
[prevalwar]	[avwarprevaly]

PARTICIPE

Présent	Passé
prévalant [prevalɑ̃]	préval-u, ue
	-us, ues
Présent composé	[prevaly]
ayant prévalu	

INDICATIF

	Présent		Passé composé	
je	prévaux	[-vo]	ai	prévalu
tu	prévaux	[-vo]	as	prévalu
elle	prévaut	[-vo]	a	prévalu
ns	prévalons	[-valɔ̃]	avons	prévalu
vs	prévalez	[-vale]	avez	prévalu
elles	prévalent	[-val]	ont	prévalu

	Imparfait		Plus-que-parfait	
je	prévalais	[-valɛ]	avais	prévalu
tu	prévalais	[-valɛ]	avais	prévalu
elle	prévalait	[-valɛ]	avait	prévalu
ns	prévalions	[-valjɔ̃]	avions	prévalu
vs	prévaliez	[-valje]	aviez	prévalu
elles	prévalaient	[-valɛ]	avaient	prévalu

	Futur simple		Futur antérieur	
je	prévaudrai	[-vodre]	aurai	prévalu
tu	prévaudras	[-vodra]	auras	prévalu
elle	prévaudra	[-vodra]	aura	prévalu
ns	prévaudrons	[-vodrɔ̃]	aurons	prévalu
vs	prévaudrez	[-vodre]	aurez	prévalu
elles	prévaudront	[-vodrɔ̃]	auront	prévalu

	Passé simple		Passé antérieur	
je	prévalus	[-valy]	eus	prévalu
tu	prévalus	[-valy]	eus	prévalu
elle	prévalut	[-valy]	eut	prévalu
ns	prévalûmes	[-valym]	eûmes	prévalu
vs	prévalûtes	[-valyt]	eûtes	prévalu
elles	prévalurent	[-valyr]	eurent	prévalu

SUBJONCTIF

		Présent		Passé	
q.	je	prévale	[-val]	aie	prévalu
	tu	prévales	[-val]	aies	prévalu
	elle	prévale	[-val]	ait	prévalu
	ns	prévalions	[-valjɔ̃]	ayons	prévalu
	vs	prévaliez	[-valje]	ayez	prévalu
	elles	prévalent	[-val]	aient	prévalu

		Imparfait		Plus-que-parfait	
q.	je	prévalusse	[-valys]	eusse	prévalu
	tu	prévalusses	[-valys]	eusses	prévalu
	elle	prévalût	[-valy]	eût	prévalu
	ns	prévalussions	[-valysjɔ̃]	eussions	prévalu
	vs	prévalussiez	[-valysje]	eussiez	prévalu
	elles	prévalussent	[-valys]	eussent	prévalu

CONDITIONNEL

	Présent		Passé	
je	prévaudrais	[-vodrɛ]	aurais	prévalu
tu	prévaudrais	[-vodrɛ]	aurais	prévalu
elle	prévaudrait	[-vodrɛ]	aurait	prévalu
ns	prévaudrions	[-vodrijɔ̃]	aurions	prévalu
vs	prévaudriez	[-vodrije]	auriez	prévalu
elles	prévaudraient	[-vodrɛ]	auraient	prévalu

IMPÉRATIF

Présent		Passé	
prévaux	[-vo]	aie	prévalu
prévalons	[-valɔ̃]	ayons	prévalu
prévalez	[-vale]	ayez	prévalu

62 voir

— INFINITIF —

Présent	Passé
voir	avoir vu
[vwar]	[avwarvy]

— PARTICIPE —

Présent	Passé
voyant [vwajã]	v-u, ue
Présent composé	-us, ues
	[vy]
ayant vu	

— INDICATIF —

Présent

			Passé composé	
je	vois	[vwa]	ai	vu
tu	vois	[vwa]	as	vu
il	voit	[vwa]	a	vu
ns	voyons	[vwajõ]	avons	vu
vs	voyez	[vwaje]	avez	vu
ils	voient	[vwa]	ont	vu

Imparfait

			Plus-que-parfait	
je	voyais	[vwajɛ]	avais	vu
tu	voyais	[vwajɛ]	avais	vu
il	voyait	[vwajɛ]	avait	vu
ns	voyions	[vwajjõ]	avions	vu
vs	voyiez	[vwajje]	aviez	vu
ils	voyaient	[vwajɛ]	avaient	vu

Futur simple

			Futur antérieur	
je	verrai	[vere]	aurai	vu
tu	verras	[vera]	auras	vu
il	verra	[vera]	aura	vu
ns	verrons	[verõ]	aurons	vu
vs	verrez	[vere]	aurez	vu
ils	verront	[verõ]	auront	vu

Passé simple

			Passé antérieur	
je	vis	[vi]	eus	vu
tu	vis	[vi]	eus	vu
il	vit	[vi]	eut	vu
ns	vîmes	[vim]	eûmes	vu
vs	vîtes	[vit]	eûtes	vu
ils	virent	[vir]	eurent	vu

— SUBJONCTIF —

Présent

				Passé	
q. je	voie	[vwa]		aie	vu
tu	voies	[vwa]		aies	vu
il	voie	[vwa]		ait	vu
ns	voyions	[vwajjõ]		ayons	vu
vs	voyiez	[vwajje]		ayez	vu
ils	voient	[vwa]		aient	vu

Imparfait

				Plus-que-parfait	
q. je	visse	[vis]		eusse	vu
tu	visses	[vis]		eusses	vu
il	vît	[vi]		eût	vu
ns	vissions	[visjõ]		eussions	vu
vs	vissiez	[visje]		eussiez	vu
ils	vissent	[vis]		eussent	vu

— CONDITIONNEL —

Présent

			Passé	
je	verrais	[verɛ]	aurais	vu
tu	verrais	[verɛ]	aurais	vu
il	verrait	[verɛ]	aurait	vu
ns	verrions	[verjõ]	aurions	vu
vs	verriez	[verje]	auriez	vu
ils	verraient	[verɛ]	auraient	vu

— IMPÉRATIF —

Présent		Passé	
vois	[vwa]	aie	vu
voyons	[vwajõ]	ayons	vu
voyez	[vwaje]	ayez	vu

63 prévoir

INFINITIF

Présent	Passé
prévoir	avoir prévu
[prevwar]	[avwarprevy]

PARTICIPE

Présent	Passé
prévoyant [prevwajɑ̃]	prév-u, ue
	-us, ues
Présent composé	[prevy]
ayant prévu	

INDICATIF

	Présent		Passé composé	
je	prévois	[-vwa]	ai	prévu
tu	prévois	[-vwa]	as	prévu
elle	prévoit	[-vwa]	a	prévu
ns	prévoyons	[-vwajɔ̃]	avons	prévu
vs	prévoyez	[-vwaje]	avez	prévu
elles	prévoient	[-vwa]	ont	prévu

	Imparfait		Plus-que-parfait	
je	prévoyais	[-vwajɛ]	avais	prévu
tu	prévoyais	[-vwajɛ]	avais	prévu
elle	prévoyait	[-vwajɛ]	avait	prévu
ns	prévoyions	[-vwajjɔ̃]	avions	prévu
vs	prévoyiez	[-vwajje]	aviez	prévu
elles	prévoyaient	[-vwajɛ]	avaient	prévu

	Futur simple		Futur antérieur	
je	prévoirai	[-vware]	aurai	prévu
tu	prévoiras	[-vwara]	auras	prévu
elle	prévoira	[-vwara]	aura	prévu
ns	prévoirons	[-vwarɔ̃]	aurons	prévu
vs	prévoirez	[-vware]	aurez	prévu
elles	prévoiront	[-vwarɔ̃]	auront	prévu

	Passé simple		Passé antérieur	
je	prévis	[-vi]	eus	prévu
tu	prévis	[-vi]	eus	prévu
elle	prévit	[-vi]	eut	prévu
ns	prévîmes	[-vim]	eûmes	prévu
vs	prévîtes	[-vit]	eûtes	prévu
elles	prévirent	[-vir]	eurent	prévu

SUBJONCTIF

	Présent		Passé	
q. je	prévoie	[-vwa]	aie	prévu
tu	prévoies	[-vwa]	aies	prévu
elle	prévoie	[-vwa]	ait	prévu
ns	prévoyions	[-vwajjɔ̃]	ayons	prévu
vs	prévoyiez	[-vwajje]	ayez	prévu
elles	prévoient	[-vwa]	aient	prévu

	Imparfait		Plus-que-parfait	
q. je	prévisse	[-vis]	eusse	prévu
tu	prévisses	[-vis]	eusses	prévu
elle	prévît	[-vi]	eût	prévu
ns	prévissions	[-visjɔ̃]	eussions	prévu
vs	prévissiez	[-visje]	eussiez	prévu
elles	prévissent	[-vis]	eussent	prévu

CONDITIONNEL

	Présent		Passé	
je	prévoirais	[-vwarɛ]	aurais	prévu
tu	prévoirais	[-vwarɛ]	aurais	prévu
elle	prévoirait	[-vwarɛ]	aurait	prévu
ns	prévoirions	[-vwarjɔ̃]	aurions	prévu
vs	prévoiriez	[-vwarje]	auriez	prévu
elles	prévoiraient	[-vwarɛ]	auraient	prévu

IMPÉRATIF

Présent		Passé	
prévois	[-vwa]	aie	prévu
prévoyons	[-vwajɔ̃]	ayons	prévu
prévoyez	[-vwaje]	ayez	prévu

64 pourvoir

INFINITIF

Présent	Passé
pourvoir	avoir pourvu
[purvwar]	[avwarpurvy]

PARTICIPE

Présent	Passé
pourvoyant [purvwajɑ̃]	pourv-u, ue
Présent composé	-us, ues
	[purvy]
ayant pourvu	

INDICATIF

Présent / Passé composé

	Présent			Passé composé	
je	pourvois	[-vwa]	ai		pourvu
tu	pourvois	[-vwa]	as		pourvu
il	pourvoit	[-vwa]	a		pourvu
ns	pourvoyons	[-vwajɔ̃]	avons		pourvu
vs	pourvoyez	[-vwaje]	avez		pourvu
ils	pourvoient	[-vwa]	ont		pourvu

Imparfait / Plus-que-parfait

	Imparfait			Plus-que-parfait	
je	pourvoyais	[-vwajɛ]	avais		pourvu
tu	pourvoyais	[-vwajɛ]	avais		pourvu
il	pourvoyait	[-vwajɛ]	avait		pourvu
ns	pourvoyions	[-vwajjɔ̃]	avions		pourvu
vs	pourvoyiez	[-vwajje]	aviez		pourvu
ils	pourvoyaient	[-vwajɛ]	avaient		pourvu

Futur simple / Futur antérieur

	Futur simple			Futur antérieur	
je	pourvoirai	[-vware]	aurai		pourvu
tu	pourvoiras	[-vwara]	auras		pourvu
il	pourvoira	[-vwara]	aura		pourvu
ns	pourvoirons	[-vwarɔ̃]	aurons		pourvu
vs	pourvoirez	[-vware]	aurez		pourvu
ils	pourvoiront	[-vwarɔ̃]	auront		pourvu

Passé simple / Passé antérieur

	Passé simple			Passé antérieur	
je	pourvus	[-vy]	eus		pourvu
tu	pourvus	[-vy]	eus		pourvu
il	pourvut	[-vy]	eut		pourvu
ns	pourvûmes	[-vym]	eûmes		pourvu
vs	pourvûtes	[-vyt]	eûtes		pourvu
ils	pourvurent	[-vyr]	eurent		pourvu

SUBJONCTIF

Présent / Passé

	Présent			Passé	
q. je	pourvoie	[-vwa]	aie		pourvu
tu	pourvoies	[-vwa]	aies		pourvu
il	pourvoie	[-vwa]	ait		pourvu
ns	pourvoyions	[-vwajjɔ̃]	ayons		pourvu
vs	pourvoyiez	[-vwajje]	ayez		pourvu
ils	pourvoient	[-vwa]	aient		pourvu

Imparfait / Plus-que-parfait

	Imparfait			Plus-que-parfait	
q. je	pourvusse	[-vys]	eusse		pourvu
tu	pourvusses	[-vys]	eusses		pourvu
il	pourvût	[-vy]	eût		pourvu
ns	pourvussions	[-vysjɔ̃]	eussions		pourvu
vs	pourvussiez	[-vysje]	eussiez		pourvu
ils	pourvussent	[-vys]	eussent		pourvu

CONDITIONNEL

Présent / Passé

	Présent			Passé	
je	pourvoirais	[-vwarɛ]	aurais		pourvu
tu	pourvoirais	[-vwarɛ]	aurais		pourvu
il	pourvoirait	[-vwarɛ]	aurait		pourvu
ns	pourvoirions	[-vwarjɔ̃]	aurions		pourvu
vs	pourvoiriez	[-vwarje]	auriez		pourvu
ils	pourvoiraient	[-vwarɛ]	auraient		pourvu

IMPÉRATIF

Présent / Passé

Présent		Passé	
pourvois	[-vwa]	aie	pourvu
pourvoyons	[-vwajɔ̃]	ayons	pourvu
pourvoyez	[-vwaje]	ayez	pourvu

65 asseoir (1)

INFINITIF

	Présent	Passé
	asseoir	avoir assis
	[aswar]	[avwarasi]

PARTICIPE

	Présent	Passé
	asseyant [asejɑ̃]	ass-is, ise
		-is, ises
	Présent composé	[asi, asiz]
	ayant assis	

INDICATIF

	Présent		Passé composé	
j'	assieds	[-je]	ai	assis
tu	assieds	[-je]	as	assis
elle	assied	[-je]	a	assis
ns	asseyons	[-ejɔ̃]	avons	assis
vs	asseyez	[-eje]	avez	assis
elles	asseyent	[-ɛj]	ont	assis

	Imparfait		Plus-que-parfait	
j'	asseyais	[-ɛjɛ]	avais	assis
tu	asseyais	[-ɛjɛ]	avais	assis
elle	asseyait	[-ɛjɛ]	avait	assis
ns	asseyions	[-ejjɔ̃]	avions	assis
vs	asseyiez	[-ejje]	aviez	assis
elles	asseyaient	[-ɛjɛ]	avaient	assis

	Futur simple		Futur antérieur	
j'	assiérai	[-jere]	aurai	assis
tu	assiéras	[-jera]	auras	assis
elle	assiéra	[-jera]	aura	assis
ns	assiérons	[-jerɔ̃]	aurons	assis
vs	assiérez	[-jere]	aurez	assis
elles	assiéront	[-jerɔ̃]	auront	assis

	Passé simple		Passé antérieur	
j'	assis	[-si]	eus	assis
tu	assis	[-si]	eus	assis
elle	assit	[-si]	eut	assis
ns	assîmes	[-sim]	eûmes	assis
vs	assîtes	[-sit]	eûtes	assis
elles	assirent	[-sir]	eurent	assis

SUBJONCTIF

	Présent		Passé	
q. j'	asseye	[-ɛj]	aie	assis
tu	asseyes	[-ɛj]	aies	assis
elle	asseye	[-ɛj]	ait	assis
ns	asseyions	[-ejjɔ̃]	ayons	assis
vs	asseyiez	[-ejje]	ayez	assis
elles	asseyent	[-ɛj]	aient	assis

	Imparfait		Plus-que-parfait	
q. j'	assisse	[-is]	eusse	assis
tu	assisses	[-is]	eusses	assis
elle	assît	[-i]	eût	assis
ns	assissions	[-isjɔ̃]	eussions	assis
vs	assissiez	[-isje]	eussiez	assis
elles	assissent	[-is]	eussent	assis

CONDITIONNEL

	Présent		Passé	
j'	assiérais	[-jerɛ]	aurais	assis
tu	assiérais	[-jerɛ]	aurais	assis
elle	assiérait	[-jerɛ]	aurait	assis
ns	assiérions	[-jerjɔ̃]	aurions	assis
vs	assiériez	[-jerje]	auriez	assis
elles	assiéraient	[-jerɛ]	auraient	assis

IMPÉRATIF

	Présent		Passé	
	assieds	[-sje]	aie	assis
	asseyons	[-sejɔ̃]	ayons	assis
	asseyez	[-seje]	ayez	assis

65 asseoir (2)

INFINITIF

Présent	Passé
asseoir [aswar]	avoir assis [avwarasi]

PARTICIPE

Présent	Passé
assoyant [aswajɑ̃]	ass-is, ise, ises [asi, asiz]
Présent composé	
ayant assis	

INDICATIF

Présent

			Passé composé	
j'	assois	[-wa]	ai	assis
tu	assois	[-wa]	as	assis
il	assoit	[-wa]	a	assis
ns	assoyons	[-wajɔ̃]	avons	assis
vs	assoyez	[-waje]	avez	assis
ils	assoient	[-wa]	ont	assis

Imparfait

			Plus-que-parfait	
j'	assoyais	[-wajɛ]	avais	assis
tu	assoyais	[-wajɛ]	avais	assis
il	assoyait	[-wajɛ]	avait	assis
ns	assoyions	[-wajjɔ̃]	avions	assis
vs	assoyiez	[-wajje]	aviez	assis
ils	assoyaient	[-wajɛ]	avaient	assis

Futur simple

			Futur antérieur	
j'	assoirai	[-ware]	aurai	assis
tu	assoiras	[-wara]	auras	assis
il	assoira	[-wara]	aura	assis
ns	assoirons	[-warɔ̃]	aurons	assis
vs	assoirez	[-ware]	aurez	assis
ils	assoiront	[-warɔ̃]	auront	assis

Passé simple

			Passé antérieur	
j'	assis	[-i]	eus	assis
tu	assis	[-i]	eus	assis
il	assit	[-i]	eut	assis
ns	assîmes	[-im]	eûmes	assis
vs	assîtes	[-it]	eûtes	assis
ils	assirent	[-ir]	eurent	assis

SUBJONCTIF

Présent

				Passé	
q. j'	assoie	[-wa]		aie	assis
tu	assoies	[-wa]		aies	assis
il	assoie	[-wa]		ait	assis
ns	assoyions	[-wajjɔ̃]		ayons	assis
vs	assoyiez	[-wajje]		ayez	assis
ils	assoient	[-wa]		aient	assis

Imparfait

				Plus-que-parfait	
q. j'	assisse	[-is]		eusse	assis
tu	assisses	[-is]		eusses	assis
il	assît	[-i]		eût	assis
ns	assissions	[-isjɔ̃]		eussions	assis
vs	assissiez	[-isje]		eussiez	assis
ils	assissent	[-is]		eussent	assis

CONDITIONNEL

Présent

			Passé	
j'	assoirais	[-warɛ]	aurais	assis
tu	assoirais	[-warɛ]	aurais	assis
il	assoirait	[-warɛ]	aurait	assis
ns	assoirions	[-warjɔ̃]	aurions	assis
vs	assoiriez	[-warje]	auriez	assis
ils	assoiraient	[-warɛ]	auraient	assis

IMPÉRATIF

Présent			Passé	
assois	[-wa]		aie	assis
assoyons	[-wajɔ̃]		ayons	assis
assoyez	[-waje]		ayez	assis

Remarque : L'usage tend à écrire avec -eoi- les formes avec -oi- : je m'asseois, il asseoira, que j'asseoies, ils asseoiraient.

66 surseoir

INFINITIF

Présent	Passé
surseoir [syrswar]	avoir sursis [avwarsyrsi]

PARTICIPE

Présent	Passé
sursoyant [syrswajã]	surs-is, ise, ises [syrsi, -siz]
Présent composé	
ayant sursis	

INDICATIF

	Présent		Passé composé	
je	sursois	[-wa]	ai	sursis
tu	sursois	[-wa]	as	sursis
elle	sursoit	[-wa]	a	sursis
ns	sursoyons	[-wajõ]	avons	sursis
vs	sursoyez	[-waje]	avez	sursis
elles	sursoient	[-wa]	ont	sursis

	Imparfait		Plus-que-parfait	
je	sursoyais	[-wajɛ]	avais	sursis
tu	sursoyais	[-wajɛ]	avais	sursis
elle	sursoyait	[-wajɛ]	avait	sursis
ns	sursoyions	[-wajjõ]	avions	sursis
vs	sursoyiez	[-wajje]	aviez	sursis
elles	sursoyaient	[-wajɛ]	avaient	sursis

	Futur simple		Futur antérieur	
je	surseoirai	[-warе]	aurai	sursis
tu	surseoiras	[-wara]	auras	sursis
elle	surseoira	[-wara]	aura	sursis
ns	surseoirons	[-warõ]	aurons	sursis
vs	surseoirez	[-warе]	aurez	sursis
elles	surseoiront	[-warõ]	auront	sursis

	Passé simple		Passé antérieur	
je	sursis	[-i]	eus	sursis
tu	sursis	[-i]	eus	sursis
elle	sursit	[-i]	eut	sursis
ns	sursîmes	[-im]	eûmes	sursis
vs	sursîtes	[-it]	eûtes	sursis
elles	sursirent	[-ir]	eurent	sursis

SUBJONCTIF

	Présent		Passé	
q. je	sursoie	[-wa]	aie	sursis
tu	sursoies	[-wa]	aies	sursis
elle	sursoie	[-wa]	ait	sursis
ns	sursoyions	[-wajjõ]	ayons	sursis
vs	sursoyiez	[-wajje]	ayez	sursis
elles	sursoient	[-wa]	aient	sursis

	Imparfait		Plus-que-parfait	
q. je	sursisse	[-is]	eusse	sursis
tu	sursisses	[-is]	eusses	sursis
elle	sursît	[-i]	eût	sursis
ns	sursissions	[-isjõ]	eussions	sursis
vs	sursissiez	[-isje]	eussiez	sursis
elles	sursissent	[-is]	eussent	sursis

CONDITIONNEL

	Présent		Passé	
je	surseoirais	[-warɛ]	aurais	sursis
tu	surseoirais	[-warɛ]	aurais	sursis
elle	surseoirait	[-warɛ]	aurait	sursis
ns	surseoirions	[-warjõ]	aurions	sursis
vs	surseoiriez	[-warje]	auriez	sursis
elles	surseoiraient	[-warɛ]	auraient	sursis

IMPÉRATIF

Présent		Passé	
sursois	[-wa]	aie	sursis
sursoyons	[-wajõ]	ayons	sursis
sursoyez	[-waje]	ayez	sursis

67 seoir ⌇

— INFINITIF

Présent	Passé
seoir	*(inusité)*
[swar]	

— INDICATIF

Présent	Passé composé
il sied [sje]	*(inusité)*
ils siéent [sje]	—

Imparfait	Plus-que-parfait
il seyait [sejɛ]	*(inusité)*
ils seyaient [sejɛ]	—

Futur simple	Futur antérieur
il siéra [sjera]	*(inusité)*
ils siéront [sjerɔ̃]	—

Passé simple	Passé antérieur
(inusité)	*(inusité)*

— PARTICIPE

Présent	Passé
seyant [sejɑ̃]	*(inusité)*
Présent composé	
(inusité)	

— SUBJONCTIF

Présent	Passé
q. il siée [sje]	*(inusité)*
ils siéent [sje]	—

Imparfait	Plus-que-parfait
(inusité)	*(inusité)*
—	—

— CONDITIONNEL

Présent	Passé
il siérait [sjerɛ]	*(inusité)*
ils siéraient [sjerɛ]	—

— IMPÉRATIF

Présent	Passé
(inusité)	*(inusité)*

Remarque : *Seoir* a ici le sens de « convenir ». Aux sens de « être situé », « siéger », *seoir* a seulement un participe présent *(séant)* et un participe passé *(sis, e)*.

68 pleuvoir

— INFINITIF

Présent	Passé
pleuvoir	avoir plu
[pløvwar]	[avwarply]

— INDICATIF

Présent	Passé composé
il pleut [plø]	a plu

Imparfait	Plus-que-parfait
il pleuvait [pløvɛ]	avait plu

Futur simple	Futur antérieur
il pleuvra [pløvra]	aura plu

Passé simple	Passé antérieur
il plut [ply]	eut plu

— PARTICIPE

Présent	Passé
pleuvant [pløvɑ̃]	plu [ply]
Présent composé	
ayant plu	

— SUBJONCTIF

Présent	Passé
q. il pleuve [plœv]	ait plu

Imparfait	Plus-que-parfait
q. il plût [ply]	eût plu

— CONDITIONNEL

Présent	Passé
il pleuvrait [pløvrɛ]	aurait plu

— IMPÉRATIF

Présent	Passé
(inusité)	*(inusité)*

Remarque : *Pleuvoir* connaît au figuré une troisième personne du pluriel : *Les injures pleuvent, pleuvaient, pleuvront, plurent, pleuvraient, etc.*

69 falloir

INFINITIF

Présent	Passé
falloir	avoir fallu
[falwar]	

INDICATIF

Présent	Passé composé
il faut [fo]	a fallu
Imparfait	**Plus-que-parfait**
il fallait [falɛ]	avait fallu
Futur simple	**Futur antérieur**
il faudra [fodra]	aura fallu
Passé simple	**Passé antérieur**
il fallut [faly]	eut fallu

PARTICIPE

Présent	Passé
(inusité)	fallu [faly]
Présent composé	
ayant fallu)	

SUBJONCTIF

Présent	Passé
q. il faille [faj]	ait fallu
Imparfait	**Plus-que-parfait**
q. il fallût [faly]	eût fallu

CONDITIONNEL

Présent	Passé
il faudrait [fodrɛ]	aurait fallu

IMPÉRATIF

Présent	Passé
(inusité)	(inusité)

70 échoir : expire

INFINITIF

Présent	Passé
échoir	être éch-u, ue
[eʃwar]	-us, ues
	[ɛtreʃy]

INDICATIF

Présent	Passé composé
elle échoit [eʃwa]	est échue
elles échoient [eʃwa]	sont échues
Imparfait	**Plus-que-parfait**
elle échoyait [eʃwajɛ]	était échue
elles échoyaient [eʃwajɛ]	étaient échues
Futur simple	**Futur antérieur**
elle échoira [eʃwara]	sera échue
écherra [eʃera]	
elles échoiront [eʃwarɔ̃]	seront échues
écherront [eʃerɔ̃]	
Passé simple	**Passé antérieur**
elle échut [eʃy]	fut échue
elles échurent [eʃyr]	furent échues

PARTICIPE

Présent	Passé
échéant [eʃeã]	être éch-u, ue
	-us, ues
Présent composé	[eʃy]
étant échu	

SUBJONCTIF

Présent	Passé
q. elle échoie [eʃwa]	soit échue
elles échoient [eʃwa]	soient échues
Imparfait	**Plus-que-parfait**
q. elle échût [eʃy]	fût échue
elles échussent [eʃys]	fussent échues

CONDITIONNEL

Présent	Passé
elle échoirait [eʃwarɛ]	serait échue
écherrait [eʃerɛ]	
elles échoiraient [eʃwarɛ]	seraient échues
écherraient [eʃerɛ]	

IMPÉRATIF

Présent	Passé
(inusité)	(inusité)
—	—

71 déchoir

── INFINITIF ──

Présent	Passé
déchoir	avoir déchu
[deʃwar]	[avwardeʃy]

── PARTICIPE ──

Présent	Passé
(inusité)	déch-u, ue
	-us, ues
Présent composé	[deʃy]
ayant déchu	

── INDICATIF ──

Présent / Passé composé

	Présent			Passé composé	
je	déchois	[-ʃwa]	ai	déchu	
tu	déchois	[-ʃwa]	as	déchu	
il	déchoit	[-ʃwa]	a	déchu	
ns	déchoyons	[-ʃwajõ]	avons	déchu	
vs	déchoyez	[-ʃwaje]	avez	déchu	
ils	déchoient	[-ʃwa]	ont	déchu	

Imparfait / Plus-que-parfait

	Imparfait			Plus-que-parfait	
j'	*(inusité)*	avais	déchu	
tu	—	avais	déchu	
il	—	avait	déchu	
ns	—	avions	déchu	
vs	—	aviez	déchu	
ils	—	avaient	déchu	

Futur simple / Futur antérieur

	Futur simple			Futur antérieur	
je	déchoirai	[-ʃware]	aurai	déchu	
tu	déchoiras	[-ʃwara]	auras	déchu	
il	déchoira	[-ʃwara]	aura	déchu	
ns	déchoirons	[-ʃwarõ]	aurons	déchu	
vs	déchoirez	[-ʃware]	aurez	déchu	
ils	déchoiront	[-ʃwarõ]	auront	déchu	

Passé simple / Passé antérieur

	Passé simple			Passé antérieur	
je	déchus	[-ʃy]	eus	déchu	
tu	déchus	[-ʃy]	eus	déchu	
il	déchut	[-ʃy]	eut	déchu	
ns	déchûmes	[-ʃym]	eûmes	déchu	
vs	déchûtes	[-ʃyt]	eûtes	déchu	
ils	déchurent	[-ʃyr]	eurent	déchu	

── SUBJONCTIF ──

Présent / Passé

		Présent			Passé	
q.	je	déchoie	[-ʃwa]	aie	déchu	
	tu	déchoies	[-ʃwa]	aies	déchu	
	il	déchoie	[-ʃwa]	ait	déchu	
	ns	déchoyions	[-ʃwajjõ]	ayons	déchu	
	vs	déchoyiez	[-ʃwajje]	ayez	déchu	
	ils	déchoient	[-ʃwa]	aient	déchu	

Imparfait / Plus-que-parfait

		Imparfait			Plus-que-parfait	
q.	je	déchusse	[-ʃys]	eusse	déchu	
	tu	déchusses	[-ʃys]	eusses	déchu	
	il	déchût	[-ʃy]	eût	déchu	
	ns	déchussions	[-ʃysjõ]	eussions	déchu	
	vs	déchussiez	[-ʃysje]	eussiez	déchu	
	ils	déchussent	[-ʃys]	eussent	déchu	

── CONDITIONNEL ──

Présent / Passé

	Présent			Passé	
je	déchoirais	[-ʃwarɛ]	aurais	déchu	
tu	déchoirais	[-ʃwarɛ]	aurais	déchu	
il	déchoirait	[-ʃwarɛ]	aurait	déchu	
ns	déchoirions	[-ʃwarjõ]	aurions	déchu	
vs	déchoiriez	[-ʃwarje]	auriez	déchu	
ils	déchoiraient	[-ʃwarɛ]	auraient	déchu	

── IMPÉRATIF ──

Présent	Passé
(inusité)	*(inusité)*
—	—
—	—

72 choir

INFINITIF

	Présent		Passé	
	choir		être ch-u, ue	
	[ʃwar]			-us, ueş
			[ɛtrəʃy]	

PARTICIPE

	Présent		Passé	
	(inusité)		ch-u, ue	
				-us, ues
	Présent composé		[ʃy]	
	étant ch-u, ue			
	-us, ues			

INDICATIF

Présent

je	chois	[ʃwa]
tu	chois	[ʃwa]
elle	choit	[ʃwa]
ns	*(inusité)*	
vs	—	
elles	choient	[ʃwa]

Passé composé

suis	chue
es	chue
est	chue
sommes	chues
êtes	chues
sont	chues

Imparfait

je	*(inusité)*
tu	—
elle	—
ns	—
vs	—
elles	—

Plus-que-parfait

étais	chue
étais	chue
était	chue
étions	chues
étiez	chues
étaient	chues

Futur simple

je	choirai	[ʃware]
	cherrai	[ʃerre]
tu	choiras	[ʃwara]
	cherras	[ʃerra]
elle	choira	[ʃwara]
	cherra	[ʃerra]
ns	choirons	[ʃwarɔ̃]
	cherrons	[ʃerrɔ̃]
vs	choirez	[ʃware]
	cherrez	[ʃerre]
elles	choiront	[ʃwarɔ̃]
	cherront	[ʃerrɔ̃]

Futur antérieur

serai	chue
seras	chue
sera	chue
serons	chues
serez	chues
seront	chues

Passé simple

je	chus	[ʃy]
tu	chus	[ʃy]
elle	chut	[ʃy]
ns	chûmes	[ʃym]
vs	chûtes	[ʃyt]
elles	churent	[ʃyr]

Passé antérieur

fus	chue
fus	chue
fut	chue
fûmes	chues
fûtes	chues
furent	chues

SUBJONCTIF

Présent

q. je	*(inusité)*
tu	—
elle	—
ns	—
vs	—
elles	—

Passé

sois	chue
sois	chue
soit	chue
soyons	chues
soyez	chues
soient	chues

Imparfait

q. je	*(inusité)*	
tu	—	
elle	chût	[ʃy]
ns	*(inusité)*	
vs	—	
elles	—	

Plus-que-parfait

fusse	chue
fusses	chue
fût	chue
fussions	chues
fussiez	chues
fussent	chues

CONDITIONNEL

Présent

je	choirais	[ʃware]
	cherrais	[ʃerre]
tu	choirais	[ʃware]
	cherrais	[ʃerre]
elle	choirait	[ʃware]
	cherrait	[ʃerre]
ns	choirions	[ʃwarjɔ̃]
	cherrions	[ʃerrjɔ̃]
vs	choiriez	[ʃwarje]
	cherriez	[ʃerrje]
elles	choiraient	[ʃware]
	cherraient	[ʃerre]

Passé

serais	chue
serais	chue
serait	chue
serions	chues
seriez	chues
seraient	chues

IMPÉRATIF

	Présent	Passé
	(inusité)	*(inusité)*
	—	—
	—	—

73 vendre

___INFINITIF___

	Présent	Passé
	vendre [vãdr]	avoir vendu [avwarvãdy]

___PARTICIPE___

	Présent	Passé
	vendant [vãdã]	vend-u, -ue
	Présent composé	vendu, e [vãdy]
	ayant vendu	

___INDICATIF___

Présent

			Passé composé
je	vends	[vã]	ai vendu
tu	vends	[vã]	as vendu
il	vend	[vã]	a vendu
ns	vendons	[vãdõ]	avons vendu
vs	vendez	[vãde]	avez vendu
ils	vendent	[vãd]	ont vendu

Imparfait

			Plus-que-parfait
je	vendais	[vãdɛ]	avais vendu
tu	vendais	[vãdɛ]	avais vendu
il	vendait	[vãdɛ]	avait vendu
ns	vendions	[vãdjõ]	avions vendu
vs	vendiez	[vãdje]	aviez vendu
ils	vendaient	[vãdɛ]	avaient vendu

Futur simple

			Futur antérieur
je	vendrai	[vãdre]	aurai vendu
tu	vendras	[vãdra]	auras vendu
il	vendra	[vãdra]	aura vendu
ns	vendrons	[vãdrõ]	aurons vendu
vs	vendrez	[vãdre]	aurez vendu
ils	vendront	[vãdrõ]	auront vendu

Passé simple

			Passé antérieur
je	vendis	[vãdi]	eus vendu
tu	vendis	[vãdi]	eus vendu
il	vendit	[vãdi]	eut vendu
ns	vendîmes	[vãdim]	eûmes vendu
vs	vendîtes	[vãdit]	eûtes vendu
ils	vendirent	[vãdir]	eurent vendu

___SUBJONCTIF___

Présent

				Passé
q. je	vende	[vãd]		aie vendu
tu	vendes	[vãd]		aies vendu
il	vende	[vãd]		ait vendu
ns	vendions	[vãdjõ]		ayons vendu
vs	vendiez	[vãdje]		ayez vendu
ils	vendent	[vãd]		aient vendu

Imparfait

			Plus-que-parfait
q. je	vendisse	[vãdis]	eusse vendu
tu	vendisses	[vãdis]	eusses vendu
il	vendît	[vãdi]	eût vendu
ns	vendissions	[vãdisjõ]	eussions vendu
vs	vendissiez	[vãdisje]	eussiez vendu
ils	vendissent	[vãdis]	eussent vendu

___CONDITIONNEL___

Présent

			Passé
je	vendrais	[vãdrɛ]	aurais vendu
tu	vendrais	[vãdrɛ]	aurais vendu
il	vendrait	[vãdrɛ]	aurait vendu
ns	vendrions	[vãdrijõ]	aurions vendu
vs	vendriez	[vãdrije]	auriez vendu
ils	vendraient	[vãdrɛ]	auraient vendu

___IMPÉRATIF___

Présent			Passé	
vends	[vã]		aie	vendu
vendons	[vãdõ]		ayons	vendu
vendez	[vãde]		ayez	vendu

74 répandre :: spill / spread

INFINITIF

Présent	Passé
répandre [repãdr]	avoir répandu [avwarrepãdy]

PARTICIPE

Présent	Passé
répandant [repãdã]	répand-u, ue -us, ues [repãdy]
Présent composé	
ayant répandu	

INDICATIF

Présent — Passé composé

je	répands	[-ã]	ai	répandu	
tu	répands	[-ã]	as	répandu	
elle	répand	[-ã]	a	répandu	
ns	répandons	[-ãdɔ̃]	avons	répandu	
vs	répandez	[-ãde]	avez	répandu	
elles	répandent	[-ãd]	ont	répandu	

Imparfait — Plus-que-parfait

je	répandais	[-ãdɛ]	avais	répandu
tu	répandais	[-ãdɛ]	avais	répandu
elle	répandait	[-ãdɛ]	avait	répandu
ns	répandions	[-ãdjɔ̃]	avions	répandu
vs	répandiez	[-ãdje]	aviez	répandu
elles	répandaient	[-ãdɛ]	avaient	répandu

Futur simple — Futur antérieur

je	répandrai	[-ãdre]	aurai	répandu
tu	répandras	[-ãdra]	auras	répandu
elle	répandra	[-ãdra]	aura	répandu
ns	répandrons	[-ãdrɔ̃]	aurons	répandu
vs	répandrez	[-ãdre]	aurez	répandu
elles	répandront	[-ãdrɔ̃]	auront	répandu

Passé simple — Passé antérieur

je	répandis	[-ãdi]	eus	répandu
tu	répandis	[-ãdi]	eus	répandu
elle	répandit	[-ãdi]	eut	répandu
ns	répandîmes	[-ãdim]	eûmes	répandu
vs	répandîtes	[-ãdit]	eûtes	répandu
elles	répandirent	[-ãdir]	eurent	répandu

SUBJONCTIF

Présent — Passé

q. je	répande	[-ãd]	aie	répandu	
tu	répandes	[-ãd]	aies	répandu	
elle	répande	[-ãd]	ait	répandu	
ns	répandions	[-ãdjɔ̃]	ayons	répandu	
vs	répandiez	[-ãdje]	ayez	répandu	
elles	répandent	[-ãd]	aient	répandu	

Imparfait — Plus-que-parfait

q. je	répandisse	[-ãdis]	eusse	répandu
tu	répandisses	[-ãdis]	eusses	répandu
elle	répandît	[-ãdi]	eût	répandu
ns	répandissions	[-ãdisjɔ̃]	eussions	répandu
vs	répandissiez	[-ãdisje]	eussiez	répandu
elles	répandissent	[-ãdis]	eussent	répandu

CONDITIONNEL

Présent — Passé

je	répandrais	[-ãdrɛ]	aurais	répandu
tu	répandrais	[-ãdrɛ]	aurais	répandu
elle	répandrait	[-ãdrɛ]	aurait	répandu
ns	répandrions	[-ãdrijɔ̃]	aurions	répandu
vs	répandriez	[-ãdrije]	auriez	répandu
elles	répandraient	[-ãdrɛ]	auraient	répandu

IMPÉRATIF

Présent — Passé

répands	[-ã]	aie	répandu	
répandons	[-ãdɔ̃]	ayons	répandu	
répandez	[-ãde]	ayez	répandu	

75 répondre

INFINITIF

Présent

répondre
[repɔ̃dr]

Passé

avoir répondu
[avwarrepɔ̃dy]

PARTICIPE

Présent

répondant [repɔ̃dɑ̃]

Présent composé

ayant répondu

Passé

répond-u, ue
-us, ues
[repɔ̃dy]

INDICATIF

Présent

je	réponds	[-ɔ̃]
tu	réponds	[-ɔ̃]
il	répond	[-ɔ̃]
ns	répondons	[-ɔ̃dɔ̃]
vs	répondez	[-ɔ̃de]
ils	répondent	[-ɔ̃d]

Passé composé

ai	répondu
as	répondu
a	répondu
avons	répondu
avez	répondu
ont	répondu

Imparfait

je	répondais	[-ɔ̃dɛ]
tu	répondais	[-ɔ̃dɛ]
il	répondait	[-ɔ̃dɛ]
ns	répondions	[-ɔ̃djɔ̃]
vs	répondiez	[-ɔ̃dje]
ils	répondaient	[-ɔ̃dɛ]

Plus-que-parfait

avais	répondu
avais	répondu
avait	répondu
avions	répondu
aviez	répondu
avaient	répondu

Futur simple

je	répondrai	[-ɔ̃dre]
tu	répondras	[-ɔ̃dra]
il	répondra	[-ɔ̃dra]
ns	répondrons	[-ɔ̃drɔ̃]
vs	répondrez	[-ɔ̃dre]
ils	répondront	[-ɔ̃drɔ̃]

Futur antérieur

aurai	répondu
auras	répondu
aura	répondu
aurons	répondu
aurez	répondu
auront	répondu

Passé simple

je	répondis	[-ɔ̃di]
tu	répondis	[-ɔ̃di]
il	répondit	[-ɔ̃di]
ns	répondîmes	[-ɔ̃dim]
vs	répondîtes	[-ɔ̃dit]
ils	répondirent	[-ɔ̃dir]

Passé antérieur

eus	répondu
eus	répondu
eut	répondu
eûmes	répondu
eûtes	répondu
eurent	répondu

SUBJONCTIF

Présent

q. je	réponde	[-ɔ̃d]
tu	répondes	[-ɔ̃d]
il	réponde	[-ɔ̃d]
ns	répondions	[-ɔ̃djɔ̃]
vs	répondiez	[-ɔ̃dje]
ils	répondent	[-ɔ̃d]

Passé

aie	répondu
aies	répondu
ait	répondu
ayons	répondu
ayez	répondu
aient	répondu

Imparfait

q. je	répondisse	[-ɔ̃dis]
tu	répondisses	[-ɔ̃dis]
il	répondît	[-ɔ̃di]
ns	répondissions	[-ɔ̃disjɔ̃]
vs	répondissiez	[-ɔ̃disje]
ils	répondissent	[-ɔ̃dis]

Plus-que-parfait

eusse	répondu
eusses	répondu
eût	répondu
eussions	répondu
eussiez	répondu
eussent	répondu

CONDITIONNEL

Présent

je	répondrais	[-ɔ̃drɛ]
tu	répondrais	[-ɔ̃drɛ]
il	répondrait	[-ɔ̃drɛ]
ns	répondrions	[-ɔ̃drijɔ̃]
vs	répondriez	[-ɔ̃drije]
ils	répondraient	[-ɔ̃drɛ]

Passé

aurais	répondu
aurais	répondu
aurait	répondu
aurions	répondu
auriez	répondu
auraient	répondu

IMPÉRATIF

Présent

réponds	[-ɔ̃]
répondons	[-ɔ̃dɔ̃]
répondez	[-ɔ̃de]

Passe

aie	répondu
ayons	répondu
ayez	répondu

76 mordre

INFINITIF

Présent	Passé
mordre	avoir mordu
[mɔrdr]	[avwarmɔrdy]

PARTICIPE

Présent	Passé
mordant [mɔrdɑ̃]	mord-u, ue
	-us, ues
Présent composé	[mɔrdy]
ayant mordu	

INDICATIF

Présent / Passé composé

	Présent		Passé composé	
je	mords	[mɔr]	ai	mordu
tu	mords	[mɔr]	as	mordu
elle	mord	[mɔr]	a	mordu
ns	mordons	[mɔrdɔ̃]	avons	mordu
vs	mordez	[mɔrde]	avez	mordu
elles	mordent	[mɔrd]	ont	mordu

Imparfait / Plus-que-parfait

	Imparfait		Plus-que-parfait	
je	mordais	[mɔrdɛ]	avais	mordu
tu	mordais	[mɔrdɛ]	avais	mordu
elle	mordait	[mɔrdɛ]	avait	mordu
ns	mordions	[mɔrdjɔ̃]	avions	mordu
vs	mordiez	[mɔrdje]	aviez	mordu
elles	mordaient	[mɔrdɛ]	avaient	mordu

Futur simple / Futur antérieur

	Futur simple		Futur antérieur	
je	mordrai	[mɔrdre]	aurai	mordu
tu	mordras	[mɔrdra]	auras	mordu
elle	mordra	[mɔrdra]	aura	mordu
ns	mordrons	[mɔrdrɔ̃]	aurons	mordu
vs	mordrez	[mɔrdre]	aurez	mordu
elles	mordront	[mɔrdrɔ̃]	auront	mordu

Passé simple / Passé antérieur

	Passé simple		Passé antérieur	
je	mordis	[mɔrdi]	eus	mordu
tu	mordis	[mɔrdi]	eus	mordu
elle	mordit	[mɔrdi]	eut	mordu
ns	mordîmes	[mɔrdim]	eûmes	mordu
vs	mordîtes	[mɔrdit]	eûtes	mordu
elles	mordirent	[mɔrdir]	eurent	mordu

SUBJONCTIF

Présent / Passé

	Présent		Passé	
q. je	morde	[mɔrd]	aie	mordu
tu	mordes	[mɔrd]	aies	mordu
elle	morde	[mɔrd]	ait	mordu
ns	mordions	[mɔrdjɔ̃]	ayons	mordu
vs	mordiez	[mɔrdje]	ayez	mordu
elles	mordent	[mɔrd]	aient	mordu

Imparfait / Plus-que-parfait

	Imparfait		Plus-que-parfait	
q. je	mordisse	[mɔrdis]	eusse	mordu
tu	mordisses	[mɔrdis]	eusses	mordu
elle	mordît	[mɔrdi]	eût	mordu
ns	mordissions	[mɔrdisjɔ̃]	eussions	mordu
vs	mordissiez	[mɔrdisje]	eussiez	mordu
elles	mordissent	[mɔrdis]	eussent	mordu

CONDITIONNEL

Présent / Passé

	Présent		Passé	
je	mordrais	[mɔrdrɛ]	aurais	mordu
tu	mordrais	[mɔrdrɛ]	aurais	mordu
elle	mordrait	[mɔrdrɛ]	aurait	mordu
ns	mordrions	[mɔrdrijɔ̃]	aurions	mordu
vs	mordriez	[mɔrdrije]	auriez	mordu
elles	mordraient	[mɔrdrɛ]	auraient	mordu

IMPÉRATIF

Présent / Passé

Présent		Passé	
mords	[mɔr]	aie	mordu
mordons	[mɔrdɔ̃]	ayons	mordu
mordez	[mɔrde]	ayez	mordu

77 perdre

INFINITIF

Présent	Passé
perdre [pɛrdr]	avoir perdu [avwarpɛrdy]

PARTICIPE

Présent	Passé
perdant [pɛrdã]	perd-u, ue -us, ues [pɛrdy]
Présent composé	
ayant perdu	

INDICATIF

Présent

			Passé composé	
je	perds	[pɛr]	ai	perdu
tu	perds	[pɛr]	as	perdu
il	perd	[pɛr]	a	perdu
ns	perdons	[pɛrdõ]	avons	perdu
vs	perdez	[pɛrde]	avez	perdu
ils	perdent	[pɛrd]	ont	perdu

Imparfait

			Plus-que-parfait	
je	perdais	[pɛrdɛ]	avais	perdu
tu	perdais	[pɛrdɛ]	avais	perdu
il	perdait	[pɛrdɛ]	avait	perdu
ns	perdions	[pɛrdjõ]	avions	perdu
vs	perdiez	[pɛrdje]	aviez	perdu
ils	perdaient	[pɛrdɛ]	avaient	perdu

Futur simple

			Futur antérieur	
je	perdrai	[pɛrdre]	aurai	perdu
tu	perdras	[pɛrdra]	auras	perdu
il	perdra	[pɛrdra]	aura	perdu
ns	perdrons	[pɛrdrõ]	aurons	perdu
vs	perdrez	[pɛrdre]	aurez	perdu
ils	perdront	[pɛrdrõ]	auront	perdu

Passé simple

			Passé antérieur	
je	perdis	[pɛrdi]	eus	perdu
tu	perdis	[pɛrdi]	eus	perdu
il	perdit	[pɛrdi]	eut	perdu
ns	perdîmes	[pɛrdim]	eûmes	perdu
vs	perdîtes	[pɛrdit]	eûtes	perdu
ils	perdirent	[pɛrdir]	eurent	perdu

SUBJONCTIF

Présent

			Passé	
q. je	perde	[pɛrd]	aie	perdu
tu	perdes	[pɛrd]	aies	perdu
il	perde	[pɛrd]	ait	perdu
ns	perdions	[pɛrdjõ]	ayons	perdu
vs	perdiez	[pɛrdje]	ayez	perdu
ils	perdent	[pɛrd]	aient	perdu

Imparfait

			Plus-que-parfait	
q. je	perdisse	[pɛrdis]	eusse	perdu
tu	perdisses	[pɛrdis]	eusses	perdu
il	perdît	[pɛrdi]	eût	perdu
ns	perdissions	[pɛrdisjõ]	eussions	perdu
vs	perdissiez	[pɛrdisje]	eussiez	perdu
ils	perdissent	[pɛrdis]	eussent	perdu

CONDITIONNEL

Présent

			Passé	
je	perdrais	[pɛrdrɛ]	aurais	perdu
tu	perdrais	[pɛrdrɛ]	aurais	perdu
il	perdrait	[pɛrdrɛ]	aurait	perdu
ns	perdrions	[pɛrdrijõ]	aurions	perdu
vs	perdriez	[pɛrdrije]	auriez	perdu
ils	perdraient	[pɛrdrɛ]	auraient	perdu

IMPÉRATIF

Présent

			Passé	
perds	[pɛr]		aie	perdu
perdons	[pɛrdõ]		ayons	perdu
perdez	[pɛrde]		ayez	perdu

78 rompre

INFINITIF

Présent	Passé
rompre	avoir rompu
[rɔ̃pr]	[avwarrɔ̃py]

PARTICIPE

Présent	Passé
rompant [rɔ̃pɑ̃]	romp-u, ue -us, ues
Présent composé	[rɔ̃py]
ayant rompu	

INDICATIF

	Présent		Passé composé	
je	romps	[rɔ̃]	ai	rompu
tu	romps	[rɔ̃]	as	rompu
elle	rompt	[rɔ̃]	a	rompu
ns	rompons	[rɔ̃pɔ̃]	avons	rompu
vs	rompez	[rɔ̃pe]	avez	rompu
elles	rompent	[rɔ̃p]	ont	rompu

	Imparfait		Plus-que-parfait	
je	rompais	[rɔ̃pɛ]	avais	rompu
tu	rompais	[rɔ̃pɛ]	avais	rompu
elle	rompait	[rɔ̃pɛ]	avait	rompu
ns	rompions	[rɔ̃pjɔ̃]	avions	rompu
vs	rompiez	[rɔ̃pje]	aviez	rompu
elles	rompaient	[rɔ̃pɛ]	avaient	rompu

	Futur simple		Futur antérieur	
je	romprai	[rɔ̃pre]	aurai	rompu
tu	rompras	[rɔ̃pra]	auras	rompu
elle	rompra	[rɔ̃pra]	aura	rompu
ns	romprons	[rɔ̃prɔ̃]	aurons	rompu
vs	romprez	[rɔ̃pre]	aurez	rompu
elles	rompront	[rɔ̃prɔ̃]	auront	rompu

	Passé simple		Passé antérieur	
je	rompis	[rɔ̃pi]	eus	rompu
tu	rompis	[rɔ̃pi]	eus	rompu
elle	rompit	[rɔ̃pi]	eut	rompu
ns	rompîmes	[rɔ̃pim]	eûmes	rompu
vs	rompîtes	[rɔ̃pit]	eûtes	rompu
elles	rompirent	[rɔ̃pir]	eurent	rompu

SUBJONCTIF

	Présent		Passé	
q. je	rompe	[rɔ̃p]	aie	rompu
tu	rompes	[rɔ̃p]	aies	rompu
elle	rompe	[rɔ̃p]	ait	rompu
ns	rompions	[rɔ̃pjɔ̃]	ayons	rompu
vs	rompiez	[rɔ̃pje]	ayez	rompu
elles	rompaient	[rɔ̃p]	aient	rompu

	Imparfait		Plus-que-parfait	
q. je	rompisse	[rɔ̃pis]	eusse	rompu
tu	rompisses	[rɔ̃pis]	eusses	rompu
elle	rompît	[rɔ̃pi]	eût	rompu
ns	rompissions	[rɔ̃pisjɔ̃]	eussions	rompu
vs	rompissiez	[rɔ̃pisje]	eussiez	rompu
elles	rompissent	[rɔ̃pis]	eussent	rompu

CONDITIONNEL

	Présent		Passé	
je	romprais	[rɔ̃prɛ]	aurais	rompu
tu	romprais	[rɔ̃prɛ]	aurais	rompu
elle	romprait	[rɔ̃prɛ]	aurait	rompu
ns	romprions	[rɔ̃prijɔ̃]	aurions	rompu
vs	rompriez	[rɔ̃prije]	auriez	rompu
elles	rompraient	[rɔ̃prɛ]	auraient	rompu

IMPÉRATIF

	Présent		Passé	
	romps	[rɔ̃]	aie	rompu
	rompons	[rɔ̃pɔ̃]	ayons	rompu
	rompez	[rɔ̃pe]	ayez	rompu

79 prendre

INFINITIF

Présent	Passé
prendre	avoir pris
[prɑ̃dr]	[avwarpri]

INDICATIF

Présent		Passé composé	
je prends	[-ɑ̃]	ai	pris
tu prends	[-ɑ̃]	as	pris
il prend	[-ɑ̃]	a	pris
ns prenons	[-ənɔ̃]	avons	pris
vs prenez	[-əne]	avez	pris
ils prennent	[-ɛn]	ont	pris

Imparfait		Plus-que-parfait	
je prenais	[-ənɛ]	avais	pris
tu prenais	[-ənɛ]	avais	pris
il prenait	[-ənɛ]	avait	pris
ns prenions	[-ənjɔ̃]	avions	pris
vs preniez	[-ənje]	aviez	pris
ils prenaient	[-ənɛ]	avaient	pris

Futur simple		Futur antérieur	
je prendrai	[-ɑ̃dre]	aurai	pris
tu prendras	[-ɑ̃dra]	auras	pris
il prendra	[-ɑ̃dra]	aura	pris
ns prendrons	[-ɑ̃drɔ̃]	aurons	pris
vs prendrez	[-ɑ̃dre]	aurez	pris
ils prendront	[-ɑ̃drɔ̃]	auront	pris

Passé simple		Passé antérieur	
je pris	[-i]	eus	pris
tu pris	[-i]	eus	pris
il prit	[-i]	eut	pris
ns prîmes	[-im]	eûmes	pris
vs prîtes	[-it]	eûtes	pris
ils prirent	[-ir]	eurent	pris

PARTICIPE

Présent	Passé
prenant [prənɑ̃]	pr-is, ise
Présent composé	-is, ises
ayant pris	[pri, -iz]

SUBJONCTIF

Présent		Passé	
q. je prenne	[-ɛn]	aie	pris
tu prennes	[-ɛn]	aies	pris
il prenne	[-ɛn]	ait	pris
ns prenions	[-ənjɔ̃]	ayons	pris
vs preniez	[-ənje]	ayez	pris
ils prennent	[-ɛn]	aient	pris

Imparfait		Plus-que-parfait	
q. je prisse	[-is]	eusse	pris
tu prisses	[-is]	eusses	pris
il prît	[-i]	eût	pris
ns prissions	[-isjɔ̃]	eussions	pris
vs prissiez	[-isje]	eussiez	pris
ils prissent	[-is]	eussent	pris

CONDITIONNEL

Présent		Passé	
je prendrais	[-ɑ̃drɛ]	aurais	pris
tu prendrais	[-ɑ̃drɛ]	aurais	pris
il prendrait	[-ɑ̃drɛ]	aurait	pris
ns prendrions	[-ɑ̃drijɔ̃]	aurions	pris
vs prendriez	[-ɑ̃drije]	auriez	pris
ils prendraient	[-ɑ̃drɛ]	auraient	pris

IMPÉRATIF

Présent		Passé	
prends	[-ɑ̃]	aie	pris
prenons	[-ənɔ̃]	ayons	pris
prenez	[-əne]	ayez	pris

80 craindre : to fear

INFINITIF

	Présent	Passé
	craindre	avoir craint
	[krɛ̃dr]	[avwarkrɛ̃]

PARTICIPE

	Présent	Passé
	craignant [krɛɲɑ̃]	crain-t, -te
		-ts, tes
	Présent composé	[krɛ̃, -ɛ̃t]
	ayant craint	

INDICATIF

	Présent		Passé composé	
je	crains	[-ɛ̃]	ai	craint
tu	crains	[-ɛ̃]	as	craint
elle	craint	[-ɛ̃]	a	craint
ns	craignons	[-ɛɲɔ̃]	avons	craint
vs	craignez	[-ɛɲe]	avez	craint
elles	craignent	[-ɛɲ]	ont	craint

	Imparfait		Plus-que-parfait	
je	craignais	[-ɛɲɛ]	avais	craint
tu	craignais	[-ɛɲɛ]	avais	craint
elle	craignait	[-ɛɲɛ]	avait	craint
ns	craignions	[-ɛɲjɔ̃]	avions	craint
vs	craigniez	[-ɛɲje]	aviez	craint
elles	craignaient	[-ɛɲɛ]	avaient	craint

	Futur simple		Futur antérieur	
je	craindrai	[-ɛ̃dre]	aurai	craint
tu	craindras	[-ɛ̃dra]	auras	craint
elle	craindra	[-ɛ̃dra]	aura	craint
ns	craindrons	[-ɛ̃drɔ̃]	aurons	craint
vs	craindrez	[-ɛ̃dre]	aurez	craint
elles	craindront	[-ɛ̃drɔ̃]	auront	craint

	Passé simple		Passé antérieur	
je	craignis	[-ɛɲi]	eus	craint
tu	craignis	[-ɛɲi]	eus	craint
elle	craignit	[-ɛɲi]	eut	craint
ns	craignîmes	[-ɛɲim]	eûmes	craint
vs	craignîtes	[-ɛɲit]	eûtes	craint
elles	craignirent	[-ɛɲir]	eurent	craint

SUBJONCTIF

	Présent		Passé	
q. je	craigne	[-ɛɲ]	aie	craint
tu	craignes	[-ɛɲ]	aies	craint
elle	craigne	[-ɛɲ]	ait	craint
ns	craignions	[-ɛɲjɔ̃]	ayons	craint
vs	craigniez	[-ɛɲje]	ayez	craint
elles	craignent	[-ɛɲ]	aient	craint

	Imparfait		Plus-que-parfait	
q. je	craignisse	[-ɛɲis]	eusse	craint
tu	craignisses	[-ɛɲis]	eusses	craint
elle	craignît	[-ɛɲi]	eût	craint
ns	craignissions	[-ɛɲisjɔ̃]	eussions	craint
vs	craignissiez	[-ɛɲisje]	eussiez	craint
elles	craignissent	[-ɛɲis]	eussent	craint

CONDITIONNEL

	Présent		Passé	
je	craindrais	[-ɛ̃drɛ]	aurais	craint
tu	craindrais	[-ɛ̃drɛ]	aurais	craint
elle	craindrait	[-ɛ̃drɛ]	aurait	craint
ns	craindrions	[-ɛ̃drijɔ̃]	aurions	craint
vs	craindriez	[-ɛ̃drije]	auriez	craint
elles	craindraient	[-ɛ̃drɛ]	auraient	craint

IMPÉRATIF

	Présent		Passé	
	crains	[-ɛ̃]	aie	craint
	craignons	[-ɛɲɔ̃]	ayons	craint
	craignez	[-ɛɲe]	ayez	craint

81 peindre :: paint

INFINITIF

Présent	Passé
peindre [pɛ̃dr]	avoir peint [avwarpɛ̃]

PARTICIPE

Présent	Passé
peignant [pɛɲɑ̃]	pein-t, te ts, tes [pɛ̃, -ɛ̃t]
Présent composé	
ayant peint	

INDICATIF

Présent / Passé composé

	Présent		Passé composé	
je	peins	[pɛ̃]	ai	peint
tu	peins	[pɛ̃]	as	peint
il	peint	[pɛ̃]	a	peint
ns	peignons	[pɛɲɔ̃]	avons	peint
vs	peignez	[pɛɲe]	avez	peint
ils	peignent	[pɛɲ]	ont	peint

Imparfait / Plus-que-parfait

	Imparfait		Plus-que-parfait	
je	peignais	[pɛɲɛ]	avais	peint
tu	peignais	[pɛɲɛ]	avais	peint
il	peignait	[pɛɲɛ]	avait	peint
ns	peignions	[pɛɲjɔ̃]	avions	peint
vs	peigniez	[pɛɲje]	aviez	peint
ils	peignaient	[pɛɲɛ]	avaient	peint

Futur simple / Futur antérieur

	Futur simple		Futur antérieur	
je	peindrai	[pɛ̃dre]	aurai	peint
tu	peindras	[pɛ̃dra]	auras	peint
il	peindra	[pɛ̃dra]	aura	peint
ns	peindrons	[pɛ̃drɔ̃]	aurons	peint
vs	peindrez	[pɛ̃dre]	aurez	peint
ils	peindront	[pɛ̃drɔ̃]	auront	peint

Passé simple / Passé antérieur

	Passé simple		Passé antérieur	
je	peignis	[pɛɲi]	eus	peint
tu	peignis	[pɛɲi]	eus	peint
il	peignit	[pɛɲi]	eut	peint
ns	peignîmes	[pɛɲim]	eûmes	peint
vs	peignîtes	[pɛɲit]	eûtes	peint
ils	peignirent	[pɛɲir]	eurent	peint

SUBJONCTIF

Présent / Passé

	Présent		Passé	
q. je	peigne	[pɛɲ]	aie	peint
tu	peignes	[pɛɲ]	aies	peint
il	peigne	[pɛɲ]	ait	peint
ns	peignions	[pɛɲjɔ̃]	ayons	peint
vs	peigniez	[pɛɲje]	ayez	peint
ils	peignent	[pɛɲ]	aient	peint

Imparfait / Plus-que-parfait

	Imparfait		Plus-que-parfait	
q. je	peignisse	[pɛɲis]	eusse	peint
tu	peignisses	[pɛɲis]	eusses	peint
il	peignît	[pɛɲi]	eût	peint
ns	peignissions	[pɛɲisjɔ̃]	eussions	peint
vs	peignissiez	[pɛɲisje]	eussiez	peint
ils	peignissent	[pɛɲis]	eussent	peint

CONDITIONNEL

Présent / Passé

	Présent		Passé	
je	peindrais	[pɛ̃drɛ]	aurais	peint
tu	peindrais	[pɛ̃drɛ]	aurais	peint
il	peindrait	[pɛ̃drɛ]	aurait	peint
ns	peindrions	[pɛ̃drijɔ̃]	aurions	peint
vs	peindriez	[pɛ̃drije]	auriez	peint
ils	peindraient	[pɛ̃drɛ]	auraient	peint

IMPÉRATIF

Présent		Passé	
peins	[pɛ̃]	aie	peint
peignons	[pɛɲɔ̃]	ayons	peint
peignez	[pɛɲe]	ayez	peint

82 joindre

INFINITIF

Présent	Passé
joindre	avoir joint
[ʒwɛ̃dr]	[avwarʒwɛ̃]

PARTICIPE

Présent	Passé
joignant [ʒwaɲɑ̃]	join-t, te
Présent composé	-ts, tes
ayant joint	[ʒwɛ̃, -wɛ̃t]

INDICATIF

	Présent		Passé composé	
je	joins	[ʒwɛ̃]	ai	joint
tu	joins	[ʒwɛ̃]	as	joint
elle	joint	[ʒwɛ̃]	a	joint
ns	joignons	[ʒwaɲɔ̃]	avons	joint
vs	joignez	[ʒwaɲe]	avez	joint
elles	joignent	[ʒwaɲ]	ont	joint

	Imparfait		Plus-que-parfait	
je	joignais	[ʒwaɲɛ]	avais	joint
tu	joignais	[ʒwaɲɛ]	avais	joint
elle	joignait	[ʒwaɲɛ]	avait	joint
ns	joignions	[ʒwaɲjɔ̃]	avions	joint
vs	joigniez	[ʒwaɲje]	aviez	joint
elles	joignaient	[ʒwaɲɛ]	avaient	joint

	Futur simple		Futur antérieur	
je	joindrai	[ʒwɛ̃dre]	aurai	joint
tu	joindras	[ʒwɛ̃dra]	auras	joint
elle	joindra	[ʒwɛ̃dra]	aura	joint
ns	joindrons	[ʒwɛ̃drɔ̃]	aurons	joint
vs	joindrez	[ʒwɛ̃dre]	aurez	joint
elles	joindront	[ʒwɛ̃drɔ̃]	auront	joint

	Passé simple		Passé antérieur	
je	joignis	[ʒwaɲi]	eus	joint
tu	joignis	[ʒwaɲi]	eus	joint
elle	joignit	[ʒwaɲi]	eut	joint
ns	joignîmes	[ʒwaɲim]	eûmes	joint
vs	joignîtes	[ʒwaɲit]	eûtes	joint
elles	joignirent	[ʒwaɲir]	eurent	joint

SUBJONCTIF

	Présent		Passé	
q. je	joigne	[ʒwaɲ]	aie	joint
tu	joignes	[ʒwaɲ]	aies	joint
elle	joigne	[ʒwaɲ]	ait	joint
ns	joignions	[ʒwaɲjɔ̃]	ayons	joint
vs	joigniez	[ʒwaɲje]	ayez	joint
elles	joignent	[ʒwaɲ]	aient	joint

	Imparfait		Plus-que-parfait	
q. je	joignisse	[ʒwaɲis]	eusse	joint
tu	joignisses	[ʒwaɲis]	eusses	joint
elle	joignît	[ʒwaɲi]	eût	joint
ns	joignissions	[ʒwaɲisjɔ̃]	eussions	joint
vs	joignissiez	[ʒwaɲisje]	eussiez	joint
elles	joignissent	[ʒwaɲis]	eussent	joint

CONDITIONNEL

	Présent		Passé	
je	joindrais	[ʒwɛ̃drɛ]	aurais	joint
tu	joindrais	[ʒwɛ̃drɛ]	aurais	joint
elle	joindrait	[ʒwɛ̃drɛ]	aurait	joint
ns	joindrions	[ʒwɛ̃drijɔ̃]	aurions	joint
vs	joindriez	[ʒwɛ̃drije]	auriez	joint
elles	joindraient	[ʒwɛ̃drɛ]	auraient ·	joint

IMPÉRATIF

Présent		Passé	
joins	[ʒwɛ̃]	aie	joint
joignons	[ʒwaɲɔ̃]	ayons	joint
joignez	[ʒwaɲe]	ayez	joint

83 battre

INFINITIF

Présent	Passé
battre [batr]	avoir battu [avwarbaty]

PARTICIPE

Présent	Passé
battant [batɑ̃]	batt-u, ue -us, ues [baty]
Présent composé	
ayant battu	

INDICATIF

Présent		Passé composé	
je	bats [ba]	ai	battu
tu	bats [ba]	as	battu
il	bat [ba]	a	battu
ns	battons [batɔ̃]	avons	battu
vs	battez [bate]	avez	battu
ils	battent [bat]	ont	battu

Imparfait		Plus-que-parfait	
je	battais [batɛ]	avais	battu
tu	battais [batɛ]	avais	battu
il	battait [batɛ]	avait	battu
ns	battions [batjɔ̃]	avions	battu
vs	battiez [batje]	aviez	battu
ils	battaient [batɛ]	avaient	battu

Futur simple		Futur antérieur	
je	battrai [batre]	aurai	battu
tu	battras [batra]	auras	battu
il	battra [batra]	aura	battu
ns	battrons [batrɔ̃]	aurons	battu
vs	battrez [batre]	aurez	battu
ils	battront [batrɔ̃]	auront	battu

Passé simple		Passé antérieur	
je	battis [bati]	eus	battu
tu	battis [bati]	eus	battu
il	battit [bati]	eut	battu
ns	battîmes [batim]	eûmes	battu
vs	battîtes [batit]	eûtes	battu
ils	battirent [batir]	eurent	battu

SUBJONCTIF

Présent		Passé	
q. je	batte [bat]	aie	battu
tu	battes [bat]	aies	battu
il	batte [bat]	ait	battu
ns	battions [batjɔ̃]	ayons	battu
vs	battiez [batje]	ayez	battu
ils	battent [bat]	aient	battu

Imparfait		Plus-que-parfait	
q. je	battisse [batis]	eusse	battu
tu	battisses [batis]	eusses	battu
il	battît [bati]	eût	battu
ns	battissions [batisjɔ̃]	eussions	battu
vs	battissiez [batisje]	eussiez	battu
ils	battissent [batis]	eussent	battu

CONDITIONNEL

Présent		Passé	
je	battrais [batrɛ]	aurais	battu
tu	battrais [batrɛ]	aurais	battu
il	battrait [batrɛ]	aurait	battu
ns	battrions [batrijɔ̃]	aurions	battu
vs	battriez [batrije]	auriez	battu
ils	battraient [batrɛ]	auraient	battu

IMPÉRATIF

Présent		Passé	
bats	[ba]	aie	battu
battons	[batɔ̃]	ayons	battu
battez	[bate]	ayez	battu

84 mettre

INFINITIF

Présent	Passé
mettre	avoir mis
[mɛtr]	[avwarmi]

PARTICIPE

Présent	Passé
mettant [metɑ̃]	m-is, se
Présent composé	is, ses
	[mi, -iz]
ayant mis	

INDICATIF

Présent / Passé composé

je	mets	[mɛ]	ai	mis
tu	mets	[mɛ]	as	mis
elle	met	[mɛ]	a	mis
ns	mettons	[metɔ̃]	avons	mis
vs	mettez	[mete]	avez	mis
elles	mettent	[mɛt]	ont	mis

Imparfait / Plus-que-parfait

je	mettais	[metɛ]	avais	mis
tu	mettais	[metɛ]	avais	mis
elle	mettait	[metɛ]	avait	mis
ns	mettions	[metjɔ̃]	avions	mis
vs	mettiez	[metje]	aviez	mis
elles	mettaient	[metɛ]	avaient	mis

Futur simple / Futur antérieur

je	mettrai	[metre]	aurai	mis
tu	mettras	[metra]	auras	mis
elle	mettra	[metra]	aura	mis
ns	mettrons	[metrɔ̃]	aurons	mis
vs	mettrez	[metre]	aurez	mis
elles	mettront	[metrɔ̃]	auront	mis

Passé simple / Passé antérieur

je	mis	[mi]	eus	mis
tu	mis	[mi]	eus	mis
elle	mit	[mi]	eut	mis
ns	mîmes	[mim]	eûmes	mis
vs	mîtes	[mit]	eûtes	mis
elles	mirent	[mir]	eurent	mis

SUBJONCTIF

Présent / Passé

q. je	mette	[mɛt]	aie	mis	
tu	mettes	[mɛt]	aies	mis	
elle	mette	[mɛt]	ait	mis	
ns	mettions	[metjɔ̃]	ayons	mis	
vs	mettiez	[metje]	ayez	mis	
elles	mettent	[mɛt]	aient	mis	

Imparfait / Plus-que-parfait

q. je	misse	[mis]	eusse	mis
tu	misses	[mis]	eusses	mis
elle	mît	[mi]	eût	mis
ns	missions	[misjɔ̃]	eussions	mis
vs	missiez	[misje]	eussiez	mis
elles	missent	[mis]	eussent	mis

CONDITIONNEL

Présent / Passé

je	mettrais	[metrɛ]	aurais	mis
tu	mettrais	[metrɛ]	aurais	mis
elle	mettrait	[metrɛ]	aurait	mis
ns	mettrions	[metrijɔ̃]	aurions	mis
vs	mettriez	[metrije]	auriez	mis
elles	mettraient	[metrɛ]	auraient	mis

IMPÉRATIF

Présent / Passé

mets	[mɛ]		aie	mis
mettons	[metɔ̃]		ayons	mis
mettez	[mete]		ayez	mis

85 moudre :: grind

INFINITIF

Présent	Passé
moudre	avoir moulu
[mudr]	[avwarmuly]

PARTICIPE

Présent	Passé
moulant [mulɑ̃]	moul-u, ue
	us, ues
Présent composé	[muly]
ayant moulu	

INDICATIF

	Présent		Passé composé	
je	mouds	[mu]	ai	moulu
tu	mouds	[mu]	as	moulu
il	moud	[mu]	a	moulu
ns	moulons	[mulɔ̃]	avons	moulu
vs	moulez	[mule]	avez	moulu
ils	moulent	[mul]	ont	moulu

	Imparfait		Plus-que-parfait	
je	moulais	[mulɛ]	avais	moulu
tu	moulais	[mulɛ]	avais	moulu
il	moulait	[mulɛ]	avait	moulu
ns	moulions	[muljɔ̃]	avions	moulu
vs	mouliez	[mulje]	aviez	moulu
ils	moulaient	[mulɛ]	avaient	moulu

	Futur simple		Futur antérieur	
je	moudrai	[mudre]	aurai	moulu
tu	moudras	[mudra]	auras	moulu
il	moudra	[mudra]	aura	moulu
ns	moudrons	[mudrɔ̃]	aurons	moulu
vs	moudrez	[mudre]	aurez	moulu
ils	moudront	[mudrɔ̃]	auront	moulu

	Passé simple		Passé antérieur	
je	moulus	[muly]	eus	moulu
tu	moulus	[muly]	eus	moulu
il	moulut	[muly]	eut	moulu
ns	moulûmes	[mulym]	eûmes	moulu
vs	moulûtes	[mulyt]	eûtes	moulu
ils	moulurent	[mulyr]	eurent	moulu

SUBJONCTIF

	Présent		Passé	
q. je	moule	[mul]	aie	moulu
tu	moules	[mul]	aies	moulu
il	moule	[mul]	ait	moulu
ns	moulions	[muljɔ̃]	ayons	moulu
vs	mouliez	[mulje]	ayez	moulu
ils	moulent	[mul]	aient	moulu

	Imparfait		Plus-que-parfait	
q. je	moulusse	[mulys]	eusse	moulu
tu	moulusses	[mulys]	eusses	moulu
il	moulût	[muly]	eût	moulu
ns	moulussions	[mulysjɔ̃]	eussions	moulu
vs	moulussiez	[mulysje]	eussiez	moulu
ils	moulussent	[mulys]	eussent	moulu

CONDITIONNEL

	Présent		Passé	
je	moudrais	[mudrɛ]	aurais	moulu
tu	moudrais	[mudrɛ]	aurais	moulu
il	moudrait	[mudrɛ]	aurait	moulu
ns	moudrions	[mudrijɔ̃]	aurions	moulu
vs	moudriez	[mudrije]	auriez	moulu
ils	moudraient	[mudrɛ]	auraient	moulu

IMPÉRATIF

Présent		Passé	
mouds	[mu]	aie	moulu
moulons	[mulɔ̃]	ayons	moulu
moulez	[mule]	ayez	moulu

86 coudre :: sew

INFINITIF

	Présent		Passé
	coudre		avoir cousu
	[kudr]		[avwarkuzy]

PARTICIPE

	Présent		Passé
	cousant [kuzɑ̃]		cous-u, ue
			-us, ues
	Présent composé		[kuzy]
	ayant cousu		

INDICATIF

	Présent			Passé composé	
je	couds	[ku]	ai	cousu
tu	couds	[ku]	as	cousu
elle	coud	[ku]	a	cousu
ns	cousons	[kuzɔ̃]	avons	cousu
vs	cousez	[kuze]	avez	cousu
elles	cousent	[kuz]	ont	cousu

	Imparfait			Plus-que-parfait	
je	cousais	[kuzɛ]	avais	cousu
tu	cousais	[kuzɛ]	avais	cousu
elle	cousait	[kuzɛ]	avait	cousu
ns	cousions	[kuzjɔ̃]	avions	cousu
vs	cousiez	[kuzje]	aviez	cousu
elles	cousaient	[kuzɛ]	avaient	cousu

	Futur simple			Futur antérieur	
je	coudrai	[kudre]	aurai	cousu
tu	coudras	[kudra]	auras	cousu
elle	coudra	[kudra]	aura	cousu
ns	coudrons	[kudrɔ̃]	aurons	cousu
vs	coudrez	[kudre]	aurez	cousu
elles	coudront	[kudrɔ̃]	auront	cousu

	Passé simple			Passé antérieur	
je	cousis	[kuzi]	eus	cousu
tu	cousis	[kuzi]	eus	cousu
elle	cousit	[kuzi]	eut	cousu
ns	cousîmes	[kuzim]	eûmes	cousu
vs	cousîtes	[kuzit]	eûtes	cousu
elles	cousirent	[kuzir]	eurent	cousu

SUBJONCTIF

		Présent			Passé	
q. je	couse	[kuz]	aie	cousu
tu	couses	[kuz]	aies	cousu
elle	couse	[kuz]	ait	cousu
ns	cousions	[kuzjɔ̃]	ayons	cousu
vs	cousiez	[kuzje]	ayez	cousu
elles	cousent	[kuz]	aient	cousu

		Imparfait			Plus-que-parfait	
q. je	cousisse	[kuzis]	eusse	cousu
tu	cousisses	[kuzis]	eusses	cousu
elle	cousît	[kuzi]	eût	cousu
ns	cousissions	[kuzisjɔ̃]	eussions	cousu
vs	cousissiez	[kuzisje]	eussiez	cousu
elles	cousissent	[kuzis]	eussent	cousu

CONDITIONNEL

	Présent			Passé	
je	coudrais	[kudrɛ]	aurais	cousu
tu	coudrais	[kudrɛ]	aurais	cousu
elle	coudrait	[kudrɛ]	aurait	cousu
ns	coudrions	[kudrijɔ̃]	aurions	cousu
vs	coudriez	[kudrije]	auriez	cousu
elles	coudraient	[kudrɛ]	auraient	cousu

IMPÉRATIF

Présent			Passé	
couds	[ku]		aie	cousu
cousons	[kuzɔ̃]		ayons	cousu
cousez	[kuze]		ayez	cousu

87 absoudre : : absolve

---INFINITIF---

Présent	Passé
absoudre [apsudr]	avoir absous [avwarapsu]

---PARTICIPE---

Présent	Passé
absolvant [apsɔlvɑ̃]	abs-ous, oute -ous, outes [apsu, -ut]
Présent composé	
ayant absous	

---INDICATIF---

Présent

j'	absous	[-u]
tu	absous	[-u]
il	absout	[-u]
ns	absolvons	[-ɔlvɔ̃]
vs	absolvez	[-ɔlve]
ils	absolvent	[-ɔlv]

Passé composé

ai	absous
as	absous
a	absous
avons	absous
avez	absous
ont	absous

Imparfait

j'	absolvais	[-ɔlvɛ]
tu	absolvais	[-ɔlvɛ]
il	absolvait	[-ɔlvɛ]
ns	absolvions	[-ɔlvjɔ̃]
vs	absolviez	[-ɔlvje]
ils	absolvaient	[-ɔlvɛ]

Plus-que-parfait

avais	absous
avais	absous
avait	absous
avions	absous
aviez	absous
avaient	absous

Futur simple

j'	absoudrai	[-udre]
tu	absoudras	[-udra]
il	absoudra	[-udra]
ns	absoudrons	[-udrɔ̃]
vs	absoudrez	[-udre]
ils	absoudront	[-udrɔ̃]

Futur antérieur

aurai	absous
auras	absous
aura	absous
aurons	absous
aurez	absous
auront	absous

Passé simple

j'	absolus	[-ɔly]
tu	absolus	[-ɔly]
il	absolut	[-ɔly]
ns	absolûmes	[-ɔlym]
vs	absolûtes	[-ɔlyt]
ils	absolurent	[-ɔlyr]

Passé antérieur

eus	absous
eus	absous
eut	absous
eûmes	absous
eûtes	absous
eurent	absous

---SUBJONCTIF---

Présent

q. j'	absolve	[-ɔlv]
tu	absolves	[-ɔlv]
il	absolve	[-ɔlv]
ns	absolvions	[-ɔlvjɔ̃]
vs	absolviez	[-ɔlvje]
ils	absolvent	[-ɔlv]

Passé

aie	absous
aies	absous
ait	absous
ayons	absous
ayez	absous
aient	absous

Imparfait

q. j'	absolusse	[-ɔlys]
tu	absolusses	[-ɔlys]
il	absolût	[-ɔly]
ns	absolussions	[-ɔlysjɔ̃]
vs	absolussiez	[-ɔlysje]
ils	absolussent	[-ɔlys]

Plus-que-parfait

eusse	absous
eusses	absous
eût	absous
eussions	absous
eussiez	absous
eussent	absous

---CONDITIONNEL---

Présent

j'	absoudrais	[-udrɛ]
tu	absoudrais	[-udrɛ]
il	absoudrait	[-udrɛ]
ns	absoudrions	[-udrijɔ̃]
vs	absoudriez	[-udrije]
ils	absoudraient	[-udrɛ]

Passé

aurais	absous
aurais	absous
aurait	absous
aurions	absous
auriez	absous
auraient	absous

---IMPÉRATIF---

Présent

absous	[-u]
absolvons	[-ɔlvɔ̃]
absolvez	[-ɔlve]

Passé

aie	absous
ayons	absous
ayez	absous

Remarque : Le passé simple et le subjonctif imparfait, admis par Littré, sont rares.

88 résoudre

INFINITIF

Présent

résoudre
[rezudr]

Passé

avoir résolu
[avwarrezɔly]

PARTICIPE

Présent

résolvant [rezɔlvɑ̃]

Présent composé

ayant résolu

Passé

résol-u, ue
-us, ues
[rezɔly]

INDICATIF

	Présent			Passé composé	
je	résous	[-u]	ai	résolu
tu	résous	[-u]	as	résolu
elle	résout	[-u]	a	résolu
ns	résolvons	[-ɔlvɔ̃]	avons	résolu
vs	résolvez	[-ɔlve]	avez	résolu
elles	résolvent	[-ɔlv]	ont	résolu

	Imparfait			Plus-que-parfait	
je	résolvais	[-ɔlvɛ]	avais	résolu
tu	résolvais	[-ɔlvɛ]	avais	résolu
elle	résolvait	[-ɔlvɛ]	avait	résolu
ns	résolvions	[-ɔlvjɔ̃]	avions	résolu
vs	résolviez	[-ɔlvje]	aviez	résolu
elles	résolvaient	[-ɔlvɛ]	avaient	résolu

	Futur simple			Futur antérieur	
je	résoudrai	[-udre]	aurai	résolu
tu	résoudras	[-udra]	auras	résolu
elle	résoudra	[-udra]	aura	résolu
ns	résoudrons	[-udrɔ̃]	aurons	résolu
vs	résoudrez	[-udre]	aurez	résolu
elles	résoudront	[-udrɔ̃]	auront	résolu

	Passé simple			Passé antérieur	
je	résolus	[-ɔly]	eus	résolu
tu	résolus	[-ɔly]	eus	résolu
elle	résolut	[-ɔly]	eut	résolu
ns	résolûmes	[-ɔlym]	eûmes	résolu
vs	résolûtes	[-ɔlyt]	eûtes	résolu
elles	résolurent	[-ɔlyr]	eurent	résolu

SUBJONCTIF

	Présent			Passé	
q. je	résolve	[-ɔlv]	aie	résolu
tu	résolves	[-ɔlv]	aies	résolu
elle	résolve	[-ɔlv]	ait	résolu
ns	résolvions	[-ɔlvjɔ̃]	ayons	résolu
vs	résolviez	[-ɔlvje]	ayez	résolu
elles	résolvent	[-ɔlv]	aient	résolu

	Imparfait			Plus-que-parfait	
q. je	résolusse	[-ɔlys]	eusse	résolu
tu	résolusses	[-ɔlys]	eusses	résolu
elle	résolût	[-ɔly]	eût	résolu
ns	résolussions	[-ɔlysjɔ̃]	eussions	résolu
vs	résolussiez	[-ɔlysje]	eussiez	résolu
elles	résolussent	[-ɔlys]	eussent	résolu

CONDITIONNEL

	Présent			Passé	
je	résoudrais	[-udrɛ]	aurais	résolu
tu	résoudrais	[-udrɛ]	aurais	résolu
elle	résoudrait	[-udrɛ]	aurait	résolu
ns	résoudrions	[-udrijɔ̃]	aurions	résolu
vs	résoudriez	[-udrije]	auriez	résolu
elles	résoudraient	[-udrɛ]	auraient	résolu

IMPÉRATIF

Présent			Passé	
résous	[-u]	aie	résolu
résolvons	[-ɔlvɔ̃]	ayons	résolu
résolvez	[-ɔlve]	ayez	résolu

Remarque : Il existe un part. passé *résous, résoute* (rare), avec le sens de *transformé, e* (*Un brouillard résous en pluie*).

89 suivre

—— INFINITIF ——

Présent	Passé
suivre [sɥivr]	avoir suivi [avwarsɥivi]

—— PARTICIPE ——

Présent	Passé
suivant [sɥivɑ̃]	suiv-i, ie suiv-is, ies [sɥivi]
Présent composé	
ayant suivi	

—— INDICATIF ——

Présent / Passé composé

	Présent		Passé composé	
je	suis	[sɥi]	ai	suivi
tu	suis	[sɥi]	as	suivi
il	suit	[sɥi]	a	suivi
ns	suivons	[sɥivɔ̃]	avons	suivi
vs	suivez	[sɥive]	avez	suivi
ils	suivent	[sɥiv]	ont	suivi

Imparfait / Plus-que-parfait

	Imparfait		Plus-que-parfait	
je	suivais	[sɥivɛ]	avais	suivi
tu	suivais	[sɥivɛ]	avais	suivi
il	suivait	[sɥivɛ]	avait	suivi
ns	suivions	[sɥivjɔ̃]	avions	suivi
vs	suiviez	[sɥivje]	aviez	suivi
ils	suivaient	[sɥivɛ]	avaient	suivi

Futur simple / Futur antérieur

	Futur simple		Futur antérieur	
je	suivrai	[sɥivre]	aurai	suivi
tu	suivras	[sɥivra]	auras	suivi
il	suivra	[sɥivra]	aura	suivi
ns	suivrons	[sɥivrɔ̃]	aurons	suivi
vs	suivrez	[sɥivre]	aurez	suivi
ils	suivront	[sɥivrɔ̃]	auront	suivi

Passé simple / Passé antérieur

	Passé simple		Passé antérieur	
je	suivis	[sɥivi]	eus	suivi
tu	suivis	[sɥivi]	eus	suivi
il	suivit	[sɥivi]	eut	suivi
ns	suivîmes	[sɥivim]	eûmes	suivi
vs	suivîtes	[sɥivit]	eûtes	suivi
ils	suivirent	[sɥivir]	eurent	suivi

—— SUBJONCTIF ——

Présent / Passé

	Présent		Passé	
q. je	suive	[sɥiv]	aie	suivi
tu	suives	[sɥiv]	aies	suivi
il	suive	[sɥiv]	ait	suivi
ns	suivions	[sɥivjɔ̃]	ayons	suivi
vs	suiviez	[sɥivje]	ayez	suivi
ils	suivent	[sɥiv]	aient	suivi

Imparfait / Plus-que-parfait

	Imparfait		Plus-que-parfait	
q. je	suivisse	[sɥivis]	eusse	suivi
tu	suivisses	[sɥivis]	eusses	suivi
il	suivît	[sɥivi]	eût	suivi
ns	suivissions	[sɥivisjɔ̃]	eussions	suivi
vs	suivissiez	[sɥivisje]	eussiez	suivi
ils	suivissent	[sɥivis]	eussent	suivi

CONDITIONNEL

Présent / Passé

	Présent		Passé	
je	suivrais	[sɥivrɛ]	aurais	suivi
tu	suivrais	[sɥivrɛ]	aurais	suivi
il	suivrait	[sɥivrɛ]	aurait	suivi
ns	suivrions	[sɥivrijɔ̃]	aurions	suivi
vs	suivriez	[sɥivrije]	auriez	suivi
ils	suivraient	[sɥivrɛ]	auraient	suivi

—— IMPÉRATIF ——

Présent		Passé	
suis	[sɥi]	aie	suivi
suivons	[sɥivɔ̃]	ayons	suivi
suivez	[sɥive]	ayez	suivi

90 vivre

__ INFINITIF __

Présent	Passé
vivre	avoir vécu
[vivr]	[avwarveky]

__ PARTICIPE __

Présent	Passé
vivant [vivã]	véc-u, ue
	-us, ues
Présent composé	[veky]
ayant vécu	

__ INDICATIF __

	Présent			Passé composé	
je	vis	[vi]		ai	vécu
tu	vis	[vi]		as	vécu
elle	vit	[vi]		a	vécu
ns	vivons	[vivõ]		avons	vécu
vs	vivez	[vive]		avez	vécu
elles	vivent	[viv]		ont	vécu

	Imparfait			Plus-que-parfait	
je	vivais	[vivɛ]		avais	vécu
tu	vivais	[vivɛ]		avais	vécu
elle	vivait	[vivɛ]		avait	vécu
ns	vivions	[vivjõ]		avions	vécu
vs	viviez	[vivje]		aviez	vécu
elles	vivaient	[vivɛ]		avaient	vécu

	Futur simple			Futur antérieur	
je	vivrai	[vivre]		aurai	vécu
tu	vivras	[vivra]		auras	vécu
elle	vivra	[vivra]		aura	vécu
ns	vivrons	[vivrõ]		aurons	vécu
vs	vivrez	[vivre]		aurez	vécu
elles	vivront	[vivrõ]		auront	vécu

	Passé simple			Passé antérieur	
je	vécus	[veky]		eus	vécu
tu	vécus	[veky]		eus	vécu
elle	vécut	[veky]		eut	vécu
ns	vécûmes	[vekym]		eûmes	vécu
vs	vécûtes	[vekyt]		eûtes	vécu
elles	vécurent	[vekyr]		eurent	vécu

__ SUBJONCTIF __

	Présent			Passé	
q. je	vive	[viv]		aie	vécu
tu	vives	[viv]		aies	vécu
elle	vive	[viv]		ait	vécu
ns	vivions	[vivjõ]		ayons	vécu
vs	viviez	[vivje]		ayez	vécu
elles	vivent	[viv]		aient	vécu

	Imparfait			Plus-que-parfait	
q. je	vécusse	[vekys]		eusse	vécu
tu	vécusses	[vekys]		eusses	vécu
elle	vécût	[veky]		eût	vécu
ns	vécussions	[vekysjõ]		eussions	vécu
vs	vécussiez	[vekysje]		eussiez	vécu
elles	vécussent	[vekys]		eussent	vécu

__ CONDITIONNEL __

	Présent			Passé	
je	vivrais	[vivrɛ]		aurais	vécu
tu	vivrais	[vivrɛ]		aurais	vécu
elle	vivrait	[vivrɛ]		aurait	vécu
ns	vivrions	[vivrijõ]		aurions	vécu
vs	vivriez	[vivrije]		auriez	vécu
elles	vivraient	[vivrɛ]		auraient	vécu

__ IMPÉRATIF __

Présent		Passé	
vis	[vi]	aie	vécu
vivons	[vivõ]	ayons	vécu
vivez	[vive]	ayez	vécu

Remarque : *Survivre* se conjugue sur *vivre* mais son participe passé est toujours invariable.

91 paraître

INFINITIF

Présent

paraître
[parɛtr]

Passé

avoir paru
[avwarpary]

PARTICIPE

Présent

paraissant [parɛsã]

Présent composé

ayant paru

Passé

par-u, ue
par-us, ues
[pary]

INDICATIF

Présent

je	parais	[-rɛ]
tu	parais	[-rɛ]
il	paraît	[-rɛ]
ns	paraissons	[-resɔ̃]
vs	paraissez	[-rese]
ils	paraissent	[-rɛs]

Passé composé

ai	paru
as	paru
a	paru
avons	paru
avez	paru
ont	paru

Imparfait

je	paraissais	[-resɛ]
tu	paraissais	[-resɛ]
il	paraissait	[-resɛ]
ns	paraissions	[-resjɔ̃]
vs	paraissiez	[-resje]
ils	paraissaient	[-resɛ]

Plus-que-parfait

avais	paru
avais	paru
avait	paru
avions	paru
aviez	paru
avaient	paru

Futur simple

je	paraîtrai	[-retre]
tu	paraîtras	[-retra]
il	paraîtra	[-retra]
ns	paraîtrons	[-retrɔ̃]
vs	paraîtrez	[-retre]
ils	paraîtront	[-retrɔ̃]

Futur antérieur

aurai	paru
auras	paru
aura	paru
aurons	paru
aurez	paru
auront	paru

Passé simple

je	parus	[-ry]
tu	parus	[-ry]
il	parut	[-ry]
ns	parûmes	[-rym]
vs	parûtes	[-ryt]
ils	parurent	[-ryr]

Passé antérieur

eus	paru
eus	paru
eut	paru
eûmes	paru
eûtes	paru
eurent	paru

SUBJONCTIF

Présent

q. je	paraisse	[-rɛs]
tu	paraisses	[-rɛs]
il	paraisse	[-rɛs]
ns	paraissions	[-resjɔ̃]
vs	paraissiez	[-resje]
ils	paraissent	[-rɛs]

Passé

aie	paru
aies	paru
ait	paru
ayons	paru
ayez	paru
aient	paru

Imparfait

q. je	parusse	[-rys]
tu	parusses	[-rys]
il	parût	[-ry]
ns	parussions	[-rysjɔ̃]
vs	parussiez	[-rysje]
ils	parussent	[-rys]

Plus-que-parfait

eusse	paru
eusses	paru
eût	paru
eussions	paru
eussiez	paru
eussent	paru

CONDITIONNEL

Présent

je	paraîtrais	[-retrɛ]
tu	paraîtrais	[-retrɛ]
il	paraîtrait	[-retrɛ]
ns	paraîtrions	[-retrijɔ̃]
vs	paraîtriez	[-retrije]
ils	paraîtraient	[-retrɛ]

Passé

aurais	paru
aurais	paru
aurait	paru
aurions	paru
auriez	paru
auraient	paru

IMPÉRATIF

Présent

parais	[-rɛ]
paraissons	[-resɔ̃]
paraissez	[-rese]

Passé

aie	paru
ayons	paru
ayez	paru

92 naître

INFINITIF

Présent	Passé
naître	être né
[nɛtr]	[ɛtrəne]

PARTICIPE

Présent	Passé
naissant [nesɑ̃]	n-é, ée
	-és, ées
Présent composé	[ne]
étant né	

INDICATIF

	Présent		Passé composé	
je	nais	[nɛ]	suis	née
tu	nais	[nɛ]	es	née
elle	naît	[nɛ]	est	née
ns	naissons	[nesɔ̃]	sommes	nées
vs	naissez	[nese]	êtes	nées
elles	naissent	[nɛs]	sont	nées

	Imparfait		Plus-que-parfait	
je	naissais	[nesɛ]	étais	née
tu	naissais	[nesɛ]	étais	née
elle	naissait	[nesɛ]	était	née
ns	naissions	[nesjɔ̃]	étions	nées
vs	naissiez	[nesje]	étiez	nées
elles	naissaient	[nesɛ]	étaient	nées

	Futur simple		Futur antérieur	
je	naîtrai	[netre]	serai	née
tu	naîtras	[netra]	seras	née
elle	naîtra	[netra]	sera	née
ns	naîtrons	[netrɔ̃]	serons	nées
vs	naîtrez	[netre]	serez	nées
elles	naîtront	[netrɔ̃]	seront	nées

	Passé simple		Passé antérieur	
je	naquis	[naki]	fus	née
tu	naquis	[naki]	fus	née
elle	naquit	[naki]	fut	née
ns	naquîmes	[nakim]	fûmes	nées
vs	naquîtes	[nakit]	fûtes	nées
elles	naquirent	[nakir]	furent	nées

SUBJONCTIF

	Présent		Passé	
q. je	naisse	[nɛs]	sois	née
tu	naisses	[nɛs]	sois	née
elle	naisse	[nɛs]	soit	née
ns	naissions	[nesjɔ̃]	soyons	nées
vs	naissiez	[nesje]	soyez	nées
elles	naissent	[nɛs]	soient	nées

	Imparfait		Plus-que-parfait	
q. je	naquisse	[nakis]	fusse	née
tu	naquisses	[nakis]	fusses	née
elle	naquît	[naki]	fût	née
ns	naquissions	[nakisjɔ̃]	fussions	nées
vs	naquissiez	[nakisje]	fussiez	nées
elles	naquissent	[nakis]	fussent	nées

CONDITIONNEL

	Présent		Passé	
je	naîtrais	[netrɛ]	serais	née
tu	naîtrais	[netrɛ]	serais	née
elle	naîtrait	[netrɛ]	serait	née
ns	naîtrions	[netrijɔ̃]	serions	nées
vs	naîtriez	[netrije]	seriez	nées
elles	naîtraient	[netrɛ]	seraient	nées

IMPÉRATIF

	Présent		Passé	
	nais	[nɛ]	sois	née
	naissons	[nesɔ̃]	soyons	nées
	naissez	[nese]	soyez	nées

93 croître ≈ grow

INFINITIF

Présent	Passé
croître [krwatr]	avoir crû [avwarkry]

PARTICIPE

Présent	Passé
croissant [krwasɑ̃]	crû, crue, crus, crues [kry]
Présent composé	
ayant crû	

INDICATIF

Présent

			Passé composé
je	croîs	[krwa]	ai crû
tu	croîs	[krwa]	as crû
il	croît	[krwa]	a crû
ns	croissons	[krwasɔ̃]	avons crû
vs	croissez	[krwase]	avez crû
ils	croissent	[krwas]	ont crû

Imparfait

			Plus-que-parfait
je	croissais	[krwasɛ]	avais crû
tu	croissais	[krwasɛ]	avais crû
il	croissait	[krwasɛ]	avait crû
ns	croissions	[krwasjɔ̃]	avions crû
vs	croissiez	[krwasje]	aviez crû
ils	croissaient	[krwasɛ]	avaient crû

Futur simple

			Futur antérieur
je	croîtrai	[krwatre]	aurai crû
tu	croîtras	[krwatra]	auras crû
il	croîtra	[krwatra]	aura crû
ns	croîtrons	[krwatrɔ̃]	aurons crû
vs	croîtrez	[krwatre]	aurez crû
ils	croîtront	[krwatrɔ̃]	auront crû

Passé simple

			Passé antérieur
je	crûs	[kry]	eus crû
tu	crûs	[kry]	eus crû
il	crût	[kry]	eut crû
ns	crûmes	[krym]	eûmes crû
vs	crûtes	[kryt]	eûtes crû
ils	crûrent	[kryr]	eurent crû

SUBJONCTIF

Présent

				Passé
q. je	croisse	[krwas]	aie	crû
tu	croisses	[krwas]	aies	crû
il	croisse	[krwas]	ait	crû
ns	croissions	[krwasjɔ̃]	ayons	crû
vs	croissiez	[krwasje]	ayez	crû
ils	croissent	[krwas]	aient	crû

Imparfait

				Plus-que-parfait
q. je	crûsse	[krys]	eusse	crû
tu	crûsses	[krys]	eusses	crû
il	crût	[kry]	eût	crû
ns	crûssions	[krysjɔ̃]	eussions	crû
vs	crûssiez	[krysje]	eussiez	crû
ils	crûssent	[krys]	eussent	crû

CONDITIONNEL

Présent

			Passé
je	croîtrais	[krwatrɛ]	aurais crû
tu	croîtrais	[krwatrɛ]	aurais crû
il	croîtrait	[krwatrɛ]	aurait crû
ns	croîtrions	[krwatrijɔ̃]	aurions crû
vs	croîtriez	[krwatrije]	auriez crû
ils	croîtraient	[krwatrɛ]	auraient crû

IMPÉRATIF

Présent

		Passé
croîs	[krwa]	aie crû
croissons	[krwasɔ̃]	ayons crû
croissez	[krwase]	ayez crû

Remarque : L'Académie écrit *crusse, crusses, crussions, crussiez, crussent* (sans accent circonflexe).

INFINITIF

Présent	Passé
accroître [akrwatr]	avoir accru [avwarakry]

PARTICIPE

Présent	Passé
accroissant [akrwasɑ̃]	accr-u, ue -us, ues [akry]
Présent composé	
ayant accru	

INDICATIF

	Présent		Passé composé	
j'	accrois	[-krwa]	ai	accru
tu	accrois	[-krwa]	as	accru
elle	accroît	[-krwa]	a	accru
ns	accroissons	[-krwasɔ̃]	avons	accru
vs	accroissez	[-krwase]	avez	accru
elles	accroissent	[-krwas]	ont	accru

	Imparfait		Plus-que-parfait	
j'	accroissais	[-krwasɛ]	avais	accru
tu	accroissais	[-krwasɛ]	avais	accru
elle	accroissait	[-krwasɛ]	avait	accru
ns	accroissions	[-krwasjɔ̃]	avions	accru
vs	accroissiez	[-krwasje]	aviez	accru
elles	accroissaient	[-krwasɛ]	avaient	accru

	Futur simple		Futur antérieur	
j'	accroîtrai	[-krwatre]	aurai	accru
tu	accroîtras	[-krwatra]	auras	accru
elle	accroîtra	[-krwatra]	aura	accru
ns	accroîtrons	[-krwatrɔ̃]	aurons	accru
vs	accroîtrez	[-krwatre]	aurez	accru
elles	accroîtront	[-krwatrɔ̃]	auront	accru

	Passé simple		Passé antérieur	
j'	accrus	[-kry]	eus	accru
tu	accrus	[-kry]	eus	accru
elle	accrut	[-kry]	eut	accru
ns	accrûmes	[-krym]	eûmes	accru
vs	accrûtes	[-kryt]	eûtes	accru
elles	accrurent	[-kryr]	eurent	accru

SUBJONCTIF

	Présent		Passé	
q. j'	accroisse	[-krwas]	aie	accru
tu	accroisses	[-krwas]	aies	accru
elle	accroisse	[-krwas]	ait	accru
ns	accroissions	[-krwasjɔ̃]	ayons	accru
vs	accroissiez	[-krwasje]	ayez	accru
elles	accroissent	[-krwas]	aient	accru

	Imparfait		Plus-que-parfait	
q. j'	accrusse	[-krys]	eusse	accru
tu	accrusses	[-krys]	eusses	accru
elle	accrût	[-kry]	eût	accru
ns	accrussions	[-krysjɔ̃]	eussions	accru
vs	accrussiez	[-krysje]	eussiez	accru
elles	accrussent	[-krys]	eussent	accru

CONDITIONNEL

	Présent		Passé	
j'	accroîtrais	[-krwatrɛ]	aurais	accru
tu	accroîtrais	[-krwatrɛ]	aurais	accru
elle	accroîtrait	[-krwatrɛ]	aurait	accru
ns	accroîtrions	[-krwatrijɔ̃]	aurions	accru
vs	accroîtriez	[-krwatrije]	auriez	accru
elles	accroîtraient	[-krwatrɛ]	auraient	accru

IMPÉRATIF

Présent		Passé	
accrois	[-krwa]	aie	accru
accroissons	[-krwasɔ̃]	ayons	accru
accroissez	[-krwase]	ayez	accru

Remarque : *Recroître* se conjugue comme *accroître*, mais son part. passé est *recrû, recrue, recrus, recrues*.

95 rire

INFINITIF

Présent	Passé
rire	avoir ri
[rir]	[avwarri]

PARTICIPE

Présent	Passé
riant [rijã]	ri
Présent composé	[ri]
ayant ri	

INDICATIF

Présent		Passé composé	
je ris	[ri]	ai	ri
tu ris	[ri]	as	ri
il rit	[ri]	a	ri
ns rions	[rijɔ̃]	avons	ri
vs riez	[rije]	avez	ri
ils rient	[ri]	ont	ri

Imparfait		Plus-que-parfait	
je riais	[rijɛ]	avais	ri
tu riais	[rijɛ]	avais	ri
il riait	[rijɛ]	avait	ri
ns riions	[rijjɔ̃]	avions	ri
vs riiez	[rijje]	aviez	ri
ils riaient	[rijɛ]	avaient	ri

Futur simple		Futur antérieur	
je rirai	[rire]	aurai	ri
tu riras	[rira]	auras	ri
il rira	[rira]	aura	ri
ns rirons	[rirɔ̃]	aurons	ri
vs rirez	[rire]	aurez	ri
ils riront	[rirɔ̃]	auront	ri

Passé simple		Passé antérieur	
je ris	[ri]	eus	ri
tu ris	[ri]	eus	ri
il rit	[ri]	eut	ri
ns rîmes	[rim]	eûmes	ri
vs rîtes	[rit]	eûtes	ri
ils rirent	[rir]	eurent	ri

SUBJONCTIF

Présent		Passé	
q. je rie	[ri]	aie	ri
tu ries	[ri]	aies	ri
il rie	[ri]	ait	ri
ns riions	[rijjɔ̃]	ayons	ri
vs riiez	[rijje]	ayez	ri
ils rient	[ri]	aient	ri

Imparfait		Plus-que-parfait	
q. je risse	[ris]	eusse	ri
tu risses	[ris]	eusses	ri
il rît	[ri]	eût	ri
ns rissions	[risjɔ̃]	eussions	ri
vs rissiez	[risje]	eussiez	ri
ils rissent	[ris]	eussent	ri

CONDITIONNEL

Présent		Passé	
je rirais	[rirɛ]	aurais	ri
tu rirais	[rirɛ]	aurais	ri
il rirait	[rirɛ]	aurait	ri
ns ririons	[rirjɔ̃]	aurions	ri
vs ririez	[rirje]	auriez	ri
ils riraient	[rirɛ]	auraient	ri

IMPÉRATIF

Présent		Passé	
ris	[ri]	aie	ri
rions	[rijɔ̃]	ayons	ri
riez	[rije]	ayez	ri

96 conclure :: conclure

── INFINITIF ──

Présent	Passé
conclure [kõklyr]	avoir conclu [avwarkõkly]

── PARTICIPE ──

Présent	Passé
concluant [kõklyã]	concl-u, ue -us, ues [kõkly]
Présent composé	
ayant conclu	

── INDICATIF ──

Présent / Passé composé

	Présent			Passé composé	
je	conclus	[-kly]	ai	conclu	
tu	conclus	[-kly]	as	conclu	
elle	conclut	[-kly]	a	conclu	
ns	concluons	[-klyõ]	avons	conclu	
vs	concluez	[-klye]	avez	conclu	
elles	concluent	[-kly]	ont	conclu	

Imparfait / Plus-que-parfait

	Imparfait			Plus-que-parfait	
je	concluais	[-klyɛ]	avais	conclu	
tu	concluais	[-klyɛ]	avais	conclu	
elle	concluait	[-klyɛ]	avait	conclu	
ns	concluions	[-klyjõ]	avions	conclu	
vs	concluiez	[-klyje]	aviez	conclu	
elles	concluaient	[-klyɛ]	avaient	conclu	

Futur simple / Futur antérieur

	Futur simple			Futur antérieur	
je	conclurai	[-klyre]	aurai	conclu	
tu	concluras	[-klyra]	auras	conclu	
elle	conclura	[-klyra]	aura	conclu	
ns	conclurons	[-klyrõ]	aurons	conclu	
vs	conclurez	[-klyre]	aurez	conclu	
elles	concluront	[-klyrõ]	auront	conclu	

Passé simple / Passé antérieur

	Passé simple			Passé antérieur	
je	conclus	[-kly]	eus	conclu	
tu	conclus	[-kly]	eus	conclu	
elle	conclut	[-kly]	eut	conclu	
ns	conclûmes	[-klym]	eûmes	conclu	
vs	conclûtes	[-klyt]	eûtes	conclu	
elles	conclurent	[-klyr]	eurent	conclu	

── SUBJONCTIF ──

Présent / Passé

		Présent			Passé	
q.	je	conclue	[-kly]	aie	conclu	
	tu	conclues	[-kly]	aies	conclu	
	elle	conclue	[-kly]	ait	conclu	
	ns	concluions	[-klyjõ]	ayons	conclu	
	vs	concluiez	[-klyje]	ayez	conclu	
	elles	concluent	[-kly]	aient	conclu	

Imparfait / Plus-que-parfait

		Imparfait			Plus-que-parfait	
q.	je	conclusse	[-klys]	eusse	conclu	
	tu	conclusses	[-klys]	eusses	conclu	
	elle	conclût	[-kly]	eût	conclu	
	ns	conclussions	[-klysjõ]	eussions	conclu	
	vs	conclussiez	[-klysje]	eussiez	conclu	
	elles	conclussent	[-klys]	eussent	conclu	

── CONDITIONNEL ──

Présent / Passé

	Présent			Passé	
je	conclurais	[-klyrɛ]	aurais	conclu	
tu	conclurais	[-klyrɛ]	aurais	conclu	
elle	conclurait	[-klyrɛ]	aurait	conclu	
ns	conclurions	[-klyrjõ]	aurions	conclu	
vs	concluriez	[-klyrje]	auriez	conclu	
elles	concluraient	[-klyrɛ]	auraient	conclu	

── IMPÉRATIF ──

Présent / Passé

	Présent			Passé	
	conclus	[-kly]	aie	conclu	
	concluons	[-klyõ]	ayons	conclu	
	concluez	[-klye]	ayez	conclu	

Remarque : Inclure, occlure, reclure se conjuguent comme conclure, mais leur participe passé est inclus, incluse ; occlus, occluse ; reclus, recluse.

97 nuire :: harm

INFINITIF

Présent	Passé
nuire	avoir nui
[nɥir]	[avwarnɥi]

PARTICIPE

Présent	Passé
nuisant [nɥizã]	nui
Présent composé	[nɥi]
ayant nui	

INDICATIF

Présent

			Passé composé	
je	nuis	[-ɥi]	ai	nui
tu	nuis	[-ɥi]	as	nui
il	nuit	[-ɥi]	a	nui
ns	nuisons	[-ɥizɔ̃]	avons	nui
vs	nuisez	[-ɥize]	avez	nui
ils	nuisent	[-ɥiz]	ont	nui

Imparfait

			Plus-que-parfait	
je	nuisais	[-ɥizɛ]	avais	nui
tu	nuisais	[-ɥizɛ]	avais	nui
il	nuisait	[-ɥizɛ]	avait	nui
ns	nuisions	[-ɥizjɔ̃]	avions	nui
vs	nuisiez	[-ɥizje]	aviez	nui
ils	nuisaient	[-ɥizɛ]	avaient	nui

Futur simple

			Futur antérieur	
je	nuirai	[-ɥire]	aurai	nui
tu	nuiras	[-ɥira]	auras	nui
il	nuira	[-ɥira]	aura	nui
ns	nuirons	[-ɥirɔ̃]	aurons	nui
vs	nuirez	[-ɥire]	aurez	nui
ils	nuiront	[-ɥirɔ̃]	auront	nui

Passé simple

			Passé antérieur	
je	nuisis	[-ɥizi]	eus	nui
tu	nuisis	[-ɥizi]	eus	nui
il	nuisit	[-ɥizi]	eut	nui
ns	nuisîmes	[-ɥizim]	eûmes	nui
vs	nuisîtes	[-ɥizit]	eûtes	nui
ils	nuisirent	[-ɥizir]	eurent	nui

SUBJONCTIF

Présent

				Passé	
q. je	nuise	[-ɥiz]		aie	nui
tu	nuises	[-ɥiz]		aies	nui
il	nuise	[-ɥiz]		ait	nui
ns	nuisions	[-ɥizjɔ̃]		ayons	nui
vs	nuisiez	[-ɥizje]		ayez	nui
ils	nuisent	[-ɥiz]		aient	nui

Imparfait

			Plus-que-parfait	
q. je	nuisisse	[-ɥizis]	eusse	nui
tu	nuisisses	[-ɥizis]	eusses	nui
il	nuisît	[-ɥizi]	eût	nui
ns	nuisissions	[-ɥizisjɔ̃]	eussions	nui
vs	nuisissiez	[-ɥizisje]	eussiez	nui
ils	nuisissent	[-ɥizis]	eussent	nui

CONDITIONNEL

Présent

			Passé	
je	nuirais	[-ɥirɛ]	aurais	nui
tu	nuirais	[-ɥirɛ]	aurais	nui
il	nuirait	[-ɥirɛ]	aurait	nui
ns	nuirions	[-ɥirjɔ̃]	aurions	nui
vs	nuiriez	[-ɥirje]	auriez	nui
ils	nuiraient	[-ɥirɛ]	auraient	nui

IMPÉRATIF

Présent		Passé	
nuis	[-ɥi]	aie	nui
nuisons	[-ɥizɔ̃]	ayons	nui
nuisez	[-ɥize]	ayez	nui

Remarque : *Luire* et *reluire* connaissent une autre forme de passé simple *je luis, je reluis*, etc.

98 conduire

INFINITIF

	Présent		Passé
	conduire		avoir conduit
	[kɔ̃dɥir]		[avwarkɔ̃dɥi]

PARTICIPE

	Présent		Passé
	conduisant [kɔ̃dɥizɑ̃]		condui-t, te
	Présent composé		ts, tes
	ayant conduit		[kɔ̃dɥi, -ɥit]

INDICATIF

Présent / Présent composé

	Présent		Présent composé	
je	conduis	[-ɥi]	ai	conduit
tu	conduis	[-ɥi]	as	conduit
elle	conduit	[-ɥi]	a	conduit
ns	conduisons	[-ɥizɔ̃]	avons	conduit
vs	conduisez	[-ɥize]	avez	conduit
elles	conduisent	[-ɥiz]	ont	conduit

Imparfait / Plus-que-parfait

	Imparfait		Plus-que-parfait	
je	conduisais	[-ɥizɛ]	avais	conduit
tu	conduisais	[-ɥizɛ]	avais	conduit
elle	conduisait	[-ɥizɛ]	avait	conduit
ns	conduisions	[-ɥizjɔ̃]	avions	conduit
vs	conduisiez	[-ɥizje]	aviez	conduit
elles	conduisaient	[-ɥizɛ]	avaient	conduit

Futur simple / Futur antérieur

	Futur simple		Futur antérieur	
je	conduirai	[-ɥire]	aurai	conduit
tu	conduiras	[-ɥira]	auras	conduit
elle	conduira	[-ɥira]	aura	conduit
ns	conduirons	[-ɥirɔ̃]	aurons	conduit
vs	conduirez	[-ɥire]	aurez	conduit
elles	conduiront	[-ɥirɔ̃]	auront	conduit

Passé simple / Passé antérieur

	Passé simple		Passé antérieur	
je	conduisis	[-ɥizi]	eus	conduit
tu	conduisis	[-ɥizi]	eus	conduit
elle	conduisit	[-ɥizi]	eut	conduit
ns	conduisîmes	[-ɥizim]	eûmes	conduit
vs	conduisîtes	[-ɥizit]	eûtes	conduit
elles	conduisirent	[-ɥizir]	eurent	conduit

SUBJONCTIF

Présent / Passé

		Présent		Passé	
q.	je	conduise	[-ɥiz]	aie	conduit
	tu	conduises	[-ɥiz]	aies	conduit
	elle	conduise	[-ɥiz]	ait	conduit
	ns	conduisions	[-ɥizjɔ̃]	ayons	conduit
	vs	conduisiez	[-ɥizje]	ayez	conduit
	elles	conduisent	[-ɥiz]	aient	conduit

Imparfait / Plus-que-parfait

		Imparfait		Plus-que-parfait	
q.	je	conduisisse	[-ɥizis]	eusse	conduit
	tu	conduisisses	[-ɥizis]	eusses	conduit
	elle	conduisît	[-ɥizi]	eût	conduit
	ns	conduisissions	[-ɥizisjɔ̃]	eussions	conduit
	vs	conduisissiez	[-ɥizisje]	eussiez	conduit
	elles	conduisissent	[-ɥizis]	eussent	conduit

CONDITIONNEL

Présent / Passé

	Présent		Passé	
je	conduirais	[-ɥirɛ]	aurais	conduit
tu	conduirais	[-ɥirɛ]	aurais	conduit
elle	conduirait	[-ɥirɛ]	aurait	conduit
ns	conduirions	[-ɥirjɔ̃]	aurions	conduit
vs	conduiriez	[-ɥirje]	auriez	conduit
elles	conduiraient	[-ɥirɛ]	auraient	conduit

IMPÉRATIF

Présent		Passé	
conduis	[-ɥi]	aie	conduit
conduisons	[-ɥizɔ̃]	ayons	conduit
conduisez	[-ɥize]	ayez	conduit

99 écrire

INFINITIF

Présent	Passé
écrire [ekrir]	avoir écrit [avwarekri]

PARTICIPE

Présent	Passé
écrivant [ekrivã]	écri-t, te -ts, tes [ekri, -it]
Présent composé	
ayant écrit	

INDICATIF

Présent

			Passé composé	
j'	écris	[-i]	ai	écrit
tu	écris	[-i]	as	écrit
il	écrit	[-i]	a	écrit
ns	écrivons	[-ivõ]	avons	écrit
vs	écrivez	[-ive]	avez	écrit
ils	écrivent	[-iv]	ont	écrit

Imparfait

			Plus-que-parfait	
j'	écrivais	[-ivɛ]	avais	écrit
tu	écrivais	[-ivɛ]	avais	écrit
il	écrivait	[-ivɛ]	avait	écrit
ns	écrivions	[-ivjõ]	avions	écrit
vs	écriviez	[-ivje]	aviez	écrit
ils	écrivaient	[-ivɛ]	avaient	écrit

Futur simple

			Futur antérieur	
j'	écrirai	[-ire]	aurai	écrit
tu	écriras	[-ira]	auras	écrit
il	écrira	[-ira]	aura	écrit
ns	écrirons	[-irõ]	aurons	écrit
vs	écrirez	[-ire]	aurez	écrit
ils	écriront	[-irõ]	auront	écrit

Passé simple

			Passé antérieur	
j'	écrivis	[-ivi]	eus	écrit
tu	écrivis	[-ivi]	eus	écrit
il	écrivit	[-ivi]	eut	écrit
ns	écrivîmes	[-ivim]	eûmes	écrit
vs	écrivîtes	[-ivit]	eûtes	écrit
ils	écrivirent	[-ivir]	eurent	écrit

SUBJONCTIF

Présent

				Passé	
q. j'	écrive	[-iv]		aie	écrit
tu	écrives	[-iv]		aies	écrit
il	écrive	[-iv]		ait	écrit
ns	écrivions	[-ivjõ]		ayons	écrit
vs	écriviez	[-ivje]		ayez	écrit
ils	écrivent	[-iv]		aient	écrit

Imparfait

				Plus-que-parfait	
q. j'	écrivisse	[-ivis]		eusse	écrit
tu	écrivisses	[-ivis]		eusses	écrit
il	écrivît	[-ivi]		eût	écrit
ns	écrivissions	[-ivisjõ]		eussions	écrit
vs	écrivissiez	[-ivisje]		eussiez	écrit
ils	écrivissent	[-ivis]		eussent	écrit

CONDITIONNEL

Présent

			Passé	
j'	écrirais	[-irɛ]	aurais	écrit
tu	écrirais	[-irɛ]	aurais	écrit
il	écrirait	[-irɛ]	aurait	écrit
ns	écririons	[-irjõ]	aurions	écrit
vs	écririez	[-irje]	auriez	écrit
ils	écriraient	[-irɛ]	auraient	écrit

IMPÉRATIF

Présent		Passé	
écris	[-i]	aie	écrit
écrivons	[-ivõ]	ayons	écrit
écrivez	[-ive]	ayez	écrit

100 suffire

INFINITIF

Présent	Passé
suffire	avoir suffi
[syfir]	[avwarsyfi]

PARTICIPE

Présent	Passé
suffisant [syfizã]	. suffi
Présent composé	[syfi]
ayant suffi	

INDICATIF

	Présent			Passé composé	
je	suffis	[-i]	ai	suffi
tu	suffis	[-i]	as	suffi
elle	suffit	[-i]	a	suffi
ns	suffisons	[-izõ]	avons	suffi
vs	suffisez	[-ize]	avez	suffi
elles	suffisent	[-iz]	ont	suffi

SUBJONCTIF

		Présent			Passé	
q.	je	suffise	[-iz]	aie	suffi
	tu	suffises	[-iz]	aies	suffi
	elle	suffise	[-iz]	ait	suffi
	ns	suffisions	[-izjõ]	ayons	suffi
	vs	suffisiez	[-izje]	ayez	suffi
	elles	suffisent	[-iz]	aient	suffi

	Imparfait			Plus-que-parfait	
je	suffisais	[-izɛ]	avais	suffi
tu	suffisais	[-izɛ]	avais	suffi
elle	suffisait	[-izɛ]	avait	suffi
ns	suffisions	[-izjõ]	avions	suffi
vs	suffisiez	[-izje]	aviez	suffi
elles	suffisaient	[-izɛ]	avaient	suffi

		Imparfait			Plus-que-parfait	
q.	je	suffisse	[-is]	eusse	suffi
	tu	suffisses	[-is]	eusses	suffi
	elle	suffît	[-i]	eût	suffi
	ns	suffissions	[-isjõ]	eussions	suffi
	vs	suffissiez	[-isje]	eussiez	suffi
	elles	suffissent	[-is]	eussent	suffi

CONDITIONNEL

	Futur simple			Futur antérieur	
je	suffirai	[-ire]	aurai	suffi
tu	suffiras	[-ira]	auras	suffi
elle	suffira	[-ira]	aura	suffi
ns	suffirons	[-irõ]	aurons	suffi
vs	suffirez	[-ire]	aurez	suffi
elles	suffiront	[-irõ]	auront	suffi

	Présent			Passé	
je	suffirais	[-irɛ]	aurais	suffi
tu	suffirais	[-irɛ]	aurais	suffi
elle	suffirait	[-irɛ]	aurait	suffi
ns	suffirions	[-irjõ]	aurions	suffi
vs	suffiriez	[-irje]	auriez	suffi
elles	suffiraient	[-irɛ]	auraient	suffi

IMPÉRATIF

	Passé simple			Passé antérieur	
je	suffis	[-i]	eus	suffi
tu	suffis	[-i]	eus	suffi
elle	suffit	[-i]	eut	suffi
ns	suffîmes	[-im]	eûmes	suffi
vs	suffîtes	[-it]	eûtes	suffi
elles	suffirent	[-ir]	eurent	suffi

Présent		Passé	
suffis	[-i]	aie	suffi
suffisons	[-izõ]	ayons	suffi
suffisez	[-ize]	ayez	suffi

101 confire

INFINITIF

Présent

confire
[kɔ̃fir]

Passé

avoir confit
[avwarkɔ̃fi]

PARTICIPE

Présent

confisant [kɔ̃fizɑ̃]

Présent composé

ayant confit

Passé

confi-t, te
-ts, tes
[kɔ̃fi, -it]

INDICATIF

Présent

je	confis	[-i]
tu	confis	[-i]
il	confit	[-i]
ns	confisons	[-izɔ̃]
vs	confisez	[-ize]
ils	confisent	[-iz]

Passé composé

ai	confit
as	confit
a	confit
avons	confit
avez	confit
ont	confit

Imparfait

je	confisais	[-izɛ]
tu	confisais	[-izɛ]
il	confisait	[-izɛ]
ns	confisions	[-izjɔ̃]
vs	confisiez	[-izje]
ils	confisaient	[-izɛ]

Plus-que-parfait

avais	confit
avais	confit
avait	confit
avions	confit
aviez	confit
avaient	confit

Futur simple

je	confirai	[-ire]
tu	confiras	[-ira]
il	confira	[-ira]
ns	confirons	[-irɔ̃]
vs	confirez	[-ire]
ils	confiront	[-irɔ̃]

Futur antérieur

aurai	confit
auras	confit
aura	confit
aurons	confit
aurez	confit
auront	confit

Passé simple

je	confis	[-i]
tu	confis	[-i]
il	confit	[-i]
ns	confîmes	[-im]
vs	confîtes	[-it]
ils	confirent	[-ir]

Passé antérieur

eus	confit
eus	confit
eut	confit
eûmes	confit
eûtes	confit
eurent	confit

SUBJONCTIF

Présent

q.	je	confise	[-iz]
	tu	confises	[-iz]
	il	confise	[-iz]
	ns	confisions	[-izjɔ̃]
	vs	confisiez	[-izje]
	ils	confisent	[-iz]

Passé

aie	confit
aies	confit
ait	confit
ayons	confit
ayez	confit
aient	confit

Imparfait

q.	je	confisse	[-is]
	tu	confisses	[-is]
	il	confît	[-i]
	ns	confissions	[-isjɔ̃]
	vs	confissiez	[-isje]
	ils	confissent	[-is]

Plus-que-parfait

eusse	confit
eusses	confit
eût	confit
eussions	confit
eussiez	confit
eussent	confit

CONDITIONNEL

Présent

je	confirais	[-irɛ]
tu	confirais	[-irɛ]
il	confirait	[-irɛ]
ns	confirions	[-irjɔ̃]
vs	confiriez	[-irje]
ils	confiraient	[-irɛ]

Passé

aurais	confit
aurais	confit
aurait	confit
aurions	confit
auriez	confit
auraient	confit

IMPÉRATIF

Présent

confis	[-i]
confisons	[-izɔ̃]
confisez	[-ize]

Passé

aie	confit
ayons	confit
ayez	confit

Remarque : *Circoncire* se conjugue comme *confire*, mais son participe passé est *circoncis, circoncise.*

102 dire

—— INFINITIF —————————————— | —— PARTICIPE ——————————

Présent	Passé		Présent	Passé
dire	avoir dit		disant [dizã]	di-t, te
[dir]	[avwardi]		Présent composé	-ts, tes [di, dit]
			ayant dit	

—— INDICATIF ———————————————— | —— SUBJONCTIF ————————————

	Présent		Passé composé				Présent		Passé	
je	dis	[di]	ai	dit		q. je	dise	[diz]	aie	dit
tu	dis	[di]	as	dit		tu	dises	[diz]	aies	dit
elle	dit	[di]	a	dit		elle	dise	[diz]	ait	dit
ns	disons	[dizɔ̃]	avons	dit		ns	disions	[dizjɔ̃]	ayons	dit
vs	dites	[dit]	avez	dit		vs	disiez	[dizje]	ayez	dit
elles	disent	[diz]	ont	dit		elles	disent	[diz]	aient	dit

	Imparfait		Plus-que-parfait				Imparfait		Plus-que-parfait	
je	disais	[dizɛ]	avais	dit		q. je	disse	[dis]	eusse	dit
tu	disais	[dizɛ]	avais	dit		tu	disses	[dis]	eusses	dit
elle	disait	[dizɛ]	avait	dit		elle	dît	[di]	eût	dit
ns	disions	[dizjɔ̃]	avions	dit		ns	dissions	[disjɔ̃]	eussions	dit
vs	disiez	[dizje]	aviez	dit		vs	dissiez	[disje]	eussiez	dit
elles	disaient	[dizɛ]	avaient	dit		elles	dissent	[dis]	eussent	dit

| | | | | | —— CONDITIONNEL ——————————

	Futur simple		Futur antérieur				Présent		Passé	
je	dirai	[dire]	aurai	dit		je	dirais	[dirɛ]	aurais	dit
tu	diras	[dira]	auras	dit		tu	dirais	[dirɛ]	aurais	dit
elle	dira	[dira]	aura	dit		elle	dirait	[dirɛ]	aurait	dit
ns	dirons	[dirɔ̃]	aurons	dit		ns	dirions	[dirjɔ̃]	aurions	dit
vs	direz	[dire]	aurez	dit		vs	diriez	[dirje]	auriez	dit
elles	diront	[dirɔ̃]	auront	dit		elles	diraient	[dirɛ]	auraient	dit

| | | | | | —— IMPÉRATIF ——————————————

	Passé simple		Passé antérieur				Présent		Passé	
je	dis	[di]	eus	dit						
tu	dis	[di]	eus	dit		dis		[di]	aie	dit
elle	dit	[di]	eut	dit						
ns	dîmes	[dim]	eûmes	dit		disons		[dizɔ̃]	ayons	dit
vs	dîtes	[dit]	eûtes	dit		dites		[dit]	ayez	dit
elles	dirent	[dir]	eurent	dit						

103 contredire

INFINITIF

Présent	Passé
contredire [kɔ̃trədir]	avoir contredit [avwarkɔ̃trədi]

PARTICIPE

Présent	Passé
contredisant [kɔ̃trədizɑ̃]	contredi-t, te -ts, tes
Présent composé	[kɔ̃trədi, -it]
ayant contredit	

INDICATIF

	Présent		Passé composé	
je	contredis	[-i]	ai	contredit
tu	contredis	[-i]	as	contredit
il	contredit	[-i]	a	contredit
ns	contredisons	[-izɔ̃]	avons	contredit
vs	contredisez	[-ize]	avez	contredit
ils	contredisent	[-iz]	ont	contredit

	Imparfait		Plus-que-parfait	
je	contredisais	[-izɛ]	avais	contredit
tu	contredisais	[-izɛ]	avais	contredit
il	contredisait	[-izɛ]	avait	contredit
ns	contredisions	[-izjɔ̃]	avions	contredit
vs	contredisiez	[-izje]	aviez	contredit
ils	contredisaient	[-izɛ]	avaient	contredit

	Futur simple		Futur antérieur	
je	contredirai	[-ire]	aurai	contredit
tu	contrediras	[-ira]	auras	contredit
il	contredira	[-ira]	aura	contredit
ns	contredirons	[-irɔ̃]	aurons	contredit
vs	contredirez	[-ire]	aurez	contredit
ils	contrediront	[-irɔ̃]	auront	contredit

	Passé simple		Passé antérieur	
je	contredis	[-i]	eus	contredit
tu	contredis	[-i]	eus	contredit
il	contredit	[-i]	eut	contredit
ns	contredîmes	[-im]	eûmes	contredit
vs	contredîtes	[-it]	eûtes	contredit
ils	contredirent	[-ir]	eurent	contredit

SUBJONCTIF

		Présent		Passé	
q.	je	contredise	[-iz]	aie	contredit
	tu	contredises	[-iz]	aies	contredit
	il	contredise	[-iz]	ait	contredit
	ns	contredisions	[-izjɔ̃]	ayons	contredit
	vs	contredisiez	[-izje]	ayez	contredit
	ils	contredisent	[-iz]	aient	contredit

		Imparfait		Plus-que-parfait	
q.	je	contredisse	[-is]	eusse	contredit
	tu	contredisses	[-is]	eusses	contredit
	il	contredît	[-i]	eût	contredit
	ns	contredissions	[-isjɔ̃]	eussions	contredit
	vs	contredissiez	[-isje]	eussiez	contredit
	ils	contredissent	[-is]	eussent	contredit

CONDITIONNEL

	Présent		Passé	
je	contredirais	[-irɛ]	aurais	contredit
tu	contredirais	[-irɛ]	aurais	contredit
il	contredirait	[-irɛ]	aurait	contredit
ns	contredirions	[-irjɔ̃]	aurions	contredit
vs	contrediriez	[-irje]	auriez	contredit
ils	contrediraient	[-irɛ]	auraient	contredit

IMPÉRATIF

Présent		Passé	
contredis	[-i]	aie	contredit
contredisons	[-izɔ̃]	ayons	contredit
conɪredisez	[-ize]	ayez	contredit

104 maudire *is CURSE*

INFINITIF

Présent	Passé
maudire [modir]	avoir maudit [avwarmodi]

PARTICIPE

Présent	Passé
maudissant [modisɑ̃]	maudi-t, te -ts, tes [modi, -it]
Présent composé	
ayant maudit	

INDICATIF

Présent / Passé composé

	Présent		Passé composé	
je	maudis	[-di]	ai	maudit
tu	maudis	[-di]	as	maudit
elle	maudit	[-di]	a	maudit
ns	maudissons	[-disɔ̃]	avons	maudit
vs	maudissez	[-dise]	avez	maudit
elles	maudissent	[-dis]	ont	maudit

Imparfait / Plus-que-parfait

	Imparfait		Plus-que-parfait	
je	maudissais	[-disɛ]	avais	maudit
tu	maudissais	[-disɛ]	avais	maudit
elle	maudissait	[-disɛ]	avait	maudit
ns	maudissions	[-disjɔ̃]	avions	maudit
vs	maudissiez	[-disje]	aviez	maudit
elles	maudissaient	[-disɛ]	avaient	maudit

Futur simple / Futur antérieur

	Futur simple		Futur antérieur	
je	maudirai	[-dire]	aurai	maudit
tu	maudiras	[-dira]	auras	maudit
elle	maudira	[-dira]	aura	maudit
ns	maudirons	[-dirɔ̃]	aurons	maudit
vs	maudirez	[-dire]	aurez	maudit
elles	maudiront	[-dirɔ̃]	auront	maudit

Passé simple / Passé antérieur

	Passé simple		Passé antérieur	
je	maudis	[-di]	eus	maudit
tu	maudis	[-di]	eus	maudit
elle	maudit	[-di]	eut	maudit
ns	maudîmes	[-dim]	eûmes	maudit
vs	maudîtes	[-dit]	eûtes	maudit
elles	maudirent	[-dir]	eurent	maudit

SUBJONCTIF

Présent / Passé

	Présent		Passé	
q. je	maudisse	[-dis]	aie	maudit
tu	maudisses	[-dis]	aies	maudit
elle	maudisse	[-dis]	ait	maudit
ns	maudissions	[-disjɔ̃]	ayons	maudit
vs	maudissiez	[-disje]	ayez	maudit
elles	maudissent	[-dis]	aient	maudit

Imparfait / Plus-que-parfait

	Imparfait		Plus-que-parfait	
q. je	maudisse	[-dis]	eusse	maudit
tu	maudisses	[-dis]	eusses	maudit
elle	maudît	[-di]	eût	maudit
ns	maudissions	[-disjɔ̃]	eussions	maudit
vs	maudissiez	[-disje]	eussiez	maudit
elles	maudissent	[-dis]	eussent	maudit

CONDITIONNEL

	Présent		Passé	
je	maudirais	[-dirɛ]	aurais	maudit
tu	maudirais	[-dirɛ]	aurais	maudit
elle	maudirait	[-dirɛ]	aurait	maudit
ns	maudirions	[-dirjɔ̃]	aurions	maudit
vs	maudiriez	[-dirje]	auriez	maudit
elles	maudiraient	[-dirɛ]	auraient	maudit

IMPÉRATIF

Présent		Passé	
maudis	[-di]	aie	maudit
maudissons	[-disɔ̃]	ayons	maudit
maudissez	[-dise]	ayez	maudit

105 bruire :: rustle

INFINITIF

Présent	Passé
bruire	avoir bruit
[brɥir]	[avwarbrɥi]

PARTICIPE

Présent	Passé
(inusité)	bruit [brɥi]

Présent composé

ayant bruit

INDICATIF

	Présent		Passé composé	
je	bruis	[brɥi]	ai	bruit
tu	bruis	[brɥi]	as	bruit
il	bruit	[brɥi]	a	bruit
ns	*(inusité)*		avons	bruit
vs	—		avez	bruit
ils	—		ont	bruit

	Imparfait		Plus-que-parfait	
je	bruyais	[brɥijɛ]	avais	bruit
tu	bruyais	[brɥijɛ]	avais	bruit
il	bruyait	[brɥijɛ]	avait	bruit
ns	bruyions	[brɥijjɔ̃]	avions	bruit
vs	bruyiez	[brɥijje]	aviez	bruit
ils	bruyaient	[brɥijɛ]	avaient	bruit

	Futur simple		Futur antérieur	
je	bruirai	[brɥire]	aurai	bruit
tu	bruiras	[brɥira]	auras	bruit
il	bruira	[brɥira]	aura	bruit
ns	bruirons	[brɥirɔ̃]	aurons	bruit
vs	bruirez	[brɥire]	aurez	bruit
ils	bruiront	[brɥirɔ̃]	auront	bruit

	Passé simple	Passé antérieur
	(inusité)	*(inusité)*

SUBJONCTIF

	Présent		Passé	
q. je	*(inusité)*		aie	bruit
tu	—		aies	bruit
il	—		ait	bruit
ns	—		ayons	bruit
vs	—		ayez	bruit
ils	—		aient	bruit

	Imparfait	Plus-que-parfait
	(inusité)	*(inusité)*
	—	—
	—	—
	—	—
	—	—
	—	—

CONDITIONNEL

	Présent		Passé	
je	bruirais	[brɥirɛ]	aurais	bruit
tu	bruirais	[brɥirɛ]	aurais	bruit
il	bruirait	[brɥirɛ]	aurait	bruit
ns	bruirions	[brɥirjɔ̃]	aurions	bruit
vs	bruiriez	[brɥirje]	auriez	bruit
ils	bruiraient	[brɥirɛ]	auraient	bruit

IMPÉRATIF

Présent	Passé
(inusité)	*(inusité)*

Remarque : Traditionnellement, *bruire* ne connaît que les formes de l'indicatif présent, imparfait (*je bruyais, tu bruyais,* etc.), futur, et les formes du conditionnel ; *bruisser* (conj. 3) tend de plus en plus à suppléer *bruire*, en particulier dans toutes les formes défectives.

106 lire

INFINITIF

Présent	Passé
lire	avoir lu
[lir]	[avwarly]

PARTICIPE

Présent	Passé
lisant [lizã]	lu, lue, lus, lues
	ʳly]

Présent composé

ayant lu

INDICATIF

	Présent		Passé composé	
je	lis	[li]	ai	lu
tu	lis	[li]	as	lu
elle	lit	[li]	a	lu
ns	lisons	[lizɔ̃]	avons	lu
vs	lisez	[lize]	avez	lu
elles	lisent	[liz]	ont	lu

	Imparfait		Plus-que-parfait	
je	lisais	[lizɛ]	avais	lu
tu	lisais	[lizɛ]	avais	lu
elle	lisait	[lizɛ]	avait	lu
ns	lisions	[lizjɔ̃]	avions	lu
vs	lisiez	[lizje]	aviez	lu
elles	lisaient	[lizɛ]	avaient	lu

	Futur simple		Futur antérieur	
je	lirai	[lire]	aurai	lu
tu	liras	[lira]	auras	lu
elle	lira	[lira]	aura	lu
ns	lirons	[lirɔ̃]	aurons	lu
vs	lirez	[lire]	aurez	lu
elles	liront	[lirɔ̃]	auront	lu

	Passé simple		Passé antérieur	
je	lus	[ly]	eus	lu
tu	lus	[ly]	eus	lu
elle	lut	[ly]	eut	lu
ns	lûmes	[lym]	eûmes	lu
vs	lûtes	[lyt]	eûtes	lu
elles	lurent	[lyr]	eurent	lu

SUBJONCTIF

	Présent		Passé	
q. je	lise	[liz]	aie	lu
tu	lises	[liz]	aies	lu
elle	lise	[liz]	ait	lu
ns	lisions	[lizjɔ̃]	ayons	lu
vs	lisiez	[lizje]	ayez	lu
elles	lisent	[liz]	aient	lu

	Imparfait		Plus-que-parfait	
q. je	lusse	[lys]	eusse	lu
tu	lusses	[lys]	eusses	lu
elle	lût	[ly]	eût	lu
ns	lussions	[lysjɔ̃]	eussions	lu
vs	lussiez	[lysje]	eussiez	lu
elles	lussent	[lys]	eussent	lu

CONDITIONNEL

	Présent		Passé	
je	lirais	[lirɛ]	aurais	lu
tu	lirais	[lirɛ]	aurais	lu
elle	lirait	[lirɛ]	aurait	lu
ns	lirions	[lirjɔ̃]	aurions	lu
vs	liriez	[lirje]	auriez	lu
elles	liraient	[lirɛ]	auraient	lu

IMPÉRATIF

Présent		Passé	
lis	[li]	aie	lu
lisons	[lizɔ̃]	ayons	lu
lisez	[lize]	ayez	lu

107 croire

INFINITIF

Présent

croire
[krwar]

Passé

avoir cru
[avwarkry]

PARTICIPE

Présent

croyant [krwajã]

Présent composé

ayant cru

Passé

cr-u, ue
-us, ues
[kry]

INDICATIF

Présent

je	crois	[krwa]
tu	crois	[krwa]
il	croit	[krwa]
ns	croyons	[krwajõ]
vs	croyez	[krwaje]
ils	croient	[krwa]

Passé composé

ai	cru
as	cru
a	cru
avons	cru
avez	cru
ont	cru

Imparfait

je	croyais	[krwajɛ]
tu	croyais	[krwajɛ]
il	croyait	[krwajɛ]
ns	croyions	[krwajjõ]
vs	croyiez	[krwajje]
ils	croyaient	[krwajɛ]

Plus-que-parfait

avais	cru
avais	cru
avait	cru
avions	cru
aviez	cru
avaient	cru

Futur simple

je	croirai	[krware]
tu	croiras	[krwara]
il	croira	[krwara]
ns	croirons	[krwarõ]
vs	croirez	[krware]
ils	croiront	[krwarõ]

Futur antérieur

aurai	cru
auras	cru
aura	cru
aurons	cru
aurez	cru
auront	cru

Passé simple

je	crus	[kry]
tu	crus	[kry]
il	crut	[kry]
ns	crûmes	[krym]
vs	crûtes	[kryt]
ils	crurent	[kryr]

Passé antérieur

eus	cru
eus	cru
eut	cru
eûmes	cru
eûtes	cru
eurent	cru

SUBJONCTIF

Présent

q. je	croie	[krwa]
tu	croies	[krwa]
il	croie	[krwa]
ns	croyions	[krwajjõ]
vs	croyiez	[krwajje]
ils	croient	[krwa]

Passé

aie	cru
aies	cru
ait	cru
ayons	cru
ayez	cru
aient	cru

Imparfait

q. je	crusse	[krys]
tu	crusses	[krys]
il	crût	[kry]
ns	crussions	[krysjõ]
vs	crussiez	[krysje]
ils	crussent	[krys]

Plus-que-parfait

eusse	cru
eusses	cru
eût	cru
eussions	cru
eussiez	cru
eussent	cru

CONDITIONNEL

Présent

je	croirais	[krwarɛ]
tu	croirais	[krwarɛ]
il	croirait	[krwarɛ]
ns	croirions	[krwarjõ]
vs	croiriez	[krwarje]
ils	croiraient	[krwarɛ]

Passé

aurais	cru
aurais	cru
aurait	cru
aurions	cru
auriez	cru
auraient	cru

IMPÉRATIF

Présent

crois	[krwa]
croyons	[krwajõ]
croyez	[krwaje]

Passé

aie	cru
ayons	cru
ayez	cru

108 boire

___ INFINITIF ___

Présent	Passé
boire	avoir bu
[bwar]	[avwarby]

___ INDICATIF ___

	Présent		Passé composé	
je	bois	[bwa]	ai	bu
tu	bois	[bwa]	as	bu
elle	boit	[bwa]	a	bu
ns	buvons	[byvɔ̃]	avons	bu
vs	buvez	[byve]	avez	bu
elles	boivent	[bwav]	ont	bu

	Imparfait		Plus-que-parfait	
je	buvais	[byvɛ]	avais	bu
tu	buvais	[byvɛ]	avais	bu
elle	buvait	[byvɛ]	avait	bu
ns	buvions	[byvjɔ̃]	avions	bu
vs	buviez	[byvje]	aviez	bu
elles	buvaient	[byvɛ]	avaient	bu

	Futur simple		Futur antérieur	
je	boirai	[bware]	aurai	bu
tu	boiras	[bwara]	auras	bu
elle	boira	[bwara]	aura	bu
ns	boirons	[bwarɔ̃]	aurons	bu
vs	boirez	[bware]	aurez	bu
elles	boiront	[bwarɔ̃]	auront	bu

	Passé simple		Passé antérieur	
je	bus	[by]	eus	bu
tu	bus	[by]	eus	bu
elle	but	[by]	eut	bu
ns	bûmes	[bym]	eûmes	bu
vs	bûtes	[byt]	eûtes	bu
elles	burent	[byr]	eurent	bu

___ PARTICIPE ___

Présent	Passé
buvant [byvɑ̃]	b-u, ue
	-us, ues
Présent composé	[by]
ayant bu	

___ SUBJONCTIF ___

	Présent		Passé	
q. je	boive	[bwav]	aie	bu
tu	boives	[bwav]	aies	bu
elle	boive	[bwav]	ait	bu
ns	buvions	[byvjɔ̃]	ayons	bu
vs	buviez	[byvje]	ayez	bu
elles	boivent	[bwav]	aient	bu

	Imparfait		Plus-que-parfait	
q. je	busse	[bys]	eusse	bu
tu	busses	[bys]	eusses	bu
elle	bût	[by]	eût	bu
ns	bussions	[bysjɔ̃]	eussions	bu
vs	bussiez	[bysje]	eussiez	bu
elles	bussent	[bys]	eussent	bu

___ CONDITIONNEL ___

	Présent		Passé	
je	boirais	[bwarɛ]	aurais	bu
tu	boirais	[bwarɛ]	aurais	bu
elle	boirait	[bwarɛ]	aurait	bu
ns	boirions	[bwarjɔ̃]	aurions	bu
vs	boiriez	[bwarje]	auriez	bu
elles	boiraient	[bwarɛ]	auraient	bu

___ IMPÉRATIF ___

Présent		Passé	
bois	[bwa]	aie	bu
buvons	[byvɔ̃]	ayons	bu
buvez	[byve]	ayez	bu

109 faire

INFINITIF

Présent	Passé
faire	avoir fait
[fɛr]	[avwarfɛ]

PARTICIPE

Présent	Passé
faisant [fəzɑ̃]	fai-t, te
Présent composé	-ts, tes
ayant fait	[fɛ, -ɛt]

INDICATIF

	Présent		Passé composé	
je	fais	[fɛ]	ai	fait
tu	fais	[fɛ]	as	fait
il	fait	[fɛ]	a	fait
ns	faisons	[fəzɔ̃]	avons	fait
vs	faites	[fɛt]	avez	fait
ils	font	[fɔ̃]	ont	fait

	Imparfait		Plus-que-parfait	
je	faisais	[fəzɛ]	avais	fait
tu	faisais	[fəzɛ]	avais	fait
il	faisait	[fəzɛ]	avait	fait
ns	faisions	[fəzjɔ̃]	avions	fait
vs	faisiez	[fəzje]	aviez	fait
ils	faisaient	[fəzɛ]	avaient	fait

	Futur simple		Futur antérieur	
je	ferai	[f(ə)re]	aurai	fait
tu	feras	[f(ə)ra]	auras	fait
il	fera	[f(ə)ra]	aura	fait
ns	ferons	[f(ə)rɔ̃]	aurons	fait
vs	ferez	[f(ə)re]	aurez	fait
ils	feront	[f(ə)rɔ̃]	auront	fait

	Passé simple		Passé antérieur	
je	fis	[fi]	eus	fait
tu	fis	[fi]	eus	fait
il	fit	[fi]	eut	fait
ns	fîmes	[fim]	eûmes	fait
vs	fîtes	[fit]	eûtes	fait
ils	firent	[fir]	eurent	fait

SUBJONCTIF

	Présent		Passé	
q. je	fasse	[fas]	aie	fait
tu	fasses	[fas]	aies	fait
il	fasse	[fas]	ait	fait
ns	fassions	[fasjɔ̃]	ayons	fait
vs	fassiez	[fasje]	ayez	fait
ils	fassent	[fas]	aient	fait

	Imparfait		Plus-que-parfait	
q. je	fisse	[fis]	eusse	fait
tu	fisses	[fis]	eusses	fait
il	fît	[fi]	eût	fait
ns	fissions	[fisjɔ̃]	eussions	fait
vs	fissiez	[fisje]	eussiez	fait
ils	fissent	[fis]	eussent	fait

CONDITIONNEL

	Présent		Passé	
je	ferais	[f(ə)rɛ]	aurais	fait
tu	ferais	[f(ə)rɛ]	aurais	fait
il	ferait	[f(ə)rɛ]	aurait	fait
ns	ferions	[fərjɔ̃]	aurions	fait
vs	feriez	[fərje]	auriez	fait
ils	feraient	[f(ə)rɛ]	auraient	fait

IMPÉRATIF

Présent		Passé	
fais	[fɛ]	aie	fait
faisons	[fəzɔ̃]	ayons	fait
faites	[fɛt]	ayez	fait

110 plaire

INFINITIF

Présent	Passé
plaire	avoir plu
[plɛr]	[avwarply]

PARTICIPE

Présent	Passé
plaisant [plezɑ̃]	plu [ply]

Présent composé

ayant plu

INDICATIF

Présent

				Passé composé	
je	plais	[plɛ]	ai	plu
tu	plais	[plɛ]	as	plu
elle	plaît	[plɛ]	a	plu
ns	plaisons	[plezɔ̃]	avons	plu
vs	plaisez	[pleze]	avez	plu
elles	plaisent	[plɛz]	ont	plu

Imparfait

				Plus-que-parfait	
je	plaisais	[plezɛ]	avais	plu
tu	plaisais	[plezɛ]	avais	plu
elle	plaisait	[plezɛ]	avait	plu
ns	plaisions	[plezjɔ̃]	avions	plu
vs	plaisiez	[plezje]	aviez	plu
elles	plaisaient	[plezɛ]	avaient	plu

Futur simple

				Futur antérieur	
je	plairai	[plere]	aurai	plu
tu	plairas	[plera]	auras	plu
elle	plaira	[plera]	aura	plu
ns	plairons	[plerɔ̃]	aurons	plu
vs	plairez	[plere]	aurez	plu
elles	plairont	[plerɔ̃]	auront	plu

Passé simple

				Passé antérieur	
je	plus	[ply]	eus	plu
tu	plus	[ply]	eus	plu
elle	plut	[ply]	eut	plu
ns	plûmes	[plym]	eûmes	plu
vs	plûtes	[plyt]	eûtes	plu
elles	plurent	[plyr]	eurent	plu

SUBJONCTIF

Présent

				Passé	
q. je	plaise	[plɛz]	aie	plu
tu	plaises	[plɛz]	aies	plu
elle	plaise	[plɛz]	ait	plu
ns	plaisions	[plezjɔ̃]	ayons	plu
vs	plaisiez	[plezje]	ayez	plu
elles	plaisent	[plɛz]	aient	plu

Imparfait

				Plus-que-parfait	
q. je	plusse	[plys]	eusse	plu
tu	plusses	[plys]	eusses	plu
elle	plût	[ply]	eût	plu
ns	plussions	[plysjɔ̃]	eussions	plu
vs	plussiez	[plysje]	eussiez	plu
elles	plussent	[plys]	eussent	plu

CONDITIONNEL

Présent

				Passé	
je	plairais	[plerɛ]	aurais	plu
tu	plairais	[plerɛ]	aurais	plu
elle	plairait	[plerɛ]	aurait	plu
ns	plairions	[plerjɔ̃]	aurions	plu
vs	plairiez	[plerje]	auriez	plu
elles	plairaient	[plerɛ]	auraient	plu

IMPÉRATIF

Présent

			Passé	
plais	[plɛ]	aie	plu
plaisons	[plezɔ̃]	ayons	plu
plaisez	[pleze]	ayez	plu

111 taire

— INFINITIF —

	Présent	Passé
	taire	avoir tu
	[tɛr]	[avwarty]

— PARTICIPE —

	Présent	Passé
	taisant [tezɑ̃]	t-u, ue
		-us, ues
	Présent composé	[ty]
	ayant tu	

— INDICATIF —

	Présent		Passé composé	
je	tais	[tɛ]	ai	tu
tu	tais	[tɛ]	as	tu
il	tait	[tɛ]	a	tu
ns	taisons	[tezɔ̃]	avons	tu
vs	taisez	[teze]	avez	tu
ils	taisent	[tɛz]	ont	tu

	Imparfait		Plus-que-parfait	
je	taisais	[tezɛ]	avais	tu
tu	taisais	[tezɛ]	avais	tu
il	taisait	[tezɛ]	avait	tu
ns	taisions	[tezjɔ̃]	avions	tu
vs	taisiez	[tezje]	aviez	tu
ils	taisaient	[tezɛ]	avaient	tu

	Futur simple		Futur antérieur	
je	tairai	[tere]	aurai	tu
tu	tairas	[tera]	auras	tu
il	taira	[tera]	aura	tu
ns	tairons	[terɔ̃]	aurons	tu
vs	tairez	[tere]	aurez	tu
ils	tairont	[terɔ̃]	auront	tu

	Passé simple		Passé antérieur	
je	tus	[ty]	eus	tu
tu	tus	[ty]	eus	tu
il	tut	[ty]	eut	tu
ns	tûmes	[tym]	eûmes	tu
vs	tûtes	[tyt]	eûtes	tu
ils	turent	[tyr]	eurent	tu

— SUBJONCTIF —

		Présent		Passé	
q.	je	taise	[tɛz]	aie	tu
	tu	taises	[tɛz]	aies	tu
	il	taise	[tɛz]	ait	tu
	ns	taisions	[tezjɔ̃]	ayons	tu
	vs	taisiez	[tezje]	ayez	tu
	ils	taisent	[tɛz]	aient	tu

		Imparfait		Plus-que-parfait	
q.	je	tusse	[tys]	eusse	tu
	tu	tusses	[tys]	eusses	tu
	il	tût	[ty]	eût	tu
	ns	tussions	[tysjɔ̃]	eussions	tu
	vs	tussiez	[tysje]	eussiez	tu
	ils	tussent	[tys]	eussent	tu

— CONDITIONNEL —

	Présent		Passé	
je	tairais	[terɛ]	aurais	tu
tu	tairais	[terɛ]	aurais	tu
il	tairait	[terɛ]	aurait	tu
ns	tairions	[terjɔ̃]	aurions	tu
vs	tairiez	[terje]	auriez	tu
ils	tairaient	[terɛ]	auraient	tu

— IMPÉRATIF —

	Présent		Passé	
	tais	[tɛ]	aie	tu
	taisons	[tezɔ̃]	ayons	tu
	taisez	[teze]	ayez	tu

112 extraire

INFINITIF

	Présent	Passé
	extraire	avoir extrait
	[ekstrɛr]	[avwarekstrɛ]

PARTICIPE

	Présent	Passé
	extrayant [ekstrejɑ̃]	extrai-t, te
		-ts, tes
	Présent composé	[ekstrɛ, -ɛt]
	ayant extrait	

INDICATIF

	Présent		Passé composé	
j'	extrais	[-trɛ]	ai	extrait
tu	extrais	[-trɛ]	as	extrait
elle	extrait	[-trɛ]	a	extrait
ns	extrayons	[-trejɔ̃]	avons	extrait
vs	extrayez	[-treje]	avez	extrait
elles	extraient	[-trɛ]	ont	extrait

	Imparfait		Plus-que-parfait	
j'	extrayais	[-trejɛ]	avais	extrait
tu	extrayais	[-trejɛ]	avais	extrait
elle	extrayait	[-trejɛ]	avait	extrait
ns	extrayions	[-trejjɔ̃]	avions	extrait
vs	extrayiez	[-trejje]	aviez	extrait
elles	extrayaient	[-trejɛ]	avaient	extrait

	Futur simple		Futur antérieur	
j'	extrairai	[-trere]	aurai	extrait
tu	extrairas	[-trera]	auras	extrait
elle	extraira	[-trera]	aura	extrait
ns	extrairons	[-trerɔ̃]	aurons	extrait
vs	extrairez	[-trere]	aurez	extrait
elles	extrairont	[-trerɔ̃]	auront	extrait

	Passé simple		Passé antérieur	
j'	*(inusité)*		eus	extrait
tu	—		eus	extrait
elle	—		eut	extrait
ns	—		eûmes	extrait
vs	—		eûtes	extrait
elles	—		eurent	extrait

SUBJONCTIF

	Présent		Passé	
q. j'	extraie	[-trɛ]	aie	extrait
tu	extraies	[-trɛ]	aies	extrait
elle	extraie	[-trɛ]	ait	extrait
ns	extrayions	[-trejjɔ̃]	ayons	extrait
vs	extrayiez	[-trejje]	ayez	extrait
elles	extraient	[-trɛ]	aient	extrait

	Imparfait		Plus-que-parfait	
q. j'	*(inusité)*		eusse	extrait
tu	—		eusses	extrait
elle	—		eût	extrait
ns	—		eussions	extrait
vs	—		eussiez	extrait
elles	—		eussent	extrait

CONDITIONNEL

	Présent		Passé	
j'	extrairais	[-trerɛ]	aurais	extrait
tu	extrairais	[-trerɛ]	aurais	extrait
elle	extrairait	[-trerɛ]	aurait	extrait
ns	extrairions	[-trerjɔ̃]	aurions	extrait
vs	extrairiez	[-trerje]	auriez	extrait
elles	extrairaient	[-trerɛ]	auraient	extrait

IMPÉRATIF

	Présent		Passé	
	extrais	[-trɛ]	aie	extrait
	extrayons	[-trejɔ̃]	ayons	extrait
	extrayez	[-treje]	ayez	extrait

113 clore :: close

Présent	Passé
clore [klɔr]	avoir clos [avwarklo]

PARTICIPE

Présent	Passé
closant [klozɑ̃]	clo-s, se -s, ses [klo, -oz]
Présent composé	
ayant clos	

INDICATIF

	Présent		Passé composé	
je	clos [klo]	ai	clos
tu	clos [klo]	as	clos
il	clôt [klo]	a	clos
ns	closons [klozɔ̃]	avons	clos
vs	closez [kloze]	avez	clos
ils	closent [kloz]	ont	clos

	Imparfait		Plus-que-parfait	
j'	(inusité)	avais	clos
tu	—	avais	clos
il	—	avait	clos
ns	—	avions	clos
vs	—	aviez	clos
ils	—	avaient	clos

	Futur simple		Futur antérieur	
je	clorai [klore]	aurai	clos
tu	cloras [klora]	auras	clos
il	clora [klora]	aura	clos
ns	clorons [klorɔ̃]	aurons	clos
vs	clorez [klore]	aurez	clos
ils	cloront [klorɔ̃]	auront	clos

	Passé simple		Passé antérieur	
j'	(inusité)	eus	clos
tu	—	eus	clos
il	—	eut	clos
ns	—	eûmes	clos
vs	—	eûtes	clos
ils	—	eurent	clos

SUBJONCTIF

	Présent		Passé	
q. je	close [kloz]	aie	clos
tu	closes [kloz]	aies	clos
il	close [kloz]	ait	clos
ns	closions [klozjɔ̃]	ayons	clos
vs	closiez [klozje]	ayez	clos
ils	closent [kloz]	aient	clos

	Imparfait		Plus-que-parfait	
q. j'	(inusité)	eusse	clos
tu	—	eusses	clos
il	—	eût	clos
ns	—	eussions	clos
vs	—	eussiez	clos
ils	—	eussent	clos

CONDITIONNEL

	Présent		Passé	
je	clorais [klorɛ]	aurais	clos
tu	clorais [klorɛ]	aurais	clos
il	clorait [klorɛ]	aurait	clos
ns	clorions [klorjɔ̃]	aurions	clos
vs	cloriez [klorje]	auriez	clos
ils	cloraient [klorɛ]	auraient	clos

IMPÉRATIF

Présent		Passé	
clos [klo]	aie	clos
(inusité)	ayons	clos
—	ayez	clos

Remarque : *Déclore, éclore, enclore* se conjuguent comme *clore*, mais l'Académie préconise *il éclot, il enclot* (sans accent circonflexe). Le verbe *enclore* possède les formes *nous enclosons, vous enclosez,* et *enclosons, enclosez.*

114 vaincre

INFINITIF

Présent	Passé
vaincre	avoir vaincu
[vɛ̃kr]	[avwarvɛ̃ky]

PARTICIPE

Présent	Passé
vainquant [vɛ̃kɑ̃]	vainc-u, ue
	-us, ues
Présent composé	[vɛ̃ky]
ayant vaincu	

INDICATIF

	Présent		Passé composé	
je	vaincs	[vɛ̃]	ai	vaincu
tu	vaincs	[vɛ̃]	as	vaincu
elle	vainc	[vɛ̃]	a	vaincu
ns	vainquons	[vɛ̃kɔ̃]	avons	vaincu
vs	vainquez	[vɛ̃ke]	avez	vaincu
elles	vainquent	[vɛ̃k]	ont	vaincu

	Imparfait		Plus-que-parfait	
je	vainquais	[vɛ̃kɛ]	avais	vaincu
tu	vainquais	[vɛ̃kɛ]	avais	vaincu
elle	vainquait	[vɛ̃kɛ]	avait	vaincu
ns	vainquions	[vɛ̃kjɔ̃]	avions	vaincu
vs	vainquiez	[vɛ̃kje]	aviez	vaincu
elles	vainquaient	[vɛ̃kɛ]	avaient	vaincu

	Futur simple		Futur antérieur	
je	vaincrai	[vɛ̃kre]	aurai	vaincu
tu	vaincras	[vɛ̃kra]	auras	vaincu
elle	vaincra	[vɛ̃kra]	aura	vaincu
ns	vaincrons	[vɛ̃krɔ̃]	aurons	vaincu
vs	vaincrez	[vɛ̃kre]	aurez	vaincu
elles	vaincront	[vɛ̃krɔ̃]	auront	vaincu

	Passé simple		Passé antérieur	
je	vainquis	[vɛ̃ki]	eus	vaincu
tu	vainquis	[vɛ̃ki]	eus	vaincu
elle	vainquit	[vɛ̃ki]	eut	vaincu
ns	vainquîmes	[vɛ̃kim]	eûmes	vaincu
vs	vainquîtes	[vɛ̃kit]	eûtes	vaincu
elles	vainquirent	[vɛ̃kir]	eurent	vaincu

SUBJONCTIF

	Présent		Passé	
q. je	vainque	[vɛ̃k]	aie	vaincu
tu	vainques	[vɛ̃k]	aies	vaincu
elle	vainque	[vɛ̃k]	ait	vaincu
ns	vainquions	[vɛ̃kjɔ̃]	ayons	vaincu
vs	vainquiez	[vɛ̃kje]	ayez	vaincu
elles	vainquent	[vɛ̃k]	aient	vaincu

	Imparfait		Plus-que-parfait	
q. je	vainquisse	[vɛ̃kis]	eusse	vaincu
tu	vainquisses	[vɛ̃kis]	eusses	vaincu
elle	vainquît	[vɛ̃ki]	eût	vaincu
ns	vainquissions	[vɛ̃kisjɔ̃]	eussions	vaincu
vs	vainquissiez	[vɛ̃kisje]	eussiez	vaincu
elles	vainquissent	[vɛ̃kis]	eussent	vaincu

CONDITIONNEL

	Présent		Passé	
je	vaincrais	[vɛ̃krɛ]	aurais	vaincu
tu	vaincrais	[vɛ̃krɛ]	aurais	vaincu
elle	vaincrait	[vɛ̃krɛ]	aurait	vaincu
ns	vaincrions	[vɛ̃krijɔ̃]	aurions	vaincu
vs	vaincriez	[vɛ̃krije]	auriez	vaincu
elles	vaincraient	[vɛ̃krɛ]	auraient	vaincu

IMPÉRATIF

Présent		Passé	
vaincs	[vɛ̃]	aie	vaincu
vainquons	[vɛ̃kɔ̃]	ayons	vaincu
vainquez	[vɛ̃ke]	ayez	vaincu

115 frire :: fry

___ INFINITIF _____

Présent	**Passé**	
frire	avoir frit	
[frir]	[avwarfri]	

___ PARTICIPE _____

Présent		**Passé**
(inusité)		fri-t, te
		ts, tes
Présent composé		[fri, -it]
ayant frit		

___ INDICATIF _____

	Présent			**Passé composé**	
je	fris	[-i]	ai	frit	
tu	fris	[-i]	as	frit	
il	frit	[-i]	a	frit	
ns	*(inusité)*		avons	frit	
vs	—		avez	frit	
ils	—		ont	frit	

	Imparfait			**Plus-que-parfait**	
j'	*(inusité)*		avais	frit	
tu	—		avais	frit	
il	—		avait	frit	
ns	—		avions	frit	
vs	—		aviez	frit	
ils	—		avaient	frit	

	Futur simple			**Futur antérieur**	
je	frirai	[-ire]	aurai	frit	
tu	friras	[-ira]	auras	frit	
il	frira	[-ira]	aura	frit	
ns	frirons	[-irɔ̃]	aurons	frit	
vs	frirez	[-ire]	aurez	frit	
ils	friront	[-irɔ̃]	auront	frit	

	Passé simple			**Passé antérieur**	
j'	*(inusité)*		eus	frit	
tu	—		eus	frit	
il	—		eut	frit	
ns	—		eûmes	frit	
vs	—		eûtes	frit	
ils	—		eurent	frit	

___ SUBJONCTIF _____

	Présent		**Passé**	
q. j'	*(inusité)*	aie	frit	
tu	—	aies	frit	
il	—	ait	frit	
ns	—	ayons	frit	
vs	—	ayez	frit	
ils	—	aient	frit	

	Imparfait		**Plus-que-parfait**	
q. j'	*(inusité)*	eusse	frit	
tu	—	eusses	frit	
il	—	eût	frit	
ns	—	eussions	frit	
vs	—	eussiez	frit	
ils	—	eussent	frit	

___ CONDITIONNEL _____

	Présent			**Passé**	
je	frirais	[-irɛ]	aurais	frit	
tu	frirais	[-irɛ]	aurais	frit	
il	frirait	[-irɛ]	aurait	frit	
ns	fririons	[-irjɔ̃]	aurions	frit	
vs	fririez	[-irje]	auriez	frit	
ils	friraient	[-irɛ]	auraient	frit	

___ IMPÉRATIF _____

Présent		**Passé**	
fris	[-i]	aie	frit
(inusité)		ayons	frit
—		ayez	frit

II. Index des verbes

Index des verbes

(les numéros renvoient aux tableaux de conjugaison)

a

affaisser	4	agrener	4	allier	9
affaiter	4	agresser	4	allitérer	18
affaler	3	agriffer (s')	3	allivrer	3
affamer	3	agripper	3	allocutionner	3
afféager	17	aguerrir	32	allonger	17
affecter	4	aguicher	3	allotir	32
affectionner	3	ahaner	3	allouer	6
afférer	18	aheurter	3	allumer	3
affermer	3	ahurir	32	alluvionner	3
affermir	32	aicher	4	alourdir	32
afficher	3	aider	4	alpaguer, *gu* partout	3
affiler	3	aigrir	32	alphabétiser	3
affilier	9	aiguayer	11	altérer	18
affiner	3	aiguer	7	alterner	3
affiquer	3	aiguiller	3	aluminer	3
affirmer	3	aiguilleter	27	aluner	3
affleurer	5	aiguillonner	3	alunir	32
affliger	17	aiguiser	3	amadouer	6
afflouer	3	ailer	4	amaigrir	32
affluer	3	aileter	27	amalgamer	3
affoler	3	ailler	3	amariner	3
afforester	3	ailloliser	3	amarrer	3
affouager	17	aimanter	3	amasser	3
affouiller	3	aimer	4	amateloter	3
affourager	17	airer	4	amatir	32
affourcher	3	ajointer	3	ambitionner	3
affourer	3	ajourer	3	ambler	3
affour(r)ager	17	ajourner	3	ambrer	3
affranchir	32	ajouter	3	améliorer	3
affréter	18	ajuster	3	aménager	17
affriander	3	alaiser	4	amender	3
affricher	3	alambiquer	3	amener	19
affrioler	3	alanguir	32	amenuiser	3
affriter	3	alarguer, *gu* partout	3	américaniser	3
affronter	3	alarmer	3	amerrir	32
affruiter	3	alcaliniser	3	ameublir	32
affubler	3	alcaliser	3	ameulonner	3
affûter	3	alcooliser	3	ameuter	3
africaniser	3	alcoolyser	3	amidonner	3
agacer	16	alcoyler	3	amignarder	3
agatifier	9	aldoliser	3	amignonner	3
agatiser	3	alentir	32	amignoter	3
agencer	16	alerter	3	amincir	32
agenouiller	3	aléser	18	amnistier	9
agglomérer	18	alester	3	amocher	3
agglutiner	3	alestir	32	amochir	32
aggraver	3	aleviner	3	amodier	9
agioter	3	algébriser	3	amoindrir	32
agir	32	aliéner	18	amollir	32
agiter	3	aligner	3	amonceler	24
agneler [Littré : 25]	24	alimenter	3	amorcer	16
agonir	32	aliter	3	amordancer	16
agoniser	3	allaiter	4	amortir	32
agrafer	3	allécher	18	amouiller	3
agrainer	4	alléger	22	amouler	3
agrandir	32	allégir	32	amouracher (s')	3
agréer	15	allégoriser	3	amplifier	9
agréger	22	alléguer, *gu* partout	18	amputer	3
agrémenter	3	aller [aux. *être*]	31	amuïr (s') [toujours ï]	32

305

baratiner		3
baratter		3
barbariser (se)		3
barber		3
barbifier		9
barboter		3
barbouiller		3
barder		3
bareiller		4
barémer		18
baréter		18
barguigner		3
barioler		3
baroter		3
barouder		3
barreauder		3
barrer		3
barricader		3
barrir		32
barroter		3
basaner		3
basculer		3
baser		3
bassiner		3
bastillonner		3
bastinguer, *gu* partout		3
bastionner		3
bastir		32
bastonner (se)		3
bastringuer, *gu* partout		3
batailler		3
bateler		24
bâter		3
batifoler		3
batiker		3
batiller		3
bâtir		32
bâtonner		3
batourner		3
battre		83
bauger (se)		17
bavarder		3
bavasser		3
baver		3
bavocher		3
bayer		3 ou 11
bazarder		3
béatifier		9
beausir		32
bêcher		4
bêcheveter		27
bécot(t)er		3
becquer		4
becqueter [Littré : **28**]		27
becter		4
beder		19
bedonner		3
béer		15
bégayer		11

bégueter		28
bêler		4
béliner		3
bémoliser		3
bénéficier		9
bénir [part. passé *bénit* dans expressions figées de sens religieux.]		32
benzoyler		3
benzyler		3
béquer		18
béqueter [Littré : **28**]		27
béquiller		3
bercer		16
berlurer (se)		3
berner		3
besogner		3
bestialiser		3
bétifier		9
bêtiser		3
bétonner		3
beugler		5
beurrer		5
biaiser		4
bibeloter		3
biberonner		3
bicher		3
bichonner		3
bichromater		3
bidonner (se)		3
bienvenir [inf. et part. passé seulement]		
biffer		3
bifurquer		3
bigarrer		3
bigler		3
bigophoner		3
bigorner		3
biler (se)		3
billarder		3
billebauder		3
biller		3
billonner		3
biloquer		3
biner		3
biodégrader		3
biscuiter		3
biseauter		3
biser		3
bisquer		3
bissecter		3
bisser		3
bistourner		3
bistrer		3
bistrouiller		3
biter		3
bitter		3
bitturer (se)		3
bitumer		3

bituminer		3
bituminiser		3
biturer (se)		3
bivaquer		3
bivouaquer		3
bizuter		3
blackbouler		3
blaguer		3
blaireauter		3
blairer		4
blâmer		3
blanchir		32
blanchoyer		13
blaser		3
blasonner		3
blasphémer		18
blatérer		18
blêmir		32
bléser		18
blesser		4
blettir		32
bleuir		32
bleuter		3
blinder		3
blinquer		3
blondir		32
blondoyer		13
bloquer		3
blottir		32
blouser		3
bluetter		4
bluffer		3
bluter		3
bobiner		3
bocarder		3
boësser		4
boetter		4
boire		108
boiser		3
boissonner		3
boiter		3
boîter		3
boitiller		3
bolcheviser		3
bombarder		3
bomber		3
bonder		3
bondériser		3
bondir		32
bondonner		3
bonifier		9
bonimenter		3
bonir		32
bonneter		27
bordéliser		3
border		3
bordoyer		13
borner		3
bornoyer		13

chahuter	3	chauffer	3	chouriner	3
chaîner	4	chauler	3	choyer	13
chalcographier	9	chaumer	3	christianiser	3
challenger	17	chausser	3	chromatiser	3
chaloir [seulement dans *Peu me chaut*]		chauvir [sauf pour les trois 1res pers. sing. de l'ind. prés. : *je, tu chauvis; il chauvit,* et impér. : *chauvis;* part. passé *chauvi* invar.]	38	chromer	3
chalouper	3			chromiser	3
chaluter	3			chroniquer	3
chamailler (se)	3			chronométrer	18
chamarrer	3			chrysalider	3
chambarder	3	chavirer	3	chucheter	27
chambouler	3	chelinguer, *gu* partout	3	chuchoter	3
chambrer	3	cheminer	3	chuinter	3
chamoiser	3	chemiser	3	chuter	3
champagniser	3	chenaler	3	cicatriser	3
champignonner	3	chènevotter	3	cicéroniser	3
champlever	19	chercher	3	cierger	17
chanceler	24	chérer	18	ciller	3
chancir	32	chérir	32	cimenter	3
chanfraindre	80	cherrer	4	cinématographier	9
chanfreindre	81	chevaler	3	cingler	3
chanfreiner	4	chevaucher	3	cintrer	3
chanfrer	3	chever	19	circoncire	101
changer	17	cheviller	3	circonscrire	99
chanlatter	3	chevir	32	circonstancier	9
chansonner	3	chevreter	27	circonvenir [aux. *avoir*]	40
chanter	3	chevronner	3	circonvoisiner	3
chantonner	3	chevroter	3	circulariser	3
chantourner	3	chiader	3	circuler	3
chaparder	3	chialer	3	cirer	3
chapeauter	3	chicaner	3	cisailler	3
chapeler	24	chicoter	3	ciseler	25
chaperonner	3	chienner	4	citer	3
chapitrer	3	chier	9	citronner	3
chaponner	3	chiffonner	3	civiliser	3
chapoter	3	chiffrer	3	clabauder	3
chaptaliser	3	chigner	3	claboter	3
charbonner	3	chimiquer	3	claircer	16
charcuter	3	chiner	3	claircir	32
chardonner	3	chinoiser	3	claironner	3
charger	17	chiper	3	clairsemer	19
chariboter	3	chipoter	3	clamecer	16
charioter	3	chiquer	3	clamer	3
charmer	3	chiqueter	27	clamper	3
charogner	3	chirographier	9	clampiner	3
charpenter	3	chlinguer, *gu* partout	3	clampser	3
charquer	3	chlorer	3	clamser	3
charrier	9	chloroformer	3	clapir	32
charroyer	13	chlorurer	3	clapir (se)	32
charruer	7	choir	72	clapoter	3
chasser	3	choisir	32	clapper	3
châtaigner	4	chômer	3	claquemurer	3
châtier	9	choper	3	clapser	3
chatonner	3	chopiner	3	claquer	3
chatouiller	3	chopper	3	claqueter	27
chatoyer	13	choquer	3	clarifier	9
châtrer	3	chosifier	9	classer	3
chauber	3	chouanner	3	classifier	9
chaucher	3	chouchouter	3	clatir	32
				clauber	3

313

déconcentrer	3	déculotter	3	défouler	3
déconcerter	3	déculpabiliser	3	défourailler	3
déconditionner	3	décupler	3	défourner	3
déconfessionnaliser	3	décuscuter	3	défourrer	3
déconfire	101	décucler	3	défoxer	3
décongeler	25	décycliser	3	défraîchir	32
décongestionner	3	dédaigner	4	défranciser	3
déconnecter	4	dédicacer	16	défrayer	11
déconner	3	dédier	9	défretter	4
déconseiller	4	dédifférencier (se)	9	défricher	3
déconsidérer	18	dédire (se)	103	défriper	3
déconsigner	3	dédiviniser	3	défriser	3
déconstiper	3	dédoler	3	défroisser	3
déconstitutionnaliser	3	dédommager	17	défroncer	16
déconstruire	98	dédorer	3	défroquer	3
décontaminer	3	dédotaliser	3	défruiter	3
décontenancer	16	dédouaner	3	défubler	3
décontracter	3	dédoubler	3	dégager	17
déconventionner	3	dédramatiser	3	dégainer	4
décorder	3	déduire	98	dégalonner	3
décorer	3	défaillir	47	déganter	3
décorner	3	défaire	109	dégarnir	32
décortiquer	3	défalquer	3	dégarouler	3
décotter	3	défardeler	24	dégasconner	3
découcher	3	défarder	3	dégasoliner	3
découdre	86	défatiguer, *gu* partout	3	dégauchir	32
découenner	3	défaufiler	3	dégazer	3
découler	3	défausser	3	dégazoliner	3
découper	3	défavoriser	3	dégazonner	3
découpler	3	déféminiser	3	dégeler	25
décourager	17	défendre	73	dégénérer	18
décourber	3	défenestrer	3	dégermer	3
découronner	3	déféquer	18	dégingander (se)	3
découvrir	34	déférer	18	dégîter	3
décramponner	3	déferler	3	dégivrer	3
décrasser	3	déferrer	4	déglacer	16
décréditer	3	déferriser	3	déglinguer, *gu* partout	3
décrémenter	3	défeuiller	5	dégluer	3
décrêper	4	défeutrer	3	déglutir	32
décrépir	32	défibrer	3	dégobiller	3
décrépiter	3	défibriller	3	dégoiser	3
décréter	18	défibriner	3	dégommer	3
décreuser	3	déficeler	24	dégonder	3
décrier	10	déficher	3	dégonfler	3
décriminaliser	3	défier	9	dégorger	17
décriquer	3	défiger	17	dégot(t)er	3
décrire	99	défigurer	3	dégoudronner	3
décrisper	3	défiler	3	dégouliner	3
décrocher	3	défilocher	3	dégoupiller	3
décroiser	3	définir	32	dégourdir	32
décroître	94	déflagrer	3	dégoûter	3
décrotter	3	défléchir	32	dégoutter	3
décroûter	3	défleurir	32	dégrader	3
décruer	3	déflorer	3	dégrafer	3
décrypter	3	défolier	9	dégraisser	4
décuirasser	3	défoncer	16	dégramer	3
décuire	98	déforcer	16	dégraveler	24
décuivrer	3	déformer	3	dégraver	3
déculasser	3	défouetter	4	dégravoyer	13

f g h

flamber	3	fondre	75	fracasser	3
flamboyer	13	forbannir	32	fractionner	3
flancher	3	forcener	19	fracturer	3
flâner	3	forcer	16	fragiliser	3
flânocher	3	forcir	32	fragmenter	3
flanquer	3	forclore [seulement inf. et		fraîchir	32
flaquer	3	part. passé forclos, for-		fraiser	4
flasher	3	close]		framboiser	3
flatter	3	forer	3	franchir	32
flécher	18	forfaire [seulement inf.,		franciser	3
fléchir	32	sing. de l'ind. prés. et		franger	17
flegmatiser	3	temps comp.]	109	frapper	3
flemmarder	3	forger	17	fraser	3
flétrir	32	forhuer	7	fraterniser	3
fletter	4	forjeter	27	frauder	3
fleurdeliser	3	forlancer	16	frayer	11
fleurer	5	forligner	3	fredonner	3
fleurir 1	32	forlonger	17	frégater	3
fleurir 2 [= prospérer; radi-		formaliser	3	freiner	4
cal flor- à l'imparf. : il flo-		former	3	frelater	3
rissait, et au part. prés. :		formoler	3	frémir	32
florissant]	32	formuler	3	fréquenter	3
fleuronner	3	forniquer	3	fréter	18
flibuster	3	forpaiser	4	frétiller	3
flicflaquer	3	fortifier	9	fretter	4
flinguer	3	fosserer	19	fricasser	3
flipper	3	fossiliser	3	fricoter	3
flirter	3	fossoyer	13	frictionner	3
floconner	3	fouailler	3	frigorifier	9
floculer	3	foudroyer	13	frigorifuger	17
flonger	17	fouetter	4	friller	3
floquer	3	fouger	17	frimer	3
floqueter	27	fouiller	3	fringuer, gu partout	3
flotter	3	fouiner	3	friper	3
flouer	3	fouir	32	friponner	3
fluater	3	foularder	3	frire	115
fluctuer	3	fouler	3	friseliser	3
fluer	3	foulonner	3	friser	3
fluidifier	9	fourber	3	frisotter	3
fluidiser	3	fourbir	32	frissonner	3
fluorer	3	fourcher	3	fritter	3
fluoriser	3	fourgonner	3	froidir	32
fluorescer	21	fourguer, gu partout	3	froisser	3
flûter	3	fourmiller	3	frôler	3
fluxer	3	fournir	32	fromager	17
focaliser	3	fourrager	17	froncer	16
foëner	18	fourrer	3	fronder	3
foëner	4	fourvoyer	13	froquer	3
foirer	3	foutre [Ind. prés. : je fous,		frottailler	3
foisonner	3	tu fous, il fout, nous fou-		frotter	3
folâtrer	3	tons, vous foutez, ils fou-		frouer	3
folichonner	3	tent; imparf. : je foutais,		froufrouter	3
folioter	3	etc.; fut. : je foutrai, etc.		fructifier	9
fomenter	3	Subj. prés. : q. je foute,		frusquer	3
foncer	16	etc.; imparf. (rare) : q.		frusquiner	3
fonctionnaliser	3	je foutisse, etc. Impér. :		frustrer	3
fonctionnariser	3	fous, foutons, foutez. Part.		fuir	35
fonctionner	3	prés. : foutant; pass. :		fulgurer	3
fonder	3	foutu, e.]		fulminer	3

328

gratifier	9	gruger	17	hasarder	3
gratiner	3	grumeler	24	hâter	3
gratteler	24	guéer	15	haubaner	3
gratter	3	guéreter	27	hausser	3
grattouiller	3	guérir	32	haver	3
graveler	24	guerroyer	13	havir	32
graver	3	guêtrer	4	héberger	17
gravillonner	3	guetter	4	hébéter	18
gravir	32	gueuler	5	hébraïser	3
graviter	3	gueuletonner	3	héler	18
gréciser	3	gueusailler	3	helléniser	3
grecquer	4	gueuser	3	hémiacétaliser	3
gréer	15	guider	3	hennir	32
greffer	4	guigner	3	herbager	17
grêler	4	guignoler	3	herber	3
grelotter	3	guillemeter	27	herboriser	3
grenader	3	guiller	3	hercher	3
grenailler	3	guillocher	3	hérisser	3
greneler	24	guillotiner	3	hérissonner	3
grener	19	guimper	3	hériter	3
greneter	27	guincher	3	héroïser	3
grenouiller	3	guinder	3	herscher	3
grenter	3	guiper	3	herser	3
gréser	18	guniter	3	hésiter	3
grésiller	3	habiliter	3	heurter	3
grever	19	habiller	3	hiberner	3
greviller	3	habiter	3	hiberniser	3
gribouiller	3	habituer	7	hier	9
griffer	3	hâbler	3	hiérarchiser	3
griffonner	3	hacher	3	hisser	3
grigner	3	hachurer	3	historiciser	3
grignoter	3	haïr	33	historier	9
grillager	17	haleiner	4	histrionner	3
griller	3	haléner	18	hiverner	3
grimacer	16	hâler	3	hocher	3
grimer	3	hôler	3	hôler	3
grimper	3	haleter [Littré : 27]	28	homogénéifier	9
grincer	16	halluciner	3	homogénéiser	3
grincher	3	halogéner	18	homologuer, gu partout	3
gringotter	3	halter	3	homopolymérise	3
gripper	3	hameçonner	3	hongrer	3
grisailler	3	hancher	3	hongroyer	13
griser	3	handicaper	3	honnir	32
grisol(l)er	3	hannetonner	3	honorer	3
grisonner	3	hanter	3	hoqueter	27
griveler [Littré : 25]	24	happer	3	horizonner	3
grivoiser	3	haranguer	3	horrifier	9
grognasser	3	harasser	3	horripiler	3
grogner	3	harceler [D'après l'Académie, sur modèle 24; d'après l'usage et Littré, sur modèle 25]		hospitaliser	3
grognonner	3			hotter	3
grommeler	24			houblonner	3
gronder	3	haricoter	3	houer	6
grossir	32	harmonier	9	houler	3
grossoyer	13	harmoniser	3	houpper	3
grouiller	3	harnacher	3	hourder	3
grouiner	3	harpailler	3	hourdir	32
grouper	3	harper	3	houspiller	3
gruauter	3	harponner	3	housser	3
gruer	3			houssiner	3

instruire	98	inverser	3	jongler	3
instrumenter	3	investir	32	jordonner	3
insuffler	3	invétérer (s')	18	jouailler	3
insulter	3	inviter	3	jouer	6
insupporter	3	invoquer	3	jouir	32
insurger (s')	17	ioder	3	journaliser	3
intailler	3	iodler	3	jouter	3
intégrer	18	ioniser	3	jouxter	3
intellectualiser	3	iouler	3	jubiler	3
intensifier	9	iriser	3	jucher	3
intenter	3	ironiser	3	judaïser	3
intentionner	3	irradier	9	juger	17
interagir	32	irriguer, gu partout	3	juguler	3
intercaler	3	irriter	3	jumeler	24
intercéder	18	irruer	7	jumper	3
intercepter	4	ischémier	9	jurer	3
interchanger	17	islamiser	3	justicier	9
interclasser	3	isoler	3	justifier	9
interconnecter	4	isomériser	3	juter	3
interdire	103	issir [Vx, seulement part.		juxtaposer	3
intéresser	4	passé, issu, issue]		kaoliniser	3
interférer	18	italianiser	3	kératiniser	3
interfolier	9	itérer	18	kidnapper	3
intérioriser	3	ivrogner (s')	3	kilométrer	18
interjeter	27	ixer	3	klauber	3
interligner	3	jabler	3	klaxonner	3
interloquer	3	jaboter	3		
internationaliser	3	jacasser	3		
interner	3	jachérer	18	**l m n**	
interpeller	26	jacter	3	labialiser	3
interpénétrer (s')	18	jaillir	32	labourer	3
interpeler	3	jalonner	3	lacer	16
interpolliniser	3	jalouser	3	lacérer	18
interposer	3	japonner	3	lâcher	3
interpréter	18	japper	3	laïciser	3
interroger	17	jardiner	3	lainer	4
interrompre	78	jargauder	3	laisser	4
intersecter	4	jargonner	3	laitonner	3
intervenir [aux. être]	40	jarreter	27	laïusser	3
intervertir	32	jaser	3	lambiner	3
interviewer	3	jasper	3	lambrisser	3
intimer	3	jaspiner	3	lamenter (se)	3
intimider	3	jauger	17	lamer	3
intituler	3	jaunir	32	laminer	3
intoxiquer	3	javeler	24	lamper	3
intriguer, gu partout	3	javelliser	3	lancer	16
intriquer	3	jazzifier	9	lanciner	3
introduire	98	jérémiader	3	langer	17
introjecter	4	jerker	3	langueter	27
introjeter	27	jésuitiser	3	langueyer	12
introniser	3	jeter	27	languir	32
introspecter	4	jeûner	3	lanter	3
intuber	3	jobarder	3	lanterner	3
inutiliser	3	jodler	3	lantiponner	3
invaginer	3	joggliner	3	laper	3
invalider	3	joindre	82	lapider	3
invectiver	3	jointer	3	lapidifier	9
inventer	3	jointoyer	13	lapiner	3
inventorier	9	joncher	3	laquer	3

larder	3	liquater	3	mâchurer	3
lardonner	3	liquéfier	9	macler	3
larguer, *gu* partout	3	liquider	3	maçonner	3
larmer	3	lire	106	macquer	3
larmoyer	13	liser	3	maculer	3
lasser	3	liserer	19	madéfier	9
latéraliser	3	lisérer	18	madériser	3
latiniser	3	lisser	3	madrigaliser	3
latter	3	lister	3	magasiner	3
laurer	3	liter	3	magner (se)	3
laver	3	lithographier	9	magnétiser	3
layer	11	livrer	3	magnétoscoper	3
lécher	18	lixivier	9	magnifier	9
léchouiller	3	lober	3	magouiller	3
légaliser	3	lobotomiser	3	magyariser	3
légender	3	localiser	3	maigrir	32
légiférer	18	locher	3	mailler	3
légitimer	3	lockouter	3	mailleter	27
léguer	18	lof(f)er	3	maillocher	3
lénifier	9	loger	17	maillonner	3
lenter	3	longer	17	mainmettre	84
léser	18	loqueter	27	maintenir [aux. *avoir*]	40
lésiner	3	lorgner	3	maîtriser	3
lessiver	3	losanger	17	majorer	3
lester	3	lotionner	3	malaxer	3
lettrer	4	lotir	32	maléficier	9
leurrer	5	louanger	17	malléabiliser	3
lever	19	loucher	3	malléiner	3
léviger	17	louchir	32	malmener	19
léviter	3	louer	6	malter	3
levretter	26	louper	3	maltraiter	4
levurer	3	lourder	3	malverser	3
lexicaliser	3	lourer	3	mamelonner	3
lézarder	3	louver	3	manager	17
liaisonner	3	louveter	27	manchonner	3
liarder	3	louvoyer	13	mandater	3
libeller	4	lover	3	mander	3
libéraliser	3	lubrifier	9	mandriner	3
libérer	18	lucher	3	manéger	22
libertiner	3	luger	17	mangeotter	3
licencier	9	luire	97	manger	17
licher	3	luncher	3	manier	9
liciter	3	lustrer	3	maniérer	18
liéger	22	luter	3	manifester	3
lier	9	lutiner	3	manigancer	16
lifter	3	lutter	3	maniller	3
ligaturer	3	luxer	3	manipuler	3
ligner	3	lyncher	3	mannequiner	3
lignifier	9	lyophiliser	3	manœuvrer	5
ligoter	3	lyriser	3	manoquer	3
liguer	3	lyser	3	manquer	3
limander	3	macadamiser	3	mansarder	3
limer	3	macérer	18	manucurer	3
limiter	3	mâcher	3	manufacturer	3
limoger	17	machicoter	3	manutentionner	3
limoner	3	machiner	3	maquer	3
limousiner	3	mâchonner	3	maquerauter	3
linéamenter	3	mâchoter	3	maquignonner	3
lingoter	3	mâchouiller	3	maquiller	3

mixter	3	moucharder	3	nasaliser	3
mixtionner	3	moucher	3	nasarder	3
mobiliser	3	moucheronner	3	nasiller	3
modaliser	3	moucheter	27	nasillonner	3
modeler	25	moudre	85	nasonner	3
modéliser	3	moufler	3	nationaliser	3
modérer	18	mouiller	3	natter	3
moderniser	3	mouler	3	naturaliser	3
modifier	9	mouliner	3	naufrager	17
moduler	3	moulurer	3	naviguer, *gu* partout	3
moinifier	9	mourir [aux. *être*]	42	navrer	3
moirer	3	mousseliner	3	nazifier	9
moiser	3	mousser	3	néantiser	3
moisir	32	moutarder	3	nébuliser	3
moissonner	3	moutonner	3	nécessiter	3
moitir	32	mouvementer	3	nécroser	3
molarder	3	mouvoir	54	négliger	17
molester	3	moyenner	4	négocier	9
moleter	27	moyer	13	neigeoter [unipersonnel]	3
mollarder	3	moyetter	4	neiger [unipersonnel]	23
molletonner	3	mucher	3	néologiser	3
molletter	4	muder	3	néphrectomiser	3
mollifier	9	muer	7	néphrostomiser	3
mollir	32	mugir	32	nerver	3
momasser	3	mugueter	27	nervurer	3
momifier	9	muloter	3	nettoyer	13
monder	3	multiplier	10	neutraliser	3
mondialiser	3	multiplexer	4	neutrodyner	3
monétiser	3	municipaliser	3	neutrographier	9
monnayer	11	munir	32	niaiser	4
monologuer, *gu* partout	3	munitionner	3	nicher	3
monopoliser	3	murailler	3	nickeler [Littré : **25**]	24
monseigneuriser	3	murer	3	nicotiniser	3
monter [aux. *être* (vi)]	3	mûrir	32	nidifier	9
montrer	3	murmurer	3	nieller	4
moquer	3	musarder	3	nier	9
moquetter	4	muscler	3	nigauder	3
morailler	3	museler	24	nimber	3
moraliser	3	museleter	27	nipper	3
morceler	24	muser	3	niquer	3
mordailler	3	musiquer	3	niqueter	27
mordancer	16	musquer	3	nitrater	3
mordiller	3	musser	3	nitrer	3
mordillonner	3	muter	3	nitrifier	9
mordorer	3	mutiler	3	nitrurer	3
mordre	76	mutiner	3	niveler	24
morfiler	3	mystifier	9	nocer	16
morfondre (se)	75	mythifier	9	noircir	32
morguer, *gu* partout	3	nacrer	3	noliser	3
morigéner	18	nageoter	3	nomadiser	3
morner	3	nager	17	nombrer	3
morphologiser	3	naître [aux. *être*]	92	nominaliser	3
morplaner	3	naniser	3	nommer	3
mortaiser	4	nantir	32	nonupler	3
mortifier	9	naphtaliner	3	noper	3
motionner	3	napper	3	noqueter	27
motiver	3	napperonner	3	nordester [3e pers. seulement]	3
motoriser	3	narguer, *gu* partout	3		
motter	3	narrer	3	nordir [3e pers. seulement]	32

334

persiller	3	pinailler	3	pleuvoir	68
persister	3	pinceauter	3	pleuvoter [unipersonnel]....	3
personnaliser	3	pincer	16	plier	10
personnifier	9	pinceter	27	plisser	3
persuader	3	pinçoter	3	plomber	3
perturber	3	pindariser	3	plonger	17
pervertir	32	pinter	3	ploquer	3
pervibrer	3	piocher	3	ployer	13
peser	19	pioncer	16	plucher	3
pesseler	24	pionner	3	plumer	3
pester	3	piper	3	pluraliser	3
pestiférer	18	pipetter	4	pluviner [unipersonnel]	3
pétarader	3	pique-niquer	3	pocharder	3
pétarder	3	piquer	3	pocher	3
péter	18	piqueter	27	pocheter	27
pétiller	3	piquetonner	3	podzoliser	3
pétitionner	3	pirater	3	poêler	3
pétouiller	3	pirouetter	4	poétiser	3
pétrarquiser	3	piser	3	poignarder	3
pétrifier	9	pisser	3	poigner	3
pétrir	32	pissoter	3	poiler	3
pétuner	3	pister	3	poinçonner	3
peupler	5	pistonner	3	poindre [seulement inf. et	
phagocyter	3	piter	3	3e pers. sing. de l'ind.	
philosophailler	3	pitonner	3	prés. et fut.]	82
philosopher	3	pituiter	3	pointer	3
phlogistiquer	3	pivoter	3	pointiller	3
phosphater	3	placarder	3	poireauter	3
phosphorer	3	placer	16	poiroter	3
phosphoryler	3	plafonner	3	poisser	3
photocopier	9	plagier	9	poivrer	3
photographier	9	plaider	4	polariser	3
photométrer	18	plaindre	80	polémiquer	3
phraser	3	plainer	4	policer	16
piaffer	3	plaire	110	polir	32
piailler	3	plaisanter	3	polissonner	3
pianoter	3	planchéier [garde toujours		politiquer	3
piauler	3	le é]	4	politiser	3
pickler	3	plancher	3	polliniser	3
picoler	3	planer	3	polluer	7
picorer	3	planeter	27	polycopier	9
picoter	3	planifier	9	polygoniser	3
picrater	3	planquer	3	polymériser	3
piéger	22	planter	3	polyploïdiser	3
pierrer	4	plaquer	3	polyviser	3
piéter	18	plasmifier	9	pommader	3
piétiner	3	plastifier	9	pommeler (se)	24
pieuter	3	plastiquer	3	pommer	3
pif(f)er	3	plastronner	3	pomper	3
piffrer	3	platiner	3	pomponner	3
pigeonner	3	platiniser	3	poncer	16
piger	17	platoniser	27	ponctionner	3
pigmenter	3	plâtrer	3	ponctuer	7
pignocher	3	plébisciter	3	pondérer	18
piler	3	pleurer	5	pondre	75
piller	3	pleurnicher	3	ponseler	24
pilonner	3	pleuvasser [unipersonnel] .	3	ponter	3
piloter	3	pleuviner [unipersonnel]....	3	pontifier	9
pimenter	3	pleuvocher [unipersonnel].	3	pontiller	3

344

ruisseler	24	saucissonner	3	séjourner	3
ruminer	3	saumurer	3	sélecter	4
rupiner	3	sauner	3	sélectionner	3
ruser	3	saupoudrer	3	seller	4
russifier	9	saurer	3	sembler	3
rustiquer	3	saurir	32	semer	19
rutiler	3	sauteler	24	semoncer	16
rythmer	3	sauter	3	senner	4
sabler	3	sautiller	3	sensibiliser	3
sablonner	3	sauvegarder	3	sentir	37
saborder	3	sauver	3	seoir	67
saboter	3	sauveter	27	séparer	3
sabouler	3	saveter	27	septupler	3
sabrer	3	savoir	59	séquestrer	3
saccader	3	savonner	3	sérancer	16
saccager	17	savourer	3	serfouir	32
saccharifier	9	scalper	3	sérialiser	3
sacquer	3	scandaliser	3	sérier	9
sacraliser	3	scander	3	seriner	3
sacrer	3	scarifier	9	seringuer	3
sacrifier	9	sceller	4	sermonner	3
safraner	3	scheider	4	serpenter	3
saietter	4	scheloter	3	serper	3
saigner	4	schématiser	3	serrer	4
saillir (faire saillie)	50	schistifier	9	sertir	32
saillir (s'accoupler)	32	schlinguer, gu partout	3	servir	38
saisir	32	schlitter	3	sévir	32
saisonner	3	schloter	3	sevrer	19
salabrer	3	scier	9	sexer	4
salarier	3	scihder	3	sextupler	3
saler	3	scintiller	3	sexualiser	3
salicyler	3	sciotter	3	shampooiner	3
salifier	9	scléroser	3	shampouiner	3
salir	32	scolariser	3	shérardiser	3
saliver	3	scorifier	9	shooter	3
saloper	3	scotcher	3	shunter	3
salpêtrer	4	scotomiser	3	sidérer	18
saluer	7	scraber	3	siéger	22
sanctifier	9	scratcher	3	siester	4
sanctionner	3	scribler	3	siffler	3
sandwicher	3	scribouiller	3	siffloter	3
sanforiser	3	scruter	3	signaler	3
sangler	3	sculpter	3	signaliser	3
sangloter	3	sécher	18	signer	3
saouler	3	secondariser	3	signifier	9
saper	3	seconder	3	silhouetter	4
saponifier	9	secouer	6	silicater	3
saquer	3	secourir	45	silicatiser	3
sarcler	3	sécréter	18	siliconer	3
sarmenter	3	sectionner	3	sillonner	3
sarper	3	sectoriser	3	similiser	3
sarter	3	séculariser	3	simpleter	27
sasser	3	sécuriser	3	simplifier	9
satelliser	3	sédentariser	3	simuler	3
satiner	3	sédimenter	3	sinapiser	3
satiriser	3	séduire	98	singer	17
satisfaire	109	segmenter	3	singulariser	3
saturer	3	ségrayer	11	siniser	3
saucer	16	seiner	4	sintériser	3

sinuer	7	souligner	3	squeezer	3
siphonner	3	souloir [seulement inf. et ind. imparf. : *je soulais*]		stabiliser	3
siroper	3			staffer	3
siroter	3	soumettre	84	stagner	3
situer	7	soumissionner	3	standardiser	3
skier	10	soupçonner	3	starifier	9
slalomer	3	souper	3	stariser	3
slaviser	3	soupeser	19	stationner	3
slicer	16	soupirer	3	statuer	7
smasher	3	souquer	3	statufier	9
smiller	3	sourciller	3	stelliser	3
snober	3	sourdiner	3	stelliter	3
socialiser	3	sourdre [seulement inf. et 3e pers. indic. prés. et imparf.]	73	sténographier	9
socratiser	3			sténotyper	3
sodomiser	3			stepper	4
soigner	3	sourire	95	stéréotyper	3
solariser	3	sous-affirmer	3	stérer	18
solder	3	sous-affréter	18	stériliser	3
soléciser	3	sous-alimenter	3	stigmatiser	3
solenniser	3	sous-caver	3	stimuler	3
solfier	9	sous-chauffer	3	stipendier	9
solidariser	3	souscrire	99	stipuler	3
solidifier	9	sous-diviser	3	stocker	3
solifluer	3	sous-employer	13	stopper	3
soliloquer	3	sous-entendre	73	stranguler	3
solliciter	3	sous-estimer	3	strapasser	3
solmiser	3	sous-évaluer	7	stratifier	9
solubiliser	3	sous-exploiter	3	stresser	4
solutionner	3	sous-exposer	3	striduler	3
somatiser	3	sous-louer	6	strier	10
sombrer	3	sous-payer	11	stripper	3
sommeiller	4	soussigner	3	striquer	3
sommer	3	sous-soler	3	stronker	3
somnoler	3	sous-tendre	73	strouiller	3
sonder	3	sous-titrer	3	structurer	3
songer	17	soustraire	112	stupéfaire [seulement temps comp. et 3e pers. sing. de l'ind. prés.]	109
sonnailler	3	sous-traiter	4		
sonner	3	sous-virer	3		
sonoriser	3	soutacher	3	stupéfier	9
sophistiquer	3	soutenir [aux. *avoir*]	40	stuquer	3
sorguer	3	souter	3	styler	3
sortir 1 [= *obtenir*]	32	soutirer	3	styliser	3
sortir 2 [aux. *être* pour vi]	43	souvenir (se)	40	subdéléguer	18
soubattre	83	soviétiser	3	subdiviser	3
soubresauter	3	spathifier	9	subériser	3
soucheter	27	spatialiser	3	subir	32
souchever	19	spatuler	3	subjuguer, *gu* partout	3
soucier	9	spécialiser	3	sublimer	3
souder	3	spécifier	9	subluxer	3
soudoyer	13	spéculer	3	submerger	17
souffler	3	sphacéler	18	subodorer	3
souffleter	27	spiritualiser	3	subordonner	3
souffrir	34	splitter	3	suborner	3
soufrer	3	spolier	9	subroger	17
souhaiter	4	sponsoriser	3	subsister	3
souiller	3	sporuler	3	substantifier	9
soulager	17	sprinter	3	substantiver	3
soûler	3	squatter	3	substituer	7
soulever	19	squatteriser	3	subsumer	3

subtiliser	3	surélever	19	survivre	90
subvenir [aux. *avoir*]	40	surenchérir	32	survoler	3
subventionner	3	surentraîner	4	survolter	3
subvertir	32	suréquiper	3	susciter	3
succéder	18	surestimer	3	suscrire	99
succomber	3	surévaluer	7	suspecter	4
sucer	16	surexciter	3	suspendre	73
suçoter	3	surexploiter	3	sustenter	3
sucrer	3	surexposer	3	susurrer	3
suer	7	surfacer	16	suturer	3
suffire	100	surfaire [rare, sauf inf.,		swinguer, *gu* partout	3
suffixer	3	ind. prés. et part. passé]	109	syllaber	3
suffoquer	3	surfer	3	syllabiser	3
suggérer	18	surfiler	3	syllogiser	3
suggestionner	3	surgeler	25	symboliser	3
suicider	3	surgeonner	3	symétriser	3
suiffer	3	surgir	32	sympathiser	3
suinter	3	surglacer	16	synchroniser	3
suivre	89	surgreffer	4	syncoper	3
sulfater	3	surhausser	3	syncristalliser	3
sulfiter	3	surimposer	3	syndicaliser	3
sulfoner	3	surimprimer	3	syndiquer	3
sulfurer	3	suriner	3	synthétiser	3
sulfuriser	3	surir	32	syntoniser	3
super	3	surjeter	27	systématiser	3
superfinir	32	surlier	9	tabasser	3
supérioriser	3	surlouer	6	tabler	3
superposer	3	surmédicaliser	3	tabouer	6
superviser	3	surmener	19	tabouiser	3
supplanter	3	surmoduler	3	tabuler	3
suppléer	15	surmonter	3	tacher	3
supplémenter	3	surmouler	3	tâcher	3
supplicier	9	surnager	17	tacheter	27
supplier	10	surnaturaliser	3	tacler	3
supporter	3	surnommer	3	taconner	3
supposer	3	suroffrir	34	taillader	3
supprimer	3	suroxyder	3	tailler	3
suppurer	3	suroxygéner	18	taire	111
supputer	3	surpasser	3	taler	3
surabonder	3	surpayer	11	taller	3
suractiver	3	surpeupler	5	talocher	3
surajouter	3	surpiquer	3	talonner	3
suralimenter	3	surplomber	3	talquer	3
suraller [aux. *être*]	31	surprendre	79	taluter	3
surbaisser	4	surproduire	98	tambouriner	3
surcharger	17	surprotéger	22	tamiser	3
surchauffer	3	sursaturer	3	tamponner	3
surclasser	3	sursauter	3	tancer	16
surcoller	3	sursemer	19	tangoter	3
surcomprimer	3	surseoir	66	tanguer	3
surconsommer	3	surtailler	3	taniser	3
surcontrer	3	surtaxer	3	tanner	3
surcoter	3	surtondre	75	tanniser	3
surcouper	3	surveiller	4	tapager	17
surcuire	98	survendre	73	taper	3
surdéterminer	3	survenir [aux. *être*]	40	tapiner	3
surdévelopper	3	surventer	3	tapir	32
surdorer	3	survider	3	tapirer	3
surédifier	9	survirer	3	tapiriser	3

tapisser	3	tensionner	3	tomber [aux. *être* pour vi]	3
taponner	3	tenter	3	tomer	3
tapoter	3	tercer	16	tondre	75
taquer	3	térébrer	18	tonifier	9
taquiner	3	tergiverser	3	tonitruer	3
taquonner	3	terminer	3	tonneler	24
tarabiscoter	3	ternir	32	tonner	3
tarabuster	3	terrailler	3	tonsurer	3
tararer	3	terrasser	3	tontiner	3
tarauder	3	terreauter	3	toper	3
tarder	3	terrer	4	topicaliser	3
tarer	3	terrifier	9	toquer	3
targetter	4	terrir	32	torcher	3
targuer (se), *gu* partout	3	terroriser	3	torchonner	3
tarifer	3	terser	3	torciner	3
tarifier	9	tester	3	tordre	76
tarir	32	testonner	3	toréer	15
tarmacadamiser	3	tétaniser	3	torgnoler	3
tartiner	3	téter	18	tornasser	3
tartir	32	tétonner	3	toronner	3
tartouiller	3	tétuer	7	torpiller	3
tartufier	9	texturer	3	torréfier	9
tasser	3	texturiser	3	torsader	3
tâter	3	théâtraliser	3	torsiner	3
tatillonner	3	théologiser	3	tortiller	3
tâtonner	3	théoriser	3	tortorer	3
tatouer	6	thermaliser	3	torturer	3
tatouiller	3	thésauriser	3	tosser	3
tauder	3	tictaquer	3	toster	3
taveler	24	tiédir	32	totaliser	3
taveller	4	tiercer	16	toucher	3
taxer	3	tigrer	3	touer	6
tayloriser	3	tiller	3	touffer	3
techniciser	3	tilloter	3	touiller	3
technocratiser	3	timbrer	3	toupiller	3
teiller	4	tintinnabuler	3	toupiner	3
teindre	81	tiquer	3	tourber	3
teinter	3	tirailler	3	tourbillonner	3
télécommander	3	tire(-)bouchonner	3	tourer	3
télécopier	9	tirefonner	3	tourillonner	3
télédiffuser	3	tirer	3	tourmenter	3
téléférer	18	tiser	3	tournailler	3
télégraphier	9	tisonner	3	tournasser	3
téléguider	3	tisser	3	tournebouler	3
télémétrer	18	tistre [seulement au part. passé *tissu*]		tourner	3
téléphérer	18			tournicoter	3
téléphoner	3		3	tourniller	3
télescoper	3	titiller	3	tournioler	3
téléviser	3	tître [seulement au part. passé *tissu*]		tourniquer	3
télexer	4			tournoyer	13
témoigner	3	titrer	3	tourteler	24
tempérer	18	tituber	3	toussailler	3
tempêter	4	titulariser	3	tousser	3
temporiser	3	toaster	3	toussoter	3
tenailler	3	toiler	3	trabouler	3
tendre	73	toiletter	4	tracaner	3
tenir [aux. *avoir*]	40	toiser	3	tracasser	3
tenonner	3	tolérer	18	tracer	16
ténoriser	3	tolstoïser	3	trachéotomiser	3

L'accord du participe passé

1. Conjugué avec *être*

A. Le participe passé s'accorde en genre et en nombre avec le sujet.

La villa a été LOUÉE *pour les vacances. Les feuilles sont* TOM- BÉES. *Nos amis sont* VENUS *hier. Les rues sont bien* ÉCLAIRÉES.

B. Avec les verbes à la forme pronominale :

1. Le participe passé des verbes réfléchis ou réciproques s'accorde avec le sujet quand le pronom réfléchi est objet direct.

Elles se sont BAIGNÉES. *Pierre et Paul se sont* BATTUS. *Ils se sont* ENTRAIDÉS.

2. Le participe passé des verbes essentiellement pronominaux s'accorde toujours avec le sujet,

Ils se sont APERÇUS *de leur erreur. Elles se sont* TUES. *Elles se sont* REPENTIES *de leurs fautes. Comment s'y est-elle* PRISE ?

sauf avec les verbes : *s'arroger, se rire, se plaire, se déplaire, se complaire* (dans une situation) [pour ces trois derniers verbes l'usage varie].

mais : *Elle s'est* RI *de nous. Ils se sont* COMPLU (ou COMPLUS) *dans cette situation.*

3. Le participe passé des verbes pronominaux dont le pronom réfléchi ou réciproque est complément d'objet indirect reste invariable,

Ils se sont NUI. *Ils se sont* PARLÉ. *Ils se sont* SOURI. *Elle s'est* IMPOSÉ *des pénitences ;*

sauf si un autre pronom objet direct précède le verbe et commande alors l'accord.

mais : *Les pénitences qu'elle s'est* IMPOSÉES. *Les choses qu'ils se sont* IMAGINÉES. *Cette permission, il se l'est* ACCORDÉE.

4. Le participe passé d'un verbe pronominal suivi d'un infinitif

— s'accorde si le pronom réfléchi est objet direct du participe ;

Elle s'est SENTIE *mourir ;*

— reste invariable si le pronom réfléchi est objet direct de l'infinitif.

mais : *Elle s'est* LAISSÉ *enfermer. La robe qu'elle s'est* FAIT *faire. Elle s'est* SENTI *piquer par un moustique.*

2. Conjugué avec *avoir*

1. Le participe passé s'accorde en genre et en nombre avec le complément d'objet direct lorsque celui-ci le précède :

Vous avez pris la bonne route ; mais : *La bonne route* QUE *vous avez* PRISE. *Vous avez envoyé une lettre, je* L'*ai bien* REÇUE.

2. Le participe passé de certains verbes comme *coûter, valoir, peser, mesurer, courir, vivre, régner,* etc., s'accorde avec le complément d'objet direct des emplois transitifs (généralement figurés) de ces verbes.

(Ne pas confondre avec les compléments de prix, de poids, de mesure, etc., des emplois intransitifs.)

Les dangers QUE *j'ai* COURUS. *Les efforts* QUE *ce travail m'a* COÛTÉS; mais : *Les cent francs que ce livre m'a* COÛTÉ [complément de prix]. *La vie* QU'*elle a* VÉCUE *ici*; mais : *Pendant les mois qu'il a* VÉCU *ici* [complément de temps].

3. Le participe passé des verbes impersonnels reste invariable.

Les deux jours qu'il a NEIGÉ. *La chaleur qu'il a* FAIT. *Les accidents nombreux qu'il y a* EU *cet été.*

4. Le participe passé précédé de « l' » représentant une proposition ou un pronom neutre reste invariable.

La journée fut plus belle qu'on ne L'*avait* PRÉVU. *Je* L'*avais bien* DIT.

5. Avec une expression collective comme complément d'objet direct placé avant, le participe passé s'accorde soit avec le mot collectif, soit avec le mot complément du collectif;

mais avec un adverbe de quantité modifiant ce complément, c'est le complément qui commande l'accord.

Le grand nombre de succès QUE *vous avez* REMPORTÉ (ou REMPORTÉS). *Le peu d'attention* QUE *vous avez* APPORTÉ (ou APPORTÉE).

Que de craintes nous avons EUES ! *Combien de fautes avez-vous* FAITES ?

6. Suivi d'un infinitif, le participe passé s'accorde avec le pronom qui précède si celui-ci est objet direct du participe;

mais il reste invariable lorsque le pronom est objet direct de l'infinitif.

La cantatrice QUE *j'ai* ENTENDUE *chanter.*

Les airs que j'ai ENTENDU *jouer. La ville qu'on m'a* DONNÉ *à décrire. Les conseils que vous auriez* DÛ *écouter.*

7. Les participes *dit, dû, cru, su, pu, voulu, pensé, permis, prévu,* etc. :

a) sont invariables lorsque l'objet direct est un infinitif ou une proposition à sous-entendre;

J'ai fait tous les efforts que j'ai PU (sous-entendu : *faire*). *Elle m'a donné tous les renseignements que j'ai* VOULU (sous-entendu : *qu'elle me donnât*).

b) à l'exception de *pouvoir,* ces verbes peuvent aussi avoir un objet direct les précédant : il y a alors accord;

J'ai obtenu la réparation QUE *j'ai* VOULUE. *Il a cité les paroles* QUE *je lui avais* DITES.

c) précédés du pronom relatif *que,* objet direct d'un verbe placé après le participe, il n'y a pas d'accord.

La faveur qu'il a ESPÉRÉ *qu'on lui accorderait* (= il a espéré qu'on lui accorderait cette faveur).

8. Précédé de *en*, le participe passé reste invariable, *en* étant considéré comme un neutre partitif complément déterminatif du nom *partie* (ou *quantité*) sous-entendu ; certains grammairiens font cependant l'accord, considérant *en* comme complément d'objet partitif dont le genre et le nombre sont ceux du nom représenté.

J'ai cueilli des fraises dans le jardin et j'en ai MANGÉ (= j'ai mangé une partie des fraises). *Il a des yeux comme on n'en a jamais* vus.

Lorsque *en* est précédé d'un adverbe de quantité, on fera de préférence l'accord, mais là aussi l'usage est indécis.

Autant d'ennemis il a attaqués, autant il en a VAINCUS.

Participes passés toujours invariables

Un certain nombre de verbes conjugués avec *avoir* ont un participe passé toujours invariable ; en voici une liste :

abondé	conversé	folâtré	miaulé	profité	soupé
accédé	convolé	folichonné	mugi	progressé	sourcillé
afflué	coopéré	fourmillé	musé	prospéré	souri
agi	correspondu	fraternisé	nasillé	pu	subsisté
agioté	croassé	frémi	navigué	pué	subvenu
agonisé	culminé	frétillé	neigé	pullulé	succédé
appartenu	daigné	frissonné	niaisé	radoté	succombé
babillé	découché	fructifié	nui	raffolé	sué
badaudé	dégoutté	geint	obtempéré	râlé	suffi
badiné	déjeuné	gémi	obvié	rampé	surnagé
baguenaudé	démérité	giboyé	officié	réagi	survécu
banqueté	démordu	godaillé	opiné	récriminé	sympathisé
batifolé	déplu	godillé	opté	regimbé	tablé
bavardé	dérogé	gravité	oscillé	regorgé	tâché
boité	détoné	grelotté	pactisé	relui	tardé
bondi	détonné	grisonné	parlementé	remédié	tatillonné
boursicoté	devisé	guerroyé	participé	renâclé	tâtonné
bramé	dîné	henni	pataugé	résidé	tempêté
brigandé	discordé	herborisé	pâti	résisté	temporisé
brillé	discouru	hésité	patienté	résonné	tergiversé
bronché	divagué	influé	péché	resplendi	tonné
cabriolé	dormi	insisté	périclité	ressemblé	topé
caracolé	douté	intercédé	péroré	retenti	tournoyé
chancelé	duré	jaboté	persévéré	ri	toussé
cheminé	erré	jasé	persisté	ricané	transigé
circulé	éternué	jeûné	pesté	rivalisé	trébuché
clabaudé	étincelé	joui	pétillé	rôdé	trépigné
clignoté	excellé	jouté	philosophé	ronflé	trimé
coassé	excipé	lambiné	piaulé	roupillé	trinqué
coexisté	faibli	larmoyé	pirouetté	ruisselé	triomphé
coïncidé	failli	lésiné	pivoté	rusé	trôné
commercé	fainéanté	louvoyé	pleurniché	sautillé	trottiné
comparu	fallu	lui	plu (plaire)	scintillé	vaqué
compati	ferraillé	lutté	plu (pleuvoir)	séjourné	végété
complu	finassé	maraudé	pouffé	semblé	verdoyé
concouru	flamboyé	marché	pouliné	sévi	vétillé
condescendu	flâné	médit	préexisté	siégé	vivoté
contrevenu	flotté	menti	prélude	sombré	vogué
contribué	foisonné	mésusé	procédé	sommeillé	voyagé

353

SYSTÈME PHONÉTIQUE

	SONS DU LANGAGE	NOTATION PHONÉTIQUE	EXEMPLES
voyelles orales	a antérieur	[a]	lac, cave, agate, il plongea
	a postérieur	[ɑ]	tas, vase, bâton, âme
	e fermé	[e]	année, pays, désobéir
	e ouvert	[ɛ]	bec, poête, blême, Noël, il peigne, il aime
	i bref ou long	[i]	île, ville, épître
	o ouvert long ou bref	[ɔ]	note, robe, Paul
	o fermé bref ou long	[o]	drôle, aube, agneau, sot, pôle
	ou	[u]	outil, mou, pour, goût, août
	u	[y]	usage, luth, mur, il eut
	eu ouvert bref ou long	[œ]	peuple, bouvreuil, bœuf
	eu fermé bref ou long	[ø]	émeute, jeûne, aveu, nœud
	e	[ə]	me, grelotter, je serai
nasales / semi-voyelles ou semi-consonnes	e nasalisé ouvert	[ɛ̃]	limbe, instinct, main, saint, dessein, lymphe, syncope
	a nasalisé ouvert	[ɑ̃]	champ, ange, emballer, ennui, vengeance
	o nasalisé	[ɔ̃]	plomb, ongle, mon
	œ nasalisé	[œ̃]	parfum, aucun, brun, à jeun
	y	[j]	yeux, lieu, fermier, liane, piller
	u	[ɥ]	lui, nuit, suivre, buée, sua
	ou	[w]	oui, ouest, moi, squale
consonnes	occlusive labiale sourde	[p]	prendre, apporter, stop
	occlusive bilabiale sonore	[b]	bateau, combler, aborder, abbé, snob
	occlusive dentale sonore	[d]	dalle, addition, cadenas
	occlusive dentale sourde	[t]	train, théâtre, vendetta
	occlusive palatale sourde	[k]	coq, quatre, carte, kilo, squelette, accabler, bacchante, chrome, chlore
	occlusive palatale sonore	[g]	guêpe, diagnostic, garder, gondole
	fricative labio-dentale sourde	[f]	fable, physique, fez, chef
	fricative labio-dentale sonore	[v]	voir, wagon, aviver, révolte
	fricative sifflante sourde	[s]	savant, science, cela, façon, patience
	fricative sifflante sonore	[z]	zèle, azur, réseau, rasade
	fricative chuintante sonore	[ʒ]	jabot, déjouer, jongleur, âgé, gigot
	fricative chuintante sourde	[ʃ]	charrue, échec, schéma, shah
	liquide latérale	[l]	lier, pal, intelligence, illettré, calcul
	liquide (vibrante)	[r]	rare, arracher, âpre, sabre
	nasale labiale	[m]	amas, mât, drame, grammaire
	nasale dentale	[n]	nager, naine, neuf, dictionnaire
	nasale dentale mouillée	[ɲ]	agneau, peigner, baigner, besogne

Les sons indiqués entre parenthèses dans les tableaux de conjugaisons peuvent être supprimés dans la prononciation courante.

Difficultés
et usages

4 000 exemples
de difficultés
résolues

Avant-propos

Que penser de tournures ou de phrases telles que *Si nous aurions préféré... Il s'est produit un incident dont la cause en est inconnue. C'est un exercice soi-disant facile. Cette décision ne laissa pas que de surprendre?* Est-ce qu'il vaut mieux terminer une lettre par *En attendant une confirmation, veuillez agréer...* ou par *En attendant une confirmation, je vous prie d'agréer...?* Comment interpréter les locutions *rien moins que, rien de moins que?*

La plupart des questions de ce genre, qui portent principalement sur la syntaxe, reçoivent ici des réponses simples qui constatent des faits de langue et les situent dans la diversité des usages. Le bon usage, dans cette perspective, c'est celui qui est approprié à la circonstance où l'on s'exprime, et suffisamment maîtrisé pour ne pas être mêlé, sauf intention particulière, de traits appartenant à d'autres usages.

Ainsi, quand une même idée peut être exprimée sous plusieurs formes grammaticales, ces formes sont signalées et caractérisées par référence à une situation : usage *courant,* ou *familier,* ou *soutenu,* ou *littéraire.* L'usage *surveillé* se définit par opposition à un usage *relâché* qui, comme l'usage ordinairement appelé *populaire,* ou même l'usage familier, serait jugé défavorablement dans un texte écrit de caractère public ou officiel. Les écarts les plus nets par rapport aux façons de s'exprimer généralement reconnues comme normales sont marqués d'un astérisque, ex. **Je ne veux pas voir personne.*

Quelques articles ou paragraphes rappellent des notions de base et présentent un vocabulaire grammatical indispensable.

La recherche est facilitée par la disposition alphabétique, par des renvois d'un article à un autre, et par un index (p. 518) qui signale les articles dans lesquels le mot indiqué est concerné.

Pour certains renseignements détaillés concernant plus spécialement l'orthographe ou la conjugaison. on consultera avec profit la section « Orthographe » ou la section « Conjugaison ».

René LAGANE

ABRÉVIATIONS

adj.	adjectif	n.	nom
adv.	adverbe	nég.	négation ou négatif
compl.	complément	n. f.	nom féminin
condit.	conditionnel	n. m.	nom masculin
conj.	conjonction	part.	participe
fam.	usage familier	pop.	usage populaire
indic.	indicatif	prép.	préposition
infin.	infinitif	qqn	quelqu'un
interr.	interrogation	qqch	quelque chose
	ou interrogatif	subj.	subjonctif
littér.	usage littéraire	v.	voir

I. Dictionnaire des difficultés

a

à

1. Les emplois de la préposition *à* sont extrêmement divers. On trouvera des remarques la concernant dans de nombreux articles, notamment à

AFFAIRE, 1 *(avoir affaire à)*; AGENT *(faire, laisser + infin. à)*; AIDER, 1; AIMER, 1 et 2; ALLER, 3 *(aller au dentiste)*; ATTEINDRE; ATTENTION, 4; AVEC, 1 *(associer, comparer,* etc., *à)*; BÉNÉFICIER; CAUSER; C'EST, 2 *(c'est à lui à qui)*; COMMENCER, 1 et 3; CONSISTER, 1; CONTINUER; CONVENIR, 1; CROIRE, 1; EN *(à Avignon)*; ESSAYER, 1 et 3; ÉVITER, 2; FAUTE *(c'est la faute à)*; FOIS, 1 *(à chaque fois)*; FOURNIR, 1 et 2; GARDE *(prendre garde à)*; GOÛTER; HÉSITER; ICI *(d'ici à)*; JAMAIS, 5; JUSQUE, 2 *(jusqu'à aujourd'hui)*; MANQUER, 3 et 5; MATIN, 1 *(hier au matin, au soir)*; METTRE *(mettre à + infin.)*; NOUVEAU; NUMÉRAUX, 6 et 8 *(cinq à six, être à cinq)*; OBLIGER; OCCUPER, 1; PALLIER; PARAÎTRE, 2 *(à ce qu'il paraît)*; PARTICIPER; PARTIR *(partir à Paris)*; PEINE; PRENDRE, 5 et 7 *(se prendre à + infin., s'en prendre à)*; PRÉTENDRE, 3; RAISON; SAVOIR, 7; SERVIR; TÂCHER; TENIR, 3 *(tenir à honneur)*; TERRE; TOUCHER; TOUR; TRAVERS; UN, 6 *(l'un à l'autre)*.

2. *À* / *de* **(possession, appartenance).** La construction *le fils à la concierge* est de l'usage très familier ou populaire; dans l'usage surveillé, on dit *le fils de la concierge.* Avec un pronom personnel, on dit couramment *C'est un cousin **à moi*** (= c'est un de mes cousins).

Quand on dit *C'est une idée **de lui**,* on souligne le fait que la personne en question est l'auteur de l'idée, alors que *C'est une idée **à lui*** signifie seulement « c'est une de ses idées ».

3. *À* / *en* **(moyen de déplacement).** On dit *aller **à** pied, **à** cheval,* mais *en voiture, en bateau.* L'emploi de *en* tend à se généraliser : on dit généralement *en vélo, à* (ou *en) bicyclette, en* (ou *à) moto, en* (ou *à) skis, en patins à roulettes, en planche à voile.*

4. *C'est à vous à* **(ou *de*) + infin.** Ces deux constructions s'emploient à peu près indifféremment, *de* étant cependant plus usuel :

> *C'est à vous **à** vous **occuper*** (ou ***de** vous **occuper**) de cette affaire. Ce n'est pas **à** moi **de juger**. C'est **à** qui **de jouer ?***

5. *À* **+ infin.** /*à ce que*/*que.* De nombreux verbes peuvent être suivis de *à* et d'un infinitif ayant même sujet que leur sujet ou leur complément d'objet :

> *Je parviens **à comprendre**. Je l'aide **à comprendre**.* (V. INFINITIF, II, 2.)

● Quand il n'y a pas cette identité de sujet (ou entre sujet de l'infinitif et complément d'objet du verbe), ces verbes sont souvent suivis d'une subordonnée au subjonctif introduite par *à ce que* :

> *Il faut parvenir **à ce que** chacun **comprenne**. Ces explications aident **à ce que** tout **soit** clair.*

Cette construction s'applique notamment aux verbes suivants :

aboutir, s'accoutumer, aider, s'appliquer, arriver, s'attacher, chercher, concourir, condescendre, conduire, contribuer, se décider, s'employer, s'exposer, gagner, s'habituer, s'intéresser, mener, s'occuper, parvenir, pourvoir, se refuser, renoncer, se résigner, se résoudre, réussir, revenir, tendre, tenir, travailler, veiller, viser, voir.

● Les verbes ou locutions *aimer. s'attendre, consentir, demander, faire attention, prendre garde* peuvent être suivis soit de *à ce que* + subj., soit simplement de *que*. (V. ces mots à leur ordre.)

accord

A. Accord du verbe.

I. Verbe ayant un sujet unique. En règle générale, le verbe s'accorde avec ce sujet en personne, en nombre et éventuellement en genre (pour le participe).

1. Nom collectif sujet (ex. *une foule de*, etc.), v. COLLECTIF. V. aussi (LA) PLUPART.

2. *Assez de, beaucoup de, trop de,* etc. Quand ces expressions servent de déterminant à un nom pluriel sujet, le verbe s'accorde avec ce nom pluriel :

*Trop de questions **sont restées** sans réponse.* (V. BEAUCOUP, 2.)

3. Sujet *il* (impersonnel), *ce, qui,* v. IMPERSONNEL, 1 ; CE, II, 3 ; ÊTRE, 1 et 4 ; SI, I, 4 ; QUI, 2, 3, 4, 5.

II. Verbe ayant plusieurs sujets.

1. Plusieurs noms désignant un même être ou une même chose. Dans ce cas, le verbe est au singulier :

*L'inventeur et le promoteur de ce procédé **était** un artisan.*

2. Noms quasi-synonymes. Le verbe est souvent au singulier :

*Sa crédulité et sa naïveté **est** incroyable* (ou **sont** *incroyables*).

3. Mots constituant un ensemble. Le verbe est ordinairement au singulier :

*Écouter et se taire **est** parfois difficile. Une critique, une remarque, une simple allusion lui **est** insupportable* (ou lui **sont** *insupportables*).

4. Sujets résumés par un mot. C'est ce mot qui commande l'accord :

*Les cris, les pétards, les flonflons, **tout** ce vacarme **est** assourdissant.*

5. Sujets reliés par *ainsi que, avec, comme, de même que,* etc. L'accord se fait tantôt au singulier, tantôt au pluriel (en général au singulier si les sujets sont séparés par une pause) :

*Son frère, ainsi que sa sœur, **est passionné** de musique, ou son frère ainsi que sa sœur **sont passionnés** de musique.* (V. AVEC, 2.)

6. Sujets reliés par *ou, ni.* L'accord se fait tantôt au singulier, surtout si l'on considère ces sujets comme des termes distincts ou opposés, tantôt au pluriel :

*La réussite ou l'échec **dépend** du choix initial. Une erreur ou un défaut d'attention **peut** (ou **peuvent**) tout compromettre. Ni la douceur, ni la menace ne **peut** (ou ne **peuvent**) le faire changer d'avis.*

7. Pronoms personnels sujets. Si les sujets coordonnés par *et, ou, ni* ne sont pas de la même personne (donc comprennent des pronoms personnels), le verbe est au pluriel ; la 1re personne prévaut sur la 2e et/ou la 3e, et la 2e personne prévaut sur la 3e :

*Pierre, toi et moi **sommes** d'accord sur ce point. Lui ou toi **pouvez** régler l'affaire. Ni lui ni moi n'y **pouvons** rien.*

Le plus souvent, on reprend ces sujets par le pronom personnel de la personne qui prévaut :

*Pierre, toi et moi, **nous sommes** d'accord sur ce point. Lui ou toi, **vous pouvez** régler l'affaire.*

8. Sujet *l'un et l'autre, l'un ou l'autre,* v. UN, 5.

B. Accord de l'adjectif, v. ADJECTIF, 3.

V. *section « Orthographe ».*

accourir

Ce verbe se conjugue soit avec l'auxiliaire *avoir*, soit avec l'auxiliaire *être* :

*Les voisins **ont** accouru* (ou **sont** *accourus*) *pour l'aider.*

accoutumer

1. Ce verbe est moins usuel que *habituer*, dont il est l'équivalent ; son complément (nom ou infinitif) est ordinairement introduit par *à* :

> On ne nous avait pas accoutumés **à** tant de précautions. Je suis accoutumé **à** ses caprices. Il s'est accoutumé **à** vivre en solitaire.

2. La construction *avoir accoutumé de* + infin. est archaïque :

> Il avait accoutumé **de répéter** ce proverbe (usage courant : *Il avait l'habitude* [ou, plus rarement : *Il avait coutume*] *de répéter ce proverbe*).

adjectif

1. Fonctions. L'adjectif peut être

- épithète : *Un conducteur **prudent** ralentit ;*

- attribut : *Le conducteur est* (ou *devient, reste, semble*) ***prudent ;***

- apposé, ou mis en apposition : *Le conducteur, **prudent**, ralentit.*

2. Degrés. On appelle « comparatif » d'un adjectif l'ensemble formé par cet adjectif et les adverbes *plus* (comparatif de supériorité), *moins* (comparatif d'infériorité), *aussi* ou *si* (comparatif d'égalité) :

> Son jardin est **plus long, moins large, aussi ombragé** que le mien.

● On appelle « superlatif » d'un adjectif cet adjectif modifié par *le plus* (superlatif relatif) ou *très, fort, extrêmement*, etc. (superlatif absolu) ;

> Son jardin est **le plus fertile, est très fertile.** (V. MEILLEUR, PIRE, MOINDRE.)

3. Accords. L'adjectif s'accorde en genre et en nombre avec le nom (ou les noms) ou le pronom (ou les pronoms) auxquels il se rapporte :

> Un **grand** fauteuil. Une **grande** table. Ces triangles sont **égaux.**

● Un adjectif se rapportant à plusieurs noms de genre différent se met au masculin pluriel :

> Une table et un fauteuil **neufs.** Une taille ou un poids **excessifs.** Les rues et le boulevard étaient **déserts.** Mais : *Un bœuf et une vache **laitière.** Une revue ou un journal **quotidien*** (l'adjectif ne se rapporte qu'à un seul des noms).

● On évite de préférence de placer un adjectif ainsi employé au masculin pluriel immédiatement auprès d'un nom féminin, du moins quand la prononciation du féminin de l'adjectif est différente de celle du masculin ; on dit plutôt, dans l'usage surveillé, *une **robe** et un **chapeau violets*** que *un **chapeau** et une **robe violets.***

● On met parfois au singulier deux adjectifs coordonnés par *et, ou,* se rapportant à un nom exprimé une seule fois au pluriel ou lieu d'être répété : *les codes **civil** et **pénal*** (= le code civil et le code pénal).

● Pour d'autres accords particuliers de l'adjectif, v. *section « Orthographe ».*

4. Place de l'adjectif épithète.

A. ANTÉPOSITION. — Il existe une liste limitée d'adjectifs qui sont ordinairement placés avant le nom (antéposés) ; ces adjectifs n'ont le plus souvent qu'une ou deux syllabes : *beau, bon, grand, gros, vieux, joli, petit, mauvais,* etc. : *un beau château,* et non **un château beau.*

B. POSTPOSITION. — Certains adjectifs sont toujours placés après le nom (postposés), en particulier :

● ceux qui sont issus de participes passés ou (moins systématiquement) de participes présents : *fatigué, apprivoisé, ravi, connu, clos, ambulant, cassant,* etc. : *un voyageur fatigué,* et non **un fatigué voyageur ; les numéros gagnants* et non **les gagnants numéros.*

● ceux qui classent dans des ensembles en indiquant la nationalité, la religion, la catégorie administrative, technique, géographique, sociale, etc. : *français, catholique, municipal, électrique : le gouvernement français*, et non **le français gouvernement*.

● ceux qui décrivent en indiquant une forme, une couleur : *triangulaire, sphérique, bleu, violet : une robe bleue*, et non **une bleue robe*.

C. ANTÉPOSITION / POSTPOSITION. — Un grand nombre d'adjectifs peuvent être soit antéposés, soit postposés selon des règles ou des tendances relevant de la grammaire proprement dite, du rythme, du sens ou de l'expressivité.

● Tout adjectif, même s'il est ordinairement antéposé, se place après le nom quand il est suivi d'un complément : *un bon repas* (et non **un repas bon*), mais *un repas **bon pour des cochons***. S'il est coordonné à un ou plusieurs adjectifs, il peut être aussi postposé : *un repas **bon et copieux***, mais l'antéposition des deux adjectifs est souvent possible : *un **bon et copieux** repas*.

● On évite de placer un adjectif long devant un nom d'une seule syllabe constituant la fin d'un groupe rythmique. On dit normalement *des cris bouleversants*, et non *de bouleversants cris*, mais *de bouleversants cris de détresse* est une construction usuelle, surtout dans un texte écrit.

● L'antéposition de l'adjectif indique parfois une qualité conçue comme inhérente : l'ensemble adjectif + nom exprime alors une notion globale, alors que la postposition exprime une représentation de la qualité ayant valeur distinctive :

Les courageux soldats ont été félicités (tous les soldats, qui sont auréolés de courage) / *Les soldats courageux ont été félicités* (seulement ceux des soldats qui ont montré du courage).

On peut constater que, dans de tels exemples, la modification de sens correspondant au changement de place de l'adjectif est importante.

● L'adjectif antéposé exprime souvent une vision subjective, une appréciation ; il se charge d'une valeur affective, par opposition à la vision objective, à la valeur descriptive de ce même adjectif postposé : un *pauvre homme* est un homme sur lequel je m'apitoie (même s'il est riche) ; un *homme pauvre* peut être objectivement déclaré tel sur des critères financiers. De même pour *un brave garçon / un garçon brave ; mon cher ami / du tissu cher*. Ce type d'opposition rend compte du sens dit « figuré » pris par certains adjectifs antéposés, par rapport au sens « propre » qu'ils ont en postposition : *une étroite obligation / une rue étroite ; un noir chagrin / du tissu noir ; de vertes remontrances / un ruban vert*. On voit par de tels exemples qu'on peut avoir affaire à deux sens nettement différents de l'adjectif. Souvent, l'antéposition est un trait de l'usage littéraire qui ajoute une simple nuance affective : les *vertes campagnes* sont certes de couleur verte, comme la *campagne verte*, mais en outre, le vert y est évocateur de fraîcheur, de paix.

admettre

1. ***Admettre que*** + indic. ou condit. Le verbe de la subordonnée dépendant de *admettre* est à l'indicatif quand *admettre que* signifie « convenir du fait que, reconnaître que » :

*J'admets qu'on ne **pouvait** pas faire autrement. J'admets que ce **serait** surprenant.*

2. ***Admettre que*** + subj. Le verbe de la subordonnée est au subjonctif quand *admettre que* signifie « prendre comme hypothèse que » ; c'est le cas en particulier aux formes *admettons, admettez que, en admettant que* :

*Admettons qu'il **ait eu** un empêchement, il aurait tout de même pu prévenir. En admettant que nous **acceptions**, qu'est-ce que nous y gagnerons ?*

● Le verbe de la subordonnée est aussi au subjonctif quand *admettre que* signifie « accepter, tolérer que, consentir à ce que » ou « en venir à l'idée que » :

> J'admets qu'on lui **reconnaisse** des circonstances atténuantes.

C'est souvent le cas quand *admettre* est à la forme négative ou interrogative ou dans un contexte restrictif :

> Je n'admets pas qu'on **mette** ma parole en doute. Comment pouvez-vous admettre qu'on **agisse** ainsi à votre égard ? J'ai peine à admettre qu'on **soit** aussi négligent. Il est difficile d'admettre qu'on ne **tienne** pas compte de cet argument.

adverbe

1. Les adverbes sont des mots en principe invariables (voir cependant n° 3 et TOUT, 7 et 13). On peut distinguer des adverbes circonstanciels (manière, lieu, temps, cause, etc.) : *ainsi, facilement, là, toujours, pourquoi,* etc. ; des adverbes de quantité et de négation : *très, beaucoup, ne... pas,* etc. ; des adverbes d'opinion et modalisateurs : *oui, non, peut-être, probablement,* etc. ; des adverbes de liaison : *puis, ensuite,* etc.

● Les adverbes, comme les adjectifs, peuvent avoir des formes de comparatif : **plus** *facilement,* etc., ou de superlatif : **le plus** *facilement ;* **très** *facilement.*

2. Adverbes en -ment. Un grand nombre d'adjectifs ont un correspondant adverbial en *-ment : un travail facile* → *il travaille* **facilement** ; *une légère différence* → *un résultat* **légèrement** *différent,* etc.

● Ces adverbes se forment en principe par addition du suffixe *-ment* au féminin de l'adjectif ; cependant certaines formations sont particulières. (V. *section « Orthographe ».*)

● Tout adjectif ne donne pas lieu à la formation d'un adverbe en *-ment* couramment employé. Des mots comme **geignardement, *clairvoyamment,* pourtant formés régulièrement sur *geignard, clairvoyant,* ne sont pas en usage. En cas de doute, il est prudent de s'assurer grâce à un dictionnaire du caractère usuel d'un adverbe en *-ment.* On peut employer un complément de manière au lieu de l'adverbe, par ex. *d'un air geignard, avec clairvoyance.*

● Le sens d'un adverbe en *-ment* correspond souvent à un seul des divers sens de l'adjectif ; par ex., *vertement* correspond au sens de *vert* dans une expression comme *de vertes réprimandes.* Parfois même le sens de l'adverbe en *-ment* est différent de celui de l'adjectif : *incessamment* signifie seulement aujourd'hui « d'un instant à l'autre, très bientôt », alors que *incessant* signifie « continuel, qui ne cesse pas ».

● L'abus des adverbes en *-ment* risque d'alourdir les phrases. C'est pourquoi, par exemple, au lieu de *incroyablement rapidement,* on dira plutôt *avec une incroyable rapidité.*

3. Adjectifs employés adverbialement. Un certain nombre d'adjectifs, en général courts, peuvent s'employer comme adverbes :

> *Ces fleurs sentent* **bon.** Nous avions vu **juste.** *Ces paquets pèsent* **lourd.**

Quand pour un même adjectif il y a possibilité d'emploi adverbial et formation d'un adverbe en *-ment,* en principe les deux adverbes ne sont pas interchangeables : on dit *s'élever* **haut,** *parler* **haut,** mais *revendiquer* **hautement** *un droit ; voir* **clair,** mais *voir* **clairement** *la situation ; boire* **sec,** mais *répondre* **sèchement,** etc.

● Quelques adjectifs employés adverbialement sont variables en genre et en nombre :

> *Une fenêtre* **grande** *ouverte* (= ouverte en grand). *Des fleurs* **fraîches** *écloses* (= récemment écloses). *Elle est* **bonne** *dernière* (= tout à fait dernière).

4. Place. Un adverbe modifiant un verbe se place ordinairement après ce verbe ou, aux formes composées, après l'auxiliaire :

> *Je vous approuve* **complètement.** *J'avais* **totalement** *oublié ce détail.*

*Il travaille **beaucoup**. Il a **beau-coup** travaillé. Il ne vient **jamais**. Il n'est **jamais** venu.*

● Cependant un adverbe peut souvent se placer après le participe :

*Elle avait oublié **totalement** ce détail.*

C'est même la seule place possible pour certains adverbes, notamment de lieu ou de temps :

*Il est allé **ailleurs**. Je me suis couché **tard**.*

● Un adverbe modifiant un adjectif ou un autre adverbe se place ordinairement avant lui :

*Un résultat **complètement** faux. Un arbre **toujours** vert.*

● Un adverbe modifiant un participe se place tantôt avant lui, tantôt après lui :

*Un terrain **récemment** acquis ou acquis **récemment**.*

affaire

1. Avoir affaire à/avec. La construction avec *à* est la plus usuelle.

● *Avoir affaire à qqn,* c'est se trouver en rapport avec lui, avoir à lui parler :

*J'ai eu affaire **à un employé** très serviable.*

● *Avoir affaire à qqch,* c'est avoir à s'en occuper, être en présence de cela :

*Nous avons affaire **à un problème** très délicat.*

● *Avoir affaire avec qqn* s'emploie parfois au même sens, mais on prend plutôt cette construction au sens plus particulier de « avoir à traiter, à débattre une affaire avec quelqu'un » :

*J'ai rendez-vous avec le notaire : j'ai affaire **avec lui** au sujet de cette vente.*

On écrit aussi *avoir à faire à* ou *avec*.

2. Qu'ai-je affaire de + n. ou **infin. ?** Cette expression, qu'on écrit aussi *Qu'ai-je à faire de... ?*, est de

l'usage soutenu et marque l'indifférence ou le refus :

*Qu'ai-je affaire **de ses conseils ?*** (usage très familier : *Ses conseils, j'en ai rien à faire*). *Qu'avons-nous à faire **de perdre** notre temps en palabres ?*

(complément d') agent

1. Le complément d'agent d'un verbe passif (qui serait sujet de la phrase active correspondante) est introduit ordinairement par la préposition *par* :

*La séance était présidée **par le ministre*** (actif : *Le ministre présidait la séance*).

2. Parfois ce complément peut aussi être introduit par la préposition *de,* par exemple :

● quand le verbe passif exprime plutôt l'état que l'action en cours :

*Le sol était couvert **d'une couche de neige** ;*

● en particulier avec des verbes exprimant

- un sentiment (*aimer, haïr, préférer, craindre, redouter,* etc.) :

*Il était détesté **de tous** (ou **par tous**),*

- une opération de l'esprit (*comprendre, ignorer, oublier,* etc.) :

*Un texte de loi ignoré **de** (ou **par) la plupart des gens**.*

● quand le verbe indique une situation dans l'espace (*entourer* = être autour de, *précéder* = être devant, *accompagner* = être auprès de, etc.) :

*La voiture présidentielle était précédée (entourée, suivie, etc.) **de motards** (mais : était protégée **par des motards**). Le clocher est surmonté **d'une girouette** (= une girouette est au-dessus).*

● Les mêmes principes s'appliquent au complément d'agent dans des constructions à l'infinitif avec *se laisser* et *se faire* :

*Il s'est fait détester **de** (ou **par) tout le monde**. Il s'est fait accom-*

pagner **de** (ou **par**) **son** *secré-taire.*

3. Faire, laisser + infin. par/à.
En principe :

● Si l'infinitif introduit par *faire* ou *laisser* a un complément d'objet direct, le complément d'agent peut être introduit par *par* :

*Il faut faire établir un devis **par un** architecte. Ne laissons pas prendre nos places **par** des resquilleurs.*

Il est souvent aussi introduit par *à*. ou, si c'est un pronom personnel, il prend les formes *me, te, nous, vous, lui, leur* :

*On a fait écouter ce disque **aux** enfants. On **leur** a fait écouter ce disque. Il a laissé deviner ses projets **à** son interlocuteur. Il **lui** a laissé deviner ses projets.*

Enfin, avec *laisser* (mais non avec *faire*), l'agent peut aussi être construit sans préposition :

*Ne **les** (ou **leur**) laissons pas prendre nos places. Ne laissons pas **des resquilleurs** prendre nos places. Je **le** (ou **lui**) laisse diriger les opérations. Je laisse **Pierre** diriger les opérations.*

● Si l'infinitif n'a pas de complément d'objet direct, l'agent est construit sans préposition :

*L'architecte fait travailler **les maçons**. Faites-**le** venir. Laissez passer **les gens pressés**. Laissez-**le** parler.*

4. Le pronominal passif (v. PRONO-MINAL) ne reçoit pas de complément d'agent. On ne dit pas **Ces poteries se fabriquent en Provence par des artisans* ; on peut alors employer le passif proprement dit *(sont fabriquées par).*

agir

1. En agir, au sens de «se conduire (de telle ou telle façon)» est une locution littéraire analogique de la locution archaïque *en user* :

Est-ce ainsi qu'il en agit avec ceux qui l'ont aidé ?

2. S'agir se conjugue avec l'auxiliaire *être*, comme tous les verbes pronominaux :

*Quand il s'**est** agi de payer (et non *quand il s'a agi ou *quand il a s'agi).*

● *Il s'agit que* + subj. s'emploie parfois, au sens de «il faut que», au lieu de la construction infinitive, quand on veut exprimer le sujet :

*Il s'agit que vous ne **commettiez** pas d'erreur (ou Il ne s'agit pas que vous commettiez d'erreur). Il s'agit que tout le monde **soit** bien d'accord.*

● *Il s'agit que* + indic. est de l'usage très familier, au sens de «il s'agit du fait que» :

*Tu crois toujours qu'on t'en veut : il ne s'agit pas de ça. Il s'agit que tu **es** toujours en retard (= la vérité c'est que).*

3. S'agissant de + n. ou infin. est de l'usage soutenu ou administratif, au sens de «puisqu'il s'agit de, quand il s'agit de» :

S'agissant d'un accident du travail, vous avez droit à une indemnité. Je demande à réfléchir, s'agissant d'engager une telle dépense.

aider

1. Aider (à) qqn (à + infin.)/ aider (à) qqch, à + infin. On dit normalement *aider quelqu'un*, mais l'ancienne construction *aider à quelqu'un* se rencontre parfois encore, surtout avec *lui* ou *leur* comme complément :

*Je **les** ai aidés **à finir** ce travail* ou, plus rarement : *Je **leur** ai aidé **à finir** ce travail. On **l'**a un peu aidé,* ou *On **lui** a un peu aidé.*

● On dit ordinairement *aider à quelque chose* (= le faciliter, le favoriser) :

*Ces notes aident **à** la compréhension du texte* (ou **à** *comprendre le texte*).

Toutefois, l'usage courant admet parfois l'omission de la préposition *à* devant un nom de chose :

*Des comprimés qui aident la diges-
tion. La chaleur risquait d'aider
l'épidémie.*

2. Aider (qqn) à ce que + subj. Si
la construction infinitive est impossible après *aider*, on peut avoir une
subordonnée au subjonctif avec *à ce
que* :

*Cette précaution aidera **à ce que**
tout **aille** bien.*

ailleurs

Par ailleurs est aujourd'hui tout à
fait courant pour indiquer un changement de point de vue :

*Ce produit est excellent; il a par
ailleurs l'avantage d'être écono-
mique* (= en outre, d'autre part).

D'ailleurs indique une considération
qui vient à l'appui de l'idée précédemment exprimée :

*C'est là un résultat normal, d'ail-
leurs tout le monde s'y attendait*
(= au reste, du reste).

aimer

**1. Aimer que + subj. / aimer (à,
de) + infin.**

• Si le sujet du verbe de la proposition dépendant de *aimer* est différent
du sujet de *aimer*, cette proposition
est une complétive par *que* au subjonctif :

*J'aime **qu'on soit** franc.*

• Si le sujet est le même, la proposition dépendant de *aimer* prend la
forme d'un infinitif :

*J'aime **être** franc. Il aimait **se promener** le soir.*

• ***Aimer à + infin.*** est une construction plus rare, de caractère un peu
plus soutenu :

*Il aimait **à se promener** dans ces
sous-bois.* On dit *j'aime à croire,
j'aime à penser que...* (= j'espère
que...).

• ***Aimer de + infin.*** est archaïsant :
*Il eût aimé **d'être** célèbre* (usage

courant : *Il aurait aimé être
célèbre*).

2. Aimer à ce que + subj. est une
variante, parfois critiquée, de *aimer
que* :

*J'aime **à ce qu'on soit** franc. Il
aime **à ce qu'on s'occupe** de lui.*

**3. Aimer mieux, autant + infin.
... que (de), plutôt que (de) + infin.**
L'infinitif employé comme deuxième
terme d'une comparaison exprimée par
aimer mieux, aimer autant peut être
introduit par *que de, plutôt que de,* ou,
un peu moins couramment, par *que,
plutôt que* :

*J'aimerais mieux tout abandonner
que de recommencer* (ou *plutôt
que de recommencer*). *J'aime mieux
lire **que jouer** aux cartes* (ou *plutôt
que jouer aux cartes*).

Il semble que la construction avec *de*
soit plus ordinairement employée pour
exprimer un choix exclusif, c'est-à-
dire éliminant un des deux termes, et
la construction sans *de* pour exprimer
un goût préférentiel.

4. Aimer mieux que... que (si) ...,
v. QUE, 7, et SI, 5.

5. Aimer (bien) quand + indic.
est une construction familière à peu
près équivalente à *aimer (bien) que*
+ subj., mais insistant un peu plus sur
la satisfaction produite éventuellement
par une constatation :

*J'aime **quand** tout **est** en ordre.*

air

1. Avoir l'air + adj. Cette locution
est un équivalent de *sembler* ou de
paraître; elle est d'un usage un peu
plus courant que ces deux verbes.
L'adjectif s'accorde en général avec le
sujet :

*Elle a l'air **inquiète**.*

Une phrase comme *Elle a l'air inquiet*
n'est sans doute pas exclue, mais un
tel accord avec le mot *air* n'est vraiment usuel que quand *air* est suivi
d'un complément ou d'une proposition
relative :

*Elle a l'air inquiet **d'une personne égarée**. Elle a l'air inquiet que vous lui connaissez.*

● On dit toujours *elle a **un** air inquiet, insouciant,* etc. (Il n'y a plus locution verbale.)

alentour

1. Alentour est un équivalent un peu soutenu de « autour, aux environs » :

On découvre le château et le parc qui s'étend alentour. Se promener dans les bois d'alentour (usage courant : *des environs*).

2. Alentour de (ou *à l'entour de*) est archaïsant :

Mettre une clôture alentour de la maison (usage courant : *autour de la maison*).

3. Les alentours (de qqch) est un peu moins courant que *les environs (de qqch)* :

Les alentours de la ville sont pittoresques. Visiter les alentours. Il est arrivé aux alentours de dix heures.

aller

1. Je vais / je vas. La forme *je vas* est populaire ou régionale ; c'est un des traits du langage parfois prêté conventionnellement aux paysans.

2. Je suis allé / J'ai été. Les formes composées de *être* remplacent très souvent celles de *aller* dans l'usage courant, sans différence de sens :

J'ai été (ou *je **suis allé**) en vacances en Italie. Il **avait été** (ou il **était allé**) se promener.*

● L'emploi du passé simple de *être* au lieu de celui de *aller* a une valeur littéraire très accusée :

*Chacun **fut** se coucher* (usage courant écrit : *Chacun **alla** se coucher.* et oral : *Chacun **est allé** se coucher*).

● Quand *aller* signifie « se porter, être dans tel ou tel état », les seules formes

possibles aux temps composés sont celles du verbe *être* :

*Ça commence à aller mieux, mais ça **a été** plutôt mal* (et non **c'est allé plutôt mal*).

3. Aller au dentiste. Cette construction est de l'usage familier. On dit, dans un usage plus surveillé :

*Aller **chez** le dentiste, **chez** le coiffeur, **chez** le boucher,* etc.

On dit couramment : *Aller au juge de paix* ou *devant le juge de paix.*

4. Aller + infin. *Aller* peut s'employer au présent ou à l'imparfait de l'indicatif comme auxiliaire de futur devant un infinitif. En principe, il exprime le futur proche par rapport au présent ou au passé :

*La séance **va commencer** (= la séance commencera bientôt, d'un instant à l'autre). Je **vais avoir terminé** (= j'aurai bientôt terminé). J'**allais** vous le demander.*

On peut parfois employer à peu près indifféremment le futur simple ou *aller* + infin., surtout avec une indication de temps :

*Je **reviendrai** bientôt* ou *Je **vais revenir** bientôt.*

● *Aller* auxiliaire peut s'employer devant *aller* verbe de mouvement :

*Je **vais aller** chez lui.*

Une phrase comme *Il **allait aller** à la gare* n'a rien d'anormal ; on peut cependant juger préférable de dire, par exemple :

Il était prêt (ou *il se disposait*) *à aller à la gare,* etc.

5. Aller pour + infin., v. POUR, 5.

6. Ne va pas, n'allez pas + infin. est un renforcement de la défense ou de la recommandation négative :

*Ne **va** pas **t'imaginer** que ça me fait plaisir !* (= ne te l'imagine surtout pas). *N'allez pas **ébruiter** cette affaire !* (= gardez-vous-en bien).

7. *Si (pourvu que)* + *aller* + **infin.** insiste sur ce qu'une hypothèse aurait de fâcheux si elle était avérée :

> *S'il* **allait** *s'en* **apercevoir,** *ce serait une catastrophe. Pourvu qu'il n'***aille** *pas tout* **raconter !**

8. *Aller sur* suivi d'une indication d'âge signifie qu'on approche de cet âge :

> *Elle allait sur ses dix-huit ans. Il va sur la soixantaine.*

9. *Aller (en) augmentant*, v. GÉRONDIF, 2.

10. *S'en aller.* Les formes *Je me suis en allé, Ils s'étaient en allés*, etc. se sont largement répandues dans l'usage courant et même dans les textes littéraires, au lieu des formes traditionnellement recommandées *Je m'en suis allé, Ils s'en étaient allés*, qui ont un caractère plus soutenu.

● Le participe *en allé*, employé comme adjectif épithète, se rencontre surtout dans l'usage littéraire : *des enfants en allés*.

● *S'en aller* + infin. s'emploie parfois comme *aller* + infin. pour exprimer le futur proche, mais avec une valeur plus familière et à peu près uniquement à la 1re personne du singulier du présent :

> *Je* **m'en vais** *vous* **prouver** *que j'ai raison.*

11. On distinguera les deux expressions (de l'usage soutenu) *il en va de même* (ou *autrement*) *de* (ou *pour*), qui signifie « C'est la même chose (ou "autre chose") pour », et *il y va de*, qui signifie que quelque chose est en jeu, est mis en cause :

> *Cette question était simple ;* **il en va tout autrement de** *la suivante. Réfléchissez bien :* **il y va de** *votre avenir.*

12. *J' (y) irai.* On n'exprime généralement pas *y* devant le futur ou le conditionnel de *aller* :

> *Allez-y si vous voulez, moi* **je n'irai**

pas. Quand bien même **il irait** *de ma situation, je refuserais.*

alors

1. *Alors/maintenant.* Quand *alors* indique un moment du temps, ce moment est situé dans le passé ou dans le futur et non dans le présent ; il équivaut à « à ce moment-là » (et non « en ce moment-ci »). On dit donc :

> *J'***ai reçu** *hier une lettre de lui :* **jusqu'alors** *je ne* **savais** *pas où il se trouvait ;* ou : *Je vous* **passerai** *un coup de fil :* **jusqu'alors,** *ne* **bougez** *pas.* Mais : *J'***espère** *qu'il n'y aura aucun incident :* **jusqu'à maintenant** *(ou jusqu'à présent ou jusqu'ici), tout se* **passe** *bien,* et non **jusqu'alors, tout se passe bien.*

2. *Alors mot de liaison. Alors* (ou *et* [*puis*] *alors*) sert souvent de mot de liaison vague entre des phrases, surtout dans les énoncés oraux :

> *Il passait dans la rue, alors je me suis avancé vers lui, et alors il m'a reconnu,* etc.

Dans l'usage surveillé, on évite l'emploi trop fréquent de ce mot par le recours à la subordination, à la coordination et à la juxtaposition.

3. *Alors que.* L'emploi purement temporel de cette locution conjonctive est assez restreint et appartient à un usage assez soutenu ; le verbe est en principe à l'indicatif imparfait :

> *Je l'ai connu alors que j'***étais** *encore étudiant* (= quand, pendant que, tandis que).

● *Alors que* exprime le plus souvent une opposition, avec éventuellement une valeur temporelle (« pendant que ») :

> *Tu t'amuses alors qu'il y a encore tout ce travail à faire ? Il prétend cela aujourd'hui alors qu'hier il affirmait le contraire* (= tandis que).

4. *Alors même que* avec un verbe au conditionnel exprime une opposition dans un système hypothétique (usage soutenu) :

Alors même qu'on m'offrirait le double, je refuserais (= quand bien même, même si + indic. imparfait).

apparaître

1. Ce verbe se conjugue soit avec l'auxiliaire *avoir*, soit (plutôt) avec l'auxiliaire *être* :

Des difficultés imprévues **ont** *apparu, ou* **sont** *apparues. La vérité* **est** *enfin apparue.*

2. Après *apparaître*, on peut avoir un attribut introduit par *comme* ou construit directement :

Cette solution apparaît **comme** *la meilleure, ou apparaît la meilleure.*

apposition

1. Il y a apposition dans des phrases comme

Son chien, **un épagneul,** *l'accompagnait. Lui,* **surpris,** *hésitait. L'échelle,* **qui était mal calée,** *a glissé.*

Le nom *un épagneul*, le participe-adjectif *surpris*, la relative *qui était mal calée* sont apposés (ou mis en apposition) à un nom ou à un pronom pour indiquer une précision, une explication.

● La mise en apposition d'un nom ou d'un adjectif est un moyen de donner plus de concision à une phrase : ces mots ont en effet une valeur proche de celle d'un attribut, mais le verbe *être* n'est pas exprimé :

Son chien, [qui était] un épagneul, l'accompagnait. Lui, [qui était] surpris, hésitait.

● Pour la relative apposée (ou appositive), v. RELATIVE, 2.

2. Un terme mis en apposition après ou avant le nom, et détaché par une pause (une virgule), exprime souvent une idée de temps, de cause, de concession, de condition :

Jeune, *il avait beaucoup voyagé* (= quand il était jeune). **Militaire**

de carrière, il avait le sens de la discipline (= du fait qu'il était militaire de carrière). *Pierre,* **ce garçon timide,** *a fait prévaloir son point de vue* (= bien que ce soit un garçon timide). **Prévenu à temps,** *j'aurais pu éviter cela* (= si j'avais été prévenu à temps).

après

1. **Courir après qqn, qqch.** Cette construction est très normale ; on emploie plus rarement *s'élancer, sauter, bondir après qqn* :

Le chien s'élance après le facteur.

● La construction *Il lui a couru après* est familière ; dans l'usage soigné, on dit plutôt : *Il a couru après lui.*

2. **Attendre après qqn, qqch** est de l'usage courant pour exprimer le besoin de quelqu'un ou de quelque chose, l'impatience de l'attente :

Dépêche-toi, on attend après nous. Il n'attend pas après cet argent pour vivre.

● *Demander, réclamer après qqn, chercher après qqn, qqch* sont des constructions plus familières que *demander, réclamer, chercher qqn, qqch* :

Personne n'a demandé après moi en mon absence ? — Personne ne vous a demandé. Je cherche après Titine. Il cherche après ses lunettes. Il cherche ses lunettes.

3. *Après* indiquant **l'hostilité.** *Crier après qqn, qqch* est plus familier que *crier contre,* ou *sur qqn, qqch* :

Il crie après (contre, sur) ses gosses toute la journée. Il passe son temps à rouspéter après l'Administration.

On dit *être furieux, en colère après* (fam.) ou *contre qqn, s'acharner après* (ou *contre, sur) qqn, qqch.* On dit *être, se mettre après* (ou *contre*) :

Ils se sont tous mis après lui en lui reprochant son insouciance.

4. *Après* indiquant le **contact, la fixation.** *Après*, dans ces emplois, est en général d'un usage plus familier que *à* ou *sur* :

Il a grimpé après (à, sur) un arbre.
La clef est après (sur) la porte.
Accrocher son imperméable après (à)
un portemanteau. Avoir de la boue
après (à, sur) ses chaussures.

5. Être après qqch = y travailler,
s'en occuper. Cette construction est
courante, sans marque particulière de
familiarité :

Il est après son moteur depuis ce
matin.

6. Après employé adverbiale-
ment. Il est courant, en fin de phrase,
d'employer *après* sans le pronom
qui représenterait un nom de chose
déjà exprimé; *après* joue alors un rôle
adverbial :

Certains événements ont eu lieu
avant cette date, d'autres après.

7. Après + infin., v. APRÈS QUE.

après que

1. Après que + indic. Dans l'usage
le plus traditionnel, *après que* introduit
un verbe à un temps composé de
l'indicatif ou du conditionnel.

● Pour l'indicatif, c'est le plus
souvent le passé antérieur ou le futur
antérieur :

*Après qu'ils **eurent fait** cette décla-*
ration, ils se retirèrent. Je m'occupe-
*rai de cette affaire après qu'on **aura***
***réglé** l'autre problème.*

● Le passé surcomposé peut se substituer au passé antérieur :

*Après qu'ils **ont eu fait** cette décla-*
ration, ils se sont retirés.

● Le passé composé ou le plus-que-
parfait s'emploient surtout pour exprimer la répétition, le fait habituel, général :

*Après qu'on **a mis** la plante en*
terre, il faut l'arroser. (V. nº 3.)
*Après que le gardien **avait fait** sa*
ronde, le prisonnier se remettait à
creuser.

● Le conditionnel passé s'emploie
dans les phrases exprimant une
hypothèse :

*Après que vous **auriez donné** votre*
démission, il serait trop tard pour
changer d'avis.

2. Après que + subj. Le subjonctif
passé ou plus-que-parfait avec *après*
que s'est largement répandu dans
l'usage courant :

*Après qu'on **ait** tout **essayé**, il a*
fallu en venir à cette solution. Je ne
*repartirai qu'après que vous m'**ayez***
***donné** votre réponse.*

● La présence ou l'absence d'un
accent circonflexe distingue seule,
dans l'écriture, le subjonctif plus-que-
parfait de l'indicatif passé antérieur à
la 3e personne du singulier : *après qu'il*
eut compris,** qu'ils **eurent com-
***pris** (usage traditionnel); *après qu'il*
eût compris,** qu'ils **eussent compris
(usage récent).

3. Après + infin. Quand les sujets
de la principale et de la proposition
introduite par *après que* désignent le
même être ou la même chose, il est
en général plus commode d'employer
après et l'infinitif composé :

*Après **avoir fait** cette déclaration,*
*ils se retirèrent. Après **avoir mis** la*
plante en terre, il faut l'arroser (on
a mis, on arrose).

● L'infinitif présent, avec *après*, s'emploie seulement dans les expressions
après déjeuner, après dîner, ou *après*
boire qui est archaïsant :

Je passerai chez vous après
déjeuner.

arrêter

1. Arrêter de + infin./s'arrêter de
+ infin. On peut le plus souvent
employer à peu près indifféremment
l'une ou l'autre de ces formes, en particulier dans des phrases négatives :

La pluie n'arrête pas de tomber ou
ne s'arrête pas de tomber.

● La forme *arrêter de* est plus fréquente dans l'usage familier :

Cet enfant n'arrête pas de gigoter.
Arrête de dire des bêtises (on ne dit
guère : *Cet enfant ne s'arrête pas de*

gigoter, Arrête-toi de dire des bêtises).

● Dans un usage plus soutenu, on emploie *cesser de :*

La pluie ne cesse pas de tomber. Cet enfant ne cesse pas de s'agiter. Cesse de dire des sottises.

2. *Ne pas s'arrêter de* insiste parfois sur la persistance continue d'un état, d'une action (aspect duratif), et *ne pas arrêter de* sur la répétition continuelle d'une action (aspect fréquentatif). *Il ne s'est pas arrêté de fumer* signifie « il n'a pas renoncé à son habitude de fumer, il continue à fumer » ; *il n'a pas arrêté de fumer* peut s'employer dans le même sens, mais signifie plutôt « il a fumé sans arrêt, il a beaucoup fumé ». De même, on dit *La terre ne s'arrête pas de tourner pour si peu* (= elle continue à tourner), mais *Les vents n'arrêtent pas de tourner* (= ils tournent, ils changent sans arrêt).

article

1. Article défini, indéfini, partitif, contracté, v. DÉTERMINANT.

2. L'article défini au lieu du possessif. Devant les noms désignant les parties du corps ou des facultés, on emploie souvent l'article défini au lieu du possessif :

*J'ai froid **aux** pieds* (et non *à mes pieds*). *Il ferme **les** yeux. Il perd **la** mémoire.*

La personne intéressée (« possesseur ») est parfois indiquée par un pronom personnel complément :

*Il **se** lave les mains* (et non *Il lave ses mains*). *Elle **s'**est foulé la cheville* (et non *Elle a foulé sa cheville*).

● Quand le nom est caractérisé par un adjectif, le possessif apparaît généralement :

*Il ferme **ses** yeux **fatigués**. Elle lève **sa** tête **blonde**. J'ai mal à **ma** jambe **gauche*** (ou *à la jambe gauche*).

3. L'article devant les noms propres. *L'Antoine, la Marie* sont des appellations familières ou régionales. Il y a un emploi méprisant de l'article défini devant un nom de personne :

C'est encore un racontar de la Martin !

● Quand un nom de ville comporte l'article *le* ou *les*, cet article se contracte éventuellement en *au, du* ou *aux, des :*

*Il habite **le** Mans, **les** Andelys. Il va **au** Mans, **aux** Andelys. Il revient **du** Mans, **des** Andelys.*

4. L'article devant les titres d'œuvres. Quand un titre d'ouvrage, de film, etc. commence par l'article défini, il y a généralement contraction de l'article après *à* ou *de* en *au(x), du, des :*

*Un article consacré **au** «Misanthrope», **aux** «Caractères». La lecture du «Capital», **des** «Feuilles d'automne».*

● Si le titre contient deux noms coordonnés, l'usage est variable :

*Le héros **du** « Rouge et le Noir », ou **du** « Rouge et **du** Noir », ou de « Le Rouge et le Noir ».*

● Si le titre est une phrase, tantôt on contracte l'article du sujet, tantôt on cite le titre sans contraction :

*Une représentation **du** «Roi s'amuse», ou de « Le Roi s'amuse ».*

On évite parfois ces difficultés en mettant le titre en apposition à un nom comme « livre, pièce, film », etc. :

*Le héros du **roman** « Le Rouge et le Noir ». Une représentation de la **pièce** « Le Roi s'amuse ».*

5. *Du, des / de.* L'article contracté *du, des* (partitif ou indéfini), contenant déjà étymologiquement la préposition *de*, ne peut pas être employé avec cette préposition. On dit :

*Il mange **du** pain et **des** légumes, mais Il se nourrit **de** pain et **de** légumes.*

• Dans l'usage écrit surveillé, on emploie *de* plutôt que *des* (article indéfini) quand le nom est précédé d'un adjectif :

*Ce sont **de vieilles** histoires.*

Dans l'usage courant, on emploie souvent *des*, principalement quand l'adjectif appartient au petit nombre de ceux qui se placent d'ordinaire avant le nom (v. ADJECTIF, 4, A) :

Ce sont (ou *c'est*) ***des** vieilles histoires.*

Le déterminant *des* est usuel, même dans l'usage soutenu, quand l'adjectif forme avec le nom un groupe plus ou moins complètement figé :

*Faire **des faux pas**. Dire **des bons mots**. S'adresser à **des grandes personnes**.*

• Quand l'adjectif peut se placer avant ou après le nom, on emploie rarement *des* devant l'adjectif antéposé ; on dit ordinairement ***de surprenantes** révélations, **d'innombrables** difficultés,* ou ***des révélations** surprenantes, **des difficultés** innombrables,* plutôt que *des surprenantes révélations, des innombrables difficultés.*

• Au singulier, l'emploi de *de* partitif au lieu de *du, de la* devant un nom précédé d'un adjectif est un archaïsme : *boire de bon vin, manger de bonne viande* (usage courant : *boire **du bon** vin, manger **de la** bonne viande*).

6. *Du pain / pas* (ou *plus*) *de pain.* Dans une phrase contenant la négation *ne ... pas* ou *ne ... plus,* ou *sans,* les articles *du, de la, des* (partitif ou indéfini) précédant un complément d'objet direct ou un sujet réel se réduisent ordinairement à la préposition *de* :

*J'achète du pain, de la viande, des œufs. → Je n'achète pas **de** pain, **de** viande, **d'**œufs. Il reste des fruits. → Il ne reste pas* (ou *plus*) ***de** fruits. Il vit en gaspillant de l'argent, en faisant des excès. → Il vit sans gaspiller **d'**argent, sans faire **d'**excès.*

• Toutefois, les articles *du, de la, des* sont parfois maintenus en phrase négative, notamment quand le nom est en opposition à un autre terme :

*Je n'achète pas **du pain,** mais **des biscottes,***

ou quand la négation porte en réalité sur un autre mot :

*On ne donne pas **de la** viande à une **vache.***

• **Sans du, de la, des,* v. SANS, 1.

7. *Le plus, le moins,* v. PLUS, 1.

aspect

La manière dont est présenté l'accomplissement ou le déroulement de l'action s'appelle l'« aspect ». L'aspect se traduit par le choix du temps verbal ou par divers autres procédés : adverbes, locutions verbales, etc.

1. Accompli/non accompli. Le passé composé et l'imparfait situent tous deux l'action dans le passé, mais le passé composé la décrit comme accomplie :

*Hier à cette heure-ci j'**ai déjeuné,***

et l'imparfait comme non accomplie (en cours de réalisation) :

*Hier à cette heure-ci je **déjeunais**.*

2. Habituel / actuel. *Pierre **écrit,** Paul **boit*** peut signifier : « Pierre est en train d'écrire, Paul est en train de boire » : c'est l'aspect actuel ; ou « Pierre est écrivain, Paul se livre à la boisson » : c'est l'aspect habituel. C'est au moyen de locutions ou d'adverbes qu'on peut préciser ces aspects : *être en train de, être occupé à* + infin., *être en cours de* + n., etc. pour l'aspect actuel ; *habituellement, souvent, d'ordinaire,* etc. pour l'aspect habituel.

3. Inchoatif/terminatif. *Commencer à, se mettre à, partir à* + infin. indiquent le début d'une action (aspect inchoatif) :

*Il **s'est mis à** rire en entendant cela.*

Cesser de, finir de + infin. expriment l'idée opposée (aspect terminatif).

4. Immédiat. Le futur proche peut se traduire par *aller* + infin. (au présent ou à l'imparfait) :

> *Je vais partir. J'allais partir.*

On peut aussi employer les locutions *être sur le point de, être en passe de, être prêt à* :

> *Il était sur le point de se décourager.*

Ou encore, on emploie le présent de l'indicatif :

> *Je reviens dans un instant.*

● Le passé récent se traduit par *venir de* + infin. (au présent ou à l'imparfait) :

> *Je viens de terminer. Je venais de terminer.*

On peut aussi employer le présent de l'indicatif :

> *J'arrive à l'instant.*

atteindre

Atteindre qqch/atteindre à qqch. La construction directe (sans *à*) peut s'appliquer à un complément de sens concret ou abstrait :

> *Toutes les flèches ont atteint le but. J'ai atteint le but que je m'étais fixé. Il a atteint l'âge de quatre-vingt douze ans.*

● La construction avec *à* s'applique en règle générale à des compléments de sens abstrait ; elle évoque ordinairement une idée d'effort :

> *J'ai réussi à atteindre au but que je m'étais fixé. Un écrivain qui a atteint à la célébrité.*

attendre

1. *Attendre après qqn, qqch,* v. APRÈS, 2.

2. *S'attendre à* + **infin.**/*s'attendre (à ce) que.* Si le verbe d'une subordonnée dépendant de *s'attendre* a le même sujet que *s'attendre,* on emploie normalement la construction infinitive avec *à* :

> *Je m'attends à être contredit sur ce point.*

● En cas de sujets différents dans les deux propositions, on dit ordinairement *s'attendre à ce que* + subj. :

> *Je m'attends à ce qu'on me contredise sur ce point.*

La construction *s'attendre que* + subj. a un caractère plus littéraire :

> *Il s'attendait qu'on lui fît des objections.*

● L'indicatif futur après *s'attendre que* est d'un usage très soutenu :

> *On s'attend que le projet sera adopté par l'assemblée.*

attention

1. *Faire attention à qqch,* c'est soit s'en méfier, soit y veiller attentivement ou le remarquer :

> *Faites attention au verglas, à la marche. Fais attention à tes vêtements. Nous n'avions pas fait attention à ce détail.*

On dit *faire bien attention, faire très attention* (fam.), *faire plus, moins attention,* etc. (V. TRÈS, 2.)

2. *Faire attention (à ce) que* + **subj.** exprime une intention, un but recherché attentivement :

> *Faites attention à ce que le récipient soit bien hermétique, à ce que le récipient ne fuie pas. Faites bien attention que cette affaire ne se sache pas.* (V. À, 5.)

3. *Faire attention que* + **indic. ou condit.** signifie « remarquer que, tenir compte du fait que » :

> *Je n'avais pas fait attention que ma montre était arrêtée. Faites attention que ce détail pourrait tout changer.*

4. *Faire attention à* (**ou de**) + **infin.** On emploie indifféremment les prépositions *à* ou *de* devant l'infinitif ; il semble que *à* soit plus usuel si l'infinitif est affirmatif :

> *Faites bien attention à suivre toutes les indications. Fais attention à ne rien oublier, ou de ne rien oublier.*

aucun

1. Aucun + ne. *Aucun,* déterminant ou pronom, s'emploie avec *ne* ou *ne plus, ne jamais* (mais non *ne pas*) :

> *On **n'**a aucune preuve de sa culpabilité. De tous ces projets, aucun **n'**est satisfaisant. Vous **n'**aurez **plus jamais** aucun souci de ce côté* (mais non **Vous n'aurez pas aucun souci*).

2. Aucun sans ne. *Aucun* peut aussi être utilisé sans *ne,* dans des phrases exprimant la négation par d'autres moyens grammaticaux ou par le vocabulaire :

> *Nous avons trouvé **sans** aucune difficulté* (= sans la moindre difficulté). *Il est **incapable** de faire aucun progrès. C'est un travail **trop** délicat **pour** être confié à aucun autre que lui.*

● Dans une phrase comme *Je ne pense pas qu'il y ait aucun moyen d'éviter cela,* le mot *aucun* est employé sans *ne* dans sa proposition : c'est la principale qui contient *ne ... pas.*

● *Aucun* s'emploie aussi dans des phrases interrogatives ou exprimant un doute :

> *Y a-t-il aucun moyen d'éviter cela ?* (= un moyen quelconque). *Je doute qu'il y ait aucun moyen d'éviter cela. Il est **peu probable** qu'aucune solution soit trouvée rapidement* (= qu'une solution quelconque).

● *Aucun* s'emploie sans *ne* dans le deuxième terme d'un système comparatif :

> *Il est plus qualifié qu'aucun autre.*

3. Sans + nom + aucun. Cette construction de l'usage soutenu est une variante de *sans aucun* + nom (complément de manière) :

> *Nous avons trouvé sans difficulté aucune. La loi s'applique sans exception aucune* (ou *sans aucune exception*).

4. Aucuns. L'emploi de *aucun* au pluriel est limité au cas où il détermine un nom sans singulier :

> *Je ne veux plus faire **aucuns frais** dans cette maison.*

5. D'aucuns. Ce pronom signifiant « certaines personnes » est d'un usage nettement littéraire :

> *D'aucuns ont prétendu que cette histoire était légendaire.*

auprès, près

1. Auprès de/près de. Ces deux locutions prépositives s'emploient à peu près indifféremment pour exprimer la proximité dans l'espace :

> *Il habite auprès de la mairie* ou *près de la mairie.*

Seule la locution *près de* peut être modifiée par un adverbe d'intensité : **plus** *près de,* **aussi** *près de,* **tout** *près de,* etc., mais non **plus auprès de,* etc.

2. On dit *intervenir auprès de qqn, être admis auprès de qqn* et non **près de qqn* :

> *Nous avons fait une démarche auprès du directeur.*

3. On dit parfois *partir, s'éloigner,* etc. *d'auprès d'un lieu, d'auprès de qqn,* et non **de près d'un lieu, de près de qqn.*

4. Près employé adverbialement peut signifier « à peu de distance d'ici » (surtout précédé d'un adverbe) :

> *Je rentre à pied, j'habite tout près. Viens plus près.*

● *Auprès* s'emploie familièrement comme adverbe par omission du complément :

> *Son fils est malade, elle est restée auprès toute la journée. Il s'est heurté à d'énormes difficultés ; les nôtres ne sont rien auprès* (= en comparaison).

5. Auprès de/au prix de, v. PRIX.

6. Près + n. *Près* s'emploie comme préposition dans quelques formules administratives :

> *Il est expert près le tribunal de commerce.*

7. Près/prêt, v. PRÊT.

aussi, si

1. Aussi exprime ou renforce une
idée d'association, d'addition :

> *Vous habitez Paris ? Moi aussi. Il ne
> suffit pas de l'affirmer, il faut aussi
> le prouver (= en outre, encore). Il
> n'était pas seulement peintre, mais
> aussi musicien. Il possède un appar-
> tement, et aussi une résidence secon-
> daire (= ainsi que). Il dit que la
> chose est impossible : c'est aussi mon
> avis (= également)* [ou *c'est mon
> avis aussi*]. (V. nᵒ 11.)

2. Aussi / non plus. On emploie en
principe *non plus* au lieu de *aussi*
pour relier des phrases négatives, ou
un mot à une phrase négative :

> *Si tu n'y vas pas, je n'irai pas non
> plus (phrase affirmative : Si tu y
> vas, j'irai aussi). Si vous n'êtes pas
> pressé, moi non plus. Je ne peux pas
> l'affirmer, ni non plus le nier (ou ni
> le nier non plus). Je présente cela
> comme une hypothèse, sans l'affir-
> mer, ni non plus le nier (ou ni le
> nier non plus).*

● Il peut arriver qu'on emploie *aussi*
au lieu de *non plus*, surtout quand cet
adverbe précède le verbe négatif :

> *Moi aussi, je n'y comprends rien*
> (usage plus courant : *Moi non
> plus, je n'y comprends rien*).

● Dans le cas de la négation restrictive *ne ... que*, on emploie soit *aussi*,
soit *non plus* :

> *Je ne demande, moi aussi, qu'à
> vous aider. Je ne peux, moi aussi
> (ou, plus rarement, moi non plus)
> que constater les faits.*

3. Aussi, adverbe de liaison. *Aussi*
introduit une proposition qui exprime
une conséquence de ce qui vient d'être
dit (= c'est pourquoi) :

> *J'avais promis le secret, aussi je
> n'ai pu rien dire.*

L'inversion du pronom sujet est une
marque de l'usage soutenu :

> *Aussi n'ai-je pu rien dire.*

4. Aussi bien en début de proposition
souligne, dans l'usage soutenu, l'enchaînement logique avec ce qui précède (= en effet, d'ailleurs, au reste) :
l'inversion du pronom sujet n'a pas
toujours lieu :

> *Il décida de tout risquer : aussi bien
> n'avait-il plus rien à perdre* (ou,
> plus rarement : *aussi bien il n'avait
> plus...*).

5. Aussi (si) / autant (tant) ... que.
Aussi et *autant* expriment la comparaison. *Aussi* se place devant un adjectif, un adverbe ou un participe ; *autant*
accompagne un verbe ou un participe :

> *C'est aussi simple que cela. Je suis
> aussi (ou autant) embarrassé
> que vous. Je le sais aussi bien que
> vous. Je m'intéresse autant que
> vous à cette question.*

● *Aussi* peut être réduit à *si* dans une
phrase négative ou interrogative :

> *Il n'est pas aussi (ou si) grand
> que son frère. Est-ce aussi (ou si)
> difficile qu'on le prétend ?*

● *Autant* peut être réduit à *tant* dans
une phrase négative :

> *L'usine n'a pas produit autant
> (ou n'a pas autant produit), ou
> n'a pas tant produit que l'année
> dernière.*

6. Aussi + adj. que + adj. On dit :
Le remède est aussi simple qu'efficace
(= très simple et très efficace), ou *Le
remède est simple autant qu'efficace.*
La forme négative n'est guère usitée
pour ce tour.

7. Si ... que / aussi ... que + subj.
On emploie à volonté l'une ou l'autre
de ces formules pour exprimer une
relation de concession :

> *Si (ou aussi) surprenant que cela
> paraisse, je n'ai rien remarqué. Si
> (ou aussi) loin que soit le lieu de
> rendez-vous, il faut y aller.*

● Pour *si ... que*, v. POUR, 4.

● Quand le sujet est un pronom personnel, on a parfois, dans l'usage
soutenu, une construction avec sujet
inversé sans *que* :

Si (ou *aussi*) *rusé* **soit-il**, *il s'est laissé prendre.*

8. Si ... que + indic. Pour exprimer la conséquence, avec le même sens que «tellement», on emploie seulement *si ... que* et non *aussi ... que* : *C'est si compliqué qu'on n'y comprend rien.*

9. Si ... que de + infin. Cette construction, dans une phrase négative ou interrogative, est de l'usage littéraire :

Il n'était pas si sot que de se laisser prendre à ces belles promesses (usage courant : *Il n'était pas assez sot* [ou *assez bête*] *pour se laisser prendre...*).

10. Avoir aussi (ou autant) peur. Quoique les locutions *avoir peur, faim, soif, envie, hâte*, etc. ne contiennent ni adjectif ni adverbe, on y emploie souvent *aussi* (ou *si*); l'usage surveillé préfère souvent *autant (de)* :

J'ai aussi envie que toi de le voir, ou *J'ai autant (d') envie que toi de le voir. Je n'ai jamais eu si peur* (ou *autant* [*de*] *peur*) *de ma vie.* (V. TRÈS, 2 et 3.)

11. Place de aussi. Quand *aussi* indique l'association, l'addition (voir n° 1), il est parfois possible de le placer sans différence notable de valeur à plusieurs endroits de la phrase ou de l'expression qu'il relie à ce qui précède. Si quelqu'un se propose pour exécuter un travail à la place de quelqu'un d'autre, il dira, par exemple :

Je peux aussi le faire, ou *Je peux le faire aussi.*

Mais il peut souvent y avoir ambiguïté sur le terme que *aussi* associe à tel ou tel autre. Dans la phrase *Je peux faire aussi ce travail,* l'adverbe *aussi* peut porter sur *je* ou sur *ce travail;* l'ambiguïté cesse si l'on dit soit *Moi aussi, je peux faire ce travail,* soit *Ce travail aussi, je peux le faire.* La phrase *Son frère est aussi musicien* peut s'interpréter de trois façons :

a) «Son frère aussi est musicien» (ou «Son frère est lui aussi musicien», ou «est musicien lui aussi», donc les deux frères sont musiciens);

b) «Son frère est en outre musicien» (jusque-là, on parlait de lui comme peintre, par exemple);

c) «Son frère est aussi musicien [que lui]». Dans cette dernière interprétation, *aussi* indique la comparaison et non l'association, comme dans les deux précédentes ; le cas risque toujours de se présenter quand est placé devant un adjectif ou un adverbe, ou un mot pouvant être employé comme tel, c'est pourquoi il est prudent de ne pas dire *Cela me paraît aussi important* si l'on veut faire entendre «Cela aussi me paraît important».

12. Aussi (autant) ... comme, v. COMME, 4.

aussitôt, sitôt

1. Aussitôt / aussi tôt. *Aussitôt* signifie «immédiatement, très rapidement» :

On appela les pompiers, qui arrivèrent aussitôt.

Aussi tôt est le comparatif d'égalité de *tôt* :

Je ne me suis pas levé aussi tôt qu'hier.

2. Aussitôt que, sitôt que. Ces deux locutions sont équivalentes, mais *sitôt que* est d'un usage un peu plus soutenu que *aussitôt que* :

Sitôt qu'il fut arrivé, il prit ses dispositions. Aussitôt que j'aurai terminé, je vous préviendrai.

3. (Aus)sitôt (que) + participe passé. On dit souvent, avec ellipse de *que* et du verbe *être* :

Aussitôt (ou *sitôt*) *arrivé, il prit ses dispositions.*

• La construction *(aus)sitôt que + participe* est de l'usage littéraire : *La partie fut interrompue aussitôt que commencée.*

4. Ne ... pas (aus)sitôt que ... On dit :

Il n'était pas aussitôt (ou sitôt) couché qu'il s'endormit (= il s'endormit aussitôt qu'il fut couché.)

On dit dans le même sens :

Il n'était pas plus tôt couché qu'il s'endormit. (V. SUBORDINATION, 2.)

5. (Aus)sitôt préposition. *Aussitôt* et *sitôt* s'emploient parfois devant un nom au sens de « dès » :

Aussitôt son départ, *il est tombé en panne. Il s'est levé* **aussitôt l'aube. Sitôt l'été,** *cette région devient aride.*

autant

1. Autant ... autant ... Dans un usage plus ou moins soutenu, on exprime ainsi un parallélisme qui souligne ordinairement une opposition. Le premier terme est le point de comparaison et le deuxième contient l'assertion principale :

Autant son père est désagréable, autant elle est serviable (= elle est aussi serviable que son père est désagréable).

2. Pour autant, au sens de « cependant, malgré cela », ou « compte tenu de cela », s'emploie en général après un verbe à la forme négative ou interrogative :

Il y a quelques erreurs, mais on ne peut pas pour autant rejeter en bloc ce témoignage. Il faut aller à l'essentiel sans pour autant négliger totalement les détails. Cette question est réglée ; faut-il pour autant oublier tout le reste ?

Pour autant est plus rarement mis en tête de proposition affirmative, de la même manière que *pourtant.*

3. Pour autant que, au sens restrictif de « dans la mesure où », est suivi du subjonctif dans la locution *pour autant que je sache,* et, dans les autres cas, soit du subjonctif, soit de l'indicatif ou du conditionnel :

Je vous tiendrai au courant, pour autant que je **serai** *moi-même informé.*

Avec le subjonctif, il est souvent l'équivalent de *autant que,* au moins quand il n'exprime pas la condition :

(Pour) autant que je **sache,** *qu'il m'en* **souvienne,** *c'était un jeudi. Il réussira sûrement, pour autant qu'il* **veuille** *bien (ou qu'il* **voudra** *bien) faire un effort* (= pourvu qu'il veuille bien, ou s'il veut bien).

4. Autant que + subj., autant + infin., indiquant un choix préférable, sont d'un usage plus courant, mais plus familier, que *autant vaut que, autant vaut + infin.* :

S'il ne reste plus que cette question, autant qu'on en **finisse** *tout de suite, autant en* **finir** *tout de suite. Dans ces conditions, autant (vaut) ne pas* **insister.**

5. D'autant plus que s'emploie souvent même après une proposition négative :

Ce n'était pas difficile, d'autant plus qu'on l'a aidé. (On peut dans ce cas préférer le tour plus logique *d'autant moins que.*)

● *D'autant que,* après une pause, introduit une remarque accessoire explicative équivalant en général à « d'autant plus (moins) que », surtout que » :

Vous avez tort de ne pas saisir l'occasion, d'autant qu'elle est inespérée.

6. Tous (au)tant que + être. Ce tour insiste sur la totalité :

Vous êtes des lâches, tous autant que vous êtes. Nous refusons ce projet, tous autant que nous sommes.

7. Ce sont autant de ... signifie « tous ces ... sont des ... » :

Évitons ces sujets délicats, qui sont autant d'occasions de querelles.

8. V. AUSSI, 5 et 10.

autre

1. *Autre* adjectif qualificatif.

Autre peut s'employer, dans un usage soutenu, comme adjectif qualificatif, au sens de « différent » ; il est alors épithète et postposé, ou attribut :

> *On peut proposer une interprétation autre, tout autre* (sens peu différent de la construction plus usuelle *une* [*tout*] *autre interprétation*). *C'était sans doute vrai alors, mais aujourd'hui les circonstances sont autres* (usage courant : *sont différentes, sont changées*).

2. *Autre ... autre ...* La répétition

de *autre* employé comme attribut en tête de proposition est une construction littéraire visant à souligner une opposition :

> *Autres étaient les espoirs, autres sont les résultats* (= les résultats sont bien différents des espoirs).

● On répète parfois ainsi *autre chose* pour insister sur la diversité (usage soutenu) :

> *Autre chose est d'exprimer son désaccord, autre chose d'injurier son adversaire* (= c'est une chose de ...., c'en est une bien différente de ...).

3. *Autre que (ne),* v. NE, II, 4.

4. *L'autre lundi. Autre* s'op-

pose parfois à *prochain* ou *dernier* pour désigner non pas le jour, la semaine, etc. les plus proches dans l'avenir ou dans le passé, mais ceux qui suivent ou précèdent immédiatement ce jour, cette semaine, etc. :

> *Je viendrai non pas lundi prochain, mais l'autre lundi* (= lundi en huit). *Il m'a téléphoné l'autre semaine.*

● *L'autre jour* a le sens vague de « un jour plus ou moins récent » ; cette valeur vague peut aussi s'appliquer à *l'autre semaine, l'autre année.*

5. *Nous autres, vous autres.* Les

formes insistantes *nous autres, vous autres* sont d'un usage courant. *Eux autres* n'est guère usité que régionalement ou très familièrement ; **elles autres* est inusité.

6. *Et autres* (+ n.). On complète

parfois une énumération par l'expression *et autres* suivie d'un nom pluriel de sens plus général que chacun des mots de l'énumération (terme générique) :

> *Le train, le bateau, l'avion et autres moyens de transport.*

● Sur le modèle de cette construction, on emploie parfois après *et autres,* en vue d'un effet plus ou moins ironique, un nom (commun ou propre) qui n'a pas un sens plus général que chacun des noms énumérés, mais qui désigne un être ou une chose présentant un trait commun avec ceux de l'énumération :

> *Les cervidés, bovidés, équidés et autres canidés* (familles zoologiques). *Les Christophe Colomb, Gutenberg et autres Denis Papin* (découvreurs ou inventeurs célèbres).

● *Et autres* s'emploie souvent absolument pour clore une énumération par généralisation, à peu près comme *et cætera* :

> *Des touristes anglais, allemands, belges, hollandais et autres. Toute sorte d'outils : marteaux, rabots, scies, pinces et autres.*

7. *Entre autres.* Cette expression

peut s'employer

- comme *et autres,* devant un nom pluriel : *Entre autres arguments, il a fait valoir le moindre coût de ce projet* ;

- absolument, avec ellipse du nom pluriel : *Je vous conseille de lire, entre autres, ces deux ouvrages* [= entre autres ouvrages].

● *Entre autres* est souvent utilisé comme une simple locution adverbiale équivalant à « notamment, en particulier », ou « par exemple » (mots employés de préférence dans l'usage surveillé), sans qu'il soit possible d'interpréter cet emploi comme le résultat de l'ellipse d'un nom pluriel exprimé ailleurs dans la phrase :

> *Cet appareil est très pratique, entre autres pour préparer des jus de fruits.*

8. De manière ou d'autre, de façon ou d'autre. Ces expressions sont plus rarement utilisées que *d'une manière ou d'une autre, d'une façon ou d'une autre.*

9. Autre chose est une locution pronominale analogue à *quelque chose;* les adjectifs qui s'y rapportent sont au masculin; s'ils sont épithètes, ils sont introduits par la préposition *de :*

Autre chose est survenu entre-temps. J'ai appris autre chose de curieux.

10. Personne autre, v. PERSONNE, 3. **Rien autre chose,** v. RIEN, 4. **L'un et (ou) l'autre,** v. UN, 5.

autrui

Ce mot ne se rencontre que dans quelques expressions *(le bien d'autrui, ne faites pas à autrui ce que vous ne voudriez pas qu'on vous fasse),* ou dans l'usage littéraire, en principe comme complément après une préposition, parfois aussi comme sujet ou complément d'objet direct :

L'égoïste ne s'intéresse pas à autrui. Il est toujours prêt à aider autrui, mais autrui ne le lui rend guère.

Dans l'usage courant, on dit *les autres.*

auxiliaire

Les auxiliaires sont des verbes employés soit devant un participe passé, soit devant un infinitif pour former les temps composés d'un verbe ou pour exprimer diverses valeurs de temps, de mode ou d'aspect.
Les deux auxiliaires employés devant un participe sont *avoir* et *être.*

1. Auxiliaire avoir. *Avoir* est l'auxiliaire de tous les verbes transitifs ou employés transitivement, à la voix active :

J'ai rencontré un ami. Avez-vous descendu les valises ? (mais dans l'emploi intransitif : *Êtes-vous descendu ?*).

● *Avoir* est aussi l'auxiliaire de la plupart des verbes intransitifs et des impersonnels, de *avoir* et de *être :*

La voiture a dérapé. Il a neigé. Il a fallu partir. J'ai eu la réponse. Il a été malade.

2. Auxiliaire être. C'est celui de la conjugaison passive :

Je suis invité par des amis.

● C'est aussi l'auxiliaire de la conjugaison pronominale :

Les oiseaux se sont envolés. Je me suis (et non **Je m'ai*) *procuré du matériel* (verbe *se procurer,* conjugaison pronominale), mais *Je lui ai procuré du matériel* (verbe *procurer,* conjugaison active).

● *Se faire, se laisser, se sentir, se voir, s'entendre* employés devant un infinitif dont le pronom est complément forment avec cet infinitif une locution pronominale se conjuguant avec *être,* et dont le sens est proche de celui d'un passif :

Ils se sont fait remarquer. Elle s'est vu interdire l'accès de la salle.

● Quelques verbes intransitifs se conjuguent avec l'auxiliaire *être.* Ce sont

aller, arriver, décéder, devenir, échoir, éclore, entrer, intervenir, mourir, naître, partir, parvenir, rentrer, repartir, rester, retourner (= aller de nouveau), *revenir, survenir, tomber, retomber, venir.*

3. Avoir / être. Certains verbes intransitifs, ou dans un emploi transitif, se conjuguent soit avec l'auxiliaire *avoir,* soit avec l'auxiliaire *être.* Ainsi, par exemple, on dit à peu près indifféremment de quelqu'un dont la mine est bien différente de ce qu'elle était :

Il a bien changé, ou *Il est bien changé.*

Une assez nette différence de valeur est parfois sensible entre ces deux auxiliaires : *avoir* exprime alors plutôt l'action elle-même, située dans le passé (souvent au moyen d'un complément ou d'un adverbe de temps), et *être* plutôt l'état résultant de l'accomplissement de l'action; dans ce dernier cas, le participe est souvent assimilable à un adjectif attribut :

*Ce livre **a** paru l'année dernière* (indication d'un fait passé). *Ce livre **est** paru* (= il est en vente, il est disponible).

Sont notamment susceptibles de recevoir l'auxiliaire *avoir* ou l'auxiliaire *être* les verbes suivants :

accoucher, accourir, apparaître, atterrir, augmenter, changer, chavirer, convenir (v. ce mot), *crever, croupir, déborder, décamper, dégeler, dégénérer, déménager, demeurer* (v. ce mot), *descendre, diminuer, disparaître, divorcer, échapper, échouer, éclater, embellir, empirer, enchérir, enlaidir, expirer, grandir, grossir, maigrir, trépasser, vieillir.*

4. Auxiliaires devant un infinitif, v. ASPECT, 3 et 4 ; ALLER, 4, 5, 6, 7, 10 ; DEVOIR ; FAILLIR, 1 ; FAIRE, 2 et 4 ; MANQUER, 2, 3, 4 ; POUVOIR, 1.

V. *section « conjugaison ».*

avance

D'avance, par avance, à l'avance. Ces trois expressions s'emploient couramment, sans différence marquée de sens ; toutefois *d'avance* est plus fréquent :

*Je m'en réjouis **d'avance**, ou **par** avance, ou **à l'avance**.* On dit : *Il s'y est pris longtemps* (trois jours, etc.) *d'avance*, ou *longtemps **à l'avance*** plutôt que *longtemps par avance*.

avant

1. Avant que (ne) + subj. / **Avant de** + infin. On emploie le subjonctif, et facultativement *ne* explétif (v. NE, II, 5) dans la proposition introduite par *avant que* :

*Prévenez-moi **avant qu'il (ne) soit** trop tard.*

● En cas d'identité de sujet entre le verbe de la proposition principale et celui de la subordonnée, la construction infinitive avec *de* est de règle :

*Prévenez-moi **avant de partir*** (et non **avant que vous [ne] partiez*).

● *Avant que de* + infin. est une construction archaïque qui se rencontre parfois dans l'usage littéraire :

Il faut tout tenter avant que d'en arriver là.

2. Avant déjeuner, avant dîner. Ces emplois sont beaucoup plus rares que ceux de *après déjeuner, après dîner* :

Je passerai vous voir avant dîner (usage plus courant : *avant de dîner*, ou *avant le dîner*).

3. Avant adverbial. *Avant* s'emploie couramment comme adverbe par omission d'un terme déjà exprimé (ou d'un pronom qui le représenterait) :

Je vais jusqu'au bout, ou je m'arrête avant ? (= avant le bout). *Je vais m'occuper de cette affaire, mais avant je dois passer un coup de téléphone* (= avant cela).

Dans un usage plus soutenu, on emploie *auparavant* au sens temporel.

● *Avant* précédé d'un adverbe comme *plus, bien, fort, assez, si* équivaut à *loin* ou à *tard* dans des phrases telles que :

Allons (entrons, pénétrons, etc.) *plus avant dans le bois. La réunion a duré* (s'est prolongée, etc.) *fort* (bien) *avant dans la nuit.*

avec

1. Avec/à. On peut souvent employer l'une ou l'autre de ces prépositions pour introduire le complément de certains verbes qui indiquent une association, une liaison, comme *associer, allier, unir, réunir, joindre, comparer, confronter.* Quand une différence de valeur peut être observée entre ces deux constructions, *à* indique plutôt un rapprochement, une addition (les deux termes peuvent généralement être reliés aussi par *et*), et *avec* insiste davantage sur la réciprocité ou la symétrie de situation des deux termes :

*Associer la prudence **à*** (ou **avec**, ou **et**) *la fermeté. S'associer, s'allier **à*** (ou **avec**) *quelqu'un. Confronter* son point de vue *à* (ou ***avec, et***) celui des autres. *Comparer une copie* *à* (ou ***avec***) *l'original.*

Mais on dit *associer quelqu'un* *à* (et non *avec*) *une entreprise. Joindre un document* *à* (plutôt que *avec*) *un dossier.*

Quand *comparer* signifie « assimiler par analogie », son complément est toujours introduit par *à* :

> *Comparer des troubles sociaux à une tempête.*

2. *Avec/et.* On dit souvent, dans l'usage familier :

> *Avec mon frère, nous en parlions,* ou *Nous en parlions avec mon frère*

pour indiquer une conversation à deux personnes, mon frère + moi. Il risque d'y avoir confusion quand X (« mon frère ») peut être pris comme un complément d'accompagnement s'ajoutant à un sujet pluriel (« nous »), ce qui suppose au moins trois personnes. Dans l'usage surveillé, on dit soit *Mon frère et moi, nous en parlions,* soit *J'en parlais avec mon frère.*

● *Avec* joint parfois deux noms comme ferait la simple conjonction *et.*

Si ces noms sont sujets, le verbe se met au pluriel :

> *Pierre avec sa femme sont venus me voir.*

3. *D'avec/de.* Après des verbes indiquant séparation, distinction, comme *séparer, distinguer, démêler, détacher, disjoindre, dissocier, divorcer, enlever, isoler, ôter, retirer,* le 2e complément peut être introduit par *d'avec,* qui est un peu plus expressif que *de* et qui rend parfois plus claire la relation grammaticale :

> *Il faut distinguer la fermeté d'avec la répression* (on évite ainsi la fausse interprétation « la fermeté de la répression »).

4. *Avec* employé absolument. L'usage le plus courant est de ne pas employer de pronom personnel après *avec* pour représenter en fin de phrase un nom de chose déjà exprimé :

> *Il faut affûter ce couteau, on ne peut plus rien couper avec. Servir des radis et du beurre avec.*

S'il s'agit d'un nom de personne, l'omission du pronom est rare :

> *J'ai rencontré Pierre et j'ai marché un moment avec **lui**.*

b

beaucoup

1. Beaucoup/bien. *Beaucoup*, adverbe de quantité, sert à renforcer un verbe :

> *Il travaille beaucoup.* (Dans *Il travaille bien*, l'adverbe *bien* exprimerait la manière et non la quantité.)

Devant *plus, moins, mieux*, on emploie à peu près indifféremment *beaucoup* ou *bien* :

> *Cela s'est produit beaucoup plus tard*, ou *bien plus tard*.

On dit soit *beaucoup moindre*, soit plutôt *bien moindre*. *Beaucoup meilleur, beaucoup davantage* sont archaïsants : l'usage courant est *bien meilleur, bien davantage*.

De même, *bien pire, bien supérieur, bien inférieur* sont bien plus usuels que *beaucoup pire, beaucoup supérieur, beaucoup inférieur* : on peut aussi souligner la différence par la locution *de beaucoup* :

> *Celui-ci est de beaucoup supérieur à l'autre*, ou *Celui-ci est supérieur à l'autre de beaucoup.*

> *Il s'en faut de beaucoup* est plus courant que *Il s'en faut beaucoup*, et, avec un superlatif relatif : *C'est de beaucoup* (ou *de loin*) *le plus intéressant.*

2. Beaucoup de sert de déterminant à un nom singulier ou pluriel :

> *Beaucoup de prudence est requise.*
> *Beaucoup de détails sont inexacts.*

On voit que les accords se font en principe avec le nom qui suit *beaucoup*, comme s'il était déterminé par *un certain, plusieurs*.

● Une phrase comme *Beaucoup de délicatesse serait étonnant de sa part* n'est pas exclue, mais ce n'est pas une construction très naturelle ; on dit plutôt, par exemple :

> *Il serait étonnant qu'il montre beaucoup de délicatesse*, etc.

● Le même principe d'accord avec le complément de l'adverbe s'applique à d'autres expressions qui indiquent la quantité : *trop de, assez de, peu de, tant de, combien de* :

> *Trop de gens s'imaginent...*
> *Assez de soucis nous assaillent.*
> *Peu de personnes le savent.*
> *Tant de questions sont à examiner ! Combien de romans sont ennuyeux !*

3. *Beaucoup* employé seul peut signifier « beaucoup de gens » (emploi surtout usuel dans la fonction sujet) :

> *Beaucoup pensent que c'est une erreur.*

bénéficier

Dans l'usage traditionnel, on dit *bénéficier de qqch* :

> *L'accusé a bénéficié des circonstances atténuantes. Cette région bénéficie d'un climat très doux.*

La construction *bénéficier à qqn* est critiquée, mais assez courante :

> *Le doute doit bénéficier à l'accusé.* (On peut dire : *être au bénéfice, à l'avantage de, profiter à.*)

bon

1. Bon/meilleur. Au comparatif et au superlatif, **plus bon, *le plus bon* sont de l'usage relâché au lieu des formes courantes *meilleur, le meilleur*. Pourtant, *plus* n'est pas incompatible avec *bon* s'il ne le précède pas immédiatement :

C'est plus ou moins bon. Plus ce vin vieillit, plus il est bon (mais on dit bien aussi : *meilleur il est*). (V. MEILLEUR.)

2. *De bonne heure.* Au comparatif, on ne dit généralement pas *de plus bonne heure. La construction *plus de bonne heure* est jugée relâchée ; la forme reconnue correcte est *de meilleure heure*, mais on préfère généralement dire *plus tôt*. *Trop de bonne heure*, *assez de bonne heure* sont usuels, mais dans l'usage surveillé on préfère *de trop bonne heure*, *d'assez bonne heure*.

3. Vu la rareté du cas, il est difficile d'alléguer un usage relativement à un éventuel emploi au comparatif de locutions figées comme *bon enfant*, *bon prince*, *bon apôtre*, *bon vivant*, susceptibles d'être employées adjectivement. Le recours à *meilleur* paraît exclu (**Il est meilleur vivant que son frère*). Si on éprouve de la gêne devant *plus bon vivant*, *plus bon enfant*, etc., il reste la ressource de changer d'expression. À noter qu'on dit très couramment :

Je suis meilleur juge que vous.

4. *Bon premier*, *bon dernier*. Dans ces expressions, *bon*, qui a un rôle adverbial, s'accorde néanmoins comme l'adjectif qui suit :

Elles sont arrivées bonnes dernières. (V. ADVERBE, 3.)

but

L'expression du but peut se faire par diverses locutions conjonctives (avec le subjonctif) ou prépositives :

pour (que), afin que (afin de, à seule fin de + infin.), *aux fins de* + n., *de manière (ou façon, ou sorte)* [*à ce*] *que*, *de manière (ou façon) à* + infin., *de peur que (de peur de* + infin. ou n.), *de (ou par) crainte que (de* [ou *par*] *crainte de* + infin. ou n.), *pour éviter que (pour éviter de* + infin.), *dans le but de* + infin., *dans le dessein (ou l'intention) de* + infin. (soutenu), *à dessein de* + infin. (soutenu), *en vue de* + infin., *histoire de* + infin. (familier).

ou simplement par la conjonction *que* + subj. (familier) :

Ôte-toi de là, que je puisse voir.

c

ça, cela

1. Ça/cela. Dans l'usage oral familier ou simplement courant, le démonstratif qu'on écrit plus habituellement *cela* que *ça* se prononce [sa], à tel point que la prononciation [səla] serait ressentie, dans certains contextes, comme une marque d'affectation : *Cela suffit comme cela.* (V. CE, II.)

2. Ça (cela), qui désigne normalement des choses ou des animaux, est parfois employé pour des humains soit familièrement, soit avec une valeur méprisante :

> *Les enfants, ça vous occupe! Ça prétend donner son avis et ça ne connaît rien à la question!*

3. Ça impersonnel. *Ça* s'emploie devant un verbe ou un tour impersonnel, parfois comme variante plus ou moins familière de *il* :

> *Ça sent mauvais ici. Ça pleut, ça tonne* (usage courant : *Il pleut, il tonne*).

4. Comme ça. Cette locution est fréquente dans l'usage oral familier, au sens de l'adverbe *ainsi* (à valeur démonstrative ou conclusive) ou au sens de l'adjectif *pareil* :

> *Si tu t'y prends comme ça, tu vas tout rater. Ne t'inquiète donc pas comme ça ! Alors, comme ça, tu nous quittes ? Un spectacle comme ça, c'est rare.*

● *Il a dit comme ça que...* Ce tour, où *comme ça* est superflu, appartient à l'usage populaire ou enfantin :

> *Il a dit comme ça qu'il reviendrait.*

5. Sans ça au sens de *sinon* est de l'usage oral familier :

> *J'espère qu'il ne pleuvra pas, sans ça la fête serait ratée.*

6. Qui ça? où ça? quand ça? pourquoi ça? *Ça*, comme *donc*, sert souvent d'appui à un mot interrogatif dans l'usage oral familier :

> *On me l'a dit. — Qui ça, on? Il est parti. — Où ça?*

car

Cette conjonction, relativement rare dans l'usage oral, est très courante dans l'usage écrit.

1. Car/parce que. La coordination par *car* a une valeur causale proche de celle de la subordination par *parce que*, mais généralement moins insistante ; *car* ajoute une explication accessoire, non requise, alors que *parce que* indique souvent la raison d'être de quelque chose, le mobile de quelqu'un, et peut, à la différence de *car*, être mis en relief par *si ..., c'est* ou par *c'est ... que* :

> *J'arrête ici ma lettre, car il est tard. (Si) j'ai été absent (c'est) parce que j'étais malade,* ou *C'est parce que j'étais malade que j'ai été absent.*

2. Car/en effet. Ces deux éléments de liaison ont à peu près la même valeur. *Car* est toujours en tête d'une proposition ; *en effet* peut être en tête ou à l'intérieur d'une proposition qui est généralement séparée de l'énoncé précédent par une pause plus marquée que si le lien est *car* :

> *Il faut que je parte, car je suis pressé. La durée du trajet dépend de l'itinéraire choisi : en effet il y a (ou il y a en effet) trois routes possibles.*

3. Car en effet. Cette expression, fréquente dans l'usage oral, forme pléonasme dans la mesure où *en effet* n'est plus compris comme autrefois au sens de «effectivement, en réalité».

On l'évite donc dans l'usage surveillé, où l'on utilise soit *car*, soit *en effet* :

> *L'enquête va être reprise, car (ou en effet) il y a un fait nouveau.*

4. Car... et que... Par analogie avec *parce que... et que...* (v. QUE, 1), on reprend parfois *car* par *que* :

> *Je m'arrête ici, car il est tard et que j'ai sommeil.*

Dans l'usage surveillé, on préfère éviter d'employer *que* :

> *Je m'arrête ici, car il est tard et j'ai sommeil.*

cas

1. Au cas où. Après cette locution conjonctive, on emploie ordinairement le conditionnel :

> *Au cas où un incident se produirait, prévenez le gardien.*

● Dans l'usage littéraire, on emploie parfois le subjonctif, et principalement le subjonctif plus-que-parfait, qui est une variante du conditionnel passé (v. CONDITIONNEL, 4) :

> *Au cas où il en soit encore temps, je vous prie d'intervenir. Au cas où il eût refusé, nous ne pouvions rien faire.*

2. Au cas que, en cas que sont des archaïsmes littéraires employés soit avec le subjonctif, soit avec le conditionnel :

> *Il avait pris ses précautions au cas (ou en cas) que l'affaire tournât mal. On avait recueilli des témoignages, au cas que d'aucuns auraient émis un doute.*

cause

L'expression de la cause peut se faire par des moyens très divers.

1. Subordination par des conjonctions, suivies en règle générale de l'indicatif, et dont certaines correspondent à des prépositions :

● *parce que, puisque, comme, du moment que, dès l'instant que (où), dès lors que, c'est que, surtout que* (familier) :

> *Si je ne suis pas venu, c'est que j'avais un empêchement.*

● *vu (que), attendu (que), étant donné (que)* :

> *vu l'heure tardive ; vu qu'il était tard.*

● *du fait que/de, sous prétexte que/de, compte tenu que/de* :

> *du fait qu'il est absent ; du fait de son absence.*

● *non que, ce n'est pas que* + subj. :

> *Je ne suis pas venu, non que cela ne me plaise pas, mais j'avais un empêchement.*

● *de peur (ou crainte) que* + subj./*de* :

> *de peur qu'il soit trop tard ; de peur d'être en retard.*

2. Emploi de prépositions :

● *par (agir par avarice) ; pour (être condamné pour vol, pour avoir fraudé le fisc) ; de (rougir de honte) ; avec (avec un tel passé, il n'y coupe pas de la prison) ; sous (céder sous le choc) ; devant (être révolté devant tant de cynisme),* etc.

● *à cause de, grâce à, faute de, en raison de, eu égard à, sous l'effet de, sous le coup de,* etc.

3. Coordination par une conjonction, un adverbe : *car, en effet, aussi bien.*

4. Juxtaposition de propositions :

> *Je rentre : il est tard.*

5. Mise en apposition d'un adjectif, d'un participe, d'une subordonnée relative ou participiale :

> *Le coupable, confus, baissait la tête. Pressé par le temps, j'ai dû décider seul. La planche, qui était pourrie, s'effondra. Tout le monde étant d'accord, on peut commencer.*

causer, parler

1. On dit *parler à qqn* ou *avec qqn, causer avec qqn,* et aussi *causer à qqn.* Cette dernière construction, longtemps critiquée, est fréquente aujourd'hui mais ordinairement jugée familière ou populaire :

> *Toi, je te cause pas. Ah, celui-là, (ne) m'en causez pas !*

On peut aussi employer ces verbes sans complément :

> *Il parle bien. Il cause agréablement. Nous causions en vous attendant.*

2. On dit couramment *parler* ou *causer affaires, cinéma, gros sous.* Mais, avec un complément plus spécifié : *parler* ou *causer d'une affaire importante.*

3. On dit *parler une langue, parler (le) français. Causer une langue, causer (le) français* est de l'usage populaire.

ce

I. *CE (CETTE, CES),* DÉTERMINANT DÉMONSTRATIF

1. *Ce* exclamatif est familier : *Ce culot !* (usage soutenu : *Quelle audace !*).

2. *Un de ces* s'emploie familièrement en exclamation avec une valeur intensive :

> *Il a un de ces culots ! Il y a un de ces brouillards !* (= un épais brouillard).

On dit plus habituellement *J'ai un de ces mal de tête ! J'ai un de ces travail !* que *J'ai un de ces maux de tête, de ces travaux !* (= un violent mal de tête, beaucoup de travail.)

● *Un de ces jours* signifie, familièrement, « un jour plus ou moins prochain ».

II. *CE (C', ÇA),* PRONOM DÉMONSTRATIF

1. *Ce (c')*, pronom démonstratif, s'emploie comme sujet du verbe *être* ou comme antécédent d'un relatif :

> *Ce sera difficile* (familièrement : *Ça sera difficile*). *C'est ce que* je pensais.

● *Ce* s'emploie dans l'usage soutenu comme sujet de verbes tels que *devoir, pouvoir,* introduisant le verbe *être* :

> *Ce devait* être au mois de juin. *Ce pourra* être bientôt (usage courant : *Cela [ça] devait être... Cela [ça] pourra être...*).

● La forme élidée *c',* de règle devant les formes du verbe *être* commençant par une voyelle, peut aussi se rencontrer devant *en* ou, avec une cédille (*ç'*), devant l'auxiliaire *avoir* aux formes composées du verbe *être* (usage soutenu) :

> *C'en* est la raison principale. *Ç'avait été* difficile (usage courant : *Cela [ça] avait été ...*); mais : *Cela [ça] avait coûté très cher* (et non **Ç'avait coûté*). (V. ÇA, CELA.)

2. *Ce* s'emploie aussi comme pronom dans les formules de l'usage soutenu *et ce, sur ce, ce faisant* :

> *Les choses vont changer, et ce dès aujourd'hui* (= et cela). *Une semaine s'écoula ; sur ce un nouvel incident se produisit* (= là-dessus). *Vous pourriez certes refuser : ce faisant, vous prendriez un grand risque* (= en agissant ainsi).

3. *C'est / ce sont.* Quand le mot qui suit cette expression est un nom pluriel, le verbe *être* se met soit au pluriel, soit au singulier, l'accord au pluriel étant considéré comme une marque de l'usage soigné :

> *Ce sont là les points essentiels* (fam. *C'est là les points essentiels*). *Ce furent ses derniers mots.*

● Si le nom ou le pronom qui suit cette expression est introduit par une préposition, on emploie la forme de singulier *c'est* :

> *Si je vous ai appelé, c'est pour des raisons graves* (et non **ce sont pour des raisons graves*).

● *C'est eux (elles)* est plus courant que *ce sont eux (elles)* :

Je les aperçois : c'est eux. C'est eux (ou ce sont eux) qui m'ont averti.

● *Si ce n'est*, v. SI.

4. *Ce que ... !* v. COMBIEN, 1. **À *ce que*,** v. À, 5. **De *ce que*,** v. DE, 10. ***C'est... qui (que)*,** v. C'EST.

ceci

Ceci / cela. Dans l'usage soigné, on peut opposer *ceci*, désignant ce qu'on va dire ou ce qui est proche, à *cela*, désignant ce qui a été dit ou qui est plus éloigné :

Après avoir rappelé cela, j'ajouterai seulement ceci : ...

On peut établir la même distinction entre *celui-ci* et *celui-là*, *voici* et *voilà*. Cependant, on dit aussi bien *ceci dit* que *cela dit* pour référer à ce qu'on vient de dire. Dans l'usage oral, on emploie surtout *cela* (ou *ça*), *celui-là*, *voilà*, sans tenir compte de la distinction indiquée.

celui

1. Dans l'usage le plus indiscuté, *celui* est repris par un pronom relatif (*celui qui, que, dont*, etc.) ou par un complément introduit par *de* (*celui de...*). L'emploi d'autres prépositions (*à, en, pour*, etc.), autrefois critiqué, est couramment admis aujourd'hui :

Les bateaux à voile et ceux à moteur. La vaisselle en faïence et celle en porcelaine.

2. *Celui* + participe est une construction qui a été longtemps critiquée, mais qui est largement répandue aujourd'hui quand le participe est suivi d'un complément :

La somme à payer est celle figurant au bas de la facture, celle indiquée au bas de la facture

Dans l'usage surveillé, on évite d'employer *celui* + participe sans complément ; au lieu de dire : *Le prix est supérieur à celui prévu*, on dit : *à celui qui était prévu* ou *au prix prévu*.

3. *Celui* + adjectif est un tour évité si l'adjectif n'a pas de complément.

Au lieu de : **Ne mélangez pas les boîtes vides et celles pleines*, on dit : *... et celles qui sont pleines*, ou *... et les pleines*. Quand l'adjectif a un complément, ce tour est très usuel, mais dans l'usage soutenu on préfère ordinairement dire *celui qui est* + adjectif, ou répéter le nom au lieu d'employer *celui* :

On a abordé les questions politiques et celles relatives à l'économie (ou *celles qui sont relatives...*, ou *les questions relatives...*).

● Un adjectif peut très normalement être placé après *celui* s'il lui est apposé, c'est-à-dire s'il en est séparé par une pause (une virgule) ; dans ce cas, *celui* est repris par un pronom relatif ou par un complément :

*Je m'adresse à **ceux, nombreux**, qui s'inquiètent.*

4. *Je suis celui qui...*, v. QUI, 4.

cependant que

Cette locution conjonctive est de l'usage littéraire. Elle peut avoir une valeur temporelle :

Ils poursuivaient leur route, cependant que le ciel s'assombrissait (= tandis que). *Cependant qu'il parlait, sa pensée se précisait* (= pendant que).

● Elle peut avoir une valeur d'opposition :

Il niait toujours, cependant que les preuves l'accablaient (= alors que).

certain

1. *Un certain* + n. laisse subsister une indétermination, en indiquant une quantité, une importance non négligeables :

*Je ne l'ai pas vu depuis **un certain temps**. On a **une certaine difficulté** à le suivre. C'est vrai jusqu'à **un certain point**.*

ou la nature particulière de quelque chose :

*Il a **une certaine façon** à lui de présenter les choses.*

● Devant un nom de personne, *un certain* souligne le caractère peu connu de la personne, parfois avec une valeur plus ou moins méprisante :

> *J'ai reçu la visite d'un certain Durand* (on dit aussi, avec une valeur comparable, *un nommé, un dénommé Durand*).

● *Certain* + n. (au singulier, sans article indéfini) est archaïsant. Il indique un être, une chose notoires, mais qu'on s'abstient de préciser autrement :

> *Certain gentilhomme normand...*
> *Certain jour qu'il neigeait...*

2. *Certains* + n. indique plusieurs êtres ou choses qu'on distingue d'un ensemble :

> *Certains oiseaux imitent la parole humaine. Cela ne se produit que dans certaines conditions.*

● *De certains* + n. est archaïsant :

> *Je l'ai rencontré en de certaines occasions* (usage courant : *en certaines occasions*).

3. *Certains* employé pronominalement représente une partie des êtres ou des choses nommés antérieurement ou exprimés ensuite sous forme de complément :

> *Les spectateurs s'ennuyaient ; certains même s'étaient endormis. Certaines de ces maisons datent du Moyen Âge.*

● *Certains* employé seul peut signifier « certains hommes », principalement, mais non exclusivement dans la fonction sujet :

> *Certains prétendent le contraire. Selon certains, c'est faux.*

4. *Certain* placé après le nom ou employé comme attribut est un adjectif qualificatif :

> *Une* **réussite certaine** *est moins douteuse qu'une* **certaine réussite**.

c'est... qui, c'est... que

1. On met un mot ou une expression en relief en les encadrant par *c'est... qui, c'est... que* :

> *C'est le facteur* **qui** *me l'a dit. C'est lui* **que** *je veux voir. C'est pour cela* **que** *je n'ai rien dit. C'est demain* **qu'il** *arrive. Ce sont eux* **qui** *me l'ont dit.* (Pour *c'est/ce sont*, v. CE, II, 3.)

● Au lieu de *c'est*, on peut employer *c'était, ce fut, ce sera, ce serait*, mais l'usage tend à généraliser l'invariabilité de *c'est* :

> *C'était* (ou *c'est*) *ce qui me tracassait. Ce fut* (ou *c'est*) *alors qu'on s'en aperçut. Ce sera* (ou *c'est*) *bientôt que nous le reverrons.*

2. *C'est de cela que, c'est à lui que.* Quand le complément mis en relief est indirect, c'est-à-dire précédé d'une préposition, on le place ordinairement avec sa préposition après *c'est* :

> *C'est de cela* **que** *je m'occupe. C'est à lui* **que** *je pense.*

La construction *C'est cela dont je m'occupe, C'est lui à qui je pense* est aujourd'hui plus rare, et la construction *C'est de cela dont je m'occupe, C'est à lui à qui je pense* est archaïque.

chacun, chaque

1. *Chacun notre (votre)/chacun son.* Quand le sujet est un pronom de la 1re ou de la 2e personne du pluriel, on emploie le plus souvent, dans ces expressions, le possessif de la personne correspondante, mais parfois aussi celui de la 3e personne, en particulier dans la locution *chacun de son côté* :

> *Nous avons* **chacun notre** *opinion sur la question. Nous partirons, toi et moi,* **chacun de notre** *côté* (ou **chacun de son** *côté*)*. Chacun à* **votre** *manière* (ou **chacun à sa** *manière*)*, vous avez fait un travail intéressant.*

2. *Chacun son (ses)/chacun leur(s).* Quand le sujet est pluriel et de la 3e personne, on peut dire :

> *Ils se sont installés* **chacun à sa** *place* ou **chacun à leur** *place. Joël et Étienne étaient accompagnés cha-*

cun de ses parents ou **chacun** *de leurs parents*.

3. Entre chacun (de), entre chaque. Ces expressions s'emploient couramment au sens de « entre chacun (de) … et le suivant », « dans l'intervalle entre deux… » :

Entre chacune de ses phrases, il marquait une pause. Boire une gorgée entre chaque bouchée (on peut dire : *après chacune de ses phrases, après chaque bouchée*).

4. Chaque deux jours. L'emploi de *chaque* devant un mot numéral pour marquer la périodicité est familier. La langue soignée emploie *tous les… :*

Il vient tous les deux jours, ou *un jour sur deux.*

5. Un chacun, tout un chacun est un équivalent littéraire ou plaisant de « tout le monde, n'importe qui » :

C'est un art qui n'est pas donné à un chacun. Vous pouvez, comme tout un chacun, vous procurer ce document.

6. Chacun/chaque. L'emploi de *chaque,* normalement adjectif, au lieu du pronom *chacun* appartient à la langue commerciale ou à la langue familière :

Des articles à cent francs chaque (= à cent francs [la] pièce, à cent francs chacun). *Il a pris de tous les plats, mais un peu de chaque seulement.*

7. Chacun, chaque + ne … pas, v. NÉGATION, 10.

collectif

1. De nombreux noms collectifs suivis de la préposition *de* peuvent fonctionner comme déterminants d'un nom :

On a examiné **la totalité des** *réponses* (= toutes les réponses).

On peut employer ainsi *une foule de, une bande de, un grand (petit, certain) nombre de, une multitude de, une partie de, une majorité de, une minorité de, la plupart de, le reste de,* etc.

Quand un groupe du nom pluriel ainsi déterminé a la fonction sujet, le verbe est en principe au pluriel :

Une foule de visiteurs **sont venus**. *La* **majorité** *des réponses* **sont** *fausses.*

• Quand le groupe sujet comprend les compléments *d'entre nous* ou *d'entre vous,* le verbe se met le plus souvent au pluriel et à la 3e personne :

Le plus grand nombre d'entre nous **sont** *de cet avis. La plupart d'entre vous le* **savent**.

Il arrive cependant que l'accord soit fait avec *nous* ou *vous,* à la 1re ou à la 2e personne du pluriel :

La plupart d'entre vous le **savez**.

Cet accord en personne peut avoir lieu aussi si *d'entre nous* (ou *vous*) est complément d'un adverbe, d'un numéral ou d'un indéfini :

Beaucoup d'entre nous le **savent** (ou *le* **savons**). *Trois, plusieurs d'entre vous le* **savent** (ou *le* **savez**).
(V. ENTRE, 1 et [LA] PLUPART.)

2. Cependant le nom collectif peut aussi remplir par lui-même la fonction sujet en gardant sa pleine valeur de nom suivi d'un complément ; dans ce cas le verbe s'accorde au singulier avec le collectif :

La **foule** *des curieux* **s'est dispersée**. *Une* **majorité** *d'opposants* **peut** *bloquer le projet.*

• Dans de nombreux cas, on peut indifféremment choisir l'accord au singulier ou au pluriel :

Une partie des objets volés **ont été retrouvés** ou *a été retrouvée.*

combien

1. Combien ! Comme ! Que ! Ces trois mots peuvent s'employer comme adverbes exclamatifs exprimant la quantité, l'intensité :

Combien c'est heureux ! Comme c'est heureux ! Que c'est heureux !

Ce que exclamatif est familier, *qu'est-ce que* exclamatif est très familier :

Ce qu'on est bien ici! Qu'est-ce qu'on est bien ici!

● Seul *combien* peut porter directement sur un adjectif ou un adverbe placé immédiatement après lui :

Combien rares sont de telles occasions! Comme (ou *combien,* ou *que*) *de telles occasions sont rares!* (V. COMME, 2.)

2. Combien de s'emploie comme déterminant interrogatif ou exclamatif devant un nom, à la manière de *quel(s) :*

Combien de temps dure le spectacle?
Combien de voyages avez-vous faits?
Combien de peine nous a donnée cette affaire! (pour les accords, v. BEAUCOUP, 2).

On voit que le sujet est normalement inversé (quand il n'est pas le mot déterminé par *combien de*). Dans l'usage familier cependant, le sujet reste parfois placé avant le verbe dans la phrase interrogative :

Combien de temps (que) ce spectacle dure? Combien de voyages (que) vous avez faits? (v. INTERROGATION, 3).

Si la phrase est exclamative, le sujet se place aussi bien avant le verbe qu'après lui, dans l'usage courant :

Combien de peine cette affaire nous a donnée!

● Si *combien de* se rapporte au nom sujet, le sujet n'est pas inversé :

Combien de personnes ont répondu?

Toutefois, il arrive que dans ce cas on pratique une inversion « complexe » (reprise du sujet par un pronom personnel inversé) : *Combien de personnes ont-elles répondu?* Cette construction est évitée dans l'usage surveillé.

3. *Combien* exclamatif ou interrogatif peut signifier « combien de personnes » :

Combien voudraient être à votre place! Combien ont répondu?

Combien interrogatif peut signifier « combien de temps » ou « quel prix » :

Combien dure la séance? Combien as-tu payé cet article?

4. Le combien? Le combientième? Pour interroger sur le jour du mois, on dit souvent familièrement :

On est le combien? ou *Le combien sommes-nous?*

Dans un usage plus surveillé, on dit *Quel jour sommes-nous?* ou *Quel jour est-on aujourd'hui?* ce qui est plus ambigu, la réponse pouvant être « lundi » ou « mardi », etc. On peut dire : *Quelle est la date aujourd'hui?*

● On interroge familièrement sur la périodicité (en jours) par *tous les combien? :*

Le marché a lieu tous les combien?

● On ne pourrait guère éviter ce type d'interrogation que par des tournures telles que : *Quelle est la fréquence* ou *la périodicité des marchés?*, etc., qui ont un caractère plus ou moins solennel pour une question aussi simple.

● On interroge souvent familièrement sur le rang par *le combien* ou, plus familièrement, par *le combientième :*

Il était le combien (ou *le combientième*) *à l'arrivée?*

Si on veut éviter ces emplois, on dira, par exemple :

Il est arrivé à quelle place? ou *Quel était son rang d'arrivée?*

5. Ô combien! s'emploie plaisamment avec une valeur intensive :

J'admire ô combien ce projet! L'autre éventualité est ô combien préférable!

comme

1. Comme/comment. L'emploi de *comme* au lieu de *comment* pour introduire une interrogation indirecte a un caractère archaïsant : *J'ignore comme il a présenté les choses.* On dit cependant parfois, familièrement : *dis-moi comme il faut faire.*

2. Comme s'emploie bien pour introduire une exclamation indirecte, au sens de « combien, à quel point » :

Il m'a raconté comme vous aviez été inquiet. Il fallait voir comme on s'empressait, ou *On s'empressait, il fallait voir comme ! Dieu sait comme c'est compliqué*, ou *C'est compliqué, Dieu sait comme !* (V. COMBIEN, 1.)

3. *Comme quoi* s'emploie parfois dans l'usage soutenu à la place de la simple conjonction *que* après un verbe transitif de déclaration :

> *Il m'a longuement raconté comme quoi il avait été chargé de missions importantes.*

● Cette expression peut introduire, dans l'usage familier et après un nom, une proposition explicative développant la teneur des propos de quelqu'un (= disant que, indiquant que, etc.) :

> *Il m'a écrit une lettre comme quoi il acceptait ces propositions.*

● Après une pause, *comme quoi* peut introduire une réflexion de caractère conclusif (= ce qui prouve que...) :

> *On est bien en avance, comme quoi ce n'était pas la peine de tant se presser.*

4. *Aussi, autant, comme*. Une comparaison d'égalité peut s'exprimer soit par *aussi... que, autant... que*, soit parfois simplement par *comme* :

> *Est-ce que c'est **aussi** grave **qu'**on le croyait ?* (ou : *Est-ce que c'est grave **comme** on le croyait ?*). *Il y a **autant** d'inconvénients **que** d'avantages.*

Aussi... comme, autant... comme, usuels autrefois, ne s'emploient plus que dans l'usage populaire et dans certaines provinces : **Il y a autant d'inconvénients comme d'avantages.*

5. *C'est tout comme* est une locution familière signifiant « peu s'en faut, il n'y a guère de différence » :

> *Il n'a pas dit tout à fait cela, mais c'est tout comme.*

6. *Comme tout* placé après un adjectif lui donne la valeur d'un superlatif :

> *C'est simple comme tout* (= c'est très simple).

7. *Comme qui dirait* indique dans la langue familière une analogie (= pour ainsi dire, une sorte de), parfois avec une nuance plaisante :

> *C'est une grande place, comme qui dirait la place de la Concorde à Paris. Il y a comme qui dirait une difficulté !*

Comme qui dirait que + indic. introduit, dans la langue très familière et sur le mode plaisant, une réflexion suscitée par une observation :

> *Comme qui dirait que j'arrive trop tard !*

8. *Comme* conjonction de temps ou de cause.

● *Comme* exprimant le temps (= tandis que, alors que, pendant que) s'emploie seulement avec l'imparfait de l'indicatif :

> *Il est arrivé **comme** la nuit **tombait*** (et non **Comme il est arrivé, la nuit tombait*).

● *Comme* exprimant la cause (= du fait que, étant donné que) peut s'employer avec n'importe quel temps de l'indicatif ou du conditionnel, mais la proposition qu'il introduit précède normalement la principale :

> ***Comme** la nuit **tombait**, on a dû interrompre les recherches.*

On peut, selon la situation, interpréter *comme* au sens temporel ou au sens causal dans une phrase telle que :

> *Comme la nuit tombait, le silence est revenu.*

9. *Comme ça*, v. ÇA, 4. *Comme* reliant deux sujets, v. ACCORD, II, 5.

commencer

1. *Commencer à, commencer de*. *Commencer à* + infin. est plus courant aujourd'hui que *commencer de* + infin., qui a souvent un caractère plus littéraire :

> *Le jour commence **à** se lever. Il commençait **à** m'agacer avec ses réflexions.*

● Pourtant, *commencer de* est d'un usage très courant dans certains cas.

par exemple aux formes composées, ou pour éviter un hiatus :

*Il a commencé **de** (ou **à**) pleuvoir à dix heures. Dès qu'il commencera **de** (ou **à**) pleuvoir, on se mettra à l'abri.*

2. Commencer par + infin. indique une action qu'on fait avant autre chose :

*Commençons **par** régler les affaires les plus urgentes.*

3. Commencer à (ou d') être + part. passé/être commencé de + infin. Avec des verbes perfectifs (v. VERBE, 5) comme *construire, rédiger, payer*, etc., on peut traduire l'action entreprise par *être commencé de* + infin. ; avec les verbes non perfectifs, on emploie *commencer à* (ou *d'*) *être* + part. passé :

La maison a été commencée de construire au printemps dernier (plus usuel que *a commencé d'être construite). Mon rapport est commencé de rédiger* (et non **commence à être rédigé*) mais : *Le gisement commence à être exploité* (et non **est commencé d'exploiter*). *Le phénomène a commencé à* (ou *d'*) *être observé il y a dix ans* (et non **a été commencé d'observer*). *Exploiter, observer* sont des verbes non perfectifs. (V. FINIR, 2.)

comparaison

L'expression de la comparaison peut se faire par des moyens divers.

1. Subordination par la conjonction *comme* ou par des locutions conjonctives, en principe avec :

- l'indicatif (ou le conditionnel) : *ainsi que, à mesure que, aussi* (ou *si*)... *que, autant que, autre(ment) que, d'autant plus* (ou *moins*) *que, davantage que, de même que, mieux que, moins... que, plus... que, selon que, suivant que, tant que, tel que* ;

- l'indicatif ou le subjonctif : *autant que, pour autant que.*

● L'élément qui constitue la comparaison est très souvent elliptique et peut se réduire à un seul mot après la conjonction ou le mot qui établit la comparaison :

*Il est malin **comme un singe** [est malin]. Il était rusé **tel Ulysse.***

2. Juxtaposition avec répétition du mot qui établit la comparaison : *tel..., tel ; autant..., autant ; plus..., plus ; moins..., moins,* etc.

3. Emploi de locutions prépositives : *à l'exemple de, à l'instar de* (littéraire), *à l'égal de, à la différence de, en regard de, comparativement à, contrairement à,* etc.

4. Emploi d'adjectifs exprimant l'idée de comparaison : *semblable, analogue, égal, supérieur, inférieur, moindre, différent,* etc.

V. à leur ordre AUTANT, COMME, DAVANTAGE, etc.

comprendre

1. Comprendre que + indic. ou condit. Le verbe de la proposition dépendant de *comprendre* est à l'indicatif ou au conditionnel quand *comprendre* indique un raisonnement aboutissant à la prise de conscience d'un fait :

*Je comprends maintenant qu'il ne **pouvait** pas faire autrement* (= je m'en rends compte, j'en ai conscience). *Je comprends à sa lettre qu'il **aimerait** mieux ne pas être mêlé à cela* (= je le déduis de sa lettre).

2. Comprendre que + subj. Le verbe de la proposition dépendant de *comprendre* est normalement au subjonctif quand *comprendre* indique la reconnaissance, l'acceptation des raisons d'une action :

*Vu sa situation, je comprends qu'il se **fasse** du souci* (= je trouve cela normal). *Je comprends fort bien qu'il **n'ait** rien voulu dire avant d'avoir des preuves.*

3. *Ne pas comprendre que.* À la forme négative de *comprendre*, le choix entre l'indicatif (ou le conditionnel) et le subjonctif pour le verbe de la subordonnée repose sur la même distinction de sens :

*Il **ne comprend pas** qu'on **peut** se passer de lui* (= il ne s'en rend pas compte, il n'en a pas conscience). *Il **ne comprend pas** qu'on **puisse** se passer de lui* (= il ne se l'explique pas, il ne l'admet pas).

Si *comprendre* est à la 1re personne, seul le subjonctif est possible dans la subordonnée :

*Je **ne comprends pas** qu'on **agisse** ainsi.*

concession, opposition

Il y a des moyens divers d'exprimer la concession, c'est-à-dire le contraire de ce qu'on aurait pu logiquement attendre, ou l'opposition.

1. Des conjonctions ou locutions conjonctives :

- avec le subjonctif : *quoique, bien que, malgré que, encore que* (soutenu), parfois aussi l'indicatif ou le conditionnel (v. QUOIQUE, 1 ; ENCORE, 4) ; *si... que, quelque... que* (soutenu), *pour + adj. que* (soutenu), *loin que ; quel... que, quoi que, qui que, qui* (ou *quoi) que ce soit qui* (ou *que*) ;

- avec l'indicatif ou le subjonctif : *tout ... que, au lieu que ;*

- avec l'indicatif (ou le conditionnel) : *alors que, tandis que ;*

- avec l'indicatif : *même si ;*

- avec le conditionnel : *quand bien même, même que* (familier).

2. Des conjonctions ou des adverbes de coordination : *mais, toutefois, cependant, pourtant, néanmoins.*

3. Des prépositions ou locutions prépositives : *malgré, en dépit de, au lieu de, loin de, avec :*

__Avec__ toute sa fortune, il n'est pas heureux.

4. La locution *avoir beau* **+ infin. :**

*Il **a beau être** riche, il n'est pas heureux.*

5. La locution *tout* **+ gérondif :**

__Tout en étant__ très riche, il n'est pas heureux.

6. La construction *pour* **+ n. ou** *pour* **+ infin.** *ne ... pas :*

*__Pour un__ spécialiste, il a fait un travail médiocre. __Pour être__ riche, il **n'**en est **pas** plus heureux.*

7. Le subjonctif imparfait ou plus-que-parfait de quelques verbes *(avoir, être, vouloir)* dans une construction de l'usage littéraire telle que :

__Fût-il__ sincère, il a pu se tromper (usage courant : *même s'il est sincère). __Eussiez-vous__ toutes les garanties de sa part qu'il faudrait encore compter avec l'imprévu* (usage courant : *même si vous aviez..., il faudrait...). Il n'y pouvait rien changer, l'__eût-il voulu__* (usage courant : *même s'il l'avait voulu).*

concevoir

Concevoir que **(mode).** Le verbe de la proposition dépendant de *concevoir* est le plus souvent au subjonctif :

*Je conçois qu'on **ait** envie d'améliorer sa situation* (= je me l'explique, j'en comprends les raisons).

● On peut cependant employer l'indicatif quand *concevoir* signifie « se rendre compte » (usage soutenu) :

*Je conçois que c'**était** une décision difficile à prendre.*

● Si *concevoir* est à la forme négative ou interrogative, seul le subjonctif est usuel dans la subordonnée :

*C'est quelqu'un qui **ne conçoit pas** qu'on **puisse** agir de façon désintéressée.* (V. COMPRENDRE.)

concordance des temps

1. Présent ou imparfait de l'indicatif ? Si on transpose dans le passé une phrase telle que *Il prétend qu'il* *est malade,* on dit *Il prétendait* (ou *il a prétendu) qu'il **était** malade.* L'imparfait *(était)* exprime alors un fait ayant eu lieu en même temps que celui de la principale (*il prétendait, il a prétendu,* etc.).

● L'imparfait dans la subordonnée peut aussi exprimer un fait antérieur à celui de la principale ; dans ce cas, un adverbe ou un complément de temps exprime cette antériorité :

*Il prétendait qu'**avant** il **était** malade,* ou *qu'il **était** malade la semaine précédente.*

● Quand le verbe de la subordonnée exprime une idée générale, ou encore valable au moment où l'on parle, il peut être au présent, même si le verbe de la principale est au passé :

*Il a dit que l'argent ne **fait** pas le bonheur. On m'a dit que vous **êtes** un spécialiste de la question.*

Toutefois, il est fréquent que ce verbe soit à l'imparfait :

*Il a dit que l'argent ne **faisait** pas le bonheur. On m'a dit que vous **étiez** un spécialiste de la question.*

● Le passé composé de la subordonnée : *Il dit qu'il **a compris*** a pour correspondant le plus-que-parfait si la principale est au passé : *Il disait* (ou *il a dit) qu'il **avait compris.***

2. « **Futur dans le passé** ». Si le verbe principal est à un temps du passé, le temps qui correspond au futur dans la subordonnée est le « futur dans le passé », qui se confond pour la forme avec le conditionnel :

*Il m'annonce qu'il **viendra**,* mais *Il m'**annonçait*** (ou *Il m'**a annoncé**) qu'il **viendrait**. Il a l'intention de vous voir quand il **viendra**,* mais *Il **avait** l'intention de vous voir quand il **viendrait**. Je ne sais pas s'il **viendra**,* mais *Je ne savais pas s'il **viendrait**.*

On a un vrai conditionnel dans :

Il m'annonce (ou *il m'annonçait) qu'il **viendrait** si les circonstances le permettaient.*

● De même, le futur antérieur *Il assure qu'il **aura fini** ce soir* a pour correspondant le « futur antérieur dans le passé » :

*Il assurait qu'il **aurait fini** le soir même.*

3. Subordonnée au subjonctif. Dans l'usage courant, on emploie soit le présent, soit le passé du subjonctif :

- Le présent exprime un fait qui a lieu en même temps que celui de la principale, ou après lui :

Je regrette (ou *j'ai regretté) qu'il **soit** absent. Je regrette que vous **partiez** demain.*

- Le passé dans la subordonnée exprime un fait antérieur à celui de la principale :

Je regrette (ou *j'ai regretté) que vous **ayez été** absent.*

● Dans l'usage soutenu, on peut employer aussi l'imparfait ou le plus-que-parfait du subjonctif dans la subordonnée quand le verbe principal est au passé :

- L'imparfait exprime un fait qui a lieu en même temps que celui de la principale, ou après lui :

*Je regrettais qu'il **fût** absent. Je regrettais qu'il **partît** le lendemain.*

- Le plus-que-parfait exprime une action antérieure à celle de la principale :

*Je regrettais qu'on n'**eût** pas **pris** de précautions.*

● Dans l'usage soutenu, l'imparfait ou le plus-que-parfait du subjonctif peuvent aussi correspondre à un verbe principal au conditionnel :

*Je voudrais que ce **fût** vrai* (usage courant : *que ce soit vrai). Je souhaiterais que cela ne **fût** pas **arrivé*** (usage courant : *que cela ne **soit** pas **arrivé**).*

● Dans l'usage littéraire, l'imparfait du subjonctif dans une subordonnée dont la principale est au présent ou au futur a la valeur d'un conditionnel :

*On craint qu'il ne **révélât** des secrets importants s'il était mis en* *accusation* (= il révélerait, on le craint, des secrets...).

V. SUBJONCTIF, 3.

condition

I. L'expression de la condition ou de l'hypothèse peut se faire par des moyens très divers.

1. Subordination par des conjonctions ou des locutions conjonctives :

● à l'indicatif : *si, suivant (selon) que... ou que... ;*

● à l'indicatif ou au subjonctif : *en supposant (admettant) que, à supposer que, si tant est que ;*

● au subjonctif : *pourvu que, pour peu que, soit que... soit que, que... ou que..., que... (et)..., à condition que/de* (v. ci-dessous, II), *à moins que/de :*

    *Qu'il **essaie**, et il aura affaire à moi ! À **moins qu'**on se **soit** trompé/**à moins d'**une erreur.*

Quand *que* remplace *si* dans une subordonnée de condition coordonnée à une autre (v. QUE, 1), il est souvent suivi du subjonctif :

    *S'il pleut **et qu'**il **fasse** encore plus froid, il y aura du verglas. Mais l'indicatif s'emploie aussi dans ce cas.*

● au conditionnel : *au cas où/en cas de, dans l'hypothèse où, des fois que* (fam.), *une supposition que* (fam.) [subj. possible].

2. Prépositions : *avec, sans, faute de :*

    Avec un peu de chance, ça peut réussir. Sans cette panne, nous arrivions à l'heure. Faute de vin blanc, prenez du vinaigre pour la sauce.

3. Juxtaposition, coordination, apposition, interrogation, gérondif, proposition relative, etc. :

    Encore un mot, (et) j'appelle la police. Je le voudrais (que) je ne le pourrais pas. Fussiez-vous cent fois plus riche, cela ne changerait rien (valeur à la fois conditionnelle et

concessive). *Prévenu à temps, j'aurais pu agir* (= si j'avais été prévenu). *Faut-il un volontaire ? C'est toujours lui le premier. En continuant ainsi, vous iriez à la catastrophe. Quelqu'un qui ne serait pas au courant pourrait s'y tromper.*

II. À condition que/à condition de. Le subjonctif est le mode le plus usuel après *à condition que :*

    *On peut modifier la date à condition que tout le monde **soit** d'accord. Je vous aiderai à condition que vous me **préveniez** assez tôt* (= pourvu que).

● Le futur (ou le futur dans le passé [v. CONCORDANCE DES TEMPS, 2]) s'emploie plus rarement, dans le cas où la condition porte sur l'avenir ; le futur insiste un peu plus sur le caractère contractuel de la condition requise :

    *Vous serez payé comptant à condition que vous **respecterez** les délais* (ou *que vous **respectiez** les délais). Il a accepté de s'occuper de l'affaire à condition qu'on lui **laisserait*** (ou *qu'on lui **laisse**) toute liberté d'action.*

● En cas d'identité de sujets entre la principale et la proposition de condition, on emploie souvent *à condition de* + infin.

    *Vous serez payé comptant à condition **de respecter** les délais. Il est possible de résilier la convention à condition **d'envoyer** une notification un mois avant l'échéance annuelle.*

conditionnel

1. Le mode conditionnel peut indiquer :

- un fait soumis à une condition : *Je vous le **dirais** si je le savais.*

- un fait douteux : *Aux dernières nouvelles, l'accident n'**aurait** pas **fait** de victimes.*

- une exclamation ou une interrogation de surprise, d'indignation, etc. : *Moi, j'**accepterais** cela ?*

- une atténuation dans l'expression d'une volonté, d'une demande : *Voudriez-vous faire un peu de silence ? Je souhaiterais vous entretenir d'un projet. Il faudrait vous presser un peu.*

2. Le conditionnel est identique pour la forme au «futur dans le passé». (V. CONCORDANCE DES TEMPS, 2.)

3. Le conditionnel se trouve dans la principale dont dépend une subordonnée de condition :

> *Je le ferais si je pouvais* (et non **si je pourrais* ; v. SI 1, 2, et IMPARFAIT, 2). *Je l'aurais dit si je l'avais su.*

● Le conditionnel ne se trouve dans la subordonnée de condition que dans deux cas :

a) quand celle-ci est introduite par *au cas où* :

> *Au cas où un incident se produirait,* prévenez le gardien.

b) quand il s'agit d'une «subordonnée inverse» (v. SUBORDINATION, 2) :

> *Il me le jurerait (que) je ne le croirais pas* (= même s'il me le jurait, je ne le croirais pas).

4. Le subjonctif plus-que-parfait, appelé aussi parfois «conditionnel passé 2ᵉ forme», est un équivalent littéraire du conditionnel passé :

> *Il eût fallu agir plus tôt* (usage courant : *Il aurait fallu...*). *Si on eût pris les précautions nécessaires, cet accident ne se fût pas produit* (usage courant : *Si on avait pris..., ne se serait pas produit*).

conjonction

1. Une conjonction est un mot invariable qui établit entre des éléments de phrase une relation de coordination (v. ce mot) : *et, ou, ni, mais, or, car, donc* ou de subordination (v. ce mot) : *si, comme, quand, que, lorsque, puisque, quoique.*

● Une locution conjonctive est une conjonction faite de plusieurs mots, le dernier étant ordinairement *que : dès que, pourvu que, parce que,* etc.

2. Mode. Certaines conjonctions ou locutions conjonctives de subordination sont toujours suivies de l'indicatif (ou du conditionnel), d'autres toujours du subjonctif. (V. BUT, CAUSE, COMPARAISON, CONCESSION, CONSÉQUENCE, *CONDITION, TEMPS.* V. aussi SI, APRÈS QUE, CAS, FAÇON.)

● Sont notamment au subjonctif les verbes des propositions introduites par *afin que, à moins que, avant que, bien que* (v. cependant QUOIQUE), *de crainte* (ou *de peur*) *que, en attendant que, encore que* (v. cependant ENCORE, 4), *jusqu'à ce que, loin que, malgré que* (v. cependant MALGRÉ), *pour que, pourvu que, quoique* (v. cependant ce mot), *sans que, soit que.*

connaissance

On dit *faire la connaissance de qqn* ou *faire connaissance avec qqn,* entrer en relation avec lui. On dit aussi *faire connaissance avec qqch,* en acquérir l'expérience :

> *Il a fait connaissance avec la prison.*

connaître

1. Connaître de qqch (= s'en occuper) est une construction appartenant à la langue du droit :

> *C'est un autre juge qui avait eu à connaître de cette affaire.*

2. Connaître que, combien, etc. L'emploi d'une subordonnée conjonctive, ou interrogative, ou exclamative après *connaître* est de l'usage classique ou littéraire ; dans ce cas, *connaître* signifie «savoir, se rendre compte» :

> *On connut alors que ces prévisions étaient justes.*

consentir

1. Consentir qqch, c'est accepter de le faire (usage soutenu) :

> *Nous devons consentir de nouveaux sacrifices. Consentir un effort. Consentir de gros investissements.*

CONSISTER

2. Consentir qqch à qqn, c'est le lui accorder (spécialement dans la langue des affaires) :

Consentir un rabais à un client. La banque lui a consenti un prêt. Il demande qu'on lui consente un nouveau délai.

3. Consentir à qqch, à ce que + subj. ; consentir que + subj. La construction consentir à ce que + subj., comportant la préposition à comme dans consentir à qqch (= l'admettre), est la plus courante :

Les responsables consentent **à ce que** nous tentions l'expérience.

Consentir que est de l'usage soutenu :

Je consens volontiers **que** vous fassiez état de ma lettre.

4. Consentir à + infin. Cette construction s'impose quand le verbe dépendant de consentir a le même sujet que consentir :

Je consens **à vous écouter.** Je consens **à être chargé** de ce rôle.

La construction consentir de + infin. est archaïsante.

conséquence

La relation de conséquence peut s'exprimer de diverses façons :

1. Subordination, ordinairement à l'indicatif, parfois par la seule conjonction que (v. QUE, 2), le plus souvent par des locutions conjonctives : de (telle) façon (ou manière, ou sorte) que, en sorte que, tant que, (tant et) si bien que, si... que, au point que, à ce (ou tel) point que, à un point que, tellement que, tel que.

● Le subjonctif s'emploie aussi après ces locutions conjonctives quand l'idée de but prévaut sur celle de conséquence :

Il faut faire vite **de manière que** tout **soit terminé** ce soir (conséquence recherchée = but).

● Le subjonctif est seul possible après assez (ou suffisamment ou trop) pour que, de façon (ou manière) à ce que :

C'est **trop** compliqué **pour qu'il comprenne ;**

ou quand la principale est négative ou interrogative avec les locutions au point que, si ... que, tel (ou tellement) que :

Ce n'est **pas tellement** compliqué **qu'il soit** incapable de comprendre.

2. En cas d'identité de sujet entre la principale et la subordonnée, **infinitif** introduit par de façon (ou manière) à, au point de, jusqu'à, à, en sorte de, assez (ou suffisamment, ou trop) pour.

● **Ne pas si... que de + infin.,** v. AUSSI, 9.

3. Emploi de **mots de liaison** à valeur conclusive : donc, par conséquent, par suite, c'est pourquoi, ainsi, aussi.

4. Simple **juxtaposition** (les deux termes étant en général séparés à l'écrit par deux points) :

Un avion s'écrase : quarante-cinq morts.

considérer

Considérer qqn ou qqch (comme) + adj. ou n. L'omission de comme dans cette construction qui introduit un attribut du complément d'objet peut s'expliquer par l'analogie de verbes comme croire, estimer, juger, trouver. On dit parfois On le considère responsable, On considère cette solution satisfaisante, sur le modèle de On le juge responsable, On juge cette solution satisfaisante. Dans l'usage surveillé, on emploie comme :

On le considère **comme** responsable, On considère cette solution **comme** satisfaisante. (V. TENIR, 2 et 3.)

consister

1. Consister à/dans/en. Le complément de consister est introduit par à si c'est un infinitif, par dans si c'est un nom déterminé par un article défini, par en dans les autres cas :

*En quoi consiste votre rôle? Mon rôle consiste **à contrôler** les résultats, **en un contrôle** constant, **dans le contrôle** des résultats.*

**2. Consister en ce que +
indic./Consister à ce que + subj.**
On dit *La différence consiste **en ce
que** cet article **est** plus robuste que
l'autre. Le secret de la réussite consiste
en ce que les détails **sont** toujours
prévus* (= réside dans le fait que ; l'indicatif exprime une réalité actuelle : il
y a une différence, la réussite a eu
lieu), mais *Le secret de la réussite
consiste **à ce que** les détails **soient**
toujours prévus* (le subjonctif exprime
ce qui est requis : si on veut réussir,
il faut que...). Seule la construction
consister à ce que + subj. correspond
à la construction infinitive : *Le secret
de la réussite consiste **à prévoir** tous
les détails.*

constituer

Être constitué de/par. Quand le
complément d'agent de ce verbe désigne les éléments composant un ensemble, il peut être introduit par les prépositions *de* ou *par* :

*L'atome est constitué **d'**un noyau et
d'électrons, ou **par** un noyau et des
électrons.*

• Le complément d'agent introduit
par la préposition *par* peut avoir une
valeur proche de celle d'un attribut :

*Le principal obstacle est constitué
par le coût de l'opération* (= est le
coût de l'opération), consiste dans le
coût de l'opération).

continuer

Continuer à ou *de* + infin. Les
deux constructions sont usuelles, sans
différence de valeur :

*Il continue **à** pleuvoir* ou ***de**
pleuvoir.*

contre

1. Par contre. Cette expression,
longtemps critiquée dans l'usage surveillé sous prétexte qu'elle provenait

de la langue commerciale, est d'un
emploi tout à fait courant pour exprimer une opposition :

*Il n'a aucune compétence en électronique, par contre il connaît bien la
mécanique. Les plats étaient excellents, par contre le vin était médiocre.*

Les expressions *en compensation, en
revanche,* d'un usage plus soutenu, ne
sont pas toujours substituables à *par
contre,* compte tenu du sens des
mots *compensation, revanche :* ainsi la
médiocrité du vin ne pourrait pas être
considérée comme une «compensation» ou une «revanche» par rapport
à l'excellence des plats.

2. Là contre est usuel au sens de
«contre cela» dans des contextes assez
limités (phrase ordinairement négative
ou interrogative) :

*On ne peut pas aller là contre. On
ne peut rien faire là contre. Qu'avezvous à dire là contre ?*

3. Contre employé absolument.
L'emploi de *contre* sans pronom complément (*lui, cela,* etc.) est de l'usage
familier ou administratif :

*L'idée est intéressante : je ne suis
pas contre. Ce projet est irréaliste :
je vote contre.*

convenir

1. Convenir à qqn, à qqch, c'est
lui aller, lui être approprié. Aux
temps composés, l'auxiliaire est toujours *avoir* :

*Est-ce que ces propositions vous **ont
convenu** ?*

2. Convenir de qqch, de + infin.,
que + **indic.,** c'est s'accorder sur
cela ou l'admettre. L'auxiliaire est soit
être, dans l'usage soigné, soit plus
couramment *avoir* :

*Nous **étions convenus** (ou nous
avions convenu) **d'**un sujet de discussion, **de** discuter de cette question, **que** la discussion devait être
reprise. Convenez **que** c'est regrettable.*

● Bien que ce verbe soit normalement transitif indirect, on l'emploie parfois au passif :

*Une date de réunion **a été convenue.*** (On peut aussi dire, impersonnellement : *Il a été convenu d'une date de réunion.*) *Je m'occupe de tout, **comme convenu.***

On lui donne parfois aussi pour complément le pronom neutre *le* au lieu de *en*, quand l'auxiliaire est *avoir* :

*Tout s'est passé comme nous **en étions convenus** (ou **en avions convenu**), ou comme nous **l'avions convenu.***

3. *Il **convient que*** est suivi du subjonctif :

*Il convient qu'on **prenne** des précautions.*

Il est souvent plus commode d'employer *il convient de* + infin. :

*Il convient **de prendre** des précautions. Il ne lui convient guère **de faire** le difficile.*

coordination

Des propositions ou des termes de proposition sont coordonnés quand ils sont reliés entre eux par une conjonction de coordination : *et, ou, ni, mais, or, car, donc*, ou un adverbe de coordination (ou de liaison) : *puis, ensuite, ainsi, en effet, cependant, toutefois*, etc.

1. Les éléments coordonnés sont en principe de même nature grammaticale (par ex. nom + nom, adjectif + adjectif, proposition + proposition, etc.) et de même fonction :

*Ils se chamaillent comme **chien et chat**. Il est **idiot** ou **inconscient**. **Je cherche**, mais **je ne trouve rien**.*

2. Certaines équivalences de classes grammaticales autorisent cependant des dissymétries.

● Il n'est pas rare, par exemple, qu'une proposition relative ou un complément prépositionnel qui joue auprès du nom le même rôle qu'un adjectif épithète ou apposé soient coordonnés, surtout par *et, ou, mais* à un adjectif :

*Voilà un événement imprévu **et qui peut changer la situation**. C'est un remède agréable, **mais d'une efficacité douteuse**.*

● La coordination entre un nom ou un pronom complément d'objet et une subordonnée conjonctive ou interrogative, ou un infinitif, est théoriquement possible, mais on préfère souvent l'éviter. Au lieu de

*Je demande **du calme** et **qu'on me laisse le temps de réfléchir**,* ou *Je demande **du calme** et **à réfléchir** un moment,*

on dira plutôt, par exemple :

*Je demande **du calme** et **du temps** pour réfléchir,* ou *Je désire réfléchir au calme,* etc.

3. On ne coordonne normalement par *et* que des phrases de même type (déclaratives, ou interrogatives, ou impératives, ou exclamatives [v. PHRASE, 2]) :

Je vous l'affirme et vous pouvez le vérifier (et non *Je vous l'affirme et vérifiez-le*). *Je vous écoute et je me demande ce que vous voulez dire* (et non *Je vous écoute et qu'est-ce que vous voulez dire ?*).

4. Deux verbes coordonnés ne peuvent recevoir un même complément que s'ils admettent la même construction. On dit

*Ce projet **se rapproche** et **diffère** tout à la fois **du** précédent,*

parce qu'on dit *se rapprocher **de** qqch* et *différer **de** qqch*, mais la phrase *Ce projet ressemble et diffère tout à la fois du précédent* est mal construite parce qu'on dit *ressembler **à** qqch* et *différer **de** qqch*. La solution consiste ordinairement dans ce cas à reprendre le complément au moyen d'un pronom :

*Ce projet ressemble **au** précédent et il **en** diffère tout à la fois.*

● Le même principe s'applique au complément de deux adjectifs coordonnés. On dit

*Ce projet est à la fois **semblable** et **opposé au** précédent,*

mais non **Ce projet est à la fois semblable et différent du précédent (semblable **à** qqch, différent **de** qqch);* on peut dire : *semblable **au** précédent et différent **de** lui.*

5. Et/ou. On emploie parfois, surtout dans des textes scientifiques ou didactiques, le lien complexe *et/ou* pour exprimer une coordination qui peut marquer aussi bien l'association qu'une autre éventualité :

*Si un verbe a plusieurs noms **et/ou** pronoms comme sujets...*

6. Car ... et que ..., v. CAR, 4. **Sujets coordonnés,** v. ACCORD, A, II. V. aussi : PRONOM PERSONNEL, 1 ; PRÉPOSITION, 3 ; SYMÉTRIE.

coup

1. Tout à coup. Tout d'un coup. Ces deux locutions s'emploient couramment au sens de « soudain » :

Tout à coup, il m'est venu une idée. Tout d'un coup, j'ai compris. (Dans l'usage soutenu, on préfère *tout à coup.*)

● *D'un seul coup* signifie couramment « en une seule fois » :

Il a cassé trois verres d'un seul coup.

Mais cette locution s'emploie en outre familièrement au sens de « soudain » :

Il avait l'air bien tranquille ; d'un seul coup il s'est mis à crier.

2. Un coup que est un équivalent très familier de « une fois que » : *Un coup qu'on a compris, c'est facile.*

courant

1. Courant janvier. Cet emploi du mot *courant* devant un nom de mois ou un millésime est de l'usage familier :

L'assemblée générale aura lieu courant janvier. Les deux prochains tomes paraîtront courant 1983.

Dans un usage plus soutenu, on dit *dans le courant de janvier, de 1983.*

● Les mots *début* et *fin* s'emploient de la même façon :

Les vacances de Pâques commencent début avril. Les vendanges ont eu lieu fin octobre.

2. Le 10 courant, c'est le 10 du mois en cours, dans la langue des affaires :

En réponse à votre lettre du 10 courant...

crainte

Les locutions **crainte de** + n. ou infin., **crainte que (ne)** + subj. sont de l'usage littéraire :

Il se tut, crainte d'indiscrétion, crainte d'être indiscret. Il se cachait, crainte qu'on ne l'interrogeât.

Dans l'usage courant, on dit *de crainte de (que), par crainte de (que), dans la crainte de (que),* le *ne* explétif étant toujours facultatif :

*Hâtons-nous, **de crainte qu'**il (ne) pleuve.* (On dit plus couramment encore *de peur de, de peur que.*)

croire

1. Croire qqn, croire qqch, c'est ajouter foi aux paroles de qqn, à la véracité de qqch :

Sur ce point, je crois les historiens. On peut croire le récit du témoin.

2. Croire à/croire en. *Croire à qqch, à qqn,* c'est être convaincu de leur réalité, de leur existence :

*Croyez-vous **aux** miracles ? Croire **à** une autre vie. Croire **aux** revenants. Croire **au** diable.* (On ne dit pas **croire à Dieu,* mais *croire **en** Dieu.*)

● *Croire à qqch,* c'est aussi être convaincu de sa valeur ou de sa véracité :

*Croire **au** progrès, **à** la science. Croire **aux** prédictions des astrologues. Croyez **à** l'assurance de mes meilleurs sentiments. Croyez **à*** toute ma sympathie, *à mon entier dévouement.*

● *Croire en qqn,* c'est avoir foi dans ses capacités, lui faire confiance, miser sur sa réussite :

Sa brillante carrière ne me surprend pas, j'ai toujours cru en lui.

3. *(Ne pas) croire que* + **subj.** A la forme affirmative, *croire que* est suivi d'une subordonnée à l'indicatif. Le verbe de la subordonnée est souvent au subjonctif quand *croire* est à la forme négative ou interrogative, ou dans une proposition de condition introduite par *si,* ou dans un contexte qui indique négation ou atténuation :

Je ne crois pas que ce soit possible, qu'il y ait eu une erreur. Croyez-vous que ce soit nécessaire ? Si vous croyez qu'il faille le faire, nous le ferons. Gardez-vous de croire qu'on veuille vous duper. Loin de croire qu'on doive se résigner, je suis d'avis de contre-attaquer. Vous auriez tort de croire que l'affaire soit terminée. J'ai peine à croire qu'il l'ait fait exprès.

4. *(Ne pas) croire que* + **indic.** On peut aussi dans ce genre de phrases employer l'indicatif, soit sans grande différence de valeur, soit pour insister davantage sur la considération de la réalité de ce qui est nié ou mis en doute :

Je ne crois pas que c'est possible. Personne ne croyait que la situation était aussi grave. Croyez-vous que c'est nécessaire ? Si vous croyez qu'il est trop tard, annulez le projet.

● Le simple désir d'éviter une forme peu usuelle d'imparfait du subjonctif peut inciter à employer l'indicatif imparfait :

Je ne crois pas qu'ils envisageaient cela (plutôt que *qu'ils envisageassent*).

● Le futur de l'indicatif permet plus clairement que le subjonctif de situer l'action dans l'avenir :

Croyez-vous que ce sera nécessaire ? Je ne crois pas que ce sera possible. (*Croyez-vous que ce soit nécessaire ?* peut très normalement s'interpréter « Est-ce que c'est [maintenant] nécessaire selon vous ? »)

5. *(Ne pas) croire que* + **condit.** Le conditionnel s'emploie aussi après *croire que* à la forme négative ou interrogative, pour exprimer une éventualité :

Je ne crois pas qu'on pourrait (ou *qu'on puisse*) *faire mieux. Croyez-vous que ça vaudrait* (ou *que ça vaille*) *la peine ?*

6. Les mêmes principes concernant le choix du mode ou du temps s'appliquent aux verbes des propositions conjonctives par *que* dépendant de nombreux verbes autres que *croire ;* ce sont des verbes d'opinion, de déclaration, de perception, notamment :

affirmer, assurer, avouer, certifier, compter, constater, convenir, déclarer, dire, espérer, estimer, (s') imaginer, juger, jurer, penser, présumer, prétendre, promettre, reconnaître, remarquer, soutenir, se souvenir, supposer, trouver, voir.

7. *Croire que/croire* + **infin.** Quand une proposition dépendant de *croire* a le même sujet que *croire,* la construction infinitive, sans être obligatoire, est souvent possible et plus légère que la subordination par *que :*

Je crois que je connais la raison de son silence, ou *Je crois connaître la raison de son silence. Je crois que j'ai été clair* ou *Je crois avoir été clair. Je ne crois pas que j'ai été trop obscur,* ou (plutôt) *Je ne crois pas avoir été trop obscur.*

● La construction infinitive n'est pas toujours possible, par exemple si le verbe de la proposition subordonnée est à l'imparfait ou au futur, *croire* étant au présent :

Je crois que j'avais dix ans à l'époque. Je crois que je viendrai demain (on peut dire : *Je pense venir demain*).

8. *Croire qqch à qqn, croire qqn* + adj. On peut dire :

Je crois qu'il a de l'ambition ou *Je **lui** crois **de l'ambition**. Je crois qu'il est ambitieux* ou *Je **le** crois **ambitieux**.*

Même construction pour *reconnaître, supposer, trouver.*

d

davantage

1. Cet adverbe modifie un verbe. Il équivaut à *plus*, qui peut presque toujours lui être substitué. On le préfère parfois à *plus* pour le rythme ou la sonorité de la phrase, ou pour exprimer plus spécialement la durée (= plus longtemps) :

> *Si vous voulez en savoir davantage (ou plus), adressez-vous à lui. Vous devriez vous interroger davantage sur les causes* (plutôt que *vous interroger plus*). *Son dernier roman m'a intéressé, mais le précédent m'avait davantage plu* (plutôt que *m'avait plus plu*). *Je ne m'attarderai pas davantage* (ou *pas plus*) *sur ce point.*

2. *Davantage* ne modifie pas un adverbe : on dit *plus souvent, plus facilement,* et non *davantage souvent, *davantage facilement. Il ne peut guère modifier un adjectif que si cet adjectif est attribut et représenté par le pronom *le* :

> *Voilà un détail surprenant, mais celui-ci l'est davantage encore.*

3. Comme *plus, davantage* peut être suivi d'un complément introduit par *de*, ainsi que d'un terme de comparaison introduit par *que* :

> *Il nous faudrait davantage **de temps**. Cette séance a duré davantage **que la précédente.***

4. On dit *bien davantage,* mais *beaucoup davantage* est archaïsant, alors qu'on dit aussi bien *beaucoup plus* que *bien plus.*

de

1. La préposition *de* est de loin la plus employée ; ses emplois sont extrêmement divers. On trouvera des remarques la concernant dans de nombreux articles, notamment :

À, 2 ; ACCOUTUMER, 2 ; AFFAIRE, 2 ; AGENT, 2 ; AIMER, 1 ; ALENTOUR, 2 ; ARTICLE, 5 et 6 ; ATTENTION, 4 ; AUPRÈS, 3 ; AUSSI, 9 ; AUTRE, 9 ; AVANT, 1 ; AVEC, 3 ; BEAUCOUP, 1 ; BÉNÉFICIER ; CAUSE, 2 ; CELUI, 1 ; CERTAIN, 2 ; C'EST ... QUI, C'EST ... QUE, 2 ; COLLECTIF, 1 ; COMBIEN, 2 ; COMMENCER 1 et 3 ; CONNAISSANCE ; CONSTITUER ; CONTINUER ; CONVENIR, 2 ; CRAINTE ; DAVANTAGE, 3 ; DÉCIDER, 1, 3 et 4 ; DEMANDER, 3 ; DÉSIRER ; DESSUS ; DÉTESTER ; DIRE, 3 ; DONT, 1 ; DOUTER, 1 ; S'EFFORCER ; EMPÊCHER, 1 et 2 ; EN, 1 et 4 ; ENCONTRE ; ENTRE, 1 ; ESPÉRER, 2 ; ESSAYER ; ÊTRE, 2 ; ÉVITER ; S'EXCUSER ; FACE ; FAIRE, 1, 2 et 10 ; FAUTE ; FINIR ; FOURNIR, 1 ; GARDE, 2 et 6 ; GOÛTER ; HASARDER ; HÉRITER ; INFINITIF, II ; INFORMER ; JOUER ; LAISSER, 1 ; MANQUER, 1 ; NIER ; NOMBRE ; NOUVEAU, 2 ; OBLIGER ; S'OCCUPER, 1 ; OUTRE, 1 ; PARTICIPER ; PEINE, 2 et 3 ; PERSONNE, 3 ; PERSUADER ; PLUS, 7 ; PRÉFÉRER, 2 ; PRÉJUGER ; PRENDRE, 6 ; PRÉPOSITION ; PRÈS ; PRÊT ; PROFITER ; QUELQUE, 5 ; QUELQU'UN, 2 ; SE RAPPELER ; RÉSOUDRE ; RÊVER ; RIEN, 4, 5, 8 et 9 ; SERVIR ; SOUHAITER ; SUR, 4 ; TÂCHER, 1 ; TARDER, 2 ; TÉMOIGNER, 2 ; TENIR, 1.

2. *De partitif.* La valeur partitive de *de* apparaît non seulement dans l'article dit « partitif » *(acheter **du** pain, **de** la viande),* mais aussi devant d'autres déterminants du nom :

> *Reprenez **de** ce plat. J'ai lu **de** ses livres. j'ai eu **de** leurs nouvelles.*
> V. ARTICLE, 5.

3. *De distributif.* On dit *Ça revient à cent francs de l'heure* ou, dans un usage un peu plus soutenu, *Cela* *revient à cent francs l'heure* (ou *par heure*), *Payer vingt centimes du kilomètre.*

4. De, en. Pour indiquer la matière de quelque chose, on emploie *de* ou *en* (*de* apparaît parfois d'un usage un peu plus soutenu) : *une maison de brique* ou *en brique, de la vaisselle de porcelaine* ou *en porcelaine.*

● *De plus, en plus; de moins, en moins; de trop, en trop;* v. PLUS, MOINS, MIEUX, 7.

5. De, pour. Pour indiquer la cause ou le motif de la gratitude, de l'approbation ou de la désapprobation, on emploie *de* ou *pour.* On dit *remercier* (ou *féliciter, louer, blâmer, critiquer,* etc.) *quelqu'un de quelque chose* ou *pour quelque chose* :

> *On l'a félicité de ce succès* ou *pour ce succès, d'avoir dit cela* ou *pour avoir dit cela.*

● *Le train de Marseille* est une expression ambiguë qui peut désigner le train venant de Marseille ou le train qui va à Marseille. Ce deuxième sens peut être exprimé sans ambiguïté sous la forme *le train pour Marseille.*

6. De, par, v. (complément d') AGENT, 1 et 2.

7. *Ce vantard de Martin. Son idiot de frère.* Dans ce type d'expression, *de* relie un nom ou un adjectif à un nom pour le qualifier, le plus souvent avec une valeur dépréciative, parfois aussi dans une intention plaisante :

> *Mes amitiés à votre tabellion de mari.*

● Le déterminant du nom qualifié est presque toujours un démonstratif ou un possessif. Seuls certains adjectifs pouvant être employés comme noms sont susceptibles d'être construits ainsi : on peut dire *Ce paresseux de Jacques* car on dit aussi *Jacques est un paresseux,* mais non *Cet aimable de Jacques,* car on ne dit pas *Jacques est un aimable.*

8. *Rien de nouveau. Encore un carreau (de) cassé. De* est nécessaire

devant un adjectif ou un participe se rapportant comme épithète à un pronom indéfini comme *rien, tout, personne, quelqu'un, quelque chose, autre chose,* ou démonstratif comme *ceci, cela,* ou interrogatif comme *quoi, que* :

> *Il n'y a rien de vrai dans cette histoire. Quelque chose de nouveau s'est produit. L'affaire a cela de curieux que ... Quoi de plus simple que ce problème? Que dit-il d'intéressant?*

De même après *il y a,* sans pronom exprimé :

> *Il n'y a de changé que l'heure du rendez-vous.*

● Avec un mot numéral ou un indéfini (article ou déterminant), on dit par exemple : *Il y a eu dix personnes blessées* ou *dix personnes de blessées,* mais *de* est nécessaire si la phrase contient le pronom *en* avant le verbe :

> *Il y en a eu dix de blessés. Il y a des questions simples, et il y en a de compliquées. J'en ai vu quelques-uns de surpris.*

9. *Tu en as une, de veine!* Ce genre de phrase segmentée est de l'usage familier. *De* introduit un nom annoncé par *en* dont le déterminant (article indéfini, mot numéral ou indéfini) est mis en relief en tête de phrase :

> *Il en possède au moins cinq, de maisons. J'en ai connu bien d'autres, d'aventures.*

10. *(De ce) que* + indic. Certains verbes qui reçoivent un nom complément introduit par *de* peuvent aussi être complétés par une subordonnée à l'indicatif introduite par *de ce que* :

> *Il abuse de la situation. N'abusez pas de ce que votre adversaire est momentanément en difficulté.*

Cette construction s'applique à des verbes tels que

> *abuser, bénéficier, naître, se prévaloir, profiter, provenir, remercier qqn, résulter, savoir gré à qqn, se venger, venir, en vouloir à qqn.*

● De nombreux verbes, en général pronominaux, exprimant un sentiment, peuvent être suivis d'une subordonnée ordinairement à l'indicatif introduite par *de ce que*, qui se transforme en infinitif en cas d'identité de sujet :

> *Je me félicite de ce que tout s'est bien passé. Je me félicite de vous* **avoir écouté.**

Cette construction peut s'appliquer notamment aux verbes suivants :

> *s'affliger, s'applaudir, s'effrayer, s'émerveiller, s'enorgueillir, s'épouvanter, s'étonner, se féliciter, se formaliser, se froisser, se glorifier, s'impatienter, s'indigner, s'inquiéter, s'irriter, se lamenter, se louer, s'offenser, s'offusquer, se plaindre, se réjouir, souffrir, se vanter, se vexer.*

On préfère souvent employer après ces verbes une subordonnée au subjonctif introduite simplement par *que* ; c'est même le cas le plus fréquent pour *s'étonner, se plaindre, se réjouir* :

> *Je m'étonne qu'il n'ait rien dit. Félicitez-vous qu'on m'ait écouté.*

11. On dirait d'un... Cette construction est de l'usage littéraire : *On dirait* (ou *on aurait dit*) *d'un fou* (usage courant : *On dirait, on aurait dit un fou*).

12. Omission de *de* : *la question financement.* Dans l'usage familier ou des affaires, on juxtapose parfois un nom sans article à un mot tel que *question, point de vue, côté, facteur, air, aspect, allure, élément,* au lieu de faire de ce nom un complément qui serait le plus souvent introduit par *de* et serait précédé d'un article :

> *La question financement n'a pas été réglée* (usage plus soutenu : *la question du financement*). *Du point de vue qualité, ces deux articles se valent* (usage plus soutenu : *du point de vue de la qualité*). *Du côté santé, tout va bien. Il faut tenir compte du facteur temps. C'est l'élément rapidité qui a été déterminant.*

13. De + infinitif, v. INFINITIF, II, 1 et 2 ; *de dix à quinze* (approxima-

tion), v. NUMÉRAUX, 6 ; ***du, des/de,*** v. ARTICLE, 5 et 6.

décider

1. Décider qqch/de qqch. Au sens de « fixer, arrêter quelque chose », c'est normalement la construction directe *décider qqch* qu'on emploie :

> *Le conseil des ministres a décidé* **une augmentation** *du prix de l'essence.*

● *Décider de qqch* s'emploie surtout au sens de « se prononcer sur quelque chose, faire un choix à ce propos » ou, avec un sujet nom de chose, « déterminer le sort de quelque chose » :

> *Il faut décider* **de la conduite** *à tenir. C'est ce point qui a décidé* **de la partie.**

2. Décider que + indic. ou subj. Selon que la valeur de « déclaration » ou la valeur de « volonté » prévaut dans le verbe *décider,* la subordonnée par *que* qui dépend de ce verbe est à l'indicatif (ou au « futur du style indirect » en *-rais*), ou au subjonctif :

> *L'arbitre décide que le point* **est** *valable. Le gouvernement a décidé qu'une aide d'urgence* **serait** *allouée aux sinistrés* (déclaration d'un fait à venir), ou **soit** *allouée aux sinistrés* (expression de la volonté du gouvernement).

3. Décider de + infin./décider qqn (ou se décider) à + infin. En cas d'identité de sujet entre *décider* et le verbe de la subordonnée qui en dépend, la construction infinitive avec *de* est possible, mais non obligatoire :

> *Je décide que je viendrai. Je décide* **de venir.**

● En cas de sujet différent pour les deux verbes et aux formes pronominale et passive *se décider, être décidé,* l'infinitif est normalement introduit par *à* :

> *Nous l'avons décidé* **à** *agir. Alors, tu te décides* **à** *venir ? Il était bien décidé* **à** *se défendre.*

La construction *se décider, être décidé*

de + infin. s'écarte de l'usage courant : **Il s'est enfin décidé de parler.*

4. Il a été décidé de + infin. Dans l'emploi passif impersonnel de *décider*, l'infinitif qui suit est sujet réel ; il est toujours introduit par *de* :

*Il a été décidé **d'**entreprendre les travaux.*

5. Décider si, où, etc. On peut employer après *décider* une subordonnée interrogative indirecte introduite par *si, où, quand, comment, qui,* etc. :

*On n'a pas encore décidé **si** la fête aurait lieu, **où** elle aurait lieu,* etc.

demandeur

1. Demander que + **subj. / demander à** + **infin.** Quand le sujet de la subordonnée est différent de celui de *demander*, le verbe de la subordonnée est au subjonctif :

*Je demande qu'on me **fasse** connaître les résultats.*

● Quand le sujet de la subordonnée est le même que celui de *demander*, la construction infinitive avec *à* (ou plus rarement *de*) est obligatoire :

*Je demande **à connaître** le résultat, **à** (ou **d'**) **être informé** du résultat (et non **Je demande que je connaisse..*).*

2. Demander à ce que + **subj.** est une variante, parfois critiquée, de *demander que* :

*Je demande **à ce que** qu'on me **fasse** connaître les résultats.*

Cette construction s'explique par l'influence de *demander à* + infin., sur le modèle analogique de verbes comme *arriver à* + infin./*arriver à ce que* + subj., *consentir à* + infin./*consentir à ce que* + subj., etc.

3. Demander à qqn de + **infin.** Quand le destinataire de la demande est indiqué, il est introduit par *à*, et la complétive a la forme d'un infinitif introduit par *de* :

*J'ai demandé **à** mon secrétaire **de** me **tenir** au courant.*

Dans ce cas, le destinataire est généralement aussi le sujet de la complétive, donc différent du sujet de *demander* (= « Je lui ai demandé qu'il me tienne au courant », construction rare).

● Si le sujet de l'infinitif doit être le même que celui de *demander*, l'infinitif peut être introduit par *à* (voir n° 1) :

*Je lui ai demandé **à** être informé du résultat.*

Mais le plus souvent, du fait de la présence d'un premier complément introduit par *à* (ou de la forme *lui, leur* du pronom), l'infinitif est alors introduit par *de*, ce qui peut créer une ambiguïté avec le cas précédent. *J'ai demandé à M. Dupont de ne pas venir demain* peut signifier, selon les situations : « J'ai demandé à M. Dupont qu'il ne vienne pas » (construction rare) ou « J'ai demandé à M. Dupont d'accepter que je ne vienne pas ».

4. Demander après qqn, v. APRÈS, 2.

demeurer

Ce verbe est un équivalent un peu plus soutenu de *rester* ou de *habiter*.

● Au sens de « rester », l'auxiliaire est *être* :

*Il **est** demeuré quelque temps perplexe.*

● Au sens de « habiter, résider », l'auxiliaire est *avoir* :

*Il **a** demeuré dix ans dans cette maison.*

depuis

1. Depuis au sens spatial. Outre son emploi temporel, *depuis* est devenu usuel pour désigner, comme *de*, le point pris comme origine d'une distance, même si le point d'aboutissement n'est pas exprimé par *jusqu'à* :

Depuis nos fenêtres, on découvre la baie. Il m'a téléphoné depuis Stockholm.

2. Depuis tout petit. Une phrase comme *Depuis tout petit (tout enfant,* etc.) *il voulait être marin* est très familière, au sens de «depuis qu'il était tout petit», ou «depuis sa toute petite enfance». Il peut y avoir ambiguïté si on dit, par exemple : *Je le connais depuis tout petit* (= depuis que j'étais tout petit, ou qu'il était tout petit ?)

3. *Depuis que (ne pas),* v. NÉGATION, 5.

désirer

Désirer que + **subj.** / *désirer (de)* + **infin.** Selon que le sujet du verbe de la proposition dépendant de *désirer* est différent ou non du sujet de *désirer,* cette proposition est une complétive par *que* au subjonctif ou prend la forme d'un infinitif :

> *Je désire qu'on le sache. Je désire le savoir.*

L'emploi de *de* devant l'infinitif est un archaïsme littéraire ;

> *Il désirait d'être informé de tout.*

dessus, dessous

Ces mots sont ordinairement employés comme adverbes au sens de « sur (sous) lui (ou elle, ou cela)» :

> *Prends une chaise et assieds-toi dessus.*

● Dans l'usage soutenu, on les emploie parfois comme prépositions après d'un infinitif :

> *Oter un vase de dessus la table* (usage courant : *de sur la table*). *Retirer quelques objets de dessous les décombres* (usage courant : *de sous les décombres*).

déterminant

I. La classe des déterminants du nom est constituée par :

1. Les articles.

- Article défini *le (la, les)* : *Le mari et la femme sont les époux.*
- Article indéfini *un (une, des)* ; *J'ai un frère, une sœur, des enfants.*

- Article partitif : *Il achète du pain, de la viande, des rillettes.*

L'article défini singulier est élidé en *l'* devant voyelle ou *h* muet : *l'arbre, l'union, l'hôpital,* mais *la harpe, le hérisson* (*h* aspiré). L'article défini peut être contracté en *au, aux, du, des* avec les prépositions *à* et *de* :

> *S'adresser au secrétariat du ministère des Finances.*

2. Le démonstratif *ce (cette, ces)* :

> *Ce mot, cette phrase conviennent mal à ces circonstances.*

Le masculin singulier a la forme *cet* devant voyelle ou *h* muet : *cet arbre, cet hôpital,* mais *ce hérisson* (*h* aspiré).

3. Les possessifs *mon (ma, mes), ton (ta, tes), son (sa, ses), notre (nos), votre (vos), leur (leurs)* :

> *Mon frère et ma sœur ont amené leurs enfants.*

4. L'interrogatif-exclamatif *quel (quelle, quels, quelles)* :

> *Quelle heure est-il ? Quel dommage !*

5. Les numéraux *un, deux, trois, quatre, etc.* :

> *Il possède deux maisons.*

6. Les indéfinis *plusieurs, certains, quelques, etc.* :

> *Il possède plusieurs maisons.*

7. Le relatif *lequel* :

> *Il possède plusieurs maisons, lesquelles maisons lui sont échues par héritage.*

II. OMISSION DES DÉTERMINANTS. Un nom est en principe précédé d'un déterminant. Toutefois, dans un certain nombre de cas, ce déterminant est omis, en particulier :

1. Devant des compléments de noms ou des compléments circonstanciels de verbes, caractérisant ces mots à la façon d'adjectifs ou d'adverbes : *une feuille de papier, une table à dessin, un fauteuil pour malade, un voyage* sans incident ; travailler avec ardeur, ralentir par réflexe.

● Quand le complément circonstanciel d'un verbe est accompagné d'un adjectif ou d'un complément, il prend normalement un déterminant : *travailler avec **une** ardeur infatigable, ralentir par **un** réflexe de prudence.*

2. Devant des noms mis en apposition ou attributs, surtout quand ils caractérisent plutôt qu'ils n'identifient :

*Pierre, **lecteur** acharné, dévore trois romans par semaine. Son frère est **médecin** (mais : Son frère est **un** médecin célèbre).*

3. Dans de très nombreuses locutions, des phrases sentencieuses, des comparaisons figées, etc. : *avoir faim* (mais *avoir une faim de loup*), *imposer silence* (mais *imposer un silence total*), *garder rancune* (mais *garder une rancune tenace*), *Pierre qui roule n'amasse pas mousse, être blanc comme neige,* etc.

4. Dans des énumérations, pour donner plus de vivacité à la phrase :

Vêtements, livres, bibelots étaient épars dans la pièce. Bêtes et gens s'entassaient sur le pont.

détester

Quand un infinitif est complément de ce verbe, il peut être construit directement ou avec la préposition *de* (en particulier quand *détester* est à la forme négative) :

*Il déteste **discuter** là-dessus, ou **de discuter** là-dessus. Il ne détestait pas **de passer** pour un original.*

devoir

1. Devoir s'emploie devant un infinitif pour exprimer diverses valeurs, comme

- l'obligation, la nécessité : *Vous devez déclarer vos revenus avant la fin du mois.*

- la probabilité, la vraisemblance : *Vous devez être bien content d'avoir*

fini ! Il doit y avoir un moyen d'en sortir.

- le futur, la prévision : *La séance doit s'achever d'ici un quart d'heure. Si cela doit se reproduire, il faudra prendre des mesures. Le temps semble devoir s'améliorer.*

2. Quand *devoir*, employé comme verbe d'obligation, est à la forme négative, la négation porte en réalité sur l'infinitif qu'il introduit : *Vous ne devez pas vous absenter* signifie « vous devez ne pas vous absenter, vous devez rester là », et non « vous n'êtes pas obligé de vous absenter ».

V. NÉGATION, 10.

3. On peut dire à peu près indifféremment :

Il a dû se tromper ou (plus rarement) *Il doit s'être trompé. J'avais dû confondre* ou (plus rarement) *je devais avoir confondu.*

● Mais tandis que *J'ai dû m'absenter* peut être ambigu (= « il a fallu que je m'absente », ou « je me suis probablement absenté »), *Je dois m'être absenté* n'exprime que la probabilité.

4. Dussé-je, dût-il, dussiez-vous, etc. + infin. sont des équivalents, dans un usage très soutenu, de : « même si je devais, s'il devait, si vous deviez… »

dire

1. Dire que + indic. ou condit./*ne pas dire que* + subj. ou indic.** Quand *dire* signifie « déclarer, affirmer », le verbe de la subordonnée par *que* qui en dépend est soit à l'indicatif (ou au conditionnel), soit au subjonctif dans les mêmes conditions que pour *croire* (v. CROIRE, 1, 2, 3, 4) :

*Je lui ai dit que tout **allait** bien. Je dis que ce **serait** une erreur. Je ne dis pas que vous **ayez** tort (ou que vous **avez** tort). Ai-je dit que je ne **veuille** pas le faire ? (ou que je ne **veux** pas le faire ?)*

2. Dire + infin. Quand il y a identité de sujet entre *dire* et le verbe de sa subordonnée, on emploie parfois, dans l'usage soutenu, la construction infinitive au lieu de la subordination par *que*, toujours possible :

> *Il dit **avoir** des raisons de se plaindre* (ou ***qu'il** a des raisons de se plaindre*). *Il m'a dit **être** prêt* (ou ***qu'il** était prêt*).

3. Dire que + subj./dire de + infin. Quand *dire* signifie « ordonner, commander », le verbe de la subordonnée par *que* qui en dépend est au subjonctif :

> *Dites-leur qu'ils **fassent** bien attention.*

● L'usage le plus courant est toutefois d'employer la construction infinitive avec *de*, le sujet de l'infinitif étant le complément d'attribution de *dire* :

> *Dites-leur **de** faire bien attention. Il m'a dit **d'**être prêt.*

4. Dire/demander. Dans le discours direct, on peut dire :

> *Il m'a dit : « Que faites-vous là ? Où allez-vous ? »*

Si on adopte le discours indirect, le verbe introducteur est *demander* :

> *Il m'a demandé ce que je faisais là, où j'allais* (et non **Il m'a dit qu'est-ce que je faisais là*).

discours indirect

1. Quand on rapporte les paroles ou la pensée de quelqu'un, on peut utiliser

- le « *discours direct* » : *Il m'a dit : « Vous avez raison ».*

- le « *discours indirect* » : *Il m'a dit que j'avais raison.*

Le passage du discours direct au discours indirect se marque par la subordination (*que*) et par des modifications qui peuvent concerner la personne grammaticale (*je* au lieu de *vous*), le temps ou le mode des verbes (*avais*, imparfait au lieu de *avez*, présent), dans certains cas enfin par le choix de mots différents (*alors* au lieu de *maintenant*, *là* au lieu de *ici*, *si* au lieu de *est-ce que*, etc.), ou d'un ordre différent

des mots, notamment dans l'interrogation. (V. CONCORDANCE DES TEMPS et INTERROGATION.)

● L'impératif est exclu du discours indirect ; il est remplacé par le subjonctif ou l'infinitif :

> *On lui a dit : « Ne te **fais** pas de souci »*

devient

> *On lui a dit qu'il ne se **fasse** pas de souci,* ou *On lui a dit de ne pas se **faire** de souci.* (V. DIRE, 3.)

● On notera que les risques d'ambiguïté sont plus élevés dans le discours indirect que dans le discours direct. Une phrase telle que

> *Il lui a dit qu'il lui avait menti*

peut correspondre à

> *Il lui a dit : « Je vous ai menti »*, ou *« Vous m'avez menti »*, ou *« Je lui ai menti »*, ou *« Il m'a menti »*, ou *« Vous lui avez menti »*, ou *« Il vous a menti »*, ou encore à *« Je vous avais menti »*, ou *« Vous m'aviez menti »*, etc.

2. Discours indirect libre. Dans l'usage littéraire, on supprime parfois la subordination tout en conservant la plupart des particularités du discours indirect ; c'est ce qu'on appelle le « discours indirect libre » :

> *Il m'a rassuré : je n'avais pas à craindre ce genre d'accident.* (Discours indirect ; *Il m'a rassuré en disant que je n'avais pas à craindre ce genre d'accident.* Discours direct : *Il m'a rassuré en disant : « Vous n'avez pas à craindre ce genre d'accident. »*)

● Toutefois l'interrogation a la même forme dans le discours indirect libre que dans le discours direct, mis à part les changements éventuels de personne et de temps du verbe :

> *Il la pressait de questions : se souvenait-elle de lui ? Que comptait-elle faire ?* (Discours direct : *Il la pressait de questions : « Vous souvenez-vous de moi ? Que comptez-vous faire ? »*. Discours indirect : *Il la pressait de questions en lui deman-*

dant si elle se souvenait de lui, ce qu'elle comptait faire.)

dont

1. Dont / de qui / duquel. Dont représente en principe un complément introduit par *de* :

> *Le garçon dont je parle s'appelle Pierre* (je parle **d'**un garçon). *Il roule dans une voiture dont les pneus sont usés* (les pneus **de** cette voiture). *C'est un résultat dont il est fier* (il est fier **de** ce résultat).

● *De qui* peut s'employer au lieu de *dont* pour représenter des personnes : *le garçon de qui je parle.* (V. LEQUEL, 2.)

● C'est toujours *dont* qu'on emploie (et non *duquel* ou *de quoi*) pour représenter *ce, cela, quelque chose* :

> *C'est ce dont je voulais parler. Il y a quelque chose dont il faut parler.*

● *Rien*, ordinairement représenté par *dont*, ne peut être représenté par *de quoi* que dans l'usage littéraire :

> *Il n'y a là rien dont je puisse avoir à rougir* (ou, littérairement, *rien de quoi je puisse avoir à rougir*).

● *Dont* ne peut pas être, en règle générale, complément d'un nom introduit par une préposition. Alors qu'on dit *C'est une maison dont je connais l'histoire* (*dont* est complément du nom *histoire* non introduit par une préposition), on ne dit pas dans l'usage surveillé **C'est une maison dont je m'intéresse à l'histoire, dont je me souviens de l'histoire* (le mot *histoire*, complété par *dont*, est introduit par *à* ou *de*). Dans ce cas, on emploie *duquel* (*de laquelle, desquels*) ou, si le nom complété désigne une personne, *de qui* :

> *C'est une maison à l'histoire de laquelle je m'intéresse, de l'histoire de laquelle je me souviens. C'est un homme à la parole duquel* (ou *de qui*) *on peut se fier* (et non **dont on peut se fier à la parole*).

On dit toutefois *C'est un homme dont j'apprécie la liberté de parole*, parce que *dont* est complément du groupe de mots *liberté de parole* (non introduit par une préposition), et non du seul complément *parole*.

2. *Dont + en. *Dont + son. Dont est incompatible avec le pronom ou adverbe *en* représentant par pléonasme le même mot que lui : **Le garçon dont j'en parle s'appelle Pierre* (*dont* et *en* représentent l'un et l'autre le mot *garçon*). **Il s'est produit un accident dont la cause en est inconnue* (*dont* et *en* représentent l'un et l'autre le mot *accident*); on peut supprimer soit *en*, soit la subordination par *dont* :

> *Il s'est produit un accident dont la cause est inconnue*, ou *Il s'est produit un accident : la cause en est inconnue.*

● De même, *dont* est incompatible avec *son* (*sa, ses*) ou *leur(s)* renvoyant au même mot que lui. On dit : *C'est un garçon dont je connais les qualités* et non **C'est un garçon dont je connais ses qualités* (*dont* et *ses* renvoient au même mot *garçon* : «les qualités de ce garçon»).

3. *Dont* s'emploie souvent, avec ou sans ellipse d'un verbe, comme complément partitif au sens de *«parmi lesquel(le)s»* :

> *Il a six enfants, dont quatre filles* (ou *dont quatre sont des filles*).

4. Dont ... que ... *Dont* signifie parfois «au sujet duquel (de laquelle, desquel(le)s» dans une construction qui associe une subordonnée relative à une subordonnée conjonctive :

> *Voilà une promesse dont j'espère qu'elle sera tenue. C'est un exploit dont on peut penser qu'il est unique au monde.*

Ce tour est un des moyens d'éviter la construction archaïque *que j'espère qui sera tenue, qu'on peut penser qui est unique au monde.*

5. Dont/d'où. On emploie parfois *dont* au lieu de *d'où* avec des verbes comme *sortir, venir, descendre*, pour indiquer le point de départ :

> *Je connais bien la région dont vous arrivez* (usage plus courant : *d'où vous arrivez*).

En principe, *dont* s'emploie de préférence pour indiquer l'origine familiale, sociale, etc. :

> *La famille dont il est issu est très modeste* (on dit aussi, plus rarement, *la famille d'où il est issu*).

douter, doute, douteux

1. *Douter que* + **subj. ou *de*** + **infin.** On dit :

> *Je doute **qu**'il **puisse** le faire. Je doute **de** sa **capacité**.*

● En cas d'identité de sujet entre *douter* et le verbe de la subordonnée, la construction infinitive avec *de* est de règle :

> *Je doute **de pouvoir** le faire* (et non **que je puisse*).

● Après *ne pas douter que*, la subordonnée est ordinairement au subjonctif avec, facultativement, un *ne* explétif :

> *Personne ne doute qu'il **(ne)** l'**ait fait** exprès.* (V. NE, II, 3.)

L'indicatif se rencontre parfois, surtout dans l'usage littéraire :

> *Je ne doute pas qu'il **fera** tout son possible.*

2. *Il n'y a pas de doute* (ou ***aucun doute*) *que*, il ne fait pas de doute que, il n'est pas douteux que** sont suivis soit de l'indicatif ou du conditionnel, soit du subjonctif, avec facultativement, dans ce dernier cas, un *ne* explétif :

> *Il n'y a pas de doute que c'**était** la meilleure solution. Il n'y a aucun doute que ce **serait** préférable. Il n'est pas douteux qu'il **est** au courant, ou qu'il **ne soit** au courant.*

● Après ***nul doute que***, on emploie plutôt le subjonctif, mais parfois aussi l'indicatif ou le conditionnel :

> *Nul doute que vous **(n')ayez** raison, ou que vous **avez** raison. Nul doute que cela **pourrait** se produire.*

● Après *il est hors de doute que*, on emploie ordinairement l'indicatif :

> *Il est hors de doute qu'il **est** sincère.*

3. *Se douter que*. La subordonnée qui dépend de ce verbe est à l'indicatif ou au conditionnel :

> *Je me doute que vous **allez** protester. Il ne se doute pas qu'il **pourrait** être inculpé.*

durant

1. *Durant, pendant*. Ces deux prépositions sont pratiquement équivalentes, mais *pendant* est plus fréquent :

> *Personne n'a téléphoné durant (ou pendant) mon absence ?*

Durant peut être placé, avec une valeur insistante, après un complément de temps indiquant la durée, ce qui n'est pas le cas de *pendant* :

> *On a poursuivi les recherches des années durant (ou durant des années, pendant des années).*

2. *Durant que* + **indic.** Cette locution est archaïsante :

> *Le blessé est décédé durant qu'on le transportait à l'hôpital* (usage courant : *pendant qu'on le transportait*, ou *durant son transport*).

e

effet

1. *À cet effet* équivaut, dans l'usage soutenu ou technique, à « dans cette intention, dans ce but, pour cela » :

Il faut éviter un excès de pression : une soupape est prévue à cet effet.

● ***À l'effet de* + infin.** est une expression juridique : *Promulguer un décret à l'effet de rendre une loi applicable.*

2. *En effet, car en effet,* v. CAR, 2 et 3.

s'efforcer

1. *S'efforcer de* + infin./*à* + infin. Dans l'usage courant, on emploie *de* devant l'infinitif :

*Elle s'est efforcée **de rester** calme.*

La construction avec *à* a un caractère littéraire : *Elle s'efforçait **à sourire**.*

2. *S'efforcer à* + n. Cet emploi est littéraire :

*Ils s'étaient longuement efforcés **à la patience**.*

Dans l'usage courant on dirait plutôt : *Ils s'étaient longuement **exercés** (ou **entraînés**) **à la patience**,* ou par exemple *Ils s'étaient longuement **efforcés d'être patients**.*

ellipse

Il y a ellipse dans une phrase quand un ou plusieurs mots ne sont pas exprimés alors qu'ils pourraient l'être ; l'ellipse est fréquente dans des phrases ayant des membres symétriques :

Je suis plus âgé que vous [n'êtes âgé] (ellipse du verbe *être*, de l'adjectif *âgé* et de *ne* explétif).

Si vous êtes satisfait, moi aussi [je suis satisfait].

Ce produit est cher parce que [il est] *rare.*

Une phrase qui contient une ellipse est une phrase elliptique.

empêcher

1. *Empêcher que (ne)* + subj./*empêcher qqn* ou *qqch de* + infin. La négation explétive *ne* est facultative dans la subordonnée dépendant de *empêcher*. (V. NE, II, 2.)

● Le plus souvent, la subordonnée dépendant de *empêcher* est de la forme infinitive ; au lieu de *la brume empêche **que nous (n')apercevions** les montagnes,* on dit habituellement :

*La brume **nous** empêche **d'apercevoir** les montagnes.*

2. *Empêcher à qqn* ou *à qqch de* + infin. est une construction familière ; on la rencontre surtout avec les pronoms *lui, leur* :

Cette mise en garde leur a empêché de commettre une imprudence (usage courant : *les a empêchés …*).

3. *(Il) n'empêche que* + indic. ou condit. Cette expression, qui équivaut à « et pourtant », n'est pas suivie du subjonctif, ni de *ne* explétif :

Il a gagné son pari ; il n'empêche (soutenu) ou *n'empêche* (usage courant) *qu'il **a risqué** la catastrophe.*

● On peut employer l'indicatif (ou le conditionnel) après *cela n'empêche pas que, ce qui n'empêche pas que* :

*Ce voyage était très agréable, mais cela n'empêche pas que nous **étions** bien contents de nous retrouver chez nous.*

en

I. *EN* PRONOM OU ADVERBE

1. *En* représente en général un complément introduit par *de* :

> *Ce succès, il en parle peu, il en est fier, il en a tout le mérite* (= *il parle peu* **de** *ce succès, il est fier* **de** *ce succès, il a tout le mérite* **de** *ce succès*).

2. *En/son. En* peut être complément d'un nom ; dans cet emploi, il peut souvent être remplacé par un possessif :

> *Cette méthode, j'**en** constate l'efficacité,* ou *je constate **son** efficacité* (mais on ne pourrait pas dire, par exemple : **Ce succès, Pierre a tout son mérite*).

● Comme *dont*, il ne peut pas être complément d'un nom introduit par une préposition ; on emploie alors ordinairement le possessif. On ne peut pas dire : **Cette méthode, j'en doute de l'efficacité* ; on dit : *je doute de **son** efficacité.*

● Quand *en* est complément d'un nom, ce nom est le plus souvent complément d'objet direct ou attribut. Il peut aussi être sujet :

> *Avez-vous lu ce livre ? L'auteur en est peu connu* (= *l'auteur de ce livre, son auteur*).

3. Personne ou chose ? *En* peut toujours représenter des choses. Il représente aussi des personnes, mais dans ce cas on préfère souvent employer *de lui, d'eux*, etc. (sauf avec la valeur partitive) :

> *Ta tante, je m'**en** souviens très bien,* ou *je me souviens très bien **d'elle**. Ces collègues, j'**en** connais le plus grand nombre* (ou *le plus grand nombre **d'entre eux**).*

● En principe, *en* ne représente pas des personnes dans la fonction complément de nom ; dans ce cas, le recours au possessif est l'usage normal :

> *Ce **restaurant**, j'**en** connais l'adresse,* mais *Ce **garçon**, je con-*

*nais **son** adresse. Qui est **son** père ?* (de ce garçon). *Qui **en** est le père ?* (de cette invention).

4. **En + son,* **de ... + en. En* est incompatible avec un possessif renvoyant par pléonasme au même nom ou au même pronom. On ne dit pas dans l'usage surveillé : **Cette méthode, j'en constate son efficacité* (voir ci-dessus, 2).

● Dans la phrase **De cette méthode, j'en constate l'efficacité, en* fait double emploi avec le complément *de cette méthode.* On peut soit supprimer *en* : *De cette méthode, je constate l'efficacité,* soit supprimer *de* en conservant la mise en relief du complément par anticipation (voir ci-dessus, 2, 1er exemple).

5. *Dont + en,* v. DONT, 2.

II. *EN* PRÉPOSITION : *EN/DANS/À*

1. Dans un petit nombre de cas, il est possible d'employer *en* ou *dans* sans différence réelle de sens ; toutefois le choix de *en* est en général la marque d'un usage plus soutenu : *en ce temps-là* ou *dans ce temps-là ; en* (ou *dans*) *de telles circonstances. Il vivait en* (ou *dans*) *une contrée lointaine.*

● Certaines formules de faire-part contiennent l'expression *en l'église, en la cathédrale de ...* (ou, plus rarement, *en la mairie, en l'hôtel de...*) :

> *Les obsèques seront célébrées **en l'église Notre-Dame**.*

Mais on dit :

> *Les mariés entrent **dans** l'église, **dans** la mairie,* etc.

2. *En* apparaît le plus souvent devant un nom sans déterminant, alors que *dans* ne s'emploie que le nom qu'il introduit est précédé d'un déterminant (article, démonstratif, possessif, etc.) :

> *Il est **en** colère, **en** forme ;* mais *Il est **dans** une colère bleue, **dans** une forme extraordinaire.*

● L'emploi de *dans* + déterminant situe souvent de façon plus concrète ou plus précise dans l'espace ou dans le temps que l'emploi de *en* sans déterminant :

> Il va **dans la** classe (= il se rend à l'intérieur de la salle de classe)/Il va **en** classe (= il fréquente un établissement scolaire). Les travaux se feront **dans l'**été (= à l'intérieur de cette période)/Les travaux se feront **en** été (= à la saison chaude).

● L'article défini *le, la, les* est le déterminant qui s'emploie le plus rarement après *en*. On dit ordinairement :

> J'ai confiance en lui, en eux, en mes amis, en sa sagesse ; mais J'ai confiance **dans** les amis de mon fils, dans le jugement, dans la sagesse de mes amis.

Toutefois, l'article défini se trouve après *en* dans un certain nombre de locutions comme **en** l'occurrence, **en** l'espèce, **en** la matière.

3. Les noms géographiques. En règle générale, on emploie *en* sans article devant les noms de pays et d'îles qui prennent ordinairement les formes *la* ou *l'* d'article, ainsi que devant *Israël*, qui ne prend pas d'article :

> Il habite **en** France [la France], **en** Espagne [l'Espagne], **en** Irak [l'Irak], **en** Israël, **en** Corse, **en** Nouvelle-Calédonie.

● Quand ces noms sont accompagnés d'un adjectif ou d'un complément qui situe dans l'espace, on a généralement le choix entre *en* et *dans* :

> On observait ces coutumes dans la (ou en) France méridionale ; mais dans la (et non *en) France des rois.

● Devant les noms de pays qui prennent ordinairement les formes *le* ou *les* d'article, on emploie *au(x)*, ou *dans le(s)* s'il y a un adjectif ou un complément : **au** Portugal, **aux** Pays-Bas, **aux** États-Unis, **aux** Nouvelles-Hébrides ; mais **dans** le Portugal du Moyen Âge.

● Pour les noms de provinces ou de régions, on emploie ordinairement *en*, sauf devant certains noms masculins commençant par une consonne : **en** Auvergne, **en** Bretagne, **en** Anjou, **en** Sologne, **en** (ou dans le) Limousin, **en** (ou dans le) Dauphiné, **en** (ou dans le) Poitou ; mais **dans** le Maine, **dans** le Vercors.

● Devant les noms de départements, on emploie *dans* sauf s'ils sont composés par coordination au moyen de et : **dans** le Cher, **dans** l'Aube, **dans** les Pyrénées Orientales, **dans** le Pas-de-Calais ; mais **en** (ou dans l') Ille-et-Vilaine, **en** (ou dans le) Loir-et-Cher.

● Devant les noms de villes ou de villages, on emploie soit *dans*, soit *à*, mais non *en* : Se promener **dans** Paris ou **à** Paris.

En Avignon, en Arles sont des constructions de l'usage soutenu, surtout dans l'annonce de fêtes, de cérémonies : *le festival qui se tient en Avignon*. Dans l'usage courant, on dit **à** Avignon, **à** Arles.

4. L'opposition de sens la plus nette entre *en* et *dans* apparaît dans des compléments de temps comportant un déterminant numéral ou indéfini, ou un adverbe de quantité :

> Nous ferons le voyage **en** deux jours (indication de la durée)/Nous ferons le voyage **dans** deux jours (indication de la date, du moment à venir).

5. *Une maison en brique, de brique,* v. DE, 4.

encontre

A l'encontre de qqch, de qqn signifie « en opposition à qqch » ou « contre qqch, qqn » :

> Cette idée va à l'encontre de l'opinion générale. Intervenir à l'encontre d'un orateur. Une franche hostilité s'était manifestée à l'encontre de ce projet, de ce personnage.

● On dit *à mon encontre, à ton encontre,* etc. et non *à l'encontre de moi, de toi,* etc. :

> On lui a fait savoir que des sanctions avaient été prises à son encontre.

● En fin de phrase, cette locution peut s'employer sans son complément, comme un adverbe :

> *Le règlement est formel sur ce point : on ne peut pas aller à l'encontre.*

encore

1. *Encore* peut indiquer

- la répétition (= à nouveau) : *Il a encore raté son train.*

- la continuation (= toujours, jusqu'à ce moment) : *Est-ce qu'il dort encore ?*

- l'addition (= en outre) : *J'ai encore une déclaration à faire.*

- le renforcement : *C'est encore plus beau que je ne pensais.*

2. *Ne ... pas encore, ne ... encore pas/ne ... plus.* Les réponses négatives aux questions *Est-ce qu'il dort encore ? Avez-vous encore une déclaration à faire ?* sont :

> *Non, il **ne** dort **plus*** (= il a cessé de dormir). *Non, je **n'**ai **plus** de déclaration à faire.*

La phrase *Il ne dort pas encore* (ou plus rarement *Il ne dort encore pas*) signifie « il n'a pas commencé à dormir ». *Je n'ai pas encore de déclaration à faire* signifie : « le moment n'est pas venu pour moi de faire une déclaration. »

3. *Encore* = *cependant, toutefois.* En tête de proposition, *encore* peut avoir une valeur restrictive ; le verbe a alors un sujet pronominal inversé :

> *Cette accusation est capitale ; encore faut-il (encore doit-on) la prouver.*

On dit aussi, plus familièrement : *faudrait-il encore la prouver.* Dans l'usage oral, on évite souvent l'inversion : *... mais il faudrait (on doit) encore la prouver.*

4. *Encore que* est un équivalent un peu recherché de *bien que, quoique,* et exprime souvent plus particulièrement

une réflexion accessoire en opposition avec le contenu de la proposition principale ; le verbe de la subordonnée qu'il introduit est ordinairement au subjonctif :

> *C'est un document essentiel, encore que certains détails **soient** contestés.*

On emploie parfois aussi le conditionnel pour exprimer une hypothèse, une éventualité :

> *Si vous changiez d'avis, il faudrait nous prévenir, encore qu'il **serait** bien tard.*

On peut employer *encore que* devant un adjectif ou une locution adjectivale ou circonstancielle, avec ellipse du verbe :

> *Le conseil, **encore que tardif,** a été utile.*

s'ensuivre

Ce verbe ne s'emploie qu'à l'infinitif ou à la 3ᵉ personne du singulier ou du pluriel de chaque temps, et en particulier à la forme impersonnelle :

> *Des complications risquaient de s'ensuivre de cet incident. Il y a eu un procès, avec toutes les complications qui s'ensuivent,* ou (plus rarement) *qui s'en ensuivent.*

● Aux formes composées, on dit : *les complications qui s'étaient ensuivies,* ou *qui s'en étaient suivies,* ou *qui s'en étaient ensuivies.*

entendre

1. *Entendre que* + indic./entendre + prop. infin.* Quand *entendre* indique une opération des sens (ouïe), le verbe de la proposition complétive qui dépend de lui est parfois à l'indicatif, mais la construction infinitive, sans être obligatoire, est habituelle :

> *J'ai cru entendre **qu'**on **marchait** dans la pièce d'à côté* (ou *J'ai cru entendre **marcher** ...*). *On entendait **que** l'orage **commençait** à gronder* (ou *On entendait l'orage **commencer** à gronder*).

3. Entendre qqn dire qqch/entendre dire qqch à qqn, par qqn. Dans la construction infinitive, l'agent de l'infinitif qui dépend de *entendre* peut se présenter sous les mêmes formes que l'agent d'un infinitif dépendant de *laisser* (v. complément d'AGENT, 3) :

> *J'ai entendu mon grand-père raconter cette histoire,* ou *J'ai entendu raconter cette histoire* **par** *mon grand-père,* ou (plus rarement, en raison de l'ambiguïté) : *J'ai entendu raconter cette histoire* **à** *mon grand-père.*

Mais très couramment, avec un pronom :

> *Je* **lui** *ai entendu raconter cette histoire,* ou *Je l'ai entendu raconter cette histoire,* ou *C'est* **par lui** *que j'ai entendu raconter cette histoire.*

3. Entendre que + subj./entendre + infin. Quand *entendre* indique une volonté, une intention (usage soigné), le verbe qui dépend de lui est au subjonctif, sauf s'il a le même sujet, auquel cas il se met à l'infinitif :

> *J'entends que chacun* **puisse** *donner son avis. J'entends bien* **exposer** *mon point de vue.*

entre

1. D'entre/de. *D'entre* peut toujours être employé pour introduire un complément pluriel à valeur partitive.

● Devant un nom, on peut employer *d'entre, parmi* ou simplement *de* : *une majorité d'entre les participants,* ou *parmi les participants,* ou *des participants ; combien d'entre nos amis,* ou *parmi nos amis,* ou *de nos amis ?*

● Devant *nous, vous, eux* compléments partitifs, on ne peut employer en général que *d'entre* ou *parmi* : *une majorité d'entre nous, d'entre vous,* ou *parmi nous, parmi vous,* mais non *une majorité de nous, de vous.*

Ce principe s'applique à *nous, vous, eux* compléments d'un nom collectif (*une multitude, la plupart,* etc.), d'un mot numéral (*trois, un millier,* etc.),

d'un adverbe de quantité (*beaucoup, trop*) d'un indéfini (*certains, plusieurs,* etc.), moins régulièrement à *nous, vous, eux* compléments d'un interrogatif : *qui d'entre nous, d'entre vous ?* ou *qui de nous, de vous ?.* Mais *qui d'entre eux ?* et non **qui d'eux ?* (V. COLLECTIF, 1.)

● Quand le sujet est complété par *d'entre nous, d'entre vous,* le verbe se met soit à la 3e personne, soit, plus rarement, à la même personne que le pronom complément :

> *Certains d'entre nous le* **savaient,** ou *le savions.*

Le même principe s'applique aux constructions du type *ceux* (ou *plusieurs,* ou *certains,* etc.) *d'entre vous qui ...* : *ceux d'entre vous qui le* **savaient,** ou *qui le* **saviez.**

2. Entre autres, v. AUTRE, 7. **Entre chacun, entre chaque,** v. CHACUN, CHAQUE, 3.

espèce

Dans l'usage surveillé, on dit *une espèce de,* même si le nom complément est masculin :

> *Ce local est* **une** *espèce de débarras.*

Dans l'usage familier, on dit souvent *un espèce de* devant un nom masculin, surtout quand cette expression a une valeur dépréciative :

> *C'est un espèce de grand escogriffe.*

espérer

1. (Ne pas) espérer que (mode). Le choix du mode du verbe d'une subordonnée dépendant de *espérer* obéit aux mêmes principes que dans le cas d'une subordonnée dépendant de *croire* (v. CROIRE, 3 à 6). Quand *espérer* est à la forme négative ou interrogative, le verbe qui en dépend est ordinairement au subjonctif :

> *Je ne peux pas espérer qu'il* **soit** *guéri la semaine prochaine.*

Toutefois l'indicatif, surtout futur, est possible :

*Je ne peux pas espérer qu'il **sera**
guéri.*

● A la forme affirmative de *espérer* correspond en général un verbe
subordonné à l'indicatif (futur, présent,
passé), ou au conditionnel. Cependant
le subjonctif peut se rencontrer dans
l'usage littéraire :

*Chacun espère qu'un miracle **se
produira** (ou, littérairement : **se
produise**).*

2. Espérer (de) + infin. En cas
d'identité de sujet entre *espérer* et le
verbe qui en dépend, la construction
infinitive est courante mais non obligatoire :

*J'espère **que** je viendrai. J'espère
venir.*

La construction *espérer de* + infin. est
archaïsante :

*Je n'espérais pas de vous convaincre
en si peu de temps.*

essayer

1. Essayer de + infin. est la construction courante :

*Je vais essayer **de le joindre** par
téléphone.*

Essayer à + infin. est un archaïsme
littéraire : *Il n'essaya pas à le convaincre.*

2. Essayer (de) qqch, c'est s'en
servir, y recourir pour en faire l'essai :

*Je vais essayer **(d') un nouveau
remède**. J'ai essayé en vain **de
tous les moyens** pour le persuader.*

3. On dit ***s'essayer à* + infin., *s'essayer à qqch* :**

*Il s'essayait **à rester** calme. Il s'est
essayé quelque temps **à la
peinture**.*

être

1. Il est, il était (toujours à la
3ᵉ personne) est un équivalent littéraire de « *il y a, il y avait* », etc. :

Il est des lieux chargés d'histoire. Il

*était un adolescent qui rêvait
d'aventures.*

2. Il n'est que de + infin. équivaut, dans l'usage littéraire, à « il n'y
a qu'à, il suffit de » :

*Pour se convaincre de la nécessité
d'une réforme, il n'est que de comparer ces situations.*

**3. Si j'étais (que) [de] vous, de
lui,** etc. On dit couramment *si j'étais
vous* ou, familièrement, *si j'étais de
vous* ou, plus rarement, *si j'étais que
de vous* (= à votre place) :

*Si j'étais vous, je n'insisterais pas.
Si j'étais de lui, je me méfierais. Si
j'étais que de votre ami, je me ren-
seignerais.*

4. Serait-ce, fût-ce. Ces deux
expressions invariables s'emploient à
peu près indifféremment, dans l'usage
soutenu, pour traduire la condition et
l'opposition (= même si c'était) :

*Il ne peut voir personne, serait-ce
(ou fût-ce) ses propres parents.*

5. N'était, n'eût été. Ces deux
expressions de l'usage littéraire tra-
duisent l'exception (= si ce n'est,
sauf) ; en général le verbe s'accorde en
nombre avec le sujet :

*N'était un aboiement lointain, le
silence serait total. N'eussent été les
moustiques, le séjour aurait été mer-
veilleux.*

6. Être = aller, v. ALLER, 2. **C'est,**
v. CE, II, 1 et 3. **Être pour + infin.,**
v. POUR, 5. **Si ce n'est,** v. SI, I, 4.

éviter

**1. Éviter que (ne) + subj./éviter
de + infin.** L'emploi de la négation
explétive est facultatif dans une subordonnée dépendant de *éviter* :

*La stérilisation évite que les fruits
s'abiment, ou **ne** s'abiment.* (V.
NE, II, 2.)

● En cas d'identité de sujet entre les
deux propositions, la transformation
infinitive est systématique :

*Vous éviterez **de faire** du bruit.*

2. *Éviter à qqn qqch,* **ou** *de* + **infin.** L'emploi d'un complément introduit par *à* est très normal dans l'usage courant :

> *Vos renseignements ont évité* **aux enquêteurs une perte de temps.**
> *Qu'il emporte le paquet ; cela* **lui** *évitera* **de revenir.**

L'emploi de *épargner* dans cette construction est d'un usage plus soutenu.

● La construction *éviter à qqn que (ne)* + **subj.** n'est pas exclue :

> *Cela* **lui** *évitera* **qu'on le dérange.**

Mais on peut en général la remplacer par une construction infinitive :

> *Cela* **lui** *évitera* **d'être dérangé.**

s'excuser

On dit *s'excuser de qqch, de* + infin., *de ce que* + indic. *(auprès de qqn)* :

> *Il s'est beaucoup excusé de cette erreur, d'avoir oublié le rendez-vous.*
> *Il s'excuse de ce que tout était en désordre.*

On dit *Excusez-moi,* ou *Je m'excuse,* ou (plus déférent) *Veuillez m'excuser.*

f

face

1. *Face à qqch ou qqn, en face (de) qqch ou qqn.* On dit à peu près indifféremment *La poste est face à la mairie* ou *en face de la mairie* (= vis-à-vis de, à l'opposé de). On dit plutôt *La maison est face à la mer* (= orientée vers la mer), ou *Il s'est dressé face à la foule* (= tourné vers la foule) que *La maison est en face de la mer* ou *Il s'est dressé en face de la foule.*

● La construction *en face la mairie* est fréquente, surtout dans l'usage familier.

2. *En face l'un de l'autre,* ou *l'un en face de l'autre,* v. UN, 6.

façon, manière

1. *De façon (à ce) que* + subj./*de façon à* + infin. *De façon à ce que* est d'usage courant ; on peut lui préférer *de façon que,* qui est plus classique :

Je lui ai fait signer sa déclaration, *de façon à ce qu'*aucune contestation ne *soit* possible. Arrangez-vous *de façon que* tout *soit* achevé demain.

● Si le verbe de la principale et celui de la subordonnée de but ont le même sujet, on emploie ordinairement la construction infinitive dans la subordonnée de but :

Je suis parti bien en avance, *de façon à éviter* tout retard. Arrangez-vous *de façon à avoir* achevé demain.

● Les mêmes principes s'appliquent à la locution de *manière (à ce) que.*

2. *De façon ou d'autre, de manière ou d'autre* sont des constructions plus littéraires que *d'une façon (manière)* ou *d'une autre.*

faillir

1. Comme auxiliaire devant un infinitif pour exprimer ce qui a été sur le point de se réaliser, *faillir* ne s'emploie qu'au passé simple et aux formes composées avec le participe passé *failli* :

Quand il apprit la nouvelle, il *faillit* s'évanouir. Le coup *a failli* réussir.

Aux autres temps, on emploie par exemple *manquer de, être près de, être sur le point de* :

À chaque tentative, il manquait de tomber, il était sur le point de tomber.

On dit aussi, plus familièrement : *un peu plus, (et)* ... : *Un peu plus, et tout était à refaire.*

2. *Faillir à qqch.* Cet emploi est de l'usage littéraire :

Vous ne sauriez faillir à vos engagements.

On dit plus couramment, avec le même sens, *manquer à qqch.*

faire

1. *Faire, verbe substitut.* Dans un système comparatif, on évite souvent de répéter un verbe, et éventuellement ses compléments, en leur substituant le verbe *faire,* précédé ou non (à volonté) du pronom neutre *le* :

Il ne *mange* plus autant qu'il *faisait* (= qu'il mangeait). Il faut *pousser les recherches* plus activement qu'on ne *l'a fait* jusqu'ici (= qu'on n'a poussé les recherches). Il *a pris* ses précautions, comme on *fait* en pareil cas.

• Cette substitution ne se fait pas pour les verbes attributifs *être, paraître, sembler, devenir, rester, demeurer,* ni pour des verbes indiquant un état plutôt qu'une action :

> *Il **est** moins timide qu'il n'**était** autrefois* (et non **qu'il ne faisait*).
> *J'en **sais** plus que vous n'en **saviez*** (et non **que vous ne [le] faisiez*).

• On pouvait autrefois donner à *faire* employé comme substitut du seul verbe un complément d'objet direct différent de celui du verbe représenté :

> *On **examina** [...] mon amusement comme on **aurait fait** [= examiné] une tragédie* (Racine).

Cette construction ne peut plus se rencontrer que dans l'usage littéraire, et à condition qu'aucune ambiguïté ne puisse en résulter avec les sens ordinaires de *faire* = exécuter, réaliser, fabriquer. On recourt plus habituellement, dans l'usage soutenu, à une construction indirecte avec *de* :

> *Il **a jeté** cette lettre à la corbeille comme il l'**aurait fait d'**un banal prospectus.*

2. *Ne faire que/ne faire que de* + infin. La locution restrictive *ne ... que* doit encadrer un verbe, mais la restriction qu'elle exprime s'applique au terme qui la suit :

> *Je **ne** pense **qu'à cela*** (= je pense à cela exclusivement).

Pour faire porter la restriction sur un verbe, il faut mettre ce verbe à l'infinitif et le faire représenter (par anticipation) par *faire*.

• *Ne faire que* + infin. indique le plus souvent que l'action du sujet se limite exclusivement à ce qu'exprime l'infinitif :

> *Je **ne fais que répéter** ce qu'on m'a dit* (= je m'en tiens à cela, sans plus).

Cette construction peut aussi insister sur la continuité de l'action exprimée :

> *Toute la matinée, il **n'a fait que s'amuser*** (= il s'est amusé sans cesse).

• *Ne faire que de* + infin. s'emploie fréquemment aussi, dans l'usage familier, avec les valeurs de *ne faire que* + infin., et surtout pour exprimer la continuité ou la répétition :

> *Pendant tout mon exposé, il **n'a fait que de m'interrompre.***

Cette locution peut aussi, dans un usage un peu soutenu, exprimer un passé très récent :

> *Quand je l'ai rencontré, il **ne faisait que d'arriver*** (= il venait tout juste d'arriver).

3. *Faire, se faire* verbe attributif. *Faire*, au sens de *avoir l'air, paraître*, peut être suivi d'un adjectif ou d'un nom en fonction d'attribut. L'adjectif peut s'accorder avec le sujet ou rester invariable :

> *Elle **fait vieille**, ou (plus courant) elle **fait vieux**. Ils **font** un peu **originaux**. Elle **fait** très **directrice**.*

• *Se faire* au sens de *devenir* introduit un attribut qui s'accorde :

> *Elle commence à **se faire vieille**.*

• *Faire* au sens de *devenir* (+ nom de profession) est d'un usage régional ou populaire : *Il étudie pour **faire** ingénieur.*

• Dans la langue sportive, on dit, d'un coureur par exemple : *Il **a fait** troisième* (= il a été classé troisième).

4. *Se faire* + infin. est proche d'une construction passive, en soulignant parfois le rôle joué par l'être que désigne le sujet dans l'action subie par lui ; aux formes composées, le participe *fait* reste invariable :

> *Il **s'est fait inscrire** sur la liste électorale* (= il a été inscrit à sa demande). *Elle **s'est fait assassiner** par un cambrioleur* (= elle a été assassinée).

5. *Faire* + infin. *par ..., à ...,* v. (COMPLÉMENT D') AGENT, 3.

6. *Faire (se) souvenir,* etc., v. (VERBE) PRONOMINAL, 2.

7. Faire que introduit une subordonnée à l'indicatif ou au subjonctif.

● L'indicatif dans la subordonnée indique un résultat acquis, une conséquence envisagée dans sa réalité :

Toutes ces raisons font que le projet a été abandonné. Ce travail imprévu fait que j'arriverai peut-être en retard.

● Le subjonctif dans la subordonnée indique une action conçue comme hors de la réalité actuelle ; il correspond au verbe *faire* employé à l'impératif ou au subjonctif (vœu, souhait), ou précédé de *ne (pas) pouvoir* :

Faites (ou *fasse le ciel) que tout aille bien ! Je ne peux pas faire que la situation soit différente.*

8. Se faire que (impersonnel) au sens de *arriver que* est suivi du subjonctif quand *se faire* est précédé de *il pourrait,* ou à la forme interrogative avec *comment ;*

Il pourrait se faire que je doive m'absenter. Comment se fait-il qu'on ne m'ait pas prévenu ?

Toutefois, dans l'usage familier, on emploie aussi l'indicatif après *comment... :*

Comment ça se fait qu'on ne m'a pas prévenu ?

9. C'en est fait de (nous, etc.). Cette locution est couramment admise aujourd'hui, dans l'usage soutenu, bien que *en* ait été jugé pléonastique quand un complément (par ex. *de nous*) est exprimé. On ne dit plus *C'est fait de nous.*

10. Il fait bon (de) + infin. L'emploi de la préposition *de* est moins courant que la construction directe de l'infinitif :

Il fait bon vivre ici. Il ne fait pas bon (d') avoir affaire à lui.

11. *Il fait faim, soif* (= nous avons faim, soif) sont des constructions familières sur le modèle de *Il fait froid,* etc.

12. Tant qu'à faire, v. TANT, 3.

fait

1. Le fait que + indic. ou subj. Cette locution est un des moyens d'opérer une nominalisation (v. ce mot). Elle permet, comme la conjonction *que,* d'introduire une subordonnée sujet, attribut ou complément :

Le fait que la fièvre a baissé est un signe favorable. La raison de ce phénomène est le fait que la chaleur dilate inégalement les métaux. Il est sensible au fait qu'on ait pensé à le prévenir.

● On emploie, sans différence appréciable de valeur, l'indicatif ou le subjonctif dans la subordonnée introduite par *le fait que :*

Le fait que la fièvre ait baissé est un signe favorable. Le fait qu'on n'a (ou n'ait) pas relevé de preuves contre lui ne signifie pas qu'il soit innocent. J'ai été surpris par le fait qu'il n'a (ou n'ait) pas élevé d'objection.

2. Le fait de + infin. Cette construction, équivalant à l'infinitif simple, s'emploie souvent comme sujet ou complément, en particulier dans des cas où l'infinitif seul serait peu usuel ou exclu :

Le fait d'être étranger lui interdit de participer aux élections (= le fait qu'il est [ou soit] étranger, sa qualité d'étranger). J'attache beaucoup d'importance au fait de pouvoir organiser mon travail comme je l'entends (= au fait que je peux [ou puisse] organiser mon travail, à la possibilité que j'ai d'organiser mon travail).

3. Du (seul) fait que + indic., du (seul) fait de + nom ou infin. Ces locutions expriment la cause :

Du fait que les ventes ont augmenté, le chiffre d'affaires s'est élevé. Nul ne peut être sanctionné du fait de ses opinions politiques. Du seul fait de l'inflation, son capital s'est dévalorisé. Il s'est mis dans son tort du fait de n'avoir prévenu personne.

falloir

1. *Il faut que je* (*tu*, etc.) **+ subj.** peut être exprimé aussi sous la forme, souvent plus légère, *il me* (*te*, etc.) *faut* + infin. :

> *Il faut **que vous preniez** cette route. Il **vous** faut **prendre** cette route.*

D'autres tournures sont éventuellement possibles : *je dois* + infin., *j'ai à* + infin., etc.

2. *Il faut que* **+ subj.** exprime parfois la conjecture (ce qui est logiquement nécessaire en guise d'explication) :

> *Il n'est pas encore là ? Il faut **qu'il ait eu** un empêchement grave.*

3. *Faut-il que ... ! Faut-il ... !* souligne une exclamation :

> *Faut-il que vous soyez* (ou *faut-il être*) *inconscient pour agir ainsi !*

4. **Il faut mieux* n'appartient pas à un usage normal : il y a confusion avec *il vaut mieux* (ou *il faut plutôt*).

5. *Il s'en faut, peu s'en faut que ... (ne)*, v. NE, II, 5, et BEAUCOUP, 1.

6. *Loin s'en faut* s'emploie parfois, par confusion semble-t-il, entre les locutions de sens voisin *il* (ou *tant*) *s'en faut* et *loin de là*.

7. *Ce qu'il faut/*Ce qui faut.* *Falloir*, étant un verbe uniquement impersonnel, ne peut pas avoir pour sujet le pronom relatif *qui*. La seule forme normale est *ce qu'il faut*, qui se confond dans la prononciation familière avec **ce qui faut*.

8. *Faudrait-il encore*, v. ENCORE, 3.

faute

1. *C'est (de) ta faute.* Cette locution s'emploie avec ou sans la préposition *de*, l'absence de préposition étant parfois jugée comme la marque d'un usage un peu plus soutenu.

● *C'est (de) la faute **à** Pierre* est plus familier que *C'est (de) la faute **de** Pierre.*

2. *Faute de* **+ n. ou infin.** introduit un complément de cause (= par manque de, parce que ... ne pas) ou de condition (= si ... ne pas) :

> *On a relâché le suspect **faute de preuves**. On l'a relâché **faute de pouvoir** prouver sa culpabilité. **Faute de payer** dans les délais voulus, vous seriez pénalisé.* (On veillera à éviter l'emploi de la négation devant l'infinitif : **faute de ne pouvoir prouver ...*, **faute de ne pas payer ...*).

feu

Au sens de « défunt », *feu* est invariable devant un nom (emploi archaïsant) : *Feu mon père, feu ma mère.* Placé entre l'article et un nom en principe au singulier il s'accorde en genre (emploi très archaïque) : *Ma feue mère.*

finir

1. *Finir de/par* **+ infin.** *Finir de faire qqch*, c'est le faire entièrement, l'achever, ou cesser de le faire :

> *J'ai fini de repeindre la pièce. La pluie a fini de tomber.*

● *Finir par faire qqch*, c'est en venir à le faire en fin de compte :

> *Le suspect a fini par avouer.*

2. *Être fini* (ou *achevé*) *de* **+ infin.** Avec les verbes perfectifs (v. VERBE, 5), cette construction exprime l'achèvement de l'action :

> *La maison sera bientôt finie de bâtir* (et non **finira bientôt d'être bâtie*). *Les arbres sont achevés de planter.* (V. COMMENCER, 3.)

fois

1. *(À) chaque fois que. (À) la troisième fois (que).* Dans l'emploi adverbial ou comme locution conjonctive, on dit à peu près indifféremment *chaque fois que* ou *à chaque fois que.*

la première construction étant semble-
t-il plus usuelle :

> *C'est chaque fois la même chose* ou
> *À chaque fois, c'est la même chose.*
> *(À) chaque fois que le vois, il me*
> *demande de vos nouvelles.*

**2. Deux fois par an, deux fois
l'an.** La première construction est la
plus habituelle. La construction sans
par est archaïsante ou littéraire et ne
s'applique qu'aux noms désignant des
mesures du temps *(an, mois, semaine,
jour ...)*. On dit toujours, par exemple :
deux fois par séance, par voyage.

3. (Par) trois fois. L'emploi de *par*,
facultatif, insiste sur l'importance de
la répétition :

> *J'ai essayé en vain par trois fois de*
> *le joindre au téléphone.*

**4. Une fois que ..., une fois + par-
ticipe ou adj.** *Une fois que* est une
locution conjonctive équivalant dans la
plupart de ses emplois à *après que* ; le
verbe de la proposition qu'elle introduit est à l'indicatif passé composé ou
surcomposé, passé antérieur ou futur
antérieur, plus rarement imparfait (verbes d'état) :

> *Une fois qu'on* **a compris,** *tout est*
> *simple. Une fois que tu* **étais** *là,*
> *tu aurais pu t'occuper de l'affaire*
> (= dès l'instant que).

À la différence de ce qui a lieu pour
après que, on n'a pas tendance à
employer le subjonctif avec *une fois
que.*

• On peut souvent alléger la phrase
en réduisant la subordonnée de temps
introduite par *une fois que* à *une fois*
suivi soit d'un participe ou d'un adjectif se rapportant au sujet du verbe
principal, soit d'un participe absolu :

> *Une fois (que vous serez)* **arrivé,**
> *prévenez-moi. Une fois* **l'affaire**
> **terminée** (ou **l'affaire** *une fois*
> **terminée),** *passez me voir.*

5. La fois où, la fois que, v. QUE,
5.

6. Des fois que + **condit.** est un
équivalent très familier de *au cas où,
pour le cas où* :

> *Je te le rappelle, des fois que tu*
> *l'aurais oublié.*

7. Des fois. Cette expression est très
courante dans la langue familière au
sens de «parfois, quelquefois» :

> *Je me dis des fois que tout ça n'a pas
> grande importance.*

• *Des fois* est familier au sens de «par
hasard» dans une proposition de condition ou une interrogation :

> **Si des fois** *j'étais absent, laissez-
> moi un mot. Vous ne pourriez pas*
> **des fois** *me renseigner ?*

8. À la fois ... mais aussi, v. SYMÉ-
TRIE.

force

Dans l'usage littéraire, le mot *force*,
invariable, s'emploie devant un nom
singulier ou pluriel au sens de «une
grande quantité de, un grand nombre
de, beaucoup de» :

> *On buvait force champagne. Il s'ex-
> pliquait avec force gestes.*

fournir

1. On dit *fournir qqch à qqn : On
vous fournira les pièces nécessaires,* ou
(surtout au passif) *fournir qqn en
qqch : Ce commerçant est bien fourni
en articles ménagers,* et, dans un usage
plus soutenu, *fournir qqn de qqch :
Ils ont été fournis de tout le nécessaire.*

2. Fournir à qqch, c'est y subvenir
ou l'assurer :

> *Fournir aux besoins de quelqu'un. Il
> n'arrive pas à fournir à la tâche.*

3. Intransitivement, *fournir* signifie
«faire du profit, avoir du ren-
dement» : *du blé qui fournit bien.*

g

garde

1. Prendre garde. Cette locution tend à être remplacée dans la plupart de ses emplois par *faire attention*. *Prendre garde à qqch* signifie le plus couramment «en éviter les dangers, s'en méfier» :

Prenez garde à la peinture. Prenez garde à la marche. Si vous n'y prenez garde, vous allez être envahi de paperasse.

● Cette locution peut aussi signifier «veiller à ne pas mettre à mal quelque chose» :

Prends garde au vase. Prends garde à tes pieds.

2. Prendre garde de (ou à) ne pas + infin. Prendre garde de + infin. Ces constructions peuvent s'employer avec le même sens : «veiller à ne pas ...» :

Prenez garde de ne pas vous salir. Prenez garde à ne pas vous salir. Prenez garde de vous salir.

La première de ces constructions est la plus usuelle, mais on dit encore plus couramment :

Faites attention à (ou de) ne pas vous salir.

3. Prendre garde (à ce) que + subj. signifie «veiller à ce que ... » et s'emploie surtout avec une subordonnée négative :

Prenez garde à ce que ça ne vous salisse pas, à ce que personne ne vous voie, ou (plus légèrement) Prenez garde que cela ne vous salisse pas, que personne ne vous voie. (V. à, 5.)

Cette expression avec une subordonnée affirmative est plus archaïsante :

Prenez bien garde (à ce) que toutes les précautions soient prises.

Dans tous les cas, on dit plus habituellement *faire attention (à ce) que* + subj.

● Après *prendre garde que* + subj., on peut aussi avoir, dans l'usage littéraire, une simple négation explétive et, dans ce cas, *prendre garde que* s'interprète «veiller à éviter que» :

Prenez garde que cela ne vous salisse, que quelqu'un ne vous voie. (V. NE, II, 2.)

4. Prendre garde à + infin. Cet emploi avec un infinitif affirmatif est archaïsant :

Prenez garde à bien suivre toutes les recommandations. On dit plutôt *veiller à, avoir soin de, faire attention à.*

5. Prendre garde que + indic. ou condit. signifie «observer, remarquer que» (usage soutenu) :

Nous n'avions pas pris garde que l'orage approchait. Prenez garde que ce détail pourrait tout changer.

6. N'avoir garde de + infin. signifie «éviter soigneusement de» (usage soutenu) :

Je n'aurai garde de commettre la même erreur. On dit plus couramment en ce sens *se garder de* + infin.

genre

1. C'est seulement pour un certain nombre de noms animés, et principalement de noms humains (v. NOM, 1) que l'opposition du masculin et du féminin correspond à la différence des sexes : *le lion, la lionne ; un candidat, une candidate.* Pour les règles géné-

rales de formation du féminin,
v. *section «Orthographe».*

2. Formations particulières du féminin.

● Féminin en **-trice.** Il existe de nombreux noms ou adjectifs terminés en -teur au masculin; leur féminin est le plus souvent en -teuse si le *t* apparaît à l'infinitif d'un verbe correspondant *(menteur, menteuse,* de *mentir; porteur, porteuse,* de *porter),* et en -trice dans le cas contraire *(animateur, animatrice,* de *animer, auditeur, auditrice).*

Exceptions : *persécuteur, persécutrice,* de *persécuter; inspecteur, inspectrice,* de *inspecter; inventeur, inventrice,* de *inventer* (au sens juridique de «découvrir» : *l'inventrice d'un trésor).* Enquêteur a pour féminin *enquêteuse* ou *enquêtrice.*

● Féminin en **-eresse, -oresse.** Dans la langue juridique, *bailleur, défendeur, demandeur, vendeur* ont pour féminins *bailleresse, défenderesse, demanderesse, venderesse. Chasseresse* est un féminin poétique de *chasseur,* ordinairement appliqué à Diane. *Enchanteur* fait *enchanteresse, pécheur* fait *pécheresse, vengeur* fait *vengeresse. Docteur* (= médecin) fait *doctoresse :* consulter une doctoresse. On n'emploie pas ce féminin pour indiquer un titre, soit devant un nom propre, soit pour s'adresser à une femme médecin. On dit : *Madame le docteur Solange Martin. Docteur, vous avez été clairvoyante.* Comme titre universitaire, *docteur* n'a pas de forme particulière de féminin : *Elle est docteur en mathématiques. C'est une femme docteur.*

● Féminin en **-esse.** Parmi les noms les plus connus formant leur féminin en -esse, on peut citer :

abbé, abbesse; âne, ânesse; chanoine, chanoinesse; comte, comtesse; diable, diablesse; drôle, drôlesse; duc, duchesse; hôte, hôtesse (= la personne qui reçoit); *ivrogne, ivrognesse; maître, maîtresse; mulâtre, mulâtresse; nègre, négresse; ogre, ogresse; patron, patronesse*
(dans l'expression *dame patronesse); pauvre, pauvresse; poète, poétesse; prêtre, prêtresse; prince, princesse; prophète, prophétesse; Suisse, Suissesse* (seulement comme nom; on dit aussi : *une Suisse); tigre, tigresse; traître, traîtresse; vicomte, vicomtesse.*

3. Certains noms ont pour féminin un nom de forme entièrement différente :

un bélier, une brebis; un bouc, une chèvre; un cerf, une biche; un confrère, une consœur; un coq, une poule; etc.

4. De nombreux noms humains terminés par -e ont une forme commune pour le masculin et le féminin : *artiste, concierge, esclave,* etc. La distinction du genre s'opère par le choix de l'article et par les accords.

● Les noms *homme, femme, mâle, femelle* sont employés pour préciser, en cas de besoin, le sexe de personnes ou d'animaux dont les noms n'ont pas de féminin : *un professeur femme, une girafe mâle.*

5. Certains noms féminins désignent des hommes :

une vigie, une estafette, une sentinelle, une ordonnance (parfois masculin), *une recrue : La sentinelle s'était endormie.*

Inversement, quelques noms masculins désignent des femmes :

un laideron, un souillon (parfois *une souillon), un soprano.*

6. *Ascendant, descendant, conjoint,* mots masculins, peuvent désigner soit un homme, soit une femme ;

Sa grand-mère maternelle est son seul ascendant survivant.

7. Pour la grande majorité des noms, le genre est sans rapport avec la notion de sexe (c'est le genre dit «arbitraire», ou «grammatical»). Voici quelques cas sur lesquels les hésitations ou les erreurs sont plus ou moins fréquentes.

- Sont masculins :

*abaque, acrostiche, adage, agru-
mes, albâtre, amalgame, ambre,
amiante, anathème, anévrisme, antidote, antre, apogée, armistice, aromate, arpège, asphalte, astérisque, augure, auspice, autographe,
automne, camée, campanile, chromo,
chrysanthème, colchique, décombres,
ellébore, élytre, en-tête, épiderme,
esclandre, fastes, globule, haltère,
hémisphère, hémistiche, hiéroglyphe,
holocauste, hyménée, hypogée, interclasse, jade, lignite, mânes, obélisque, orbe, pétale, planisphère,
poulpe, sépale, tentacule, termite,
tubercule, viscère,* etc.

- Sont féminins :

abside, algèbre, alluvion, alvéole
(autrefois masc.), *anagramme, anicroche, arabesque, argile, arrhes,
autoroute, avant-scène, azalée,
campanule, câpre, chausse-trape,
clovisse, disparate, échappatoire,
écritoire, encaustique, enclume,
éphéméride, épigramme, épigraphe,
épithète, épître, équerre, équivoque, escarre, estafette, forficule,
gemme, glaire, hécatombe, hypallage, immondices* (plur.), *interview,
oasis, octave, orbite, oriflamme,
patenôtre, phalène, réglisse, scolopendre, sépia, spore, stalactite, stalagmite, topaze, vicomté,* etc.

- Sont d'un genre indécis :

*après-midi, avant-guerre, après-
guerre, entre-deux-guerres, effluve,
enzyme, H. L. M., météorite, palabre*
(ordinairement fém.), *pamplemousse*
(ordinairement masc.), *perce-neige*
(ordinairement masc.).

8. Mots à double genre selon les emplois.

Aigle, ordinairement masculin, est féminin s'il désigne spécialement la femelle de l'oiseau, et au sens de « étendard, armoiries ». *Amour* est parfois féminin au pluriel : *de **belles** amours* ou *de **beaux** amours. Délice* est féminin au pluriel : ***Quelles** déli-ces! Foudre* est masculin dans l'expression littéraire *un foudre de guerre* (ou *d'éloquence,* etc.).

Gens est féminin pour un adjectif qui le précède et masculin pour un adjectif qualificatif qui le suit ou qui est attribut ou en apposition : *de **vieilles** gens; les **petites** gens. **Toutes** ces **bonnes** gens étaient **admiratifs**. **Tous** ces gens sont **pressés**. Des gens **heureux**. Les gens sont **méchants**. **Curieux**, les gens s'attroupaient.*

Hymne est ordinairement masculin; il est parfois féminin quand il désigne un cantique latin chanté à l'église : *une hymne d'action de grâces. Merci* est féminin dans l'expression *être à **la** merci de qqn* ou *de qqch. Œuvre* est masculin dans les expressions *le gros œuvre, le grand œuvre* (littéraire) [= l'entreprise à laquelle on consacre toute son activité], ou quand il désigne l'ensemble des ouvrages d'un artiste : *l'œuvre **entier** de Callot, de Mozart.*

Orge est féminin, sauf dans les expressions *orge perlé, orge **mondé**. Orgue* est masculin au singulier et féminin quand on l'emploie au pluriel avec une valeur emphatique pour désigner un seul instrument : *jouer une fugue sur les **grandes** orgues de Notre-Dame de Paris.*

Pâque est féminin quand il désigne la fête juive; *Pâques,* désignant la fête chrétienne, est masculin : *Pâques est **tardif** cette année.* Il est féminin dans quelques locutions : ***Joyeuses** Pâques! **Bonnes** Pâques!*

Période n'est masculin que dans les expressions littéraires *le plus haut période, le dernier période* (= le point culminant). *Personne* n'est masculin que dans son emploi pronominal : *personne n'a été **surpris**.*

9. Noms de villes. L'usage courant est indécis quant à leur genre : *Venise est **belle**,* ou *Venise est **beau**.* Cependant, le masculin est le plus fréquent : *Paris est **beau**. En plein Marseille.*

10. Noms de bateaux. La tendance est à l'emploi du masculin, mais on note la même indécision que pour les noms de ville lorsque le nom dont le bateau est baptisé est normalement féminin : *le Liberté* ou *la Liberté ; le Belle Hélène* ou *la Belle Hélène.*

11. Quelques principes permettant de prévoir le genre.

● Sont masculins :

- les mots terminés par les suffixes *-age, -ment, -eur* (noms d'agent), *-ier, -is, -isme, -on, -oir : le bavardage, un campement, un campeur, un pommier, un cailloutis, le socialisme, un brouillon, un entonnoir ;*

- les noms d'arbres, sauf *une aubépine, la vigne, une yeuse ;*

- les noms de métaux et de corps chimiques : *le cuivre, le soufre ;*

- les noms désignant des langues : *le français, l'italien ;*

- les noms de jours, de mois, de saisons : *le mardi matin, en mai dernier, le printemps prochain.*

● Sont féminins :

- les noms terminés par les suffixes *-ade, -aie, -aille, -aine, -aison, -ison, -ée, -ence, -esse, -eur* (noms abstraits), *-ie, -ise, -sion, -tion, -té, -(i)tude, -ure : une promenade, une cerisaie, la pierraille, une quinzaine, la pendaison, la trahison, une cuillerée, la semence, la gentillesse, la douceur, la courtoisie, la gourmandise, la cohésion, la répartition, la gaieté, la servitude, l'inquiétude, une écriture ;*

- les noms de sciences, de disciplines : *la physique, la linguistique, la littérature* (sauf *le droit*).

gérondif

1. Le gérondif, forme complémentaire de l'infinitif. On appelle « gérondif » l'ensemble formé par la préposition *en* et une forme verbale en *-ant : en riant, en marchant,* etc. Le gérondif s'emploie comme complément circonstanciel de la même manière que l'infinitif précédé d'une préposition autre que *en :*

> Il a dit cela **sans rire, pour rire, en riant.**

● De même que l'infinitif complément circonstanciel peut être à la forme composée (infinitif passé), le gérondif peut apparaître (assez rarement toutefois) à la forme composée exprimant l'« accompli » :

> Il est reparti **en ayant donné** ses instructions (comme *après avoir donné, sans avoir donné ses instructions*).

2. *Aller (en) s'améliorant, (en) s'aggravant,* etc. Dans ce tour, qui marque l'aspect progressif ou duratif, l'omission de *en* appartient aujourd'hui à l'usage soutenu : *Le mal va en empirant* est plus usuel que *Le mal va empirant ;* cependant on dit plutôt *aller croissant* que *aller en croissant.* De toute façon, la forme en *-ant* reste invariable : *les difficultés vont croissant* (= s'accroissent continuellement).

3. Le « sujet » du gérondif. Comme dans le cas de l'infinitif précédé d'une préposition (v. INFINITIF, II, 3) ou du participe (v. PARTICIPE, III), une règle de principe veut qu'on n'emploie le gérondif que s'il y a identité entre le sujet du verbe de la proposition et le « sujet » du gérondif, c'est-à-dire le nom ou le pronom auquel il se rapporte : *Je l'ai informé en arrivant* signifie « quand je suis arrivé » et non « quand il est arrivé ».

C'est surtout quand le gérondif est en tête de phrase qu'on s'expose à manquer à cette règle en risquant de ce fait soit une ambiguïté, soit une maladresse. *En attendant une confirmation, veuillez agréer...* doit normalement s'interpréter : « tandis que vous [sujet implicite de *veuillez*] attendez une confirmation », même si l'auteur de la lettre a voulu signifier « tandis que j'attends une confirmation » — dans ce cas, il aurait dû écrire, par exemple : *En attendant une confirmation, je vous prie d'agréer...*

● Toutefois, dans de nombreux cas le manquement à cette règle n'entraîne aucune hésitation réelle sur le sens, par exemple dans une phrase comme :

En regardant plus attentivement, un détail m'est apparu.

L'application de la règle donne, par exemple :

En regardant plus attentivement, j'ai remarqué un détail, ou Quand j'ai regardé plus attentivement, un détail m'est apparu.

● Souvent le gérondif se rapporte en fait à un *on* qui n'apparaît dans la phrase ni comme sujet, ni sous la forme d'un pronom complément ou d'un possessif :

En réfléchissant bien, tout cela est très logique (= si on réfléchit bien). *L'appétit vient en mangeant* (= quand on mange).

goûter

Goûter qqch, à qqch, de qqch. Ces trois constructions sont usuelles, sans véritable différence de sens ; la construction avec *de* semble cependant plus rare, sauf dans les phrases négatives :

J'aimerais goûter ce vin ou *à ce vin* (ou *de ce vin*). *Je n'ai jamais goûté ce vin, ou à ce vin, ou de ce vin.*

● On dit toujours *Goûtez-moi ça, Goûtez-moi ce vin,* etc.

● Au sens de « apprécier, jouir de », on n'emploie pas de préposition : *Goûter le calme de la campagne.*

h

habiter

Ce verbe s'emploie transitivement ou intransitivement sans différence appréciable de sens :

*Habiter **Paris**, habiter **la province**. Habiter à Paris, habiter **en** province. Il habite **(au) trois** avenue de la Liberté. Il habite **rue** de la Gare, **dans la rue** de la Gare* (simple indication d'une adresse). *Il habite **la rue** de la Gare depuis dix ans* (= il en est un des habitants). *Habiter **sur** une place, sur un boulevard. Habiter **sur** (ou **dans**) une avenue. Habiter **dans** une impasse.*

hasarder

Ce mot est un équivalent soutenu de *risquer*, et il admet les mêmes constructions que ce verbe :

Hasarder une réponse. Hasarder sa vie. Hasarder de s'égarer. Se hasarder à une critique, à critiquer un auteur.

hériter

1. Hériter (de qqn). On peut dire, sans préciser le complément de chose :

Il a hérité, ou *Il a hérité de son oncle.*

Il s'agit alors de biens matériels.

2. Hériter de qqch. Pour des biens matériels ou immatériels, on dit, sans complément de personne :

*Il a hérité **d'une maison**. Il a hérité **d'un heureux caractère**.*

3. Hériter qqch de qqn. Avec un complément de personne et un complément de chose, on dit :

*Il a hérité **de son oncle une maison**. Il a hérité **de sa mère un sens artistique raffiné**.*

On n'emploie pas la préposition *de* à la fois pour le complément de personne et le complément de chose.

hésiter

On dit *hésiter sur qqch, au sujet de qqch, entre plusieurs choses*, ou *hésiter à + infin.* :

*Il hésitait **sur le parti** à prendre. J'hésite **à accepter**.*

● La construction interrogative indirecte après *hésiter* est de l'usage littéraire :

Il hésitait s'il dirait toute la vérité, comment il expliquerait la chose (usage courant : *Il se demandait si ..., comment ...*, ou *Il hésitait à dire toute la vérité, il hésitait sur la manière d'expliquer la chose*).

histoire

Histoire de + infin. est une locution familière signifiant « simplement pour » :

Je feuilletais des vieux catalogues, histoire de passer le temps.

hors, hormis

1. Hors et hormis sont de l'usage littéraire ou administratif au sens de « excepté » :

Il avait tout prévu, hors une telle éventualité. Hormis ce cas, la garantie couvre tous les risques.

On dit, dans l'usage soutenu, *être hors pair* ou *être hors de pair* (= être incomparable).

2. Hors, au sens général de « à l'extérieur de, en dehors de », est très usuel dans certaines locutions figées, comme *hors concours, hors jeu, hors-texte, hors-la-loi,* etc.

● *Hors de* s'emploie très couramment avec le même sens :

Il a longtemps habité hors de France. Cette question est hors de ma compétence. Son intervention est hors de propos.

i

ici

1. *D'ici (à) demain, d'ici (à) Marseille.* Dans ce genre d'expression, la préposition *à* est tantôt employée, tantôt omise, la tendance générale étant à l'omission de la préposition :

D'ici quelques jours, nous serons fixés.

● On dit toujours *d'ici là* au sens de « jusqu'à ce moment là ».

2. *D'ici (à ce) que* + subj. exprime un intervalle de temps jusqu'à un moment à venir :

*D'ici **à ce qu'**on s'en **aperçoive,** nous serons loin. D'ici **qu'il pleuve,** il n'y a pas longtemps.*

imparfait

1. Imparfait et passé simple. En règle générale, l'imparfait exprime la durée ou la répétition dans le passé :

*La semaine dernière, j'**étais** en vacances. Il **se levait** chaque jour à 6 h.*

Le passé simple, qui n'est usuel que dans les récits écrits et dans quelques parlers régionaux, exprime une action passée dont le déroulement n'est pas pris en considération, qui est en quelque sorte réduite par la pensée à un point :

*Christophe Colomb **découvrit** l'Amérique en 1492.*

● Toutefois, l'imparfait est parfois employé à la place du passé simple (ou du passé composé) avec un complément de temps, pour indiquer une situation nouvelle (imparfait dit « de rupture » ou « de narration ») :

*En 1492, Christophe Colomb **découvrait** l'Amérique. L'incendie **a***

*éclaté à dix heures ; cinq minutes après, les pompiers **arrivaient.***

2. Imparfait et conditionnel. On emploie l'imparfait de l'indicatif dans une proposition subordonnée de condition introduite par *si*, dont la principale est au conditionnel :

*Si je le **savais,** je te le **dirais.*** (V. CONDITION et SI, I, 2.)

● L'imparfait de l'indicatif équivaut à un conditionnel passé, avec un complément exprimant une idée de condition ;

*Il était temps que tu arrives, cinq minutes plus tard je **partais*** (= je serais parti).

3. Imparfait d'atténuation. Avec quelques verbes introduisant un infinitif, l'imparfait ajoute une nuance de discrétion :

*Je **voulais** vous faire part d'un projet. Je **venais** vous solliciter.*

4. Présent ou imparfait ? V. CONCORDANCE DES TEMPS, 1).

impératif

1. Conjugaison, v. *Larousse de la conjugaison.*

2. Valeurs. L'impératif peut exprimer

- un ordre ou une défense : ***Sortez !*** *Ne **recommencez** pas !,*

- une prière : *Ne m'**abandonnez** pas !*

- une exhortation : ***Restons** calmes !,*

- un souhait : ***Soyez** heureux !,*

- une supposition : ***Continuez** ainsi, et vous allez à la catastrophe.*

- une concession : ***Criez** tant que vous voudrez, cela ne changera rien.*

3. Autres moyens d'exprimer ces valeurs.

● Le subjonctif présent ou passé à la 3ᵉ personne :

> *Que chacun se prépare à partir. Que les observateurs aient remis leur rapport dans huit jours.*

● Le futur de l'indicatif (en particulier dans les textes administratifs) :

> *Les personnes concernées se présenteront au secrétariat.*

● L'infinitif (en particulier dans les consignes générales, les modes d'emploi, etc.) :

> *S'adresser au concierge. Refermer le tube après usage.*

● L'interrogation et le conditionnel (en particulier dans une intention d'atténuation) :

> *Pouvez-vous* (ou *pourriez-vous*) *faire un peu moins de bruit ? Tu ne vas pas te taire ?*

4. Place des pronoms personnels compléments de l'impératif, v. PRONOM PERSONNEL, 2.

impersonnel

1. La construction impersonnelle, à la 3ᵉ personne du singulier, est une mise en relief (emphase) du verbe, ou du groupe verbal comprenant l'attribut :

> *Il manque un détail de la plus grande importance. Il est venu de nombreux visiteurs. Il est indispensable d'agir vite.*

Elle permet souvent d'éviter qu'un groupe sujet d'une assez grande ampleur soit suivi d'un verbe bref, ou qu'un infinitif soit employé comme sujet avant le verbe, constructions peu fréquentes en français :

> *Un détail de la plus grande importance manque. Agir vite est indispensable.*

2. Cette construction s'applique en particulier au verbe passif ou pronominal et a pour effet de laisser dans l'ombre ou au second plan l'auteur de l'action ;

> *Il a été procédé à des arrestations* (= on a procédé, ou la police a procédé). *Il a été trouvé un portefeuille. Il a été décidé par l'assemblée de renvoyer le débat. Il se racontait d'étranges histoires.*

Quand le sujet réel, postposé au verbe, est un nom, il n'est généralement pas déterminé par l'article défini ; on ne dit pas :

> **Il a été trouvé le portefeuille du directeur. *Il se racontait l'histoire du revenant.*

incise

Une proposition incise, comme *dit-il, pensais-je,* se réduit souvent à un verbe et à son sujet. Dans l'usage soutenu, le sujet est alors inversé (v. INVERSION DU SUJET) mais, dans l'usage familier ou populaire, on conserve le sujet avant le verbe :

> *Tu as raison, il a dit,* ou *qu'il a dit.*

● À la 1ʳᵉ personne surtout, l'inversion est très marquée littérairement :

> *C'est faux, fis-je, repris-je, répliquai-je, ai-je déclaré.*

● On emploie très normalement en incise sans inversion, même dans l'usage soutenu, *je crois, je pense, j'imagine, j'espère,* etc. :

> *Vous n'allez pas, je suppose, nier l'évidence* (et non *suppose-je*).

infinitif

I. Dans un nombre limité de cas, l'infinitif peut jouer le rôle de verbe principal d'une phrase.

1. Infinitif de narration. Dans une phrase telle que *Il annonça la nouvelle, et tous d'applaudir,* la proposition *et tous d'applaudir* équivaut à « et aussitôt, tous applaudirent ». Cet emploi, dans un récit, de l'infinitif précédé de *de* avec la valeur d'un passé simple, est de l'usage littéraire.

2. Infinitif délibératif. Dans une phrase interrogative, l'infinitif peut traduire la perplexité de celui qui se pose la question :

Que penser de tout cela ? (= que dois-je, que peut-on penser de tout cela ?). *Où aller ?* (= où faut-il aller ? où puis-je aller ?, etc.). *Qui croire ?*

3. Infinitif impératif. L'infinitif équivaut à l'impératif dans l'expression de consignes générales :

Agiter le flacon avant l'usage.

4. Infinitif exclamatif. Cet emploi est souvent un procédé littéraire pour traduire la surprise, l'indignation, le regret, etc. :

Lui, m'avoir ainsi trompé !

II. Le plus souvent, l'infinitif a dans une phrase une fonction de sujet, d'attribut ou de complément, à la manière d'un nom ou d'une subordonnée introduite par *que* (v. NOMINALISATION).

1. De + infin. sujet. Une construction comme *D'en savoir plus ne vous avancerait à rien* appartient à l'usage littéraire. Dans l'usage courant, on peut employer l'infinitif sans préposition comme sujet en tête de phrase :

En savoir plus ne vous avancerait à rien.

La préposition *de* n'est usuelle devant un infinitif sujet que dans le cas d'une construction mettant en relief un autre terme de la phrase, et particulièrement dans une construction impersonnelle :

Cela ne vous avancerait à rien d'en savoir plus. Il est prudent de s'informer.

2. Infinitif complément. Il peut être construit sans préposition :

J'espère réussir.

C'est le cas après des verbes ou des locutions verbales d'opinion, de volonté, de mouvement, en particulier :

accourir, affirmer, aimer, aller, assurer, avoir beau, avouer, compter, confesser, contester, courir, croire, daigner, déclarer, descendre, désirer, détester, devoir, dire, espérer,

estimer, faillir, falloir, se figurer, s'imaginer, monter, nier, oser, partir, penser, pouvoir, préférer, prétendre, se rappeler, reconnaître, rentrer, retourner, revenir, savoir, souhaiter, supposer, venir, vouloir, etc. (V. cependant AIMER, DÉSIRER, DÉTESTER, ESPÉRER, PRIER, RAPPELER, SOUHAITER.)

● Il peut être introduit par *de* :
On a convenu de se réunir.

C'est le cas après de nombreux verbes, notamment :

s'abstenir, accepter, achever, affecter, ambitionner, appréhender, (s')arrêter, attendre, s'aviser, brûler, cesser, se charger, choisir, se contenter, convenir, craindre, décider, dédaigner, délibérer, se dépêcher, désespérer, se dispenser, douter, envisager, essayer, s'étonner, s'excuser, feindre, finir, se flatter, se garder, se glorifier, se hâter, imaginer, s'indigner, jurer, méditer, se mêler, menacer, mériter, négliger, obtenir, offrir, omettre, oublier, parier, parler, se permettre, se plaindre, prévoir, projeter, promettre, se proposer, redouter, refuser, regretter, se réjouir, se repentir, se reprocher, se réserver, se retenir, risquer, rougir, se soucier, se souvenir, supporter, tenter, se vanter...

● Il peut être introduit par *à* :
Qu'est-ce que cela tend à prouver ?

C'est le cas après de nombreux verbes dont beaucoup expriment une tendance, un effort vers un but, une occupation, par exemple :

s'abaisser, aboutir, s'acharner, s'adonner, s'amuser, s'appliquer, apprendre, s'apprêter, arriver, aspirer, s'astreindre, s'attacher, s'attendre, avoir, se borner, chercher, se complaire, concourir, consentir, contribuer, se décider, se déterminer, se disposer, s'employer, s'engager, s'essayer, s'évertuer, exceller, s'exposer, se fatiguer, s'habituer, se hasarder, hésiter, s'ingénier, se mettre, s'obstiner, s'offrir, parvenir, persister, se plaire, se préparer, prêter, se refuser, renoncer, répugner, se résigner, se résoudre, réussir, songer, tendre, tenir, travailler, veiller, viser...

● L'infinitif précédé de *à* équivaut à peu près, dans certains emplois, à un gérondif complément de manière, de cause, etc. :

À vouloir trop prouver, on ne prouve rien (= en voulant trop prouver, du fait qu'on veut trop prouver).

● Après certains verbes, l'infinitif peut être introduit soit sans préposition, soit par *de*, soit par *à*. (V. en particulier, à leur ordre : AIMER, COMMENCER, DÉCIDER, DEMANDER, GARDER, OBLIGER, OCCUPER, SOUHAITER, TARDER.)

● *À* + infin./*à ce que*, v. À. *De* + infin./*de ce que*, v. DE. *Si ... que de* + infin. v. AUSSI, 9.

3. Le sujet de l'infinitif. Si on appelle « sujet de l'infinitif » le terme qui serait sujet du verbe employé à un autre mode, on peut observer que, dans les cas précédents, l'infinitif a le même sujet (non exprimé) que le verbe dont il dépend :

J'espère réussir = *J'espère que je réussirai. On a convenu de se réunir* = *On a convenu qu'on se réunirait.*

● Après un certain nombre de verbes, l'infinitif construit sans préposition ou avec les prépositions *de* ou *à* peut avoir un sujet exprimé qui est aussi complément du verbe :

Je vois (ou *j'entends,* ou *je sens*) *la pluie tomber* (ou *tomber la pluie*) [la pluie tombe]. *Je prie mes amis de m'écouter. J'invite mes amis à m'écouter* [que mes amis m'écoutent].

On appelle cette construction une « proposition infinitive ». (V. NOMINALISATION et [COMPLÉMENT D'] AGENT.)

● Avec d'autres prépositions (*pour, sans, avant de,* etc.), l'infinitif peut s'employer comme complément circonstanciel d'un verbe, mais en principe à condition d'avoir comme sujet (non exprimé) celui du verbe complété. Une phrase telle que *Après avoir avalé notre petit déjeuner, notre guide nous a emmenés en promenade* ne

respecte pas ce principe (car il est clair qu'on ne veut pas dire que le guide a avalé notre petit déjeuner). On peut adopter la construction conjonctive avec *après que* :

Après que nous avons (eu) avalé notre petit déjeuner, notre guide nous a emmenés en promenade,

ou encore changer le sujet du verbe principal :

Après avoir avalé notre petit déjeuner, nous sommes partis en promenade avec notre guide.

Toutefois, quand aucune ambiguïté ni aucune cocasserie n'est à craindre, l'emploi de l'infinitif avec un sujet implicite autre que celui du verbe ne choque pas :

Je vous ai appelés pour m'aider. Les bottes sont faites pour marcher.

informer

1. On dit *informer qqn de qqch,* ou *que* + indic. :

*Je vous informe **de mon départ** prochain,* ou ***que je pars** prochainement* (et non *de ce que je pars*).

2. On dit *s'informer de qqch,* ou *sur, au sujet de qqch* :

*Informez-vous **des horaires.** Je m'informerai **sur cette affaire.***

● La construction interrogative indirecte après *s'informer* est de l'usage littéraire :

Ils s'informèrent si tout était prêt, combien de temps il restait.

Dans l'usage courant, on emploie *demander* devant une interrogation indirecte.

interrogation

1. Dans l'usage courant, on peut toujours interroger au moyen de *est-ce que, ... est-ce qui,* sans modifier l'ordre sujet-verbe :

Est-ce que vous êtes prêt ? Où est-ce que vous allez ? Qui est-ce qui vient ? Lequel est-ce qui a dit cela ?

● Il est tout à fait usuel, dans l'usage

oral, de marquer par la seule intonation une interrogation « totale » (celle à laquelle on répond par oui ou non) :

> *Vous êtes prêt ? Le déjeuner est prêt ? Il fait beau ?*

● Dans l'usage littéraire, une deuxième interrogation est parfois coordonnée à la précédente par *ou si* : *Est-ce que c'est une plaisanterie, ou si c'est sérieux ?* (usage courant : *ou est-ce que c'est sérieux ?*).

2. Le rejet du sujet après le verbe (inversion du sujet) appartient à l'usage soutenu :

> *Êtes-vous prêt ? Le déjeuner est-il prêt ? Quand commencera la séance ? Quand la séance commencera-t-elle ? Où allez-vous ?*

Une phrase comme *Les copains t'ont-ils embêté ?* serait insolite en raison de la combinaison de mots familiers *(copains, embêter)* et d'une construction grammaticale soutenue.

3. *Vous allez où ? Où vous allez ? Tu fais quoi ? Le déjeuner sera prêt quand ? Comment (que) ça se fait ? Pourquoi (qu') il (n') a rien dit ? *Quand le déjeuner sera prêt ? Comment les autres font ?* Ces formes d'interrogation sont familières à des degrés divers. Elles s'écartent de l'usage courant ou soutenu en ce que le mot interrogatif n'est pas en tête, ou que s'il y est, il n'y a ni emploi de *est-ce que*, ni inversion.

● **Est-ce que quelqu'un a-t-il des questions à poser ?* Cette phrase est étrangère à tout usage en ce qu'elle combine deux procédés incompatibles, l'emploi de *est-ce que* et l'inversion du sujet. Il y a « hypercorrection ».

4. Interrogation indirecte. Quand une phrase interrogative est subordonnée, la marque de l'interrogation totale est *si* qui s'élide en *s'* devant *il* et *ils* :

> *Est-ce qu'il est prêt ? Est-ce que vous êtes prêt ?* (interrogation directe). *Je vous demande **si** vous êtes prêt, **s'il** est prêt* (interrogation indirecte).

● *Ce qui, ce que* sont les marques de l'interrogation indirecte correspondant à *qu'est-ce qui (que) ?* de l'interrogation directe :

> *Je ne sais pas **ce qui** se passe, **ce que** vous avez fait.*

La construction **Je ne sais pas qu'est-ce qui se passe, qu'est-ce que vous avez fait* est étrangère à l'usage surveillé.

5. Dans l'interrogation indirecte, l'inversion du sujet n'est possible que si ce sujet n'est pas un pronom personnel et si le mot interrogatif n'est pas *pourquoi* :

> *Je ne sais pas où sont allés les enfants, où les enfants sont allés. Je vous demande où vous allez, pourquoi les enfants sont partis* (et non **Je vous demande où allez-vous, *Je vous demande pourquoi sont partis les enfants*).

6. On n'emploie pas une subordonnée interrogative après une préposition :

> **Ne t'inquiète pas de comment ça se passera. *On l'a interrogé sur pourquoi il n'avait rien dit.*

On peut, par exemple, remplacer le mot interrogatif par un nom :

> *Ne t'inquiète pas de la manière (la façon) dont ça se passera. On l'a interrogé sur les raisons (les causes, les motifs, ou le but) de son silence.*

On peut ainsi substituer à *où* les mots *lieu, endroit,* etc., à *quand* les mots *date, moment, jour, occasion, circonstance,* etc., à *combien* les mots *nombre, quantité, prix, durée, poids, longueur,* etc., à *qui, qu'est-ce que* les mots *personne, ce qui, ce que,* etc.

● Des constructions comme *s'inquiéter comment, interroger quelqu'un pourquoi* peuvent se rencontrer dans l'usage littéraire.

7. *Qui fait quoi ?* Cette forme d'interrogation qui pose une double question s'est largement répandue. L'interrogation porte sur l'attribution de tels ou tels actes à telle ou telle personne :

> *Dans cette affaire, qui s'occupe de quoi ?* (= quelle est la répartition des tâches ?).

8. L'interrogation est souvent utilisée pour exprimer un doute à valeur nettement négative :

> *Est-ce qu'on aurait cru ça de lui ?* (= on n'aurait pas cru). *Qui a dit le contraire ?* (= personne n'a dit).

Il n'est pas surprenant que les phrases interrogatives régissent souvent l'indicatif ou le subjonctif, dans les subordonnées qui dépendent d'elles, dans les mêmes conditions que les phrases négatives. (V. SUBJONCTIF, 1 ; CROIRE, 3 à 6 ; DIRE, 1.)

● La combinaison d'une interrogation et d'une négation dans une même phrase (phrase interro-négative) équivaut souvent à une affirmation renforcée :

> *Ne vous l'avais-je pas dit ? Qui ne sait que tout cela est faux ?* (= c'est bien connu).

inversion du sujet

Dans une phrase déclarative, sans mise en relief, le sujet précède le verbe.
Le sujet peut être placé après le verbe (sujet inversé) dans un certain nombre de cas :

1. Dans des phrases dont un terme est mis en relief en tête (inversion toujours facultative).

a) Complément circonstanciel ou adverbe en tête (surtout de lieu ou de temps), en principe avec un verbe intransitif :

> *De tous côtés arrivaient des curieux. Bientôt commenceront les vraies difficultés.*

Cette inversion n'a pas lieu quand le sujet est un pronom personnel, ou *ce :* **Bientôt commenceront-elles.*

b) Adverbe ou locution en tête exprimant un jugement, une restriction, en particulier *ainsi, aussi (bien), au moins, du moins, tout au plus, à peine (... que), peut-être, sans doute, probablement, (et) encore, à plus forte raison.* On ne peut placer après le verbe,

comme sujet, qu'un pronom personnel ou *ce :*

> *C'était inacceptable, **aussi** avons-nous refusé* (ou *aussi, nous avons refusé*). ***Du moins**, est-ce la rumeur générale* (ou *du moins, c'est ...*). ***Peut-être** viendra-t-il* (ou *peut-être [qu'] il viendra*). ***Sans doute** avez-vous raison* (ou *sans doute [que] vous avez raison*). ***Tout au plus** peut-on l'espérer* (ou *tout au plus peut l'espérer*). ***Encore** faut-il le prouver* (on dit aussi, dans un usage moins surveillé : *faut-il encore le prouver*, ou dans l'usage courant : *et encore il faut le prouver*).

Si le sujet est un nom, on peut pratiquer l'inversion «complexe» :

> *Aussi **les délégués** ont-ils refusé. Peut-être **Pierre** viendra-t-il*, etc.

L'inversion, simple ou complexe, est toujours une marque de l'usage soutenu.

c) Adjectif attribut en tête (avec le verbe *être*) :

> ***Rares sont** les exceptions. **Tel est** mon avis.*

Cette construction expressive n'est usuelle qu'avec un petit nombre d'adjectifs, en particulier *rare, nombreux, tel, grand.* Une phrase comme *Longue est la route* est nettement marquée littérairement. Une phrase comme *Inattendue a été sa réaction* est en principe évitée. Quand l'attribut est précédé d'un adverbe de quantité, la phrase est d'un usage plus courant : *Plus inattendue a été sa réaction.*

d) Verbe en tête. On peut mettre en tête un verbe, en particulier sous la forme impersonnelle :

> *Il arrive parfois des **accidents**. Il se produit une **réaction**. Il a été perdu un **portefeuille**.*

Le nom qui suit est sujet inversé. Un petit nombre de verbes, spécialement *suivre, rester, venir* peuvent être placés avant leur sujet à la forme non impersonnelle :

> ***Reste un point** à examiner. **Viendra le jour** où la vérité sera connue.*

● Un verbe est parfois en tête dans des formules de caractère administratif ou didactique quand le sujet a un volume assez important (liste énumérative, définition, etc.) :

> *Sont admis* MM. *Durand, Dupont, Duval, Martin. Est aboli* le décret instituant un prélèvement sur certains revenus non profesionnels.

2. Dans des propositions incises (usage soutenu) :

> *Vous avez raison, dit-il, dit son interlocuteur.* (V. INCISE.)

3. Dans certaines subordonnées circonstancielles (inversion facultative) :

> *Lorsque* fut annoncée la nouvelle. *Comme* font tous les autres. *Afin que* règne la paix. *Pourvu que* soit remplie cette condition. *Si grand que* soit son désir. *Dût* cette explication vous surprendre (ou *Cette explication dût-elle...*).

En principe, le pronom personnel (ou *ce*) sujet n'est pas inversé, sauf dans quelques cas où la conjonction *que* n'intervient pas :

> *Si grand soit-il. Dût-il* être puni.

4. Dans des subordonnées relatives :

> *L'histoire que* raconte ce roman est banale (ou *que* ce roman raconte).

5. Dans des phrases interrogatives. (V. INTERROGATION, QUEL, COMBIEN.)

6. Dans des phrases exclamatives :

> *Est-il* naïf ! (usage plus courant : *Qu'il est naïf !* ou *Comme il est naïf !*, ou très familier : *Qu'est-ce qu'il est naïf !*).

7. Dans des phrases au subjonctif exprimant un souhait ou une supposition :

> *Fasse le ciel que ...! Viennent les beaux jours,* nous partirons à la campagne. *Soit un cercle* de centre O.

j

jamais

1. Jamais s'emploie le plus souvent dans une phrase contenant l'adverbe négatif *ne* ou exprimant l'idée négative par d'autres moyens grammaticaux ou par le vocabulaire :

> Je n'ai **jamais** dit cela ou **Jamais** je n'ai dit cela. Il a tout accepté **sans** jamais protester. On lui a **interdit** de jamais se représenter. Je **désespère** de jamais trouver la solution.

Dans ces derniers exemples, on n'exprime pas *ne*, qui ferait double emploi avec le signe négatif contenu dans *sans, interdire, désespérer*.

2. Il s'emploie aussi dans des phrases interrogatives ou introduites par la conjonction de condition *si* :

> Avez-vous jamais pensé à cela? (= déjà). Si jamais il s'en aperçoit, c'est la catastrophe! (= si par hasard).

Dans ces phrases, l'addition de *ne* introduit un sens négatif (*si jamais il ne s'en aperçoit* signifie «s'il ne s'en aperçoit à aucun moment»).

3. Il s'emploie sans *ne* dans des propositions relatives au subjonctif :

> C'est la seule explication **qui ait jamais été donnée** (= on a toujours donné cette seule explication).

L'addition de *ne* rend cette phrase négative (*C'est la seule explication qui n'ait jamais été donnée* signifie «seule, cette explication n'a jamais été donnée»). On dit : *C'est l'homme le plus extraordinaire que j'aie jamais vu* (et non **que je n'aie jamais vu*).

4. Plus jamais/jamais plus. La première construction est la plus cou-

rante ; *jamais plus* a un caractère plus littéraire.

5. À (tout) jamais. Pour (tout) jamais. Ces locutions signifiant «pour toujours» sont de l'usage soutenu :

> Ces manuscrits sont à tout jamais perdus.

jouer

Ce verbe a des constructions multiples correspondant à fles sens différents. Outre l'emploi intransitif, on dit

> jouer à la belote, aux échecs ; jouer une carte, jouer une partie ; jouer au brave, jouer les braves ; jouer une comédie, un rôle ; jouer de la guitare, du piano, jouer un air ; jouer sur les mots, jouer sur la qualité pour abaisser les prix ; jouer avec ses doigts, jouer avec sa vie ; se jouer des difficultés ; se jouer de quelqu'un (= se moquer de lui) ou jouer quelqu'un (littér., même sens) ; faire jouer une clause d'un contrat.

jusque

1. Jusque (ou sous la forme élidée **jusqu'**) est toujours suivi dans l'usage surveillé d'une préposition *(sur, vers,* etc., mais principalement *à)* ou d'un adverbe *(où, ici, là, alors,* etc.). *Accompagner quelqu'un jusque **dans** le jardin. Veiller jusque **tard** dans la nuit. Rester jusqu'**à** la fin.*

2. Jusqu'à aujourd'hui est une construction usuelle. Du fait que *aujourd'hui* (étymologiquement *au jour d'hui*) contient déjà la préposition *à*, on a préconisé la construction *jusqu'aujourd'hui*, mais celle-ci est moins courante.

3. *Jusques à (au, aux)* au lieu de *jusqu'à (au, aux)* est un archaïsme :

> *Jusques à quand faudra-t-il le répéter ?*

● *Jusques et y compris* est une formule administrative (dans ce cas, il peut ne pas y avoir de préposition ou d'adverbe après *jusque*) :

> *Depuis tel article du Code jusques et y compris tel autre* (Académie).

4. *Jusqu'à* = *même* (marquant le point extrême). *Jusqu'à* peut se trouver devant un complément d'objet direct, ou même un sujet (usage littéraire) :

> *Ils ont visité la maison du grenier à la cave, la grange, le débarras et **jusqu'à la niche** du chien. **Jusqu'à une virgule** mal placée le scandalisait* (usage courant : *même une virgule...*). ***Jusqu'à ses amis qui** l'abandonnaient* (usage courant : *même ses amis l'abandonnaient*).

● *Il n'est pas jusqu'à ... qui (dont,* etc.) *ne* + subj. Ce tour est une variante très littéraire de l'emploi précédent :

> *Il n'était pas jusqu'au plus obscur empereur byzantin dont le nom ne lui fût connu* (= même le nom du plus obscur empereur byzantin lui était connu).

5. *Jusqu'à tant que* + subj., d'un usage courant autrefois, est aujourd'hui familier ou régional, insistant sur l'aboutissement :

> *Il faut insister jusqu'à tant qu'il vienne.*

6. *Jusqu'à ce que* + subj./*jusqu'au moment où* + indic./*jusqu'à* + infin.

● Après *jusqu'à ce que* l'indicatif futur, passé simple ou passé composé, courant autrefois, est actuellement d'un emploi littéraire ; le seul mode usuel aujourd'hui est le subjonctif :

> *Attends-moi ici jusqu'à ce que je **revienne**.*

● *Jusqu'au moment où* + indic. insiste sur la réalité du terme atteint :

> *J'ai attendu jusqu'au moment où il **m'a téléphoné** de partir.*

● *Jusqu'a* + infin. peut s'employer quand le verbe de la subordonée aurait le même sujet que celui de la principale, pour exprimer une conséquence réelle ou envisagée :

> *Il a mangé jusqu'à en **avoir** une indigestion.*

laisser

1. *Ne pas laisser de* + infin. est une expression de l'usage littéraire qui exprime la concession, l'opposition, ou le caractère non négligeable de quelque chose :

*C'est un point de détail, qui **ne laisse pas d'avoir** des conséquences importantes* (= qui a cependant des conséquences importantes). *Cette question **ne laissait pas de le préoccuper*** (= n'était pas sans le préoccuper).

La variante *ne pas laisser que* + infin. a un caractère littéraire encore plus marqué :

*Cette question toute naturelle ne laissa pas **que de surprendre.***

2. *Laisser* + infin. *par/à*, v. (COMPLÉMENT D') AGENT, 3.

3. Accord du participe *laissé*, v. *section «Orthographe».*

le

I. *Le* (*la*, *les*), PRONOM PERSONNEL

1. *Le* (*la*, *les*) attribut. Un adjectif masculin ou féminin, singulier ou pluriel, peut être repris comme attribut par le pronom *le*, alors invariable :

*Si vous êtes **pressés**, nous **le** sommes aussi. Cette actrice est **célèbre** et sa sœur est en passe de **le** devenir.*

● Un nom peut aussi être repris par un pronom personnel attribut :

*C'est encore lui le **directeur**, mais bientôt il ne **le** sera plus.*

Dans ce cas, une règle traditionnelle demande l'accord du pronom avec le nom représenté si celui-ci est déterminé par un article défini, un possessif ou un démonstratif :

*C'est elle la **présidente**, mais bientôt elle ne **la** sera plus.*

En réalité ce genre d'accord est peu usuel ; ou bien on conserve la forme *le* pour le pronom *(elle ne **le** sera plus)*, ou bien on formule la phrase autrement *(bientôt ça ne sera plus elle)*.

2. *Le* représentant un participe non exprimé. Une phrase comme *Tâchons de sauver ce qui peut **l'**être* est courante et de sens clair, mais peu rigoureuse grammaticalement : le pronom *l'* y représente en fait un participe *sauvé* qu'il faut déduire de l'infinitif *sauver*. Si on ne craint pas — ou si on recherche — une répétition insistante d'un même verbe à des formes différentes, on peut dire, plus régulièrement :

Tâchons de sauver ce qui peut être sauvé.

3. *Le* facultatif dans les comparaisons. Le pronom attribut *le* est facultatif dans des propositions de comparaison amenées par *aussi, autant, autre(ment), plus, moins, mieux, comme,* etc. :

*C'est moins compliqué que je ne **l'**aurais cru* (ou *que je n'aurais cru*). *Si tout se passe comme je **(le)** prévois...*

4. *Le* (*la*) omis devant *lui, leur*. On omet parfois, dans la langue familière, *le* ou *la* compléments d'objet direct devant *lui, leur* :

Dis-lui, toi, si tu oses. Je n'ai pas besoin de ma voiture aujourd'hui, je peux leur prêter.

Dans l'usage soigné on dit plutôt :

*Dis-**le** lui. Je peux **la** leur prêter.*

II. (*LE* (*LA*, *LES*), ARTICLE DÉFINI, v. ARTICLE.).

lequel

1. Lequel/qui. *Lequel* employé comme sujet à la place de *qui* (uniquement après une pause) donne une certaine solennité à la phrase (usage littéraire ou administratif) :

> *Il eut trois enfants,* **lesquels** *devinrent tous célèbres. On a interrogé un témoin,* **lequel** *a confirmé les faits.*

● L'emploi de *lequel,* qui permet de distinguer singulier et pluriel, masculin et féminin au singulier, évite parfois une ambiguïté ou une cocasserie :

> *Les enquêteurs ont entendu la secrétaire du patron,* **laquelle** *a affirmé ne pas disposer de la clé du coffre* (*qui,* dans ce cas, pourrait représenter le patron aussi bien que la secrétaire).

2. Personnes/choses. Si le relatif est précédé d'une préposition, il peut toujours être de la forme *lequel* (*auquel, duquel*), mais on emploie souvent *qui* pour représenter des personnes :

> *Je remercie mes amis,* **grâce auxquels** (ou **grâce à qui**) *tout s'est bien passé. Je ne veux emmener que des gens* **avec lesquels** (ou **avec qui**) *je m'entends bien.*

Mais au sens partitif on dit : *les gens* **parmi lesquels, au nombre desquels,** etc., et non **parmi qui, *au nombre de qui.*

● Pour représenter des choses ou des animaux, on emploie *lequel* (*auquel, duquel*), et non *qui* :

> *Voici le* **projet auquel** *je songe. Il habite encore la* **maison** *dans* **laquelle** *il est né. Il a deux chiens avec* **lesquels** *il chasse.*

L'emploi de *quoi* pour représenter des choses est archaïsant, mais *quoi* ou *dont* se substituent régulièrement à *lequel, auquel, duquel,* pour représenter un pronom «neutre» comme *ce, rien, quelque chose* :

> *C'est* **quelque chose à quoi** *je n'avais pas pensé* (et non **auquel je n'avais pas pensé*). *C'est* **ce dont** *je voulais parler* (et non **ce duquel je voulais parler*). (V. QUOI, DONT.)

3. Duquel/de qui/dont, v. DONT et RELATIF.

4. Lequel déterminant relatif. Dans l'usage administratif ou littéraire, on emploie parfois *lequel* en fonction d'adjectif (déterminant) devant un nom qu'on répète :

> *Il a invoqué une loi datant du Premier Empire,* **laquelle loi** *stipule que...*

Il est plus usuel d'employer simplement *lequel* comme pronom, sans répéter le nom : *... une loi datant du Premier Empire,* **laquelle** *stipule ...* (voir n° 1), ou d'utiliser le pronom *qui,* au besoin en répétant avant lui son antécédent : *... une loi datant du Premier Empire,* **loi qui** *stipule que...*

● **Auquel cas** est une locution d'un emploi assez courant :

> *Une gelée tardive est toujours à craindre, auquel cas la récolte est perdue* (= et dans ce cas).

maint

Ce mot subsiste, au sens de « plus d'un », dans quelques locutions de l'usage soutenu, tantôt au singulier, tantôt au pluriel : *à mainte(s) reprise(s), en mainte(s) circonstance(s), maintes fois, maintes et maintes fois.* En dehors de ces cas, il est nettement littéraire :

Maint passage de ce livre est obscur.

mais

1. *Mais* relie (coordonne) en les opposant deux propositions, deux adjectifs (ou groupes prépositionnels) :

C'est possible, mais c'est difficile. C'est possible, mais difficile. C'est possible, mais sans intérêt.

● Si les propositions coordonnées par *mais* ont le même sujet, celui-ci peut ne pas être répété :

Il ne disait rien, mais n'en pensait pas moins.

● *Non seulement ..., mais (encore),* v. SYMÉTRIE.

2. *Mais* sert à renforcer une réponse, une exclamation :

Vous êtes d'accord ? — Mais bien sûr ! Mais quelle drôle d'idée !

● *Mais* souligne, surtout dans l'usage oral, la valeur insistante de la répétition d'un mot dans une phrase exclamative :

Il y a longtemps, mais longtemps ! (= il y a très longtemps). *Il riait, mais il riait !* (= il riait énormément).

3. *N'en pouvoir mais* est une locution littéraire archaïsante signifiant « n'y pouvoir rien, ne rien pouvoir y changer » :

Il s'en prenait à la malheureuse secrétaire, qui n'en pouvait mais.

malgré

1. *Malgré que* + subj. Cet emploi, longtemps critiqué, s'est banalisé dans l'usage. On admet volontiers aujourd'hui une phrase telle que :

Il a été condamné malgré qu'il soit innocent.

Il est cependant plus courant dans l'usage surveillé d'employer *bien que* ou *quoique* (ou de dire *malgré son innocence*).

2. *Malgré qu'il en ait.* Cette locution signifiant « bien que cela lui soit désagréable, bon gré, mal gré » est archaïque et appartient exclusivement à l'usage littéraire :

Il fallut bien se rendre à l'évidence, malgré qu'on en eût.

3. *Malgré que* + indic. ou condit., v. QUOIQUE, 1.

manquer

1. *Manquer de qqch/manquer à qqn.* On dit, sans différence appréciable de sens :

Je manque de temps pour faire cela ou *Le temps me manque pour faire cela.*

2. *Manquer (de)* + infin. est un équivalent de « faillir, être sur le point de, courir le risque de » :

Nous avons manqué d'être en retard. À chaque tentative, il manquait de tomber.

On omet parfois la préposition *de* :

Nous avons manqué mourir de rire. (V. FAILLIR, 1.)

3. *Manquer à* + **infin.** est un archaïsme littéraire signifiant «omettre de» :

> *S'il manquait à saluer quelqu'un, cela ferait jaser.*

4. *Ne pas manquer de* + **infin.** exprime l'assurance qu'on donne ou qu'on a de la réalisation de quelque chose :

> *Je ne manquerai pas de vous **tenir au courant**. Avec ce vieux matériel, des pannes ne pouvaient manquer de se **produire**.*

Dans l'usage littéraire, on emploie parfois *ne pas* (*ne jamais*, etc.) *manquer à* :

> *Il ne manquait jamais à nous adresser ses vœux de nouvel an.*

Je n'y manquerai pas est une formule par laquelle on répond ordinairement à une formule telle que *Veuillez faire part de mon bon souvenir à...*

5. *Manquer à qqn* est archaïsant ou régional au sens de «manquer de respect à quelqu'un».

6. *Il ne manquerait plus que* + **subj.** Avec cette formule de l'usage familier, on fait l'économie d'une conjonction *que* :

> *Il ne manquerait plus qu'il se casse une jambe, maintenant!* (Négation restrictive *ne ... que* portant sur la proposition *qu'il se casse une jambe*.)

matin, soir, midi

1. *Hier (au) matin, (au) soir, (à) midi.* *Hier matin* (*hier soir, hier midi*) est une construction bien plus habituelle que *hier au matin*, etc. De même pour *demain, avant-hier, après-demain* et les noms de tous les jours de la semaine : *après-demain (au) soir, (le) mardi (à) midi.*

● On dit normalement : *le lendemain, le surlendemain matin* (*soir, midi*), mais *la veille, l'avant-veille au matin, au soir, à midi.*

● On dit : *Ce matin, ce soir.* On peut dire : *Ce midi,* ou *aujourd'hui à midi, aujourd'hui midi.*

● On écrit : *tous les dimanches matin* (ou *matins*), *soir(s), midi(s).*

2. *Se lever matin.* Le mot *matin* s'emploie parfois adverbialement au sens de «tôt, de bonne heure», qui sont bien plus usuels :

> *Elles s'étaient levées très matin ce jour-là.*

meilleur

1. *Meilleur* est le comparatif de *bon,* et *le meilleur* son superlatif. (V. BON, 1.)

2. *Sentir meilleur.* Cette expression est couramment utilisée comme comparatif de *sentir bon,* quoique *bon* soit employé là adverbialement :

> *Ces fleurs sentent meilleur que les autres.*

3. On dit couramment : *de la meilleure foi du monde, avec la meilleure volonté (du monde)* [superlatifs de *de bonne foi, avec bonne volonté*], ou plus familièrement, avec un pléonasme : *de la meilleure bonne foi du monde, avec la meilleure bonne volonté (du monde).*

4. *Meilleur* peut être renforcé par *bien,* ou par *un peu, passablement, sensiblement,* etc., mais non par *très, fort, tout à fait, extrêmement,* ni par *plus, moins* :

> *C'est **bien meilleur** cuit au four.*

Beaucoup meilleur ne se dit guère plus que dans l'usage littéraire.

même

1. **Placé avant le nom,** *même* peut parfois s'employer sans autre déterminant, non seulement après une préposition, comme certains adjectifs qualificatifs (*deux barres de même longueur, d'égale longueur*), mais en particulier après le verbe *avoir* :

> *Ces deux phénomènes ont (la) même origine.*

2. **Placé immédiatement après un nom,** il équivaut en général à *lui-même* et s'accorde avec ce nom :

*Nous sommes sur les **lieux mêmes** où s'est livrée cette bataille.*

Lorsqu'il exprime un degré extrême (= jusqu'à), on veut parfois établir une distinction entre son emploi adjectival et son emploi adverbial (alors invariable); cette distinction est de peu d'intérêt, la différence de sens étant mince :

*Ses terres, ses maisons et ses meubles **même(s)** ont été vendus aux enchères.*

On fait de *même* un adverbe sans équivoque en le plaçant devant le nom et son déterminant : *ses maisons et **même ses meubles**.*

3. Même pas, pas même. Les deux constructions sont usuelles, la première étant un peu plus courante et pouvant seule se trouver en fin de phrase :

*Il ne s'est **même pas** excusé. Il ne s'est **pas même** excusé. Il ne s'excuse **même pas**. (*Il ne s'excuse pas même ne se dit pas).

4. Sans même/même sans. *Sans même* indique un minimum qui n'est pas réalisé :

*Il est reparti **sans même** s'excuser, **sans même** un mot d'excuse.*

● *Même sans* exprime l'opposition, la concession :

Même sans connaissances spécialisées (ou *même sans avoir fait des études spécialisées*), *on peut comprendre ces explications.*

5. Quand même, quand bien même + **condit.** exprime la concession et l'hypothèse (= même si) :

Quand (bien) même il me le jurerait, je ne le croirais pas.

6. Même que + **indic.**, dans l'usage oral familier, introduit une remarque accessoire sur laquelle on attire l'attention :

*C'était un dimanche après-midi, **même que** tous les magasins étaient fermés.*

Dans l'usage surveillé, on dira par exemple :

*Je me rappelle **même que**, etc.*

● *Même que* + **condit.** est un équivalent très familier de *même si* + indic. imparfait, ou de *quand bien même* (v. n° 5) :

*Même qu'il me le **jurerait**, je ne le croirais pas.*

7. Le même qui (que, dont, etc.), le même que celui qui (que, dont, etc.). Ces deux constructions sont usuelles, mais la première, plus simple, est moins lourde :

Il a employé les mêmes arguments auxquels il avait souvent recouru (ou *que ceux auxquels...*).

mettre

Mettre (à) + **infin.** Un infinitif dépendant de *mettre* est tantôt construit directement, tantôt précédé de à :

*Mettez **(à) tiédir** votre plat au bain-marie.*

La tendance dominante est d'employer *à* quand le complément d'objet de *mettre* précède l'infinitif :

*Mettez **votre plat à tiédir** au bain-marie. On a mis **le vin à rafraîchir**.*

mien, tien, etc., adjectifs

Quand *mien, tien, sien, nôtre, vôtre, leur* ne sont pas précédés de l'article défini, ce sont des adjectifs possessifs. Leur emploi est limité.

1. Ces adjectifs peuvent être attributs d'un complément d'objet :

*Nous faisons **nôtres** ces **critiques*** (= nous nous y associons). *Il considère tout l'**héritage** comme **sien*** (= comme à lui).

Ils peuvent être parfois attributs d'un sujet :

*Cette **idée** est **mienne*** (on dit plus couramment : *Cette idée est de moi*).

2. *Mien, tien, sien* s'emploient parfois entre un déterminant (autre que l'article défini) et le nom, avec une nuance d'affectation plaisante :

> *Un mien cousin vient de débarquer* (usage courant : *un de mes cousins* ou *un cousin à moi*). *Il fait grand état de cette sienne invention.*

moindre

1. Moindre équivaut, dans un usage un peu plus soutenu, à *moins important*, *plus petit* (en importance, en valeur, non en dimensions) :

> *On peut arriver au même résultat avec un **travail moindre*** (ou *un* **moindre travail**). *Il n'y a pas la* **moindre trace** *d'usure.* Mais *Cette chambre est plus petite que l'autre* et non **Cette chambre est moindre que l'autre.*

2. *Moindre* peut être renforcé par *bien, beaucoup,* ou par *un peu, passablement, sensiblement,* etc., mais non par *très, fort, tout à fait, extrêmement* :

> *C'est un roman d'un **bien moindre** intérêt que le précédent.*

3. Le moindre petit ... Cette expression, qui fait pléonasme, est assez courante et ne choque guère :

> *On n'a pas découvert le moindre petit indice.*

On peut cependant dire, plus régulièrement, *le moindre indice,* ou *le plus petit indice.*

moins

1. V. PLUS.

2. Au moins/du moins. *Au moins* indique un minimum :

> *Il y avait **au moins** cent personnes dans la salle.*

On emploie aussi en ce sens les locutions *pour le moins, à tout le moins* (usage plus soutenu).

● *Du moins* indique une contrepartie ou une réserve par rapport à ce qui a été dit :

> *Si ça ne le guérit pas,* **du moins** *ça ne peut pas lui faire de mal* (= en tout cas). *Il a été malade — du moins, c'est ce qu'il prétend.*

On peut souvent employer aussi *au moins* ou *tout au moins* avec cette valeur :

> *Si ça ne le guérit pas, au moins ça ne peut pas lui faire de mal. Il a été malade — tout au moins, c'est ce qu'il prétend.*

● Le pronom personnel sujet est souvent inversé si *du moins, au moins* sont en tête de proposition :

> *Cela devrait réussir,* **du moins peut-on** *l'espérer.*

3. À moins que de + **infin.** est archaïque :

> *On ne saurait le prévoir à moins que d'être devin* (usage courant : *à moins d'être devin.* V. CONDITION, I, 1).

4. À moins de/que, v. CONDITION, 1. **À moins que (ne),** v. NE, II, 5. **Moins... moins,** v. COMPARAISON 1, 2. **Rien (de) moins que,** v. RIEN, 5.

(se) moquer

On dit normalement *se moquer de qqn, de qqch.* La construction non pronominale *moquer qqn* est archaïque ; on la rencontre surtout au passif, dans l'usage littéraire :

> *Il craignait d'**être moqué** de ses camarades.*

La construction normale pour exprimer ce sens est *se faire moquer de soi* :

> *Il avait peur de **se faire moquer de lui.*** (On peut aussi dire, naturellement : *Il avait peur qu'on se moque de lui.*)

n

ne

I. V. NÉGATION.

II. *NE* **EXPLÉTIF.** Dans certaines propositions subordonnées, *ne* s'emploie facultativement sans valeur proprement négative : on dit qu'il est « explétif ». En règle générale, l'emploi de *ne* dans de tels cas caractérise l'usage plus ou moins soutenu ; dans l'usage courant ou familier, on n'exprime pas ce *ne*. Ces cas sont les suivants :

1. Après des termes exprimant la crainte : *craindre que, redouter que, appréhender que, trembler que ; avoir peur que, la crainte que, la peur que ; de crainte que, de peur que,* etc.

> *Je **crains** qu'il **ne** soit malade* ou *qu'il soit malade* (= il est malade, je le crains). *Je **tremble** qu'il **ne** soit trop tard. On **redoutait** que des troubles **ne** se produisent. J'ai **peur** qu'il ne soit trop tard* (ou *qu'il **ne** soit trop tard). Il est paralysé par **la peur qu'**on **(ne)** l'interroge. **De crainte qu'**une erreur **n'**ait été commise...*

● Quand le terme qui exprime la crainte est dans une phrase négative ou interrogative, *ne* est en principe omis dans la subordonnée :

> *Je ne crains pas qu'on me démente. Je n'ai pas peur qu'il soit trop tard.*

● Pour exprimer la négation véritable dans la subordonnée, on emploie *ne ... pas, ne ... plus, ne ... jamais,* etc. :

> *Je crains qu'il **ne** soit **pas** bien portant* (= il n'est pas bien portant, je le crains). *Je tremble qu'il **ne** soit **plus** temps d'agir. On redoute qu'il **ne** récupère **jamais** l'usage de son bras.*

2. Après *empêcher que, éviter que* :

> *La brume **empêche** qu'on **(ne)** voie la côte. Il faut **éviter** que ces incidents **(ne)** se reproduisent.*

Noter que *défendre que, interdire que* se construisent d'ordinaire sans *ne*. Pour *prendre garde que,* v. GARDE, 3.

● Quand *empêcher que, éviter que* appartiennent à une phrase négative, *ne* explétif est le plus souvent omis dans la subordonnée :

> *On ne peut pas empêcher que cela se produise.*

3. Après *ne pas* (ou *ne plus, ne jamais,* etc.) *douter que,* ou d'autres verbes ou locutions de sens voisin, aux formes négative ou interrogative : *nier, disconvenir, contester, méconnaître que ; nul doute que ; il n'est pas douteux, niable, contestable que* :

> *Je ne doute pas qu'il **(ne)** soit sincère. Il n'est plus douteux qu'il **(n')** ait été trahi. Nierez-vous que ce **(ne)** soit une erreur ?*

● Quand ces verbes ou expressions sont à la forme affirmative, on n'emploie pas *ne* :

> *Je doute qu'il soit sincère.*

● On peut exprimer une négation véritable dans la subordonnée :

> *Nul ne conteste que les prix **n'**aient **pas** baissé* (= il est incontestable que les prix n'ont pas baissé).

4. Après *plus que, moins que, mieux que, autre(ment) que, meilleur que, pire que, moindre que, plutôt que* exprimant une relation d'inégalité, de différence :

> *C'est plus difficile que je **(ne)** croyais. Cela s'est passé mieux qu'on **(n')** avait espéré. Je m'y résigne plutôt que je **(ne)** l'accepte.*

● Quand la proposition principale est négative ou interrogative, *ne* est souvent omis :

La situation n'est pas pire qu'elle était (ou *qu'elle **n'**était*).

● *Ne ... pas* est exclu dans la subordonnée :

*C'est plus difficile que je ne croyais pas.

5. Après *avant que*, *à moins que*, *il s'en faut que*, *peu s'en faut que* :

*Il faut agir avant qu'il **(ne)** soit trop tard. J'ai l'intention de m'absenter, à moins que vous **(n')** ayez besoin de moi. Il s'en faut de beaucoup que tout **(ne)** soit réglé. Peu s'en est fallu qu'il **n'**arrivât trop tard.*

● On peut exprimer une négation véritable dans la subordonnée :

*Il faut agir avant qu'il **ne** soit **plus** temps.*

6. Après *sans que*, on évite *ne* dans l'usage surveillé :

La décision a été prise sans que j'en sois informé. La manifestation s'est terminée sans qu'aucun incident ait été signalé.

Il n'est pas rare, cependant, qu'on emploie un *ne* explétif après *sans que*, surtout quand la proposition principale est négative, ou quand la subordonnée contient un mot comme *personne*, *rien*, *aucun*, *jamais* :

*Aucune décision **ne** peut être prise **sans que** je **n'**en sois informé. Il a agi **sans que** personne **ne** le sache.*

III. NE ... QUE

1. Cette expression, qui encadre un verbe ou un auxiliaire, exprime une restriction portant sur le terme qui suit *que*, et équivaut à « seulement, uniquement » :

*Il **ne** lit **que** des romans policiers. Il **n'**est heureusement **que** blessé. Je **n'**ai **que** suggéré d'agir ainsi.*

2. *Ne ... rien que*, *ne ... seulement que*. Dans ces expressions, *rien*, *seulement* sont des renforcements, souvent jugés superflus, de *ne ... que* :

Ça ne sert à rien qu'à faire perdre du temps. Il n'y a rien qu'un arbre

dans la cour. Il n'y avait seulement que trois personnes au courant.

3. *Ne ... pas que* s'emploie au sens de « ne ... pas seulement » (*ne ... pas* est une vraie négation, et *que* a un sens restrictif) :

Cela n'a pas que des avantages.

4. *Ne faire que (de)* + infin., v. FAIRE, 2.

négation

1. Négation totale : *ne ... pas (ne ... point)*. La phrase

Je n'ai pas de chance, je n'ai pas réussi

est l'affirmation contraire, c'est-à-dire la négation de

J'ai de la chance, j'ai réussi.

Dans l'usage littéraire ou dans certaines régions, on emploie parfois *ne ... point* au lieu de *ne ... pas* :

Je n'ai point de chance, je n'ai point réussi.

2. *Ne pas* et l'infinitif. *Ne pas* précède ordinairement le verbe (ou l'auxiliaire) à l'infinitif au lieu de l'encadrer comme aux autres modes :

*Je crains de **ne pas réussir**.*

● Toutefois, l'infinitif de *avoir* et de *être* peut être encadré de *ne ... pas*, dans un usage plus soutenu :

*Je crains de **n'avoir pas** le temps, de **n'être pas** compris* (ou, plus couramment, *de ne pas avoir le temps, de ne pas être compris*).

Cette construction en encadrement peut s'appliquer aussi à quelques auxiliaires d'infinitif comme *devoir* et *pouvoir*, avec un effet littéraire encore plus sensible :

*Il semblait **ne pouvoir pas** s'exprimer.*

L'encadrement des autres infinitifs par *ne ... pas* ou *ne ... point*, qu'on observe dans des textes littéraires, a un caractère nettement archaïque :

*Il feignait de **n'y penser point**.*

3. Négation partielle. La négation peut être fixée sur un terme particulier de la phrase par les expressions *ne ... plus, ne ... guère, ne ... jamais, ne ... personne, ne ... rien, ne ... aucun*, etc. (négation dite partielle) :

> *Je **ne** veux voir **personne**. Cela **n'**est **guère** prudent.*

Le mot *pas* (ou *point*) est exclu de ce système dans l'usage surveillé : on ne dit pas *Je ne veux pas voir personne. *Il n'y en a pas guère. *Il n'y a pas aucun inconvénient. Toutefois, on dit *Ce **n'**est **pas** rien*, au sens de « ce n'est pas négligeable, c'est quelque chose ». (V. RIEN, 2).

Les termes complémentaires de *ne* qui expriment la négation partielle peuvent être combinés entre eux :

> *Je **ne** vois **plus jamais personne**. **Aucun** d'eux **ne** s'est **jamais** plaint.*

4. Ni. On peut relier par *ni* des termes d'une phrase négative :

> *Il **n'**a pas de frère **ni** de sœur. Il **n'**a **ni** frère **ni** sœur.*

Quand *ni* est répété, *pas* est exclu : on ne dit pas, dans l'usage surveillé, *Il n'a pas ni frère ni sœur.

5. Ne seul. *Ne* peut s'employer sans deuxième élément dans plusieurs cas qui appartiennent à l'usage soutenu :

● avant les verbes *cesser, oser, pouvoir, savoir* :

> *Il **ne** cesse de se plaindre. Je **n'**ose y croire. Je **ne** puis accepter. On **ne** saurait mieux dire* (usage courant : *Il ne cesse pas* [ou *n'arrête pas*] *de se plaindre. Je n'ose pas y croire. Je ne peux pas accepter. On ne peut pas mieux dire*).

● après *que* signifiant « pourquoi » :

> *Que **ne** le disiez-vous plus tôt ?* (usage courant : *Pourquoi ne le disiez-vous pas plus tôt ?*).

● après *que* + subj. signifiant « sans que » ou « avant que », dans une phrase à double négation :

> *Il ne peut pas faire trois pas **que** les journalistes **ne** l'assaillent. Je ne*

renoncerai pas, **que** toutes les solutions **n'**aient été tentées.

● après un *si* de condition (emploi limité) :

> *Si je **ne** m'abuse* (usage courant : *Si je ne me trompe pas*).

● dans une proposition relative dont la principale est négative :

> *Je **n'**ai **rien** fait **qui ne** soit légal* (usage courant : *... qui ne soit pas légal*).

● après *depuis que, il y a (tel temps) que, voilà (tel temps) que* :

> ***Depuis que** je **ne** l'avais vu, il a bien changé* (usage courant : *depuis que je ne l'avais pas vu*).

On peut d'ailleurs exprimer le même sens en ôtant la négation :

> *Depuis que je l'avais vu, il a bien changé. Il y a bien dix ans que je l'ai vu, ou que je ne l'ai (pas) vu.*

6. Ne ... que, ne explétif, v. NE, II.

7. Omission de ne. L'omission de *ne* en phrase négative, fréquente dans l'usage oral familier, apparaît comme une négligence grave dans l'écriture, du moins si elle n'est pas une marque intentionnelle de cet usage oral :

> *C'est pas possible ! T'as rien à faire ?*

● *Ne* est souvent omis dans une phrase elliptique qui ne conserve que *pas, jamais, rien, personne*, etc. :

> *Tu es content ? Moi **pas**. Quand te décideras-tu ? — **Jamais**.*

Dans l'usage soutenu, on emploie plutôt *non* que *pas* en pareil cas : *Moi, non.*

8. Autres expressions de la négation. La négation d'une phrase affirmative peut se réaliser par d'autres moyens que *ne ... pas*, etc., comme le recours à *sans* ou *sans que*, ou l'emploi de mots de sens contraire, notamment formés avec les préfixes négatifs ou privatifs *in-, dé-, a-, non-*, etc. :

> *Il ne se lasse **pas** de répéter cela. Il répète cela **sans** se lasser. Il répète cela **in**lassablement.*

9. Combinaison de négations. La combinaison de plusieurs négations peut traduire certaines nuances (insistance ou atténuation) :

*Vous **ne** pouvez **pas ne pas** le savoir* (= vous le savez certainement). *Je **ne** prétends **pas** que ce **ne** soit **pas** utile* (= c'est sans doute utile).

Si on juge cette accumulation d'adverbes négatifs inutilement lourde, on peut recourir à un autre procédé négatif, par exemple employer un mot de sens contraire :

*Vous **ne** pouvez **pas** l'ignorer. Je **ne** prétends **pas** que ce soit **inutile**.*

10. Portée de la négation. Quand on dit *Cette personne n'est pas née en France*, on ne nie pas qu'elle soit née, mais on dit que ce n'est pas en France. Quoique *ne ... pas* accompagne nécessairement le verbe, sa valeur négative peut porter sur un autre terme de la phrase. Avec *vouloir, devoir, falloir*, la négation porte sur l'infinitif de la subordonnée dépendant de ces verbes :

*Je **ne** veux **pas** répondre à cette question* signifie, en fait, « je veux ne pas répondre » (tour peu usuel). *Il **ne** faut **pas** qu'on le **sache*** signifie « il faut qu'on ne le sache pas ».

● Une phrase comme *On n'a pas adopté cette solution par souci d'économie* est ambiguë. L'ambiguïté cesse si on met l'élément circonstanciel en relief, en tête de phrase :

(C'est) par souci d'économie (qu') on n'a pas adopté cette solution, ou *Ce n'est pas par souci d'économie qu'on a adopté cette solution.*

● Avec *tout, tout le monde, toujours, chacun, chaque, beaucoup* de et les mots numéraux, *ne ... pas* indique seulement une restriction et non une absence totale :

Tout** n'est **pas** clair dans cette affaire* (= certains points ne sont pas clairs). *Cela **ne** réussit **pas** **toujours (= cela réussit quelquefois seulement). ***Chacun ne** peut **pas** en faire autant* (= il y a des gens qui ne peuvent pas...).

Si on veut exprimer la quantité nulle, le degré nul, on peut employer par exemple un mot de sens contraire à celui de *tout, toujours*, etc., ou à celui d'un autre mot de la phrase :

***Rien** n'est clair dans cette affaire. Cela **ne** réussit **jamais**. **Tout** est **obscur** dans cette affaire. Cela **échoue** (ou fam. ça rate) **toujours**.*

nier

Nier que + subj./nier (de) + infin. La subordonnée dépendant de *nier* est au subjonctif :

*Je nie que les choses se **soient passées** ainsi.*

Pour *ne pas nier que (ne)*, v. NE, II, 3.

● Quand il y a identité de sujet entre *nier* et le verbe de la proposition qui en dépend, on emploie la construction infinitive soit sans préposition, soit, dans l'usage soutenu, avec la préposition *de* :

*Il nie énergiquement **avoir dit** cela. Il commença par nier **d'être** au courant.*

nom

1. Un nom désigne un être ou une chose. Parmi les noms, on distingue :

● les noms propres (employés le plus souvent sans déterminant) : *Catherine, Paris, la Loire*, et les noms communs : *table, idée, rivière, métal* ;

● les noms concrets, *table, maison, eau, acier*, et les noms abstraits, qui sont le plus souvent en relation de forme et de sens avec un verbe ou un adjectif : *désir, facilité, idée* ;

● les noms comptables, désignant des êtres ou des choses qu'on peut dénombrer : *arbre, maison, idée*, et les noms non-comptables, qui ne s'emploient pas au pluriel à moins d'être employés dans un sens comptable : *verdure, solidité, compréhension, eau* ;

● les noms collectifs : *foule, tas, ribambelle*, et les noms individuels ;

OMBRE

• les noms animés : *cheval, maçon*
(et spécialement les noms humains :
maçon, fermière), et les noms non-
animés : *maison, largeur*.

2. Le groupe du nom est constitué,
dans une phrase, par le nom et les
mots qui se rattachent à lui, en particulier le déterminant (v. ce mot) et
éventuellement des adjectifs épithètes
ou apposés, des compléments du nom,
des propositions relatives. Dans les
phrases

*Le chien aboie, Le chien noir aboie,
Le chien du voisin aboie, Le chien,
qui a aperçu le facteur, aboie,*

les divers groupes de mots qui précèdent le verbe *aboie* constituent
chaque fois le groupe du nom sujet.

nombre

1. *Un certain (grand, etc.)
nombre de,* v. COLLECTIF.

2. *Nombre de,* au sens de «beaucoup de, de nombreux», est de l'usage
strictement littéraire. Quand cette
expression sert de déterminant à un
sujet, le verbe est toujours au pluriel :

*Nombre d'autres questions **sont
restées** sans réponse.*

nominalisation

On a parfois le choix entre plusieurs
formes pour exprimer un membre de
phrase : nom abstrait, ou infinitif, ou
subordonnée introduite par une conjonction ;

*Les **protestations** ne suffisent pas,*
ou ***Protester** ne suffit pas,* ou *(Le
fait) **que vous protestiez** ne suffit
pas,* (ou *Il ne suffit pas **que vous
protestiez**).*

Dans ces exemples, c'est le sujet qui
est exprimé sous les différentes
formes, mais la procédure s'applique
à des termes ayant d'autres fonctions,
par exemple

- complément d'objet : *J'attends **le
départ**,* ou *J'attends **de partir**,* ou
*J'attends **qu'on parte** ;*

- complément circonstanciel : *Il a été
condamné **pour fraude fiscale**,* ou
***pour avoir fraudé le fisc**,* ou *parce
qu'il avait fraudé le fisc.*

Le nom abstrait, l'infinitif, la subordonnée sont trois formes d'une même
opération, la nominalisation, qui permet de faire d'une phrase (ex. *On
part*) un membre d'une phrase plus
importante.

non

1. *Non pas* est un renforcement de
non, qui apparaît en particulier dans
une opposition :

*La séance a duré non (pas) une
heure, comme prévu, mais trois
heures.*

2. *Non/pas.* Dans de nombreux
emplois elliptiques, on utilise soit *non*,
dans un usage soutenu, soit *pas*, dans
l'usage courant ou familier :

*Vous en êtes sûr? Moi **non** (usage
courant : moi **pas**, ou **pas** moi).
Pourquoi **non**?* (usage courant :
*pourquoi **pas**?). Content ou **non**, il
faut accepter* (usage courant : *content ou **pas**). Il est vétérinaire, **non**
médecin* (usage courant : *pas médecin). La rencontre a eu lieu, mais
non à l'endroit prévu* (usage courant : *mais **pas** à l'endroit prévu*).

3. *Non plus,* v. AUSSI, 2.

4. *Non plus que* au sens de «ni non
plus» est de l'usage littéraire :

*Il n'y avait pas de moyen de trans-
port, non plus que de téléphone.*

5. *Que non pas* dans une comparaison est aujourd'hui d'un emploi
régional :

*J'aimerais mieux payer mille francs
que non pas de recommencer* (= que
de recommencer.)

6. *Que non (pas)!* exprime avec
force une réponse négative dans un
usage soutenu :

*Vous êtes satisfait? — Oh! que
non! Que non pas!*

450

7. *Non que* + **subjonctif**, v. CAUSE, 1.

8. *Non sans* + **infin. ou n.** a une valeur affirmative indiquant une certaine importance, une certaine quantité :

*Il a finalement accepté, **non sans** hésiter, non sans hésitation.*

9. *Non! Non?* Ce mot s'emploie familièrement comme interjection exprimant la surprise, l'incrédulité, le reproche, ou pour solliciter l'accord de l'interlocuteur, etc. :

*Il paraît qu'il a gagné un gros lot. — **Non!** C'est vrai? Tu ne pourrais pas faire attention, **non?** Vous êtes comblé, **non?***

nous

Nous « **de modestie** ». Selon un usage assez général, l'auteur d'un livre ou d'un rapport, parlant de son rôle d'auteur, de son activité, se désigne par *nous (notre)* et non par *je, me, moi (mon),* l'accord au pluriel n'ayant lieu que pour le verbe — ou pour l'auxiliaire aux formes composées, mais l'accord en genre se faisant normalement pour les adjectifs et les participes :

Nous sommes persuadé(e) que ... Nous avons mis tous nos soins à...

● Parfois, c'est le pronom *on* qui se substitue à *je* : *On a jugé inutile de ...* Mais ce procédé n'est guère employé si un possessif doit être exprimé : il n'est pas usuel, dans cet emploi, d'écrire **On a mis tous ses soins à...*

● Le passif, personnel ou impersonnel, est un autre moyen de ne pas exprimer le sujet *je*. (V. PASSIF.)

nouveau

1. *Nouveau/nouvel.* Devant un nom masculin commençant par une voyelle ou par un *h* « muet », cet adjectif a la forme *nouvel* : *un nouvel état, un nouvel hôtel.*

● Quand un autre adjectif coordonné par *et, ou* s'intercale entre cet adjectif et le nom, on emploie tantôt la forme *nouvel,* tantôt la forme *nouveau* : *un nouvel et important avis,* ou *un nouveau et important avis.*

2. *De nouveau/à nouveau.* La distinction qu'on a voulu voir entre *de nouveau,* qui signifierait « une nouvelle fois » et *à nouveau,* qui signifierait « de façon complètement différente », n'est guère observée dans l'usage courant, où ces deux locutions expriment simplement la répétition, le retour de quelque chose :

*Le téléviseur est **de nouveau** (ou **à nouveau**) tombé en panne.*

numéraux (déterminants ou adjectifs)

1. *Douze cents, mille deux cents,* etc. Les centaines comprises entre *onze* et *dix-neuf* se disent couramment et s'écrivent souvent *onze cents, douze cents,* etc., surtout si elles ne sont pas suivies d'unités inférieures. On dit et on écrit aussi *mille deux cents, mille trois cents,* etc. (plus rarement *mille cent*), principalement pour indiquer des mesures précises :

Nager un quinze cents mètres. Un détachement de douze cents hommes (ou *de mille deux cents hommes*). *Henri IV mourut en seize cent dix* (ou *en mil[le] six cent dix*). *Le mille marin vaut mille huit cent cinquante deux mètres* (ou *dix huit cent cinquante-deux mètres*). *Payez contre ce chèque mille cent quarante-sept francs* (ou *onze cent quarante-sept francs*).

2. *Soixante-dix, soixante et dix.* L'usage le plus courant est de n'employer *et* dans les numéraux composés que pour ajouter *un* à une dizaine : *vingt et un, soixante et un,* etc., ou dans *soixante et onze.* Les formes *soixante et dix, soixante et douze,* etc. sont archaïsantes ou régionales.

3. *Le septième chapitre, le chapitre sept(ième).* Pour indiquer un chapitre, un tome, un acte de pièce de théâtre, etc., on peut placer l'adjectif numéral ordinal avant ou après le nom, mais il est plus habituel d'employer après le nom le numéral cardinal *(tome trois)* que l'ordinal *(tome troisième)*.

4. Deuxième, second. Ces deux mots s'emploient indifféremment, sauf dans le cas des adjectifs ordinaux composés : *trente-deuxième* et non *trente second.

5. Le cinq ou sixième jour. En cas de coordination par *et*, *ou*, ou de juxtaposition sans répétition de l'article, il est courant, en particulier dans l'usage oral, que seul le dernier adjectif ordinal reçoive le suffixe *-ième* : *les douze, treize et quatorzième siècles ; le cinq ou sixième jour.* On peut aussi dire, naturellement, *les douzième, treizième,* et **quatorzième** *siècles ; le* **cinquième** *ou* **sixième** *jour.*

6. Cinq ou six jours, cinq à six jours. On emploie soit *ou* soit *à* pour relier les deux numéraux qui indiquent une évaluation approximative, qu'un choix intermédiaire soit possible ou non entre les deux nombres :

> *Il y avait dans la salle vingt* **ou** *vingt-cinq personnes,* ou *vingt* **à** *vingt-cinq personnes. Le village comprend sept* **ou** *huit maisons, ou sept* **à** *huit maisons. Les travaux dureront cinq* **ou** *six jours, ou cinq* **à** *six jours.*

● Quand les numéraux sont reliés par *à*, on peut les faire précéder de *de* :

> *Il y avait* **de** *vingt* **à** *vingt-cinq personnes. Les travaux dureront* **de** *cinq* **à** *six jours.*

7. Vingt ou (à) trente mille. Ce serait un scrupule excessif de s'imposer de dire : *Il y avait vingt mille*

ou trente mille (ou *vingt mille à trente mille*) *manifestants* et non, selon l'usage ordinaire, *vingt ou* (ou *à*) *trente mille manifestants,* sous prétexte qu'on risquerait de comprendre que les deux nombres extrêmes de l'évaluation sont *vingt* (deux dizaines) et *trente mille* (trois cents dizaines).

8. Être (ou *se* **mettre,** etc.) [*à*] **cinq.** On dit :

> *Les prisonniers étaient cinq par cellule,* ou **étaient à cinq** *par cellule.*

● En plus de l'information numérique, on souligne, avec la préposition *à*, la communauté de situation ou d'action. De même, on dit :

> *À* **eux deux,** *ils ne possédaient que quelques centaines de francs* (= en additionnant leurs fortunes). *Ils ont fait tout ce travail* **à trois** (= en associant leurs efforts).

9. Valeurs conventionnelles. Les numéraux apparaissent dans de nombreux emplois locutionnels sans valeur numérique précise, notamment pour symboliser

- soit les quantités élevées :

> *Je vous l'ai dit* **vingt** *fois,* **cent** *fois,* **mille** *fois. Il a fait les* **quatre cents** *coups,* etc. ;

- soit les quantités faibles :

> *Je reviens dans* **deux** *minutes. Il habite à* **trois** *pas d'ici.*

● *Mille et un* signifie, symboliquement « un grand nombre de » :

> *Il y a* **mille et une** *manières d'altérer la vérité.*

On emploie plus rarement, avec cette valeur, *cent et un.*

o

obliger

***Obliger à* ou *de* + infin.** De ces deux constructions, *obliger à* est de loin la plus courante à la forme active :

> *J'ai un rendez-vous qui m'oblige à partir. Qu'est-ce qui m'oblige à vous croire ? Rien ne vous obligeait d'y aller* (ou *à y aller*).

● Au passif, on dit *être obligé de faire qqch* au sens de «être dans la nécessité de le faire» :

> *La route était inondée, j'ai été obligé de faire un détour.*

Au sens de «être soumis à l'obligation de» on dit parfois *être obligé à faire qqch*, surtout s'il y a un complément d'agent :

> *Les prisonniers étaient obligés par leurs gardiens à nettoyer la cour. On est obligé par la loi à déclarer ses revenus.*

● Les verbes *contraindre* et *forcer* se construisent de la même façon que *obliger*.

s'occuper

1. *S'occuper de/à.* *S'occuper de qqch, de qqn,* c'est le prendre en charge, en prendre soin :

> *Qui s'occupe de ce dossier ? Les infirmiers s'occupent du malade.*

● *S'occuper de* + infin., c'est se charger de cela, faire le nécessaire pour :

> *Occupez-vous de trouver un bon hôtel.*

● *S'occuper (à qqch, à* + infin., etc.), c'est (y) employer son temps :

> *Il s'occupe à des bagatelles. Il s'occupe à jardiner, en jardinant. Feuilleter des revues pour s'occuper.*

2. **S'occuper si.* Dans l'usage surveillé, on évite d'employer une interrogation indirecte après *s'occuper* : **Il ne s'occupe pas si tout le monde est d'accord. *Il faudrait s'occuper où on va coucher ce soir.*

On peut dire, par exemple : *s'occuper de savoir,* ou plutôt *chercher à savoir, se demander,* etc.

3. **Il y a un tas de choses à s'occuper.* Ce genre de construction n'appartient pas à l'usage surveillé ; on peut dire :

> *Il y a à s'occuper d'un tas de choses.*

on

1. *On/nous.* Dans son emploi le plus traditionnel, *on* désigne une ou plusieurs personnes indéterminées :

> *On frappe à la porte. On n'est jamais trop prudent.*

● Dans l'usage oral familier, *on* s'emploie très couramment pour *nous* et, dans ce cas, les adjectifs qui s'y rapportent s'accordent en genre et en nombre :

> *On en a assez, de cette histoire ! Nous, on veut bien. On est prêtes depuis longtemps. On en a plein le dos ! (Nous en avons plein le dos* présenterait une association insolite d'une locution très familière et d'un usage soutenu de *nous.)*

2. *On = je, tu, il,* etc. *On* peut remplacer *je, tu, il, vous* avec diverses valeurs de style (familiarité, ironie, etc.) :

> *On fait ce qu'on peut* (= je fais ce que je peux). *Alors, on se promène ?* (= tu te promènes, vous vous promenez ?). *On fait l'intéressante ?* (= tu fais, elle fait l'intéressante ?).

3. *On* + possessif ou pronom.

On est souvent responsable de ses malheurs. On ne doit pas toujours rendre autrui responsable de ses malheurs.

La deuxième phrase est ambiguë, du fait que *ses* peut renvoyer à *on* ou à *autrui*. Pour éviter ce genre d'ambiguïté, le renvoi à *on* se fait souvent non par *se, soi, son*, mais par *nous, vous, notre, votre* :

*On ne doit pas toujours rendre autrui responsable de **nos** malheurs. On n'aime pas que les gens **nous** (ou **vous**) posent des questions trop indiscrètes.*

On peut aussi employer *son propre* pour renvoyer à *on* :

*On ne doit pas toujours rendre autrui responsable de **ses propres** malheurs.* (V. PROPRE, 1.)

4. *L'on.*

La forme *l'on*, toujours facultative, ne s'emploie que dans l'usage soutenu, surtout après une voyelle, après *et*, ou pour éviter la suite phonique *qu'on con* (…) :

Il ne faudrait pas que l'on confonde.

L'emploi de *l'on* en début de phrase donne à un texte un caractère affecté, surtout si le fait est fréquent.

où (relatif)

1. *Où* + *y, là*; *où* + complément circonstanciel.

● *Où* étant déjà lui-même complément circonstanciel, l'emploi de *y*, de *là* pour représenter le même mot est un pléonasme non admis dans l'usage surveillé : **Voilà la maison où il y a habité dix ans. *C'est une situation où là il n'y a plus rien à faire* (cas comparable à *dont* + *en*).

On peut soit supprimer *y, là*, soit supprimer la subordination par le relatif, par exemple :

Vous voyez cette maison? Il y a habité dix ans.

● Il y a aussi pléonasme si après *où* on exprime un complément circonstanciel de lieu, même si celui-ci ajoute

une précision : *Voilà la maison où il habite au troisième étage.* Pourtant la phrase apparaît moins négligée que celle du cas précédent, surtout si le complément *au troisième étage* est séparé par une pause de ce qui précède. La tournure *au troisième étage de laquelle il habite*, grammaticalement irréprochable (v. RELATIF, 2, et LEQUEL, 2) risque de paraître lourde dans un contexte familier; on pourra dire, par exemple :

Voilà la maison où il habite; il est au troisième étage.

2. *Le jour où..., le jour que...,*
v. QUE, 5.

3. *Où* sans antécédent. *Où* s'emploie souvent sans antécédent au sens de «là où» :

*Reste **où** tu es. Passe par **où** tu voudras. Avance jusqu'**où** tu pourras.*

La phrase *Retourne* (ou *Va-t-en*) ***d'où** tu viens* est familière : cette construction est peu rigoureuse en ce que *d'où* est anormalement employé ici pour exprimer le but d'un mouvement. *Retourne à l'**endroit d'où** tu viens, **là d'où** tu viens* sont des constructions plus rigoureuses grammaticalement, mais moins usuelles.

● *Où* peut aussi s'employer sans antécédent au sens indéfini de «un endroit où», comme complément d'un infinitif :

*Il n'avait pas **où** s'asseoir.*

4. *D'où* devant un nom indique une conséquence ou donne une explication :

*Ces produits sont rares et recherchés, **d'où** leur prix élevé.*

L'emploi de *d'où* comme simple conjonction ou adverbe de liaison au sens de *donc, c'est pourquoi, en conséquence*, devant une proposition n'est pas admis dans l'usage surveillé : **Ces produits sont rares et recherchés, d'où ils sont chers.*

5. *D'où/dont,* v. DONT, 5. V. aussi INTERROGATION.

outre

1. *Outre qqch* ou *qqn, outre que* + indic. ou condit. équivaut, dans l'usage soutenu, à «en plus de qqch ou de qqn, sans en tenir compte, sans compter que» :

> *Outre le remboursement du capital, il faut prévoir le versement des intérêts. Cette solution est la plus rapide, outre que c'est la plus économique.*

● *En outre de qqch ou de qqn* s'emploie plus rarement, dans le même sens :

> *En outre de sa proche famille, il avait autour de lui un groupe d'amis.*

2. *Passer outre (à qqch), aller plus outre* sont de l'usage soutenu, au sens de «ne pas se laisser arrêter (par des obstacles), aller plus loin dans la même voie».

p

pallier

La construction directe *(pallier un inconvénient)* est la construction traditionnelle, mais en raison de l'analogie de *parer à qqch, rémédier à qqch,* la construction avec *à* est devenue courante :

> *On peut facilement pallier à cet inconvénient.*

par

1. *Par* est de l'usage soutenu pour introduire un complément de temps indiquant simplement la date : *par une belle journée d'automne,* ou un complément de lieu au sens de « çà et là à travers » : *errer par la campagne.*

2. *De par* s'emploie au sens de « du fait de, en raison de » (usage soutenu) :

> *De par ses origines, il se sentait proche du monde paysan.*

3. *Par trop* est un renforcement littéraire de *trop :*

> *Tout cela m'a semblé par trop compliqué. Il avait par trop misé sur sa chance* (= vraiment trop).

4. *Par* + **complément d'agent,** v. (COMPLÉMENT D')AGENT.

V. AILLEURS, AVANCE, CONTRE, FOIS, PARENTHÈSE, TERRE.

paraître

1. *Auxiliaire.* Au sens de « être publié », *paraître* reçoit tantôt l'auxiliaire *avoir,* tantôt l'auxiliaire *être,* ce dernier soulignant l'aspect accompli, l'état :

> *Ce livre **a paru** le mois dernier. Ce livre **est paru** depuis un mois. La*

*nouvelle **a paru** (ou **est parue**) dans la presse de ce matin.*

2. *Il paraît que* introduit l'énoncé d'une rumeur, d'une idée reçue, et le verbe qui suit est en principe à l'indicatif :

> *Il paraît qu'il **a eu** un accident.*

On exprime parfois le caractère non confirmé de cette assertion au moyen du conditionnel :

> ***Il paraîtrait** qu'on a découvert du pétrole dans la région* (ou *Il paraît qu'on aurait découvert...*)

● *À ce qu'il paraît* est plus familier que *paraît-il :*

> *Vous êtes, à ce qu'il paraît, un spécialiste de la question ?*

● *À ce qu'il paraît que, paraît-il que* sont de l'usage populaire : *Paraît-il qu'il a eu un accident. A ce qu'il paraît que personne n'était au courant.*

● *Il (me, te,* etc.*) paraît que* au sens de « il *(me, te,* etc.*)* semble que » ne se rencontre que dans l'usage littéraire, et le verbe qui suit est soit à l'indicatif, soit au subjonctif dans les mêmes conditions que pour *sembler* (v. ce mot).

● *Il (me, te,* etc.*) paraît* + adj. *que* est d'un emploi aussi courant que *il (me, te,* etc.*) semble* + adj. *que.* Le verbe qui suit est à l'indicatif ou au subjonctif selon que l'adjectif indique soit certitude ou probabilité, soit négation, doute, inactualité :

> *Il paraît **évident** qu'il s'en **est aperçu.** Il paraît **difficile** qu'il ne s'en **aperçoive** pas. Il me paraît **utile** que vous **soyez** mis au courant.* (V. SUBJONCTIF 1, et CROIRE, 3 et 4.)

pareil

1. *Pareil à, pareil que.* La construction *pareil que* est courante, mais dans l'usage surveillé on préfère *pareil à* (ou simplement *comme*) :

Sa maison est pareille aux autres maisons du lotissement (ou pareille que les autres). Le temps est pareil qu'hier (ou est comme hier).

2. *Pareil* s'emploie familièrement comme adverbe :

Ils sont tous les deux habillés pareil (= de la même façon).

parenthèse

Entre parenthèses, par parenthèse. La première de ces deux expressions de même sens est plus usuelle pour introduire une remarque incidente :

J'ai eu affaire au sous-directeur — entre parenthèses (ou par parenthèse), il est plus aimable que le directeur.

partant

Ce mot invariable (anciennement *par tant*), qui signifie « par conséquent, donc », appartient à l'usage soutenu :

La question est réglée, partant la réclamation est sans objet.

participe

I. Participe présent, adjectif verbal, gérondif.

1. Le participe présent, terminé par *-ant*, est invariable, à la différence de l'adjectif verbal, qui s'accorde :

C'est une question intéressant tous les sportifs. C'est une question intéressante.

Ce qui distingue le participe présent et l'adjectif verbal, c'est leur emploi dans la phrase. Est participe, donc invariable, une forme verbale en *-ant* ayant un complément d'objet, comme dans le premier exemple donné ci-dessus, et généralement une forme verbale en *-ant* ayant un complément circonstanciel (temps, cause, but, etc.) ou suivie d'un adverbe. Est adjectif verbal, donc variable, une forme en *-ant* à laquelle on peut ajouter ou substituer un adjectif qualificatif :

*C'est une question **intéressante** et **délicate**. C'est une question **bizarre**.* V. section « Orthographe ».

2. L'adjectif verbal correspond le plus souvent à une forme de la voix active du verbe : une *question intéressante*, c'est une question qui intéresse ; mais dans certains cas, la correspondance de sens est plus complexe : une couleur *voyante* n'est pas celle qui « voit », mais qui « est vue », que l'on voit ; une rue *passante* est celle où l'on passe beaucoup ; une rue *commerçante* est une rue où il y a du commerce, etc.

3. Une forme comme *en chantant* est un gérondif. (V. ce mot.)

II. Participe passé. Accord.

1. Si l'auxiliaire est *avoir*, le participe passé est invariable sauf si le verbe a un complément d'objet direct placé avant ce participe ; dans ce cas, il s'accorde avec ce complément d'objet :

*Ils ont **couru**. Avez-vous **trouvé** la solution ? Quelle solution avez-vous **trouvée** ? La solution que vous avez **trouvée** est ingénieuse. C'est la réponse qu'il a **faite**.*

● Quand le participe est suivi d'un infinitif, il ne s'accorde éventuellement avec un mot (nom ou pronom) qui le précède que si ce mot s'analyse comme complément d'objet du participe, et non de l'infinitif :

*Quelle solution a-t-on **vue** triompher ? (= on a vu quelle solution triompher ?). Quelle solution a-t-on **vu** appliquer ? (= on a vu qu'on appliquait quelle solution ?).*

● Quand le complément d'objet est *en* placé avant le participe, celui-ci reste invariable ou s'accorde avec le nom représenté par *en* :

Il m'a raconté les difficultés qu'il a

*eues ; j'en ai **eu** aussi* ou *j'en ai eues aussi.*

● Quand le participe est précédé de *l'* représentant toute une proposition, il est invariable :

*La difficulté est plus grande que je ne l'aurais **pensé**.*

● Les participes *couru, coûté, pesé, valu, vécu* ne s'accordent avec le mot qui les précède que si celui-ci peut s'analyser comme un complément d'objet et non un complément de circonstance :

*Les efforts que cette réalisation a **coûtés**,* mais *La somme que cette réalisation a **coûté*** (cette réalisation a coûté combien ?). *Les aventures qu'il a **vécues**,* mais *Les quatre-vingts ans qu'il a **vécu*** (= pendant lesquels il a vécu).

2. Si l'auxiliaire est *être*, en règle générale le participe passé s'accorde avec le sujet :

Elles sont venues. Ils sont accompagnés. Elle s'est endormie.

● Toutefois, quand il s'agit d'un verbe pronominal, si celui-ci a un complément d'objet direct différent du pronom *se* et placé avant le participe, l'accord ou l'invariabilité ont lieu dans les mêmes conditions que si l'auxiliaire était *avoir* :

*Quelle excuse s'est-il **trouvée** ?* mais *Ils se sont **trouvé** des excuses.*

V. section «*Orthographe*».

III. Participe et sujet du verbe principal

Le participe (présent ou passé) s'emploie parfois en position détachée, en tête de proposition. Dans ce cas, il doit en principe se rapporter au sujet du verbe principal, ce qui est une façon d'éviter tout risque d'ambiguïté ou de cocasserie. En vertu de ce principe, une phrase telle que *Ayant égaré mes clefs, le gardien a appelé un serrurier* présente le gardien comme responsable de la perte des clefs ; si celui qui s'exprime veut dire qu'il est, lui, le responsable, il pourra dire :

Comme j'avais égaré mes clefs, le gardien a appelé un serrurier, ou : *Ayant égaré mes clefs, j'ai demandé au gardien d'appeler un serrurier.*

Le plus souvent, le sens est clair même si ce principe n'est pas observé. Toutefois on évite, dans l'usage surveillé, une phrase comme *Espérant que cette réponse vous satisfera, veuillez agréer mes salutations distinguées,* car le sujet non exprimé du verbe principal à l'impératif *veuillez* est *vous,* et le participe présent se rapporte à un *je* non exprimé ; on peut corriger :

Espérant que cette réponse vous satisfera, je vous prie d'agréer mes salutations distinguées.

Un principe analogue s'applique au gérondif et à l'infinitif (v. ces mots).

participer

Participer à qqch, c'est y prendre part :

*Nous nous engageons à **participer aux** frais.*

Participer de qqch, c'est en présenter certains caractères :

*Un sentiment qui **participe** à la fois **de** la joie et **de** la déception.*

partir

1. On dit couramment *partir **pour** une destination inconnue, Je pars **pour** Paris,* et aussi *Je pars **à** Paris, **vers** Paris, **en** voyage, **en** vacances, **dans** le Midi, **sur** mer, ailleurs ; partir se promener.*

2. *Partir à* + **infin.** exprime le commencement d'une action (aspect inchoatif) :

*Elle partit **à** rêver* (on dit plus couramment *se mettre à, commencer à*).

passé

1. Passé simple/passé composé. Dans l'usage oral, le passé simple (ex. *Il fit*) n'est plus employé, sauf parfois dans certaines provinces ; c'est en principe le passé composé (ex. *Il a fait*) qu'on emploie à sa place. Cependant, dans l'usage écrit on utilise l'un ou l'autre de ces temps selon le type d'énoncé et l'aspect de l'action qu'on souligne.

• Dans l'usage écrit, quand on fait le récit d'événements passés ne concernant pas celui qui s'exprime ni celui ou ceux à qui il s'adresse, on emploie le passé simple pour traduire des faits dont on ne souligne pas la relation avec l'actualité présente et dont la durée n'est pas prise en considération :

Christophe Colomb **découvrit** *l'Amérique en 1492.*

Ce temps est celui qu'on emploie couramment dans les récits historiques. Dans l'usage oral, la même idée s'exprimerait normalement sous la forme :

Christophe Colomb **a découvert** *l'Amérique en 1492.*

• Le passé composé est usuel dans l'usage écrit pour exprimer des faits passés dont on considère l'incidence sur la situation actuelle :

C'est Pasteur qui **a découvert** *le vaccin de la rage* (nous disposons aujourd'hui de ce vaccin).

Quand le verbe utilisé est un verbe non-perfectif (v. VERBE, 5), le passé composé souligne en général la cessation d'un état passé :

J'ai habité *dix ans dans cette maison* (= je n'y habite plus). *J'ai su son adresse* (= je l'ai oubliée).

2. Passé surcomposé. Ce temps est d'un emploi assez rare ; on le rencontre surtout dans des propositions subordonnées de temps, en général avec des verbes perfectifs (v. VERBE, 5) pour insister sur l'aspect accompli (v. ASPECT, 1) :

C'est seulement quand j'ai eu **terminé** *ce travail que je me suis rendu compte de l'erreur* (= après avoir terminé).

3. Passé antérieur. Ce temps appartient à l'usage écrit ; il s'emploie ordinairement dans des propositions subordonnées de temps. Il exprime l'aspect accompli (v. ASPECT, 1) du passé simple :

Aussitôt qu'il **eut prononcé** *ce mot, il le regretta* (= aussitôt après l'avoir prononcé).

4. Plus-que-parfait. Ce temps exprime l'antériorité par rapport à un événement accompli :

*Cela s'est passé comme je l'*avais *prévu* (la prévision est antérieure à l'événement).

On utilise souvent le passé composé pour rendre la même idée quand le rapport d'antériorité est suffisamment clair par ailleurs :

Cela s'est passé comme je l'ai prévu.

• Le plus-que-parfait s'emploie aussi dans une subordonnée de condition introduite par *si*, pour exprimer l'« irréel », c'est-à-dire l'hypothèse non réalisée, par opposition à l'imparfait :

*Si j'*avais *su, je ne serais pas venu* (= je ne savais pas).

V. SUBJONCTIF, 3, et IMPARFAIT, 2.

passer

1. Dans la plupart des emplois intransitifs, l'auxiliaire *être* est plus courant que l'auxiliaire *avoir* :

Les pompiers **sont** *passés par la fenêtre. Je* **suis** *passé à la poste.*

L'auxiliaire *avoir* reste cependant usuel dans quelques emplois, par exemple au sens de

- « perdre sa couleur » : *Ce tissu* **a** **passé** *au soleil* (et non *est passé*).

- « être bien digéré » : *C'est la mousse au chocolat qui* **n'a** *pas passé.*

- « être filtré » : *Le café* **a** *passé lentement.*

- « s'écouler », en parlant du temps : *Les années* **ont** *passé.*

• Dans les emplois transitifs, l'auxiliaire est toujours *avoir* :

Nous **avons** *passé la frontière. J'ai passé dix ans à l'étranger.*

2. *Passer* s'emploie familièrement comme verbe attributif au sens de

« être promu, nommé » (auxiliaire *avoir* ou *être*) :

> *Il va bientôt passer sergent. Il a (ou est) passé chef.*

3. *Passer pour* signifiant « être considéré comme » introduit un nom ou un adjectif attribut (auxiliaire *avoir*) :

> *Il passe pour un spécialiste de la question. Ce tableau a longtemps passé pour authentique.*

passif

1. Il y a équivalence générale de sens entre les deux phrases :

> *La chaleur dilate les métaux. Les métaux sont dilatés par la chaleur.*

Cependant la première a plus de chances d'apparaître dans un contexte relatif à la chaleur et à ses effets, la seconde dans un contexte relatif aux métaux et à leurs propriétés (rôle de « thème » du sujet de la phrase). Il y a en général une différence de valeur, sous tel ou tel rapport, entre la phrase active et la phrase passive correspondante.

2. Action/état. Si on peut dire à peu près indifféremment :

> *On apprécie ces fruits* ou *Ces fruits sont appréciés,*

il y a une différence nette de sens entre :

> *On tond la pelouse* (action en cours, ou habituelle)

et

> *La pelouse est tondue* (état actuel).

Sans aucun complément et spécialement sans complément d'agent, de nombreux verbes — les verbes perfectifs — n'expriment au passif que l'état (aspect accompli). La mention d'un agent permet d'exprimer l'action actuellement ou habituellement en cours :

> *La pelouse est tondue par les jardiniers municipaux.*

3. Passif impersonnel, v. IMPERSONNEL, 2.

4. Pronominal-passif. Le pronominal peut être l'équivalent d'un passif.

À la phrase active :

> *On vend ces articles sur les marchés,*

correspondent à peu près indifféremment les deux phrases :

> *Ces articles sont vendus sur les marchés. Ces articles se vendent sur les marchés.*

Ce pronominal-passif peut être construit impersonnellement :

> *Il se vend beaucoup de ces articles sur les marchés.*

● On évite l'emploi du pronominal chaque fois qu'il pourrait donner lieu à des ambiguïtés ou à des cocasseries. On ne dira évidemment pas :

> **Le soldat s'est décoré* pour signifier *Le soldat a été décoré,* ni **Les cartes se battent avant chaque partie,* mais *On bat les cartes...,* ou *Les cartes sont battues...*

● Le pronominal-passif ne reçoit pas de complément d'agent. (V. [COMPLÉMENT D']AGENT, 4.)

5. Autres substituts du passif. D'autres constructions peuvent être substituées à la conjugaison passive, avec des valeurs particulières, entre autres l'infinitif introduit par *se faire, se laisser, se voir, s'entendre* :

> *Il s'est fait* (ou *s'est entendu,* ou *s'est vu*) *condamner par le tribunal. Elle ne s'est pas laissé convaincre.*

● Ce recours aux auxiliaires pronominaux d'infinitif permet d'employer comme sujet de phrase un mot qui, à l'actif, serait un complément construit indirectement, c'est-à-dire avec préposition, puisqu'on sait qu'un verbe ne peut normalement être mis au passif que si on peut lui donner comme sujet le complément d'objet direct de l'actif correspondant :

> *Il s'est fait* (ou *entendu,* ou *vu*) *interdire l'accès de la salle* (= on lui a interdit l'accès).

● On peut aussi employer des locutions telles que *être* (ou *faire*) *l'objet*

de, être la cible, la victime de, etc. :
Cette question a été l'objet d'un débat (= a été débattue).

peine

1. À peine... que. Cette construction indique une relation de temps : l'action ou l'état exprimés dans la deuxième proposition suivent de très près ceux de la première :

Il était à peine arrivé qu'il parlait de repartir.

La conjonction *que* est parfois omise, notamment quand la première proposition se réduit par ellipse à un participe ou à un complément circonstanciel :

À peine arrivé (ou *à peine dans la maison*), *il parlait de repartir.*

● **À peine ... quand, ou lorsque,** traduit la même relation, mais la deuxième proposition a un verbe au passé composé ou au passé simple, et non à l'imparfait :

Il était à peine arrivé quand (ou *lorsque*) *l'orage a éclaté.*

● Quand *à peine* est en tête de la première proposition, il y a ordinairement inversion (simple ou complexe) du sujet, du moins dans l'usage soutenu :

À peine était-il arrivé qu'il parlait de repartir. À peine Pierre était-il arrivé que... (v. INVERSION DU SUJET, 1, *b*).

Parfois cette inversion n'a pas lieu, surtout dans un usage plus familier :

À peine il était arrivé que...

2. À peine de qqch. Cette expression signifie «un tout petit peu de quelque chose» :

Je prendrai une tasse de thé avec à peine de lait.

3. À peine de nullité est une locution de la langue juridique; dans l'usage courant ou administratif, on dit *sous peine de* :

Défense d'entrer sous peine d'amende. Il faut partir tout de suite sous peine d'être en retard.

penser

1. Penser que. Pour le choix du mode de la subordonnée, v. CROIRE, 1, 2, 3, 4, 5.

2. Penser que + indic./penser + infin. En cas de transformation infinitive (identité de sujet entre *penser* et le verbe de la subordonnée), l'infinitif peut correspondre soit à un présent, soit à un futur de l'indicatif :

Je pense être suffisamment informé (= que je suis). *Je pense être prêt à votre arrivée* (= que je serai).

Sur ce point, l'emploi de *penser* est un peu différent de celui de *croire;* en effet, l'infinitif qui peut suivre *croire* n'exprime normalement pas le futur. Au lieu de **Je crois être prêt à votre arrivée,* on dit *Je crois que je serai prêt...* (ou *Je pense être prêt...*).

3. Penser à + infin. signifie «ne pas oublier de» :

Tu penseras à éteindre l'électricité en sortant.

4. Penser un projet, etc., c'est le concevoir en détail (usage soutenu).

5. Penser = faillir, manquer de. Cet emploi est archaïque avec un nom de personne comme sujet, et aujourd'hui hors d'usage avec un nom de chose comme sujet :

Il a pensé s'évanouir à cette nouvelle.

6. Se penser. La construction pronominale *Je me suis pensé que ...* est d'un usage régional.

7. Tu penses!/penses-tu! *Tu penses!* souligne familièrement une affirmation en la présentant comme naturelle :

Il a dévoré ce repas : tu penses, il n'avait rien mangé depuis trois jours!

● *Penses-tu!* est une exclamation familière de dénégation :

Est-ce qu'on a retrouvé les objets volés? — Penses-tu! Il y a longtemps qu'ils sont passés à l'étranger! (= bien sûr que non!).

On emploie de même au pluriel, avec une valeur moins familière, *Vous pensez!* et *Pensez-vous!*

personne

1. Personne + ne. Le plus souvent, *personne* s'emploie avec *ne* ou *ne plus*, *ne jamais* (mais non *ne pas*) :

Personne n'est venu. Il n'y a (plus, jamais) personne. Je ne veux voir personne (et non **Je ne veux pas voir personne*).

2. Personne sans ne. Personne peut aussi être utilisé sans *ne*, dans des phrases exprimant l'idée négative par d'autres moyens grammaticaux ou par le vocabulaire ; il peut alors être remplacé par *quelqu'un* ou *qui que ce soit*, *quiconque* :

Je dis cela sans vouloir critiquer personne. Il est trop égoïste pour s'intéresser à personne (= il ne peut, vu son égoïsme, s'intéresser à qui que ce soit). *Partez avant que personne s'en aperçoive. Il est incapable de nuire à personne. J'interdis que personne entre.*

• Dans une phrase comme *Je ne veux pas que personne le sache*, le pronom *personne* est bien employé sans *ne* dans sa proposition : c'est dans la principale que se trouve *ne pas*.

• *Personne* s'emploie aussi dans des phrases interrogatives ou exprimant un doute :

Y a-t-il personne qui prétende le contraire ? (on dit plutôt : Y a-t-il quelqu'un). Il est peu probable que personne s'y trompe (ou *que quelqu'un s'y trompe*).

• *Personne* s'emploie sans *ne* dans le deuxième terme d'un système comparatif :

Il est plus rusé que personne. Cela me surprend moins que personne.

3. Personne de + adj. Un adjectif (ou un participe) qualifiant *personne* est précédé de la préposition *de* :

Il n'y a personne de satisfait par cette décision.

Devant *autre*, *de* est parfois omis :

Personne autre que lui n'est au courant, ou, plus ordinairement : *personne d'autre que lui.*

persuader

1. Persuader qqn (de qqch), ou de + infin., ou que + indic. est la construction la plus usuelle :

Tous ses arguments n'ont pas réussi à me persuader. Il a persuadé le jury de son innocence. On l'a persuadé de renoncer à son projet, ou que son projet était irréalisable.

• *Persuader à qqn qqch*, ou *de + infin.*, ou *que + indic.* est une construction beaucoup moins habituelle :

Nous lui avons persuadé l'intérêt de l'opération, ou *de renoncer à son projet*, ou *que son projet était irréalisable.*

2. Se persuader (de) qqch/que + indic. On dit

Ils se sont persuadés de la justesse de ces prévisions,

ou, plus rarement :

Ils se sont persuadé la justesse de ces prévisions. Ils se sont persuadés (ou *persuadé*) *que ces prévisions étaient justes.*

phrase, proposition

1. L'énoncé *Je viendrai quand on m'appellera* est une phrase, elle-même constituée de deux phrases : *Je viendrai*, et *quand on m'appellera*. Quand des phrases sont des parties de phrases plus grandes, on les appelle aussi des « propositions ». Ainsi la phrase *Je viendrai quand on m'appellera* est composée de deux propositions reliées entre elles par subordination (v. ce mot) : *Je viendrai* est la proposition principale, et *quand on m'appellera* est la proposition subordonnée.

2. Types et formes de phrases. Une phrase se présente sous un des quatre types suivants (appelés aussi modalités) :

- déclaratif : *Tu fais bien ton travail.*
- interrogatif : ***Est-ce que*** *tu fais bien ton travail ?*
- impératif : ***Fais*** *bien ton travail.*
- exclamatif : ***Comme*** *tu fais bien ton travail !*

● Dans tous les exemples précédents, les phrases sont à la forme active, affirmative et non-emphatique (c'est-à-dire sans mise en relief d'un terme). Mais une phrase peut être, au contraire,

- à la forme (ou voix) passive, ex. *Le travail* **est fait** *par les autres.*
- négative, ex. *Tu* **ne** *fais* **pas** *bien ton travail.*
- emphatique, ex. *Tu* **le** *fais bien,* **ton travail** (mise en relief de *ton travail*).

pire/pis

1. Pire équivaut le plus souvent à « plus mauvais, plus fâcheux » ; il s'emploie en particulier, mais non exclusivement, dans des tours locutionnels et comme nom :

> *Le remède est pire que le mal. Ce n'est pas très beau, mais j'ai vu pire. Nous étions dans les pires conditions. Le pire, c'est qu'on ne se doutait de rien. Il faut s'attendre au pire.*

2. Pis n'a plus d'emploi que dans l'usage littéraire, comme adjectif attribut d'un pronom « neutre » (*ce, rien, quelque chose,* etc.), au sens de « plus mauvais » ou comme adverbe au sens de « plus mal ». Dans l'usage courant, il est remplacé par pire :

> *C'est bien pis que je ne pensais* (usage courant : *C'est bien pire*). *Il n'y a rien de pis que cela* (rien *de pire*). *Dire pis que pendre de quelqu'un* (pire *que pendre*). *Tout va de mal en pis* (de mal *en pire*). *Qui pis est* [en incise] (*Ce qui est bien pire*).

3. Tant pis reste l'expression la plus courante ; **tant pire* est de l'usage populaire.

4. **Aussi pire, *moins pire, *plus pire.* Ces expressions sont exclues de l'usage surveillé. Au lieu de **C'est moins pire que je pensais,* on dira, par exemple :

> *C'est moins grave que je ne pensais,* ou *Ce n'est pas aussi mauvais...*

plaire

1. Il me (te, etc.) plaît de + infin. est une construction de l'usage soutenu :

> *Vous plairait-il d'assister à ce spectacle ?* (usage courant : *Est-ce que cela vous plairait de... ?* ou *Aimeriez-vous... ?*).

2. Plaise à Dieu (au ciel) que, plût à Dieu (au ciel) que + subj. Ces formules, de caractère très littéraire, expriment un souhait, un regret :

> *Plaise à Dieu que ce soit vrai !* (= pourvu que...). *Plût à Dieu qu'il n'eût rien dit !* (= ah, si seulement il n'avait rien dit !).

● *À Dieu ne plaise que... !* exprime littérairement un souhait négatif :

> *À Dieu ne plaise que vous lui ressembliez !* (= pourvu que vous ne lui ressembliez pas !)

3. Plaise à la Cour, au tribunal + infin. est une formule juridique de requête : *Plaise au tribunal déclarer que...*

4. Se plaire à + infin. est de l'usage soutenu :

> *Elle s'est toujours plu à mystifier son entourage* (usage courant : *Elle a toujours aimé..., pris plaisir à...*).

5. Ce qui (ou qu'il) me plaît, v. QUI, 6.

pléonasme

Il y a pléonasme quand dans une même phrase on utilise un ou plusieurs mots faisant double emploi avec un autre.

Certains pléonasmes constituent des incorrections grammaticales caractérisées, comme dans les expressions *la maison où j'y habite, *c'est onle pire. D'autres apparaissent comme des maladresses en raison de l'inutilité absolue du mot superflu : *reculer en arrière, enfin finalement, un ongle incarné dans la chair.* Dans de nombreux cas, le pléonasme est passé dans l'usage courant et ne choque que des critiques vétilleux : *un petit nain.* Beaucoup de pléonasmes s'expliquent par le besoin d'ajouter à l'information logique une marque affective d'insistance. Dans la phrase *Il m'a écrit cela de sa propre main,* l'expression *de sa main* précise le sens du verbe *écrire :* la lettre n'était pas dactylographiée, ni écrite par quelqu'un d'autre sous la dictée — il n'y a pas vraiment pléonasme ; l'adjectif *propre* forme, si l'on veut, pléonasme avec le possessif, mais il insiste sur la responsabilité de la personne qui a écrit. Il y aurait un pléonasme difficilement défendable si on ajoutait : *dans une lettre manuscrite.*

(la) plupart

La plupart de sert de déterminant à un nom pluriel, sauf dans l'expression *la plupart du temps.* On ne dit pas *la plupart de l'assistance* mais, par exemple, *la plus grande partie de l'assistance.* Quand le groupe *la plupart de* + nom est sujet, le verbe est au pluriel :

*La plupart des gens **ont compris.***

Même accord au pluriel si le nom n'est pas exprimé :

*La plupart **ont compris.*** (V. COLLECTIF et ENTRE, 1.)

plus, moins, mieux

1. *Le plus/la (les) plus* + **adj.** Dans l'usage soutenu, on distingue :

*C'est en hiver que les fleurs sont **le plus chères*** et *De toutes ces fleurs, les orchidées sont **les plus chères.***

L'article défini s'accorde seulement quand il y a comparaison entre des êtres ou des choses, et non entre des qualités, des degrés d'un même être ou d'une même chose. Pratiquement, l'accord se fait quand on peut introduire avant le superlatif le nom avec lequel s'accorde l'adjectif ; on peut dire :

*De toutes ces fleurs, les orchidées sont les fleurs **les plus chères,*** mais non **C'est en hiver que les fleurs sont les fleurs les plus chères.*

De même pour *le moins, le mieux :*

*C'est dans cette robe que votre fille est **le mieux habillée,*** mais : *C'est de toutes les invitées **la mieux habillée.***

● Dans l'usage courant, on accorde toujours l'article :

*C'est en hiver que les fleurs sont **les plus chères. C'est dans cette robe qu'elle est **la mieux habillée.***

2. *Des plus, des moins, des mieux* devant un adjectif ou un participe lui confèrent une valeur particulièrement élevée (ou particulièrement faible pour *des moins*) :

*Ce cadeau est **des plus** originaux* (= particulièrement original). *Le plan était **des mieux conçus*** (= très bien conçu). *Le succès est **des moins** assurés* (= n'est pas du tout assuré). Ce sont donc des équivalents de superlatifs absolus.

● L'adjectif ou le participe se met normalement au pluriel, conformément à la formation de cette construction :

Ce cadeau est [un cadeau] des (= *parmi les*) *[cadeaux les] plus **originaux.***

Cependant, parfois si le sujet est singulier, l'adjectif ou le participe reste au singulier, parce qu'il est interprété comme un simple attribut du sujet au superlatif :

*La situation est des plus **embarrassante.***

● Avec un sujet « neutre » comme *ce, cela, voilà qui,* l'adjectif reste au singulier :

*Voilà qui est des plus **normal**.*

3. *Des plus* s'emploie parfois avec un adverbe au sens de « très » (usage soutenu) :

> *J'ai trouvé la solution des plus facilement.*

4. *Des mieux*, au sens de « très bien, on ne peut mieux », est de l'usage soutenu :

> *Voilà qui se présente des mieux.*

5. On ne peut plus, on ne peut mieux, v. POUVOIR, 6.

6. Plus ..., (et) plus (ou **moins, mieux**), etc. On peut combiner diversement ces adverbes d'intensité pour exprimer par des propositions juxtaposées une corrélation d'augmentation ou de diminution :

> ***Plus** on le connaît, **plus** on apprécie ses qualités. **Plus** tu insisteras, et **moins** il t'écoutera. **Moins** je le vois, **mieux** je me porte.*

● Les formes *au plus..., au plus*, etc., *le plus... le plus...*, etc., *tant plus..., tant plus...* etc. sont exclues de l'usage surveillé : *Tant plus ils en ont, tant moins ils veulent partager.*

7. De plus/en plus. Ces expressions sont parfois à peu près équivalentes :

> *Prenez les mesures, en ajoutant quelques centimètres **de plus**, ou **en plus**. En plus insiste davantage que de plus sur le caractère surajouté de quelque chose (= en outre, par-dessus le marché). Ces remarques s'appliquent à de moins et en moins, de trop et en trop.*

● On dit *Il y a cent francs de plus que prévu* ou *en plus de ce qui était prévu*.

● *De plus* en tête de phrase est un adverbe de liaison ; dans cet emploi il équivaut à « en outre » :

> *La nuit était noire. De plus, il pleuvait.*

Dans l'usage familier, on utilise parfois *en plus* dans ce sens.

plusieurs

1. Plusieurs indique un nombre supérieur à l'unité, et qui peut commencer à deux :

> *Il faudra plusieurs voyages pour tout transporter* (= deux, trois, quatre, etc.).

On dit cependant couramment :

> *Il faudra deux ou plusieurs voyages* (= deux voyages ou plus).

2. Quand *plusieurs* employé pronominalement ne représente pas un nom ou un pronom exprimé avant ou après lui, il signifie « plusieurs personnes » ; cet emploi est de l'usage soutenu et ne se rencontre guère aujourd'hui que dans la fonction sujet :

> *Plusieurs croient que ce récit est une légende.*

possession

On dit soit *L'expert **est en** possession du dossier* (ou *a le dossier **en sa** possession*), soit *Le dossier **est en la** possession de l'expert*. Le sens général de ces phrases est le même : « L'expert a entre ses mains le dossier » ou « Le dossier est entre les mains de l'expert ».

possible

1. Le plus (de) ... possible. *Possible* s'emploie comme élément d'un système de superlatif d'adjectif ou d'adverbe, en rapport avec *le plus, le moins, le mieux, le meilleur, le pire* ; dans cet emploi, on le laisse en règle générale invariable :

> *Veuillez agir dans les délais les plus brefs possible. Résumons les faits le plus clairement possible. Nous avons retenu les solutions les meilleures possible. Approchez-vous le plus possible.*

● *Possible* sert aussi à compléter les expressions *le plus de, le moins de* + n., et il reste en principe invariable :

> *Faites le moins de bruit possible. Il*

faut informer le plus de gens possible (ou *le plus possible de gens*).

● *Possible* s'emploie comme adjectif variable quand il se rapporte simplement au nom avec sa valeur habituelle :

On a examiné toutes les solutions possibles, les meilleures solutions possibles (= réalisables).

2. *Au possible* placé après un adjectif lui donne une valeur de superlatif absolu (usage familier) :

Il est paresseux au possible (= très paresseux, on ne peut plus paresseux).

3. *C'est pas possible !* Cette exclamation familière traduit l'incrédulité, la grande surprise :

C'est pas possible ! Tu as déjà fini ? (= c'est pas vrai !).

pour

1. *Pour (que)/afin (de, que).* *Pour*, *pour que* exprimant le but sont d'un usage plus ordinaire que *afin de, afin que*, de même sens, mais appartenant à un usage un peu plus soutenu. (V. BUT.)

2. **Pour ne pas que.* Ce tour, assez fréquent dans l'usage oral, est évité dans l'usage surveillé. Au lieu de **Cache-toi, pour (ne) pas qu'on te voie*, on dira et surtout on écrira :

Cache-toi, pour qu'on ne te voie pas (ou *pour éviter qu'on te voie*, ou *de peur qu'on [ne] te voie*).

3. *Pour causal.* *Pour* suivi d'un infinitif passé exprime la cause :

Pour avoir négligé ce détail, il risque d'échouer (= parce qu'il a négligé ce détail).

L'emploi de l'infinitif présent après *pour* au sens causal est archaïsant.

4. *Pour concessif.* *Pour* suivi d'un infinitif, aussi bien présent que passé, peut exprimer dans un usage soutenu un rapport d'opposition, de concession quand le verbe principal est négatif ou interrogatif :

Pour avoir passé une nuit blanche, *il ne semblait pas trop fatigué* (on dit plus couramment : *pour quelqu'un qui avait passé...*). *Pour être* surprenante, cette histoire *n'en est pas moins vraie* (ou *cette histoire en est-elle moins vraie ?*) [= bien qu'elle soit surprenante, ou : elle a beau être surprenante].

● *Pour* + adj. + *que* + subj. Cette expression concessive équivaut dans l'usage soutenu, à *si ... que ... :*

Pour surprenante que soit cette histoire, elle n'en est pas moins vraie.

La construction *pour si* + adj. + *que* + subj. *(Pour si surprenant que ce soit ...)* est assez répandue ; on y observe le cumul de *pour* et de *si*, alors que l'un ou l'autre de ces mots serait suffisant : *Si surprenant que ...*

● *Pour autant (que),* v. AUTANT, 2 et 3.

5. *Aller pour, être pour* + infin. expriment familièrement une action qu'on se dispose à faire quand survient un événement (= être sur le point de, aller) :

Comme il allait pour sortir (ou *comme il était pour sortir*), *il a reçu un coup de téléphone.*

● *Être pour* + infin. peut signifier aussi « être de nature à », particulièrement à la forme négative :

Cet échec n'est pas pour nous décourager.

● *Être pour* + infin., *être pour que* + subj. se dit, surtout dans l'usage oral, au sens de « être partisan de, être d'avis que » :

Je suis pour engager des négociations, pour qu'on engage des négociations. (V. n° 10.)

6. *Pour après, pour quand.* *Pour* peut s'employer avec une valeur de but devant une préposition ou une conjonction de temps :

La réunion est prévue pour avant (ou *après*) *les vacances, pour dans un mois. Il fait des projets pour quand il sera à la retraite* (on préfère souvent dire *pour le jour, le moment où,* ou encore, plus simplement, *pour la retraite,* etc.).

7. Pour de bon, pour de vrai, pour de rire. *Pour de bon* (= vraiment, réellement) est la forme courante actuelle :

Je me demande s'il est malade pour de bon.

Pour tout de bon et surtout *tout de bon* sont archaïsants. *Pour de vrai* (même sens) est plus familier. *Pour de rire,* qui exprime une idée contraire, est très familier ; on dit plus couramment :

C'était pour rire, pour plaisanter, ou *Ce n'était pas sérieux.*

8. Pour sûr (que) est familier :

On aurait pu éviter cela, pour sûr. Pour sûr qu'il se trompe.

Dans un usage plus soutenu, on dit *sûrement, assurément, bien sûr, c'est sûr.*

9. Pour de mise en relief. *Pour* sert à mettre un mot en relief, en tête d'énoncé, au sens de « quant à » :

Pour le reste, on verra plus tard (on dit aussi *pour ce qui est de*).

On l'emploie bien, en particulier, devant les pronoms de la 1re personne du singulier ou du pluriel :

Pour moi, je saurai me défendre. Pour nous, nous n'y voyons pas d'inconvénient.

● *Pour moi,* non repris par un pronom, signifie, surtout dans l'usage oral, « à mon avis, selon moi » :

Pour moi, il ne va rien se passer.

● La construction du type *Pour une surprise, c'est une surprise* (= c'est vraiment une surprise) est courante, surtout dans l'usage oral.

● La mise en relief d'un adjectif attribut par *pour (Pour naïf, il l'était)* est de l'usage soutenu. (V. [MISE EN] RELIEF.)

10. Pour employé absolument. L'emploi de *pour* sans pronom complément *(lui, cela,* etc.) représentant ce qui a été exprimé est de l'usage familier :

Ce projet est intéressant : je suis pour, je vote pour. Il y a des arguments pour. Cette publicité a intrigué : elle était prévue pour.

pouvoir

1. Ce verbe ne reçoit pas de nom comme complément d'objet. Il s'emploie surtout comme auxiliaire d'un infinitif (parfois non exprimé : *Je fais comme je peux [faire]*) et indique

- la capacité, la possibilité d'accomplir quelque chose : *Pouvez-vous soulever cette caisse ?*

- ou l'autorisation : *Vous pouvez rentrer chez vous ;*

- ou l'éventualité : *Il pourrait bien pleuvoir ;*

- ou une approximation : *Il peut y avoir dix ans de cela.*

2. Je peux, je puis. *Je puis* est une variante littéraire de *je peux,* qui est la seule forme couramment utilisée. À la forme interrogative, **Peux-je* est inusité ; on dit *Puis-je ?* (usage soutenu) ou *Est-ce que je peux ?* (usage courant).

3. Pouvoir et la négation. À la différence de ce qui a lieu pour *vouloir, devoir, falloir* (v. NÉGATION, 10), la négation *ne … pas* s'applique, selon sa place, soit à *pouvoir,* soit à l'infinitif qu'il introduit :

Je ne peux pas le dire/Je peux ne pas le dire.

Ces deux phrases ont des sens bien différents : « Je n'ai pas la possibilité de le dire » ou « J'ai la possibilité de ne pas le dire ».

4. Je ne puis + infin. [sans « pas »], v. NÉGATION, 5.

5. Il se peut que (usage soutenu) introduit une proposition dont le verbe est au subjonctif :

Il se peut qu'une erreur ait été commise.

On dit plus habituellement : *Il est possible que...* ou, très familièrement : *Ça se peut que...*

● *Ça se peut* est un équivalent familier de « c'est possible » :

> *Il paraît que cette histoire est vraie : ça se peut (bien). Je me demande des fois comment ça se peut.*

6. *On ne peut plus, on ne peut mieux.* Dans ces expressions le verbe reste toujours au présent.

● *On ne peut plus* + adj. ou adv. signifie « extrêmement, tout à fait » ; *on ne peut moins* signifie « pas du tout » :

> *La solution est on ne peut plus facile. Les circonstances étaient on ne peut moins favorables* (= très défavorables).

● *On ne peut mieux* signifie « très bien, parfaitement » :

> *Cette remarque s'applique on ne peut mieux à la situation actuelle.*

7. *Puissé-je,* etc. Le subjonctif présent de *pouvoir*, avec inversion du sujet, exprime un souhait (usage soutenu) :

> *Puissé-je me tromper ! Puissent de tels événements ne jamais se reproduire !*

8. *Pouvoir* + *peut-être.* Il y aurait scrupule excessif à craindre d'employer l'adverbe *peut-être* avec le verbe *pouvoir* sous prétexte qu'il contient déjà ce verbe. On dit très normalement : *Ce renseignement pourra peut-être vous aider.*

préférer

1. *Préférer qqch à qqch.* Si les termes mis en comparaison sont des noms ou des pronoms, ils sont reliés par *à* :

> *Nous préférons la discussion aux querelles.*

2. *Préférer de* + infin. est archaïsant. On dit : *Je préfère ignorer cela* plutôt que *Je préfère d'ignorer cela.*

3. *Préférer* + infin. *plutôt que (de)* + infin. Les infinitifs compléments de *préférer* sont en principe reliés par *plutôt que de* :

> *Nous préférons discuter **plutôt que de** nous quereller.*

La liaison par *à* (*Nous préférons discuter à nous quereller*) est plus rare.

Il est assez fréquent que le deuxième terme soit introduit simplement par *que (de)* :

> *Nous préférons discuter **que (de)** nous quereller. Je préfère être en avance **qu**'en retard* (dans ce cas, on emploie plutôt *aimer mieux* dans l'usage surveillé).

4. *Préférer que* + subj. *(plutôt) que de* + infin. Il n'est pas possible d'employer comme deuxième complément une subordonnée par *que* au subjonctif. On dit donc par exemple :

> *Nous préférons **qu'on discute** (plutôt) **que de nous quereller*** et non **Nous préférons qu'on discute (que) qu'on se querelle.*

préjuger

Ce verbe s'emploie le plus souvent dans une phrase négative. La construction directe (par ex. *préjuger un résultat*), autrefois courante, est bien moins usuelle aujourd'hui que la construction avec *de* :

> *On ne saurait préjuger **de** la décision avant le débat. Je constate les faits sans préjuger **de** la suite des événements.*

La construction directe est un peu plus courante avec le pronom complément *rien* :

> *Je ne peux **rien** préjuger sur cette question.*

prendre

1. *Prendre qqn ou qqch pour* (ou *comme*) + n. (sans déterminant), c'est l'utiliser comme tel :

> *On l'a pris **pour** modèle. Je prendrai **pour** exemple le cas suivant.*

On dit aussi, dans le même sens, *prendre comme* :

> *Je prendrai **comme** exemple le cas suivant.*

2. Prendre qqn ou qqch pour + n. (avec déterminant), c'est commettre une méprise en se trompant sur l'identité de quelqu'un ou la nature de quelque chose :

> *On le prend souvent **pour** son frère. De loin, j'avais pris cette tour **pour** un clocher.*

3. On dit *Les douleurs **l'**ont pris dans la nuit*, ou **lui** *ont pris dans la nuit*, mais toujours *Qu'est-ce qui **lui** prend ?* (et non **Qu'est-ce qui le prend ?*).

4. Prendre + n. (abstrait) exprime souvent une action qui commence, qui se développe (aspect inchoatif) :

> *Le papier prend feu. Prenez courage. Il prend de l'âge, de l'autorité.*

5. Se prendre à + infin. est un équivalent soutenu de *se mettre à* :

> *Il se prit **à regretter** le temps passé.*

6. Se prendre de + n. (sentiment), c'est se laisser gagner par un sentiment :

> *Ils s'étaient pris **de sympathie** l'un pour l'autre.*

7. S'en prendre à qqn, c'est l'attaquer, le critiquer :

> *Il s'en prenait à tous les fonctionnaires.*

préposition

1. *À, de, par, pour, dans, en, sur, avec, outre*, etc. sont des prépositions, c'est-à-dire des mots invariables introduisant des mots le plus souvent compléments. Un complément introduit par une préposition est appelé complément prépositionnel.

● *À côté de, à l'exception de, en comparaison de, en plus de, par rapport à, par-dessus*, etc. sont des locutions prépositives, c'est-à-dire des prépositions composées de plusieurs mots.

2. Emploi adverbial. De nombreuses prépositions peuvent jouer un rôle d'adverbe, surtout dans l'usage familier, quand on les emploie absolument, c'est-à-dire sans le nom ou le pronom qu'on pourrait exprimer après elles :

> *J'aperçois une maison, et un jardin **derrière*** (= derrière elle). (V. AVEC, 4 ; SANS, 7 ; POUR, 10 ; CONTRE, 3 ; ENCONTRE.)

3. Répétition de la préposition. Quand plusieurs compléments prépositionnels sont coordonnés, la préposition peut généralement être répétée avant chacun d'eux ; cependant, dans de nombreux cas on ne la répète pas :

> *Recevez mes meilleurs vœux **pour** vous et (pour) votre famille.*

La non-répétition est usuelle en particulier avec *à, de, en* quand le groupe de compléments est une locution figée : *passer son temps **à** aller et venir, en mon âme et conscience*, ou désigne un ensemble : *les conseils **de** ses parents et amis*, ou encore quand ces compléments sont coordonnés par *ou* : *faire un travail **en** cinq ou six jours.*

● Après *autre (chose) que*, la préposition est tantôt répétée, tantôt non répétée :

> *En disant cela, je pensais **à** tout autre que lui* (ou *qu'à lui*). *Il ne peut parler **d'**autre chose que (de) cela.*

V. UN, 6.

prêt, près

Prêt à/près de. *Prêt à* indique une disposition de quelqu'un ou de quelque chose à accomplir ou à subir une action :

> *Nous sommes prêts à partir, prêts au départ. L'appareil est prêt à fonctionner. Le contrat est prêt à être signé. Un costume prêt à porter.*

● *Près de* peut indiquer la proximité dans le temps, le caractère imminent de quelque chose :

> *L'expérience était près de réussir quand cet incident est survenu*

(= sur le point de réussir). *Je ne suis pas près de recommencer* (= je ne recommencerai pas de sitôt, c'est-à-dire : je ne recommencerai pas). [La phrase *Je ne suis pas prêt à recommencer* signifie plutôt : «je recommencerai, mais je n'y suis pas encore prêt.»]

● Dans certaines phrases, on peut employer à peu près indifféremment *près de* ou *prêt à* :

*La maison semblait **près de** s'écrouler*, ou **prête à** *s'écrouler.*

prétendre

1. Prétendre que + **indic.** / *prétendre* + **infin.** Quand *prétendre* exprime une déclaration («soutenir avec force»), la subordonnée conjonctive par *que* qui en dépend est à l'indicatif :

Je prétends que c'est la seule solution raisonnable.

Toutefois, on peut avoir le subjonctif ou le conditionnel dans les mêmes conditions qu'après *croire* (v. ce mot).

● En cas d'identité de sujet entre *prétendre* et le verbe de la subordonnée, celle-ci peut prendre la forme infinitive :

*Je prétends **pouvoir** le faire* (ou *que je **peux** le faire*).

2. Prétendre que + **subj.** / *prétendre* + **infin.** Quand *prétendre* exprime une volonté, la subordonnée conjonctive par *que* qui en dépend est au subjonctif (usage soutenu) :

*Je prétends simplement que chacun **reçoive** sa juste part.*

● En cas d'identité de sujet entre *prétendre* et le verbe de la subordonnée qui en dépend, celle-ci est nécessairement de la forme infinitive :

*Je prétends **recevoir** la part qui me revient.*

3. Prétendre à qqch, c'est y aspirer légitimement, le revendiquer (usage soutenu) :

Il peut prétendre aux plus hautes fonctions.

Cette construction s'oppose à *prétendre qqch* (avec seulement un pronom ou le nom *chose* comme complément), «le déclarer fermement» (sens du nº 1) :

Je n'ai jamais prétendu cela, ou *une chose pareille.*

primer

On dit ***primer qqch*** au sens de «l'emporter, prévaloir sur qqch» : *La force prime le droit,* ou, en emploi absolu : *Entre ces urgences, c'est celle-ci qui prime.*

La construction ***primer sur qqch*** tend aussi à se répandre :

Cette considération prime sur toutes les autres.

prix

Au prix de s'emploie ordinairement, outre sa signification commerciale, au sens de «moyennant, en échange de» :

Il a réussi à s'en tirer au prix d'un gros effort.

● L'emploi de cette locution dans l'expression d'une comparaison est un archaïsme littéraire :

Vos difficultés ne sont rien au prix des nôtres (usage courant : *auprès des nôtres* ou *en comparaison des nôtres*).

prochain, dernier

1. Quand ces adjectifs sont placés après un complément de temps précédé de l'article défini ou désignant un jour de la semaine, ils indiquent ce qui est le plus rapproché, dans l'avenir ou dans le passé, du moment où l'on parle :

*J'irai le voir la semaine **prochaine**, lundi **prochain**. Je l'ai vu la semaine **dernière**, jeudi **dernier*** (ou, plus rarement, *la semaine **passée***).

● Pour indiquer le moment le plus rapproché par rapport à un autre moment que celui où l'on parle, on emploie après le nom les adjectifs *suivant* ou *précédent,* ou les expressions *d'avant, d'après :*

> *Je serai absent la semaine prochaine, mais la semaine* **suivante,** *le lundi* **suivant** *(ou la semaine, le lundi* **d'après),** *j'irai le voir. Cette année-là, il y a eu des inondations ; l'année* **précédente** *(ou l'année* **d'avant),** *c'était la sécheresse.*

2. Par rapport au moment où l'on parle, *prochain* et *dernier* peuvent être librement placés avant ou après quelques noms compléments de temps : *la prochaine, la dernière fois,* ou *la fois prochaine, la fois dernière ; le prochain, le dernier week-end* ou *le week-end prochain, le week-end dernier.*

profiter

1. *Profiter (de ce) que.* La construction *profiter que* + indic. est exclue de l'usage surveillé, où l'on dit :

> *Je profite* **de ce que** *vous êtes là pour vous poser la question,* et non **Je profite que vous êtes là.*

2. *Occasion à profiter.* Cette expression est usuelle dans la langue du commerce. Elle présente une anomalie du fait que *profiter de,* verbe transitif indirect, est construit comme un verbe transitif direct, par exemple *occasion à* **saisir.**

promener

1. La construction *aller promener* pour *aller* **se promener** est archaïsante ou régionale.

2. *Envoyer promener qqn, qqch,* v. (VERBE) PRONOMINAL, 2.

pronom

1. Les pronoms peuvent jouer le même rôle grammatical que des noms :

> *J'aperçois le* **gardien** *et je m'adresse à* **lui** *(= au gardien).*

Leur place dans la phrase est souvent différente de celle qu'aurait le nom qu'ils remplacent (v. PRONOM PERSONNEL). On distingue :

● les pronoms personnels : *je (me, moi), tu (te, toi), il (elle), se (soi, lui), nous, vous, ils (elles, eux), on ;*

● les pronoms démonstratifs : *ce, ceci, celui, celle, ceux, celles ;*

● les pronoms relatifs : *qui, que, quoi, dont, où, lequel, laquelle, lesquel(le)s, auquel, auxquel(le)s, duquel, desquel(le)s ;*

● les pronoms interrogatifs : *qui, que, quoi, auquel, auxquel(le)s, lequel, laquelle, lesquel(le)s ;*

● les possessifs employés pronominalement : *le mien, le tien, le sien, le nôtre, le vôtre, le leur ;*

● les indéfinis employés pronominalement : *certains, plusieurs, tout, rien, quelqu'un, quelque chose, personne, l'autre,* etc.

2. En règle générale, un pronom ne peut représenter un nom que si celui-ci est accompagné d'un déterminant (article, possessif, etc.). On dit donc normalement :

> *Il a perdu* **sa** *fortune ;* **elle** *était considérable,*

mais non : **Il a fait fortune ; elle* (ou *celle-ci) est considérable,* car, dans ce dernier exemple, *fortune* est employé sans déterminant.

pronom personnel

1. Le pronom omis en coordination. On peut ne pas répéter sous forme de pronom le sujet de plusieurs verbes coordonnés par *et, ou, ni, mais :*

> *Le commissaire s'assit, réfléchit un instant, prit une feuille et se mit à écrire. Il entend tout, mais ne répond rien.*

Dans le cas d'une accumulation de verbes, l'omission du pronom tend à souligner l'enchaînement des actions, alors que sa répétition tendrait plutôt à les distinguer l'une de l'autre.

● De même, le complément de plusieurs verbes coordonnés peut ne pas être répété sous forme de pronom personnel si ces verbes sont à des temps composés sans répétition de l'auxiliaire :

Je vous ai entendus et compris. Nous lui avons raconté et commenté l'incident.

L'omission du pronom ne peut avoir lieu que si les différents verbes construisent leur complément de la même façon. On dit donc normalement : *Il nous a aperçus et nous a fait signe* et non *Il nous a aperçus et fait signe,* parce qu'on *aperçoit quelqu'un* et qu'on *fait signe à quelqu'un.* (V. COORDINATION, 4.)

2. Deux pronoms compléments d'un impératif. On dit normalement *Donne-le-moi, donnez-le-moi.* La construction *Donne (donnez)-moi-le* est jugée relâchée. *Donne (donnez)-le-nous* apparaît en général préférable à *Donne (donnez)-nous-le.*

● On dit *Tiens-toi-le* pour dit ou *Tiens-toi-le* pour dit ; au pluriel, *Tenez-vous-le (Tenons-nous-le)* pour dit est plus usuel que *Tenez-le-vous (Tenons-le-nous)* pour dit.

● Si *en* ou *y* est associé à un pronom personnel, c'est *en* ou *y* qu'on place en second :

Donne-m'en quelques-uns. Allez-vous-en. Fiez-vous-y. (La forme *Donne-moi(z)-en, parle-moi(z)-en* est de l'usage relâché.)

On évite ordinairement les séquences *m'y, t'y* après un impératif. Au lieu de *Conduis-m'y, *Fie-t'y,* on dit par exemple :

Tu vas m'y conduire. Fie-toi à cela, ou *Tu peux t'y fier.*

3. *Je ne le puis croire.* Cette construction, qui place le pronom complément d'un infinitif avant le verbe introduisant cet infinitif, ne se rencontre plus que dans l'usage littéraire. L'usage normal est de placer le pronom avant l'infinitif, sauf si le verbe introducteur est *faire, laisser, voir, entendre* :

Je ne peux pas le croire, mais *Je l'ai entendu nommer.*

4. Pronom d'«intérêt atténué». Dans l'usage familier, on ajoute parfois à un impératif ou à une expression équivalente le pronom *moi* ou *me* sans fonction grammaticale précise, qui donne un tour plus vif à la phrase :

Fichez-moi le camp ! Regarde-moi ça ! Vous allez tâcher de me nettoyer cette pièce !

● Toujours dans l'usage familier, on emploie parfois les pronoms *te* ou *vous,* qui stimulent simplement l'intérêt de l'auditeur :

Il te (ou vous) l'a rembarré de la belle manière ! Je vous lui ai dit ses quatre vérités.

Ce cas est le seul où l'on puisse associer entre eux dans la fonction complément (l'un direct, l'autre indirect) les pronoms *me, te, se, nous, vous* ou les associer à *lui* (sans préposition), *leur.* Alors qu'on dit : *Je leur présenterai mes invités,* on dit : *Je vous présenterai à eux,* et non *Je vous leur présenterai.*

● Une phrase comme *Je vais me la manger, cette pêche,* où le pronom *me* souligne simplement l'intérêt du sujet à l'action, est d'un type assez usuel dans le Midi de la France. On l'évite dans l'usage écrit.

5. *Moi et mon frère.* Un usage grammatical reposant sur un principe de bienséance demande que le pronom *moi* soit placé en dernier quand il est coordonné à d'autres noms ou pronoms ; ainsi, dans l'usage soigné, on dit *mon frère et moi, vous et moi,* et non *moi et mon frère, moi et vous.*

V. aussi EN, LE, ON, SOI, Y.

(verbe) pronominal

1. Auxiliaire. Tout verbe de conjugaison pronominale (v. VERBE, 3) reçoit aux temps composés l'auxiliaire *être* :

L'oiseau s'est envolé (verbe essentiellement pronominal *s'envoler*). *Je me suis procuré* (et non *Je m'ai procuré*) *le matériel* (verbe accidentellement pronominal *se procurer qqch*). Mais *je lui ai procuré le matériel* (verbe non pronominal *procurer qqch à qqn*).

● Les formes surcomposées sont inusitées dans les verbes pronominaux ; on ne dit pas **quand je m'ai été aperçu que*, ni **quand je me suis eu aperçu que...* (verbe pronominal *s'apercevoir*) alors qu'on peut dire *quand j'ai eu constaté que* (verbe non pronominal *constater*).

2. Omission du pronom. Le pronom réfléchi est souvent omis à l'infinitif de verbes pronominaux introduits par le verbe *faire* :

Faites-les taire (plus usuel que *Faites-les se taire*). *On nous a fait asseoir* (ou **nous** *asseoir*). *Le bruit a fait envoler* (ou *s'envoler*) *les oiseaux. Il m'a fait apercevoir* (ou **m'***apercevoir*) *de mon erreur. Cela me fait souvenir* (ou **me** *souvenir*) *d'une histoire.*

Toutefois cette omission est à peu près impossible avec un certain nombre de verbes comme *s'abstenir, s'arroger, s'emparer, s'obstiner, se prévaloir*, etc.

● L'omission du pronom réfléchi a lieu plus rarement après les verbes *laisser, envoyer, mener, emmener* :

Ne laisse pas éteindre (ou *s'éteindre*) *le feu. Il a laissé échapper* (ou *s'échapper*) *les poules. On avait envoyé coucher* (ou *se coucher*) *les enfants.*

● L'omission du pronom réfléchi n'est pas possible si l'infinitif est séparé, par un nom qui est son sujet, du verbe qui l'introduit. Alors qu'on peut dire *Ne laisse pas le feu s'éteindre, On avait envoyé les enfants se coucher*, on ne dit pas : **Ne laisse pas le feu éteindre, *On avait envoyé les enfants coucher.*

On dit, toujours familièrement, *envoyer promener qqn, qqch* (= s'en débarrasser), mais normalement : *envoyer qqn se promener, se baigner* (= l'envoyer en promenade, au bain).

3. Pronominal et intransitif. Dans un certain nombre de verbes, on peut employer à peu près indifféremment le pronominal ou l'intransitif :

Fais attention : la branche risque de **se** *casser* (ou *de casser*). *Il avança d'un pas* (ou *il s'avança*).

Ces équivalences ne jouent pas, en principe, pour tous les emplois de ces verbes. Le plus souvent le pronom réfléchi est nécessaire quand le sujet est de la classe des noms animés, ou en rapport avec cette classe, et on observe alors une différence de sens :

Le rôti brûle/Le cuisinier **se** *brûle. Ces outils rouillent* (ou **se** *rouillent*) *à l'humidité/L'esprit* **se** *rouille* (et non **rouille*) *dans l'inaction. Le café refroidit/Son ardeur* **se** *refroidit* (et non **refroidit*).

4. Pronominal-passif, v. PASSIF, 4.

---

propre

1. Avant le nom et après un possessif, *propre* souligne le lien entre « possesseur » et « possédé » :

Vous ne pouvez pas renier **votre propre signature** (c'est bien vous qui avez signé personnellement). **Sa propre famille** *l'avait abandonné* (même sa famille).

● Dans quelques cas, *son propre* peut lever une ambiguïté en renvoyant au sujet du verbe :

Pierre a dit à Paul qu'il allait s'occuper de ses propres affaires (= de ses affaires à lui, Pierre ; sans l'adjectif *propre*, il pourrait s'agir aussi des affaires de Paul).

2. Après le nom, outre le sens de « sans salissure » *(une chemise propre),* l'adjectif *propre* souligne le fait que quelque chose est particulier à quelqu'un ou à quelque chose :

Ces phénomènes économiques obéissent à des **lois propres** (= spécifiques). *Chacun a ses* **habitudes propres** (= personnelles).

On peut noter que quand le nom est précédé d'un possessif, comme dans ce dernier exemple, la différence entre la valeur de *propre* postposé et celle de cet adjectif antéposé peut être faible :

*Chacun a ses **propres habitudes.***

La postposition insiste un peu plus sur les différences entres les habitudes des uns et des autres. (V. ADJECTIF, 4.)

3. Le mot propre/les propres mots. *Le mot propre*, c'est le mot qui convient exactement, le mot approprié, ou juste ; *les propres mots* de quelqu'un, ce sont les termes exacts qu'il a employés, les mots textuels.

q

qualifier

On emploie habituellement la préposition *de* devant l'attribut du complément d'objet de ce verbe (ou, au passif, devant l'attribut de son sujet) :

> *Je n'hésite pas à qualifier ce projet d'insensé. Cette attitude peut être qualifiée de fourberie.*

La construction directe (sans *de*) est plus rare :

> *Voilà une réponse que je qualifierai sage.*

quant à

1. Comme présentatif, *quant à* sert à mettre en relief un nom, un pronom, un infinitif :

> *Quant à cette affaire, je m'en occupe. Je suis, quant à moi, bien décidé à continuer* (= pour ma part, en ce qui me concerne). *Quant à savoir qui a raison, c'est une autre question* (= pour ce qui est de savoir).

● **Tant qu'à moi* au lieu de *quant à moi* est jugé populaire.

2. *Quant à* signifie aussi «au sujet de, relativement à» :

> *Je n'ai aucune information quant à l'origine de cette rumeur.*

quasi, quasiment

1. *Quasi* s'emploie parfois devant un adjectif :

> *C'est quasi certain, quasi impossible* (on dit plus ordinairement *presque, à peu près, pour ainsi dire*).

● Devant certains noms abstraits, *quasi* est assez courant :

> *J'en ai la quasi-certitude. Il a recueilli la quasi-totalité des suffrages* (on dit aussi, parfois, *la presque totalité*).

2. *Quasiment* devant un adjectif est un peu plus familier que *quasi* :

> *C'est quasiment impossible.*

● Devant un infinitif, *quasiment* est archaïque : *On pourrait quasiment s'y tromper.*

que

1. La conjonction *que* introduit une proposition qui peut être complément, sujet ou attribut, à l'indicatif, au subjonctif ou au conditionnel :

> *Je crois que c'est vrai. Qu'il y ait des difficultés, c'est certain. Le malheur est qu'on l'ait su trop tard.* (V. CROIRE, DIRE, DEMANDER, etc., SUBJONCTIF, SUBORDINATION. Pour *(à ce) que, (de ce) que*, v. À, 5 ; DE, 10).

● *Que* peut remplacer n'importe quelle conjonction de subordination dans une subordonnée coordonnée à une autre :

> *Comme il était tard et que nous n'avions pas dîné, on a levé la séance.*

De même : *Quand... et que..., si... et que..., puisque... et que...*, etc.

2. *Que* = «au point que», «si bien que». Cet emploi est ordinairement familier :

> *Il m'a couvert de compliments, que j'en étais gêné.*

3. *Que* = «puisque». Dans cet emploi, *que* introduit une proposition qui exprime une explication logique d'un fait constaté :

> *Vous êtes donc bien pressé, que vous ne voulez pas rester cinq minutes ?*

4. *Que* de liaison. *Que* sert de lien entre ce qu'on dit de quelqu'un ou de quelque chose (le « prédicat ») et la désignation, venant ensuite dans la phrase, de la personne ou de la chose en question (le « thème » de la phrase) :

*C'est un escroc **que** cet individu.*
*Drôles de gens **que** ces gens-là !*
*Quelle chance **que** cette rencontre !*
*C'est une erreur **que** de croire cela.*

Dans les constructions de ce type, *que* peut ne pas être exprimé ; on marque alors une pause avant le deuxième terme si celui-ci est un nom ou un pronom :

C'est un escroc, cet individu (ou *celui-là*). *C'est une erreur de croire cela.*

● *Que* s'emploie couramment après un adverbe exprimant une opinion, pour introduire une proposition à laquelle s'applique cette opinion :

Heureusement qu'il n'a rien dit ! Certainement (ou *sûrement*, ou *assurément*) *qu'on pouvait faire autrement. Probablement que ça n'aurait rien changé !*

● Dans un usage un peu plus soutenu, on peut ne pas exprimer *que* et marquer une pause (une virgule) entre l'adverbe et ce qui suit :

Heureusement, il n'a rien dit. Certainement, on pouvait faire autrement.

● Avec *sans doute*, *peut-être*, le pronom personnel sujet est inversé dans l'usage soutenu :

Peut-être avait-il raison (usage courant : *peut-être qu'il avait raison*, ou, plus familièrement : *peut-être il avait raison*).

5. *Le jour où*, *le jour que*. La proposition qui développe un complément de temps (*le jour*, *le mois*, *un matin*, *la fois*, etc.) est introduite le plus souvent par *où*, parfois aussi par *que*, qui paraît en général plus familier :

*Ça s'est passé le jour **qu'**il a fait si chaud* (usage plus courant : *le jour **où** il a fait si chaud*). *Un matin **qu'**il pleuvait* (**où** *il pleuvait*). *La*

*fois **que** je suis tombé en panne* (**où** *je suis tombé en panne*).

On dit à peu près indifféremment *la première* (*la dernière*, *la seule*) *fois que je l'ai vu*, ou *où je l'ai vu*.

6. *Que si...* Cette expression de l'hypothèse en tête de phrase est un archaïsme littéraire :

Que si d'aucuns s'indignent, ils n'ont pas tort (usage courant : *si certains s'indignent*).

7. *Que que.** La combinaison d'une subordonnée complétive et d'une circonstancielle de comparaison (v. SUBORDINATION, 3) peut amener la rencontre de deux *que* ; dans ce cas l'un des deux disparaît obligatoirement : **J'aime mieux ne rien dire que qu'on puisse me reprocher une erreur* devient, par exemple :

*J'aime mieux ne rien dire **que de** risquer de m'entendre reprocher une erreur*, ou *que si on pouvait me reprocher une erreur*. (V. SI, 5. V. aussi MANQUER, 6.)

8. *Que... que*. Les phrases *ce **que** tu prétends **que** tu as fait*, *ce qu'on croit qu'il a dit* ont une construction régulière : le premier *que* est un pronom relatif complément de *tu as fait*, *il a dit* (cf. *ce dont tu dis que tu t'es occupé*), et le deuxième est la conjonction *que*. On préfère souvent éviter cette répétition de *que* (par exemple : *ce que tu prétends avoir fait*, *ce que*, *croit-on*, *il a dit*).

9. *Que... qui...* La construction *un récit que nous croyons qui est vrai* est archaïsante dans l'usage écrit mais se rencontre dans l'usage oral. On l'évite en général par divers procédés, par exemple : *un récit que nous croyons vrai*, *un récit dont nous croyons qu'il est vrai*.

10. *Que oui ! Que non ! Que si !* Ces formes exclamatives de réponse sont de l'usage familier :

Vous ne le connaissiez pas ? — Oh. que si ! (= certes si, bien sûr que si.)

11. *Que/qu'est-ce que/quoi.* Le mot interrogatif *que* appartient à l'usage soutenu :

> *Que puis-je faire pour vous ?* (usage courant : *Qu'est-ce que je peux faire pour vous ?*). *Je ne sais que penser de tout cela* (usage familier : *Je ne sais pas quoi penser de tout ça*). *Que vous servirait un nouveau délai ?* (usage courant : *À quoi vous servirait ... ?*). *Que vous importe ?* (usage familier : *Qu'est-ce que ça peut vous faire ?*).

12. *Que ne... ? (ou !).* Cet emploi adverbial est nettement littéraire :

> *Que ne le disiez-vous plus tôt ?* (= *pourquoi ne le disiez-vous pas plus tôt ?*). *Que ne m'a-t-on consulté !* (= *pourquoi ne m'a-t-on pas consulté ?*).

13. *Que* = « sans que », « avant que », v. NÉGATION, 5. *À peine... que..., il me le jurerait que...,* v. SUBORDINATION, 2. *C'est... que,* v. C'EST.

---

quel

1. *Quel* adjectif interrogatif peut s'employer comme déterminant du nom (épithète), ou comme attribut ; quand il ne détermine pas le sujet, le sujet est inversé (inversion simple ou complexe) :

> *Quel âge avez-vous ? À quelle heure commence la séance ?* (ou *À quelle heure la séance commence-t-elle ?*). *Quel est votre âge ?*

● *Quel* ne peut pas être attribut de *ce, cela, ça* : alors qu'on dit *Quel est cet objet !* on ne dit pas **Quel est cela ?*, mais *Qu'est-ce que (c'est que) cela ?*

2. *Quel* déterminant un sujet. Dans ce cas, le sujet n'est pas inversé :

> *Quelle autre solution s'offrait à nous ? Quel jour vous conviendrait ?*

● On observe la tendance à pratiquer dans ce cas l'inversion complexe, surtout quand la phrase est négative :

> *Quelle autre solution s'offrait-elle à nous ? Quel jour vous conviendrait-il ? Quel homme raisonnable n'approuverait-il pas cet accord ?*

● On dit très souvent *Quel est le... qui... ? :*

> *Quel est le jour qui vous conviendrait ?*

Ainsi est ordinairement évitée l'ambiguïté qui apparaîtrait dans une phrase telle que *Quel adversaire a battu notre champion ?* (adversaire peut être sujet ou complément d'objet : *Quel est l'adversaire qui a battu notre champion ?* ou *Quel est l'adversaire que notre champion a battu ?*)

3. *Quel* épithète/*quel* attribut. *Quel homme est-ce ?* signifie souvent « quelle sorte d'homme est-ce ? » l'interrogation portant sur la personnalité, le caractère, c'est-à-dire les « qualités » de quelqu'un ; exemple de réponse : *C'est un homme courtois, très compétent dans son domaine.* La question *Quel est cet homme ?* appelle plutôt une information sur l'identité ; exemple de réponse : *C'est M. Dupont ; c'est le nouveau directeur.*

4. *Quel/qui* (attributs). *Qui* étant réservé à l'interrogation sur des personnes, on emploie seulement *quel* (ou *lequel*, v. ce mot) pour les animaux et les choses :

> *Quel est cet oiseau ? Quelle est votre décision ?*

● *Quel est cet homme ? Qui est cet homme ?* On emploie à peu près indifféremment ces deux formes d'interrogation pour s'informer sur l'identité de quelqu'un ; dans l'interrogation indirecte, on emploie plus couramment *qui* : *Je vous demande qui est cet homme.* On dit toujours *Qui es-tu ? Qui êtes-vous ?* et non **Quel es-tu ?* **Quel êtes-vous ?*

L'interrogation *Quel est-il ?* suppose en principe comme réponse un nom de chose ou d'animal ; pour une personne, on dit *Qui est-il ?* (l'emploi de *quel* comme attribut pour interroger sur les qualités de quelqu'un' est archaïque).

5. *Quel que* + subj. (à bien distinguer de *quelque... que*) est un système concessif dans lequel *quel* est un adjectif attribut, le verbe de la proposition étant en principe *être* :

> *Quels que soient ses motifs, son choix est regrettable. Quelles qu'aient pu être ses intentions, son attitude est inacceptable.*

● Le sujet du verbe de la proposition commençant par *quel que* ne peut pas être *ce, cela, ça* : au lieu de **Quel que soit ce qui vous inquiète*, on dit, par exemple :

> *Quelle que soit la chose qui vous inquiète*, ou *Quoi que ce soit qui vous inquiète..*

quelconque

1. Au sens indéfini («n'importe quel, tel ou tel»), ce mot se place le plus souvent après un nom précédé de l'article indéfini :

> *Si pour une raison quelconque vous deviez vous absenter, prévenez-moi.*

● Il est parfois placé avant le nom, avec une valeur plus ou moins péjorative :

> *Il habitait dans une quelconque maison préfabriquée* (= banale).

● Dans l'usage scientifique, il est toujours placé après le nom ou après un mot numéral employé pronominalement :

> *Abaissons une perpendiculaire à ce diamètre d'un point quelconque du cercle. Considérons trois quelconques de ces nombres.*

2. Il s'emploie comme adjectif qualificatif au sens de «médiocre» ; il peut alors être modifié par des adverbes de quantité :

> *Son dernier film est quelconque. C'est un personnage assez quelconque.*

quelque

1. Au singulier, *quelque* devant un nom comptable signifie «tel ou tel» :

> *Il a dû avoir quelque empêchement.*

Devant un nom non comptable, il indique une certaine quantité, une certaine importance :

> *Il est resté là-bas quelque temps. Il a accepté, non sans quelque hésitation* (= une certaine hésitation, plus ou moins d'hésitation).

2. Au pluriel, *quelques* indique un petit nombre :

> *Je reviendrai dans quelques jours.*

● *Et quelques* indique, familièrement, l'addition d'un petit nombre d'unités :

> *Ça m'a coûté cent et quelques francs*, ou *cent francs et quelques.*

3. *Quelque(s)* + n. + *que* + subj. indique dans l'usage soutenu la concession, l'opposition et signifie «quel que soit le ... que ...» ; dans cet emploi, *quelque* est adjectif et s'accorde avec le nom qui suit :

> *Quelque soin, quelques précautions qu'on prenne*, une maladresse est toujours possible.

● *Quelque* + adj. attribut + *que* + subj. équivaut, dans l'usage soutenu, à «si... que...» ou «tout... que...» indiquant la concession ; dans cet emploi, *quelque* est adverbe et invariable :

> *Quelque inquiétantes que soient ces nouvelles*, tout espoir n'est pas perdu (usage courant : *Si inquiétantes que...*).

Devant un adverbe, cet emploi adverbial de *quelque* est encore plus marqué littérairement :

> *Quelque adroitement qu'on s'y prenne*, on s'expose à un échec (usage courant : *Si adroitement que ...*).

4. *Quelque* devant un mot numéral est un adverbe invariable d'un niveau plus soutenu que « environ », dont il a le sens :

> Il y a **quelque vingt-cinq** ans que j'ai quitté ce pays.

5. Quelque chose est une locution pronominale ; les adjectifs qui s'y rapportent sont au masculin ; s'ils sont épithètes, ils sont introduits par la préposition de :

> Quelque chose me paraissait surprenant. J'ai appris quelque chose de nouveau. Y a-t-il quelque chose d'autre ?

La construction quelque chose autre se rencontre parfois dans l'usage littéraire.

● L'emploi de chose comme nom autonome immédiatement après quelque est rare :

> Il a toujours quelque **chose** urgente à faire (on dit ordinairement quelque chose d'urgent).

● **Quelque chose comme** exprime familièrement une approximation :

> Il y a quelque chose comme vingt ans de cela (= environ).

6. Quel que, v. QUEL, 5.

quelqu'un

2. Quelqu'un/quelques-uns. Dans l'usage courant, quelques-uns ne fonctionne pas exactement comme le pluriel de quelqu'un.

● **Quelqu'un** (au masculin singulier) s'emploie sans complément et ne représente pas un nom exprimé antérieurement ; il désigne une personne non définie (homme ou femme) :

> Quelqu'un est venu.

● **Quelques-uns, quelques-unes** s'emploie avec un complément partitif (ou le pronom en), ou bien il représente un nom déjà exprimé ; il peut ainsi désigner des êtres animés ou des choses :

> Quelques-uns des invités sont arrivés. J'en connais quelques-uns. Vingt personnes sont invitées ; quelques-unes sont arrivées. J'ai lu quelques-uns de ces livres.

● Dans un usage plus ou moins littéraire, on donne parfois un complément partitif à quelqu'un, quelqu'une (au singulier) : Il vous racontera quelqu'une de ses aventures (= l'une ou l'autre, telle ou telle), et on emploie parfois quelques-uns (au masculin), sans complément, au sens de « certains, certaines personnes » : Quelques-uns ont prétendu le contraire.

2. Quelqu'un de + **adj.** Un adjectif (ou un participe) qualifiant quelqu'un est précédé de la préposition de :

> Il faut quelqu'un de sérieux pour cet emploi.

La construction quelqu'un autre se rencontre parfois dans l'usage littéraire.

3. Quelqu'un/personne, v. PERSONNE, 2.

qui

1. Qui représentant des personnes ou des choses, v. LEQUEL, 1 et 2 ; DONT, 1.

2. Dans une proposition relative ayant pour sujet qui, les accords en personne, en nombre et en genre du verbe et des adjectifs attributs se font normalement avec le mot représenté par qui (son antécédent) :

> **Moi qui suis frileuse,** j'ai trop chaud ici (et non *moi qui est). **C'est toi qui parleras** (et non *qui parlera). Un **garçon** et une **fille** qui **sont** très **actifs.**

3. Si l'antécédent est un mot mis en apostrophe, le verbe est à la 2e personne :

> **Amis** qui m'**écoutez,** comprenez-moi.

4. Si l'antécédent est attribut d'un pronom de la 1re ou de la 2e personne, l'accord se fait le plus souvent avec cet attribut — c'est-à-dire à la 3e personne :

> Vous êtes la **personne** qui **peut** le mieux nous aider. Nous sommes **ceux** qui **prennent** les décisions. Je suis **celui** qui **a reçu** cette mission.

● Cependant l'accord se fait parfois avec le pronom auquel se rapporte l'attribut, en particulier quand cet attribut est un indéfini ou est précédé de l'article indéfini, ou comporte un mot comme *le premier, le seul*, etc., ou un terme exprimant la quantité (*deux, trois, plusieurs, beaucoup*, etc.) :

> *Vous êtes **quelqu'un** qui peut* (ou *qui **pouvez**) nous aider. Nous sommes les **seuls** qui sachent* (ou *qui **sachions**) manœuvrer cet appareil. Nous sommes **deux** qui enquêtons sur cette affaire. Nous sommes **deux** détectives qui enquêtons* (ou *qui **enquêtent**) sur cette affaire.* (V. ENTRE, 1.)

5. Un des... qui... Si l'antécédent est de la forme *un des..., un de ceux...*, l'accord se fait le plus souvent au pluriel :

> *C'est **une des raisons** qui m'ont décidé.*

● Cependant l'accord peut être au singulier si *qui* ne représente que *un* :

> *On a coupé **un des arbres** qui nuisait aux autres.*

6. Qui sans antécédent. L'emploi de *qui* sans antécédent (= celui qui, toute personne qui, ce qui) a un caractère sentencieux ou locutionnel, notamment après *voici, voilà* :

> *Qui vivra verra. Il raconte cela à qui veut l'entendre. Comprenne qui pourra. Bien malin qui s'en serait douté. J'ai rencontré qui vous savez* (= quelqu'un que je ne nomme pas, mais à qui vous pensez). *C'est coûteux et, qui plus est, inutile. Voilà qui n'arrange pas les choses.*

● Dans l'usage littéraire, cet emploi n'a pas ce caractère locutionnel :

> *C'est assez simple pour qui veut bien faire un effort de réflexion.*

7. Qui... qui... Dans l'usage littéraire, *qui* ainsi répété et non suivi d'un verbe équivaut à «l'un..., l'autre...» développant un sujet exprimé auparavant :

> *Ils s'en retournèrent bientôt qui à ses affaires, qui à ses loisirs.*

8. Qui/qu'il. Ces deux formes sont confondues dans la prononciation familière (sauf en général devant une voyelle). Il convient cependant de distinguer leurs emplois, en particulier devant certains verbes ou certaines expressions admettant la construction impersonnelle *(qu'il...)* ou la construction personnelle *(qui...)*.

● De nombreux adjectifs peuvent entrer dans une construction impersonnelle, mais uniquement s'ils sont suivis d'un infinitif ou d'une subordonnée par *que*, selon le modèle *Il est* + adj. *de* + infin. On dira donc *ce **qu'il** sera nécessaire de faire* (ou ***que** vous fassiez), ce **qu'il** est utile de savoir* (ou ***que** vous sachiez*) ; mais *ce **qui** sera nécessaire, ce **qui** est utile* (et non **ce **qui** sera nécessaire de faire* [ou *que vous fassiez*], **ce **qui** est utile de savoir* [ou *que vous sachiez*]).

● On peut citer comme exemples d'adjectifs ou de locutions admettant ces constructions : *important, nécessaire, avantageux, pratique, urgent, interdit, légitime, prudent, sage, préférable, à propos, hors de question*, etc. Il faut noter que certains de ces adjectifs peuvent être suivis, en construction personnelle, *de à* + infin. ; on peut donc dire aussi *ce **qui** est utile à savoir*, etc.

● Le même principe s'applique à des verbes comme *importer* et *convenir* :

> *C'est ce **qu'il** importe* (ou ***qu'il** convient) de savoir* (ou *qu'on sache*), ou *C'est ce **qui** importe, ce **qui** convient* (et non **C'est ce **qui** importe, ce qui convient de savoir*, ou *qu'on sache*).

● Enfin, il y a quelques verbes qui peuvent être employés personnellement ou impersonnellement même sans être suivis d'un infinitif ou d'une subordonnée par *que*. On peut dire :

> *Je ne sais pas ce **qui** m'arrive*, ou *ce **qu'il** m'arrive, ce **qui*** (ou *ce **qu'il**) se passe, ce **qui*** (ou *ce **qu'il**) lui prend. Je fais ce **qui*** (ou *ce **qu'il**) me plaît. Qu'est-ce **qui*** (ou ***qu'il***

reste ? Qu'est-ce **qui** (ou **qu'il**) manque ?

● On dit toujours Ce qu'il faut. (V. FALLOIR, 7.)

9. Qui que + être (subj.) Cette locution a une valeur indéfinie :

Qui que vous **soyez,** vous êtes le bienvenu.

Dans l'usage soutenu on la fait parfois précéder d'une préposition, avec d'autres verbes que être :

À qui que vous vous adressiez, vous obtiendrez la même réponse.

● Qui (ou quoi) que ce soit qui (ou que) signifie « quelle que soit la personne ou la chose qui (ou que) » :

Qui que ce soit qui vous l'ait dit, c'est une erreur. **Quoi que ce soit qui** se produise, nous sommes parés. On évite souvent, quand c'est possible, ces locutions lourdes, par ex. quoi qu'il se produise, quoi qu'on fasse, mais le tour qui qui vous l'ait dit n'est plus usuel.

10. Qui ... qui. Dans l'usage littéraire, le relatif qui peut avoir pour antécédent l'interrogatif qui ; le verbe est alors au subjonctif :

Qui croyez-vous qui s'en souvienne ?

Quoi qui, quoi que, v. QUOI, 5. **Que... qui...,** v. QUE, 9.

quiconque

Ce mot s'emploie dans l'usage soutenu, souvent dans des phrases sentencieuses ou de portée générale.

1. Dans son emploi le plus traditionnel, quiconque appartient à la fois à deux propositions (il est sujet de l'une et sujet ou complément de l'autre), et il peut se traduire par « toute personne qui » :

Quiconque est honnête sait reconnaître ses torts. La conclusion est évidente pour quiconque juge sans parti pris.

2. Quiconque s'emploie aussi, plus largement, comme un simple pronom indéfini, là où dans l'usage courant on utilise plutôt « n'importe qui, tout le monde, personne », et particulièrement dans des comparaisons après plus que, moins que, mieux que, autant que, aussi... que :

Je défie quiconque de prouver le contraire. Je le sais autant que quiconque.

3. Il n'y a pas lieu de reprendre quiconque par qui, même s'il est séparé du verbe dont il est le sujet : *La conclusion est évidente pour quiconque, parmi les lecteurs du rapport, qui juge sans parti pris.

quoi

I. QUOI, PRONOM INTERROGATIF OU INTERJECTION.

1. Quand quoi interrogatif n'est pas introduit par une préposition, il est ordinairement d'un usage plus familier que les pronoms qu'est-ce que ou que :

Tu fais quoi ? (usage courant : Qu'est-ce que tu fais ?, soutenu : Que fais-tu ?). Je ne sais pas quoi faire (usage soutenu : Je ne sais que faire). Quoi de neuf ? (usage soutenu : Qu'y a-t-il de neuf ?).

2. Quoi ? s'emploie familièrement pour demander à quelqu'un de répéter quelque chose : J'arrive. — Quoi ? Les mots comment ? ou pardon ? sont jugés plus polis ; plaît-il ? est archaïsant.

● Quoi ? peut même, familièrement, être substitué à tel ou tel mot d'une phrase qu'on a mal compris, sur lequel on demande une explication :

C'est un animal de la famille des myrmécophagidés. — Des quoi ? Il voit dans l'obscurité, il est nyctalope. — Il est quoi ?

Si on veut éviter la familiarité de cet emploi, on peut dire, par exemple : Comment dites-vous ?

3. Quoi ! employé comme interjection au début d'une phrase n'a rien de familier : Quoi ! c'est donc vrai ?

● À la fin d'une phrase, *quoi !* souligne parfois familièrement ce qui a été dit :

> *Ça n'est pas bien grave, quoi !*
> (= allons !). *C'est arrivé par hasard,*
> *un coup de chance, quoi !* (= en
> somme).

II. *QUOI*, PRONOM RELATIF.

1. *Quoi* s'emploie avec une préposition pour représenter un pronom « neutre » comme *ce, cela, quelque chose, rien* :

> *Il s'est produit ce à quoi on pou-*
> *vait s'attendre. Il a ajouté quelque*
> *chose sur quoi je n'insisterai pas.*
> *Il n'y a là rien de quoi on doive*
> *s'inquiéter* (on dit plus ordinaire-
> ment *rien dont*).

2. *Quoi* s'emploie sans antécédent après *voici, voilà* :

> *Voilà à quoi il passe ses journées.*

3. *Quoi* peut représenter une proposition entière, après une pause :

> *Il croit que c'est facile, en quoi il*
> *se trompe* (ou *ce en quoi il se*
> *trompe*). *Commence par là, après*
> *quoi nous verrons.*

De même : *à quoi* (ou *ce à quoi*), *sans quoi, grâce à quoi, faute de quoi, moyennant quoi, à la suite de quoi, en conséquence de quoi,* etc. Dans ce cas, on peut remplacer *quoi* par *cela*.

4. *Quoi* se rencontre encore, dans l'usage littéraire, pour représenter, comme autrefois, un nom de chose bien déterminé :

> *Il tient un raisonnement par quoi*
> *il prétend se justifier* (usage cou-
> rant : *par lequel*).

5. *Quoi que* (à distinguer de *quoique,* v. ce mot) est un relatif indéfini introduisant une subordonnée de concession au subjonctif ; il signifie « quelle que soit la chose que, n'importe quoi que » et a une fonction dans la proposition (complément d'objet, attribut en particulier) :

> *Quoi qu'il fasse, il ne peut pas s'en*
> *tirer. Je m'interdis de toucher à quoi*
> *que ce soit.*

● *Quoi que ce soit* signifie « une chose quelconque, n'importe quoi » :

> *Si vous avez besoin de quoi que ce*
> *soit, demandez-le.*

Dans l'usage littéraire, on emploie éventuellement l'imparfait du subjonctif :

> *Quand il avait besoin de quoi que ce*
> *fût...*

● *Quoi qu'il en soit* signifie « bref, en tout état de cause, de toute façon ».

● *Quoi qu'il (qu'on) en ait* est une variante de *malgré qu'il (qu'on) en ait ;* elle est encore plus affectée que cette expression archaïque.

● *Quoi qui* + subj. est rare. Au lieu de *Quoi qui vous tracasse, il y a une solution,* on peut dire, par exemple, *Quoi que ce soit qui vous tracasse,* ou *Quelle que soit la question qui vous tracasse.* On dit couramment *quoi qui vous arrive,* qui se confond dans la prononciation avec *quoi qu'il vous arrive ;* de même avec de nombreux verbes impersonnels. V. QUI, 8.

6. *Comme quoi,* v. COMME, 3.

quoique

1. Mode. On emploie normalement le subjonctif avec la conjonction de concession *quoique,* comme avec *bien que, encore que, malgré que* :

> *Quoiqu'il soit riche, il vit très sim-*
> *plement.*

Cependant il arrive que le verbe soit à l'indicatif ou au conditionnel, en particulier dans un usage familier où la conjonction joue à peu près le même rôle qu'un adverbe tel que *toutefois* :

> *Avec tous ces événements, il y a de*
> *quoi s'inquiéter, quoique person-*
> *nellement ça m'est égal. On pourrait*
> *faire un détour par les vieux quar-*
> *tiers, quoique ça risquerait de*
> *nous mettre en retard. Essaie si tu*
> *veux, bien que tu pourrais le*
> *regretter.*

2. *Quoique, bien que, encore que* peuvent s'employer devant un adjectif, une locution adverbiale ou circonstancielle avec ellipse du verbe :

> *La maison,* **quoique ancienne,** *est confortable. J'arrive à comprendre,* **quoique avec difficulté.**

3. Quoique ça appartient à un usage très familier, avec le sens de « et pourtant, malgré ça, néanmoins » : *Tout s'est bien passé; quoique ça il y a eu un petit ennui.*

4. V. QUOI, 5, (QUOI QUE), et CONCESSION.

r

raison

- **En raison de** exprime la cause :

  En raison du mauvais temps, la séance a eu lieu dans la salle municipale.

- **À raison de** exprime la base à laquelle on se rapporte pour l'évaluation d'un prix, d'une durée, etc. :

  Acheter un lot de livres d'occasion à raison de dix francs le livre. À raison de six heures par pièce, il faut une semaine de travail pour repeindre la maison.

- L'emploi de *à raison de* pour exprimer la cause est de l'usage littéraire :

  On se méfiait de lui à raison même de son zèle excessif.

se rappeler

1. Se rappeler (de) qqch ou (de) qqn. Dans l'usage surveillé, la seule construction admise est la construction directe *se rappeler quelque chose, quelqu'un,* et non *de quelque chose, de quelqu'un.* On dit donc :

  Je me rappelle cette histoire. Je la rappelle. C'est tout ce que je me rappelle.

Cependant la construction indirecte, avec *de,* est très largement répandue, surtout dans l'usage oral :

  Je me rappelle de cette histoire. Je m'en rappelle. C'est tout ce dont je me rappelle.

Cette construction est analogique de *se souvenir de qqch ou de qqn,* qu'on pourra toujours substituer à *se rappeler de qqch ou de qqn :*

  Je m'en souviens très bien.

- Quand le complément d'objet de *se rappeler* est un pronom de la 1re ou de la 2e personne, la construction directe

est impossible. On ne peut pas dire *Tu te me rappelles ? * Je me vous rappelle,* etc. ; on dit très couramment *Tu te rappelles de moi ? Je me rappelle de vous,* à moins qu'on ne préfère dire *Tu te souviens de moi ? Je me souviens de vous,* etc.

- Bien entendu, on dit très normalement dans l'usage surveillé :

  Je m'en rappelle tous les détails. C'est une journée dont je me rappelle tous les instants.

parce que dans ces phrases *en* et *dont* sont compléments de noms *(détails, instants)* et non du verbe *se rappeler.*

2. Se rappeler (de) + infin. Quand le complément de *se rappeler* est un infinitif, la construction indirecte est admise dans l'usage surveillé : *Je me rappelle d'avoir dit le contraire,* mais on dit plus couramment *Je me rappelle avoir dit le contraire,* ou *que j'ai dit le contraire.*

- La construction indirecte de l'infinitif est la seule possible quand *se rappeler est employé au sens de «penser (à), ne pas oublier (de)» :*

  Rappelez-vous d'aller l'attendre à la gare demain soir.

rapport

1. Rapport à (ce que) est une locution prépositive ou conjonctive de l'usage populaire :

  J'ai du mal à me baisser, rapport à mes rhumatismes. On est vite rentrés, rapport à ce qu'il commençait à pleuvoir.

Dans l'usage courant, on dit *à cause de, en raison de,* ou *parce que.*

2. Sous le rapport de qqch signifie «en ce qui concerne qqch, pour ce qui est de qqch» :

Sous le rapport de la consommation, cette voiture est très intéressante.

La construction *Sous le rapport consommation* est familière.

rarement

Une analogie de sens avec *jamais* entraîne parfois la présence de *ne* avec *rarement* : **Rarement** une aussi belle occasion **ne** *s'était présentée.* Dans l'usage surveillé, on évite ce *ne* superflu.

relatif

1. Un pronom relatif est un mot qui d'une part remplace normalement un mot appelé son « antécédent », et d'autre part sert de lien de subordination entre deux propositions. Dans la phrase

Le train qui entre en gare vient de Marseille,

le pronom relatif *qui* remplace son antécédent *train*, et il est sujet de *entre* ; en outre, il relie la proposition relative *qui entre en gare* à la proposition principale *Le train vient de Marseille.*

Les diverses formes de pronoms relatifs sont *qui, que, quoi, dont, où, lequel, laquelle, lesquels, lesquelles, auquel, auxquels, auxquelles, duquel, desquels, desquelles.*

2. Place. Le plus souvent, le pronom relatif suit immédiatement le mot qu'il représente (son antécédent) ; il n'y a alors aucun risque d'ambiguïté. Il en est parfois séparé :

● Quand le relatif est complément d'un nom introduit par une préposition :

*On voit la fusée, **à la partie supérieure de laquelle** se trouvent les astronautes.*

Cette disjonction du relatif appartient surtout à l'usage écrit ; on peut souvent l'éviter pour alléger la phrase (par exemple : *On voit la fusée ; les astronautes se trouvent à sa (ou à la) partie supérieure,* etc.). On ne dit pas dans l'usage surveillé : *On voit la fusée où les astronautes se trouvent à sa partie supérieure.* (V. OÙ, 1.)

● Quand l'antécédent est le premier élément d'un groupe de mots indissociables :

Le départ du bateau, qui était fixé à 10 heures, a été retardé.

Dans la phrase

Le départ du bateau, qui avait subi des avaries, a été retardé.

le contexte ferait comprendre que l'antécédent de *qui* n'est pas *départ,* mais *bateau.* On veillera à éviter tout risque d'incertitude sur le repérage de l'antécédent, ou de cocasserie, comme dans la phrase *Voilà le chien du garde-champêtre qui a volé un gigot.* (V. LEQUEL, 1.)

● Parfois dans l'usage littéraire en vue d'un effet de style, quand la disjonction ne crée pas de risque d'ambiguïté :

Les petits oiseaux étaient venus, qui avaient mangé tout le grain.

3. L'antécédent peut être une phrase entière ; le relatif est alors de la forme *ce qui* (*ce que, ce à quoi, ce dont,* etc.) après une pause :

*L'accord a été signé, **ce dont** nous nous réjouissons.* (V. QUOI, 3.)

4. Où, qui, quoi sans antécédent, v. OÙ, QUI, QUOI.

relative

1. Une proposition relative est une subordonnée introduite par un pronom relatif :

*J'ai reçu une lettre **qui me surprend.** C'est un homme **que je ne connais pas.** L'affaire **dont je m'occupe** est importante.*

Une proposition relative joue par rapport à l'antécédent un rôle analogue à celui d'un adjectif, ce qui explique qu'elle puisse être coordonnée à un adjectif. (V. COORDINATION, 2.)

2. Il y a lieu de distinguer deux sortes de relatives :

• Les relatives déterminatives, qui restreignent le sens de l'antécédent et ne peuvent pas être supprimées sans modifier radicalement le sens de la phrase :

Les accidentés qui n'avaient que de légères contusions ont regagné leur domicile (seulement ceux des accidentés qui n'avaient que de légères contusions).

• Les relatives explicatives (ou appositives), qui ajoutent une précision non indispensable et peuvent être supprimées sans altérer gravement le sens :

Les accidentés, qui n'avaient que de légères contusions, ont regagné leur domicile (tous les accidentés).

C'est la présence ou l'absence de virgules dans l'écriture (de pauses dans la phrase orale) qui distingue ces deux sortes de relatives : on voit que la ponctuation peut jouer un rôle important dans l'interprétation de telles phrases.

3. Relatives sans antécédent, v. OÙ, 3 ; QUI, 6 ; QUOI, 2.

4. Relatives au subjonctif. Une relative peut être au subjonctif :

a) Quand elle exprime une intention : *Je cherche une maison qui ait un jardin* (je ne la connais pas encore, mais je ne suis acheteur qu'à cette condition : je veux qu'elle ait un jardin). Au contraire, *Je cherche une maison qui a un jardin* (je sais qu'elle existe ; je cherche à retrouver une maison que je connais et qui a un jardin).

b) Quand le terme complété par la relative (antécédent) comporte un adjectif au superlatif relatif ou un mot analogue exprimant un degré extrême, comme *le seul, l'unique, le premier, le dernier* :

C'est le texte le plus ancien qu'on connaisse en cette langue. Il est le seul qui ait proposé de m'aider.

(On dit aussi : *le texte le plus ancien qu'on connaît, le seul qui a proposé* ; l'accent est alors mis sur le texte en question, qui est connu, sur la servia-bilité de cet homme qui a proposé son aide, et non sur l'absence d'autres textes plus anciens, d'autres propositions d'aide, que le subjonctif tend à souligner.)

c) Quand la principale exprime une négation ou une interrogation totale, ou une condition, et que l'antécédent est un indéfini ou est précédé d'un déterminant indéfini :

Je ne connais pas un homme qui puisse en faire autant. Connaissez-vous un homme qui puisse en faire autant ? Si vous connaissez un homme qui puisse en faire autant, amenez-le moi. Il a tout écouté sans un geste qui manifestât son émotion.

• L'indicatif ou le conditionnel s'emploient couramment aussi, en général sans grande différence de sens, après une principale interrogative ou conditionnelle :

Connaissez-vous un homme qui peut (ou qui pourrait) en faire autant ? Si vous connaissez un homme qui peut en faire autant...

Il est moins fréquent, quoique possible, après une principale négative contenant un antécédent indéfini.

d) Souvent quand la proposition qui contient l'antécédent est elle-même au subjonctif :

Je doute qu'il y ait quelqu'un qui sache. Pourvu qu'il y ait quelqu'un qui le sache !

5. Relative à l'infinitif. Une relative peut être à l'infinitif quand elle exprime l'idée de possibilité, de convenance :

Je ne connais personne à qui m'adresser (= à qui je puisse m'adresser). *Il m'a indiqué l'endroit où déposer le paquet.*

(mise en) relief

La mise en relief grammaticale (ou emphase) d'un terme de phrase s'obtient le plus souvent par le détachement de ce terme en tête, qui insiste sur son rôle de thème de l'énoncé.

Cette construction expressive s'accompagne souvent d'une valeur particulière, par exemple solennité, ou surtout familiarité.

1. Mise en relief d'un sujet, d'un complément d'objet, d'un attribut. Le terme mis en relief est suivi d'une pause (une virgule à l'écrit) et repris par un pronom personnel :

Son histoire, elle est incroyable. Pierre, il est malade (familier). *Moi, je veux bien. Son histoire, je la connais.*

● L'adjectif attribut mis en relief est repris par le pronom *le,* qui reste invariable (usage soutenu) :

Naïve, elle le sera toujours. Joyeuses, elles ne l'avaient jamais été autant.

2. Mise en relief d'un complément prépositionnel. On le met ordinairement en tête sans sa préposition, qui est placée devant le pronom personnel de reprise :

Ce garçon, je m'intéresse à lui. Le reste, je n'en dirai rien [*en* = de cela]. *Ceux qui m'ont écrit, je leur répondrai* [*leur* = à eux].

Parfois le complément est mis en tête avec sa préposition, mais alors on évite, dans l'usage surveillé, de le reprendre par un pronom, et on ne marque généralement pas de pause : *Du reste je ne dirai rien* (usage soutenu). La construction *Du reste, je n'en dirai rien* est jugée relâchée (la préposition y figure deux fois : dans *du* et dans *en* = de cela).

● On peut aussi reprendre un nom mis en relief au moyen d'une préposition employée absolument ou d'un adverbe :

Cet outil, je ne peux rien faire avec. Mon chapeau, tu es assis dessus.

3. Mise en relief par des présentatifs, par *pour,* v. C'EST... QUI, C'EST... QUE ; VOILÀ, 2 ; POUR, 9 ; QUANT À.

4. Mise en relief d'un verbe, v. IMPERSONNEL et INVERSION DU SUJET, 1.

résoudre

1. *Résoudre de* + infin., *que* + indic. On dit :

J'ai résolu de continuer, qu'il fallait continuer (= j'ai décidé).

2. *Résoudre qqn à* + infin., *à qqch.* On dit :

Je l'ai résolu à accepter un compromis, *à un compromis* (= je l'ai amené à cela).

3. *Se résoudre* (ou *être résolu*) *à* + infin., *à ce que* + subj., *à qqch.* On dit :

Je me suis résolu à tenter l'expérience (= j'ai accepté de prendre cette décision). *Je suis résolu à aller jusqu'au bout* (= j'en ai la ferme intention). *Je suis bien résolu à ce que cela ne se renouvelle pas.*

retour

Retour de est courant dans l'usage écrit, au lieu de *de retour de, à mon* (*ton, son,* etc.) *retour de ;* cette locution s'emploie presque uniquement après le nom ou le pronom auquel elle se rapporte :

C'est un journaliste, retour du lieu de l'accident, qui m'a donné ce détail.

rêver

1. *Rêver de qqn, de qqch,* c'est en avoir la représentation mentale pendant son sommeil :

La nuit dernière, j'ai rêvé de toi. J'ai rêvé de la dernière guerre.

2. *Rêver de qqch, de* + infin. signifie aussi « en former le projet séduisant, le désirer » :

Ils rêvaient d'un monde meilleur. Nous rêvions d'accomplir des exploits.

● *Rêver à qqch* s'emploie aussi dans ce sens, ou au sens de « penser vaguement à qqch » :

Il rêvait déjà à la gloire. Elle rêvait à son avenir. À quoi rêvez-vous ?

3. Rêver qqch s'emploie rarement au sens du n° 1 : *J'ai rêvé un accident,* mais plus souvent au sens du n° 2 : *On peut toujours rêver un miracle. J'ai souvent rêvé ce bonheur.*

rien

1. Rien s'emploie le plus souvent dans des phrases contenant la négation *ne* (ou *n'*) :

Je ne vois rien. Rien n'est plus facile. On n'a rien compris.

● Toutefois, dans un certain nombre de cas, *rien* s'emploie sans *ne,* notamment :

- quand l'idée négative est exprimée par d'autres moyens grammaticaux ou par le vocabulaire :

Il m'a regardé sans rien dire. Il est impossible de rien savoir. On nous défend de rien dire.

- quand la phrase est interrogative ou dubitative, ou hypothétique par *si* :

Y a-t-il rien de plus banal ? Il est douteux qu'on puisse rien obtenir. Si rien de tel se produisait, j'en serais averti.

- dans de nombreuses expressions :

C'est tout ou rien. Tout cela se réduit à rien. Tout ce travail pour rien !

2. Ne... pas + rien. Le mot *pas* est exclu du système négatif *ne... rien ;* on dit *Il ne veut rien faire* et non **Il ne veut pas rien faire* (v. NÉGATION, 3).

● Cependant *(ne) rien* peut se combiner avec *ne... pas* pour donner un sens affirmatif à la phrase :

On ne peut pas ne rien faire (= il est indispensable de faire quelque chose). *Ce n'est pas pour rien que...* (= il y a une raison au fait que...). Fam. *Ce n'est pas rien* (= ce n'est pas négligeable, c'est quelque chose). Fam. *Ça ne coûte pas rien* (= c'est assez coûteux).

3. Place de rien. Quand *rien* est complément d'objet direct d'un infinitif ou d'un verbe à une forme composée, il se place avant l'infinitif ou avant le participe passé :

Je ne peux rien dire. Sans rien faire. Je n'ai rien dit (mais : *Il ne veut s'intéresser à rien,* complément d'objet indirect).

● Toutefois, si *rien* est suivi d'un complément ou d'une proposition relative, il peut parfois être placé après l'infinitif ou le participe dont il est le complément d'objet :

Je n'oserais affirmer rien de tel (ou *rien affirmer de tel). Je n'ai trouvé rien qui soit digne d'intérêt* (ou plutôt : *Je n'ai rien trouvé qui soit digne...*).

4. Rien de + adj. Un adjectif (ou un participe) qualifiant *rien* est précédé de la préposition *de* :

Cela n'a rien de répréhensible. Rien d'étonnant à cela.

L'usage littéraire utilise parfois la construction *rien autre* ou *rien autre chose* :

Il ne possédait rien autre chose au monde que ces pauvres objets.

5. Rien de moins que/rien moins que. Ces deux expressions sont en principe de sens opposé.

a) *rien de moins que* signifie « très exactement, bel et bien, tout à fait » :

Il ne s'agit de rien de moins que d'un renversement d'alliances, que de changer radicalement d'orientation.

b) *rien moins que* signifie « nullement, pas du tout » :

Ces propos ne sont rien moins que flatteurs (= il n'y a aucune qualité que ces propos possèdent moins que celle d'être flatteurs, donc : ces propos n'ont rien de flatteur). *Ces propos ne sont rien moins qu'un compliment* (= il n'y a rien que ces propos soient moins qu'un compliment, donc ils sont bel et bien une critique).

● En fait, *rien moins que* est souvent employé avec le même sens intensif (« tout à fait, bel et bien ») que *rien de moins que*, parfois même sans *ne* :

> *Au lieu de se montrer conciliant, il ne parlait de rien moins que de procès et de représailles. Il a eu l'impudence de se déclarer rien moins que l'inventeur de la méthode.*

Il est donc prudent d'être très attentif au contexte pour interpréter ces expressions, les cas de véritable incertitude sur les intentions de l'auteur de l'énoncé étant en réalité très rares. Si on veut éviter tout risque d'être mal compris, on n'emploiera pas *rien moins que*, qui a d'ailleurs un caractère littéraire.

6. *Rien de rien* est un renforcement familier de *rien*, qui s'emploie surtout comme complément d'objet ou attribut :

> *Je n'y comprends rien de rien. Il ne s'intéresse à rien de rien. Il n'est rien de rien dans cette affaire.*

7. *Rien du tout*, v. TOUT, 11.

8. *N'être (de) rien à qqn.* Cette *personne ne m'est rien* signifie « je n'ai pas de lien de parenté avec cette personne ; elle ne me touche ni de près ni de loin ». La construction vieillie *n'être de rien à qqn* a le même sens et peut aussi se dire de qqch au sens de « être indifférent à qqn ».

9. *Comme si de rien n'était* signifie « comme si rien ne s'était passé, de la façon la plus naturelle » :

> *Aussitôt après l'incident, il a repris le fil de son discours comme si de rien n'était.*

10. *Rien que* (sans *ne*) marque l'exclusivité au sens de « seulement » ;

> *Laissez-moi essayer, rien qu'une fois. Rien que pour recopier le texte, il faut au moins deux heures.*

● *Ne... rien que* est un renforcement de *ne... que* :

> *Ceci n'est rien qu'un aperçu du projet. Il ne faisait rien que m'interrompre* (= il m'interrompait continuellement). (V. FAIRE, 2, et NE, III.)

11. *Ne servir à rien, de rien,* v. SERVIR, 2.

12. *Un rien (de).* *Un rien* signifie « un tout petit peu » :

> *Il faut donner un coup de lime : la pièce est un rien trop épaisse. Ajoutez un rien de sel à la sauce.*

● *En (un) rien de temps* signifie « très rapidement ».

13. *Rien* adverbe. Dans l'usage très familier ou populaire, *rien* devant un adjectif a la valeur d'un adverbe d'intensité (= fameusement) :

> *Elle est rien chouette, cette maison !*

S

sans

1. Sans/ne (pas). La préposition *sans*, exprimant une idée négative, donne lieu à des constructions grammaticales semblables à celles de l'adverbe *ne*, ou de *ne... pas*.

• **Sans/ne.** On dit *sans plus* (ou *guère, jamais, rien, personne, aucun, nul*) + infin., ou *sans plus (guère, jamais, aucun...) de* + n., comme on dit *ne plus* + infin. ou, par exemple, *il n'y a plus* (ou *guère, jamais, rien, personne, aucun...) de* :

> *Il a continué sans plus s'inquiéter. Tout s'est achevé sans plus de difficultés, sans guère de difficultés. Travailler sans jamais de repos, sans aucun jour de repos, sans voir personne, sans rien d'intéressant.*

• **Sans/ne pas.** On dit *sans* + infin. + *de, sans presque de* comme on dit, par exemple, *ne pas* + infin. + *de, il n'y a presque pas de* :

> *Travailler sans prendre de repos* (cf. *Il ne prend pas de repos*). *Réussir sans presque d'efforts* (cf. *Il ne fait presque pas d'efforts*).

• On ne dit pas **sans pas* + infin., **sans pas de* + n. (**Continuez sans pas vous inquiéter, *sans pas d'inquiétude*).

• **Sans du, *sans de la, *sans des* sont inusités ; on dit *sans travail, sans fatigue* et non **sans du travail, *sans de la fatigue, *sans des frais*.

2. Sans enfant(s), etc. Le complément introduit par *sans* est au singulier ou au pluriel dans les mêmes conditions que s'il était introduit par *avec* ; on observe simplement que l'article indéfini ou le partitif est plus usuel après la préposition *avec* qu'après *sans* :

> *Elle est sortie sans chapeau, sans gants* (mais *avec un chapeau, avec des gants*).

3. Sans que + subj./sans + infin. Au lieu de *sans que* + subj., on emploie couramment *sans* + infin. quand les verbes des deux propositions ont le même sujet :

> *On ne peut pas le condamner sans l'entendre* (et non *sans qu'on l'entende*).

• Dans les mêmes conditions (identité de sujet), l'équivalent affirmatif de *sans* + infin. employé comme complément de manière est le gérondif :

> *Il a dit cela sans rire/Il a dit cela en riant.*

On dit normalement : *Il a cassé le vase sans le faire exprès* (et non *en ne le faisant pas exprès*). *Il est parti sans rien dire* (et non *en ne disant rien*).

Mais on dit : *Il a commis une faute professionnelle en ne transmettant pas cette information* (et non *sans transmettre...*), car ici le gérondif a une valeur causale, explicative. (V. GÉRONDIF.)

4. Non sans (que), n'être pas sans (+ infin.), ne pas aller sans (+ infin.). Ces combinaisons de deux éléments négatifs équivalent à des affirmations insistantes :

> *J'ai réussi, non sans peine, à débrouiller cette affaire* (= avec assez de peine). *Le projet a été adopté, non sans que l'opposition ait protesté. Ce choix n'est pas (ou ne va pas) sans inconvénients. Cela ne va pas sans poser des problèmes. Vous n'êtes pas sans avoir remarqué ce détail* (= vous l'avez remarqué sans aucun doute).

L'expression *Vous n'êtes pas sans l'ignorer*, que l'on dit par manque de réflexion au sens de «vous le savez certainement», résulte d'une confusion entre *Vous ne l'ignorez pas* et *Vous n'êtes pas sans le savoir*.

5. Sans que + ne, v. NE, II, 6.

6. Sans ça, v. ÇA, 5.

7. Sans employé absolument. Cet emploi est moins étendu et plus familier que l'emploi absolu de *avec* :

> *Ma voiture n'était pas encore réparée, j'ai dû repartir **sans**. Vous mangez vos fraises avec du sucre ou **sans** ?*

sauf

1. Si l'exception indiquée par *sauf* porte sur un complément prépositionnel, on répète ordinairement la préposition :

> *Il est en bons termes **avec** tout le monde **sauf (avec)** ses voisins. Je me souviens **de** tout, **sauf de** ce détail.*

2. Sauf que + indic. ou condit. exprime une réserve :

> *Tout va bien sauf que nous commençons à avoir faim, sauf que nous voudrions bien avoir fini* (= excepté que, si ce n'est que, mis à part que).

3. Sauf à + infin., signifiant «au risque de, sans exclure l'éventualité de» est de l'usage littéraire :

> *Il promet tout ce qu'on veut, **sauf à ne pas tenir** parole* (= ce qui ne l'empêche pas de manquer de parole).

● On emploie couramment cette expression au sens de «à moins de, sauf + gérondif» :

> *On ne peut pas agir ainsi, **sauf à renier** ses engagements* (= à moins de renier, sauf en reniant).

savoir

1. Je ne sais [sans pas], v. NÉGATION, 5.

2. Je ne saurais + infin. Dans cet emploi de l'usage soutenu, *savoir* équivaut à *pouvoir* :

> *Nous ne saurions affirmer que tous les détails soient exacts. Il ne saurait y avoir de discussion sur ce point.*

3. Que je sache, que l'on sache (usage soutenu) s'emploie surtout dans une phrase négative comme proposition incise au sens de «à ma (ou notre) connaissance» :

> *Il n'y a pas, que je sache, d'éléments nouveaux dans l'enquête.* (On dit aussi : *pour autant que je sache.*)

Cette expression a souvent une valeur ironique ou d'argumentation, appliquée à une phrase qui exprime une évidence :

> *On n'a pas, que je sache, changé Paris de place. Tout cela est parfaitement légal, que je sache.*

4. Je ne sache pas que + subj. est une tournure littéraire signifiant «à ma connaissance, ne... pas» (sens analogue à celui de «que je sache») :

> *Je ne sache pas qu'aucun élément nouveau **soit intervenu**. Je ne sache pas qu'on **ait changé** Paris de place.* (On emploie plus rarement *On ne sache pas que..., Nous ne sachons pas que...*)

5. Savoir + infinitif, v. INFINITIF, II, 2.

6. Savoir, savoir si, savoir comment, etc. expriment familièrement un doute ou une interrogation marquée de perplexité :

> *Il prétend qu'il a fait tout ce qu'il fallait... Savoir ? Savoir si tout cela est bien utile ?* (= est-ce que c'est vraiment bien utile ?). *Savoir comment tout ça finira ?* (= qui peut savoir... ?)

● *Va savoir, allez savoir* exprime la même valeur avec un peu plus d'insistance sur l'ignorance :

> *Allez savoir pourquoi il a brusquement changé d'avis ! Peut-être que ça aurait mieux valu ? Va savoir !*

7. (À) savoir annonce, comme « c'est-à-dire », une précision, une énumération détaillant ce qui vient d'être dit :

> *Les pays scandinaves, à savoir la Suède, la Norvège, le Danemark et la Finlande. Il a vendu tout son cheptel, savoir quatre vaches et douze brebis. Il a une bonne excuse, à savoir qu'il n'avait pas été mis au courant.*

8. On ne sait qui, quoi, etc. Dans ces expressions à valeur indéfinie, le verbe reste généralement au présent :

> *Il invoquait on ne sait quel ancien usage.*

9. Dieu sait que..., si..., pourquoi..., quand..., etc. exprime avec insistance, sur un ton exclamatif, une affirmation ou l'ignorance d'une cause, d'une date, etc. :

> *Dieu sait pourtant que je l'avais prévenu ! Dieu (seul) sait quand il reviendra !*

sembler

1. Il semble que exprime une impression, une apparence. Le verbe qui suit est fréquemment au subjonctif :

> *Il semble qu'on ne puisse pas faire autrement. Il semblait que tout dût lui réussir (usage soutenu).*

● Toutefois, on peut employer aussi l'indicatif ; c'est souvent le cas, dans l'usage courant, quand le verbe subordonné est à l'imparfait :

> *Il semble qu'on ne pouvait pas faire autrement,*

et surtout quand *il semble que* est accompagné d'un complément (en général un pronom) :

> *Il me semble que je le connais* (et non *que je le connaisse*). *Il leur semblait que c'était facile* (ou, littérairement, *que ce fût facile*).

● **Il ne (me, te,** etc.) **semble pas que** est suivi du subjonctif :

> *Il ne me semble pas que ce soit suffisant.* (On dit plus habituel-

lement : *Je ne pense pas, je n'ai pas l'impression que ce soit suffisant.*)

● On peut souvent alléger la phrase au moyen de la construction infinitive ou de la tournure personnelle avec un adjectif attribut :

> *Il me semble le connaître. Cela leur semblait [être] facile. Cela ne me semble pas [être] suffisant.*

On peut aussi employer en construction incise *semble-t-il, (à ce qu')il me semble* :

> *On ne pouvait pas, semble-t-il (ou il me semble), faire autrement.*

Ce me semble en construction incise est archaïque.

2. Il semble + **adj.** + **que** est suivi de l'indicatif ou du subjonctif selon que l'adjectif indique soit certitude, vraisemblance, soit doute, hypothèse, négation :

> *Il semble prouvé qu'ils sont innocents. Il semble douteux que cela réussisse.* (V. PARAÎTRE, 2.)

servir

1. On dit *Servir à qqn, à qqch*, lui être utile, et *Servir de qqch*, en tenir lieu :

> *Sa règle à calcul lui sert constamment. Cette boîte (lui) sert de classeur.*

2. Ne servir à rien, ne servir de rien. De ces deux constructions signifiant « être inutile », seule la première est courante ; *ne servir de rien* est plus littéraire ; de même on dit :

> *À quoi cela lui a-t-il servi ?* ou, plus littérairement : *De quoi lui servira sa fortune s'il ruine sa santé ?*

si

I. SI, CONJONCTION DE CONDITION.

1. *Si* s'élide en *s'* devant *il* et *ils* :

> *S'il dort, ne le réveillez pas.*

La subordonnée de condition introduite par *si* est en principe à l'indicatif ; les temps employés sont le présent, l'imparfait ou le plus-que-parfait.

2. _Si_ + indic. imparf. ou plus-que-parf., ou subj. plus-que-parf./_si_ + condit. Quand la principale est au mode conditionnel, la subordonnée introduite par _si_ est à l'indicatif imparfait :

Je le ferais **si je pouvais**,

ou plus-que-parfait :

Je l'aurais fait **si j'avais pu** (et non *_Je le ferais si je pourrais_, *_Je l'aurais fait si j'aurais pu_).

● Dans l'usage littéraire, le subjonctif plus-que-parfait peut remplacer après _si_ l'indicatif plus-que-parfait :

Je l'eusse (ou _je l'aurais_) _fait si j'**eusse pu**._

● Le mode conditionnel s'emploie normalement après _si_ quand cette conjonction exprime une concession, une opposition et signifie « s'il est vrai que » (tournure plus usuelle) :

**Si** nous **aurions préféré** gagner la finale du championnat, nos résultats sont tout de même très honorables.

● Dans la phrase _Je ne savais pas s'il viendrait_, on a un « futur dans le passé » en interrogation indirecte, et non un conditionnel. (V. INTERROGATION, 4, et CONCORDANCE DES TEMPS, 2.)

3. _Si_ + indic. présent/_si_ + indic. futur. Quand la principale est à l'indicatif, à l'impératif, au subjonctif, la subordonnée introduite par _si_ est au présent ou au passé composé :

**Si** vous n'**avez** plus besoin de moi, je me retire. **Si** vous **avez compris**, pourquoi insistez-vous ? Je reviendrai **si** c'**est** nécessaire. **Si** vous **êtes** libre, restez avec nous. **Si** cet appareil **est** inutilisable, qu'on s'en débarrasse.

● Le futur ne s'emploie après _si_ que quand cette conjonction exprime une concession, une opposition et signifie « s'il est vrai que » (qui est plus usuel) :

**Si** cette entreprise **exigera** de gros investissements, elle doit être en revanche très rentable (= cette entreprise exigera sans doute..., mais...).

4. _Si ce n'est_. Dans cette expression qui indique l'exception, le verbe est ordinairement invariable :

Il n'y avait rien à craindre, **si ce n'est** les accidents imprévisibles (= sinon, excepté, sauf).

5. _(Plus, mieux, autant) que si..._ Dans des phrases exprimant une comparaison, la deuxième proposition est parfois introduite par _que si_ :

Il vaut mieux qu'il arrête les frais tout de suite **que s**'il risque de tout perdre (on dit plus couramment : **que de risquer** de tout perdre). _Autant vaut **que** je vous avertisse **que si** vous appreniez la chose par d'autres._

II. _SI_, INTERROGATIF, v. INTERROGATION, 4.

III. _SI_, ADVERBE D'INTENSITÉ, DE COMPARAISON, v. AUSSI, 5 et 7.

soi, soi-même

1. _Soi(-même)_ représente le sujet indéterminé ou non exprimé du verbe : _on, chacun, tout homme, tout le monde, quiconque_, etc. (emploi réfléchi) :

Dans ces cas-là, **chacun** pense d'abord à **soi**. **On** n'est jamais si bien servi que par **soi-même**. Il faut être lucide sur **soi**. **Soi-même, on** ne peut pas tout faire.

2. Dans des textes littéraires, _soi_ représente parfois un sujet bien déterminé. C'est un archaïsme, surtout si ce sujet est pluriel :

**Ces auteurs** parlent trop complaisamment de **soi** (usage courant : _d'eux-mêmes_).

● Les expressions _à part soi, content de soi_ sont assez couramment appliquées à des sujets bien déterminés :

Il formait **à part soi** de beaux projets. **Elle** paraissait assez contente de **soi**.

3. _En soi_ s'emploie le plus couramment pour représenter _ce, cela_ ou un pronom indéfini tel que *tout*, *rien*, *quelque chose* ; avec tout autre sujet il peut aussi s'employer à la place de *en lui-même*, *en elle-même*, etc. :

> **Cela** est **en soi** très facile. **Rien en soi** ne s'y oppose. L'opération est **en soi** (ou **en elle-même**) très simple.

4. **Aller de soi.** Dans cette expression, le pronom reste toujours de la forme *soi*, quel que soit le sujet :

> Cela va de soi. La conclusion va de soi.

soi-disant

Cette expression est invariable.

1. **De soi-disant experts,** ce sont des gens qui se disent experts, mais dont on met en doute la qualité. *Il a agi* **soi-disant** *dans notre intérêt* : C'est lui qui dit qu'il a agi dans notre intérêt. En vertu de cette interprétation de *soi-disant*, la phrase : *Le soi-disant coupable proclamait son innocence* peut paraître illogique ; ce genre d'emploi est cependant courant du fait que *soi-disant*, expression figée formée sur un modèle syntaxique aujourd'hui hors d'usage, est compris en un sens plus général (« à ce que l'on dit »). Le mot *prétendu* au lieu de *soi-disant* permet d'éviter facilement cette critique :

> Le prétendu coupable...

2. *Un soi-disant succès, un exercice soi-disant facile,* c'est ce que quelqu'un prétend être un succès, un exercice que quelqu'un dit facile. Au lieu de cet emploi de *soi-disant* rapporté à un nom de chose, largement répandu mais parfois critiqué, on peut dire : *un prétendu succès, un exercice prétendu(ment) facile.*

3. *Soi-disant qu'il ne l'a pas fait exprès !* Dans l'usage surveillé, on évite cette construction ; on dit, par exemple :

> Il prétend (ou il paraît) qu'il ne l'a pas fait exprès.

soit

1. *Soi(en)t deux triangles semblables.* Dans l'exposé d'une hypothèse, surtout dans un raisonnement mathématique, tantôt on accorde graphiquement *soit* avec le nom pluriel qui suit, tantôt on le laisse invariable :

> Soient deux cercles concentriques. Soit deux droites parallèles.

2. Quand *soit* signifie « c'est-à-dire » ou « en d'autres termes », on le laisse en principe invariable :

> Une tonne et demie, **soit** mille cinq cents kilos.

3. *Soit..., soit...* Les éléments coordonnés par *soit..., soit...,* sont en principe deux membres de phrase (deux compléments, deux adjectifs, deux adverbes, parfois deux sujets — dans ce dernier cas, le verbe peut être au singulier ou au pluriel) :

> Le menu comporte soit du fromage, soit un dessert. Je viendrai soit ce soir, soit demain. Soit le directeur, soit son secrétaire vous recevra. Soit un oubli, soit une maladresse peuvent causer un accident.

● *Soit..., soit* est parfois employé pour coordonner deux propositions, mais dans l'usage surveillé on préfère employer *ou..., ou...* :

> Soit vous faites le travail dans la semaine, soit je m'adresse à un autre (usage surveillé : Ou vous faites..., ou je m'adresse...).

4. *Soit... ou...* Cette construction est une variante archaïsante de *soit... soit... :*

> Il est resté muet, soit par prudence ou par ignorance (usage courant : soit par prudence, soit par ignorance, ou simplement [plus soutenu] soit prudence, soit ignorance).

5. *Soit que..., soit que...* Les verbes introduits par cette locution sont au subjonctif :

> **Soit qu'il fasse** beau, **soit qu'il pleuve,** il fait chaque jour sa promenade.

On préfère souvent la forme plus simple *que... ou que...* : *Qu'il fasse beau ou qu'il pleuve...*

● On peut aussi avoir les combinaisons *soit que... soit...*, ou *soit que... ou...* :

Soit qu'il ignorât la chose, soit (ou *ou*) *par indifférence, il est resté impassible.*

souhaiter

1. Souhaiter que + subj./*souhaiter (de)* + infin. Selon que le sujet du verbe de la proposition dépendant de *souhaiter* est différent ou non du sujet de *souhaiter*, cette proposition est une complétive par *que* au subjonctif ou prend la forme d'un infinitif précédé ou non (à volonté) de *de* :

Je souhaite que tout aille bien. Je souhaite de pouvoir vous aider, ou *Je souhaite pouvoir vous aider.*

2. Souhaiter à qqn de + infin. La préposition *de* est nécessaire devant l'infinitif si *souhaiter* a un complément indirect qui est aussi sujet de l'infinitif :

Je souhaite à chacun de pouvoir en dire autant. Je leur souhaite de réussir.

souvenir

Je me souviens/il me souvient de qqch. La construction impersonnelle *il me* (*te, lui,* etc.) *souvient de* est littéraire :

Il lui souvenait des rêves de son enfance (usage courant : *Il se souvenait des rêves de son enfance*).

● Quand le complément de ce verbe est un infinitif, il est en général précédé de *de*, mais parfois aussi construit directement :

Je ne me souviens pas d'avoir dit cela, ou *Je ne me souviens pas avoir dit cela.*

subjonctif

1. Subjonctif et indicatif. Dans certaines propositions subordonnées on peut choisir soit l'indicatif, soit le subjonctif, sans modification du reste de la phrase :

Je cherche une maison qui a un jardin/Je cherche une maison qui ait un jardin. (V. RELATIVE, 4.)

On voit par ces exemples que le subjonctif exprime ce qui est envisagé, souhaité, voulu, alors que l'indicatif exprime un fait déclaré comme certain.

● Le subjonctif souligne souvent l'idée que celui qui parle ne prend pas à son compte le contenu de la proposition où figure le mode :

Il n'est pas évident que ce soit une erreur (le subjonctif souligne le doute émis dans la proposition principale; comparer : *Il est évident que c'est une erreur*).

● On trouve ainsi le subjonctif dans des subordonnées dépendant d'un verbe principal d'opinion ou de déclaration aux formes négative ou interrogative. (V. CROIRE, 3, et DIRE, 1.)

● Dans de nombreux cas, la différence de valeur entre l'indicatif et le subjonctif se réduit à une nuance :

Je n'ai pas l'impression que c'est nécessaire, ou *que ce soit nécessaire.*

2. Le subjonctif seul possible. Dans la majorité des subordonnées dont le verbe est au subjonctif, son remplacement par l'indicatif est impossible :

Il faut qu'on le sache (et non **qu'on le sait*). *Je crains qu'il ne soit trop tard* (et non **qu'il n'est trop tard*). Dans ces cas, on dit que le subjonctif est une servitude grammaticale. L'emploi du subjonctif est systématique, notamment :

a) dans les subordonnées dépendant d'un verbe qui marque l'obligation, la volonté, la possibilité ou l'impossibilité, le désir ou le regret, la crainte, le doute : *il faut, je veux, il se peut, je souhaite, je déplore, je crains, je doute,* etc.

b) dans des subordonnées sujets introduites par *que* :

*Qu'il n'**ait** rien **dit** ne me surprend pas.*

c) dans des subordonnées de but (v. BUT).

d) dans les subordonnées de temps exprimant l'antériorité :

*Je vous préviendrai avant qu'il ne **soit** trop tard.*

e) dans de nombreuses subordonnées de concession (v. CONCESSION).

f) dans certaines subordonnées relatives (v. RELATIVE, 4).

3. Imparfait et plus-que-parfait du subjonctif. Dans l'usage oral le plus général on n'utilise que le présent du subjonctif ou, pour exprimer l'antériorité, le «passé» du subjonctif :

*J'ai peur (ou j'avais peur, j'ai eu peur) qu'on s'en **aperçoive**. J'ai peur qu'on s'en **soit aperçu**.*

Dans l'usage soutenu, l'imparfait et le plus-que-parfait du subjonctif s'emploient, surtout à la 3e personne du singulier, en concordance avec un temps passé dans la principale (v. CONCORDANCE DES TEMPS, 3). Pour les verbes *avoir* et *être*, toutes les personnes de ces deux temps sont relativement fréquentes dans l'usage soutenu :

*Je craignais que vous ne **fussiez** en difficulté, que vous n'**eussiez été** en difficulté* (mais on évite des formes telles que *Je craignais que vous ne vous en aperçussiez*).

● Le subjonctif plus-que-parfait s'emploie, dans l'usage littéraire, au lieu de l'indicatif plus-que-parfait pour exprimer une hypothèse non réalisée («irréel du passé») :

*Si vous l'**eussiez voulu**, c'était facile* (usage courant : *si vous l'aviez voulu*).

● **Subjonctif et conditionnel** (*il eût fallu*, etc.), v. CONDITIONNEL, 4.

subordination

1. Une proposition est subordonnée à une autre, dite sa «principale», quand elle en dépend grammaticalement et lui est reliée :

- par une conjonction ou une locution conjonctive de subordination : *que, lorsque, pour que, de peur que, puisque, comme, quand, si*, etc. (subordonnées conjonctives) ;

- par un mot relatif ou interrogatif : *qui, où, quel, dont*, etc. (subordonnées relatives ou interrogatives) ;

- ou encore par la construction infinitive, ex. : *J'entends **siffler le train**,* ou participiale, ex. : *Le soir venu, ils repartirent* (subordonnées infinitives ou participiales).

● La maîtrise de l'usage écrit se marque en particulier par la sûreté dans l'emploi de la subordination : celle-ci met en évidence les relations entre les éléments de la pensée, mais, mal contrôlée, elle donne lieu à des phrases embarrassées ou confuses.

2. Subordination inverse. On peut dire à peu près indifféremment soit *Dès* (ou *aussitôt*) *qu'il eut dit cela, il commença à le regretter*, soit *Il n'avait pas plus tôt dit cela* (ou *À peine avait-il dit cela*) *qu'il commençait à le regretter*. Dans le deuxième cas, on dit qu'il y a «subordination inverse», car la proposition qui était la principale dans le cas précédent est introduite par une locution conjonctive, sans que le rapport entre les idées exprimées par les deux propositions ait changé.

● Ce type de construction se trouve dans la subordination de temps, comme dans les exemples donnés, ou dans la subordination de condition-concession :

Il me le jurerait que je ne le croirais pas (= même s'il me le jurait, je ne le croirais pas) [v. CONDITIONNEL, 3].

3. Fonctions des subordonnées. Une subordonnée peut être :

- sujet : *Qu'il ait dit cela prouve sa bonne foi.*

- complément d'objet : *Je sais que c'est vrai. J'ignore pourquoi il est absent.*

- attribut : *Notre but est que le client soit satisfait* (v. QUE, 1).

- complément circonstanciel de temps, de but, de cause, de conséquence, de concession, de condition, de comparaison (v. ces mots).

On appelle parfois subordonnées « complétives » les subordonnées conjonctives, interrogatives ou infinitives ayant la fonction de sujet, complément d'objet ou d'attribut, et subordonnées « circonstancielles » les autres subordonnées conjonctives ou participiales.

suite

1. *De suite/tout de suite.* La locution *de suite* signifie « successivement, sans interruption, d'affilée » dans une phrase qui contient un mot numéral ou un indéfini :

> Il a gagné **trois** fois de suite à la loterie. Il a neigé **plusieurs** jours de suite.

• *De suite* s'emploie aussi, familièrement, au sens de « tout de suite, immédiatement » :

> Je reviens de suite. Il faut commencer de suite.

2. *Suite à* + **nom** est une locution surtout usuelle dans la langue administrative ou commerciale :

> Suite à votre demande du 15 courant, j'ai l'honneur de vous informer que... L'électricité a été coupée suite à de violents orages (usage courant : à la suite de violents orages).

suppléer

1. *Suppléer qqn,* c'est le remplacer momentanément ou partiellement dans ses fonctions (langue administrative) :

> Un maître auxiliaire supplée le professeur absent.

2. *Suppléer qqch,* c'est l'ajouter comme complément ou comme compensation (usage soutenu) :

> Si vous êtes à court d'argent, je pourrai suppléer la somme manquante. Suppléer un mot sous-entendu ;

ou en constituer une compensation, le remplacer :

> Sa bonne volonté supplée son inexpérience.

3. *Suppléer à qqch* (nom abstrait), c'est y apporter une compensation, y remédier (usage soutenu) :

> On a dû suppléer à l'insuffisance des moyens par un redoublement d'ingéniosité ;

ou, avec un nom de chose comme sujet, en constituer une compensation, le remplacer (variante de *suppléer qqch*) :

> Sa bonne volonté supplée à son inexpérience. Les aveugles, chez qui le toucher supplée à la vue.

supposer

1. *Supposer que* + **indic. ou condit.** Le verbe de la subordonnée dépendant de *supposer* est à l'indicatif ou au conditionnel quand *supposer* signifie « admettre comme vrai, sous réserve de confirmation » :

> Je **suppose** qu'il **est arrivé** à l'heure qu'il est. Je **suppose** que vous ne **voudriez** pas recommencer.

2. *Supposer que* + **subj.** Le verbe de la subordonnée dépendant de *supposer* est au subjonctif quand *supposer* signifie « poser comme hypothèse » (la proposition qui suit exprime alors souvent un argument opposé, une objection). C'est souvent le cas, en particulier, aux formes *supposons, supposez, en supposant que,* et toujours pour *à supposer que* :

> **Supposons** qu'il **soit** sincère, il a tout de même pu se tromper. **À supposer** que ce projet **soit** réalisable, où trouverez-vous l'argent ?

3. *Supposé que* + **subj.,** expression littéraire, équivaut à *à supposer que.*

V. CROIRE, 6 et 8.

sur

Outre son emploi pour introduire un complément de lieu, la préposition *sur* entre dans de nombreuses locutions ou constructions verbales ; elle est parfois en concurrence avec d'autres prépositions.

1. Sur - sous. On emploie tantôt l'une, tantôt l'autre de ces prépositions dans des expressions qui indiquent la cause, l'origine d'une action. On dit **sur** le conseil, **sur** les instances, **sur** l'insistance, **sur** la recommandation de quelqu'un, mais **sous** l'action, **sous** l'effet, **sous** l'empire, **sous** l'impulsion, **sous** l'influence, **sous** la pression de quelque chose (ou de quelqu'un).

2. Sur - dans. On dit lire quelque chose **dans** le journal ou **sur** le journal, **dans** un catalogue ou **sur** un catalogue.

3. Sur - à. On dit **Sur** le plan juridique, **sur** le plan des principes, etc., vous avez raison, ou **Au** plan juridique, **au** plan des principes, etc., vous avez raison.

● On dit agir **sur** l'initiative ou **à** l'initiative de quelqu'un.

4. Sur - de. On dit ordinairement être d'accord **sur** qqch :
 Je suis d'accord **sur** toutes ces propositions.
L'emploi de la préposition de est de l'usage littéraire :
 Je suis d'accord **de** tout cela.
On utilise surtout le pronom en : J'**en** suis, j'**en** demeure d'accord, ou un infinitif : Il était d'accord **de** ne rien **brusquer** (usage plus courant : pour ne rien brusquer).

5. Sur - vers. Pour exprimer une heure approximative, on dit :
 Je viendrai **sur** les huit heures, ou **vers** (les) huit heures.

symétrie

Dans l'usage surveillé, on a soin de respecter les symétries, en particulier dans les systèmes de coordination ou de comparaison utilisant des termes qui se correspondent. Une phrase comme Je suis non seulement surpris, mais je trouve que c'est un scandale manque de symétrie. Pour la rendre régulière, il faudrait faire suivre les deux termes non seulement et mais des mots qui se correspondent, par exemple :

 Non seulement je suis surpris, mais je trouve que c'est un scandale, ou Je suis **non seulement surpris, mais scandalisé.**

De même, au lieu de
 C'est impossible aussi bien (ou tant) pour des raisons théoriques que pratiques,
on dira par exemple :
 C'est impossible aussi bien (ou tant) pour des raisons théoriques que pour des raisons pratiques ou, plus légèrement, pour des raisons aussi bien (ou tant) théoriques que pratiques.

Au lieu de
 C'est impossible à la fois (ou en même temps) pour des raisons théoriques, mais aussi pour des raisons pratiques,
on peut dire :
 C'est impossible pour des raisons théoriques, mais aussi pour des raisons pratiques, ou C'est impossible à la fois pour des raisons théoriques et pour des raisons pratiques, ou pour des raisons à la fois théoriques et pratiques.

V. COORDINATION.

t

tâcher

1. Tâcher de (tâcher à) + infin.
La construction avec *de* est la seule courante :

Tâchons d'arriver avant la nuit.

● La construction avec *à* est un archaïsme littéraire : *Tâchez à vous faire oublier.*

2. Tâcher que + subj. est une construction plus rapide que *tâcher de faire (en sorte) que* :

Je tâcherai que tout soit prêt, ou Je tâcherai de faire que tout soit prêt.

● **Tâcher à ce que + subj.** est archaïsant :

Il tâchait à ce que chacun fût satisfait.

3. Tâcher moyen de + infin., que + subj. est de l'usage populaire :

Il faudrait tâcher moyen de ne pas vous tromper. Tâche moyen qu'il en reste pour les autres.

tant

1. Tant/tellement/si. Comme adverbe d'intensité, avec un verbe on emploie en principe *tant* ou *tellement* :

Je regrette tant (ou tellement) qu'il ne soit pas là !

Avec un verbe d'une seule syllabe, on a tendance à préférer *tellement* à *tant ;* on dit plutôt :

Il rit tellement que..., Il ment tellement que... que *Il rit tant que..., Il ment tant que...*

Le choix de *tellement* permet en outre d'éviter parfois le risque de confusion avec *tant que* conjonction de temps :

Il travaille tellement qu'il est épuisé (Il travaille tant qu'il est épuisé pourrait être compris, bizarrement

sans doute : «pendant qu'il est épuisé».)

● Pour modifier un adjectif ou un adverbe, on emploie *tellement* ou *si,* et non *tant* :

*C'est **tellement** (ou **si**) **facile** !* Il y a **tellement** (ou **si**) **longtemps** !

● Pour modifier un participe passé, on peut employer *tant, tellement* ou *si,* en particulier en phrase exclamative :

*C'est donc là ce lieu **tant** (ou **tellement** ou **si**) **vanté** par les poètes ! Voici le moment **tant attendu**.*

2. Tant... que... Dans le système comparatif *tant... que...* (= aussi bien... que...), *tant* peut se trouver devant un adjectif :

*Des entreprises **tant publiques** que privées.*

3. Tant qu'à faire, tant qu'à faire (que) de + infin., tant qu'à + infin. Ces locutions expriment, dans l'usage familier, ce qu'il est préférable de faire en de telles circonstances, arrivé à un certain point :

Tant qu'à faire, j'ai choisi la meilleure qualité. Tant qu'à faire que de ne pas dormir, occupons-nous utilement. Tant qu'à voyager, j'aime mieux le train. On peut dire aussi, dans un usage très soutenu, *à tant faire que de + infin.*

4. Tant/autant, v. AUSSI, 5. **Tant pis (pire),** v. PIRE, 3. **Tant plus, tant moins,** v. PLUS, 6. **Tous tant que...,** v. AUTANT, 6. **Tant qu'à,** v. QUANT À, 1.

tantôt

1. Tantôt s'emploie couramment au sens de «cet après-midi» :

Allons déjeuner, nous finirons ce tra-

vail tantôt. Il est passé me voir tantôt. Il faut attendre jusqu'à tantôt.

● L'emploi de *tantôt* comme nom est surtout régional :

Je vous verrai ce tantôt. J'ai dormi tout le tantôt. Il est arrivé sur le tantôt.

● Le sens plus vague de « dans peu de temps », ou « peu auparavant, il y a peu » est vieilli.

2. Tantôt... tantôt exprime l'alternative, la diversité d'actions successives :

C'est tantôt l'un, tantôt l'autre qui préside la séance. Tantôt il pleuvait, tantôt le ciel était clair.

tarder

1. Tarder à + infin. est la construction normale :

Le facteur tarde à passer. Les secours ont beaucoup tardé, ont trop tardé à venir.

La construction *tarder de* + infin. est archaïque : *Des progrès ne tardèrent pas de se manifester.*

2. Il me (te, etc.) tarde de + infin./que + subj. On dit

Il me tarde d'arriver ou *Il me tarde que vous arriviez, que nous soyons arrivés.*

taxer

On dit *taxer quelqu'un de naïveté, de négligence, taxer une entreprise de folie.*

L'analogie de verbes comme *traiter* ou *qualifier* entraîne parfois l'emploi d'un adjectif au lieu d'un nom après *de* : *taxer quelqu'un de naïf, de négligent, taxer une entreprise de folle.* Cet emploi s'écarte de l'usage soutenu auquel ce mot appartient dans ce sens.

tel

1. À telle heure. *Tel* suivi d'un nom désigne abstraitement un être ou une chose indéterminée et se substitue,

dans une phrase qui ne se rapporte pas à une réalité définie, à une précision qu'on donnerait dans un énoncé en situation :

La convocation lui enjoignait de se présenter tel jour à telle heure. Je vous rencontrerai en tel lieu qui vous conviendra. Tel enfant est plus primesautier, tel autre plus réservé. On m'a expliqué que cela s'était produit en telle et telle circonstance. On peut s'y prendre de telle ou telle façon.

2. Tel(le) une anguille. Cette forme de comparaison a un caractère littéraire :

Il se faufilait, telle une anguille (ou *tel une anguille*). On dit plus couramment : *comme une anguille.*

3. Tel (que)..., tel... La juxtaposition de deux phrases introduites par *tel* et séparées par une pause exprime avec insistance la ressemblance ou l'identité, sur un ton sentencieux ou avec une certaine recherche littéraire ; la subordination par *tel que* sans effet d'insistance présenterait les deux termes de la comparaison dans l'ordre inverse :

Tel père, tel fils (= le fils est tel que le père). *Tel (que) je l'ai quitté, je le retrouve* (= je le retrouve tel que je l'ai quitté).

4. Tel quel, tel que. *Tel quel* signifie « dans l'état où il est, sans y rien changer » :

Cette voiture est usagée, mais telle quelle, elle rend encore bien des services.

La forme *tel que*, fréquente dans l'usage courant *(J'ai tout laissé tel que)*, est évitée dans l'usage surveillé.

5. Tel que + participe passé. Dans cette construction concise, qu'on peut rencontrer surtout dans des textes administratifs, il y a ellipse du verbe *être* :

Ce mobilier, tel que décrit dans l'inventaire (= tel qu'il est décrit...). *sera mis en vente aux enchères.*

6. *Tel que...* (conséquence). Pour le choix du mode, v. CONSÉQUENCE, 1.

7. *Tel* pronom. Comme pronom, au sens indéterminé de « celui-ci ou celui-là, plus d'un », *tel* est d'un emploi littéraire ; il est le plus souvent antécédent d'un pronom relatif :

> *Tel qui ne disait rien n'en pensait pas moins. Tel se déclarait ravi, qui s'était mortellement ennuyé.*

8. *Un Tel, untel, un tel* sont des façons de désigner une personne quelconque :

> *Un tel a dit ceci, un tel a fait cela. Adressez-vous à Madame Une Telle.*

témoigner

1. *Témoigner que* + indic./*témoigner* + infin. On dit :

> *Je témoigne que je l'ai vu hier* ou *Je témoigne l'avoir vu hier.*

2. *Témoigner que (combien, à quel point)/témoigner (de) qqch.* Plus spécialement avec un sujet nom de chose, on peut dire :

> *Ce geste témoigne qu'il est sincère* ou *Ce geste témoigne de sa sincérité,* ou (moins couramment) *Ce geste témoigne sa sincérité.*

3. *Témoigner qqch* (sentiment) *à qqn*, c'est lui en donner la preuve, le lui manifester :

> *Je voudrais lui témoigner ma gratitude.*

temps

L'expression du temps se fait par des moyens divers :

1. Subordination par des conjonctions ou des locutions conjonctives :

- à l'indicatif ou au conditionnel : *quand, lorsque, comme, dès que, (aus)sitôt que, depuis que, une fois que, après que* (v. cependant ce mot), *maintenant que, tandis que, en même temps que, tant que, aussi longtemps que, chaque fois que.*

- au subjonctif : *avant que, en attendant que, jusqu'à ce que, jusqu'à tant que* (fam.).

2. Emploi de prépositions devant un infinitif ou un nom : *avant (de), après, pendant, depuis, dès, à, vers,* etc.

3. Emploi du gérondif : ***En arrivant,*** *il s'est mis au lit.*

4. Emploi d'une construction participiale : ***Le repas terminé,*** *on se mit au travail.*

5. Emploi d'un adjectif détaché (apposé) en tête de phrase : ***Jeune,*** *il était très timide.*

6. Emploi d'adverbes ou de compléments de temps sans préposition : *bientôt, demain, toujours,* etc., *le matin, l'an dernier, toute la journée,* etc.

tenir

1. *Être tenu de* + infin./*à* + n. On dit *être tenu de se taire,* mais *être tenu au silence.*

2. *Tenir qqn* ou *qqch (pour)* + adj. ou n. Dans l'usage le plus courant, on emploie *pour* dans cette construction qui introduit un attribut du complément d'objet :

> *Je tiens cette information **pour vraie**. On le tenait **pour** un fantaisiste.*

L'omission de *pour,* usuelle à l'époque classique, a aujourd'hui un caractère littéraire : *Nous tenons cette explication satisfaisante.*
Tenir comme au lieu de *tenir pour* est analogique de *considérer comme,* mais peu usité.

3. *Tenir qqch à honneur, tenir à honneur de* + infin. Cette expression est archaïsante ; on dit ordinairement *considérer quelque chose comme un honneur, considérer comme un honneur de* + infin.

terre

Par terre, à terre. On n'observe pas de nette différence de sens entre ces deux expressions ; *par terre* est plus usuel, *à terre* d'un usage légèrement plus soutenu :

> *S'asseoir **par** terre ou **à** terre. Tomber **par** terre. Laisser choir **à** terre un vase.*

Dans quelques locutions, le choix n'est pas libre ; on dit *mettre pied à terre, courir ventre à terre, ficher quelque chose par terre* (fam.).

toucher

Toucher qqch/à qqch. On dit à peu près indifféremment :

> *En levant le bras, il touche **le** plafond,* ou *il touche **au** plafond* (= il l'atteint ou y atteint). *Nous touchons **le** but* ou (plutôt) *nous touchons **au** but. Sa maison touche **la** mienne* ou *touche **à** la mienne.*

● *Toucher une somme,* c'est la percevoir ; *toucher **à** une somme,* c'est l'utiliser en partie ou en totalité.

toujours

1. *Toujours* peut indiquer notamment la répétition indéfinie (= chaque fois, chaque jour, etc.) :

> *Il se lève toujours à sept heures,*

ou la continuation (= encore, jusqu'à ce moment) :

> *Il dort toujours.*

2. *Ne... pas toujours/ne... toujours pas/ne... jamais.* Dans une phrase contenant l'adverbe de négation *ne... pas,* le sens de *toujours* dépend de sa place :

a) *Il ne travaille **pas toujours*** signifie « il y a des fois, des moments où il ne travaille pas » (négation restrictive).

b) *Il ne travaille **toujours pas*** signifie « il continue à ne pas travailler, il ne travaille pas encore (V. ENCORE, 2.)

● La négation absolue de *il travaille toujours* est, selon le sens de *toujours* dans la phrase affirmative :

> *Il ne travaille **jamais**,* ou *Il ne travaille **plus**.*

tour

C'est mon tour, c'est à mon tour. On emploie couramment l'une ou l'autre de ces constructions :

> *C'est **à** mon tour d'être surpris.*
> *C'est mon tour d'être surpris.*

tout

1. *À toute la ville* (= la ville entière) s'opposent nettement, pour le sens, les deux constructions ***toute ville*** (= chaque ville, n'importe quelle ville) et ***toutes les villes***. La construction ***toute ville, tout homme,*** etc., s'emploie souvent dans des phrases ayant un caractère sentencieux ou du moins une portée générale :

> *Toute peine mérite salaire. Toute vérité n'est pas bonne à dire. Tout abonné qui en fera la demande recevra une facture détaillée.*

● On dit *en tous cas* (ou *en tout cas*), ou *dans tous les cas, de tous côtés* (ou *de tout côté*), ou *de tous les côtés, en toute(s) circonstance(s)* ou *dans toutes les circonstances,* etc.

2. *Tous (les) deux.* *Tous les* suivi d'un mot numéral et d'un nom marque la périodicité :

> *On remonte cette pendule tous les sept jours.*

● *Tous les* devant un mot numéral non suivi d'un nom (donc employé pronominalement) exprime l'association :

> *Nous viendrons **tous les deux, tous les dix**.*

On dit aussi, soit régionalement, soit dans une langue un peu plus littéraire, *tous deux, tous trois,* plus rarement *tous quatre* (au-delà, l'article défini est de règle) :

> *Vous êtes **tous deux** les plus qualifiés. Ils ont déclaré **tous trois** la même chose.*

Ordinairement, *tous deux, tous trois, tous quatre* ne se placent pas en fin de phrase.

3. *Tout* récapitulatif. À la fin d'une énumération, on peut reprendre l'ensemble des termes exprimés par un nom en apposition de sens plus général précédé de l'adjectif *tout* et sans article :

> Le courage, la lucidité, l'autorité, **toutes qualités** nécessaires à un chef.

4. Tout, tout le monde + ne... pas, v. NÉGATION, 10.

5. Place de *tout* pronom. Quand le pronom *tout* est complément d'objet direct d'un infinitif ou d'un verbe à une forme composée, il est le plus souvent placé avant l'infinitif ou le participe :

> Je peux tout vous expliquer. Vous n'avez pas tout vu.

Cependant, on peut placer *tout* après l'infinitif ou le participe, avec un effet d'insistance :

> Je peux vous expliquer tout. Vous n'avez pas vu tout.

6. Tout ce qu'il y a de. Cette expression devant un nom pluriel est un renforcement plus ou moins littéraire de *tous, toutes;* quand elle est devant un sujet, le verbe et éventuellement l'attribut sont soit au singulier, soit plus rarement au pluriel :

> Tout ce qu'il y a de spécialistes au monde est (ou sont) intrigué(s) par ce problème.

Même liberté d'accord pour une phrase comme :

> Tout ce que la France compte de spécialistes est (ou sont) intrigué(s).

● Devant un adjectif, *tout ce qu'il y a de (plus)* est un équivalent familier de *très;* l'adjectif est tantôt au masculin singulier (accordé avec *tout*), tantôt accordé avec le nom auquel il se rapporte réellement pour le sens :

> Elle est tout ce qu'il y a de plus **naïf.** Cette personne est tout ce qu'il y a de **sérieuse.** J'ai une preuve tout ce qu'il y a de plus **convaincante.**

7. Tout adverbe. On distingue *Ils sont **tous** surpris* (= tous sont surpris)

et *Ils sont **tout** surpris* (= ils sont très surpris, tout à fait surpris). Dans la 2e phrase, *tout* est adverbe, et cependant il prend la forme *toute(s)*, uniquement devant un adjectif commençant par une consonne (y compris *h* aspiré) :

> Elle est **toute** surprise. Elles sont **toutes** honteuses (mais *Elle est tout étonnée, tout heureuse*). V. section « orthographe ».

8. Être tout feu tout flamme. Dans cette locution et dans quelques autres du même modèle, exprimant la plénitude, *tout* reste invariable :

> Elle était **tout** yeux, **tout** oreilles. Elle est **tout** sourires.

Dans des cas moins stéréotypés, surtout de la langue littéraire, *tout* est parfois accordé avec le nom qui suit :

> Il était **toute** douceur.

9. Tout d'une pièce, tout de travers. Dans *tout d'une pièce*, on laisse le plus souvent *tout* invariable :

> Elle se retourna **tout** d'une pièce.

Dans *tout de travers*, on observe tantôt l'invariabilité, tantôt l'accord de *tout* au féminin :

> Les piquets étaient **tout** de travers.
> Les chaises sont **tout(es)** de travers.
> Une tige **toute** de travers.

10. La toute jeunesse, la toute enfance. Le tout début. On dit très normalement *être tout jeune, tout enfant* (*tout* est alors adverbe et modifie un adjectif ou un mot employé adjectivement). Cette construction a entraîné la création des expressions *la toute jeunesse, la toute enfance :*

> Dès sa toute jeunesse, il avait manifesté ce talent (on dit plus couramment : *Dès sa première jeunesse,* ou *sa toute première jeunesse* - ou *enfance*).

De façon analogue, pour indiquer les tout premiers instants, l'expression *le tout début de qqch* s'est largement répandue dans l'usage courant :

> Regardez attentivement les images du **tout début** du film. J'arriverai

*au **tout début** de la matinée* (= tout au début de).

11. Du tout. Cette expression s'ajoute souvent à *(ne)... pas, (ne)... plus, (ne)... rien* comme élément de renforcement :

> *Je ne suis **pas du tout** surpris,* ou ***pas** surpris **du tout**. Il n'y a **pas du tout** de différence,* ou ***pas de** différence **du tout**. Je ne vois là **rien du tout** d'inquiétant. Il n'a **rien** fait **du tout**. C'est un petit détail de **rien du tout**. Ça t'étonne ? — **Pas du tout**,* ou simplement ***Du tout*** (fam.).

● L'emploi de *du tout* sans négation devant un adjectif au sens de « totalement » *(Cela est du tout inattendu)* est archaïsant.

12. Tout à coup, tout d'un coup, v. COUP, 1.

13. Tout + attribut + que... Cette expression, qui marque la concession, l'opposition, équivaut à peu près à « si... que..., quelque... que..., bien que... ». Le verbe de la proposition est soit à l'indicatif ou au conditionnel, soit au subjonctif. Dans ces emplois, le mot *tout*, quoique adverbe, est variable :

> ***Tout** malin **qu'il est**, il s'est laissé prendre. **Toute** naïve, **tout** écervelée **qu'elle soit**, elle a deviné le piège* (= si naïve [écervelée] qu'elle soit, bien qu'elle soit naïve...). ***Tout** ministre **qu'il est*** (ou ***qu'il soit***), *il n'est pas au-dessus des lois. **Tout** contrariant **que** ce serait, il faudrait bien s'en accommoder.*

À travers (qqch), au travers (de qqch). Ces deux constructions s'emploient à peu près indifféremment, la première étant plus usuelle :

> *Le liquide passe **à travers le** filtre* ou ***au travers du** filtre. La toile est fine, on voit **à travers**,* ou ***au** travers.*

très

1. Très, fort, extrêmement, tout à fait, tout. *Très* se place devant un adjectif ou un participe passé, ou devant un adverbe ; *fort* appartient à une langue plus soutenue ; *extrêmement, tout à fait* ont une plus grande force d'insistance ; *tout* (v. ce mot) s'emploie avec un nombre limité d'adjectifs, de participes ou d'adverbes :

> *Cet appareil est **très*** (ou ***tout à fait, extrêmement***) *pratique. Il était **très*** (ou ***tout***) *intimidé. Il est **très** tard. À **très** bientôt* (emploi familier). *C'est **très*** (ou ***fort***) *regrettable. C'est **très*** (ou ***tout***) *simple. Je vous l'avoue **très*** (ou ***tout***) *simplement.*

● *Très* peut aussi se placer devant une locution adjectivale ou adverbiale, ou devant certaines prépositions : *être **très** en colère, **très** en retard, **très** au courant, **très** sur ses gardes, **très** au-dessus de la moyenne.*

2. Très faim, etc. On emploie souvent *très* devant un nom sans article appartenant à une locution verbale, le plus souvent avec les verbes *avoir* et *faire* (emploi jugé familier) :

> *J'ai **très faim, très soif**. Il a eu **très peur**. Faites **très attention**. Cela nous fait **très plaisir**. J'en ai **très envie**.*

On peut souvent utiliser aussi *bien* :

> *J'ai **bien peur** de m'être trompé. Faites **bien attention**. J'ai **bien envie** d'essayer.*

L'adjectif *grand* peut parfois être substitué à *très* (usage plus soutenu) :

> *J'ai **grande** envie d'essayer. Nous avons (un) **grand** besoin de cela. J'ai **grand** peur que cela ne serve à rien. Cela nous fait (un) **grand** plaisir.*

3. Ça m'a très surpris. Dans l'usage oral, on emploie parfois *très* devant le participe d'une forme composée de la voix active. Dans l'usage surveillé, on utilise *beaucoup* (ou *fort, extrêmement, énormément*) :

> *Cela m'a **beaucoup** surpris. son attitude m'a **beaucoup*** (ou ***fort***) *déplu.*

u

1. *Un* **intensif.** Dans une phrase exclamative, *un* peut souligner l'importance de quelque chose :

> *Vous nous avez fait* **une** *peur!* (= une grande peur). *Il a* **une** *chance!* (On dit aussi, familièrement, *une de ces peurs, une de ces chances.*)

● Avec un adjectif employé comme nom, on dit familièrement :

> *C'est* **d'un** *sale! C'est* **d'un** *triste!* (= c'est très sale, très triste).

2. *Un* **chacun,** v. CHACUN, 5. *Un de ces,* v. CE, I, 2.

3. *(L')un de(s)...* On dit couramment *un de mes amis* ou, dans un usage un peu plus soutenu, *l'un de mes amis.* On dit *c'est un des points fondamentaux,* ou *c'est un point fondamental, c'est une des raisons pour lesquelles* ou *c'est une raison pour laquelle,* mais non *c'est un des points fondamental, *c'est une des raisons pour laquelle.*

4. *(L')un des... qui...* (accord du verbe), v. QUI, 5.

5. *L'un et l'autre, l'un ou l'autre.* Ces expressions peuvent s'employer adjectivement, dans l'usage soutenu : *dans l'un et l'autre cas, dans l'un ou l'autre cas* (usage courant : *dans les deux cas, dans un cas ou dans l'autre*).

Quand ces expressions déterminent un sujet, le verbe se met soit au pluriel, soit au singulier (en général au singulier pour *l'un ou l'autre*) :

> *L'une et l'autre question* **sont** *intéressantes* ou **est** *intéressante. L'un ou l'autre cas* **peut** *se présenter.*

● L'emploi pronominal est plus usuel; quand il s'agit de sujets, le verbe est le plus souvent au pluriel, parfois au singulier : *L'un et l'autre des témoins*

ont **confirmé** *les déclarations de l'inculpé. L'un et l'autre* **sont venus** ou **est venu.**

6. *L'un l'autre.* Cette expression traduit la réciprocité :

> *Ils se félicitent l'un l'autre* (il y a deux personnes), ou *les uns les autres* (il y a plusieurs groupes). *Ils se méfiaient l'un de l'autre, les uns des autres. Ils se battent l'un contre l'autre, les uns contre les autres. Ils s'acharnent l'un sur l'autre.*

● Quand le verbe est de ceux qui reçoivent un complément introduit par *à,* la préposition *à* est parfois omise entre *l'un* et *l'autre* :

> *Ils se prêtent l'un l'autre leur matériel* (ou plus habituellement *l'un à l'autre*). *Ils se plaisent l'un à l'autre,* ou *l'un l'autre.*

● Quand on emploie une locution prépositive terminée par *de,* on intercale entre *l'un* et *l'autre* soit la locution entière, soit seulement *de* :

> *Ils sont assis l'un à côté de l'autre,* ou *à côté l'un de l'autre. Elles étaient placées les unes en face des autres* (ou *en face les unes des autres*).

De même pour *près* (ou *auprès*) *de, à l'opposé de, vis-à-vis de, au-dessus de, au-dessous de, loin de, à la suite de,* etc.

7. *D'un - de un.* Devant un mot numéral, on peut élider ou non *de* :

> *Une table* **d'un** *mètre vingt de long,* ou **de un** *mètre vingt. Une pièce* **d'un** *franc,* ou **de un** *franc.*

8. *Sur* **(ou** *vers***)** *les une heure.* Cet emploi de l'article pluriel devant *une* est analogue à la désignation des autres heures : *sur* (ou *vers*) *les quatre heures,* etc. On peut dire simplement *vers une heure.*

V

venir

1. *Venir à* + infin. exprime le caractère éventuel, fortuit d'un événement :

> *Les vivres vinrent à manquer. S'il venait à s'en apercevoir, ce serait désastreux.*

2. *En venir à* + infin. indique un point d'aboutissement, un degré extrême :

> *De fil en aiguille, on en est venu à évoquer cette affaire. Il en était venu à se méfier de ses amis les plus proches.*

3. *Venir de* + infin., v. ASPECT, 4.

4. *S'en venir,* au sens de « venir », est régional :

> *Vas-tu bien t'en venir ?*

5. *Vienne...,* v. INVERSION DU SUJET, 7.

verbe

1. Conjugaison. V. *Larousse de la conjugaison.*

2. Transitivité. On appelle « transitifs directs » les verbes qui peuvent recevoir un complément d'objet direct (c'est-à-dire construit sans préposition), comme *rencontrer, surpasser, manger,* etc. :

> *J'ai rencontré un ami. Le chien mange sa pâtée.*

● On appelle « transitifs indirects » les verbes qui peuvent recevoir un complément d'objet indirect (c'est-à-dire introduit par une préposition), comme *obéir, douter* :

> *Nous obéissons à des ordres. Je doute de sa sincérité.*

● Certains verbes reçoivent à la fois un complément d'objet direct et un complément d'objet indirect introduit par *à* (appelé souvent « complément d'attribution ») :

> *Pierre donne la pâtée au chien.*

● On appelle « intransitifs » les verbes qui ne peuvent pas recevoir de complément d'objet direct ou indirect, comme *planer, briller,* etc.

● On appelle « verbe employé absolument » un verbe transitif qui se trouve employé sans complément d'objet : *Le chien mange.* L'expression « employé absolument » s'applique d'ailleurs plus généralement à tout élément de phrase employé sans le complément qu'il peut avoir en d'autres circonstances.

● Pour le cas de verbes coordonnés ayant un même complément, v. COORDINATION, 4, et PRONOM PERSONNEL, 1.

3. Les voix. Seuls les verbes transitifs directs peuvent être employés à la voix active ou à la voix passive :

> *Pierre surpasse les autres* (voix active). *Les autres sont surpassés par Pierre* (voix passive). (V. PASSIF.)

● Un verbe est à la voix pronominale quand il est accompagné d'un pronom complément de la même personne que son sujet, et de la forme *se* à la 3e personne :

> *Nous nous connaissons. Il se plaint. Les oiseaux s'envolent.* (V. PRONOMINAL.)

4. Les verbes attributifs. Certains verbes, dits « attributifs », peuvent servir de lien entre leur sujet et un adjectif ou un nom qui est l'attribut de ce sujet et en indique l'état ou la manière d'être. Ce sont surtout les verbes *être* (dit « copule »), *sembler, paraître, devenir, rester, passer* pour :

> *La maison est grande. Son frère est médecin. L'affaire passe pour délicate.*

● Certains verbes peuvent servir de lien entre leur complément d'objet et un adjectif ou un nom qui est l'attribut de ce complément d'objet, par exemple *croire, juger, estimer, nommer, trouver, considérer comme* :

> *Je crois cette **précaution utile**. Nous considérons ce **résultat** comme **un succès**.*

5. Les verbes perfectifs. Les verbes comme *comprendre, arriver, naître, mourir, commencer, achever* expriment une action qui aboutit à un certain point où elle cesse : quand on est arrivé, on ne peut plus continuer à arriver. On les appelle des verbes « perfectifs ».

● Au passé composé, on peut leur adjoindre l'adverbe *maintenant* : *Maintenant j'ai compris,* ce qui n'est pas le cas pour les verbes non-perfectifs : **Maintenant j'ai su la réponse. *Maintenant j'ai hésité. *J'ai maintenant habité ici.*

● Au présent passif, ils expriment l'état plutôt que l'action en cours : *La séance est commencée* (= elle est en cours ; différent de *On commence la séance.*) (V. PASSIF, 2.)

● Les verbes qui se conjuguent à l'actif avec l'auxiliaire *être* sont des verbes perfectifs intransitifs : *naître, mourir, partir, arriver, tomber,* etc.
V. COMMENCER, 3 ; PASSER, 1.

6. Accord du verbe, v. ACCORD.

vitupérer

La construction directe *(vitupérer qqn, qqch),* autrefois courante, est aujourd'hui moins usuelle que la construction avec *contre* (analogie de *pester, fulminer, déblatérer,* etc.) :

> *Il vitupérait contre ses adversaires, contre le règlement.*

voilà, voici

1. *Voilà/voici.* Dans l'usage surveillé, on réserve *voici* à la désignation de quelqu'un ou de quelque chose

qui est proche, ou dont on va parler, par opposition à *voilà* qui désigne quelqu'un ou quelque chose qui est moins proche ou dont on a parlé (même opposition qu'entre *cela* et *ceci, celui-là* et *celui-ci*) :

> *Voici mon bureau, et voilà mon horizon. Me voici. Voilà mes observations, et maintenant voici mes conclusions.*

● Dans l'usage oral courant, on n'emploie guère que *voilà,* sans se préoccuper de cette distinction :

> *Voilà le facteur. Me voilà.*

2. *Voilà* + n. qui..., que..., etc. *Voilà* (ou *voici*), en corrélation avec un relatif, est un présentatif servant à mettre en relief un nom ou un pronom :

> *Voilà la part qui te revient. Voilà la personne dont je vous parlais. Voilà ce que je voulais dire. Voici ce dont il s'agit. Le voilà qui passe,* et non **Le voilà qu'il passe.* (V. QUI, 8.)

● *Voilà qui...,* v. QUI, 6.

3. *Voilà que* (ou *voici que*) soulignent le caractère soudain, inattendu ou saugrenu d'un événement :

> *Tiens, voilà qu'il pleut ! Voilà qu'il s'est mis en tête de chercher des trésors.*

● ***(Ne) voilà-t-il pas que...*** (fam.) exprime la même valeur, avec plus d'insistance encore :

> *Voilà-t-il pas qu'on parle maintenant d'arrêter tous les travaux ?*

4. *Voilà* (+ compl. de temps) **que...** équivaut à *il y a... que...* :

> *Voilà un mois qu'il n'a pas plu.*

5. *Voici venir* + n. Dans cette construction de l'usage soutenu, on ne peut pas substituer *voilà* à *voici* : *Voici venir les beaux jours.* On dit plus ordinairement *Voilà les ,beaux jours qui viennent.* Dans l'usage littéraire seulement, un autre verbe de sens voisin peut remplacer *venir* dans cette construction infinitive.

voire

1. *Voire* exprime, dans l'usage littéraire, une réponse ou une réflexion ironique marquant un doute :

> *Il prétend que c'est involontaire : voire !*

2. *Voire* ou *voire même*, dans l'usage soutenu, introduit un terme qui exprime un renforcement :

> *C'est inutile, voire dangereux. On pourrait hésiter, voire même s'y tromper.*

vouloir

1. *Vouloir bien, bien vouloir.* Dans l'usage courant, ces deux constructions s'emploient indifféremment à l'infinitif dans des formules exprimant une demande ou une invitation plus ou moins insistante :

> *Je vous prie de vouloir bien (ou de bien vouloir) accepter mes excuses, me faire connaître vos intentions, assister à la réunion.*

Une certaine tradition administrative et militaire réserve *bien vouloir* à l'expression de la demande à un supérieur et *vouloir bien* à l'expression de l'ordre.

2. *Vouloir que* **(mode).** Le mode normalement employé après *vouloir* est le subjonctif (ou l'infinitif en cas d'identité de sujet avec le verbe dépendant de *vouloir*) :

> *Je veux que tu* ***viennes***. *Je veux* ***venir***.

● Toutefois, l'indicatif peut se rencontrer dans des expressions telles que *le hasard* (*le sort, le destin, le ciel,* etc.) *a voulu que,* présentant la constatation d'un fait réel :

> *Le hasard a voulu que je me* ***suis trouvé*** *là* (ou *que je me* ***sois trouvé*** *là*).

3. On dit *Ne m'en* ***veuille*** *pas,* ou *Ne m'en* ***veux*** *pas. Ne m'en* ***veuillez*** *pas* ou *Ne m'en* ***voulez*** *pas.* V. *section «conjugaison».*

y

y

1. Y/lui. *Y* représente ordinairement des choses, des notions abstraites. Pour des êtres animés, on emploie en principe *(à) lui, leur, à eux, à elles* :

*La **situation** est sérieuse, mais on peut y remédier. Il a appris à réfréner ses **instincts** au lieu d'y obéir. Ce sont des **chefs**, il faut bien **leur** obéir. Je connais ce **bureau**, je m'y suis déjà adressé. Je connais cette **personne**, je me suis déjà adressé **à elle**.*

● *Y* s'emploie parfois pour des êtres animés, en particulier avec des verbes comme *penser à, songer à, se fier à, s'intéresser à,* qui n'admettent pas d'être immédiatement précédés de *lui* ou *leur* compléments :

*Depuis que **son fils** est parti, elle n'arrête pas d'y penser* (usage plus soutenu : *de penser à lui*).

● *Y* correspond souvent à une prononciation populaire de *lui* avec des verbes comme *donner, dire, deman-* der, etc. : *Comme vous n'étiez pas là, j'y ai dit de repasser.*

● *Lui, leur* avant le verbe représentent très normalement des choses, notamment avec *donner, devoir, préférer* :

*Les **meubles** sont poussiéreux, il faut **leur donner** un coup de chiffon* (et non **y donner*). *Cette **cravate** ne me plaît pas, je **lui** préfère l'autre* (et non **j'y préfère*). *Est-ce que cette **voiture** n'est pas la vôtre ? Elle **lui** ressemble* (ou *elle y ressemble*).

2. Y/le. *Y* peut s'employer comme attribut, surtout dans l'usage familier, pour représenter un adjectif ou une locution adjectivale (*en avance, en colère, au courant,* etc.) :

Tu es content ! — Oh ! oui, j'y suis ! (usage courant : *je le suis*). *Je me croyais en retard, mais je n'y étais pas* (ou *je ne l'étais pas*).

3. Où + y, v. OÙ, 1. **J'(y) irai,** v. ALLER, 12.

509

II. Tolérances grammaticales ou orthographiques

(Arrêté ministériel du 28 décembre 1976)

Dans les examens ou concours dépendant du ministère de l'éducation et sanctionnant les étapes de la scolarité élémentaire et de la scolarité secondaire, qu'il s'agisse ou non d'épreuves spéciales d'orthographe, il ne sera pas compté de fautes aux candidats dans les cas visés ci-dessous.

Chaque rubrique comporte un, deux ou trois articles affectés d'un numéro d'ordre. Chaque article comprend un ou plusieurs exemples et un commentaire.
Les exemples et les commentaires se présentent sous des formes différentes selon leur objet.

Premier type

Dans l'emploi de certaines expressions, l'usage admet deux possibilités sans distinguer entre elles des nuances appréciables de sens.
Il a paru utile de mentionner quelques-unes de ces expressions. Chaque exemple est alors composé de deux phrases placées l'une sous l'autre en parallèle. Le commentaire se borne à rappeler les deux possibilités offertes par la langue.

Deuxième type

Pour d'autres expressions, l'usage admet une dualité de tournures, mais distingue entre elles des nuances de sens ; le locuteur ou le scripteur averti accorde sa préférence à l'une ou à l'autre selon ce qu'il veut faire entendre ou suggérer.
Les rubriques qui traitent de ce genre d'expressions conservent, pour chaque exemple, deux phrases parallèles, mais le commentaire se modèle sur un schéma particulier. Dans un premier temps, il rappelle les deux possibilités en précisant que le choix, entre elles, relève d'une intention ; dans un second temps, il invite les correcteurs à ne pas exiger des candidats la parfaite perception de tonalités parfois délicates de la pensée ou du style. La tolérance est introduite par la succession des deux formules : « L'usage admet, selon l'intention, ... » et : « On admettra... dans tous les cas ».

Troisième type

La dernière catégorie est celle des expressions auxquelles la grammaire, dans son état actuel, impose des formes ou des accords strictement définis, sans qu'on doive nécessairement considérer tout manquement à ces normes comme l'indice d'une défaillance du jugement ; dans certains cas, ce sont les normes elles-mêmes qu'il serait difficile de justifier avec rigueur, tandis que les transgressions peuvent procéder d'un souci de cohérence analogique ou logique.
Dans les rubriques qui illustrent ces cas, chaque exemple est constitué par une seule phrase, à l'intérieur de laquelle s'inscrit entre parenthèses la graphie qu'il est conseillé de ne pas sanctionner. Selon la nature de la question évoquée, le commentaire énonce simplement la tolérance ou l'explicite en rappelant la règle.

Parmi les indications qui figurent ci-après, il convient de distinguer celles qui précisent l'usage et celles qui proposent des tolérances. Les premières doivent être enseignées. Les secondes ne seront prises en considération que pour la correction des examens ou concours ; elles n'ont pas à être étudiées dans les classes et encore moins à se substituer aux connaissances grammaticales et orthographiques que l'enseignement du français doit s'attacher à développer.

I. — Le verbe

1. Accord du verbe précédé de plusieurs sujets à peu près synonymes à la troisième personne du singulier juxtaposés :

La joie, l'allégresse s'empara (s'emparèrent) *de tous les spectateurs.*

L'usage veut que, dans ce cas, le verbe soit au singulier. On admettra l'accord au pluriel.

2.

2 a. Accord du verbe précédé de plusieurs sujets à la troisième personne du singulier unis par *comme, ainsi que* et autres locutions d'emploi équivalent :

Le père comme le fils mangeaient *de bon appétit.*
Le père comme le fils mangeait *de bon appétit.*

L'usage admet, selon l'intention, l'accord au pluriel ou au singulier.
On admettra l'un et l'autre accord dans tous les cas.

2 b. Accord du verbe précédé de plusieurs sujets à la troisième personne du singulier unis par *ou* ou par *ni* :

Ni l'heure ni la saison ne conviennent *pour cette excursion.*
Ni l'heure ni la saison ne convient *pour cette excursion.*

L'usage admet, selon l'intention, l'accord au pluriel ou au singulier.
On admettra l'un et l'autre accord dans tous les cas.

3. Accord du verbe quand le sujet est un mot collectif accompagné d'un complément au pluriel :

> *À mon approche, une bande de moineaux s'envola.*
> *À mon approche, une bande de moineaux s'envolèrent.*

L'usage admet, selon l'intention, l'accord avec le mot collectif ou avec le complément.
On admettra l'un et l'autre accord dans tous les cas.

4. Accord du verbe quand le sujet est *plus d'un* accompagné ou non d'un complément au pluriel :

> *Plus d'un de ces hommes* m'était *inconnu.*
> *Plus d'un de ces hommes* m'étaient *inconnus.*

L'usage admet, selon l'intention, l'accord au pluriel ou au singulier.
On admettra l'un et l'autre accord dans tous les cas.

5. Accord du verbe précédé de *un des... qui, un de ceux que, une des... que, une de celles qui,* etc. :

> *La Belle au bois dormant est un des contes qui* charment *les enfants.*
> *La Belle au bois dormant est un des contes qui* charme *les enfants.*

L'usage admet, selon l'intention, l'accord au pluriel ou au singulier.
On admettra l'un et l'autre accord dans tous les cas.

6. Accord du présentatif *c'est* suivi d'un nom (ou d'un pronom de la troisième personne) au pluriel :

> *Ce sont là de beaux résultats.*
> *C'est là de beaux résultats.*
> *C'étaient ceux que nous attendions.*
> *C'était ceux que nous attendions.*

L'usage admet l'accord au pluriel ou au singulier.

7. Concordance des temps :

> *J'avais souhaité qu'il vînt* (qu'il vienne) *sans tarder.*
> *Je ne pensais pas qu'il eût oublié* (qu'il ait oublié) *le rendez-vous.*
> *J'aimerais qu'il fût* (qu'il soit) *avec moi.*
> *J'aurais aimé qu'il eût été* (qu'il ait été) *avec moi.*

Dans une proposition subordonnée au subjonctif dépendant d'une proposition dont le verbe est à un temps du passé ou au conditionnel, on admettra que le verbe de la subordonnée soit au présent quand la concordance stricte demanderait l'imparfait, au passé quand elle demanderait le plus-que-parfait.

8. Participe présent et adjectif verbal suivis d'un complément d'object indirect ou d'un complément circonstanciel :

> *La fillette,* obéissant *à sa mère, alla se coucher.*
> *La fillette,* obéissante *à sa mère, alla se coucher.*
> *J'ai recueilli cette chienne* errant *dans le quartier.*
> *J'ai recueilli cette chienne* errante *dans le quartier.*

L'usage admet que, selon l'intention, la forme en -*ant* puisse être employée sans accord comme forme du participe ou avec accord comme forme de l'adjectif qui lui correspond.
On admettra l'un et l'autre emploi dans tous les cas.

9. Participe passé conjugué avec *être* dans une forme verbale ayant pour sujet *on* :

> *On est resté* (restés) *bons amis.*

L'usage veut que le participe passé se rapportant au pronom *on* se mette au masculin singulier.
On admettra que ce participe prenne la marque du genre et du nombre lorsque *on* désigne une femme ou plusieurs personnes.

10. Participe passé conjugué avec *avoir* et suivi d'un infinitif :

> *Les musiciens que j'ai* entendus (entendu) *jouer.*
> *Les airs que j'ai* entendu (entendus) *jouer.*

L'usage veut que le participe s'accorde lorsque le complément d'objet direct se rapporte à la forme conjuguée et qu'il reste invariable lorsque le complément d'objet direct se rapporte à l'infinitif.
On admettra l'absence d'accord dans le premier cas. On admettra l'accord dans le second, sauf en ce qui concerne le participe passé du verbe *faire.*

11. Accord du participe passé conjugué avec *avoir* dans une forme verbale précédée de *en* complément de cette forme verbale :

> *J'ai laissé sur l'arbre plus de cerises que je n'en ai* cueilli.
> *J'ai laissé sur l'arbre plus de cerises que je n'en ai* cueillies.

L'usage admet l'un et l'autre accord.

12. Participe passé des verbes tels que : *coûter, valoir, courir, vivre,* etc., lorsque ce participe est placé après un complément :

Je ne parle pas des sommes que ces travaux m'ont coûté (coûtées).
J'oublierai vite les peines que ce travail m'a coûtées (coûté).

L'usage admet que ces verbes normalement intransitifs (sans accord du participe passé) puissent s'employer transitivement (avec accord) dans certains cas.
On admettra l'un et l'autre emploi dans tous les cas.

13. Participes et locutions tels que *compris* (y compris, non compris), *excepté, ôté, étant donné, ci-inclus, ci-joint* :

13 a. *Compris* (y compris, non compris), *excepté, ôté* :

J'aime tous les sports, excepté la boxe (exceptée la boxe).
J'aime tous les sports, la boxe exceptée (la boxe excepté).

L'usage veut que ces participes et locutions restent invariables quand ils sont placés avant le nom avec lequel ils sont en relation et qu'ils varient quand ils sont placés après le nom.
On admettra l'accord dans le premier cas et l'absence d'accord dans le second.

13 b. *Étant donné* :

Étant données les circonstances...
Étant donné les circonstances...

L'usage admet l'accord aussi bien que l'absence d'accord.

13 c. *Ci-inclus, ci-joint* :

Ci-inclus (ci-incluse) *la pièce demandée.*
Vous trouverez ci-inclus (ci-incluse) *copie de la pièce demandée.*
Vous trouverez cette lettre ci-incluse.
Vous trouverez cette lettre ci-inclus.

L'usage veut que *ci-inclus, ci-joint* soient :
— invariables en tête d'une phrase ou s'ils précèdent un nom sans déterminant ;
— variables ou invariables, selon l'intention, dans les autres cas.
On admettra l'accord ou l'absence d'accord dans tous les cas.

II. — Le nom

14. Liberté du nombre.

14 a :

De la gelée de groseille.
De la gelée de groseilles.
Des pommiers en fleur.
Des pommiers en fleurs.

L'usage admet le singulier et le pluriel.

14 b :

Ils ont ôté leur chapeau.
Ils ont ôté leurs chapeaux.

L'usage admet selon l'intention le singulier et le pluriel.

On admettra l'un et l'autre nombre dans tous les cas.

15. Double genre :

Instruits (instruites) *par l'expérience, les vieilles gens sont très prudents* (prudentes) : *ils* (elles) *ont vu trop de choses.*

L'usage donne au mot *gens* le genre masculin, sauf dans des expressions telles que : *les bonnes gens, les vieilles gens, les petites gens.*
Lorsqu'un adjectif ou un participe se rapporte à l'une de ces expressions ou lorsqu'un pronom la reprend, on admettra que cet adjectif, ce participe, ce pronom soient, eux aussi, au féminin.

16. Noms masculins de titres ou de professions appliqués à des femmes :

Le français nous est enseigné par une dame. Nous aimons beaucoup ce professeur. Mais il (elle) *va nous quitter.*

Précédés ou non de *Madame,* ces noms conservent le genre masculin ainsi que leurs déterminants et les adjectifs qui les accompagnent.
Quand ils sont repris par un pronom, on admettra pour ce pronom le genre féminin.

17. Pluriel des noms :

17 a. Noms propres de personnes :

Les Dupont (Duponts). *Les Maréchal* (Maréchals).

On admettra que les noms propres de personnes prennent la marque du pluriel.

17 b. Noms empruntés à d'autres langues :

Des maxima (des maximums). *Des sandwiches* (des sandwichs).

On admettra que, dans tous les cas, le pluriel de ces noms soit formé selon la règle générale du français.

III. — L'article

18. Article devant *plus, moins, mieux.*

Les idées qui paraissent les plus *justes sont souvent discutables.*
Les idées qui paraissent le plus *justes sont souvent discutables.*

Dans les groupes formés d'un article défini suivi de *plus, moins, mieux* et d'un adjectif ou d'un participe, l'usage admet que, selon l'intention, l'article varie ou reste invariable.
On admettra que l'article varie ou reste invariable dans tous les cas.

IV. — L'adjectif numéral

19. *Vingt* et *cent* :

Quatre-vingt-dix (quatre vingts dix) *ans.*
Six cent trente-quatre (six cents trente quatre) *hommes.*

En mil neuf cent soixante-dix-sept (mille neuf cents soixante dix sept).

On admettra que *vingt* et *cent*, précédés d'un adjectif numéral à valeur de multiplicateur, prennent la marque du pluriel même lorsqu'ils sont suivis d'un autre adjectif numéral.

Dans la désignation d'un millésime, on admettra la graphie *mille* dans tous les cas.

N. B. — L'usage place un trait d'union entre les éléments d'un adjectif numéral qui forment un ensemble inférieur à cent. On admettra l'omission du trait d'union.

V. — L'adjectif qualificatif

20. *Nu, demi* précédant un nom :

Elle courait nu-pieds (nus pieds).
Une demi-heure (demie heure) *s'écoula.*

L'usage veut que *nu, demi* restent invariables quand ils précèdent un nom auquel ils sont reliés par un trait d'union. On admettra l'accord.

21. Pluriel de *grand-mère*, *grand-tante*, etc. :

Des grand-mères.
Des grands-mères.

L'usage admet l'une et l'autre graphie.

22. *Se faire fort de...* :

Elles se font fort (fortes) *de réussir.*

On admettra l'accord de l'adjectif.

23. *Avoir l'air* :

Elle a l'air doux.
Elle a l'air douce.

L'usage admet que, selon l'intention, l'adjectif s'accorde avec le mot *air* ou avec le sujet du verbe *avoir*.
On admettra l'un et l'autre accord dans tous les cas.

VI. — Les indéfinis

24. *L'un et l'autre* :

24 a. *L'un et l'autre* employé comme adjectif :

J'ai consulté l'un et l'autre document.
J'ai consulté l'un et l'autre documents.
L'un et l'autre document m'a paru intéressant.
L'un et l'autre document m'ont paru intéressants.

1. L'usage admet que, selon l'intention, le nom précédé de *l'un et l'autre* se mette au singulier ou au pluriel.
On admettra l'un et l'autre nombre dans tous les cas.

2. Avec le nom au singulier, l'usage admet que le verbe se mette au singulier ou au pluriel.

24 b. *L'un et l'autre* employé comme pronom :

L'un et l'autre se taisait.
L'un et l'autre se taisaient.

L'usage admet que, selon l'intention, le verbe précédé de *l'un et l'autre* employé comme pronom se mette au singulier ou au pluriel.
On admettra l'un et l'autre nombre dans tous les cas.

25. *L'un ou l'autre, ni l'un ni l'autre* :

25 a. *L'un ou l'autre, ni l'un ni l'autre* employés comme adjectifs :

L'un ou l'autre projet me convient.
L'un ou l'autre projet me conviennent.
Ni l'une ni l'autre idée ne m'inquiète.
Ni l'une ni l'autre idée ne m'inquiètent.

L'usage veut que le nom précédé de *l'un ou l'autre* ou de *ni l'un ni l'autre* se mette au singulier ; il admet que, selon l'intention, le verbe se mette au singulier ou au pluriel.
On admettra, pour le verbe, l'un et l'autre accord dans tous les cas.

25 b. *L'un ou l'autre, ni l'un ni l'autre* employés comme pronoms :

De ces deux projets, l'un ou l'autre me convient.
De ces deux projets, l'un ou l'autre me conviennent.
De ces deux idées, ni l'une ni l'autre ne m'inquiète.
De ces deux idées, ni l'une ni l'autre ne m'inquiètent.

L'usage admet que, selon l'intention, le verbe précédé de *l'un ou l'autre* ou de *ni l'un ni l'autre* employés comme pronoms se mette au singulier ou au pluriel.
On admettra l'un et l'autre nombre dans tous les cas.

26. *Chacun* :

Remets ces livres chacun à sa place.
Remets ces livres chacun à leur place.

Lorsque *chacun*, reprenant un nom (ou un pronom de la troisième personne) au pluriel, est suivi d'un possessif, l'usage admet que, selon l'intention, le possessif renvoie à *chacun* ou au mot repris par *chacun*.
On admettra l'un et l'autre tour dans tous les cas.

VII. — « Même » et « tout »

27. *Même* :

Dans les fables, les bêtes mêmes parlent.
Dans les fables, les bêtes même parlent.

Après un nom ou un pronom au pluriel, l'usage admet que *même*, selon l'intention, prenne ou non l'accord.
On admettra l'une ou l'autre graphie dans tous les cas.

28. *Tout :*

28 *a*.

> *Les proverbes sont de* tout *temps et de* tout *pays.*
> *Les proverbes sont de* tous *temps et de* tous *pays.*

L'usage admet, selon l'intention, le singulier ou le pluriel.

28 *b*.

> *Elle est* toute (tout) *à sa lecture.*

Dans l'expression *être tout à...*, on admettra que *tout*, se rapportant à un mot féminin, reste invariable.

28 *c*.

> *Elle se montra* tout (toute) *étonnée.*

L'usage veut que *tout*, employé comme adverbe, prenne la marque du genre et du nombre devant un mot féminin commençant par une consonne ou un *h* aspiré et reste invariable dans les autres cas.
On admettra qu'il prenne la marque du genre et du nombre devant un nom féminin commençant par une voyelle ou un *h* muet.

VIII. — L'adverbe « ne » dit explétif

29.

> *Je crains qu'il* ne *pleuve.*
> *Je crains qu'il pleuve.*
> *L'année a été meilleure qu'on* ne *l'espérait.*
> *L'année a été meilleure qu'on l'espérait.*

L'usage n'impose pas l'emploi de *ne* dit explétif.

IX. — Accents

30. Accent aigu :

> *Assener* (asséner); *referendum* (référendum).

Dans certains mots, la lettre *e*, sans accent aigu, est prononcée [é] à la fin d'une syllabe.
On admettra qu'elle prenne cet accent — même s'il s'agit de mots d'origine étrangère — sauf dans les noms propres.

31. Accent grave :

> *Événement* (évènement); *je céderai* (je cèderai).

Dans certains mots, la lettre *e*, avec un accent aigu est généralement prononcée [é] à la fin d'une syllabe.
On admettra l'emploi de l'accent grave à la place de l'accent aigu.

32. Accent circonflexe :

> *Crâne* (crane); *épître* (epitre); *crûment* (crument).

On admettra l'omission de l'accent circonflexe sur les voyelles *a, e, i, o, u* dans les mots où ces voyelles comportent normalement cet accent, sauf lorsque cette tolérance entraînerait une confusion entre deux mots en les rendant homographes (par exemple : *tâche/tache; forêt/foret; vous dîtes/vous dites; rôder/roder; qu'il fût/qu'il fut*).

X. — Trait d'union

33. *Arc-en-ciel* (arc en ciel); *nouveau-né* (nouveau né); *crois-tu ?* (crois tu ?); *est-ce vrai ?* (est ce vrai ?); *dit-on* (dit on); *dix-huit* (dix huit); *dix-huitième* (dix huitième); *par-ci, par-là* (par ci, par là).

Dans tous les cas, on admettra l'omission du trait d'union, sauf lorsque sa présence évite une ambiguïté *(petite-fille/petite fille)* ou lorsqu'il doit être placé avant et après le *t* euphonique intercalé à la troisième personne du singulier entre une forme verbale et un pronom sujet postposé *(viendra-t-il ?)*.

III. Index

a

abaque → GENRE, 7

abbé, abbesse → GENRE, 2

aboutir à + infin./à ce que + subj. → À, 5

abside → GENRE, 7

absolument : *employé absolument* → VERBE, 2

s'abstenir de + infin. → INFINITIF, II, 2 ; (VERBE) PRONOMINAL, 2

abstrait : *nom abstrait* → NOM, 1

abuser de qqch/de ce que + indic. → DE, 10

accepter de + infin. → INFINITIF, II, 2

accompli → ASPECT, 2

accord v. ce mot ; avec *nous* « de modestie » → NOUS ; dans une proposition ayant pour sujet le relatif *qui* → QUI, 2 à 5 ; avec *tout ce qu'il y a de* → TOUT, 6

d'accord : *être d'accord sur qqch, de qqch* → SUR, 4

accourir + infin. → INFINITIF, II, 2

(s')accoutumer à + infin./à ce que + subj. → À, 5

s'acharner après (contre) qqn, qqch → APRÈS, 3 ; *s'acharner à* + infin. → INFINITIF, II, 2

achever → FINIR, 2 ; *achever de* + infin. → INFINITIF, II, 2

actuel → ASPECT, 2

acrostiche → GENRE, 7

actif : *forme active* → PHRASE, 2 ; *voix active* → VERBE, 3

action : *sous l'action de* → SUR, 1

adage → GENRE, 7

adjectif v. ce mot ; *adjectif verbal* → PARTICIPE, I, 1 et 2

admettre : *être admis auprès de qqn* → AUPRÈS, 2

s'adonner à + infin. → INFINITIF, II, 2

affecter de + infin. → INFINITIF, II, 2

affirmatif : *forme affirmative* → PHRASE, 2

affirmer que (mode) → CROIRE, 6

s'affliger de ce que/de + infin. → DE, 10

afin de, que → BUT ; POUR, 1 ; CONJONCTION, 1

agrume → GENRE, 7

aider à + infin./à ce que + subj. → À, 5

aigle → GENRE, 8

ainsi (adv. de liaison) → INVERSION DU SUJET, 1, b ; *ainsi que* reliant deux sujets → ACCORD, I, 5

air v. ce mot ; *un air faux jeton* → DE, 12

albâtre → GENRE, 7

algèbre → GENRE, 7

aller v. ce mot ; *ne pas aller sans* (+ infin.) → SANS, 4 ; *aller de soi* → SOI, 4

allier avec/à → AVEC, 1

allure : *une allure vieille fille* → DE, 12

alluvion → GENRE, 7

alvéole → GENRE, 7

amalgame → GENRE, 7

ambitionner de + infin. → INFINITIF, II, 2

ambre → GENRE, 7

amiante → GENRE, 7

amour → GENRE, 8

s'amuser à + infin. → INFINITIF, II, 2

an : *deux fois l'an* → FOIS, 2

anagramme → GENRE, 7

anathème → GENRE, 7

âne, ânesse → GENRE, 2

anévrisme → GENRE, 7

anicroche → GENRE, 7

animé : *nom animé* → NOM, 1

antécédent → RELATIF, 1 ; QUI, 1 à 6

antéposition : *antéposition de l'adjectif* → ADJECTIF, 4, A

antérieur : *passé antérieur* → PASSÉ, 3

antidote → GENRE, 7

antre → GENRE, 7

apogée → GENRE, 7

appartenance → À, 2

s'applaudir de ce que/de + infin. → DE, 10

s'appliquer à + infin./à ce que + subj. → INFINITIF, II, 2 ; À, 5

apposition → ADJECTIF, 1

appréhender de + infin. → INFINITIF, II, 2 ; *appréhender que (ne)* → NE, II, 1

apprendre à + infin. → INFINITIF, II, 2

s'apprêter à + infin. → INFINITIF, II, 2

après v. ce mot ; *la semaine d'après* → PROCHAIN, DERNIER, 1

après-guerre → GENRE, 7

après-midi → GENRE, 7

à propos : *ce qu'il est à propos de* + infin./*que* + subj. → QUI, 8

arabesque → GENRE, 7

argile → GENRE, 7

Arles : *en Arles* → EN, II, 3

armistice → GENRE, 7

aromate → GENRE, 7

arpège → GENRE, 7

arrhes → GENRE, 7

arriver à + infin./à ce que + subj. → À, 5 ; DEMANDER, 2 ; *ce qui m'arrive/ce qu'il m'arrive* → QUI, 8

s'arroger → (VERBE) PRONOMINAL, 2

ascendant → GENRE, 6

aspect : *son aspect clochard* → DE, 12

asphalte → GENRE, 7

aspirer à + infin. → INFINITIF, II, 2

assez : *assez de* (accord) → ACCORD, A, 2 ; BEAUCOUP, 2 ; *assez ... pour que* → CONSÉQUENCE, 1

associer avec/à → AVEC, 1

assurément (que) → QUE, 4

assurer que (mode) → CROIRE, 6 ; *assurer* + infin. → INFINITIF, II, 2 *astérisque* → GENRE, 7

s'astreindre à + infin. → INFINITIF, II, 2

s'attacher à + infin./à ce que + subj. → À, 5

attendre v. ce mot; *attendre de* + infin. → INFINITIF, II, 2; *en attendant que* (mode) → CONJONCTION, 1

attention : *faire très attention* → TRÈS, 2

attribut → ADJECTIF, 1; VERBE, 4

attributif : *verbe attributif* → VERBE, 4

augure → GENRE, 7

auspice → GENRE, 7

autographe → GENRE, 7

automne → GENRE, 7

autoroute → GENRE, 7

autre(ment) que (ne) → NE, II, 4

(s')avancer → (VERBE) PRONOMINAL, 3

avant-guerre → GENRE, 7

avant v. ce mot; *l'année d'avant* → PROCHAIN, DERNIER, 1; *avant que* (mode) → CONJONCTION, 1

avantageux : *ce qu'il est avantageux de* + infin./*que* + subj. → QUI, 8

avant-scène → GENRE, 7

l'avant-veille → MATIN, SOIR, MIDI, 1

avec v. ce mot; *avec* = étant donné → CAUSE, 2; *avec* = malgré, en dépit de → CONCESSION, OPPOSITION, 3; *avec* exprimant la condition → CONDITION, 2

Avignon : *en Avignon* → EN, II, 3

s'aviser de + infin. → INFINITIF, II, 2

avoir à + infin. → INFINITIF, II, 2; *avoir beau* + infin. → INFINITIF, II, 2; CONCESSION, OPPOSITION, 4; *auxiliaire « avoir »* → AUXILIAIRE, 1

avouer que (mode) → CROIRE, 6; *avouer* + infin., → INFINITIF, II, 2

azalée → GENRE, 7

b

bailleur, -eresse → GENRE, 2

bande : *une bande de* → COLLECTIF, 1

bateaux : *noms de bateaux* → GENRE, 10

beau : *avoir beau* + infin. → INFINITIF, II, 2; CONCESSION, OPPOSITION, 4

bénéficier de qqch/de ce que + indic. → DE, 10

bicyclette : *à* ou *en bicyclette* → À, 3

bien → BEAUCOUP, 1; *vouloir bien/bien vouloir* → VOULOIR, 7

bien que (mode) → CONJONCTION, 2; CONCESSION, 1; QUOIQUE, 1, 2

bélier, brebis → GENRE, 3

blâmer de, pour → DE, 5

bon v. ce mot; *il fait bon (de)* + infin. → FAIRE, 10; *pour (tout) de bon* → POUR, 7

bondir après qqn, qqch → APRÈS, 1

se borner à + infin. → INFINITIF, II, 2

bouc, chèvre → GENRE, 3

brûler de + infin. → INFINITIF, II, 2; *(se) brûler* → (VERBE) PRONOMINAL, 3

c

camée → GENRE, 7

campanile → GENRE, 7

campanule → GENRE, 7

câpre → GENRE, 7

cardinal → NUMÉRAUX, 3

(se) casser que (VERBE) PRONOMINAL, 3

ce v. ce mot; *ce dont* → DONT, 1; *ce que* exclamatif → COMBIEN, 1; *ce qui, ce que* dans l'interr. indirecte → INTERROGATION, 4; *ce me semble* → SEMBLER, 1

cela → ÇA, CECI; *cela dont* → DONT, 1

c'en est fait de ... → FAIRE, 9

cent : *cent fois* → NUMÉRAUX, 8

cerf, biche → GENRE, 3

certifier (mode) → CROIRE, 6

cesser de + infin. → INFINITIF, II, 2, et ARRÊTER, 1; *ne (pas) cesser de* → NÉGATION, 5

c'est : *c'est/ce sont* → CE (c') ÇA, 3; *c'est à vous à* (ou *de*) + infin. → À 4; *c'est ... qui (que)* → à cet ordre.

chanoine, -esse → GENRE, 2

se charger de + infin. → INFINITIF, II, 2

chasseur, -eresse → GENRE, 2

chausse-trape → GENRE, 7

chercher à + infin./à ce que + subj. → À, 5; *chercher après qqn, qqch* → APRÈS, 2

choisir de + infin. → INFINITIF, II, 2

chose : *quelque chose* → QUELQUE, 5

chromo → GENRE, 7

chrysanthème → GENRE, 7

circonstancielle : *subordonnée circonstancielle* → SUBORDINATION, 3

clair employé adverbialement → ADVERBE, 3

clairement → ADVERBE, 3

clovisse → GENRE, 7

colchique → GENRE, 7

colère : *être en colère après (contre) qqn/qqch* → APRÈS, 3

combien v. ce mot; → INTERROGATION, 6; *combien de* (accord) → BEAUCOUP, 2

combientième → COMBIEN, 4

comme v. ce mot; *comme* reliant deux sujets → ACCORD, I, 5; *considérer (comme) responsable* → CONSIDÉRER; *prendre comme exemple, pour exemple* → PRENDRE, 1

comment → COMME, 1; *comment ?* → QUOI, 2

commerçant : *une rue commerçante* → PARTICIPE, I, 2

commun : *nom commun* → NOM, 1

519

docteur, -oresse → GENRE, 2
donc : *qui donc ?* → ÇA, CELA, 6
d'où (= donc, en conséquence) → OÙ, 4
doute : *sans doute* (en tête de proposition)
→ INVERSION DU SUJET, 1, b ; *sans doute*
(que) → QUE, 4
drôle, -esse → GENRE, 2
duc, duchesse → GENRE, 2
duquel → LEQUEL ; RELATIF ; DONT, 1
dussé-je, dussiez-vous, dût-il → DEVOIR, 4

e

échappatoire → GENRE, 7
écritoire → GENRE, 7
effet v. ce mot ; *en effet* → CAR, 2 et 3 ;
sous l'effet de → SUR, 1
effluve → GENRE, 7
s'effrayer *de ce que/de* + infin. → DE, 10
s'élancer *après qqn* → APRÈS, 1
élément : *l'élément rapidité* → DE, 12
ellébore → GENRE, 7
(s')éloigner *d'auprès de qqn* → AUPRÈS, 3
élytre → GENRE, 7
s'émerveiller *de ce que/de* + infin. →
DE, 10
s'emparer → PRONOMINAL, 2
emphase → MISE EN RELIEF
emphatique : *forme emphatique* →
PHRASE, 2
empire : *sous l'empire de* → SUR, 1
s'employer *à* + infin./*à ce que* + subj.
→ INFINITIF, II, 2 ; À, 5
en v. ce mot ; *en riant, en marchant*, etc.
→ GÉRONDIF
encaustique → GENRE, 7
enchanteur, -eresse → GENRE, 2
enclume → GENRE, 7
enfance : *la toute enfance* → TOUT, 10
s'engager *à* + infin. → INFINITIF, II, 2
enlever *d'avec* → AVEC, 3
s'enorgueillir *de ce que/de* + infin. →
DE, 10
enquêteur, -teuse OU **-trice** → GENRE, 2
entendre v. ce mot ; *s'entendre* + infin.
→ PASSIF, 5, et AUXILIAIRE, 2
en-tête → GENRE, 7
envie : *avoir aussi* (ou *autant*) *envie*
→ AUSSI, SI, 10 ; *très envie* → TRÈS, 2
envisager *de* + infin. → INFINITIF, II, 2
enzyme → GENRE, 7
épargner → ÉVITER, 2
éphéméride → GENRE, 7
épiderme → GENRE, 7
épigramme → GENRE, 7
épigraphe → GENRE, 7
épithète → ADJECTIF, 1

épithète → GENRE, 7
épître → GENRE, 7
s'épouvanter *de ce que/de* + infin. →
DE, 10
équerre → GENRE, 7
équivoque → GENRE, 7
escarre → GENRE, 7
esclandre → GENRE, 7
espèce v. ce mot ; *en l'espèce* → EN, II, 2
espérer *que* (mode) → CROIRE, 6 ; *j'espère*
→ INCISE
estafette → GENRE, 5, 7
est-ce que → INTERROGATION, 1
estimer *que* (mode) → CROIRE, 6 ; *estimer*
+ infin. → INFINITIF, II, 2
et, et/ou → COORDINATION ; *soixante (et) dix*
→ NUMÉRAUX, 2
s'étonner *(de ce) que/de* + infin. → DE, 10
être v. ce mot ; *être après qqn, qqch*
→ APRÈS, 3 et 6 ; *n'être pas sans* (+ infin.)
→ SANS, 4 ; *si ce n'est* → SI, 4 ; *auxiliaire*
« *être* » → AUXILIAIRE, 2
s'évertuer *à* + infin. → INFINITIF, II, 2
exceller *à* + infin. → INFINITIF, II, 2
exclamatif → PHRASE, 2 ; DÉTERMINANT, I, 4 ;
infinitif exclamatif → INFINITIF, I, 4
explétif : *ne* explétif → NE, II
explicative → RELATIVE, 2
s'exposer *à* + infin./*à ce que* + subj. →
À, 5

f

façon v. ce mot ; *de façon que* →
CONSÉQUENCE, 1 ; *de façon ou d'autre* →
AUTRE, 8
facteur : *le facteur temps* → DE, 12
faim : *aussi* (*autant*) *faim* → AUSSI, 9 ; *très*
faim → TRÈS, 2 ; *il fait faim* → FAIRE, 11
faire v. ce mot ; *ce faisant* → CE, II, 2
falloir v. ce mot ; *il ne faut pas* ... (portée
de la négation) → NÉGATION, 10
fastes → GENRE, 7
se fatiguer *à* + infin. → INFINITIF, II, 2
feindre *de* + infin. → INFINITIF, II, 2
féliciter *de, pour* → DE, 5 ; *se féliciter (de*
ce) que/de + infin. → DE, 10
femelle → GENRE, 4
féminin : *formation du féminin* → GENRE
se figurer + infin. → INFINITIF, II, 2
fin : *fin janvier* → COURANT, 1
se flatter *de* + infin. → INFINITIF, II, 2
foi : *de la meilleure foi du monde* → MEIL-
LEUR, 3
forcer *à/de* + infin. → OBLIGER
forficule → GENRE, 7
se formaliser *de ce que/de* + infin. →
DE, 10

521

forme : adjectifs indiquant une forme (place) → ADJECTIF, 4, B
foudre → GENRE, 8
foule : une foule de → COLLECTIF, 1
frais : fleurs fraîches écloses → ADVERBE, 3
se froisser de ce que/de + infin. → DE, 10
furieux : être furieux après (contre) qqn, qqch → APRÈS, 3
fût-ce → ÊTRE, 4
futur : futur dans le passé → CONCORDANCE DES TEMPS, 2 ; SI, I, 2 ; futur proche → ASPECT, 4, et ALLER, 4

g

gagner à + infin./à ce que + subj. → À, 5
se garder de + infin. → INFINITIF, II, 2
gemme → GENRE, 7
gens → GENRE, 8
glaire → GENRE, 7
globule → GENRE, 7
se glorifier de ce que/de + infin. → DE, 10
grand en tête de phrase → INVERSION DU SUJET, 1, C ; fenêtre grande ouverte → ADVERBE, 3
guère : ne ... guère → NÉGATION, 3

h

habituel → ASPECT, 2
s'habituer à + infin./à ce que + subj. → À, 5
haltère → GENRE, 7
se hasarder à + infin. → INFINITIF, II, 2
hâte : aussi (autant) hâte → AUSSI, 9
se hâter de + infin. → INFINITIF, II, ?.
haut employé adverbialement → ADVERBE, 3
hautement → ADVERBE, 3
hécatombe → GENRE, 7
hémisphère → GENRE, 7
hémistiche → GENRE, 7
hésiter à + infin. → INFINITIF, II, 2
heureusement (que) → QUE, 4
hiéroglyphe → GENRE, 7
H. L. M. → GENRE, 7
holocauste → GENRE, 7
honneur : tenir à honneur (de + infin.) → TENIR, 3
hors de question : ce qu'il est hors de question de + infin./que + subj. → QUI, 8
hôte, -esse → GENRE, 2
humain : nom humain → NOM, 1
hyménée → GENRE, 7
hymne → GENRE, 8
hypallage → GENRE, 7
hypercorrection → INTERROGATION, 3
hypogée → GENRE, 7

i

ignorer : vous n'êtes pas sans ignorer → SANS, 4
île : noms d'îles (en, dans, à ...) → EN, II, 3
il est pour il y a → ÊTRE, 1
il n'est que de + infin. → ÊTRE, 2
il fait bon (de) + infin. → FAIRE, 10 ; il fait faim, soif → FAIRE, 11
il y a (tel temps) que (ne pas) → NÉGATION, 5
imaginer de + infin. → INFINITIF, II, 2 ; (s')imaginer que (mode) → CROIRE, 6 ; j'imagine → INCISE
immédiat → ASPECT, 4
immondice → GENRE, 7
s'impatienter de ce que/de + infin. → DE, 10
impératif v. ce mot ; type impératif → PHRASE, 2
important : ce qu'il est important de + infin./que + subj. → QUI, 8
importer : ce qui importe/ce qu'il importe de + infin., que + subj. → QUI, 8
impulsion : sous l'impulsion de → SUR, 1
incessamment → ADVERBE, 2
inchoatif → ASPECT, 3 ; PARTIR, 2 ; PRENDRE, 4
indéfini → DÉTERMINANT, I, 6 ; PRONOM, 2
s'indigner de ce que/de + infin. → DE, 10
indirect : discours indirect → DISCOURS ; interrogation indirecte → INTERROGATION, 4 ; complément d'objet indirect → VERBE, 2
influence : sous l'influence de → SUR, 1
s'ingénier à + infin. → INFINITIF, II, 2
initiative : sur l'initiative ou à l'initiative de → SUR, 1
inspecteur, -trice → GENRE, 2
s'inquiéter de ce que/de + infin. → DE, 10 ; s'inquiéter comment → INTERROGATION, 6
insistance : sur l'insistance de → SUR, 1
instances : sur les instances de → SUR, 1
interclasse → GENRE, 7
interdire (impliquant une négation) → JAMAIS, 1 ; interdire que (ne) → NE, II, 2 ; ce qu'il est interdit de + infin./que + subj. → QUI, 8
s'intéresser à + infin./à ce que + subj. → À, 5
interrogatif → DÉTERMINANT, I, 4 ; PRONOM, 1 ; type interrogatif → PHRASE, 2
interroger qqn pourquoi → INTERROGATION, 6
interro-négatif → INTERROGATION, 6
intervenir auprès de qqn (*près de qqn) → AUPRÈS, 2
interview → GENRE, 7
intransitif → VERBE, 2
inventeur, -trice → GENRE, 2

s'irriter de ce que/de + infin. → DE, 10
isoler d'avec/de → AVEC, 3
Israël : en Israël → EN, II, 3
ivrogne, -esse → GENRE, 2

j

jade → GENRE, 7
jeunesse : la toute jeunesse → TOUT, 10
joindre avec/à → AVEC, 1
jour : deux fois le jour → FOIS, 2
jours : noms désignant des jours → GENRE, 11
journal : lire dans le journal, sur le journal → SUR, 2
juger que (mode) → CROIRE, 6
jurer de + infin. → INFINITIF, II, 2 ; *jurer* que (mode) → CROIRE, 6
jusqu'à ce que (mode) → CONJONCTION, 1

l

là : là contre → CONTRE, 2
là : où là → OÙ, 1
laideron → GENRE, 5
laisser v. ce mot ; se laisser + infin. → PASSIF, 5
se lamenter de ce que/de + infin. → DE, 10
légitime : ce qu'il est légitime de + infin./que + subj. → QUI, 8
le lendemain → MATIN, SOIR, MIDI, 1
leur adj. possessif → MIEN ; *dont* + leur → DONT, 2
lignite → GENRE, 7
loin : loin s'en faut que → FALLOIR, 6 ; loin que (mode) → CONJONCTION, 1
louer de, pour → DE, 5 ; se louer de ce que/de + infin. → DE, 10

m

maintenant → ALORS, 1
maître, -esse → GENRE, 2
majorité : une majorité de → COLLECTIF, 1
mâle → GENRE, 4
mânes → GENRE, 7
manière → FAÇON ; de manière à ce que → CONSÉQUENCE, 1
manière : complément de manière remplaçant un adverbe → ADVERBE, 2
manquer v. ce mot ; ce qui manque/ce qu'il manque → QUI, 8
masculin → GENRE
matière : en la matière → EN, II, 2

matière : complément de matière (de/en) → DE, 4
méconnaître : ne pas méconnaître que (ne) → NE, II, 3
méditer de + infin. → INFINITIF, II, 2
meilleur v. ce mot ; meilleur que (ne) → NE, II, 4
se mêler de + infin. → INFINITIF, II, 2
même v. ce mot ; de même que reliant deux sujets → ACCORD, I, 5 ; alors même que → ALORS, 4
menacer de + infin. → INFINITIF, II, 2
mener à + infin./à ce que + subj. → À, 5
merci → GENRE, 8
mériter de + infin. → INFINITIF, II, 2
météorite → GENRE, 7
mettre v. ce mot ; se mettre à + infin. → INFINITIF, II, 2, et ASPECT, 3
mieux v. PLUS ; mieux que (ne) → NE, II, 4 ; on ne peut mieux → POUVOIR, 6
mille : mille fois, mille et un → NUMÉRAUX, 8
minorité : une minorité de → COLLECTIF, 1
modalité → PHRASE, 2
moi : regarde-moi ça → PRONOM PERSONNEL, 4
moindre v. ce mot ; moindre que (ne) → NE, II, 4
moins v. PLUS ; moins que (ne) → NE, II, 4 ; à moins que (mode) → CONJONCTION, 1 ; à moins que (ne) → NE, II, 5 ; rien de moins que/rien moins que → RIEN, 5
mois : deux fois le mois → FOIS, 2
mois : noms désignant des mois → GENRE, 11
monter + infin. → INFINITIF, II, 2
moto : en moto, à moto → À, 3
mulâtre, -esse → GENRE, 2
multitude : une multitude de → COLLECTIF, 1

n

naître de qqch/de ce que + indic. → DE, 10
narration : infinitif de narration → INFINITIF, I, 2
nationalité : adjectifs indiquant la nationalité (place) → ADJECTIF, 4, B
n'avoir garde de → GARDE, 6
nécessaire : ce qu'il est nécessaire de + infin./que + subj. → QUI, 8
négatif : forme négative → PHRASE, 2
négliger de + infin. → INFINITIF, II, 2
nègre, négresse → GENRE, 2
n'empêche que → EMPÊCHER, 3
n'était → ÊTRE, 5
n'eût été → ÊTRE, 5
ni → COORDINATION et NÉGATION, 4 ; ni reliant deux sujets → ACCORD, I, 6

niable : *il n'est pas niable que (ne)* → NE, II, 3

nom v. ce mot ; *nom propre* → ARTICLE, 3

nombre : *un grand (petit, certain) nombre de* → COLLECTIF, 1

nombreux en tête de phrase → INVERSION DU SUJET, 1, c

nommé : *un nommé* → CERTAIN, 1

non : *non plus* → AUSSI, 2

non-accompli → ASPECT, 1

non-animé : *nom non-animé* → NOM, 1

non-comptable : *nom non-comptable* → NOM, 1

nôtre adjectif possessif → MIEN

o

oasis → GENRE, 7

objet : *être (ou faire) l'objet de* → PASSIF, 5

objet : *complément d'objet direct, indirect* → VERBE, 3

obligation : subordonnées dépendant de verbes d'obligation → SUBJONCTIF, 3

s'obstiner à + infin. → INFINITIF, II, 2

obtenir de + infin. → INFINITIF, II, 2

s'occuper à + infin./*à ce que* + subj. → À, 5

occurrence : *en l'occurrence* → EN, II, 2

octave → GENRE, 7

obélisque → GENRE, 7

œuvre → GENRE, 8

s'offenser de ce que/de + infin. → DE, 10

offrir de + infin., *s'offrir* à + infin. → INFINITIF, II, 2

s'offusquer de ce que/de + infin. → DE, 10

ogre, -esse → GENRE, 2

omettre de + infin. → INFINITIF, II, 2

omission : omission des déterminants → DÉTERMINANT, II ; de *de* → DE, 12 ; du pronom personnel en coordination → PRONOM PERSONNEL, 1 ; de *le (la)* devant *lui, leur* → LE, I, 4 ; du pronom réfléchi des verbes pronominaux → PRONOMINAL, 2

on ne sait qui, quoi, etc. → SAVOIR, 8

opinion : *verbes d'opinion* → CROIRE, 6

opposition → CONCESSION

orbe → GENRE, 7

orbite → GENRE, 7

ordinal → NUMÉRAUX, 3

ordonnance → GENRE, 5

orgue → GENRE, 8

oriflamme → GENRE, 7

oser + infin. → INFINITIF, II, 2 ; *je n'ose (pas) y croire* → NÉGATION, 5

ôter d'avec/de → AVEC, 3

ou → COORDINATION ; *cinq ou six jours, cinq à six jours* → NUMÉRAUX, 5 ; *ou* reliant deux sujets → ACCORD, I, 6

oublier de + infin. → INFINITIF, II, 2

p

palabre → GENRE, 7

pamplemousse → GENRE, 7

Pâque(s) → GENRE, 8

par v. ce mot ; *par ailleurs* → AILLEURS ; *par avance* → AVANCE ; *par contre* → CONTRE, 1 ; *par parenthèse* → PARENTHÈSE ; *par terre* → TERRE

parce que → CAR, 1

pardon ? → QUOI, 2

parier de + infin. → INFINITIF, II, 2

parler : → CAUSER ; *parler de* + infin. → INFINITIF, II, 2

partir + infin. → INFINITIF, II, 2 ; *partir d'auprès de qqn* → AUPRÈS, 3

partitif : *article partitif* → DÉTERMINANT, I, 1 ; *nous, vous* compléments partitifs *(d'entre nous ...)* → ENTRE, 1

parvenir à + infin./*à ce que* + subj. → À, 5

pas : *ne ... pas* → NÉGATION ; *ne ... pas que* → NE, III, 3 ; *non pas* → NON, 1.

passant : *une rue passante* → PARTICIPE, I, 2

passé : *la semaine passée* → PROCHAIN, DERNIER, 1

passé simple → PASSÉ ; IMPARFAIT, 1

passer v. ce mot ; *ce qui se passe/ce qu'il se passe* → QUI, 8

passif : *voix passive* → VERBE, 3

patenôtre → GENRE, 7

patron, -esse → GENRE, 2

pauvre, -esse → GENRE, 2

pays : *noms de pays (en, dans, à ...)* → EN, II, 3

pécheur, -eresse → GENRE, 2

pendant → DURANT, 1

penser v. ce mot ; → CROIRE, 7 ; *je pense* → INCISE

perce-neige → GENRE, 7

perception : *verbes de perception* → CROIRE, 6

perfectif : *verbe perfectif* → VERBE, 5, et COMMENCER, 2 ; exprimant l'état au passif → PASSIF, 2

période → GENRE, 8

se permettre de + infin. → INFINITIF, II, 2

persécuteur, -trice → GENRE, 2

persister à + infin. → INFINITIF, II, 2

personne v. ce mot ; → GENRE, 8

personnel : *pronoms personnels* → PRONOM, 1

pesé (accord) → PARTICIPE, II, 1

pétale → GENRE, 2

peu : *peu de* (accord) → BEAUCOUP, 2 ; *peu s'en faut que (ne)* → NE, II, 5 ; *un peu plus, (et) ...* → FAILLIR, 1

peur : *aussi (autant) peur* → AUSSI, 9 ; *très*

525

subordonnée → PHRASE, 1, et SUBORDINATION
Suisse, -esse → GENRE, 2
suivant : le lundi suivant → PROCHAIN, DERNIER, 1
suivre en tête de phrase → INVERSION DU SUJET, 1, d
superlatif → ADJECTIF, 3 ; ADVERBE, 1
supporter de + infin. → INFINITIF, II, 2
supposer v. ce mot ; *supposer* + infin. → INFINITIF, II, 2 ; *je suppose* → INCISE
sûr : pour sûr (que) → POUR, 8
surcomposé : *passé surcomposé* → PASSÉ, 2 ; APRÈS QUE, 1 ; (VERBE) PRONOMINAL, 1
sûrement (que) → QUE, 4
le surlendemain → MATIN, SOIR, MIDI, 1

t u

tant : tant de (accord) → BEAUCOUP, 2 ; **tant qu'à moi* → QUANT À, 1 ; *tant plus.., tant moins...* → PLUS, 6
te : il te l'a rembarré... ! → PRONOM PERSONNEL, 1
tel : v. ce mot ; *tel que* → CONSÉQUENCE, 1 ; *tel* en tête de phrase → INVERSION DU SUJET, 1, c
tellement → TANT, 1 ; *tellement que* → CONSÉQUENCE, 1
tendre à + infin./à ce que + subj. → À, 5
tenir à + infin./à ce que + subj. → À, 5
tentacule → GENRE, 7
tenter de + infin. → INFINITIF, II, 2
terminatif → ASPECT, 3
termite → GENRE, 7
thème de la phrase → QUE, 4
tien adj. possessif → MIEN
tigre, -esse → GENRE, 2
titres (d'œuvres) → ARTICLE, 4
topaze → GENRE, 7
tout v. ce mot ; *tout à coup, tout d'un coup* → COUP ; *tout de bon* → POUR, 7 ; *tout* + gérondif *(tout en étant très riche)* → CONCESSION, OPPOSITION,
traître, -esse → GENRE, 2
transitif → VERBE, 2
travailler à + infin./à ce que + subj. → À, 5
trembler que (ne) → NE, II, 1
trop : trop de (accord) → ACCORD, A, 2 ; BEAUCOUP, 2 ; *de trop/en trop* → PLUS, MOINS, MIEUX ; *trop ... pour que* → CONSÉQUENCE, 1
tubercule → GENRE, 7
trouver (mode) → CROIRE, 6
type : *type de phrase* → PHRASE, 2 ; COORDINATION, 3

unique : l'unique ... qui + subj. → RELATIVE, 4, b

unir avec/à → AVEC, 1
un tel, Untel → TEL, 8
urgent : *ce qu'il est urgent de* + infin. */que* + subj. → QUI, 8

v y

valu (accord) → PARTICIPE, II, 1
se vanter de ce que/de + infin. → DE, 10
vas : je vas → ALLER, 1
vécu (accord) → PARTICIPE, II, 1
la veille → MATIN, SOIR, MIDI, 1
veiller à + infin./à ce que + subj. → À, 5
vélo : en vélo, à vélo → À, 3
vendeur, -eresse → GENRE, 2
se venger de qqch/de ce que + indic. → DE, 10
vengeur, -eresse → GENRE, 2
venir → DONT, 5 ; *voici venir* → VOICI, 5 ; *venir* + infin. → INFINITIF, II, 2 ; *venir de* + infin. → ASPECT, 4 ; *venir de qqch/de ce que* + indic. → DE 10 ; *venir* en tête de phrase → INVERSION DU SUJET, 1, d
vers : vers (les) huit heures, sur les huit heures → SUR, 5
vertement → ADVERBE, 2
se vexer de ce que/de + infin. → DE, 10
vicomte, -esse → GENRE, 2
vicomté → GENRE, 7
vigie → GENRE, 5
ville : genre des noms de villes → GENRE, 9 ; article devant les noms de villes → ARTICLE, 3 ; préposition devant les noms de villes *(dans, à ...)* → EN, II, 3
vingt : vingt fois → NUMÉRAUX, 8
viscère → GENRE, 7
viser à + infin./à ce que + subj. → À, 5
voir *que* (mode) → CROIRE, 6 ; *voir à* + infin./à ce que + subj. → À, 5 ; *se voir* + infin. → PASSIF, 5, et AUXILIAIRE, 2
voix → VERBE, 3
volonté : avec la meilleure volonté → MEILLEUR, 3
volonté : subordonnées dépendant de verbes de volonté → SUBJONCTIF, 1
votre adj. possessif → MIEN
vouloir : *je ne veux pas...* (portée de la négation) → NÉGATION, 10 ; *en vouloir à qqn de qqch/de ce que* + indic. → DE, 10
vous : je vous lui ai dit ... → PRONOM PERSONNEL, 4
voyant : une couleur voyante → PARTICIPE, I, 2
vrai : pour de vrai → POUR, 7
y : v. ce mot ; *il y va de/il en va de* → ALLER, 11 ; *fiez-vous-y/*fie-t'y* → PRONOM PERSONNEL, 2

Annexe

PRÉFIXES

I Préfixes d'origine grecque ou mots grecs entrant dans la composition de mots français

préfixes	*sens*	*exemples*
a- ou an-	privation	acéphale ; athée ; analphabète ; anarchie
acanth (o)-	épine	acanthacée ; acanthe
acro-	élevé	acrobate ; acrostiche
actino-	rayon	actinique ; actinométrie
adéno-	glande	adénoïde
aéro-	air	aéronaute ; aérophagie
agro-	champ	agronome
allo-	autre	allopathie ; allotropie
amphi-	1. autour	amphithéâtre
	2. doublement	amphibie ; amphibologie
ana-	de bas en haut,	anastrophe ;
	en arrière, à rebours	anachronisme
andro-	homme	androgyne
anémo-	vent	anémomètre
angi (o)-	vaisseau ; capsule	angiome ; angiosperme
anth (o)-	fleur	anthémis ; anthologie
anthrac (o)-	charbon	anthracite
anthropo-	homme	anthropologie ; anthropophage
anti-	contre	antialcoolique ; antireligieux
ap (o)-	hors de, à partir de, loin de	apostasie ; apostrophe ; apogée ; aphélie
archéo-	ancien	archéologie
arch (i)-	1. au plus haut degré	archifou ; archimillionnaire
	2. qui commande, qui est au-dessus	archevêque ; archidiacre
arithm (o)-	nombre	arithmétique
artério-	artère	artériosclérose
arthr (o)-	articulation	arthrite ; arthropode
astér (o)-, astr (o)-	astre, étoile	astérisque astronaute
auto-	de soi-même	autobiographie ; autodidacte
bactéri (o)-	bâton	bactéricide ; bactériologie
baro-	pesant	baromètre
bary-	lourd	barycentre ; baryum
biblio-	livre	bibliographie ; bibliothèque
bio-	vie	biographie ; biologie
blasto-	germe	blastoderme
bléphar (o)-	paupière	blépharite
brachy-	court	brachycéphale
brady-	lent	bradycardie ; bradypsychie
brom (o)-	puanteur	brome ; bromure

préfixes	*sens*	*exemples*
bronch (o)-	bronches	broncho-pneumonie
bryo-	mousse	bryophyte
butyr (o)-	beurre	butyrique
caco-, cach-	mauvais	cacophonie ; cachexie
calli-	beau	calligraphie
carcin (o)-	cancer	carcinome ; carcinologie
cardi (o)-	cœur	cardiaque, cardiogramme
cata-	de haut en bas, en dessous	catabatique ; catatonie
cén (o)-	commun	cénobite ; cénesthésie
céphal (o)-	tête	céphalalgie ; céphalopode
chalco-	cuivre	chalcographie
cheir (o)-, chir (o)-	main	chiromancie
chlor (o)-	vert	chlorate, chlorhydrique
chol (é)-	bile	cholagogue ; cholémie
chondr (o)-	cartilage	chondroblaste ; chondrome
chromat (o)-, chrom (o)-	couleur	chromatique ; chromosome
chron (o)-	temps	chronologie ; chronomètre
chrys (o)-	or	chrysanthème ; chrysolite
cinémat (o)-, ciné-, cinét (o)-	mouvement	cinématographe cinétique
cœl (o)-	creux	cœlacanthe ; cœlomate
cœli (o)-	ventre	cœlioscopie ; cœliaque
conch (o)-	coquille	conchyliologie
copro-	excrément	coprolithe ; coprophage
cosm (o)-	monde	cosmogonie ; cosmopolite
cryo-	froid	cryoclastie ; cryogénie
crypt (o)-	caché	cryptogame
cyan (o)-	bleu	cyanure
cycl (o)-	cercle	cyclique ; cyclone
cyto-	cellule	cytologie
dactyl (o)-	doigt	dactylographie
déca-	dix	décamètre
dém (o)-	peuple	démocrate ; démographie
derm (o)-, dermato-	peau	derme dermatologie
di (a)-	séparé de, à travers	diaphane ; diorama
didact-	enseigner	didactique
diplo-	double	diplocoque
dodéca-	douze	dodécagone
dolicho-	long	dolichocéphale
dynam (o)-	force	dynamite ; dynamomètre
dys-	difficulté, mauvais état	dyspepsie ; dysfonctionnement
échin (o)-	hérisson	échinoderme
ecto-	en dehors	ectoplasme
électr (o)-	ambre jaune	électrochoc
embryo-	fœtus	embryologie
en-	dans	encéphale ; endémie
encéphal (o)-	cerveau	encéphalogramme

préfixes	sens	exemples
end(o)-	à l'intérieur	endocarde ; endocrine
entér(o)-	entrailles	entérite
entomo-	insecte	entomologiste
éo-	aurore	éocène
épi-	sur	épiderme ; épitaphe
erg(o)-	action, travail	ergatif ; ergonomie
ethn(o)-	peuple	ethnie ; ethnologie
étho-	caractère	éthogramme ; éthologie
eu-	bien	euphémisme ; euphonie
exo-	au-dehors	exotisme
galact(o)-	lait	galactose ; galaxie
gam(o)-	mariage	gamète
gastro-	ventre	gastropode ; gastronome
gé(o)-	terre	géographie ; géologie
géront(o)-	vieillard	gérontocratie
gloss(o)-	langue	glossaire
gluc(o)-,	doux, sucré	glucose ;
glyc(o)-,		glycogène ;
glycér(o)-		glycérine
graph(o)-	écrire	graphologie
gyn(éco)-	femme	gynécée ; gynécologie
gyro-	cercle	gyroscope
hapl(o)-	simple	haploïde ; haplologie
hect(o)-	cent	hectomètre ; hectare
héli(o)-	soleil	héliothérapie
hémat(o)-,	sang	hématose ;
hémo-		hémorragie
hémi-	demi, moitié	hémicycle ; hémisphère
hépat(o)-	foie	hépatique
hept(a)-	sept	heptaèdre
hétéro-	autre	hétérogène
hex(a)-	six	hexagone ; hexose
hiér(o)-	sacré	hiéroglyphe
hipp(o)-	cheval	hippodrome
hist(o)-	tissu	histologie
holo-	entier	holoprotéine
homéo-,	semblable	homéopathie ;
hom(o)-		homologue
hor(o)-	heure	horoscope
hydr(o)-	eau	hydravion ; hydrologie
hygro-	humide	hygromètre ; hygroscope
hyper-	sur, au-dessus ;	hypermétrope ;
	excès	hypertrophie ; hypertension
hypn(o)-	sommeil	hypnose ; hypnotisme
hypo-	sous ; insuffisance	hypogée ; hypotension
hystér(o)-	utérus	hystérographie
icon(o)-	image	icône ; iconoclaste
idé(o)-	idée	idéogramme ; idéologie
idi(o)-	particulier	idiome ; idiotisme
iso-	égal	isomorphe ; isotherme
kilo-	mille	kilogramme
laryng(o)-	gorge	laryngologie
leuco-	blanc	leucocyte

préfixes	*sens*	*exemples*
litho-	pierre	lithographique
log(o)-	discours, science	logomachie
macro-	grand	macrocéphale ; macrocosme
méga-,	grand	mégalithe
mégalo-		mégalomane
mél(o)-	chant	mélodique ; mélodrame
més(o)-	milieu	mésosphère
méta-	après ; changement	métamorphose ;
		métaphysique
métr(o)-	mesure	métrique ; métronome
micro-	petit	microbe ; microcosme
mis(o)-,	haine	misanthrope ; misogyne
mném(o)-	mémoire	mnémotechnique
mon(o)-	seul	monogramme ; monolithe
morpho-	forme	morphologie
my(o)-	muscle	myalgie ; myopathie
myco-	champignon	mycologie
myél(o)-	moelle	myéline ; myélocyte
myri(a)-	dix mille	myriade
myth(o)-	légende	mythologie
nécro-	mort	nécrologie ; nécropole
néo-	nouveau	néologisme ; néophyte
néphr(o)-	rein	néphrite
neur(o)-,	nerf	neurologie ;
névr(o)-		névralgie
noso-	maladie	nosologie
octa-, octo-	huit	octaèdre ; octogone
odont(o)-	dent	odontologie
olig(o)-	peu nombreux	oligarchie
onir(o)-	songe	oniromancie
ophtalm(o)-	œil	ophtalmologie
ornitho-	oiseau	ornithologiste
oro-	montagne	orographie
ortho-	droit	orthographe ; orthopédie
osté(o)-	os	ostéite ; ostéomyélite
ot(o)-	oreille	oto-rhino-laryngologie ; otite
oxy-	aigu, acide	oxyton ; oxygène
pachy-	épais	pachyderme
paléo-	ancien	paléographie ; paléolithique
pan-,	tout	panthéisme ;
pant(o)-		pantographe
par(a)-	1. voisin de	paralangage ; parathyphoïde
	2. protection contre	parapluie ; parachute
path(o)-	souffrance	pathogène ; pathologie
péd(o)-	enfant	pédiatrie ; pédophile
penta-	cinq	pentagone
péri-	autour	périphérie ; périphrase
phago-	manger	phagocyte
pharmac(o)-	médicament	pharmaceutique ;
		pharmacopée
pharyng(o)-	gosier	pharyngite
phén(o)-	apparaître, briller	phénotype ; phénol
phil(o)-	aimer	philanthrope ; philatélie

phon (o)-	voix, son	phonographe ; phonologie
photo-	lumière	photographe
phyllo-	feuille	phylloxéra
phys (io)-	nature	physiocrate ; physique
phyt (o)-	plante	phytophage
pleur (o)-	côté	pleurite
plouto-	richesse	ploutocratie
pneumato-,	poumon	pneumatophore ;
pneumo-		pneumonie
pod (o)-	pied	podomètre
poly-	nombreux	polyèdre ; polygone
pro-	1. devant,	prognathe ;
	2. pour, partisan de	prochinois ;
	3. à la place de	proconsul
prot (o)-	premier	prototype
pseud (o)-	faux	pseudonyme
psych (o)-	âme	psychologue
ptéro-	aile	ptérodactyle
pyo-	pus	pyogène
pyr (o)-	feu	pyrotechnie
rhéo-	couler	rhéologie ; rhéostat
rhino-	nez	rhinocéros
rhizo-	racine	rhizome ; rhizopode
rhodo-	rose	rhododendron
sarco-	chair	sarcophage
saur (o)-	lézard	saurien
schizo-	fendre	schizophrénie
séma-	signe	sémaphore
sidér (o)-	fer	sidérurgique
solén (o)-	tuyau	solénoïde
somat (o)-	corps	somatique
spélé (o)-	caverne	spéléologie
sphér (o)-	globe	sphérique ; sphéroïde
stéré (o)-	solide	stéréoscope
stomat (o)-	bouche	stomatologie
syn-, sym-	avec, ensemble	synthèse ; sympathie
tachy-	rapide	tachymètre
tauto-	le même	tautologie
taxi-	arrangement	taxidermie ; taxinomie
techn (o)-	art, science	technique ; technologie
télé-	de loin, à distance	télépathie ; téléphone
tétra-	quatre	tétragone
thalasso-	mer	thalassothérapie
théo-	dieu	théocratie ; théologie
therm (o)-	chaleur	thermomètre
top (o)-	lieu	topographie ; toponymie
typo-	caractère	typographie ; typologie
urano-	ciel	uranoscope
ur (o)-	urine	urémie
xén (o)-	étranger	xénophobe
xér (o)-	sec	xérophile
xylo-	bois	xylophone
zoo-	animal	zoologie

II Préfixes d'origine latine ou mots latins
entrant dans la composition
de mots français

préfixes	*sens*	*exemples*
ab-, abs-	loin de, séparation	abduction ; abstinence
ad-	vers, ajouté à	adhérence ; adventice
ambi-	de part et d'autre	ambidextre ; ambivalence
anté-	avant, antériorité	antédiluvien ; antépénultième
bi-, bis-	deux	bipède ; biplace
centi-	centième partie	centimètre
circon-, circum	autour	circonlocution ; circumnavigation
co-, col-, com-, con-, cor-	avec	coadjuteur ; collection compère ; concitoyen corrélatif
dé-	cessation	dépolitiser
déci-	dixième partie	décimale ; décimètre
dis-	séparé de	disjoindre ; dissymétrie
ex-	1. hors de	expatrier ; exporter
	2. qui a cessé d'être	ex-député ; ex-ministre
extra-	1. extrêmement	extra-dry ; extrafin
	2. hors de	extraordinaire ; extraterritorial
in-, im-	dans	infiltrer ; immerger
il-, im-, in-, ir-	privé de	illettré ; impropre ; inexact ; irresponsable
inter-	entre	interallié ; interligne ; international
intra-	au-dedans	intramusculaire
juxta-	auprès de	juxtalinéaire ; juxtaposer
mi-	(à) moitié	mi-temps
milli-	division par mille	millimètre, millibar
multi-	nombreux	multicolore ; multiforme
octa-, octo-	huit	octaèdre ; octosyllabe
omni-	tout	omniscient ; omnivore
pén (é)-	presque	pénéplaine ; pénultième
pluri-	plusieurs	pluridisciplinaire
post-	après ; postériorité	postdater ; postscolaire
pré-	devant, antériorité	préétabli ; préhistoire
pro-	en avant	projeter ; prolonger
quadr (i)-, quadru-	quatre	quadrilatère ; quadrupède
quasi-	presque	quasi-contrat
quinqu-	cinq	quinquagénaire, quinquennal
radio-	rayon	radiographie ; radiologie
r (e)-, ré-	de nouveau	rouvrir ; réargenter
rétro-	en retour ; en arrière	rétroactif ; rétrograder
semi-	à demi, partiellement	semi-aride
simili-	semblable	similigravure ; similicuir

préfixes	sens	exemples
sub-	sous	subalterne, subdéléguer; subdiviser
super-, supra-	au-dessus	superstructure; supranational
sus-	au-dessus	susnommé
trans-	au-delà de, à travers	transformer; transhumant
tri-	trois	tripartite; trisaïeul
ultra-	au-delà de	ultrason; ultraviolet
uni-	un	uniforme
vice-	à la place de	vice-amiral; vice-consul

SUFFIXES

I Suffixes d'origine grecque

suffixes	sens	exemples
-algie	douleur	névralgie
-archie	commandement	hiérarchie
-arque	qui commande	monarque
-bare	pression	isobare
-blaste	germe	chondroblaste
-bole	qui lance	discobole
-carpe	fruit	péricarpe
-cène	récent	éocène
-céphale	tête	dolichocéphale
-coque	graine	gonocoque
-cosme	monde	macrocosme
-crate, -cratie	pouvoir, force	aristocrate, ploutocratie
-cycle	roue	tricycle
-cyte	cellule	leucocyte
-dactyle	qui a des doigts	ptérodactyle
-doxe	opinion	paradoxe
-drome	course	hippodrome
-èdre	face, base	dodécaèdre
-émie	sang	urémie
-game	qui engendre	cryptogame
-gamie	mariage, union	polygamie
-gène	qui engendre	hydrogène; pathogène
-gone	angle	polygone
-gramme	un écrit	télégramme
-graphe	qui écrit	dactylographe
-graphie	art d'écrire	sténographie
-gyne	femme	misogyne
-hydre	eau	anhydre

suffixes	sens	exemples
-iatre	qui soigne	pédiatre
-lâtrie	adoration	idolâtrie
-lithe,	pierre	monolithe
-lite		chrysolite
-logie	science, étude	psychologie
-logue	qui étudie, spécialiste	astrologue
-mancie	divination	cartomancie
-mane	qui a de la passion, la manie de	kleptomane
-manie	passion, obsession	anglomanie
-mètre,	mesure	centimètre,
-métrie		audiométrie
-nome	qui règle ; loi	économe
-nomie	art de mesurer	astronomie
-oïde	qui a la forme	sinusoïde
-ome	maladie, tumeur	angiome ; fibrome
-onyme	qui porte le nom	patronyme
-pathe,	malade de ; maladie	névropathe ;
-pathie		homéopathie
-pédie	éducation	encyclopédie
-phage,	manger	anthropophage ;
-phagie		aérophagie
-phane	qui brille	diaphane
-phile,	aimer	russophile ;
-philie		francophilie
-phobe,	craindre	anglophobe ;
-phobie		agoraphobie
-phone,	voix, son	microphone ; électrophone,
-phonie		radiophonie, téléphonie
-phore	qui porte	sémaphore
-pithèque	singe	anthropopithèque
-pode	pied	myriapode
-pole	ville	métropole
-pole	vendre	oligopole
-ptère	aile	hélicoptère
-saure	lézard	dinosaure
-scope,	voir ; vision	télescope ;
-scopie		radioscopie
-sphère	globe	stratosphère
-taphe	tombeau	cénotaphe
-technie	science, art	électrotechnie
-thèque	armoire, boîte	bibliothèque
-thérapie	traitement médical	héliothérapie ; radiothérapie
-therme,	chaleur	isotherme ;
-thermie		géothermie
-tomie	action de couper	trachéotomie
-type, -typie	impression	linotype ; phototypie
-urie	urine	albuminurie

II Suffixes d'origine latine

suffixes	sens	exemples
-cide	qui tue	infanticide
-cole	relatif à la culture	vinicole ; viticole
-culteur,	cultiver	agriculteur ;
-culture		horticulture
-fère	qui porte	mammifère
-fique	qui produit	frigorifique
-forme	qui a la forme de	cunéiforme ; filiforme
-fuge	qui fuit ou fait fuir	transfuge ; vermifuge
-grade	qui marche	plantigrade
-lingue	langue	bilingue
-pare	qui enfante	ovipare
-pède	pied	bipède ; quadrupède
-vore	qui se nourrit	carnivore ; herbivore

III Dérivation suffixale en français

Suffixes servant à former des noms

suffixes	sens	exemples
-ace, -asse	péjoratif	populace, filasse
-ade	action, collectif	bravade, citronnade
-age	action, collectif	balayage, pelage
-aie	plantation de végétaux	pineraie, roseraie
-ail	instrument	éventail, soupirail
-aille	péjoratif collectif	ferraille, mangeaille
-ain, -aine	origine	Romain, Thébain
-aine	collectif	centaine, dizaine
-aire	agent	commissionnaire, incendiaire
-aison,	action	livraison
-ion, -tion,		production
-ation,		augmentation
-sion, -ison		guérison
-ance	résultat de l'action	appartenance, croyance, espérance
-ard	péjoratif	chauffard, fuyard
-at	profession, état	internat, rectorat
-âtre	péjoratif	bellâtre, marâtre
-ature, -ure	action, instrument	armature, peinture
-aud	péjoratif	lourdaud, maraud
-cule, -ule	diminutif	animalcule, globule

suffixes	sens	exemples
-eau, -elle, -ille	diminutif	chevreau, radicelle, brindille
-ée	contenu	assiettée, maisonnée
-ement, -ment	action	renouvellement, stationnement
-er, -ier, -ière	agent	boucher, épicier, pâtissier
-erie	local, qualité, etc.	charcuterie, épicerie, pruderie
-esse	défaut, qualité	maladresse, sagesse
-et, -ette	diminutif	garçonnet, fillette
-eté, -té, -ité	qualité	propreté, générosité humanité
-eur, -ateur	agent	rôdeur, dessinateur
-ie	état	envie, jalousie
-ien, -en	profession, origine	chirurgien, parisien, lycéen
-is	résultat d'une action, état	fouillis, gâchis, hachis, taillis
-ise	défaut, qualité	gourmandise, franchise
-isme	doctrine, école	communisme, existentialisme
-iste	qui exerce un métier, adepte d'une doctrine	bouquiniste, dentiste, chauffagiste, calviniste, existentialiste, socialiste
-ite	état maladif	gastrite, méningite
-itude	qualité	exactitude, servitude
-oir, -oire	instrument	perchoir, baignoire
-ole	diminutif	bestiole, carriole
-on, -eron, -illon	diminutif	aiglon, chaton, moucheron, aiguillon
-ot	diminutif	chariot, îlot

Suffixes servant à former des adjectifs

suffixes	sens	exemples
-able, -ible, -uble	possibilité	aimable, audible, soluble
-ain, -ien	habitant	africain, indien
-ais, -ois	habitant	japonais, chinois
-al	qualité	glacial, vital
-an	origine	birman, persan
-ard	péjoratif	richard, vantard
-asse	péjoratif	blondasse, fadasse
-âtre	péjoratif	bleuâtre, douceâtre, rougeâtre
-aud	péjoratif	noiraud, rustaud
-é	état	bosselé, dentelé
-el	qui cause	accidentel, mortel

suffixes	sens	exemples
-esque	qualité	pédantesque, romanesque
-et, -elet	diminutif	propret, aigrelet
-eux	dérivé du nom	peureux, valeureux
-ier	qualité	altier, hospitalier
-if	qualité	maladif, oisif
-ile	capable d'être	fissile, rétractile
-in	diminutif ou péjoratif	blondin, libertin
-ique	qui a rapport à	chimique, ironique
-iste	qui se rapporte à	égoïste, réaliste
-ot	diminutif ou péjoratif	pâlot, vieillot
-u	qualité	barbu, charnu

Suffixes servant à former des verbes

suffixes	sens	exemples
-ailler	péjoratif	rimailler, tournailler
-asser	péjoratif	rapetasser, rêvasser
-eler	dérivé du nom	écarteler, renouveler
-er	dérivé du nom	destiner, exploiter
-eter	diminutif	tacheter, voleter
-ifier	qui rend, cause	bêtifier, pétrifier
-iller	diminutif, péjoratif	fendiller, mordiller
-iner	mouvement répété et rapide	piétiner, trottiner
-ir	dérivé d'adjectif	grandir, noircir, rougir, verdir
-iser	qui rend	angliciser, ridiculiser
-ocher	péjoratif (surtout)	effilocher, rabibocher, amocher
-onner	diminutif, péjoratif	chantonner, mâchonner
-oter	péjoratif	vivoter
-oyer	devenir	nettoyer, poudroyer

Table des matières générale

Deuxième section : CONJUGAISON

Troisième section : DIFFICULTÉS ET USAGES

ANNEXE

Maury-Eurolivres S.A. à Manchecourt (45)
N° d'éditeur : 18406
Dépôt légal : Juin 1994 - Dépôt légal : Février 1995
800027 B - Février 1995